ANTOLOGÍA DE LA POESÍA
ESPAÑOLA E HISPANOAMERICANA

(1882-1932)

POR

FEDERICO DE ONÍS

LAS AMERICAS PUBLISHING COMPANY
New York

861.08
D44A

Published, April 1961, by

LAS AMERICAS PUBLISHING COMPANY

249 West 13th Street

New York 11, N. Y.

Manufactured in the United States of America

A
ANTONIO MACHADO

ÍNDICE

Páginas.

INTRODUCCIÓN...................................... XIII

BIBLIOGRAFÍA DE OBRAS GENERALES................... XXV

I.—TRANSICIÓN DEL ROMANTICISMO AL MO-
DERNISMO: 1882-1896.................... 1

Manuel González Prada.............. 3
Manuel Gutiérrez Nájera........................... 5
Manuel Reina...................................... 22
Manuel José Othón................................. 29
José Martí.. 34
Ricardo Gil....................................... 49
Salvador Díaz Mirón............................... 54
Julián del Casal.................................. 64
José Asunción Silva............................... 79
Salvador Rueda.................................... 95
Francisco A. de Icaza............................. 111
Pedro Antonio González............................ 117
Leopoldo Díaz..................................... 119
Ismael Enrique Arciniegas......................... 123
«Almafuerte» (Pedro B. Palacios).................. 126
Fabio Fiallo...................................... 137

II. — RUBÉN DARÍO............................. 141

III. — TRIUNFO DEL MODERNISMO: 1896-1905.. 199

1. POETAS ESPAÑOLES........................... 201

Miguel de Unamuno................................. 203
Francisco Villaespesa............................. 232
Manuel Machado.................................... 244
Antonio Machado................................... 258
Eduardo Marquina....:............................. 292
Ramón Pérez de Ayala.............................. 309
Ramón del Valle-Inclán............................ 322

Páginas.

2. POETAS AMERICANOS..........................   345

Guillermo Valencia..................................   347
Ricardo Jaimes Freyre.............................   365
Leopoldo Lugones..................................   369
Amado Nervo.......................................   396
Luis G. Urbina....................................   416
José Santos Chocano..............................   427
Rufino Blanco-Fombona...........................   444
José Juan Tablada.................................   461
Julio Herrera y Réissig..........................   469
Enrique González Martínez.......................   488
Álvaro Armando Vasseur..........................   503
Carlos Pezoa Velis................................   515

3. POETAS REGIONALES..........................   531

Vicente Medina....................................   533
José María Gabriel y Galán.......................   544
«El Viejo Pancho» (José Alonso y Trelles)............   558
Miguel A. Camino..................................   561
Antonio Casero....................................   565

IV. — JUAN RAMÓN JIMÉNEZ..................   571

V. — POSTMODERNISMO: 1905-1914..............   621

1. MODERNISMO REFRENADO. (REACCIÓN HACIA LA SEN-
    CILLEZ LÍRICA)...............................   623

Enrique Díez-Canedo..............................   625
Manuel Magallanes Moure.........................   637
Luis Felipe Contardo..............................   645
José García Vela..................................   648
Pedro Prado.......................................   649
Max Jara..   651
Carlos Mondaca...................................   653
José Gálvez.......................................   657
Rafael Alberto Arrieta............................   659
Évar Méndez.......................................   665
Fernán Félix de Amador...........................   666
Alberto Ureta.....................................   668
Carlos Préndez Saldías............................   670

Páginas.

Juan Guzmán Cruchaga.................................   672
Agustín Acosta.   673
Pedro Miguel Obligado.............................   677
González Carbalho.................................   680
Córdoba Iturburu..................................   682
Francisco López Merino............................   683

2. REACCIÓN HACIA LA TRADICIÓN CLÁSICA............   687

Enrique de Mesa...................................   689
Ernesto A. Guzmán................................   702
Enrique Banchs...   703
«Cornelio Hispano» (Ismael López)..................   715
Arturo Marasso...................................   718
Luis de Tapia.....................................   720
Julio Vicuña Cifuentes............................   722
Alfonso Reyes....................................   724
Salvador de Madariaga............................   730

3. REACCIÓN HACIA EL ROMANTICISMO..............   737

Miguel Ángel Osorio...............................   739
Ricardo Rojas....................................   743
Víctor Domingo Silva.............................   747
Roberto Brenes Mesén.............................   749
Luis Lloréns Torres   752
Arturo Capdevila.................................   754
Antonio Rey Soto.................................   765
Luis Fernández Ardavín...........................   767
Juan José Llovet.................................   772
Jorge Hübner.....................................   776
Ángel Cruchaga Santa María.......................   778
Carlos Sabat Ercasty.............................   783
Rafael Heliodoro Valle............................   787
Medardo Ángel Silva.............................   793

4. REACCIÓN HACIA EL PROSAÍSMO SENTIMENTAL....   795

a) *Poetas del mar y viajes*...   797

Tomás Morales...................................   797
José del Río Sáinz................................   811
Héctor Pedro Blómberg............................   814

Páginas.

Federico de Ibarzábal............................ 817

b) *Poetas de la ciudad y los suburbios*............... 820

Evaristo Carriego................................. 820
Emilio Carrère................................... 827
Emilio Frugoni................................... 830

c) *Poetas de la naturaleza y la vida campesina*......... 833

Ernesto Mario Barreda........................... 833
Alfredo R. Bufano............................... 836
José Eustasio Rivera............................. 837
Felipe Pichardo Moya............................ 841

5. REACCIÓN HACIA LA IRONÍA SENTIMENTAL........... 849

Luis Carlos López................................ 851
Rafael Arévalo Martínez.......................... 857
Fernández Moreno............................... 864
«Alonso Quesada» (Rafael Romero)................. 876
Benjamín Taborga............................... 877
Pedro Sienna................................... 881
José Z. Tallet.................................. 882
Ezequiel Martínez Estrada....................... 885
Enrique Méndez Calzada......................... 890

6. POESÍA FEMENINA.............................. 893

María Enriqueta................................. 895
María Eugenia Vaz Ferreira....................... 902
Delmira Agustini................................ 907
Gabriela Mistral................................. 920
Alfonsina Storni................................ 932
Juana de Ibarbourou............................. 941
María Villar Buceta.............................. 951

VI. — ULTRAMODERNISMO: 1914-1932........... 955

1. TRANSICIÓN DEL MODERNISMO AL ULTRAÍSMO........ 957

a) *Poetas americanos*............................. 959

José María Eguren............................... 959
Regino E. Boti.................................. 963
Ricardo Güiraldes............................... 964

Páginas.

Ramón López Velarde............................. 967
Fernán Silva Valdés.............................. 974
José Manuel Poveda.............................. 979
Julio J. Casal................................... 981
Emilio Oribe.................................... 982
Mariano Brull................................... 987
Luis L. Franco.................................. 988
Oliverio Girondo................................ 993
Jaime Torres Bodet.............................. 995
Arturo Torres Ríoseco........................... 1002
Francisco Luis Bernárdez........................ 1006
Conrado Nalé Roxlo............................. 1007
Rafael Estrada.................................. 1011
Rafael Maya.................................... 1013
Juan Marinello................................. 1016
Luis Palés Matos............................... 1020
Nicolás Guillén................................. 1025

b) *Poetas españoles*............................ 1027
José Moreno Villa............................... 1027
Juan José Domenchina........................... 1037
Mauricio Bacarisse.............................. 1044
Antonio Espina................................. 1046
Francisco Vighi................................. 1053
León-Felipe.................................... 1056
Ramón de Basterra.............................. 1061
Fernando Villalón............................... 1066

2. ULTRAÍSMO.................................. 1071

a) *Poetas españoles*............................ 1073
Pedro Salinas................................... 1073
Jorge Guillén................................... 1085
Gerardo Diego.................................. 1094
Federico García Lorca........................... 1101
Rafael Alberti.................................. 1118

b) *Poetas americanos*........................... 1127
Vicente Huidobro............................... 1127
César Vallejo................................... 1134

Pesetas.

Carlos Pellicer   1137
José Gorostiza   1145
Jorge Luis Borges   1149
Pablo Neruda   1154
Jorge Carrera Andrade   1159
Leopoldo Marechal   1166
Xavier Villaurrutia   1171

ADICIONES   1175

ABREVIATURAS   1197

ÍNDICE ALFABÉTICO DE POETAS   1205

INTRODUCCIÓN

Al hacer esta obra me ha guiado la intención de reunir en un cuerpo lo mejor y más característico de la producción de los poetas de lengua española durante una época bien definida, que después de haber logrado pleno desarrollo parece llegada a su terminación. Si el resultado corresponde a la intención, esta obra servirá para que dicha poesía pueda ser conocida en su variedad y en su conjunto, ofreciendo al mismo tiempo una colección de materiales para su estudio.

La poesía del siglo XIX la conocemos en su desarrollo y su conjunto mediante la *Antología de poetas hispanoamericanos,* de don Marcelino Menéndez y Pelayo, publicada en 1893, y el *Florilegio de poesías castellanas del siglo XIX,* de don Juan Valera, publicado en 1902-1903. Por los años en que estas antologías se compusieron — y que señalan, naturalmente, el límite cronológico de la producción poética que abarcan — se habían iniciado ya en algunos poetas de América y de España los principios de una nueva poesía que muy pronto iba a definirse en buen número de grandes poetas originales y a extenderse por todo el mundo de habla española, hasta llegar a constituir una nueva época de nuestra literatura. Esta época — que empieza con la revolución literaria llamada comúnmente «modernismo» — es la que se propone abarcar esta Antología.

El límite entre el modernismo y la literatura anterior, o sea la literatura realista y naturalista de la segunda mitad del siglo XIX, es bastante claro y fácil de determinar, porque el modernismo nació como una negación de la literatura precedente y una reacción contra ella. Este carácter negativo fué el que al principio prestó unidad a los ojos de los demás y a los suyos propios a los escritores jóvenes que en los últimos años del siglo XIX llegaron a Madrid desde los cuatro puntos cardinales de la Península y, más lejos aún, desde la América española, en todo lo demás separados, distintos y contradictorios. Pero aunque difiriesen en todo menos en la iconoclasia y la revisión de valores — palabras de su vocabulario —, había en el fondo de sus divergencias la coincidencia en afirmar su propia individualidad. El subjetivismo extremo, el ansia de libertad ilimitada y el propósito de innovación y singularidad — que son las consecuencias del individualismo propio de este momento — no podían llevar a resultados uniformes y duraderos. Por eso es equivocada y parcial toda interpretación de la literatura de esta época que trate de identificarla con cualquiera de los modos literarios que en ella prevalecieron. A menudo se cae en este error cuando la denominación de modernismo se aplica exclusivamente al tipo de poesía caracterizado por ciertas formas y espíritu que puso en circulación Rubén Darío, sin pensar que no son características ni exclusivas de este autor siquiera. Rubén Darío, como Unamuno, Benavente, Azorín, Valle-Inclán, Juan Ramón Jiménez y los demás grandes escritores modernistas, lleva hondas contradicciones dentro de sí mismo, se rectifica constantemente a través de sus varias obras y sólo puede ser definido por la unidad de su propia individualidad. Las escuelas que en torno a todos esos escritores se han formado mediante la adopción de sus ideas, temas, formas o estilo significan, por el hecho de ser escuelas, la negación de la esencia misma del modernismo y, en un momento como ése, la carencia absoluta de valor. La influencia real que tales escritores han ejercido sobre sus contemporáneos ha sido la que ha producido en personalidades distintas de la suya resultados nuevos y contradictorios.

Tampoco puede encontrarse el carácter común de la época modernista en las influencias en ella dominantes; porque también en esto, fuera del hecho común de apartarse de la literatura inmediatamente anterior — Bécquer es el único autor español del siglo XIX que se salva en su apreciación precisamente por ser excepcional y distinto —, se buscan las más variadas y extrañas influencias en las literaturas antiguas y modernas, y éste es el carácter común de la época que lleva fatalmente a beber en las más diversas y lejanas fuentes. Por eso nos parece también equivocada y parcial la afirmación tan frecuente de que el modernismo se caracteriza por el afrancesamiento de las letras hispánicas, cuando precisamente es el momento en que éstas logran liberarse de la influencia francesa, dominante y casi única en los siglos XVIII y XIX, para

entrar de lleno en el conocimiento, no sólo de las grandes
literaturas europeas inglesa, alemana e italiana — que ciertamente no eran antes ni podían ser totalmente desconocidas —,
sino de otras literaturas como la rusa, la escandinava, la norteamericana, las orientales y antiguas, las medievales y primitivas, que, por lo mismo de ser remotas y extrañas por motivos
diversos, atrajeron en todo el mundo a los hombres que empezaron a reaccionar contra el siglo XIX y la civilización normal
europea al sentirse insatisfechos y decadentes en el momento
en que ésta se encontraba en pleno goce de su última perfección y consecuente agotamiento. El modernismo es la forma
hispánica de la crisis universal de las letras y del espíritu que
inicia hacia 1885 la disolución del siglo XIX y que se había de
manifestar en el arte, la ciencia, la religión, la política y gradualmente en los demás aspectos de la vida entera, con todos
los caracteres, por lo tanto, de un hondo cambio histórico cuyo
proceso continúa hoy. Ésta ha sido la gran influencia extranjera, de la que Francia fué para muchos impulso y vehículo, pero
cuyo resultado fué tanto en América como en España el descubrimiento de la propia originalidad, de tal modo, que el extranjerismo característico de esta época se convirtió en conciencia profunda de la casta y la tradición propias, que vinieron
a ser temas dominantes del modernismo. Como ha dicho con
su acostumbrada penetración Alfonso Reyes refiriéndose a la
evidente acción determinante de Francia sobre el ciclo modernista americano: «Un estudio más analítico arrojaría luz sobre
esa misteriosa desviación, esa equivocación fecunda que se
produce en la poesía de un pueblo cuando recibe y traduce el
caudal de una sensibilidad extranjera. Porque lo cierto es que
aquellos hijos de Francia brotados en América son muy diferentes de sus padres, acaso muchas veces a pesar suyo, aun
cuando ellos mismos declaren la filiación. Este fenómeno de
independencia involuntaria es lo más interesante que encuentro en el modernismo americano, y lo que todavía está por estudiar.» Idéntico fenómeno de independencia, aunque allí quizá
más voluntaria, se encuentra en los aún más extranjerizados
modernistas españoles. ¿Quién más español que Unamuno, para
citar tan sólo al escritor hispano de aquel momento más empapado en cultura extranjera? La influencia francesa, que suele
mirarse por algunos americanos como carácter distintivo y

peculiar de su literatura, es en el momento del modernismo y antes de él, desde el siglo XVIII, un hecho universal que no puede, por lo tanto, caracterizar a la literatura de ningún pueblo. Y no hay duda alguna además de que esa influencia ha sido en América más corta y menos intensa y extensa que en cualquier otro país, incluso Rusia, los países balcánicos o la misma España.

Lo que hay que decir precisamente, como carácter propio de la poesía hispanoamericana — yendo más lejos aún que Alfonso Reyes, y según demuestra esta antología — es que la primera fase de creación de la poesía modernista fué un proceso de transformación y avance autóctono y original en lo esencial, que nació espontáneamente de la propia insatisfacción y necesidad interna de renovación, y se desarrolló coetáneamente con el simbolismo francés y los demás movimientos independientes y semejantes que brotaron en diversos puntos del mundo y se fecundaron mutuamente. En muchos de los autores de la primera sección de esta antología, que abarca dicha fase de transición, la influencia de la entonces nueva poesía francesa es considerable y viene a fecundar y moldear las aspiraciones y creaciones que tenían su origen en raíces propias; en otros está ausente esa influencia, y en todos hay además otras, modernas y tradicionales, que aparecen fundidas en unidades poéticas individuales tan dispares, aisladas y distintas de todo modelo que sería notoriamente erróneo e injusto suponerlas producto de imitación. La misma influencia francesa es tan amplia y comprensiva que viene a ser contradictoria con la literatura de Francia de aquel momento; porque coexisten en ella el romanticismo, el Parnaso y el simbolismo, que en Francia fueron fases sucesivas e incompatibles de su evolución poética, fenómeno de superposición de épocas y escuelas que es característico de las letras americanas. Habrá que añadir que aunque en España no falten intentos en el mismo sentido, esta transformación y avance hacia una poesía nueva fué obra de poetas americanos que, independientemente de España y en gran medida los unos de los otros, en Méjico, en Colombia, en Cuba, en el Perú, de 1882 a 1895 renovaron la poesía en tal forma que, cuando el genio sintético de Rubén Darío llevó a España en su propia obra los frutos últimos y más maduros de aquella evolución poética, fué considerada como la primera contribución americana a la literatura de nuestra lengua común que, cambiadas las tornas, ejerció en la hasta entonces metrópoli literaria un influjo definitivo en un aspecto esencial de la literatura. En el cuadro general de la literatura modernista de España, al lado de los españoles que renovaron el teatro, el ensayo y la novela, tendrá que figurar siempre Rubén Darío como el principal renovador de la poesía. Por eso Rubén Darío forma una sección aparte en esta antología, para representar así en el cuadro histórico que sus secciones pretenden reflejar su posición única como unificador de la poesía americana anterior y como trasmisor de su influencia a la poesía de España. La obra de Rubén Darío con que este doble fin se logra plenamente, *Prosas profanas,* nos da la fecha, 1896, que significa el triunfo o apogeo del modernismo y el principio, por lo tanto, de la sección así denominada.

El triunfo del modernismo (1896-1905) trajo la producción de grandes poetas individuales, que tienen poco de común entre sí, fuera de este carácter subjetivo, que ya hemos definido como propio del modernismo, y la presencia en muchos de ellos de influencias francesas y rubendarianas, que vinieron a ser como el molde general de la época, pero que significan poco ante su radical y fuerte originalidad. El modernismo propiamente dicho fué — como todo movimiento revolucionario— breve en su desarrollo, pero enormemente fecundo. Júzguesele como se quiera — y muy pronto, desde que empezó la reacción contra él hacia 1905, se empezaron a acumular en contra suya todo género de cargos y críticas — es innegable que, como un nuevo romanticismo — que en gran medida es lo que fué —, tuvo fuerza para cambiar en tan pocos años el contenido, la forma y la dirección de nuestra literatura. La poesía lírica y el ensayo — otro modo de lirismo — vinieron a ser los géneros literarios dominantes, como lo había sido la novela en la época anterior, y no creemos aventurado afirmar que la poesía modernista es comparable tan sólo a la del siglo de oro por el número y calidad de sus poetas y por su poder de creación de formas, sentimientos y mundos poéticos nuevos. No creo que sea necesario catalogarlos aquí ni siquiera en sus líneas generales, lo cual requeriría una larga exposición sistemática; una exposición por necesidad breve crearía la impresión falsa de tratar de poner orden en un movimiento que se caracteriza por la intensidad y la anarquía. Más apropiado nos parece en este caso atenernos a la definición individual de cada autor.

El modernismo no sólo removió profunda y radicalmente el suelo literario, sino que echó los gérmenes de muchas posibilidades futuras. Éstas son las que se han desarrollado después, durante el siglo XX, en una multiplicidad de tendencias contradictorias que hemos tratado de agrupar en las dos últimas secciones, según signifiquen un intento de reaccionar contra el modernismo, refrenando sus excesos (postmodernismo), o de superarlo, llevando más lejos aún su afán de innovación y de libertad (ultramodernismo). Estos dos modos de aparente terminación del modernismo, en rigor de su consolidación y continuidad, fueron iniciados por los poetas modernistas mismos, que más tarde o más temprano llegan por proceso natural a la necesidad de rectificar o superar su obra anterior. Entre todos ellos se destaca Juan Ramón Jiménez como aquel en quien el modernismo, llevado a su máxima rectificación y depuración, se enlaza con la poesía de las generaciones posteriores. Por eso forma, como Rubén Darío, una sección por sí mismo; porque, como se explicará al tratar de estos dos poetas, si por Rubén Darío entra definitivamente la poesía hispánica en el modernismo, por Juan Ramón Jiménez sale definitivamente de él, viniendo a ser los dos polos en torno a los cuales gira toda la poesía contemporánea.

El postmodernismo (1905-1914) es una reacción conservadora, en primer lugar, del modernismo mismo, que se hace habitual y retórico como toda revolución literaria triunfante, y restauradora de todo lo que en el ardor de la lucha la naciente revolución negó. Esta actitud deja poco margen a la originalidad individual creadora; el poeta que la tiene se refugia en el goce del bien logrado, en la perfección de los pormenores, en la delicadeza de los matices, en el recogimiento interior, en la difícil sencillez, en la desnudez prosaica, en la ironía y el humorismo. Son modos diversos de huir sin lucha y sin esperanza de la imponente obra lírica de la generación anterior en busca de la única originalidad posible dentro de la inevitable dependencia. Sólo las mujeres alcanzan en este momento la afirmación plena de su individualidad lírica, que se resuelve en la aceptación o liberación de la sumisión y la dependencia. Pero la poesía sumisa de los hombres de este tiempo produjo una variedad de tendencias y una riqueza de modos de sensibilidad que en vano buscaríamos en la poesía más fuerte del modernismo. Por eso se agrupan naturalmente los muchos poetas menores que entonces surgieron, a veces de insustituíble valor individual, en torno a la tendencia que prefirieron seguir.

El ultramodernismo (1914-1932), en cambio, aunque tiene su origen en el modernismo y el postmodernismo cuyos principios trata de llevar a sus últimas consecuencias, acaba en una serie de audaces y originales intentos de creación de una poesía totalmente nueva. Ésta es la poesía rigurosamente actual, la que por de pronto ha logrado alejar de nosotros el modernismo a un pasado definitivo y clásico; el postmodernismo, a la no existencia. También es verdad que este poder de anular lo anterior lo ejerce sobre sí misma porque su historia aparente y anecdótica consiste en la súbita aparición de nuevos grupos literarios con sus nombres, teorías, manifiestos, revistas y actos colectivos — todo el aparato del modernismo y el romanticismo —, que sucesivamente se lanzan a la conquista definitiva de las últimas trincheras artísticas para acabar en la dispersión o el aniquilamiento, fenómeno que caracterizó el modo militar de la última guerra. Literatura de postguerra y literatura de vanguardia se ha llamado ésta en todo el mundo; porque es también, como el modernismo, un hecho de extensión universal, que sigue teniendo en Francia para los autores hispanos, si no las únicas, las principales fuentes de inspiración y de influencia, aunque los resultados ofrezcan el mismo carácter de independencia, involuntaria o no. No creemos que la guerra, ni el automóvil, ni el cinematógrafo, ni la aviación, ni el maquinismo, ni el jazz, ni la psicoanálisis, ni el deportismo, ni el americanismo, ni el fascismo, ni el comunismo, ni el feminismo — ni las demás fuerzas o efectos formidables de nuestro siglo —, aunque hayan influído sobre ellos, sean la causa o la explicación de todos los «ismos» literarios y artísticos que Ramón Gómez de la Serna ha expuesto en uno de sus libros, y que en conjunto constituyen la nueva estética, iniciada, a nuestro parecer, con la crisis finisecular que en el mundo hispánico conocemos con el nombre de modernismo. Se trata, según todos los indicios, del acabamiento de una época y el principio de otra; pero durante este proceso, ¿quién puede decir cuáles de las nuevas manifestaciones son producto del esfuerzo de la agonía o del de la germinación; cuáles son, en una palabra, un principio o un fin? La suprema calidad artística que en algunos de sus poetas alcanza la poesía nueva no sería obstáculo para considerarla como el fin del largo y rico proceso de la poesía del siglo XIX que arranca del romanticismo, más bien que como el principio de algo radicalmente nuevo. En las decadencias es cuando se llega a la última superación de la perfección lograda y a los más exigentes y elevados florecimientos literarios, de lo que es alto ejemplo nuestro culteranismo del siglo XVII, con el cual tiene la poesía nueva tanta relación y semejanza. Pero estos problemas que aquí apuntamos requerirían ser tratados más despacio y algunos tienen su solución sólo en el porvenir. Para los fines de esta antología, cuyo objeto primordial es recoger y ordenar la poesía de la época modernista, nos basta con justificar, en la duda, la inclusión en ella de las derivaciones que llamamos ultramodernistas como su cierre y terminación, sin negar la posibilidad de que algunas de éstas se encuentren ya en los principios de otra época. Nos inclinaría a pensar esto último el hecho de que la crítica de la nueva poesía y el nuevo arte en general encuentre dificultad en definirlos por sus cualidades positivas y señale en cambio con precisión sus cualidades negativas en función de la poesía y el arte anteriores. De esta naturaleza son los conceptos de evasión, fuga, depuración, superación, desarraigo, desnudez, deshumanización y los demás que suelen aplicarse a la poesía nueva al tratar de definirla, lo mismo que cuando es caracterizada, también con intención de elogio, como una poesía sin ideas, sin sentimientos y sin realidades, tanto que parecería suma exacta de todas estas negaciones la frase en que uno de los mas geniales creadores de la nueva estética, James Joyce, confiesa que no halla en su alma mas que «a cold, cruel and loveless lust». No; todas estas actitudes negativas significan en el terreno estético la culminación de la voluntad positiva de «aislar definitivamente la Poesía de toda otra esencia que no sea ella en sí» que, según Paul Valery, predijo Poe, comenzó Baudelaire y fué el gran propósito de las varias familias de poetas — por otra parte enemigas entre sí — bautizadas con el nombre de simbolismo en Francia y de modernismo en la literatura hispánica. Esta intención y los modos de realizarla están apuntados en algunos de los nombres adoptados por las nuevas escuelas poéticas: sobrerrealismo, imaginismo, expresionismo, creacionismo, poesía pura y otros cuya exposición histórica puede encontrarse en la obra del crítico español de esa literatura, Guillermo de Torre. Algunos de esos nombres han adquirido carácter universal; otros representan un aspecto nacional. El aspecto español fué bautizado en 1919 con el nombre *ultraísmo* para designar la aspiración colectiva y la acción entusiasta y ruidosa de un grupo de jóvenes españoles y americanos que seguían más o menos de cerca movimientos literarios extranjeros y sobre todo a sus maestros españoles Juan Ramón Jiménez y Ramón Gómez de la Serna. El ultraísmo duró poco — puede considerarse terminado en 1923 —; muy pocos, no más de tres o cuatro de sus poetas, se salvaron por su valor individual, y son por eso los únicos que figuran en esta antología. Como alguien ha dicho, lo único que ha quedado del ultraísmo es el nombre. Por eso nos ha parecido bien rehabilitarlo para designar con él a los poetas de nuestra última sección, aunque la mayoría de ellos no formaron parte del grupo a que primeramente se aplicó. Debemos advertir también que esta antología no se propone dar a conocer la poesía que se halla actualmente en estado de formación; trata, por el contrario, de limitarse a una época, ya pasada, como es la modernista. Por este motivo nos hemos esforzado por justificar la inclusión en ella de esta última fase de la poesía contemporánea; pero al decidirnos a hacerlo, ha sido con la intención de limitarnos al menor número posible de poetas, aquellos que por haber llegado a una mayor madurez ofrecen, no sólo ejemplos excelentes del carácter de la nueva poesía, sino una obra completamente formada que en rigor pertenece ya tanto al pasado como al porvenir. También nos hemos limitado, para estos mismos autores, a su obra publicada en libros anteriores a 1933. Nuestro criterio, pues, ha sido mucho más restringido en esta sección que en las anteriores, y deseamos que esto se entienda así para que no se crea que hemos pretendido prejuzgar el valor de los poetas en formación.

Quizá no sea necesario advertir, como observación general, que las unidades cronológicas correspondientes a las secciones en que está dividida esta antología representan las varias fases por que ha pasado la poesía de esta época en su evolución y

desarrollo, como hemos tratado de explicar, sin que esto
signifique que los autores incluídos en dichas secciones co-
rrespondan a ellas en la totalidad de su vida y su producción.
La mayoría de los autores han vivido y producido a través de
todas las fases de la época, y su obra puede, en unos casos,
pertenecer totalmente al tipo de poesía de la fase donde están
colocados, y en otros — y esto es lo más frecuente — , a varias
o a todas las fases de esta época. En este último caso, para no
romper la unidad primordial de la individualidad del autor,
han sido colocados en aquella fase en que llegaron a su plena
formación, lo cual no quiere decir que no pueda ser igualmente valiosa a veces la parte de su obra correspondiente a otras
fases. A veces los autores incluídos en una sección caen cro-
nológicamente fuera de ella; pero su obra pertenece por su
carácter al tipo de poesía que predominó por los años señala-
dos como límite de la sección. Hay que advertir también que
han sido excluídos de esta antología los autores supervivientes
o rezagados de la época anterior cuyas obras, algunas tan importantes como las últimas de Campoamor o Núñez de Arce,
fueron escritas dentro de sus límites cronológicos. En un
período de cincuenta años, en el que ha habido una gran actividad poética y una sucesión constante de cambios y tendencias, han tenido éstos necesariamente que convivir los unos
con los otros en diversos autores y muchas veces en el mismo
autor. Esperamos que la nota crítica que precede a cada uno
de ellos, aunque breve, sirva para aclarar la situación de su
obra en relación con el desarrollo histórico de la época que la
clasificación adoptada pretende reflejar.

Pero nuestro principal empeño — del que aún no he dicho
nada — ha sido el de estudiar juntamente, con el mismo criterio y la misma medida, la poesía de España y de la América
de lengua española, suya y nuestra. Antes de ahora se han
hecho antologías nacionales de la poesía contemporánea, algunas excelentes y otras que no lo son tanto; sus méritos nos
son bien conocidos, y nadie debe alabarlos y agradecerlos más
que yo por la gran ayuda que me han prestado en mi labor.
Para algunos poetas y para algunos libros ellas han sido mi
única fuente de información; en ellas he encontrado también
muchos datos biográficos y bibliográficos que nunca hubiera
podido encontrar por mí mismo, y han sido, en fin, una guía

en los difíciles problemas de selección. Pero al mismo tiempo
que hago esta modesta y justa confesión de lo que debo a mis
predecesores, permítaseme que, con la misma modestia, diga
que he examinado por mí mismo todos los libros de poesía y
de crítica que me ha sido posible encontrar después de usar
todos los medios que tengo a mi alcance y que en la selección
y estudio de los autores he usado en definitiva mi criterio. Los
defectos, por lo tanto, que tiene este libro son míos o son
inherentes a la dificultad de la empresa. Me inclino a creer que
esta dificultad es la verdadera causa de que no se haya
emprendido por nadie antes; porque aunque no se me oculte
la realidad de las unidades nacionales americanas y las diferencias profundas que existen entre la literatura de España y
la de América, no creo que sea dudosa para nadie la conve-
niencia y la justificación de hacer posible la lectura, el conocimiento y el estudio del conjunto. De esta manera no sólo
resaltará la unidad, sino la variedad de la literatura de nuestra
lengua común. Precisamente la época que hemos estudiado
muestra claramente que conforme aumenta la diversidad de
las literaturas hispánicas, se intensifican sus relaciones y
crece con su valor de unidad, el de universalidad. El modernismo significó para América el logro por primera vez de la
plena independencia literaria, como significó para España la
plena incorporación a la literatura europea después de dos
siglos de dependencia y aislamiento. Había habido, sin duda,
en América grandes escritores en el siglo XIX, como los hubo
en la época colonial; pero no eran más que seguidores o representantes, más o menos valiosos y originales individualmente,
de modos literarios que habían sido creados originariamente
en Europa y que habían llegado allá a menudo tardíamente y
casi siempre a través de España. Había habido, sin duda, en
España, desde el siglo XVIII, contactos con lo extranjero y no
hay manifestación literaria que no tuviera en España su imitación, reflejo o influencia; pero la producción literaria de los
escritores españoles, por valiosa y original que fuese, queda al
margen de la literatura europea, ignorada de ésta, y sin llegar
en ningún caso a formar parte de la literatura universal. Desde
el modernismo, en cambio, los escritores americanos han empezado a caminar por rumbos propios, y, con los españoles, a
ser un factor en la creación de la literatura universal del pre-

sente y del porvenir. Y como consecuencia de todo esto,
España y América, al mismo tiempo que se separaban para ir
en busca de su aventura propia, se unían más estrechamente
que nunca antes por un entrelazamiento de influencias mutuas.
Ya no era el lazo de la tradición común, fatal e inevitable, de
la que ambas desde el siglo XVIII pretendieron en vano liberarse, sino la libre unión para la gran empresa de abrir caminos hacia el porvenir. Y al buscar cada una y cada uno de sus
hombres su propia originalidad profunda, en ella se encuentran
juntos, no sólo por lo que hay en ellos de humano, sino por la
comunidad de su fondo español.

BIBLIOGRAFÍA DE OBRAS GENERALES *

I. ANTOLOGÍAS.

GENERALES. — E. CARRÈRE, *La corte de los poetas*, Madrid, 1906. *Las cien mejores poesías modernas (líricas) hispanoamericanas*, Madrid, 1925 [cf. R. MEZA FUENTES, en A, 1928, V, núm. 9, 409-422].

ESPAÑA. — J. BRISSA, *Parnaso español contemporáneo*, Barcelona, 1911; 1914. P. CRESPO, *Los mejores poetas contemporáneos*, Madrid, s. a. R. SEGURA DE LA GARMILLA, *Poetas españoles del siglo XX*, Madrid, 1922. J. F. MONTESINOS, *Die moderne spanische Dichtung*, Studie und erläuterte Texte, Leipzig, 1927 [cf. M. BATAILLON, en BHi, 1928, XXX, 100-103; A. J. BATTISTESSA, en Sin, 1928, IV, 92-93; E. CROFTS, en BSS, 1929, VI, 73-75; C. FERNÁNDEZ, en RFE, 1928, XV, 303-304; H. HEISS, en NSpr, 1929, XXXVII, 349-352; G. LE GENTIL, en RCHL, 1928, LXII, 27-28; H. PETRICONI, en BBGE, 1927, I, 7]. G. DIEGO, *Poesía española (1915-1931)*, Madrid, 1932 [cf. E. DÍEZ-CANEDO, en Sol, 13 marzo 1932; R. DE LOS REYES, en Verdad, 10 marzo 1932; A. MARICHALAR, en ROcc, 1932, año X, núm. 110, 171-189; núm. 111, 285-310; E. ALLISON PEERS, en BSS, 1932, IX, 176-177; Q. PÉREZ, en RyF, 1933, CI, 323-334, 471-485; CII, 174-190; CIII, 358-374; M. GARDNER, en BA, 1933, VII, 38-39]. S. PUTNAM, *The European Caravan*, New York, 1932 [cf. G. DE TORRE, en Sol, 27 set. 1932]. H. PETRICONI y W. MICHELS, *Antología de poesías líricas españolas*, Halle, 1932.

AMÉRICA. — **General:** M. UGARTE, *La joven literatura hispanoamericana*, París, 1906. C. SANTOS GONZÁLEZ, *Antología de poetas modernistas americanos*, con un ensayo acerca del modernismo en América por

---

* La bibliografía de esta obra ha sido hecha con la colaboración de la señorita Sidonia C. Rosenbaum, encargada de la Bibliografía Hispánica del *Instituto de las Españas en los Estados Unidos,* cuyos materiales han sido utilizados en ella. Debo dar las gracias también a D. Juan Guerrero Ruiz y D. Vicente Lloréns por su ayuda en la corrección de pruebas y otros trabajos relacionados con la preparación e impresión de esta obra.

En la bibliografía van separadas con punto y coma (;) las ediciones de la misma obra y los estudios del mismo autor. No se cita el lugar de impresión cuando es el mismo de la obra precedente. Las abreviaturas de revistas y colecciones se encontrarán descifradas en una lista alfabética al final del libro.

R. Blanco-Fombona, París, 1913. C. OYUELA, *Antología poética hispano-americana*, Buenos Aires, 1919-1920. A. COESTER, *An anthology of the modernista movement in Spanish America*, Boston, 1924 [cf. G. W. UM-PHREY, en HispCal, 1924, VII, 414-415]. R. H. VALLE, *La nueva poesía de América*, México, 1924. *Índice de la nueva poesía americana*, próls. de A. Hidalgo, V. Huidobro y J. L. Borges, Buenos Aires, 1926 [cf. J. CAS-SOU, en RAmL, 1927, XIII, 375-376; G. DE TORRE, en ROcc, 1927, XV, 269-273]. E. SOLAR CORREA, *Poetas de Hispano-América*, Santiago de Chile, 1926 [cf. A. TORRES RÍOSECO, en HispCal, 1927, X, 125-126]. M. A. DE VITIS, *Florilegio del peruano americano*, Barcelona, 1927, [cf. A. TORRES RÍOSECO, en REstH, 1929, II, 39-40]. A. S. BLAGKWELL, *Some Spanish-American poets*, New York, 1929 [cf. W. A. BEARDSLEY, en YR, 1930, XIX, 635-637]. M. MONVEL, *Poetisas de América*, Santiago de Chile, 1930. A. GUILLÉN, *Poetas jóvenes de América*, Madrid, 1930. F. MON-TERDE, *Antología de poetas hispanoamericanos modernos*, México, 1931. G. DUNDAS CRAIG, *The modernist trend in Spanish-American poetry*, Berkeley, Cal, 1934 [cf. A. Torres Ríoseco, en A, 1934, XXVI, 245-249]. **Antillas:** O. BAZIL, *Parnaso Antillano*, Barcelona, 1918. P. G. BÁEZ, *Poetas jóvenes cubanos*, Barcelona, 1922. J. M. CHACÓN Y CALVO, *Las cien mejores poesías cubanas*, Madrid, 1922. F. LIZASO y J. A. FERNÁN-DEZ DE CASTRO, *La poesía moderna en Cuba (1882-1925)*, Madrid, 1926. O. BAZIL, *Parnaso dominicano*, Barcelona, Maucci, s. a. E. TORRES RIVERA, *Parnaso portorriqueño*, Barcelona, Maucci, s. a. **Argentina:** E. M. BARREDA, *Nuestro parnaso*, vols. 3 y 4, Buenos Aires, 1913. E. MORALES y D. N. QUIROGA. *Antología contemporánea de poetas argen-tinos*, Buenos Aires, 1917. E. MORALES, *Antología argentina*, Buenos Aires, 1924. J. NOÉ, *Antología de la poesía argentina moderna: 1900-1925*, Buenos Aires, 1926 [cf. A. COESTER, en HispCal, 1927, X, 206-207; G. DE TORRE, en GLit, 1 enero 1927; Nos, 1927, LV, 279-283]; 2.ª ed. corr. y aum., 1931. FOLCO TESTENA, *Antologia della poesia argentina moderna*, Milano, 1927 [cf. Nos, 1928, LIX, 113-114]. E. DE ORY, *Los mejores poetas de la Argentina*, pról. de M. Ugarte, Madrid, 1927; 1930. V. DE PEDRO, *Nuevo parnaso argentino*, Barcelona, 1927. P. J. VIGNALE y C. TIEMPO, *Exposición de la actual poesía argentina (1922-1927)*, Bue-nos Aires, 1927. J. C. MAUBÉ y A. CAPDEVIELLE, *Antología de la poesía femenina argentina*, Buenos Aires, 1930. A. CAMBOURS OCAMPO, *La novísima poesía argentina*, Buenos Aires, 1931 [cf. Meg, 1931, II, 112-114; H. BARBIERI, en Nos, 1931, LXXIII, 214-215]. **Bolivia:** L. F. BLANCO MEAÑO, *Parnaso boliviano*, pról. de R. Bolívar Coronado, Barcelona, 1910. F. REJAS, *Antología boliviana*, La Paz, 1914. J. E. GUERRA, *Poetas contemporáneos de Bolivia*, La Paz, 1919. G. A. OTERO, *Cresto-matía boliviana*, 3.ª ed., La Paz, 1928. **Centroamérica:** H. PORTA MEN-COS, *Parnaso guatemalteco (1750-1928)*, Guatemala, 1928. S. L. ERAZO, *Parnaso salvadoreño*, Barcelona, Maucci, s. a. A. ORTIZ, *Parnaso* *nicaragüense*, Barcelona, Maucci, s. a. E. DE ORY, *Los mejores poetas de Costa Rica*, Madrid, 1928. **Colombia:** E. DE ORY, *Parnaso colombiano*, pról. de A. Gómez Restrepo, Cádiz, 1914. J. VARGAS TAMAYO, *Las cien mejores poesías líricas colombianas*, Bogotá, s. a.; Madrid, 1924. F. CARO GRAU, *Parnaso colombiano*, Barcelona, Maucci, s. a. G. OTERO MUÑOZ, *Antología de poetas colombianos (1800-1930)*, Bogotá, 1930. **Chile:** P. P. FIGUEROA, *Antología chilena: prosistas y poetas contemporáneos*, Santiago de Chile, 1908. A. DONOSO, *Pequeña antología de poetas chilenos contemporaneos*, Santiago de Chile, 1917; *Nuestros poetas*, Santiago de Chile, 1924 [cf. E. DÍEZ-CANEDO, en Sol, 2 agosto 1924; H. DÍAZ ARRIETA, en NacC, marzo 1924]. V. D. SILVA, *Toque de diana*, Santiago de Chile, 1928. T. VERA M., *Parnaso chileno*, corr. y aum., Barcelona, 1929. R. AZÓCAR, *La poesía chilena moderna*, Santiago de Chile, 1931 [cf. J. M. CORRAL, en RCChile, 1931, XXI, 686-689. **Ecuador:** J. CARRERA ANDRADE, *Selección de modernos poetas y prosistas ecuatorianos*, Quito, 1924. J. BRISSA, *Parnaso ecuatoriano*, Barcelona, Maucci, s. a. **Méjico:** A. CASTRO, M. TOUSSAINT y A. V. DEL MERCADO, *Las cien mejores poesías (líricas) mexicanas*, México, 1914. G. ESTRADA, *Poetas nuevos de México*, México, 1916; *Antología de poetas nuevos de México*, México, 1920. E. FERNÁNDEZ GRANADOS, *Parnaso de México*, México, 1919. *Ocho poetas*, México, 1923. J. D. FRÍAS, *Antología de jóvenes poetas mexicanos*, París, 1927. J. CUESTA, *Antología de la poesía mexicana moderna*, México, 1928 [cf. B. O. DE M., en Con, 1928, I, 76-81; A. TORRES RÍOSECO, en REstH, 1929, II, 40-41]. G. GARCÍA MAROTO, *Galería de los poetas nuevos de México*, Madrid, 1928 [cf. C. GOROSTIZA, en Con, 1928, II, 201-205]. S. L. M. ROSENBERG y E. H. TEMPLIN, *A brief anthology of Mexican verse*, California, 1928 [cf. A. TORRES RÍOSECO, en MLJ, 1928, XIII, 244-245]. R. RUIZ TRÍAS, *Lira mexicana*, Barcelona, 1929. E. W. UNDERWOOD, *Anthology of Mexican poets from the earliest times to the present day*, Portland, Maine, 1932 [cf. S. Novo, en LyP, 1933, XI, 67-69]. **Paraguay:** M. A. DE VITIS, *Parnaso paraguayo*, Barcelona, 1925. **Perú:** V. GARCÍA CALDERÓN, *Del romanticismo al modernismo*, París, 1910; *Parnaso peruano*, 2.ª ed., Barcelona, 1929. A. GUILLÉN, *Breve antología peruana*, Santiago de Chile, 1930. **Uruguay:** A. ARTUCIO FERREIRA, *Parnaso uruguayo, 1905-1922*, Barcelona, 1922. *Selections from contemporary Uruguayan poetry*, en IntAm, 1925, IX, 85-112. *El parnaso oriental*, nueva ed., Montevideo, 1927. I. PEREDA VALDÉS, *Antología de la moderna poesía uruguaya (1900-1927)*, Buenos Aires, 1927 [cf. C. MASTRONARDI, en Sin, 1927, II, 407-410]. **Venezuela:** M. BRICEÑO IRAGORRY, *Lecturas venezolanas*, 2.ª ed., Caracas, 1930. C. B. A., *Parnaso venezolano*, 2.ª ed., aum. por J. González Gamazo, Barcelona, Maucci, s. a.

2. ESTUDIOS.

Generales.

GENERAL. — D. ALONSO, *Góngora y la literatura contemporánea*, Santander, 1932. ANDRENIO [E. GÓMEZ DE BAQUERO], *Pen Club*, I: *Los poetas*, Madrid, 1929. A. F. G. BELL, *Contemporary Spanish literature*, New York, 1925; 1933. E. BOBADILLA, *Muecas: Crítica y sátira*, París, 1908. R. CANSINOS-ASSÉNS, *La nueva literatura*, Madrid, 1917-1927; *Poetas y prosistas del novecientos*, Madrid, 1919. J. DELEITO Y PIÑUELA, *La tristeza de la literatura contemporánea*, en L, 1911, III, 309-323, 416-433; 1912, I, 26-44. F. DONOSO, *Al margen de la poesía*, París, 1927. A. DOTOR Y MUNICIO, *Mirador*, Madrid, 1929. C. EGUÍA RUIZ, *Crisis del simbolismo literario*, en RyF, 1914, XXXVIII, 182-195, 313-327. A. GONZÁLEZ BLANCO, *Los contemporáneos*, París, 1907-1910; *Los grandes maestros: Salvador Rueda y Rubén Darío*, estudio cíclico de la lírica española en los últimos tiempos, Madrid, 1908. M. HENRÍQUEZ UREÑA, *El retorno de los galeones*, Madrid, 1930. P. HENRÍQUEZ UREÑA, *La versificación irregular en la poesía castellana*, Madrid, 1920. F. M. KERCHEVILLE, *A study of tendencies in modern and contemporary Spanish poetry from the modernist movement to the present time*, New Mexico, 1933. H. PETRICONI, *Die spanische Literatur der Gegenwart seit 1870*, Wiesbaden, 1926 [cf. E. CROFTS, en BSS, 1929, VI, 73-75]; *Die spanische Literatur von heute*, en GRM, 1928, XVI, 150-163. J. R. SÁNCHEZ, *Autores españoles e hispanoamericanos*, Madrid, 1911. J. TORRES BODET, ·*Contemporáneos*, México, 1928. A. ZÉREGA-FOMBONA, *Le symbolisme français et la poèsie espagnole moderne*, en MF, 1919, CXXXV, 193-224; *El simbolismo francés y la moderna poesía española*, en CVen, 1922, XIV, 260-277; XV, 66-77.

ESPAÑA. — J. M. AGUADO, *Boletín de literatura: Poesía lírica*, en CT, 1921, XXIV, 394-425. R. ALBERTI, *La poesía popular en la lírica española contemporánea*, Jena, 1933. ANDRENIO, [E. GÓMEZ DE BAQUERO], *Poetas modernistas y no modernistas*, en EM, 1902, CLIX, 166-171; *Una ojeada a las letras españolas en 1924*, en Nos, 1925, XLIX, 376-384. R. BLANCO-FOMBONA, *Motivos y letras de España*, Madrid, 1930. J. CASSOU, *Panorama de la littérature espagnole contemporaine*, Paris, 1929. R. DARÍO, *La España contemporánea*, París, 1901; *Nuevos poetas de España*, en *Opiniones*, Madrid, 1906, 219-227. E. DÍEZ-CANEDO, *Relaciones entre la poesía francesa y la española desde el romanticismo*, en RdL, 1914, núm. 8, 55-65; *La littéraiure castillane d'aujourd'hui*, en LCEC, 1915, 648-669; *La vida literaria en 1923*, en BILE, 1924, XLVIII, 18-22. J. J. DOMENCHINA, *Poetas españoles del 13 al 31*, en Sol, 12 y 19 marzo 1933. C. EGUÍA RUIZ, *Literaturas y literatos*, Madrid, 1914; *La poesía de Castilla*, en RyF, 1928, LXXXII, 229-241; *Los poetas de Casti-*

lla, en RyF, 1928, LXXXII, 412-421. J. F. MONTESINOS, *Die moderne spanische Dichtung,* Studie und erläuterte Texte, Leipzig, 1927. E. PARDO BAZÁN, *Les poètes espagnols du XXe siècle,* en Revue, 1906, XLIII, 87-95. J. F. PASTOR, *La generación del «98»: su concepto del estilo,* en NSpr, 1930, XXXVIII, 410-415. R. PÉREZ DE AYALA, *La poesía española,* en RdE, 1931, VI, 333-335. G. DE TORRE, *Veinte años de literatura española,* en Nos, 1927, LVII, 315-322. A. VALBUENA PRAT, *Algunos aspectos de la moderna poesía canaria,* Santa Cruz de Tenerife, 1926; *La poesía española contemporánea,* Madrid, 1930 [cf. A. E. G., en GLit, 15 dic. 1930; D. ALONSO, en RFE, 1931, XVIII, 267-269; G. DÍAZ PLAJA, en Sol, 2 dic. 1930; E. L. SMITH, en MLN, 1931, XLVI, 259-260]. L. A. WARREN, *Modern Spanish literature,* London, 1929. D. ZURBITU, *Las letras españolas en el año 1926,* en RyF, 1927, LXXXI, 150-162.

AMÉRICA. — **General:** J. M. AGUADO, *Poetas hispanoamericanos,* en CT, 1923, XXVIII, 241-262; 1924, XXIX, 86-119. T. DE ATHAYDE, *Las tres poetisas del Sur* [Ibarbourou, Mistral y Storni], en A, 1925, II, núm. 3, 227-239. C. AYALA D., *Resumen histórico-crítico de la literatura hispanoamericana,* Caracas, 1927. J. BASADRE, *Equivocaciones: ensayos sobre literatura penúltima,* Lima, 1928. A. S. BLACKWELL, *Spanish-American poetry,* en BA, 1931, V, 365-367. R. BLANCO-FOMBONA, *Letras y letrados de Hispano-América,* Madrid, 1908. B. CARRIÓN, *Mapa de América,* Madrid, 1930. J. CEJADOR, *Chocano y los demás poetas jóvenes de América,* en L, 1907, II, 240-248. F. CONTRERAS, *Lettres hispano-américaines: poètes d'aujourd'hui,* en MF, 1914, CVIII, 644-651; 1917, CXIX, 715-723; *Les écrivains contemporains de l'Amérique espagnole,* Paris, 1920. M. DAIREAUX, *Panorama de la littérature hispano-américaine,* Paris, 1930. J. B. DELGADO y V. SALADO ÁLVAREZ, *Nuevas orientaciones de la poesía femenina,* México, 1924. S. DENIS, *El carácter de la poesía latinoamericana,* en CVen, 1921, VIII, 152-166. E. DÍEZ-CANEDO, *Letras de América; Poetisas,* en Esp, 13 y 27 enero y 26 mayo 1923; *Más poetisas,* en Esp, 31 agosto 1923. F. GARCÍA GODOY, *La literatura americana de nuestros días,* Madrid, 1915; *Americanismo literario,* Madrid, 1917. T. GATICA MARTÍNEZ, *Ensayos sobre literatura hispanoamericana,* I: *La poesía lírica de Chile, Argentina y Perú,* Santiago de Chile, 1929. I. GOLDBERG, *Studies in Spanish-American literature,* New York, 1920; *La literatura hispanoamericana,* trad. de R. Cansinos-Asséns, pról. de E. Díez-Canedo, Madrid, 1922. A. GONZÁLEZ BLANCO, *Escritores representativos de América,* Madrid, 1917. C. GONZÁLEZ-RUANO, *Literatura americana: Ensayos de madrigal y de crítica,* I: *Poetisas modernas,* Madrid, 1924. E. JULIÁ MARTÍNEZ, *Observaciones sobre el pesimismo de los poetas hispanoamericanos,* Valencia, 1924. A. LAMAR SCHWEYER, *Las rutas paralelas,* Habana, 1922. LAUXAR [O. C. ACOSTA], *Motivos de crítica hispanoamericana,* Montevideo, 1914. L. LUISI, *A través de libros y autores,* Buenos Aires, 1925. A. MARASSO ROCA,

Estudios literarios, Buenos Aires, 1920. A. MELIÁN LAFINUR, *Literatura contemporánea,* Buenos Aires, 1918; *Figuras americanas,* París, 1926. L. E. NIETO CABALLERO, *Colinas inspiradas,* Bogotá, 1929. F. DE ONÍS, *Current Spanish Literature: III, Anthologies of the new poetry,* en RRQ, 1927, XVIII, 169-173. J. PARRA DEL RIEGO, *Poetisas americanas,* Montevideo, 1923. L. W. PAYNE, JR., *Latin-American writers,* New York, 1927. C. SANTOS GONZÁLEZ, *Poetas y críticos de America,* París, 1912. E. SUÁREZ CALIMANO, *21 ensayos,* Buenos Aires, 1926; *Orientaciones de la literatura hispanoamericana en los últimos veinte años,* en Nos, 1927, LVII, 285-314; *El narcisismo en la poesía femenina de Hispanoamérica,* en Nos, 1931, LXXII, 27-55. A. SUX, *La juventud intelectual de la América hispánica,* Barcelona, 1911. M. UGARTE, *Women writers of South America,* en BA, 1931, V, 239-241. G. W. UMPHREY, *El americanismo en los nuevos poetas anglo e hispanoamericanos,* en HispCal, 1922. V, 67-75. A. DE VALBUENA, *Ripios ultramarinos,* Madrid, 1893-1902 J. VALERA, *Cartas americanas,* Madrid, 1915-1916. M. L. WAGNER, *Die spanisch-amerikanische Literatur in ihren Hauptströmmungen,* Leipzig, 1924. **Antillas:** A. LAMAR SCHWEYER, *Los contemporáneos,* Habana, 1921. L. NOVÁS CALVO, *Cuba literaria,* en GLit, 15 oct. 1931. J. J. REMOS Y RUBIO, *Resumen de historia de la literatura cubana,* Habana, 1930. S. SALAZAR Y ROIG, *El dolor en la lírica cubana,* Habana, 1925; *Historia de la literatura cubana,* Habana, 1929. M. GUERRA MONDRAGÓN, *San Juan de Puerto Rico: su movimiento literario,* en RAnt, 1914, II, núm. 4, 80-85. J. I. JIMÉNEZ GRULLÓN, *La jeunesse littéraire de Saint Domingue,* en RAmL, 1925, IX, 441-446. **Argentina:** A. AITA, *Notas al margen de la poesía argentina,* Buenos Aires, 1929; *Algunos aspectos de la literatura argentina,* Buenos Aires, 1930; *La literatura argentina contemporánea* (1900-1930), Buenos Aires, 1931. L. BACCI, *La letteratura argentina acttuale,* en Colombo, 1927, II, 134-137. A. COESTER, *Recent Argentine poets,* en HispCal, 1922, V, 141-148. V. GARCÍA MEDINA, *Disparates,* segunda sarta, Buenos Aires, 1929. R. A. GIUSTI, *Nuestros poetas jóvenes,* Buenos Aires, 1912. E. LABARCA, *Mujeres de letras argentinas,* en A, 1924, I, núm 3, 248-250. E. DE MATFEIS, *Panorama della letteratura argentina contemporanea,* Genova, 1929 [cf. E. S. C., en Nos, 1929, LXV, 389-394]. J. NOÉ, *Nuestra literatura,* Buenos Aires, 1923; *La poesía argentina moderna,* en Nos, 1927, LVII, 69-74. R. RONZE, *La littérature argentine contemporaine,* en RdN, 1928, XLIII, 896-918. **Colombia:** J. A. GÁLVEZ, *La poesía en Colombia,* en RAHispAM, 1918, I, 168-178. A. GÓMEZ RESTREPO, *La literatura colombiana,* en RHi, 1918, XLIII, 79-204. L. E. NIETO CABALLERO, *Libros colombianos publicados en 1924,* Bogotá, 1925; *Libros colombianos,* 2.ª y 3.ª series, Bogotá, 1928. G. PARÍS, *Los escritores jóvenes de Colombia,* en CuC, 1919, XIX, 395-402. F. DE LA VEGA, *Apuntamientos literarios,* Bogotá, 1924. **Chile:** ALONE [H. DÍAZ ARRIETA], *Panorama de la literatura chilena* *durante el siglo XX*, Santiago de Chile, 1931. A. DONOSO, *Los nuevos*, Valencia, 1912; *La poesía chilena moderna*, en Nos, 1924, XLVI, 303-372. J. GARCÍA GAMES, *Cómo los he visto yo*, Santiago de Chile, 1930. F. GARCÍA OLDINI, *Doce escritores*, Santiago de Chile, 1929. A. R. GONZÁLEZ, *Some Chilean poets*, en Poetry, 1931, XXXVIII, 329-331. J. HÜBNER BEZANILLA, *Poesía moderna en Chile*, en NacC, oct. 1924. E. LABARCA, *Poesía femenina chilena*, en A, 1924, I. núm. 10, 357-361. R. A. LATCHAM, *Aspectos de la literatura femenina en Chile*, en RCChile, 1923, XLV, 783-792. M. LATORRE, *El sentido de la naturaleza en la poesía chilena*, en A, 1930, VII, 599-624, 832-849. S. A. LILLO, *Recuerdos literarios*, en RevChil, 1925, año VIII, núm. 71, 25-32; *Literatura chilena*, 5.ª ed., con una antología contemporánea, Santiago de Chile, 1930 [cf. A. CRUCHAGA, en RevChil, 1930, núms. 111-120, p. 299-304]. L. G. MÁRQUEZ EYZAGUIRRE, *Poetas chilenos contemporáneos*, en RCChile, 1926, LI, 148-155, 223-236. J. MOLINA NÚÑEZ y J. A. ARAYA, *Selva lírica*, Santiago de Chile, 1917. Y. PINO-SAAVEDRA, *Die zeitgenössiche Literatur in Chile*, en Iberica, 1925, III, 86-102. R. POLANCO CASANOVA, *Ojeada crítica sobre la poesía en Chile (1840-1912)*, Santiago de Chile, 1913. C. PRÉNDEZ SALDÍAS, *Poetas chilenos en Atenea*, en A, 1933, X, núm. 100, 294-305. A. TORRES RÍOSECO, *Poetas líricos de Chile*, en Nos, 1928, LIX, 145-166. **Ecuador:** A. ANDRADE COELLO, *El Ecuador intelectual: Índice del movimiento literario reciente*, en RUNC, 1919, I, 305-329; CuC, 1919, XXI, 427-449; *Índice intelectual. Ecuador: El verso actual*, en RAHispAM, 1919, I, 271-277. **Méjico:** C. G. AMÉZAGA, *Poetas mexicanos*, Buenos Aires, 1896. BRUMMEL [M. PUGA Y ACAL], *Los poetas mexicanos contemporáneos*, México, 1888. C. E. CASTAÑEDA, *Algunos escritores contemporáneos de México*, en HispCal, 1924, VII, 177-181. H.-D. DISSELHOFF, *Die Landschaft in der mexikanischen Lyrik*, Halle, 1931 [cf. R. PITROU, en BHi, 1931, XXXIII, 265-268; S. L. M. R., en BSS, 1931, VIII, 225-226]. E. GONZÁLEZ MARTÍNEZ, *Algunos aspectos de la lírica mexicana*, en Hu, 1922, IV, 9-40; México, 1932. E. A. GUZMÁN, *Los nuevos poetas de Méjico*, en Nos, 1917, núm. 103. F. A. DE ICAZA, *Poesía: letras americanas*, en RdA, 1914, II, núm. 7, 35. J. JIMÉNEZ RUEDA, *La moderna literatura mexicana*, en Nos, 1921, XXXVIII, 221-227. A. LOERA Y CHAVEZ, *La joven literatura mexicana*, México, 1920-1921; *La poesía contemporánea mexicana*, en Nos, 1927, LV, 150-184. J. DE J. NÚÑEZ Y DOMÍNGUEZ, *Los poetas jóvenes de México*, París-México, 1918; *Holocaustos, El rebozo, Los poetas jóvenes de México*, México, 1918-1919. D. ORMOND, *Mexico's new poets*, en TB, 1919, XLIX, núm. 1, 101-106. B. ORTIZ DE MONTELLANO, *Esquema de la literatura mexicana moderna*, en Con, 1931, X, 195-210. A. DE LA PEÑA Y REYES, *Muertos y vivos*, México, 1896. J. TORRES BOLET, *La poesía mexicana moderna*, en Sol, feb. 1928 [núm. extraord. dedicado a Mejico]. A. TORRES RÍOSECO, *La poesía lírica mexicana*, Santiago de Chile,

1932 [cf. E. Abréu Gómez, en Crisol, 1933, X, 305-307]. A. Torres Ríoseco and R. E. Warner, *Bibliografía de la poesía mexicana*, Cambridge, Mass., 1934. L. G. Urbina, *La vida literaria en Méjico*, Madrid, 1917. J. A. Vázquez, *El paisaje en la poesía mexicana*, en LyP, 1931, IX, núm. 3, 1-7. **Uruguay:** H. D. Barbagelata, *Una centuria literaria, 1800-1900*, París, 1924. A. Farinelli, *Divagazioni sulla poesia dell'Uruguay*, Roma, 1928. J. M. Filartigas, *Artistas del Uruguay*, Montevideo, 1923. V. García Calderón y H. D. Barbagelata, *La literatura uruguaya (1757-1917)*, en RHi, 1917, XL, 415-542. E. Labarca, *Poetisas Uruguayas*, en A, 1924, I, núm. 1, 60-62. R. Nano Lottero, *Tre poetesse dell'Uruguay*, Genova, s. a. M. Núñez Regueiro, *Contemporary Uruguayan literature*, en IntAm, 1920, III, 306-315. A. Zum Felde, *Crítica de la literatura uruguaya*, Montevideo, 1921; *Contemporary Uruguayan poetry*, en IntAm, 1925, IX, 62-84; *Noticia acerca de la poesía uruguaya contemporánea*, en Nos, 1925, L, 5-76 [contiene antología]; *Proceso intelectual del Uruguay y crítica de su literatura*, Montevideo, 1930; *Índice literario del Uruguay*, en GLit, 15 oct. 1931. **Venezuela:** R. Angarita Arvelo, *La llanura en la poesía venezolana contemporánea*, en CVen, 1931, XLV, 183-190. R. Bolívar Coronado, *Letras venezolanas*, en Estudio, 1919, XXV, 161-180. M. García Hernández, *Venezuela intelectual contemporánea*, en Nos, 1922, XLI, 17-43. S. León, *Resumen sobre la poesía lírica en Venezuela*, Caracas, 1923.

Modernismo.

General. — M. Blanco García, *Los voceros del modernismo*, Barcelona, 1908. R. Blanco-Fombona, *El modernismo y los poetas modernistas*, Madrid, 1929. E. Gómez-Carrillo, *El modernismo*, Madrid, 1905; 1914. A. Gómez Lobo, *La literatura modernista*, Ciudad Real, 1908. A. Huertas Medina, *Base filosófica del modernismo literario*, en RCal, 1914, núm. 19, 634-645. E. Llach, *El modernismo en literatura*, Sevilla, 1914. M. H., *Del modernismo: apuntes para su estudio*, en AVit, 1918, núm. 53, 4-11. R. D. Silva Uzcátegui, *Historia crítica del modernismo en la literatura castellana*, Barcelona, 1925. R. Valdés, *Una opinión sobre el lirismo modernista*, en RevChil, 1918, año II, t. IV, 210-217. J. Warshaw, *Góngora as a precursor of the symbolists*, en HispCal, 1932, XV, 1-14.

España. — S. Caballero, *El modernismo en España*, México, 1931. E. Díez-Canedo, *Los comienzos del modernismo en España*, en Esp, 21 julio 1923. B. Garnelo, *El modernismo literario español*, en CD, 1913, XCIII.

América. — A. Aita, *El significado del modernismo*, en Nos, 1931, LXXI, 361-371 [cf. M. P. González, en RBC, 1931, XXVIII, núm. 3; 1932, XXIX, núm. 1]. Andrenio [E. Gómez de Baquero], *El modernis-*

mo en América, en Sol, 10 marzo 1929. R. BLANCO-FOMBONA, *Ensayo sobre el modernismo en América,* en RAm, enero 1913; *Caracteres del modernismo: lo que debe ser el arte en América,* en Sol, 17 mayo 1924; *El modernismo y los poetas modernistas,* Madrid, 1929 [cf. A. TORRES RÍOSECO, *El modernismo y la crítica,* en Nos, 1929, LXV, 320-327]. A. COESTER, *El movimiento modernista en la literatura hispanoamericana,* en BILE, 1926, L, 313-319. V. PÉREZ PETIT, *Los modernistas,* Montevideo, 1903. A. TORRES RÍOSECO, *Precursores del modernismo,* Madrid, 1925.

Ultraísmo.

GENERAL. — C. E. ARROYO, *La nueva poesía: el creacionismo y el ultraísmo,* en RJLQuito, 1923, XXVIII, 56-80. G. ARTETA ERRASTI, *Divagaciones sobre literatura moderna,* en BSS, 1923, I, 76-80. E. BALLAGAS, *Los movimientos literarios de vanguardia,* en CUDA, 1933, 2.º curso, núm. 24, 97-104. N. BEAUDUIN, *La poesía moderna y su orientación,* en CuC, 1914, VI, 127-137. J. BERGAMÍN, *Notas para unos prolegómenos a toda poesía del porvenir que se presente como arte,* en VyP, 1927, I, núm. 8. J. L. BORGES, *Ultraísmo,* en Nos, 1921, XXXIX, 466-471. R. E. BOTI, *Tres temas sobre la nueva poesía,* en RAv, 1928, III, 50-51, 63; 91-93, 127-129, 136. M. BRUSSOT, *Was ist Ultraismus,* en Liter, 1931-1932, XXXIV, 609-613. R. CABRERA MÉNDEZ, *Divagación arbitraria sobre la nueva* POESÍA, en A, 1929, VI, núm. 60, 620-623. D. CASTAÑEDA, *Poética de hoy: ensayo sobre la arquitectura de la metáfora,* en Crisol, 1934, XII, núm. 67, 22-31. F. CONTRERAS, *Características de la nueva literatura,* en RAv, 1827, I, 311-322. E. CROFTS, *Directions in modern Spanish poetry,* en BSS, 1928, V, 27-30. J. CUESTA, *Notas,* en U, 1927, I, núm. 4, 30-37. G. DÍAZ PLAJA, *Romanticismo, nueva literatura,* en RAv, 1929, IV, núm. 38, 274-275. C. EGUÍA RUIZ, *Orígenes y fases del modernismo literario,* en RyF, 1927, LXXX, 5-25. A. ESPINA GARCÍA, *Reflexiones sobre la poesía,* en Esp, 1 enero 1921; *Vieja y nueva poesía,* en RdE, 1928, III, 282-283. E. FLORIT, *La lírica española e hispanoamericana después del modernismo,* en CUDA, 1933, 2.º curso, núm. 36, 477-484. J. GIL FORTOUL, *Alrededor del vanguardismo poético,* en CVen, 1928, LXXXVI, 106-116. J. M. GONZÁLEZ, *Sobre las nuevas tendencias poéticas,* en CritBA, 22 agosto 1929. P. HENRÍQUEZ UREÑA, *En busca del verso puro,* en Val, 1928, IV, 174-177. F. ICHASO, *Góngora y la nueva poesía,* en RAv, 1927, I, 127-129. A. MACHADO, *¿Cómo ven la nueva juventud española?,* en GLit, 1 marzo 1929. J. A. MARAVALL, *Para una historia de la moderna poesía: la reacción del ultraísmo,* en Sol, 6 marzo 1932. E. MONTAGNE, *La poética nueva, sus fundamentos y primeras leyes,* Buenos Aires, 1922 [cf. T. N. T., en RFE, 1922, IX, 416-417]. A. MONTOYA, *Las nuevas tendencias literarias,* Lima, 1932. A. PACHECHO ITURRIZAGA, *La función actual de la poesía,* La Paz, 1932.

M. PORTAL, *El nuevo poema y su orientación hacia una estética económica,* en RepAm, 20 y 27 oct. y 3 nov. 1928; México, 1928. ¿*Qué es la vanguardia?*, [encuesta], en GLit, 1 y 15 junio, 1 y 15 julio 1930. M. ROJAS, *Divagaciones alrededor de la poesía,* en A, 1930, VII, 446-454, 676-681, 859-863; VIII, 257-261. J. RUMAZO GONZÁLEZ, *Nuevo clasicismo en la poesía,* Quito, 1932. G. SELAYA, *Mirador literario; parábola de la nuevz literatura,* Madrid, 1931. A. SERRANO PLAJA, *Hacia otra retórica: neogongorismos,* en Sol, 24 abril 1932. G. DE TORRE, *Márgenes* DE ULTRAÍSMO, en Proa, 1925, II, 21-29; *Neodadaísmo y superrealismo,* en Proa, 1925, II, 51-60; *Literaturas europeas de vanguardia,* Madrid, 1925. C. VALLEJO, *Autopsia del superrealismo,* en Nos, 1930, LXVII, 342-347. F. VELA, *La poesía pura,* en ROcc, 1926, XIV, 217-240. A. ZUM FELDE, *Estética del novecientos,* Buenos Aires, 1927.

ESPAÑA. — ANDRENIO [E. GÓMEZ DE BAQUERO]. *Pen Club,* I: *Los poetas,* Madrid, 1929, 43-50; 247-251. R. BUENDÍA, *Góngora, autor de la creación pura en la lírica moderna,* en GLit, 15 abril 1927. G. DIEGO, *La nueva arte poética española,* en Verbum, 1929, núm. 72, 21-33; Sin, 1929, VII, 183-199. E. DÍEZ-CANEDO, *Nuevos versos, nuevos poetas,* en Nac, 17 enero 1926; *Poetas jóvenes de España,* en Nac, 31 julio 1927; *Libros de 1928: la poesía y los poetas,* en Sol, 10 enero 1929. C. EGUÍA RUIZ, *Del creacionismo y ultraísmo al vanguardismo en España,* en RyF, 1928, LXXXV, 501-518; *Extremos a que ha llegado la poesía española,* Madrid, 1931. M. FERNÁNDEZ ALMAGRO, *Nómina incompleta de la joven literatura,* en VyP, 1927, año I, núm. 1; *Literatura nueva: los poetas de Málaga,* en GLit, 15 junio 1930. E. GIMÉNEZ CABALLERO, *1928: Total de libros: Poesía,* en GLit, 15 enero 1929; *Decadencia de la poesía española,* en GLit, 15 enero 1932. R. GÓMEZ DE LA SERNA, *El suprarrealismo,* en RDLH, 1930, IV, 261-272. C. GONZÁLEZ RUANO, *Brevi cenni sui nuovi poeti espagnoli.* en Colombo, 1927, II, 425-428. J. R. JIMÉNEZ, *Poetas de antro y dianche,* en GLit, 15 nov. 1930. N. JIMÉNEZ, *Guillermo de Torre y la nueva poesía,* en Amer, 1934, IX, núms. 54-55, 24-33. *La poesía valenciana en 1930,* Valencia, 1930. M. DE LA PEÑA, *El ultraísmo en España,* Ávila, 1925. C. PITOLLET, *La poesie espagnole en 1923,* en ROB, 1924, X, 158-163. A. SERRANO PLAJA, *Arte nuevo y joven poesía,* en Sol, 30 marzo 1932. J. M. SOUVIRON, *La nueva poesía española,* Santiago de Chile, 1932 [cf. J. M. CORRAL, en RCChile, 1932, XXXII, 1072-1074]. E. VIVES, *La literatura española actual,* en RAv, 1927, I, 171-172.

AMÉRICA.—**General:** A. ARIAS, *El verso actual en América,* en Amer, 1927, III, 126-129. M. P. GONZÁLEZ, *En torno a los nuevos,* ed HispCal, 1930, XIII, 95-104. **Antillas:** E. AVILÉS RAMÍREZ, *Panoramas de la poesía en Cuba,* en GLit, 15 agosto 1927. R. E. BOTI, *La nueva poesía en Cuba,* en CuC, 1927, XLIV, 55-71. F. LIZASO, *Postales de Cuba: El momento: La vanguardia,* en GLit, 1 agosto 1927. **Argentina:** C. M. Bo-

NET, *Orientación estética dominante en la actual literatura argentina,* Buenos Aires, 1928. J. L. BORGES, *Página sobre la lírica de hoy,* en Nos, 1927, LVII, 75-77. A. CAMBOURS OCAMPO, *La poesía de hoy,* en CIBA, 28 dic. 1929. J. I. CENDOYA, *El movimiento izquierdista en nuestra literatura,* en Bases, 1 enero 1929. N. IBARRA, *La nueva poesía argentina,* 1921-1929, Buenos Aires, 1930. A. LAGORIO, *La nueva poesía argentina,* en RdL, 1920, IV, 328. E. MÉNDEZ, *Doce poetas nuevos,* en Sin, 1927, II, 15-33, 203-219. I. PEREDA VALDÉS, *Resumen del año vanguardista en Buenos Aires: 1927,* en RAv, 1928, III, 66. J. C. PICONE, *La usurpación vanguardista y la literatura de izquierda,* en CIBA, 27 abril 1929. G. DE TORRE, *Buenos Aires: literatura,* en GLit, I· núm. 36; *Nuevos grupos y revistas literarias,* en GLit, 1928, I, núm. 37. **Colombia:** J. CARRERA ANDRADE, *Guía de la joven poesía americana: Colombia,* en HL, marzo 1933, 5-6. A. LÓPEZ GÓMEZ, *La literatura colombiana en 1929,* en EspSLI, 31 dic. 1929. **Chile:** A. CRUCHAGA SANTA MARÍA, *Los poetas de vanguardia de Chile,* Santiago de Chile, 1930. M. ESCUDERO, *La literatura en Chile en 1922,* en IyA, 1923, LXXIX, 46-57; *La actividad literaria chilena en 1923,* en IyA, 1924, LXXXII, 281-290; *En Chile: la actividad literaria en 1926,* en IyA, 1927, XCV, 413-422. R. A. LATCHAM, *El año literario de 1924,* en RCChile, 1925, XLVIII, 186-202; *Diagnóstico de la nueva poesía chilena,* en Sur, 1931, núm. 3, 139-154. G. DE TORRE, *Esquema panorámico de la nueva poesía chilena,* en GLit, 1 agosto 1927. **Ecuador:** M. JIMÉNEZ, *El grupo de* «Élan», en *Biografía y crítica,* Quito, 1933, 203-208. A. RUMAZO GONZÁLEZ, *Siluetas líricas,* Quito, 1933. **Méjico:** C. BEALS, *The noisemakers,* en TB, 1929, LXIX, 280-285. S. DELMAR, *Poetas de la revolución mejicana,* en RepAm, 21 dic. 1927. J. M. GONZÁLEZ DE MENDOZA, *Les tendences de la jeune littérature mexicaine,* en RAmL, 1925, X, 15-24. G. JIMÉNEZ, *La poesia mexicaine actuelle,* en RAmL, 1923, IV, 121-128. G. LIST ARZUBIDE, *El movimiento estridentista,* Jalapa, 1926. M. PORTAL, *Panorama intelectual de México: la literatura mexicana, literatura de izquierda,* en RepAm, 10 y 17 marzo 1928. G. DE TORRE, *Nuevos poetas mexicanos,* en GLit, 15 marzo 1927. J. TORRES BODET, *Perspectiva de la literatura mexicana actual,* 1915-1928, en Con, 1928, II, 1-33; México, 1928. X. VILLAURRUTIA, *La poesía de los jóvenes de México,* México, 1924. **Perú:** A. GUILLÉN, *La jeune littérature peruvienne,* en RAmL, 1922, II, 297-302. L. A. SÁNCHEZ, *Literatura: Perú,* 1929, en RAv, 1930, V, 24-27. A. URETA, *Panorama de la joven poesía peruana,* en RABA, 1934, XLIX, 83-103. **Uruguay:** J. CARRERA ANDRADE, *Guía de la joven poesía americana: Uruguay,* en HL, enero, 1933, 6-7. G. DE TORRE, *Panorama de la nueva poesía uruguaya,* en GLit, 1 feb. 1927.

I

TRANSICIÓN DEL ROMANTICISMO
AL MODERNISMO

(1882-1896)

MANUEL GONZÁLEZ PRADA

1844-1918

Peruano. Fué principalmente crítico y renovador de ideas, uno de los primeros creadores de la nueva ideología de América. El aislamiento le hizo acre y a veces virulento. Reaccionó contra la tradición española y predicó la modernidad y el extranjerismo: «Dejemos las andaderas de la infancia y busquemos en otras literaturas nuevos elementos y nuevas impulsiones » Anticatólico, positivista, afrancesado, su actitud resultó estridente en el medio más tradicionalista de América. Su modernidad era radical y profunda: no sólo reaccionaba contra la tradición colonial, sino contra lo más moderno español del siglo XIX, criticando a las figuras más prestigiosas de su tiempo, tales como Castelar o Valera, en un sentido que se adelantaba al criterio que había de dominar más tarde en los iconoclastas españoles de fines del siglo, como Unamuno, Azorín o Baroja. Su obra poética es limitada, pero significa un esfuerzo notable por la novedad dentro de la sencillez y la concentración; una reacción contra el romanticismo desbordado y el verbalismo abundante y vacío que dominaban en América. Sus pequeñas poesías — muchas de ellas escritas en su juventud y publicadas en la vejez, después de ser sometidas a la lima durante muchos años — son joyitas pulidas que bajo una tersa superficie parnasiana y clásica encierran un sentimiento romántico, no por transparente y refrenado menos personal. Esta actitud y el uso de formas nuevas — que a menudo eran viejas, pero no usadas en castellano — tanto en cuanto a las palabras como a los versos y combinaciones estróficas, anuncian algunas tendencias características del modernismo.

BIBLIOGRAFÍA. — **Poesía:** *Minúsculas,* Lima, 1901, 1909. *Presbiterianas,* 1909. *Exóticas,* 1911. *Poesías selectas,* París, s. a. **Otras obras:** *Páginas libres,* París, 1894; Madrid, 1915. *Horas de lucha,* Lima, 1908, 1924. *La Biblioteca Nacional,* 1912. **Estudios:** R. BLANCO-FOMBONA, Estudio crítico en *Páginas libres,* Madrid, 1915; *Grandes escritores de América,* 1917. V. GARCÍA CALDERÓN, *Semblanzas de América,* 1919.

V. R. Haya de la Torre, *Mis recuerdos de G. P.*, en RepAm, 13 agosto 1927. A. Hidalgo, *M. G. P.*, en IntAm, 1920, III, 171-172. G. Leguía y Martínez y otros, *M. G. P.*, en MP, 1918, año I, vol. I, 57-81. J. C. Mariátegui, *G. P.*, en RepAm, 13 agosto 1927. A. Melián Lafinur, *Literatura contemporánea*, Buenos Aires, 1918. C. Oyuela, *Antología poética hispanoamericana*, t. III, vol. II, p. 1028. L. A. Sánchez, *Elogio de D. M. G. P.*, Lima, 1922; *Don Manuel*, 1930.

TRIOLET

Los bienes y las glorias de la vida
o nunca vienen o nos llegan tarde.
Lucen de cerca, pasan de corrida,
los bienes y las glorias de la vida.
¡Triste del hombre que en la edad florida
coger las flores del vivir aguarde!
Los bienes y las glorias de la vida
o nunca vienen o nos llegan tarde.

Poesías selectas, París, s. a.

VIVIR Y MORIR

Humo y nada el soplo de ser :
mueren hombre, pájaro y flor,
corre a mar de olvido el amor,
huye a breve tumba el placer.

¿Dónde están las luces de ayer?
Tiene ocaso todo esplendor,
hiel esconde todo licor,
todo expía el mal de nacer.

¿Quién rió sin nunca gemir,
siendo el goce un dulce penar?
¡Loco y vano ardor el sentir!

¡Vano y loco anhelo el pensar!
¿Qué es vivir? Soñar sin dormir.
¿Qué es morir? Dormir sin soñar.

Poesías selectas, París, s. a.

RITMO SOÑADO

(Reproducción bárbara del metro alkmánico.)

Sueño con ritmos domados al yugo de rígido acento,
libres del rudo carcán de la rima.

Ritmos sedosos que efloren la idea, cual plumas de
rozan el agua tranquila de un lago.   [un cisne

Ritmos que arrullen con fuentes y ríos, y en Sol de
vuelen con alas de nube y alondra.   [apoteosis

Ritmos que encierren dulzor de panales, susurro de
fuego de auroras y nieve de ocasos.   [abejas,

Ritmos que en griego crisol atesoren sonrojos de
leche de lirios y sangre de rosas.   [virgen,

Ritmos, oh Amada, que envuelvan tu pecho, cual
cubren de verdes cadenas al árbol.   [lianas tupidas

Poesías selectas, París, s. a.

TRIOLET

Suspira, oh corazón, tan silencioso
que nadie sienta el eco del suspiro.
Por no turbar los sueños del dichoso,
suspira, oh corazón, tan silencioso.
Fingiendo la alegría y el reposo,
en la quietud y sombra de un retiro,
suspira, oh corazón, tan silencioso
que nadie sienta el eco del suspiro.

Poesías selectas, París, s. a.

MANUEL GUTIÉRREZ NÁJERA

1859-1895

Mejicano. Fué periodista y usó diferentes seudónimos, siendo
el más conocido «El Duque Job». Su personalidad, tanto en la
vida como en el arte, está hecha de una rara y delicada mezcla

de gracia y melancolía, de elegancia y profundidad. Estos extremos están fundidos y equilibrados por la mesura y contención de medio tono típicamente mejicanas. Escribió artículos, crónicas y cuentos, y poesías, no muy numerosas, que fueron reunidas, después de su muerte, en 1896. El estudio de Justo Sierra, que precede a sus obras, da la medida de la estimación de que gozaba en su país. Aun en vida, su obra y su influencia se habían extendido por otros países de América.

Excelente poeta y prosista, es quien mejor representa, a través de su originalidad, la transición del romanticismo al modernismo. Empieza siendo un poeta romántico, y en cierto modo no dejó de serlo nunca, porque siempre fué subjetivo y sentimental. Pero su romanticismo se distingue desde el principio del que dominaba en América cuando él empezó a escribir. Es un romanticismo depurado y selecto, que sigue las huellas de Bécquer o Musset, que recoge de la corriente romántica lo que es íntimo, delicado y personal, y rechaza lo exterior, lo aparatoso y lo brillante. Es, por lo tanto, Nájera un post-romántico, de sentimientos enfrenados por la dulzura, la gracia y la melancolía, a veces por el escepticismo y la amargura, siempre por la mesura y el buen gusto, que le prestan cierto tono clásico. Su modernidad y su valor radican, pues, en su temperamento y originalidad, y no en las influencias extrañas que están patentes en su obra. Tanto en su verso como en su prosa hay influjo predominantemente francés; pero éste no se manifiesta en seguir una escuela o un autor determinado, sino en la asimilación profunda de las cualidades de la literatura y la lengua francesas a través de sus múltiples y ricas variedades, que no destruye, sino realza su tradición española y su temperamento mejicano. Por eso su obra parece menos revolucionaria que la de los demás iniciadores del modernismo; y sin embargo no es ni menos moderna ni menos profunda. En 1894 fundó la *Revista Azul,* que fué para Méjico el punto de concentración de las nuevas tendencias y que señala el principio de la época contemporánea de las letras mejicanas. Gutiérrez Nájera influyó en todos los jóvenes que entonces y después empezaban a escribir, y su obra durará entre las más preciadas de la literatura general castellana.

Bibliografía. — **Poesía:** *Poesías,* pról. de Justo Sierra, México, 1896; París, 1909; 1912; 1918. *Amor y lágrimas* (poesías escogidas), San José de Costa Rica, G. Monge, 1912. *Sus mejores poesías* (con una apreciación de R. Blanco-Fombona), Madrid, 1916. **Otras obras:** *Cuentos frágiles,* México, 1883. *Obras:* Prosa, 1898-1903. *Hojas sueltas,* artículos diversos, 1912. *Cuentos,* Cultura, 1916. *Cuentos color de humo y Cuentos frágiles,* Madrid, Edit. América, 1917. *Cuaresmas del Duque Job,* París, Franco-Hispano-Americana, [1922]. **Estudios:** C. G. Amézaga, *Poetas mexicanos,* Buenos Aires, 1896. R. Blanco-Fombona, Apreciación sobre G. N. en *Sus mejores poesías,* Madrid, 1916. C. Díaz Dufóo, pról. a *Hojas sueltas,* México, 1912. R. Domínguez, *Los poetas mexicanos,* México, 1912. M. Henríquez Ureña, *Discurso,* en RM, 1907, núm. 3. P. Henríquez Ureña, *Sutileza,* en RR, 1 agosto 1915. N. Heredia, *La sensibilidad en la poesía castellana,* Madrid, 1916. F. A. de Icaza, *Poetas modernos de México (antología íntima),* M. G. N. y Salvador Díaz Mirón, en NT, 1901, año I, 23-26. M. G. N. (varios artículos), en RA, 1895 y 1896. A. Nervo, pról a *Obras,* t. II, México, 1903. A. de la Peña y Reyes, *Algunos poetas,* México, 1889; *Muertos y vivos,* México, 1896. A. Torres Rioseco, *Precursores del modernismo,* Madrid, 1925. L. G. Urbina, pról. a *Obras,* t. I, México, 1898. J. Urueta, *Discurso,* en RM, febrero 1901. N. Walker, *The Life and Works of M. G. N.,* Columbia, Missouri, 1927. (Véase, además, Estrada, *PNM,* p. 116.)

LA DUQUESA JOB

En dulce charla de sobremesa,
mientras devoro fresa tras fresa,
y abajo ronca tu perro Bob,
te haré el retrato de la duquesa
que adora a veces el duque Job.

No es la condesa que Villasana
caricatura, ni la poblana
de enagua roja, que Prieto amó;
no es la criadita de pies nudosos,
ni la que sueña con los gomosos
y con los gallos de Micoló.

Mi duquesita, la que me adora,
no tiene humos de gran señora:
es la griseta de Paul de Kock.

No baila *Boston,* y desconoce
de las carreras el alto goce
y los placeres del *five o'clock.*

Pero ni el sueño de algún poeta,
ni los querubes que vió Jacob,
fueron tan bellos cual la coqueta
de ojitos verdes, rubia griseta,
que adora a veces el duque Job.

Si pisa alfombras, no es en su casa;
si por Plateros alegre pasa
y la saluda Madam Marnat,
no es, sin disputa, porque la vista,
sí porque a casa de otra modista
desde temprano rápida va.

No tiene alhajas mi duquesita;
pero es tan guapa, y es tan bonita,
y tiene un cuerpo tan *v'lan,* tan *pschutt;*
de tal manera trasciende a Francia,
que no la igualan en elegancia
ni las clientes de Hélène Kossut.

Desde las puertas de la Sorpresa
hasta la esquina del *Jockey Club,*
no hay española, yankee o francesa,
ni más bonita, ni más traviesa
que la duquesa del duque Job.

¡Cómo resuena su taconeo
en las baldosas! ¡Con qué meneo
luce su talle de tentación!
¡Con qué airecito de aristocracia
mira los hombres, y con qué gracia
frunce los labios — ¡Mimí Pinsón!

Si alguien la alcanza, si la requiebra,
ella, ligera como una cebra,
sigue camino del almacén;

pero ¡ay del tuno si alarga el brazo! :
¡nadie le salva del sombrillazo
que le descarga sobre la sien!

¡No hay en el mundo mujer más linda!
Pie de andaluza, boca de guinda,
esprit rociado de Veuve Clicquot;
talle de avispa, cutis de ala,
ojos traviesos de colegiala
como los ojos de Louise Theó!

Ágil, nerviosa, blanca, delgada,
media de seda bien restirada,
gola de encaje, corsé de ¡crac!,
nariz pequeña, garbosa, cuca,
y palpitantes sobre la nuca
rizos tan rubios como el coñac.

Sus ojos verdes bailan el tango;
nada hay más bello que el arremango
provocativo de su nariz.
Por ser tan joven y tan bonita,
cual mi sedosa, blanca gatita,
diera sus pajes la emperatriz.

¡Ah!, tú no has visto cuando se peina,
sobre sus hombros de rosa reina
caer los rizos en profusión.
¡Tú no has oído qué alegre canta,
mientras sus brazos y su garganta
de fresca espuma cubre el jabón!

¡Y los domingos!... ¡Con qué alegría
oye en su lecho bullir el día,
y hasta las nueve quieta se está!
¡Cuál se acurruca la perezosa,
bajo la colcha color de rosa,
mientras a misa la criada va!

La breve cofia de blanco encaje
cubre sus rizos, el limpio traje
aguarda encima del canapé;

altas, lustrosas y pequeñitas,
sus puntas muestran las dos botitas,
abandonadas del catre al pie.

Después, ligera, del lecho brinca,
¡oh quién la viera cuando se hinca
blanca y esbelta sobre el colchón!
¿Qué valen junto de tanta gracia
las niñas ricas, la aristocracia,
ni mis amigas de cotillón?

Toco; se viste; me abre; almorzamos;
con apetito los dos tomamos
un par de huevos y un buen *beef-steak,*
media botella de rico vino,
y en coche juntos, vamos camino
del pintoresco Chapultepec.

. . . .
. . . .
. . . .

Desde las puertas de la Sorpresa
hasta la esquina del *Jockey Club,*
no hay española, yankee o francesa,
ni más bonita ni más traviesa
que la duquesa del duque Job.

1884.   *Poesías,* 1896.

PARA ENTONCES

Quiero morir cuando decline el día,
en alta mar y con la cara al cielo;
donde parezca sueño la agonía,
y el alma, un ave que remonta el vuelo.

No escuchar en los últimos instantes,
ya con el cielo y con el mar a solas,
más voces ni plegarias sollozantes
que el majestuoso tumbo de las olas.

Morir cuando la luz, triste retira
sus áureas redes de la onda verde,
y ser como ese sol que lento expira :
algo muy luminoso que se pierde.

Morir, y joven : antes que destruya
el tiempo aleve la gentil corona;
cuando la vida dice aún : soy tuya,
aunque sepamos bien que nos traiciona.

1887.   *Poesías,* 1896.

DE BLANCO

¿Qué cosa más blanca que cándido lirio?
¿Qué cosa más pura que místico cirio?
¿Qué cosa más casta que tierno azahar?
¿Qué cosa más virgen que leve neblina?
¿Qué cosa más santa que el ara divina
                              de gótico altar?

De blancas palomas el aire se puebla;
con túnica blanca, tejida de niebla,
se envuelve a lo lejos feudal torreón;
erguida en el huerto la trémula acacia,
al soplo del viento sacude con gracia
                              su níveo pompón.

¿No ves en el monte la nieve que albea?
La torre muy blanca domina la aldea;
las tiernas ovejas triscando se van;
de cisnes intactos el lago se llena;
columpia su copa la enhiesta azucena,
y su ánfora inmensa levanta el volcán.

Entremos al templo : la hostia fulgura;
de nieve parecen las canas del cura,
vestido con alba de lino sutil;
cien niñas hermosas ocupan las bancas,
y todas vestidas con túnicas blancas
en ramos ofrecen las flores de Abril.

Subamos al coro; la Virgen propicia
escucha los rezos de casta novicia,
y el cristo de mármol expira en la cruz;
sin mancha se yerguen las velas de cera;
de encaje es la tenue cortina ligera
que ya transparenta del alba la luz.

Bajemos al campo : tumulto de plumas,
parece el arroyo de blancas espumas
que quiere, cantando, correr y saltar;
su airosa mantilla de fresca neblina
terció la montaña; la vela latina
de barca ligera se pierde en el mar.

Ya salta del lecho la joven hermosa,
y el agua refresca sus hombros de diosa,
sus brazos ebúrneos, su cuello gentil.
Cantando y risueña se ciñe la enagua,
y trémulas brillan las gotas del agua
en su árabe peine de blanco marfil.

¡Oh mármol! ¡Oh nieves! ¡Oh inmensa blancura,
que esparces doquiera tu casta hermosura!
¡Oh tímida virgen! ¡Oh casta vestal!
Tú estás en la estatua de eterna belleza;
de tu hábito blando nació la pureza,
¡al ángel das alas, sudario al mortal!

Tú cubres al niño que llega a la vida,
coronas las sienes de fiel prometida,
al paje revistes de rico tisú.
¡Qué blancos son, reinas, los mantos de armiño!
¡Qué blanca es, ¡oh madres!, la cuna del niño!
¡Qué blanca, mi amada, qué blanca eres tú!

En sueños ufanos de amores contemplo
alzarse muy blancas las torres de un templo
y oculto entre lirios abrirse un hogar;
y el velo de novia prenderse a tu frente,
cual nube de gasa que cae lentamente
y viene en tus hombros su encaje a posar.

1888   *Poesías,* 1896.

DESPUÉS...

¡Sombra, la sombra sin orillas, esa
que no ve, que no acaba!...
La sombra en que se ahogan los luceros...,
¡ésa es la que busco para mi alma!
Esa sombra es mi madre, buena madre,
¡pobre madre enlutada!
Ésa me deja que en su seno llore
y nunca de su seno me rechaza...
¡Dejadme ir con ella, amigos míos,
es mi madre, es mi patria!

¿Qué mar me arroja? ¿De qué abismo vengo!
¿Qué tremenda borrasca
con mi vida jugó? ¿Qué ola clemente
me ha dejado en la playa?
¿En qué desierto suena mi alarido?
¿En qué noche infinita va mi alma?
¿Por qué, prófugo, huyó mi pensamiento?
¿Quién se fué? ¿Quién me llama?
¡Todo sombra! ¡Mejor! ¡Que nadie mire!
¡Estoy desnudo! ¡Ya no tengo nada!

Poco a poco rasgando la tiniebla,
como puntas de dagas,
asoman en mi mente los recuerdos
y oigo voces confusas que me hablan.
No sé a qué mar cayeron mis ideas...;
con las olas luchaban...
¡Yo vi cómo convulsas se acogían
a las flotantes tablas!
La noche era muy negra..., el mar muy hondo...,
¡y se ahogaban..., se ahogaban!
¿Cuántas murieron? ¿Cuántas regresaron,
náufragos desvalidos, a la playa?
... ¡Sombra, la sombra sin orillas, ésa,
ésa es la que busco para mi alma!

Muy alto era el peñón cortado a pico,
sí, muy alto, muy alto!
Agua iracunda hervía
en el obscuro fondo del barranco.
¿Quién me arrojó? Yo estaba en esa cumbre...
¡Y ahora estoy abajo!
Caí, como la roca descuajada
por titánico brazo.
Fuí águila tal vez y tuve alas...
¡Ya me las arrancaron!
Busco mi sangre, pero sólo miro
agua negra brotando;
y vivo, sí, mas con la vida inmóvil
del abrupto peñasco...
¡Cae sobre mí, sacúdeme, torrente!
¡Fúndeme con tu fuego, ardiente rayo!
¡Quiero ser onda y desgarrar mi espuma
en las piedras del tajo!...
Correr..., correr..., al fin de la carrera
perderme en la extensión del Oceano.

El templo colosal, de nave inmensa,
está mudo y sombrío;
sin flores el altar, negro, muy negro;
¡apagados los cirios!
Señor, ¿en dónde estás? ¡Te busco en vano!...
¿En dónde estás, oh Cristo?
¡Te llamo con pavor porque estoy solo,
como llama a su padre el pobre niño!
¡Y nadie en el altar! ¡Nadie en la nave!
¡Todo en tiniebla sepulcral hundido!
¡Habla! ¡Que suene el órgano! ¡Que vea
en el desnudo altar arder los cirios!...
¡Ya me ahogo en la sombra..., ya me ahogo!
¡Resucita, Dios mío!

¡Una luz! ¡Un relámpago!... ¡Fué acaso
que despertó una lámpara!
¡Ya miro, sí! ¡Ya miro que estoy solo!...
¡Ya puedo ver mi alma!

Ya vi que de la cruz te desclavaste
y que en la cruz no hay nada...
Como ésa son las cruces de los muertos...,
los pomos de las dagas...
¡Y es puñal, sí, porque su hoja aguda
en mi pecho se encaja!
Ya ardieron de repente mis recuerdos,
ya brillaron las velas apagadas...
Vuelven al coro tétricos los monjes,
y vestidos de luto se adelantan...
Traen un cadáver..., rezan..., ¡oh, Dios mío,
todos los cirios con tu soplo apaga!...
¡Sombra, la sombra sin orillas, ésa,
ésa es la que busco para mi alma!

1889.   *Poesías,* 1896.

PAX ANIMÆ

DESPUÉS DE LEER A DOS POETAS

¡Ni una palabra de dolor blasfemo!
Sé altivo, sé gallardo en la caída,
¡y ve, poeta, con desdén supremo
todas las injusticias de la vida!

No busques la constancia en los amores,
no pidas nada eterno a los mortales,
y haz, artista, con todos tus dolores
excelsos monumentos sepulcrales.

En mármol blanco tus estatuas labra,
castas en la actitud, aunque desnudas,
y que duerma en sus labios la palabra...
y se muestren muy tristes..., ¡pero mudas!

¡El nombre!... ¡Débil vibración sonora
que dura apenas un instante! ¡El nombre!...
¡Ídolo torpe que el iluso adora!
¡Última y triste vanidad del hombre!

¿A qué pedir justicia ni clemencia
—si las niegan los propios compañeros—
a la glacial y muda indiferencia
de los desconocidos venideros?

¿A qué pedir la compasión tardía
de los extraños que la sombra esconde?
¡Duermen los ecos de la selva umbría,
y nadie, nadie a nuestra voz responde!

En esta vida el único consuelo
es acordarse de las horas bellas,
y alzar los ojos para ver el cielo...
cuando el cielo está azul o tiene estrellas.

Huír del mar, y en el dormido lago
disfrutar de las ondas el reposo...
Dormir... soñar... El Sueño, nuestro mago,
¡es un sublime y santo mentiroso!

... ¡Ay! Es verdad que en el honrado pecho
pide venganza la reciente herida...;
pero... ¡perdona el mal que te hayan hecho!,
¡todos están enfermos de la vida!

Los mismos que de flores se coronan,
para el dolor, para la muerte nacen...
Si los que tú más amas te traicionan,
¡perdónalos, no saben lo que hacen!

Acaso esos instintos heredaron,
y son los inconscientes vengadores
de razas o de estirpes que pasaron
acumulando todos los rencores.

¿Eres acaso el juez? ¿El impecable?
¿Tú la justicia y la piedad reúnes?
... ¿Quién no es fugitivo responsable
de alguno o muchos crímenes impunes?

¿Quién no ha mentido amor y ha profanado
de un alma virgen el sagrario augusto?
¿Quién está cierto de no haber matado?
¿Quién puede ser el justiciero, el justo?

¡Lástimas y perdón para los vivos!
Y así, de amor y mansedumbre llenos,
seremos cariñosos, compasivos...
¡y alguna vez, acaso, acaso buenos!

¿Padeces? Busca a la gentil amante,
a la impasible e inmortal belleza,
y ve apoyado, como Lear errante,
en tu joven Cordelia: la tristeza.

Mira: se aleja perezoso el día...
¡Qué bueno es descansar! El bosque obscuro
nos arrulla con lánguida armonía...
El agua es virgen. El ambiente es puro.

La luz, cansada, sus pupilas cierra;
se escuchan melancólicos rumores,
y la noche, al bajar, dice a la tierra:
«¡Vamos... ya está... ya duérmete... no llores!»
. . . .

Recordar... Perdonar... Haber amado...
Ser dichoso un instante, haber creído...
Y luego... reclinarse fatigado
en el hombro de nieve del olvido.

Sentir eternamente la ternura
que en nuestros pechos jóvenes palpita,
y recibir, si llega, la ventura
como a hermosa que viene de visita.

Siempre escondido lo que más amamos:
¡siempre en los labios el perdón risueño;
hasta que, al fin, ¡oh tierra!, a ti vayamos
con la invencible laxitud del sueño!

Esa ha de ser la vida del que piensa
en lo fugaz de todo lo que mira,
y se detiene, sabio, ante la inmensa
extensión de tus mares, ¡oh Mentira!

Corta las flores, mientras haya flores;
perdona las espinas a las rosas...
¡También se van y vuelan los dolores
como turbas de negras mariposas!

Ama y perdona. Con valor resiste
lo injusto, lo villano, lo cobarde...
¡Hermosamente pensativa y triste
está al caer la silenciosa tarde!

. . . .

Cuando el dolor mi espíritu sombrea
busco en las cimas claridad y calma,
¡y una infinita compasión albea
en las heladas cumbres de mi alma!

1890   *Poesías*, 1896.

MIS ENLUTADAS

Descienden taciturnas las tristezas
al fondo de mi alma,
y entumecidas, haraposas brujas,
con uñas negras
mi vida escarban.

De sangre es el color de sus pupilas,
de nieve son sus lágrimas;
hondo pavor infunden...; yo las amo
por ser las solas
que me acompañan.

Aguárdolas ansioso, si el trabajo
de ellas me separa,
y búscolas en medio del bullicio,
y son constantes,
y nunca tardan.

En las fiestas, a ratos se me pierden
o se ponen la máscara.
Pero luego las hallo, y así dicen:
— ¡Ven con nosotras!
¡Vamos a casa!

Suelen dejarme cuando sonriendo
mis pobres esperanzas
como enfermitas, ya convalecientes,
salen alegres
a la ventana.

Corridas huyen, pero vuelven luego,
y por la puerta falsa
entran trayendo como nuevo huésped
alguna triste,
lívida hermana.

Ábrese a recibirlas la infinita
tiniebla de mi alma,
y van prendiendo en ella mis recuerdos
cual tristes cirios
de cera pálida.

Entre esas luces, rígido, tendido,
mi espíritu descansa;
y las tristezas, revolando en torno,
lentas salmodias
rezan y cantan.

Escudriñan del húmedo aposento
rincones y covachas,
el escondrijo do guardé, cuitado,
todas mis culpas,
todas mis faltas.

Y hurgando mudas, como hambrientas lobas,
las encuentran, las sacan,
y volviendo a mi lecho mortuorio
me las enseñan
y dicen: — Habla.

En lo profundo de mi ser bucean,
pescadoras de lágrimas,
y vuelven mudas con las negras conchas
en donde brillan
gotas heladas.

A veces me revuelvo contra ellas
y las muerdo con rabia,
como la niña desvalida y mártir
muerde a la arpía
que la maltrata.

Pero en seguida, viéndose impotente,
mi cólera se aplaca,
¡qué culpa tienen, pobres hijas mías,
si yo las hice
con sangre y alma!

Venid, tristezas de pupila turbia,
venid, mis enlutadas,
las que viajáis por la infinita sombra,
donde está todo
lo que se ama.

Vosotras no engañáis; venid, tristezas,
¡oh mis criaturas blancas,
abandonadas por la madre impía,
tan embustera,
por la esperanza!

Venid y habladme de las cosas idas,
de las tumbas que callan,
de muertos buenos y de ingratos vivos...
Voy con vosotras.
Vamos a casa.

ODAS BREVES

A UN TRISTE

¿Por qué de amor la barca voladora
con ágil mano detener no quieres,
y esquivo menosprecias los placeres
de Venus, la impasible vencedora?

A no volver los años juveniles
huyen como saetas disparadas
por mano de invisible Sagitario;
triste vejez, como ladrón nocturno,
sorpréndenos sin arma ni defensa,
y con la extremidad de su arma inmensa
la copa del placer vuelca Saturno.

¡Aprovecha el minuto y el instante!
Hoy te ofrece rendida la hermosura
de sus hechizos el gentil tesoro,
y llamándote ufana en la espesura
suelta Pomona sus cabellos de oro.

En la popa del barco empavesado
que navega veloz rumbo a Citeres,
de los amigos el clamor te nombra,
mientras, tendidas en la egipcia alfombra,
sus crótalos agitan las mujeres.

¡Deja, por fin, la solitaria playa,
y coronado de fragantes flores
descansa en la barquilla de las diosas!
¿Qué importa lo fugaz de los amores?
¡También expiran jóvenes las rosas!

Poesías, 1896.

MANUEL REINA

1856-1905

Español, de Puente Genil (Córdoba). Apartado del vulgo, llevó a cabo una digna labor literaria, que le hizo distinguirse como el más culto e innovador de los poetas de su tiempo. Sus innovaciones, sin embargo, no son muy profundas. Dentro de las tendencias, demasiado definidas, que los grandes poetas españoles del siglo xix impusieron al último cuarto de siglo, Reina sigue la de Núñez de Arce; pero su estudio de la poesía parnasiana francesa le permitió llevar la poesía de aquél, que es la fuerte forma nacional correspondiente al parnasianismo, hacia un parnasianismo más débil, pero más moderno.

BIBLIOGRAFÍA. — **Poesía:** *Andantes y alegros,* Madrid, 1877. *Cromos y acuarelas,* 1878. *La vida inquieta,* 1894. *La canción de las estrellas,* poema, 1895. *Poemas paganos,* 1896. *Rayo de sol,* poema, 1897. *El jardín de los poetas,* 1899. *El dedal de plata,* monólogo en verso, 1899. *Robles de la selva sagrada,* 1906. *Sus mejores versos,* pról. de Blanco Belmonte, 1928. **Estudios:** A. AGUILAR Y CANO, *M. R., estudio biográfico,* Puente Genil, 1897. E. DE ORY, *M. R., estudio biográfico,* Cádiz, 1916.

LA ESTATUA

En medio del jardín yérguese altiva
en riquísimo mármol cincelada
la figura de un dios de ojos serenos,
cabeza varonil y formas clásicas.
En el invierno la punzante nieve
y el viento azotan la soberbia estatua;
pero ésta, en su actitud noble y severa,
sigue en el pedestal, augusta, impávida.
En primavera el áureo sol le ofrece
un manto de brocado; las arpadas
aves con sus endechas la saludan;
los árboles le tejen con sus ramas
verde dosel; el cristalino estanque
la refleja en sus ondas azuladas,
y los astros colocan en su frente

una diadema de bruñida plata.
Mas la estatua impasible está en su puesto,
sin cambiar la actitud ni la mirada.

¡Así el genio inmortal, dios de la tierra,
siempre blanco de envidias o alabanzas,
impávido, sereno y arrogante,
sobre las muchedumbres se levanta!

La vida inquieta, 1894.

LA FIESTA DEL CORPUS EN LA ALDEA

La mañana, risueña y perfumada,
prodiga sus deleites y esplendores.
De verde juncia y pétalos de flores
la bulliciosa calle está alfombrada.

Color y vida, jóvenes hermosas,
júbilo y paz, ingenuos madrigales,
fajas de seda, pintorescos chales,
bucles ornados de fragantes rosas.

Fulgura el sol en las tostadas frentes;
en las rejas, que brillan como plata,
abre el clavel sus hojas de escarlata
junto a los frescos labios sonrientes.

Llena de sencillez y poesía,
entre las vagas nubes del incienso,
pasa la procesión. Un grito inmenso
resuena de entusiasmo y alegría.

Bajo el palio de grana resplandece
el sagrado viril, símbolo santo.
Laten los corazones; dulce llanto
las serenas pupilas humedece.

Mientras, en el azul se alza y blanquea,
con sus nidos de alegres golondrinas
y sus vibrantes notas argentinas,
el pobre campanario de la aldea.

1892   *La vida inquieta,* 1894.

CLAVELES ROJOS

Rojo clavel abierto y perfumado
ostentaba su pompa y lozanía
sobre el nítido encaje que cubría
las gracias de tu seno cincelado.

Aquella flor de pétalo encarnado
— viva llama que aromas esparcía —
deshojéla, gozoso, en la onda fría
del champaña de espuma coronado.

Ciego de amor, la copa reluciente
del áureo vino, que al placer provoca,
apuré con afán y ansia vehemente.

Mas calmada no vi mi fiebre loca,
hasta que deshojó mi labio ardiente
el clavel encendido de tu boca.

La vida inquieta, 1894.

TUS OJOS

Son tus ojos, mi bien, negros diamantes
en que relumbra el sol del Mediodía;
ojos llenos de erótica poesía,
de llamas y promesas embriagantes.

Tus ojos son espejos fulgurantes
que reflejan la hermosa Andalucía
con su pompa, su gracia y alegría,
sus campos y sus cielos deslumbrantes.

Cuando me asomo a tus pupilas bellas,
miro vergeles, árabes palacios,
mares de plata y luz, noches de estrellas,

patios floridos, ferias bulliciosas,
la Giralda riendo en los espacios,
y el amor sobre céspedes y rosas.

La vida inquieta, 1894.

JORGE MANRIQUE

Nave de mi fantasía,
tu casco por cristalino
    mar resbala,
y al soplo de la poesía
despliega tu blanco lino
    como un ala.
    ¡Nave azul, boga ligera
y condúceme al vergel
    de la Historia:
a la mágica ribera
donde florece el laurel
    de la gloria!
    Allí, de torres feudales,
al pie de los cincelados
    miradores,
cantan hazañas triunfales
y el amor los afamados
    trovadores.
    Entre todos, allí brilla
el vate Jorge Manrique,
    gran guerrero,
luz y espada de Castilla,
que venciera al cuarto Enrique
    con su acero.
    Manrique, mozo gallardo,
arrogante defensor
    de Isabel;
paladín, como Bayardo,
a su reina y a su honor
    siempre fiel,
    espejo es de la bravura,
del asalto en los furores
    y en torneos,
y consagra a una hermosura
sus endechas, sus amores
    y trofeos.
    El lauro de Jorge ufana

la ancianidad de su noble
        padre amado,
como la yedra engalana
el tronco de un viejo roble
        deshojado.

Muere el héroe don Rodrigo,
el que a insignes campeones
        humilló;
aquel de buenos abrigo,
que villas y corazones
        conquistó.

Y Jorge, al ver apagado
sol tan hermoso y luciente
        de virtud,
besa a su muerto adorado,
y baña con lloro ardiente
        su ataúd.

Y ante el palacio deshecho
de su ilusión, su alegría
        y esperanza,
el bardo siente en su pecho
la afilada punta fría
        de una lanza.

Después, su estro volador
de tinieblas y congojas
        al través,
gime como un ruiseñor
que se queja entre las hojas
        de un ciprés.

Y canta en bella elegía
la inconstancia y los rigores
        de la suerte :
¡profunda, excelsa poesía
que ornan las pálidas flores
        de la muerte!

. . . .

¡Nave azul, boga ligera
y condúceme al vergel
        de la Historia :
a la mágica ribera

donde fulgura el laurel
de la gloria!
Allí, en la noche estival,
de la luna al argentado
resplandor,
vibra en arpa de cristal
el canto más inspirado
del dolor...

El jardín de los poetas, 1899.

GÓNGORA

En las noches invernales,
cuando brama el aquilón
y triste la lluvia suena
como funeral tambor,
Góngora, el insigne vate
de los campos y del sol,
viejo, pobre y enclavado
sobre la cruz del dolor,
para calmar sus pesares
lanza su imaginación
de la aurora de su vida
por el cielo brillador
y vese joven, al viento
dando su argentina voz,
bajo las verdes palmeras
y los naranjos en flor.
Para gozar los encantos
de su plácida canción,
dejan las aves el nido
que fabricara el amor;
las ninfas del claro Betis,
su cristalina mansión,
y las cándidas pastoras
su ganado balador.
Su endecha a las alboradas
los esplendores robó
y a las torcaces palomas
el arrullo gemidor.

Con veste de azul y plata
Guadalquivir la vistió,
y claveles y azahares
diéronle aroma y color.

Su endecha, lira que luce
por cuerdas rayos de sol,
ya es idílica zampoña,
ora dardo punzador;

ya morisca pandereta
de ronco y gárrulo son,
ora azucena fragante
donde anida un ruiseñor.

Como abeja melodiosa,
va a posarse su canción
en los labios de las bellas,
y liba mieles de amor.

Y musas, ninfas, pastoras,
embriagadas de pasión,
coronan con frescos lauros
la frente de su cantor.

Y él duérmese, acariciado
por el céfiro veloz,
bajo las verdes palmeras
y los naranjos en flor.

Luego, hundiéndose la torre
de marfil de su ilusión,
su éxtasis, blanca paloma,
en cuervo se convirtió.

Y al verse olvidado y viejo,
sobre la cruz del dolor,
un raudal de llanto y sangre
arroja su corazón.

Enero, 1898.   *El jardín de los poetas,* 1899.

MANUEL JOSÉ OTHÓN

1858-1906

Mejicano, de San Luis de Potosí. Pasó casi toda su vida en el campo. Temperamento místico y sensual, el campo excitó su misticismo y su creación poética, la ciudad su sensualidad y su acabamiento físico. La poesía de sus *Poemas rústicos* y de sus obras posteriores encierra un sentimiento profundo, personal, religioso de la naturaleza. Ama a ésta en sus formas grandiosas, misteriosas, desligadas del hombre, solitarias. Su paisaje es el de la región montañosa del Norte de Méjico. Con reminiscencias antiguas y formas tradicionales, la monótona poesía de Othón lleva en sí rara pasión e intensidad y queda a un lado de la poesía moderna, alta y solitaria como las montañas de la altiplanicie mejicana que cantó.

BIBLIOGRAFÍA. — **Poesía:** *Poesías,* San Luis Potosí, 1880. *Poemas rústicos* (1890-1902), México, 1902. *Noche rústica de las Walpurgis,* poema, 1907. *El himno de los bosques,* San Luis Potosí, 1908. *Poemas escogidos,* selec. de A. Loera y Chávez, México, 1917. *Obras,* vol. I: *Poesía,* 1928. **Otras obras:** *Después de la muerte,* drama, San Luis Potosí, 1884; México, 1885. *Lo que hay detrás de la dicha,* drama, San Luis Potosí, 1886. *Cuentos de espantos,* en MuI, 1903. *El último capítulo,* ensayo dramático, San Luis Potosí, 1906. **Estudios:** V. AGÜERO, *Don M. J. O.,* pról. a *Poesías,* San Luis Potosí, 1880. C. G. AMÉZAGA, *Poetas mexicanos,* Buenos Aires, 1896. C. E. ARROYO, *Modernos poetas mejicanos: M. J. O.,* en RJLQuito, 1919, XXII, 16-22. R. M. CAMPOS, *«Poemas rústicos» de M. J. O.,* en RM, oct. 1902; *Máscara : M. J. O.,* en RM, 1903, núm. 7. J. J. GAMBOA, *M. J. O.,* en AyL, dic. 1906. A. LOERA Y CHÁVEZ, pról. a M. J. O., *Poemas escogidos,* México, 1917. J. LÓPEZ PORTILLO Y ROJAS, *Elogio de D. M. J. O.,* México, 1907. C. OYUELA, *Antología de la poesía hispanoamericana,* t. III, vol. II, p. 947. A. REYES, *Los «Poemas rústicos» de M. J. O.,* México, 1910. J. URUETA, *A M. J. O.,* discurso, en RM, 1907, núm. 5.

EN EL DESIERTO

IDILIO SALVAJE

A Alfonso Toro.

A fuerza de pensar en tus historias
y sentir con tu propio sentimiento,
han venido a agolparse al pensamiento
rancios recuerdos de perdidas glorias.

Y evocando tristísimas memorias,
porque siempre lo ido es triste, siento
amalgamar el oro de tu cuento
de mi viejo román con las escorias.

¿He interpretado tu pasión? Lo ignoro;
que me apropio, al narrar, algunas veces
el goce extraño y el ajeno lloro.

Sólo sé que, si tú los encareces
con tu ardiente pincel, serán de oro
mis versos, y esplendor sus lobregueces.

I

¿Por qué a mi helada soledad viniste
cubierta con el último celaje
de un crepúsculo gris?... Mira el paisaje,
árido y triste, inmensamente triste.

Si vienes del dolor y en él nutriste
tu corazón, bien vengas al salvaje
desierto, donde apenas un miraje
de lo que fué mi juventud existe.

Mas si acaso no vienes de tan lejos,
y en tu alma aun del placer quedan los dejos,
puedes tornar a tu revuelto mundo.

Si no, ven a lavar tu cyprio manto
en el mar amarguísimo y profundo
de un triste amor o de un inmenso llanto.

II

Mira el paisaje: inmensidad abajo;
inmensidad, inmensidad arriba;
en el hondo perfil la sierra altiva
al pie minada por horrendo tajo.

Bloques gigantes que arrancó de cuajo
el terremoto de la roca viva;
y en aquella sabana pensativa
y adusta, ni una senda, ni un atajo.

Asoladora atmósfera candente,
do se incrustan las águilas serenas,
como clavos que se hunden lentamente.

Silencio, lobreguez, pavor tremendos
que viene sólo a interrumpir apenas
el galope triunfal de los berrendos.

III

En la estepa maldita, bajo el peso
de sibilante brisa que asesina,
irgues tu talla escultural y fina,
como un relieve en el confín impreso.

El viento, entre los médanos opreso,
canta cual una música divina,
y finge bajo la húmeda neblina
un infinito y solitario beso.

Vibran en el crepúsculo tus ojos
un dardo negro de pasión y enojos
que en mi carne y mi espíritu se clava;

y, destacada contra el sol muriente,
como un airón flotando inmensamente,
tu bruna cabellera de india brava.

IV

La llanura amarguísima y salobre,
enjuta cuenca de oceano muerto,
y en la gris lontananza, como puerto,
el peñascal, desamparado y pobre.

Ungela tarde en mi semblante yerto
aterradora lobreguez, y sobre
tu piel tostada por el sol, el cobre
y el sepia de las rocas del desierto.

Y en el regazo donde sombra eterna
del peñascal bajo la enorme arruga
es para nuestro amor nido y caverna,

las lianas de tu cuerpo retorcidas
en el torso viril que te subyuga,
con una gran palpitación de vida.

V

¡Qué enferma y dolorida lontananza!
¡Qué inexorable y hosca la llanura!
Flota en todo el paisaje tal pavura
como si fuera un campo de matanza.

Y la sombra que avanza... avanza... avanza,
parece con su trágica envoltura
el alma ingente, plena de amargura,
de los que han de morir sin esperanza.

Y allí estamos nosotros, oprimidos
por la angustia de todas las pasiones,
bajo el peso de todos los olvidos.

En un cielo de plomo el sol ya muerto;
¡y en nuestros desgarrados corazones,
el desierto, el desierto... y el desierto!

VI

¡Es mi adiós!... *Allá* vas, bruna y austera,
por las planicies que el bochorno escalda,
al verberar tu ardiente cabellera
como una maldición sobre tu espalda.

En mis desolaciones, ¿qué me espera?...
(ya apenas veo tu arrastrante falda)
una deshojazón de primavera
y una eterna nostalgia de esmeralda.

El terremoto humano ha destruído
mi corazón, y todo en él expira.
¡Mal hayan el recuerdo y el olvido!

Aún te columbro, y ya olvidé tu frente;
sólo, ¡ay!, tu espalda miro, cual se mira
lo que huye y se aleja eternamente.

ENVÍO

En tus aras quemé mi último incienso
y deshojé mis postrimeras rosas.
Do se alzaban los templos de mis diosas
ya sólo queda el arenal inmenso.

Quise entrar en tu alma, y ¡qué descenso,
qué andar por entre ruinas y entre fosas!
¡A fuerza de pensar en tales cosas,
me duele el pensamiento cuando pienso!

¡Pasó!... ¿Qué resta ya de tanto y tanto
deliquio? En ti, ni la moral dolencia
ni el dejo impuro, ni el sabor del llanto.

Y en mí, ¡qué hondo y tremendo cataclismo!
¡Qué sombra y qué pavor en la conciencia,
y qué horrible disgusto de mí mismo!

JOSÉ MARTÍ

1853-1895

Cubano, de padres españoles. Su vida fué una de las más intensas, puras y nobles que se han vivido sobre la tierra. Desde los diez y seis años luchó y padeció por la independencia de su patria. En 1869 fué condenado a seis años de presidio, pero esta pena fué conmutada al año siguiente por la de confinamiento en España, donde estudió la carrera de Derecho en Madrid y Zaragoza. Antes, en Cuba, había empezado a escribir, iniciando muy muchacho la doble actividad política y literaria que continuó durante toda su vida en varios países hispanoamericanos. De 1874 a 1877 residió en Méjico; de allí pasó a Guatemala; en 1878 volvió, casado, a Cuba, siendo deportado de nuevo a España en 1879. Fugado de España, marcha a Nueva York, y de allí a Venezuela, en 1880. En 1881 regresa a Nueva York donde reside, hasta que en 1895, al estallar la última guerra de independencia cubana, que él había preparado desde Nueva York, logra cumplir su deseo de ir a Cuba y pegarse «allí al último tronco, al último peleador — morir callado». Murió, en efecto, el 19 de mayo de 1895, en la acción de Dos Ríos, por su patria. «Para mí la patria no será nunca triunfo, sino agonía y deber», escribió al emprender su último viaje a ella. Para los cubanos es, naturalmente, el gran héroe nacional; pero su personalidad y su obra, no sólo la literaria, sino la política, tienen amplitud continental y aun diríamos hispánica.

Martí es uno de los escritores más profundamente originales que hasta ahora ha producido América. Aunque su vida atormentada no le permitió la concentración y la quietud necesarias para escribir obras de gran aliento, y la mayor parte de su producción tuvo que ser periodística y de ocasión, hay en sus artículos — la mayor parte escritos para *La Nación,* de Buenos Aires —, en sus prólogos, en sus discursos, una ideología cuajada de chispazos geniales y expresada en uno de los estilos más personales de la literatura castellana. Su poesía — a veces no estimada bastante — no es inferior a su prosa, a pesar de la humildad aparente de sus temas y de sus formas. Desde los endecasílabos «hirsutos» de sus *Versos libres,* obra de juventud, hasta los octosílabos de sabor popular de sus *Versos sencillos,* obra de madurez, el alma ardiente y tierna, delicada y profunda, de Martí, ha dejado en sus versos su más recogida y sincera intimidad. La sencillez y libertad a que aspiró su poesía consistió en dar lo más puro, elevado y complejo de sí mismo, en supremo esfuerzo y originalidad. Por eso su poesía, al parecer tan tradicionalista, tiene muy poco que ver con la retórica de su tiempo, y su originalidad innovadora tampoco basta para encasillarle entre los precursores del modernismo. El espíritu de Martí no es de época ni de escuela: su temperamento es romántico, lleno de fe en los ideales humanos del siglo XIX, sin sombra de pesimismo ni decadencia; pero su arte arraiga de modo muy suyo en lo mejor del espíritu español, lo clásico y lo popular, y en su amplia cultura moderna donde entra por mucho lo inglés y lo norteamericano; su modernidad apuntaba más lejos que la de los modernistas, y hoy es más válida y patente que entonces.

BIBLIOGRAFÍA. — **Poesía:** *Amor con amor se paga,* proverbio en un acto (en verso), México, 1876. *Ismaelillo,* Nueva York, 1882. *Versos libres,* (1882), en J. M., *Obras,* ed. G. de Quesada, vol. XI, Habana, 1913. *La edad de oro,* Nueva York, 1889 (prosa y verso). *Versos sencillos,* Nueva York, 1891. *Obras,* reunidas por G. de Quesada, Habana, 1900-1919. *Flor y lava* (discursos, juicios, correspondencias, etc.), pról. de A. Lugo, París, 1910 (prosa y verso). *Versos,* pról. de R. Brenes Mesén, San José de C. R., 1914. *Versos* (introducciones del autor y notas de Rubén Darío), Buenos Aires, Edic. mínimas, 1919. *Páginas escogidas,* introd. de M. Henríquez Ureña, París, 1923 (prosa y verso). *Obras completas,* ordenadas y prologadas por A. Ghiraldo, Madrid, 1925. *Obras completas,* ed. A. Godoy y J. García Calderón, París, s. a. (el tomo I contiene la obra poética). *Poesías,* estudio preliminar, compilación y notas de J. Marinello, Habana, 1929. *Versos de amor* (inéditos), ed. de G. de Quesada, 1930. *Poems,* translated by C. Charles, en C. Charles, *Fuya...,* New York, 1898. *Poèmes choisies,* trad. par A. Godoy, París, 1929. **Otras obras:** *El presidio político en Cuba,* 1871. *Heredia,* discurso, Nueva York, 1889. *Guatemala,* Guatemala, 1913. *Los Estados Unidos,* Madrid, 1915. *Granos de oro, pensamientos seleccionados en sus obras,* por R. C. Argilagos, Habana, 1918. *Cartas inéditas de Martí,* anotadas por J. Llaverías, Habana, 1920. *Pensamientos,* selec. de A. Hernández Catá, Madrid, 1921. *Epistolario de héroes:* cartas y documentos históricos, colec. y ed. por G. Cabrales, Habana, 1922. *Artículos desconocidos,* en RBC, 1929, XXIV, núms. 5 y 6; 1930, XXV, núms. 1 y 2.

Ideario, ordenado por M. Isidro Méndez, Habana, 1930. *Epistolario,* con introd. y notas por F. Lizaso, Habana, 1930-1931. **Estudios :** *Álbum de un héroe : a la augusta memoria de J. M.,* Santo Domingo, 1896. L. ARAQUISTÁIN, *M.,* en RepAm, 1927, XIV, 328. S. AR-GÜELLO, *J. M.,* en RepAm, 1928, 25 agosto, 1 sept., 1 dic. *El M. poeta,* en AANALH, 1929, XIII, 30-52. A. M. BORRERO DE LUJÁN, *M., poeta,* en CuC, 1923, XXXII, 293-303. R. E. BOTI, *M. en Darío,* en CuC, 1925, XXXVII, 112-124; *La obra poética de M. : su cronología y antología,* en RdO, 1930, II, núms. 20-21, 6, 7 y 9. R. BRENES MESÉN, *J. M., escritor,* pról. a *Versos,* San José de C. R., 1914. F. CARABALLO Y SOTOLONGO, *J. M.,* conferencia, Matanzas, 1916; *J. M., poeta, pensador y revolucionario,* Matanzas, 1916. N. CARBONELL, *M., el poeta,* conferencia, Habana, 1913; *M. : su vida y su obra,* Habana, 1923; *M. y la Argentina,* en AANALH, 1929, XXIII, 435-460. J. M. CHACÓN Y CALVO, en *Las cien mejores poesías cubanas,* Madrid, 1922. R. DARÍO, en *Los raros,* Barcelona, 1893; *J. M., poeta,* en RepAm, 1921, II, 243-245; 257-258. M. DEULOFEU, *¡Souvenir! Remembranzas de un proscrito,* Tampa, Florida, 1900; *M., Cayo Hueso y Tampa : La emigración,* notas históricas, Cienfuegos, 1905. *El manifiesto de Montecristi* (J. M. y Máximo Gómez), Matanzas, 1929. O. FERRARA, *Un héros de l'independance cubaine : J. M.,* en RPLit, 1927, 16, 483-489. J. A. FONCUEVA, *Novísimo retrato de J. M.,* en Ama, 1928, III, núm. 14, 22-23. F. GARCÍA GODOY, *Americanismo literario,* Madrid, 1917, p. 27-72. M. GARCÍA KOHLY, *La personalidad de J. M.,* Madrid, 1929. A. GHIRALDO, pról. a J. M., *Obras completas,* vol. I, p. 11-84, Madrid, 1925. R. GÓMEZ ESTÉVEZ, *Reflexiones sobre M. y el tabaquero en la revolución cubana,* Habana, 1929. J. A. GONZÁLEZ LANUZA, *Discursos y trabajos,* Habana, 1921 (discursos en honor de M., p. 23-40). F. HENRÍQUEZ Y CARVAJAL, *Cuba y Quisqueya,* Habana, 1920 (discursos precedidos del testamento político de M.); *Todo por Cuba,* Santo Domingo, 1925. M. HENRÍQUEZ UREÑA, *J. M.,* en CuC, 1913, II, 5-10. F. HENRÍQUEZ CARVAJAL, *M. en la Prensa,* en RBC, 1930, XXV, 3, 321-327. A. HERNÁNDEZ CATÁ, *Mitología de M.,* estudio histórico, Madrid, 1929. A. IRAIZOZ Y DE VILLAR, *Las ideas pedagógicas de M.,* Habana, 1920; *La estética acrática de J. M.,* Habana, 1924. B. JARNÉS, *La prosa heroica de M.,* en RRaza, 1929, XV, 19-20. *J. M., apuntes biográficos, génesis de su gran obra política,* Tampa, Florida, 1896. *J, M., poeta,* cuatro artículos en Nac, 1913. F. LAGUADO JAIME, *La diestra de M.,* en RepAm, 1927, XIV, 328. R. LAZO, *M. y su obra literaria,* en RFLCHabana, 1928, XXXVIII, 241-365. F. LIZASO Y J. A. FERNÁNDEZ DE CASTRO, *J. M.,* en CuC, 1924, XXXV, 281-298. F. LIZASO, *Labor americanista de M.,* en RBC, 1929, XXIV, 641-653; *Aspectos de la biografía de M.,* en RDLH, 1930, I, núm. 6, 275-282. J. LLAVERÍAS, *Los periódicos de M.,* en BANHab, 1928, XXVII, 6-128; Habana, 1929. J. MARINELLO, *El poeta J. M.,* en RepAm, 1929, 20 y 27 abril, 4 mayo. H. J. MEDRANO, *M., maestro de niños y hombres,* en CuC, 1922, XXVIII, 97-144 M. I. MÉNDEZ, *J. M.,* estudio biográfico, París, 1925. N. MONTSENY, *M.,* en Ressor, marzo, 1929. E. MORALES, *M. y «La edad de Oro»,* en PrBA, 3 marzo 1929; *J. M.,* en RepAm, 2 nov. 1929. Museo Nacional de la Habana, *Inventario de los objetos pertenecientes o relativos a M.,* Habana, 1921. A. S. PEDREIRA, *Hostos y M.,* en Hos, 1928, I, núm. 1, 3-4 y 15. J. PÉREZ ABREU DE LA TORRE, *Discursos,* Habana, 1928. G. PILLEMENT, *Pi y Margall, M. et Cuba,* en RAmL, 1929, XVII, 82. *Primera jornada de J. M. en Cayo Hueso,* Nueva York, 1896. F. DE LOS RÍOS, *Ofrenda en torno al sentido de la vida en M.,* en REstH, 1928, I, 345- 360. R. ROA, *Divagaciones sobre el poeta J. M.,* en Orto, 1929, XVIII, núm. 6, 5-9. E. ROIG DE LEUCHSENRING, *Nacionalismo e internacionalismo de M.,* en CuC, 1927, XLIV, 5-21. S. SALAZAR, *Martí,* en CuC, 1918, XVII, 5-16; *Historia de la literatura cubana,* Habana, 1929. M. SANGUILY Y GARRITT, *Frente al enemigo,* Habana, 1916. R. SERRA MONTALVO, *La república posible,* Habana, 1909. A. TORRES RIOSECO, *Estudios literarios: J. M., I, El hombre,* en HispCal, 1922, V, 282-285; *J. M., II, El poeta,* en HispCal, 1923, VI, 323-327; *Precursores del modernismo,* Madrid, 1925. M. DE UNAMUNO, *Sobre el estilo de M.,* en Germinal, 1921, II, 3-4. E. J. VARONA, *Elogio de J. M.,* en TSDB, 30 marzo 1928. C. DE VELASCO Y PÉREZ, *M. (esbozo biográfico),* Habana, 1920. M. VITIER, *M., su obra política y literaria,* Matanzas, 1911; *Influencias en M.,* en RAv, 1929, IV, 268-269 y 284.

AMOR DE CIUDAD GRANDE

De gorja son y rapidez los tiempos.
Corre cual luz la voz; en alta aguja,
cual nave despeñada en sirte horrenda,
húndese el rayo, y en ligera barca
el hombre, como alado, el aire hiende.
¡Así el amor, sin pompa ni misterio
muere, apenas nacido, de saciado!
¡Jaula es la villa de palomas muertas
y ávidos cazadores! ¡Si los pechos
se rompen de los hombres, y las carnes
rotas por tierra ruedan, no han de verse
dentro más que frutillas estrujadas!

Se ama de pie, en las calles, entre el polvo
de los salones y las plazas; muere
la flor el día en que nace. Aquella virgen

trémula que antes a la muerte daba
la mano pura que a ignorado mozo;
el goce de temer; aquel salirse
del pecho el corazón; el inefable
placer de merecer; el grato susto
de caminar de prisa en derechura
del hogar de la amada, y a sus puertas
como un niño feliz romper en llanto;
y aquel mirar, de nuestro amor al fuego,
irse tiñendo de color las rosas,
¡ea, que son patrañas! Pues ¿quién tiene
tiempo de ser hidalgo? ¡Bien que sienta,
cual áureo vaso o lienzo suntuoso,
dama gentil en casa de magnate!
¡O si se tiene sed, se alarga el brazo
y a la copa que pasa se la apura!
Luego, la copa turbia al polvo rueda,
¡y el hábil catador—manchado el pecho
de una sangre invisible—sigue alegre,
coronado de mirtos, su camino!
¡No son los cuerpos ya sino desechos,
y fosas, y jirones! ¡Y las almas
no son como en el árbol fruta rica
en cuya blanda piel la almíbar dulce
en su sazón de madurez rebosa,
sino fruta de plaza que a brutales
golpes el rudo labrador madura!

¡La edad es ésta de los labios secos!
¡De las noches sin sueño! ¡De la vida
estrujada en agraz! ¿Qué es lo que falta
que la ventura falta? Como liebre
azorada, el espíritu se esconde,
trémulo huyendo al cazador que ríe,
cual en soto selvoso, en nuestro pecho;
y el deseo, de brazo de la fiebre,
cual rico cazador recorre el soto.

¡Me espanta la ciudad! ¡Toda está llena
de copas por vaciar, o huecas copas!

¡Tengo miedo, ¡ay de mí!, de que este vino
tósigo sea, y en mis venas luego
cual duende vengador los dientes clave!
¡Tengo sed, mas de un viño que en la tierra
no se sabe beber! ¡No he padecido
bastante aún, para romper el muro
que me aparta, ¡oh dolor!, de mi viñedo!
¡Tomad vosotros, catadores ruines
de vinillos humanos, esos vasos
donde el jugo de lirio a grandes sorbos
sin compasión y sin temor se bebe!
¡Tomad! ¡Yo soy honrado, y tengo miedo!

Versos libres, 1882.

VERSOS SENCILLOS

I

Yo soy un hombre sincero
de donde crece la palma;
y antes de morirme, quiero
echar mis versos del alma.

Yo vengo de todas partes,
y hacia todas partes voy:
arte soy entre las artes;
en los montes, monte soy.

Yo sé los nombres extraños
de las yerbas y las flores,
y de mortales engaños,
y de sublimes dolores.

Yo he visto en la noche oscura
llover sobre mi cabeza
los rayos de lumbre pura
de la divina belleza.

Alas nacer vi en los hombros
de las mujeres hermosas,

y salir de los escombros,
volando, las mariposas.

He visto vivir a un hombre
con el puñal al costado,
sin decir jamás el nombre
de aquella que lo ha matado.

Rápida, como un reflejo,
dos veces vi el alma, dos:
cuando murió el pobre viejo,
cuando ella me dijo adiós.

Temblé una vez — en la reja,
a la entrada de la viña —,
cuando la bárbara abeja
picó en la frente a mi niña.

Gocé una vez, de tal suerte
que gocé cual nunca: cuando
la sentencia de mi muerte
leyó el alcaide llorando.

Oigo un suspiro a través
de las tierras y la mar,
y no es un suspiro: es
que mi hijo va a despertar.

Si dicen que del joyero
tome la joya mejor,
tomo a un amigo sincero
y pongo a un lado el amor.

Yo he visto al águila herida
volar al azul sereno,
y morir en su guarida
la víbora del veneno.

Yo sé bien que cuando el mundo
cede, lívido, al descanso,
sobre el silencio profundo
murmura el arroyo manso.

Yo he puesto la mano osada,
de horror y júbilo yerta,
sobre la estrella apagada
que cayó frente a mi puerta.

Oculto en mi pecho bravo
la pena que me lo hiere:
el hijo de un pueblo esclavo
vive por él, calla y muere.

Todo es hermoso y constante,
todo es música y razón,
y todo, como el diamante,
antes que luz es carbón.

Yo sé que el necio se entierra
con gran lujo y con gran llanto,
y que no hay fruta en la tierra
como la del camposanto.

Callo, y entiendo, y me quito
la pompa del rimador;
cuelgo de un árbol marchito
mi muceta de doctor.

V

Si ves un monte de espumas,
es mi verso lo que ves:
mi verso es un monte, y es
un abanico de plumas.

Mi verso es como un puñal
que por el puño echa flor:
mi verso es un surtidor
que da un agua de coral.

Mi verso es de un verde claro
y de un carmín encendido:
mi verso es un ciervo herido
que busca en el monte amparo.

Mi verso al valiente agrada;
mi verso, breve y sincero,
es del vigor del acero
con que se funde la espada.

VII

Para Aragón, en España,
tengo yo en mi corazón
un lugar todo Aragón,
franco, fiero, fiel, sin saña.

Si quiere un tonto saber
por qué lo tengo, le digo
que allí tuve un buen amigo,
que allí quise a una mujer.

Allá, en la vega florida,
la de la heroica defensa,
por mantener lo que piensa
juega la gente la vida.

Y si un alcalde lo aprieta
o lo enoja un rey cazurro,
calza la manta el baturro
y muere con su escopeta.

Quiero a la tierra amarilla
que baña el Ebro lodoso;
quiero el Pilar azuloso
de Lanuza y de Padilla.

Estimo a quien de un revés
echa por tierra a un tirano;
lo estimo, si es un cubano;
lo estimo, si aragonés.

Amo los patios sombríos
con escaleras bordadas;
amo las naves calladas
y los conventos vacíos.

Amo la tierra florida,
musulmana o española,
donde rompió su corola
la poca flor de mi vida.

VIII

Yo tengo un amigo muerto
que suele venirme a ver:
mi amigo se sienta y canta;
canta en voz que ha de doler:

«En un ave de dos alas
bogo por el cielo azul:
un ala del ave es negra,
otra de oro Caribú.

El corazón es un loco
que no sabe de un color:
o es su amor de dos colores,
o dice que no es amor.

Hay una loca más fiera
que el corazón infeliz:
la que le chupó la sangre
y se echó luego a reír.

Corazón que lleva rota
el ancla fiel del hogar,
va como barca perdida,
que no sabe adónde va.»

En cuanto llega a esta angustia
rompe el muerto a maldecir:
le amanso el cráneo; lo acuesto;
acuesto el muerto a dormir.

IX

Quiero, a la sombra de un ala,
contar este cuento en flor:
la niña de Guatemala,
la que se murió de amor.

Eran de lirios los ramos,
y las orlas de reseda
y de jazmín; la enterramos
en una caja de seda.

... Ella dió al desmemoriado
una almohadilla de olor;
él volvió, volvió casado;
ella se murió de amor.

Iban cargándola en andas
obispos y embajadores;
detrás iba el pueblo en tandas,
todo cargado de flores.

... Ella, por volverlo a ver,
salió a verlo al mirador:
él volvió con su mujer:
ella se murió de amor.

Como de bronce candente
al beso de despedida,
era su frente: ¡la frente
que más he amado en mi vida!

... Se entró de tarde en el río,
la sacó muerta el doctor:
dicen que murió de frío:
yo sé que murió de amor.

Allí, en la bóveda helada,
la pusieron en dos bancos:
besé su mano afilada,
besé sus zapatos blancos.

Callado, al oscurecer,
me llamó el enterrador:
¡nunca más he vuelto a ver
a la que murió de amor!

X

El alma trémula y sola
padece al anochecer :
hay baile; vamos a ver
la bailarina española.

Han hecho bien en quitar
el banderón de la acera;
porque si está la bandera,
no sé, yo no puedo entrar.

Ya llega la bailarina;
soberbia y pálida llega.
¿Cómo dicen que es gallega?
Pues dicen mal: es divina.

Lleva un sombrero torero
y una capa carmesí :
¡lo mismo que un alelí
que se pusiese un sombrero!

Se ve, de paso, la ceja,
ceja de mora traidora:
y la mirada, de mora :
y como nieve la oreja.

Preludian, bajan la luz,
y sale en bata y mantón
la Virgen de la Asunción
bailando un baile andaluz.

Alza, retando, la frente;
crúzase al hombro la manta :
en arco el brazo levanta:
mueve despacio el pie ardiente.

Repica con los tacones
el tablado zalamera,
como si la tabla fuera
tablado de corazones.

Y va el convite creciendo
en las llamas de los ojos;
y el manto de flecos rojos
se va en el aire meciendo.

Súbito, de un salto arranca :
húrtase, se quiebra, gira :
abre en dos la cachemira,
ofrece la bata blanca.

El cuerpo cede y ondea;
la boca abierta provoca;
es una rosa la boca :
lentamente taconea.

Recoge, de un débil giro,
el manto de flecos rojos :
se va, cerrando los ojos,
se va, como en un suspiro...

Baila muy bien la española,
es blanco y rojo el mantón :
¡vuelve, fosca, a su rincón
el alma trémula y sola!

XXIII

Yo quiero salir del mundo
por la puerta natural :
en un carro de hojas verdes
a morir me han de llevar.

No me pongan en lo oscuro
a morir como un traidor;
¡yo soy bueno, y como bueno
moriré de cara al Sol!

XXVIII

Por la tumba del cortijo
donde está el padre enterrado,
pasa el hijo, de soldado
del invasor: pasa el hijo.

El padre, un bravo en la guerra,
envuelto en su pabellón
álzase; y de un bofetón
lo tiende, muerto, por tierra.

El rayo reluce; zumba
el viento por el cortijo :
el padre recoge al hijo,
y se lo lleva a la tumba.

XXXIX

Cultivo una rosa blanca,
en julio como en enero,
para el amigo sincero
que me da su mano franca.

Y para el cruel que me arranca
el corazón con que vivo,
cardo ni ortiga cultivo :
cultivo la rosa blanca.

XLIV

Tiene el leopardo un abrigo
en su monte seco y pardo :
yo tengo más que el leopardo,
porque tengo un buen amigo.

Duerme, como en un juguete,
la mushma en su cojinete
de arce del Japón : yo digo :
«No hay cojín como un amigo.»

Tiene el conde su abolengo :
tiene la aurora el mendigo :
tiene ala el ave : ¡yo tengo
allá en Méjico un amigo!

Tiene el señor presidente
un jardín con una fuente,
y un tesoro en oro y trigo :
tengo más, tengo un amigo.

XLV

Sueño con claustros de mármol
donde en silencio divino
los héroes, de pie, reposan :
¡de noche, a la luz del alma,
hablo con ellos : de noche!
Están en fila : paseo
entre las filas : las manos
de piedra les beso: abren
los ojos de piedra : mueven
los labios de piedra : tiemblan
las barbas de piedra : empuñan
la espada de piedra : lloran :
¡vibra la espada en la vaina!
Mudo, les beso la mano.

¡Hablo con ellos, de noche!
Están en fila: paseo
entre las filas : lloroso
me abrazo a un mármol: «¡Oh mármol,
dicen que beben tus hijos
su propia sangre en las copas
venenosas de sus dueños!
¡Que hablan la lengua podrida
de sus rufianes! ¡Que comen
juntos el pan del oprobio,
en la mesa ensangrentada!
¡Que pierden en lengua inútil
el último fuego! ¡Dicen,
oh mármol, mármol dormido,
que ya se ha muerto tu raza!»

Échame en tierra de un bote
el héroe que abrazo : me ase
del cuello: barre la tierra
con mi cabeza : levanta
el brazo, ¡el brazo le luce
lo mismo que un sol! : resuena

la piedra : buscan el cinto
las manos blancas: ¡del soclo
saltan los hombres de mármol!

Versos sencillos, 1891.

RICARDO GIL

1855-1908

Español, de Murcia. Entre 1885 y 1898, antes de aparecer los grandes poetas españoles del modernismo, se señaló Ricardo Gil como un renovador de la poesía. Fué, en efecto, uno de los pocos que se acercaron a la poesía francesa, y bajo la influencia de los últimos parnasianos, fecundó y flexibilizó su temperamento personal, que se manifiesta en una poesía íntima, delicada y elegante.

BIBLIOGRAFÍA.—**Poesía:** *De los quince a los treinta,* Madrid, 1885. *La caja de música,* 1898. *El último libro,* Murcia, 1909. **Estudios:** F. Ba-lart, *R. G.,* en *Impresiones,* Madrid, 1894, 131-143. A. Bellogín, *En torno a la poesía de R. G.,* en Oróspeda, Murcia, 1917, 193-195, 222-223. E. Díez-Canedo, *R. G.,* en L, 1908, VIII, vol. I: 56-57; *Los comienzos del modernismo,* en Nac, marzo, 1923; E. Díez de Revenga, *R. G., Ba-lart,* en *Artículos adocenados,* Murcia, 1930, 65-70. E. Martí, *Glorias de Murcia olvidadas: El poeta R. G.,* en Verdad, dic. 1924; *R. G.,* en Verdad, 18 enero, 1925.

TRISTITIA RERUM

Abierto está el piano...
Ya no roza el marfil aquella mano
más blanca que el marfil.
La tierna melodía
que a media voz cantaba, todavía
descansa en el atril.

En el salón desierto
el polvo ha penetrado y ha cubierto
los muebles que ella usó:
y de la chimenea

sobre el rojo tapiz no balancea
su péndola el reló.

La aguja detenida
en la hora cruel de su partida,
otra no marcará.
Junto al hogar, ya frío,
tiende sus brazos el sillón vacío
que esperándola está.

El comenzado encaje,
en un rincón espera quien trabaje
su delicada red...
La mustia enredadera
se asoma por los vidrios y la espera
moribunda de sed...

De su autor preferido,
la obra, en el pasaje interrumpido
conserva la señal...
Aparece un instante
del espejo en el fondo su semblante...
Ha mentido el cristal.

En pavorosa calma
creciendo van las sombras... En mi alma
van creciendo también.
Por el combate rudo
vencido al fin, sobre el piano mudo
vengo a apoyar mi sien.

Al golpear mi frente
la madera, sus cuerdas tristemente
comienzan a vibrar...
En la caja sonora
brota un sordo rumor... Alguien que llora
al verme a mí llorar...

Es un largo lamento
al que se liga conocido acento
que se aleja veloz...

En la estancia sombría
suena otra vez la tierna melodía
que ella cantaba siempre a media voz.

La caja de música, 1898.

VA DE CUENTO

Un cuento me pides, claro se adivina
en tus ojos grandes al mirarme atentos.
¿Va de cuento? Vaya. Será mi heroína
la princesa rubia de los rancios cuentos.

La princesa rubia de ojos parecidos
a los tuyos, Laura, grandes, pensadores,
que daba sus joyas a los desvalidos
y se alimentaba con jugos de flores.

La princesa rubia de pies aniñados
que hubiera podido calzar tus chapines,
la que remontaba ríos plateados
unciendo a una concha ligeros delfines.

De la que aprendieron las trovas rimadas
que al rayar el día cantan los jilgueros.
Aquella princesa por cuyas miradas
sus lanzas cruzaron tantos caballeros.

La que va ciñendo delicados tules,
que bordó de estrellas hada bienhechora,
por entre las brumas de cuentos azules,
en pos de un ensueño de color de aurora.

Sin cesar llegaban a pedir su mano
(breve cual la tuya) con vistosos trajes,
ya un príncipe negro de país lejano,
ya un guerrero altivo cercado de pajes.

Desfilaban todos... Ella, desdeñosa,
con el abanico sus ojos cubría
(por el varillaje mirando curiosa),
y ellos se alejaban con melancolía.

Como tantos eran nobles paladines,
duques, infanzones, los que iban llegando,
hizo el rey su padre a son de clarines
por toda la tierra publicar un bando.

Y el bando decía : «Mientras sonrosada
la primer aurora de abril no despierta,
para todos cierro mi real morada;
ningún caminante llamará a su puerta.

Pero en ese día todos los galanes
que por la princesa suspiran dolientes,
sufren mal de amores y ocultan afanes,
vengan a mi alcázar, traigan sus presentes.

Y cuando desfilen ante el áureo trono,
verá el preferido que la bella arroja
su abanico al suelo con dulce abandono,
para que el dichoso mortal lo recoja.»

No bien los jilgueros, tan madrugadores,
dijeron : «Ya es hora; la suerte os invita»,
multitud brillante de erguidos señores
del amor en alas acudió a la cita.

Sobre rico trono de metal bruñido,
cercado de damas, bella entre las bellas,
la princesa rubia lucía un vestido
de ligeros tules bordado de estrellas.

Ni una perla ornaba sus trenzas sedosas,
que sembró de flores, con modestia suma,
y agitaba, obsequio de hadas primorosas,
precioso abanico de rizada pluma.

Desfilando fueron por la regia sala
príncipes, magnates de altanero porte :
llevaban heraldos con trajes de gala;
sus pasos seguía numerosa corte.

Y graciosos pajes, en lindas bandejas,
traían presentes : ya caros trofeos
de gloriosas lides; ya bandas bermejas
con valor ganadas en nobles torneos;

ya viejo amuleto labrado en Oriente,
contra encantadores defensa segura,
ya piedras preciosas de luz esplendente,
ya telas y pieles de rara hermosura.

Pero su abanico no dejó un instante
caer la princesa con dulce abandono...
Todos se alejaban, cuando suplicante
galán inclinóse frente al noble trono.

Su traje era humilde; su actitud sombría;
no le acompañaban fieles servidores,
y sobre su espalda pendiente traía
el laúd, tesoro de los trovadores.

En las gradas puso la rodilla, y dijo :
«Malaconsejado por amor, señora,
vengo a vuestras plantas, y a vos me dirijo
en pos de un ensueño de color de aurora.

Pero no os extrañe, si de amores loco
busco mi sentencia con mi atrevimiento :
no temo al castigo que al hablar provoco,
porque ya en mi crimen hallé mi tormento.

Llego aquí cantando como van las aves
por la selva : os cedo mi laúd templado.
De ciudad rendida no esperéis las llaves,
ni gigante odioso por mí encadenado.

Libre soy : no envidio ni ambiciono nada.
De mundos soñados ser el rey presumo.
Tomadlos, señora; tomad, si os agrada,
mis castillos de aire, mi corona de humo.

Aunque mi tesoro cabe en mi escarcela,
mayor os lo guarda mi amoroso anhelo
en la pura estrofa que sin alas vuela
sobre el lodo y sube reflejando el cielo.»

Esto dijo; luego saludó a la hermosa
sin alarde altivo, pero grave y firme.
La princesa rubia le oyó silenciosa,
y se sonreía... como tú al oírme.

¿Cómo acaba el cuento?... Solución no hallo.
A tus pies de hinojos, Laura, te suplico
que tú lo termines : yo te miro y callo...
En tus manos blancas está el abanico.

La caja de música, 1898.

SUPERSTICIÓN

Despierto está el jardín... De su tardanza
no adivino el motivo... El tiempo avanza...
Duda tenaz, no turbes mi reposo.
Comienza a vacilar mi confianza...
El miedo me hace ser supersticioso.

¡Cómo asustado el pensamiento vuela!...
Si aparece, al llegar, en la cancela,
será que es fiel... Si acude a nuestra cita
por el postigo, entonces no recela
mi amor en vano... ¡Dios no lo permita!

¡Huye, duda; del alma te destierro!
Por la cancela del dorado hierro
vendrá... Pero, Señor, ¿qué la detiene?...
Sus pasos oigo ya... Los ojos cierro,
que no quiero saber por dónde viene.

La caja de música, 1898.

SALVADOR DÍAZ MIRÓN

1853-1928

Mejicano, de Veracruz. Arisco, independiente, llevó una vida
solitaria y orgullosa, en la que se señalan algunos episodios dra-
máticos — duelos, encarcelamientos — nacidos de su indómita
puntillosidad. Su poesía también se mantiene señera y aparta-
da de las múltiples evoluciones que la literatura sufrió durante
su larga vida. Empezó siendo romántica, victorhuguesca, magnífica y declamatoria, aunque siempre con una tendencia a la

concisión enfática y a la precisión formal, muy españolas. Este freno a su romanticismo llegó a convertirse en la pasión heroica de su soledad, e imprimió a su obra posterior, la de *Lascas,* 1901 — después de renegar de su obra anterior —, verdadera originalidad y modernidad. Su poesía ni es parnasiana ni es modernista, aunque tiene puntos de aparente semejanza con ellas. Su perfección es lima y es retórica; su difícil concisión, su seca brillantez, su rebuscamiento de la expresión justa, su falta de jugosidad, de ironía y de ternura, hacen que su poesía, inhumana y amanerada, se parezca al conceptismo y el culteranismo del siglo XVII español, y al mismo tiempo contenga anticipos de la reacción postmodernista.

BIBLIOGRAFÍA.—**Poesía:** *Poesías,* México, 1886; Nueva York, 1895; Santiago de Chile, 1903. *Lascas,* Xalapa, 1901; 1906; Madrid, 1917. *Poemas escogidos,* selec. de R. López, México, 1919. *Sus mejores poemas,* prólogo de R. Blanco-Fombona, Madrid, Edit. América, s. a. **Estudios:** C. G. AMÉZAGA *Poetas mexicanos,* Buenos Aires, 1896. J. I. ARMIDA, *S. D. M.,* en EyACVL, 1929, año XVIII, núm. 203, 75-77. R. BLANCO-FOMBONA, pról. a *Sus mejores poemas,* Madrid, Edit. América, s. a. R. DOMÍNGUEZ. *Los poetas mexicanos,* México, 1888. M. FERNÁNDEZ AL-MAGRO, *D. M., el último superviviente,* en GLit, 1928, III, núm. 37, 2. E. GONZÁLEZ ROJO, *D. M., muerto y vivo,* en Con, 1928, I, 204-206. F. A. DE ICAZA, *Poetas modernos de México (antología íntima), Manuel Gutiérrez Nájera y S. D. M.,* en NT, 1901, año I, 23-26. M. JIMÉNEZ, *S. D. M.,* en RepAm, 1928, 30 junio. J. J. LÓPEZ *Los grandes poetas: S. D. M.,* en Íd., 1916, 5 febr., núm. 75. A. MEDIZ BOLIO, *S. D. M.,* en RepAm, 1928, 30 junio. C. OYUELA, *Antología de la poesía hispanoamericana,* t. III, vol. II, p. 952. C. PEREYRA, *Pistolas, fusiles y consejas,* en RepAm, 22 sept. 1928. M. PUGA Y ACAL, *Los poetas mexicanos contemporáneos,* México, 1888. J. SALADO ÁLVAREZ, *Más sobre D. M,* (carta a García Monge), en RepAm, 10 nov. 1928. J. J. TABLADA. *S. D. M.,* en RM, 1906, núm. 4 A. TORRES RIOSECO, *S. D. M. (1853-1928),* en REstH, 1928, I, 295. *Un ilustre poeta mejicano: S. D. M.,* en PMag, feb. 1916, núm. 38. A. DE VALBUENA, *Ripios ultramarinos,* Madrid, 1902, t. IV. E. VELÁZQUEZ BRINGAS, *Notas bio-bibliográficas de D. M.,* en HispCal, 1928, XI, 318-319. N. L. WEISINGER, *The death of D. M.,* en HispCal, 1928, XI, 307-308.

A GLORIA

No intentes convencerme de torpeza
con los delirios de tu mente loca :
mi razón es al par luz y firmeza,
firmeza y luz como el cristal de roca.

Semejante al nocturno peregrino,
mi esperanza inmortal no mira al suelo;
no viendo más que sombra en el camino,
sólo contempla el esplendor del cielo.

Vanas son las imágenes que entraña
tu espíritu infantil, santuario oscuro.
Tu numen, como el oro en la montaña,
es virginal y, por lo mismo, impuro.

A través de este vértice que crispa,
y ávido de brillar, vuelo o me arrastro,
oruga enamorada de una chispa,
o águila seducida por un astro.

Inútil es que con tenaz murmullo
exageres el lance en que me enredo;
yo soy altivo, y el que alienta orgullo
lleva un broquel impenetrable al miedo.

Fiado en el instinto que me empuja,
desprecio los peligros que señalas.
«El ave canta aunque la rama cruja :
como que sabe lo que son sus alas.»

Erguido bajo el golpe en la porfía,
me siento superior a la victoria.
Tengo fe en mí : la adversidad podría
quitarme el triunfo, pero no la gloria.

¡Deja que me persigan los abyectos!
¡Quiero atraer la envidia, aunque me abrume!
La flor en que se posan los insectos
es rica de matiz y de perfume.

El mal es el teatro en cuyo foro
la virtud, esa trágica, descuella;
es la sibila de palabra de oro,
la sombra que hace resaltar la estrella.

¡Alumbrar es arder! ¡Estro encendido
será el fuego voraz que me consuma!
La perla brota del molusco herido,
y Venus nace de la amarga espuma.

Los claros timbres de que estoy ufano
han de salir de la calumnia ilesos.
Hay plumajes que cruzan el pantano
y no se manchan... ¡Mi plumaje es de ésos!

¡Fuerza es que sufra mi pasión! La palma
crece en la orilla que el oleaje azota.
El mérito es el náufrago del alma :
vivo, se hunde; pero muerto, flota.

¡Depón el ceño y que tu voz me arrulle!
¡Consuela el corazón del que te ama!
Dios dijo al agua del torrente: «¡Bulle!»
Y al lirio de la margen: «¡Embalsama!»

¡Confórmate, mujer! Hemos venido
a este valle de lágrimas que abate,
tú, como la paloma, para el nido,
y yo, como el león, para el combate.

Poesías, 1886.

A ELLA

Semejas esculpida en el más fino
hielo de cumbre sonrojado al beso
del Sol, y tienes ánimo travieso,
y eres embriagadora como el vino.

Y mientes : no imitaste al peregrino
que cruza un monte de penoso acceso
y párase a escuchar con embeleso
un pájaro que canta en el camino.

Obrando tú como rapaz avieso,
correspondiste con la trampa el trino,
por ver mi pluma y torturarme preso.

No así el viandante que se vuelve a un pino
y párase a escuchar con embeleso
un pájaro que canta en el camino.

Xalapa, 27 de mayo de 1901.   *Lascas,* 1906.

EL FANTASMA

Blancas y finas, y en el manto apenas
visibles, y con aire de azucenas,
las manos — que no rompen mis cadenas —.

Azules y con oro enarenados,
como las noches limpias de nublados,
los ojos — que contemplan mis pecados —.

Como albo pecho de paloma el cuello,
y como crin de sol barba y cabello,
y como plata el pie descalzo y bello.

Dulce y triste la faz; la veste zarca.
Así, del mal sobre la inmensa charca,
Jesús vino a mi unción, como a la barca.

Y abrillantó a mi espíritu la cumbre
con fugaz cuanto rica certidumbre,
como con tintas de refleja lumbre.

Y suele retornar; y me reintegra
la fe que salva y la ilusión que alegra;
y un relámpago enciende mi alma negra.

Cárcel de Veracruz, 14 de diciembre de 1893.

Lascas, 1906.

EJEMPLO

En la rama el expuesto cadáver se pudría,
como un horrible fruto colgante junto al tallo,
rindiendo testimonio de inverosímil fallo
y con ritmo de péndola oscilando en la vía.

La desnudez impúdica, la lengua que salía,
y alto mechón en forma de una cresta de gallo,
dábanle aspecto bufo; y al pie de mi caballo
un grupo de arrapiezos holgábase y reía.

Y el fúnebre despojo, con la cabeza gacha,
escandaloso y túmido en el verde patíbulo,
desparramaba hedores en brisa como racha,

mecido con solemnes compases de turíbulo.
Y el Sol iba en ascenso por un azul sin tacha,
y el campo era figura de una canción de Tíbulo.

Lascas, 1906.

IDILIO

A tres leguas de un puerto bullente
que a desbordes y grescas anima,
y al que a un tiempo la gloria y el clima
adornan de palmas la frente,
hay un agrio breñal, y en la cima
de un alcor un casucho acubado,
que de lejos diviso a menudo,
y rindiéndose apoya un costado
en el tronco de un mango copudo.

Distante, la choza resulta montera
con borla y al sesgo sobre una mollera.

El sitio es ingrato, por fétido y hosco.
El cardón, el nopal y la ortiga
prosperan; y el aire trasciende a boñiga,
a marisco y a cieno; y el mosco
pulula y hostiga.

La flora es enérgica para
que indemne y pujante soporte
la furia del soplo del Norte,
que de octubre a febrero no es rara,
y la pródiga lumbre febea,
que de marzo a septiembre caldea.

El Oriente se inflama y colora,
como un ópalo inmenso en un lampo,
y difunde sus tintes de aurora
por piélago y campo.
Y en la magia que irisa y corusca,
una perla de plata se ofusca.

Un prestigio rebelde a la letra,
un misterio inviolable al idioma,
un encanto circula y penetra,
y en el alma es edénico aroma.
Con el juego cromático gira,
en los pocos instantes que dura;
y hasta el pecho infernado respira
un olor de inocencia y ventura.
¡Al través de la trágica Historia,
un efluvio de antigua bonanza
viene al hombre, como una memoria,
y acaso como una esperanza!

El ponto es de azogue y apenas palpita.
Un pesado alcatraz ejercita
su instinto de caza en la fresca.
Grave y lento, discurre al soslayo,
escudriña con calma grotesca,
se derrumba cual muerto de un rayo,
sumérgese y pesca.

Y al trotar de un rocín flaco y mocho,
un moreno, que ciñe *moruna*,
transita cantando cadente tontuna
de baile *jarocho*.

Monótono y acre gangueo,
que un pájaro acalla, soltando un gorjeo.

Cuanto es mudo y selecto en la hora,
en el vasto esplendor matutino,
halla voz en el ave canora,
vibra y suena en el chorro del trino.

Y como un monolito pagano,
un buey gris en un yermo altozano
mira fijo, pasmado y absorto,
la pompa del orto.

Y a la puerta del viejo bohío
que oblicuando su ruina en la loma
se recuesta en el árbol sombrío,
una rústica grácil asoma,
como una paloma.

Infantil por edad y estatura,
sorprende ostentando sazón prematura;
elásticos bultos de tetas opimas;
y a juzgar por la equívoca traza,
no semeja sino una rapaza
que reserva en el seno dos limas.

Blondo y grifo e inculto el cabello,
y los labios turgentes y rojos,
y de tórtola el garbo del cuello,
y el azul del zafiro en los ojos.
Dientes albos, parejos, enanos,
que apagado coral prende y liga,
que recuerdan, en curvas de granos,
el maíz cuando tierno en la espiga.
La nariz es impura, y atesta
una carne sensual e impetuosa;
y en la faz, a rigores expuesta,
la nieve da en ámbar, la púrpura en rosa,
y el júbilo es gracia sin velo,
y en cada carrillo produce un hoyuelo.

La payita se llama Sidonia;
llegó a México en una barriga :
en el vientre de infecta mendiga
que, del fango sacada en Bolonia,
formó parte de cierta colonia,
y acabó de miseria y fatiga.

La huérfana ignara y creyente
busca sólo en los cielos el rastro;
y de noche imagina que siente
besos, ¡ay!, en los hilos de un astro.
¿Qué ilusión es tan dulce y hermosa?
Dios le ha dicho: «*sé plácida y bella;*
y en el duelo que marque una fosa
pon la fe que contemple una estrella.»
¿Quién no cede al consuelo que olvida?
La piedad es un santo remedio;
y después, el ardor de la vida
urge y clama en la pena y el tedio,
y al tumulto y al goce convida.
De la zafia el pesar se distrae,
desplome de polvo y ascenso de nube.
¡Del tizón la ceniza que cae
y el humo que sube!

La madre reposa con sueño de piedra.
La muchacha medra.

Y por siembras y apriscos divaga
con su padre, que duda de serlo;
y el infame la injuria y estraga,
y la triste se obstina en quererlo.
Llena está de pasión y de bruma;
tiene ley en un torpe atavismo,
y es al cierzo del mal una pluma...
¡Oh pobreza! ¡Oh incuria! ¡Oh abismo!

*
* *

Vestida con sucios jirones de paño,
descalza y un lirio en la greña,

la pastora gentil y risueña
camina detrás del rebaño.

Radioso y jovial firmamento.
Zarcos fondos, con blancos celajes
como espumas y nieves al viento
esparcidas en copos y encajes.

Y en la excelsa y magnífica fiesta,
y cuál mácula errante y funesta,
un vil zopilote resbala,
tendida e inmóvil el ala.

El Sol meridiano fulgura,
suspenso en el Toro;
y el paisaje, con varia verdura,
parece artificio de talla y pintura,
según está quieto en el oro.

El fausto del orbe sublime
rutila en urente sosiego,
y un derribo de paz y de fuego
baja y cunde y escuece y oprime.

Ni céfiro blando que aliente, que rase,
que corra, que pase.

Entre dunas aurinas que otean,
tapetes de grana serpean,
cortados a trechos por brozas hostiles,
que muestran espinas y ocultan reptiles.

Y en hojas y tallos un brillo de aceite
simula un afeite.

La luz torna las aguas espejos;
y en el mar sin arrugas ni ruidos
reverbera con tales reflejos,
que ciega, causando vahidos.

El ambiente sofoca y escalda;
y encendida y sudando, la chica
se despega y sacude la falda,
y así se abanica.

Los guiñapos revuelan en hondas...
La grey pace y trisca y holgando se tarda...
Y al amparo de umbráticas frondas
la palurda se acoge y resguarda.

Y un borrego con gran cornamenta
y pardos mechones de lana mugrienta,
y una oveja con bucles de armiño
— la mejor en figura y aliño —
se copulan con ansia que tienta.

La zagala se turba y empina...
Y alocada en la fiebre del celo,
lanza un grito de gusto y de anhelo...
¡Un cambujo patán se avecina!

Y en la excelsa y magnífica fiesta,
y cual mácula errante y funesta,
un vil zopilote resbala,
tendida e inmóvil el ala.

Lascas, 1906.

JULIÁN DEL CASAL

1863-1893

Cubano. Su padre era vasco y su madre hija de español y de
norteamericana de origen irlandés. La pérdida de su madre,
cuando tenía cinco años, dejó honda huella en su alma. Estudió
en un colegio de jesuítas; leyó mucho desde muy joven; sabía
latín y francés. La ruina económica de su familia y la muerte
de su padre le dejaron a los veintidós años en la pobreza y la
soledad. Vivía de un modesto empleo de Hacienda — que más
tarde perdió —, y al mismo tiempo escribía en *La Habana Elegante* y otros periódicos desde 1885. Hacia ese tiempo empieza
a familiarizarse con la literatura francesa más reciente, de la
que recibió mucha y variada influencia. Pero quizá los poetas
que más huella dejaron en él fueron Leopardi y Baudelaire.
En 1888 hizo, lleno de ilusión, un viaje a España — única salida
de su patria —, residiendo en Madrid, de donde volvió a los

tres meses desengañado y triste. En 1892 conoció a Rubén Darío al pasar éste por la Habana de regreso de España; los dos poetas se dieron pruebas de la más sincera estimación mutua. Al encontrarse habían llegado los dos independientemente a las mismas fuentes y a muchos puntos de coincidencia en su creación poética. Pero la vida de Casal iba a acabarse pronto de «un mal obscuro y misterioso» que le produjo la muerte repentina en medio de la alegría de una comida, por «rotura de un aneurisma», según la certificación médica. De temperamento enfermizo siempre, su corta vida fué toda interior: la vida desolada, amarga y melancólica que refleja su poesía. En sus sombras brillan tan sólo los afanes de la creación artística y la ilusión por lo imaginado y lo exótico. Su poesía es intensa, personal y sincera. Rara vez ha alcanzado tal fuerza de verdad la expresión del dolor radical de la naturaleza humana, del sentimiento del hastío, del vacío, de la nada. Sin artificio, como nacidos de su propio temperamento, se encuentran en su poesía muchos de los temas y formas fundamentales del modernismo, de modo que significa, por su poder de innovación y su asimilación de la poesía francesa, el mayor avance hacia la nueva poesía hecho antes de la publicación de *Prosas profanas*.

Bibliografía. — **Poesía:** *Hojas al viento*, Habana, 1890. *Nieve*, 1892. *Bustos y rimas*, 1893. *Sus mejores poemas*, ed. de R. Blanco-Fombona, Madrid, 1916. **Estudios:** J. de Armas, *Estudios y retratos*, Madrid, 1911. E. Bobadilla, *Trique-traques*, Madrid, 1892. Conde Kostia, *J. del C.*, en Fi, 7 nov. 1897. M. de la Cruz, *Cromitos cubanos*, Habana, 1892. J. M. Chacón y Calvo, *Las cien mejores poesías cubanas*, Madrid, 1922. R. Darío, *Páginas de arte*, Madrid, 1924. R. A. Estenger, *José Asunción Silva*, en CuC, 1920, XXIII, 31-44. J. A. Fernández de Castro, *Aniversario y revisión de C.*, en RDLH, 1930, I, núm. 10, 51-56. J. J. Geada, *Influencia de C. en la literatura castellana*, en RdO, 1930, II, núm. 22. M. Henríquez Ureña, *Rodó y Rubén Darío*, Habana, 1918. P. Henríquez Ureña, *Ensayos críticos*, Habana, 1905. N. Heredia, *Puntos de vista*, Habana, 1892. E. Hernández Miyares, *Prosas*, Habana, 1916. *Homenaje a J. del C.*, HEl 1893. E. A. Horta, *Bronces y rosas*, Habana, 1906. F. Lagomaggiori, *América literaria*, 2.ª ed., t. III, Buenos Aires, 1890. J. Martí, *Hombres*, Habana, 1906. R. Meza y Suárez Inclán, *J. del C.*, en RFLCHabana, 1910, XI, 105-142. C. Oyuela, *Antología de la poesía hispanoamericana*, t. III, vol. II, p. 986. R. Pérez Cabello, *El poeta C.*, 1898. R. Roa Gar-

CÍA, *Ensayo sobre J. del C.*, en DM, 3 en. 1926. S. SALAZAR Y ROIG, *Historia de la literatura cubana,* Habana, 1929. M. SANGUILY, *Hojas literarias,* t. II, Habana, 1893. A. TORRES RIOSECO, *Precursores del modernismo,* Madrid, 1925. (Véase, además, LIZASO, PMC, págs. 57-59.)

EL CAMINO DE DAMASCO

Lejos brilla el Jordán de azules ondas
que esmalta el sol de lentejuelas de oro,
atravesando las tupidas frondas,
pabellón verde del bronceado toro.

Del majestuoso Líbano en la cumbre,
erige su ramaje el cedro altivo,
y del día estival bajo la lumbre
desmaya en los senderos el olivo.

Piafar se escuchan árabes caballos
que, a través de la cálida arboleda,
van levantando con sus férreos callos,
en la ancha ruta, opaca polvareda.

Desde el confín de las lejanas costas
sombreadas por los ásperos nopales,
enjambres purpurinos de langostas
vuelan a los ardientes arenales.

Ábrense en las llanuras las cavernas
pobladas de escorpiones encarnados,
y al borde de las límpidas cisternas
embalsaman el aire los granados.

En fogoso corcel de crines blancas,
lomo robusto, refulgente casco,
belfo espumante y sudorosas ancas,
marcha por el camino de Damasco

Saulo, y eleva su bruñida lanza
que, a los destellos de la luz febea,
mientras el bruto relinchando avanza
entre nubes de polvo, centellea.

Tras las hojas de oscuros olivares
mira de la ciudad los minaretes,
y encima de los negros almenares
ondear azulados gallardetes.

Súbito, desde lóbrego celaje
que desgarró la luz de hórrido rayo,
oye la voz de célico mensaje,
cae transido de mortal desmayo,

bajo el corcel ensangretado rueda,
su lanza estalla con vibrar sonoro
y, a los reflejos de la luz, remeda
sierpe de fuego con escamas de oro.

Nieve, 1892.

CROMOS ESPAÑOLES

UNA MAJA

Muerden su pelo negro, sedoso y rizo,
los dientes nacarados de alta peineta
y surge de sus dedos la castañeta
cual mariposa negra de entre el granizo.

Pañolón de Manila, fondo pajizo,
que a su talle ondulante firme sujeta,
echa reflejos de ámbar, rosa y violeta,
moldeando de sus carnes todo el hechizo.

Cual tímidas palomas por el follaje,
asoman sus chapines bajo su traje,
hecho de blondas negras y verde raso,

y al choque de las copas de manzanilla
riman con los tacones la seguidilla
perfumes enervantes dejando al paso.

Nieve, 1892.

PAX ANIMAE

No me habléis más de dichas terrenales
que no ansío gustar. Está ya muerto

mi corazón, y en su recinto abierto
sólo entrarán los cuervos sepulcrales.

Del pasado no llevo las señales,
y a veces de que existo no estoy cierto,
porque es la vida para mí un desierto
poblado de figuras espectrales.

No veo más que un astro oscurecido
por brumas de crepúsculo lluvioso,
y, entre el silencio de sopor profundo,

tan sólo llega a percibir mi oído
algo extraño, confuso y misterioso
que me arrastra muy lejos de este mundo..

Nieve, 1892.

NOSTALGIAS

I

Suspiro por las regiones
donde vuelan los alciones
sobre el mar,
y el soplo helado del viento
parece en su movimiento
sollozar;

donde la nieve que baja
del firmamento, amortaja
el verdor
de los campos olorosos
y de ríos caudalosos
el rumor;

donde ostenta siempre el cielo,
a través de aéreo velo,
color gris;
es más hermosa la luna
y cada estrella más que una
flor de lis.

II

Otras veces sólo ansío
bogar en firme navío
a existir
en algún país remoto,
sin pensar en el ignoto
porvenir.

Ver otro cielo, otro monte,
otra playa, otro horizonte,
otro mar,
otros pueblos, otras gentes
de maneras diferentes
de pensar.

¡Ah!, si yo un día pudiera,
con qué júbilo partiera
para Argel,
donde tiene la hermosura
el color y la frescura
de un clavel.

Después fuera en caravana
por la llanura africana
bajo el sol
que, con sus vivos destellos,
pone un tinte a los camellos
tornasol.

Y cuando el día expirara
mi árabe tienda plantara
en mitad
de la llanura ardorosa
inundada de radiosa
claridad.

Cambiando de rumbo luego,
dejara el país del fuego
para ir

hasta el imperio florido
en que el opio da el olvido
del vivir.

Vegetara allí contento
de alto bambú corpulento
junto al pie,
o aspirando en rica estancia
la embriagadora fragancia
que da el te.

De la luna al claro brillo
iría al Río Amarillo
a esperar
la hora en que, el botón roto,
comienza la flor del loto
a brillar.

O mi vista deslumbrara
tanta maravilla rara
que el buril
de artista, ignorado y pobre,
graba en sándalo o en cobre
o en marfil.

Cuando tornara el hastío
en el espíritu mío
a reinar,
cruzando el inmenso piélago
fuera a taitiano archipiélago
a encallar.

A aquél en que vieja historia
asegura a mi memoria
que se ve
el lago en que un hada peina
los cabellos de la reina
Pomaré.

Así errabundo viviera
sintiendo toda quimera
rauda huír,

y hasta olvidando la hora
incierta y aterradora
de morir.

III

   Mas no parto. Si partiera,
al instante yo quisiera
regresar.
¡Ay! ¿Cuándo querrá el destino
que yo pueda en mi camino
reposar?

Nieve, 1892.

PAISAJE DEL TRÓPICO

   Polvo y moscas. Atmósfera plomiza
donde retumba el tabletear del trueno
y, como cisnes entre inmundo cieno,
nubes blancas en cielo de ceniza.

   El mar sus hondas glaucas paraliza,
y el relámpago, encima de su seno,
del horizonte en el confín sereno
traza su rauda exhalación rojiza.

   El árbol soñoliento cabecea,
honda calma se cierne largo instante,
hienden el aire rápidas gaviotas,

   el rayo en el espacio centellea,
y sobre el dorso de la tierra humeante
baja la lluvia en crepitantes gotas.

Nieve, 1892.

CREPUSCULAR

Como vientre rajado sangra el ocaso,
manchando con sus chorros de sangre humeante
de la celeste bóveda el azul raso,
de la mar estañada la onda espejeante.

Alzan sus moles húmedas los arrecifes
donde el chirrido agudo de las gaviotas,
mezclado a los crujidos de los esquifes,
agujerea el aire de extrañas notas.

Va la sombra extendiendo sus pabellones
rodea el horizonte cinta de plata,
y dejando las brumas hechas jirones,
parece cada faro flor escarlata.

Como ramos que ornaron senos de ondinas
y que surgen nadando de infecto lodo,
vagan sobre las ondas algas marinas
impregnadas de espumas, salitre y yodo.

Ábrense las estrellas como pupilas,
imitan los celajes negruzcas focas
y, extinguiendo las voces de las esquilas,
pasa el viento ladrando sobre las rocas.

Bustos y rimas, 1893

RONDELES

I

De mi vida misteriosa,
tétrica y desencantada,
oirás contar una cosa
que te deje el alma helada.

Tu faz de color de rosa
se quedará demacrada,
al oír la extraña cosa
que te deje el alma helada.

Mas sé para mí piadosa,
si de mi vida ignorada,
cuando yo duerma en la fosa,
oyes contar una cosa
que te deje el alma helada

II

Quizás sepas algún día
el secreto de mis males,
de mi honda melancolía
y de mis tedios mortales.

Las lágrimas a raudales
marchitarán tu alegría,
si a saber llegas un día
el secreto de mis males.

III

Quisiera de mí alejarte,
porque me causa la muerte
con la tristeza de amarte
el dolor de comprenderte.

Mientras pueda contemplarte
me ha de deparar la suerte,
con la tristeza de amarte,
el dolor de comprenderte.

Y sólo ansío olvidarte,
nunca oírte y nunca verte,
porque me causa la muerte,
con la tristeza de amarte,
el dolor de comprenderte.

Bustos y rimas, 1893.

RECUERDO DE LA INFANCIA

Una noche mi padre, siendo yo niño,
mirando que la pena me consumía,
con las frases que dicta sólo el cariño,
lanzó de mi destino la profecía,
una noche mi padre, siendo yo niño.

Lo que tomé yo entonces por un reproche
y, extendiendo mi cuello sobre mi hombro,
me hizo pasar llorando toda la noche,
hoy inspira a mi alma terror y asombro
lo que tomé yo entonces por un reproche.

—Sumergida en profunda melancolía,
como estrella en las brumas de la alborada,
gemirá para siempre — su voz decía —
por todos los senderos tu alma cansada,
sumergida en profunda melancolía.

Persiguiendo en la sombra vana quimera
que tan sólo tu mente de encantos viste,
te encontrará cada año la primavera
enfermo y solitario, doliente y triste,
persiguiendo en la sombra vana quimera.

Para ti la existencia no tendrá un goce
ni habrá para tus penas ningún remedio,
y, unas veces sintiendo del mal el roce,
otras veces henchido de amargo tedio,
para ti la existencia no tendrá un goce.

Como una planta llena de estéril jugo
que ahoga de sus ramas la florescencia,
de tu propia alegría serás verdugo
y morirás ahogado por la impotencia
como una planta llena de estéril jugo —.

Como pájaros negros por azul lago,
nublaron sus pupilas mil pensamientos,
y, al morir en la sombra su acento vago,
vi pasar por su mente remordimientos
como pájaros negros por azul lago.

Bustos y rimas, 1893.

DÍA DE FIESTA

Un cielo gris. Morados estandartes
con escudos de oro; vibraciones
de altas campanas; báquicas canciones;
palmas verdes ondeando en todas partes;

banderas tremolando en los baluartes;
figuras femeninas en balcones;
estampido cercano de cañones;
gentes que lucran por diversas artes.

Mas ¡ay! mientras la turba se divierte,
y se agita en ruidoso movimiento
como una mar de embravecidas olas,

circula por mi ser frío de muerte
y en lo interior del alma sólo siento
ansia infinita de llorar a solas.

Bustos y rimas, 1893.

NEUROSIS

Noemí, la pálida pecadora
de los cabellos color de aurora
y las pupilas de verde mar,
entre cojines de raso lila,
con el espíritu de Dalila,
deshoja el cáliz de un azahar.

Arde a sus plantas la chimenea
donde la leña chisporrotea
lanzando en torno seco rumor,
y alzada tiene su tapa el piano
en que vagaba su blanca mano
cual mariposa de flor en flor.

Un biombo rojo de seda china
abre sus hojas en una esquina
con grullas de oro volando en cruz,
y en curva mesa de fina laca
ardiente lámpara se destaca
de la que surge rosada luz.

Blanco abanico y azul sombrilla,
con unos guantes de cabritilla,
yacen encima del canapé,
mientras en taza de porcelana,

hecha con tintes de la mañana,
humea el alma verde del te.

Pero ¿qué piensa la hermosa dama?
¿Es que su príncipe ya no la ama
como en los días de amor feliz,
o que en los cofres del gabinete
ya no conserva ningún billete
de los que obtuvo por un desliz?

¿Es que la rinde cruel anemia?
¿Es que en sus búcaros de Bohemia
rayos de luna quiere encerrar,
o que, con suave mano de seda,
del blanco cisne que amaba Leda
ansía las plumas acariciar?

¡Ay!, es que en horas de desvarío
para consuelo del regio hastío
que en su alma esparce quietud mortal,
un sueño antiguo la ha aconsejado
beber en copa de ónix labrado
la roja sangre de un tigre real.

Bustos y rimas, 1893.

EN EL CAMPO

Tengo el impuro amor de las ciudades,
y a este sol que ilumina las edades
prefiero yo del sol las claridades.

A mis sentidos lánguidos arroba,
más que el olor de un bosque de caoba,
el ambiente enfermizo de una alcoba.

Mucho más que las selvas tropicales,
plácenme los sombríos arrabales
que encierran las vetustas capitales.

A la flor que se abre en el sendero,
como si fuese terrenal lucero,
olvido por la flor de invernadero.

Más que la voz del pájaro en la cima
de un árbol todo en flor, a mi alma anima
la música armoniosa de una rima.

Nunca a mi corazón tanto enamora
el rostro virginal de una pastora,
como un rostro de regia pecadora.

Al oro de la mies en primavera,
yo siempre en mi capricho prefiriera
el oro de teñida cabellera.

No cambiara sedosas muselinas
por los velos de nítidas neblinas
que la mañana prende en las colinas.

Más que el raudal que baja de la cumbre,
quiero oír a la humana muchedumbre
gimiendo en su perpetua servidumbre.

El rocío que brilla en la montaña
no ha podido decir a mi alma extraña
lo que el llanto al bañar una pestaña.

Y el fulgor de los astros rutilantes
no trueco por los vívidos cambiantes
del ópalo, la perla o los diamantes.

Bustos y rimas, 1893.

TARDES DE LLUVIA

Bate la lluvia la vidriera
y las rejas de los balcones,
donde tupida enredadera
cuelga sus floridos festones.
Bajo las hojas de los álamos
que estremecen los vientos frescos,
piar se escucha entre sus tálamos
a los gorriones picarescos.
Abrilántanse los laureles,
y en la arena de los jardines

sangran corolas de claveles,
nievan pétalos de jazmines.

Al último fulgor del día
que aun el espacio gris clarea,
abre su botón la peonía,
cierra su cáliz la ninfea.

Cual los esquifes en la rada
y reprimiendo sus arranques,
duermen los cisnes en bandada
a la margen de los estanques.

Parpadean las rojas llamas
de los faroles encendidos,
y se difunden por las ramas
acres olores de los nidos.

Lejos convoca la campana,
dando sus toques funerales,
a que levante el alma humana
las oraciones vesperales.

Todo parece que agoniza
y que se envuelve lo creado
en un sudario de ceniza
por la llovizna adiamantado.

Yo creo oír lejanas voces
que, surgiendo de lo infinito,
inícianme en extraños goces
fuera del mundo en que me agito.

Veo pupilas que en las brumas
dirígenme tiernas miradas,
como si de mis ansias sumas
ya se encontrasen apiadadas.

Y, a la muerte de estos crepúsculos,
siento, sumido en mortal calma,
vagos dolores en los músculos,
hondas tristezas en el alma.

Bustos y rimas, 1893.

JOSÉ ASUNCIÓN SILVA

1865-1896

Colombiano. Excelentemente dotado para la vida — bello, rico, elegante, gran señor en todo —, el exceso de sensibilidad, de vida interior, de ansia de goces superiores, trajeron consigo la inadaptación, la insatisfacción, el cansancio cósmico y al fin la muerte por la propia mano pegándose un tiro en el corazón. Su vida fracasada está teñida de noble grandeza; porque su fracaso no viene de debilidad y limitación, sino de la intensidad y la amplitud inabarcables de la aspiración y la simpatía con las cosas. La desgracia externa le acosó : se arruinó, murió su amada hermana, su obra se perdió en un naufragio en 1895. Ante el derrumbamiento interno y externo, ante la muerte misma voluntaria, mantuvo siempre una serenidad irónica, elegante y profunda. Su organismo llegó a ser — como ha dicho Sanín Cano — «la más delicada y exquisita máquina de sufrir.»

Los restos de su poesía, recogidos después de su muerte en un volumen, bastan para darle un lugar único en la poesía hispanoamericana. Hay en su obra un fondo de influencia clásica y de Bécquer y Campoamor; pero a través de sus lecturas y de sus viajes — estuvo en Francia, en Inglaterra, en Suiza — su ávido espíritu recogió las ideas, las inquietudes y las tendencias artísticas del mundo en su tiempo. Llegó a concccer a Verlaine, Mallarmé y D'Annunzio y a los novelistas y pensadores, sobre todo franceses, de aquel tiempo; pero su parentesco mayor se encuentra en los post-románticos Heine, Poe, Baudelaire, Bécquer, Campoamor. Él mismo es un post-romántico, y por esa razón el más típico de los creadores del nuevo lirismo romántico, subjetivo, melancólico, hiperestésico, trascendentalmente pesimista, que constituye la fuerza más característica del modernismo. En sus pocas poesías, de rara intensidad sentimental, hay gran variedad de temas entonces nuevos, que iueron patrimonio común de la poesía posterior.

BIBLIOGRAFÍA. — **Poesía:** *Poesías,* pról. de M. de Unamuno, Barcelona, [1908]; ed. de B. Sanín Cano, pref. de M. de Unamuno, París-Buenos Aires, [1913]. *Los poemas inéditos* [seis poemas y una versión inédita del primer nocturno], en Universi, 1928, núm. 106. **Otras obras:** *Prosas,* San José de Costa Rica, 1921. *De sobremesa,* Bogotá, 1925. **Estudios:** R. BLANCO-FOMBONA, *J. A. S.,* en RAm, 1913, año II, vol. I, 191-209. G. COLUNJE, *J. A. S., humorista,* en Est, 1923, año II, 638-643. A. CORTINA ARAVENA, *J. A. S.: tres aspectos de su obra,* en Hu, 1925, X, 439-451. E. DÍEZ CANEDO, sobre: J. A. S., *Poesías,* en L, 1909, año IX, t. II, 295-296. R. A. ESTENGER, *J. A. S.,* en CuC, 1920, XXIII, 31-44; *J. A. S.: the man and his literary influence,* en IntAm, 1920, IV, 108-116. V. GARCÍA CALDERÓN, *J. A. S.,* en *Semblanzas de América,* Madrid, 1920. GARCÍA ORTIZ, *¿Quid est veritas?,* en Universi, 1928, núm. 106. C. GARCÍA PRADA, *J. A. S., poeta colombiano,* en HispCal, 1925, VIII, 69-84. L. GÓMEZ, *A propósito de un escrito sobre S.,* en Nos, 1923, XLV, 321-326. *Universidad,* Bogotá, 1928, núm. 106 [número especial dedicado a S.; contiene artículos y algunas poesías inéditas.] *J. A. S. y la pintura,* en Universi, 1928, núm. 104, 486-488. G. G. KING, *A citizen of the twilight, J. A. S.,* New York, 1921. M. LEE, *Brother of Poe,* en SRev, 1926, XI, 305-312. L. LÓPEZ DE MESA, *El legado espiritual de S.,* en Universi, 1928, 645-650. J. E. MANRIQUE, *J. A. S.,* en RAm, 1914, año III, vol. I, 28-41. C. OYUELA, *Antología de la poesía hispanoamericana,* t. III, vol. II, p. 1024. B. SANÍN CANO, *Introd. a las poesías de J. A. S.,* en RAm, enero 1913; *Una consagración,* en VL, junio 1929; *Las memorias de otros: las opiniones del Profesor López de Mesa,* en RepAm, 23 marzo 1929. M. SANTA CRUZ, *J. A. S., profesor de melancolía,* en RepAm, 23 marzo 1925. R. V. SILVA, *Recordando a S.,* en Germinal, 1921, I, 12-13. C. SOTO BORDA, *S., humorista,* en TSDB, 1924, II, 198-199. A. TORRES RIOSECO, *J. A. S. (1865-1896),* en Nos, 1923, XLIV, 179-198; *Precursores del modernismo,* Madrid, 1925. M. DE UNAMUNO, Introd. a J. A. S., *Poesías,* Barcelona, [1908]. G. VALENCIA, *J. A. S.,* en CerM, 1916, núm. 4. F. VILLAESPESA, *Algunas palabras sobre el «Nocturno» de J. A. S. y su influencia en la lírica española,* en SyB, 1923, I, 165-171.

CREPÚSCULO

Junto de la cuna aun no está encendida
la lámpara tibia que alegra y reposa,
y se filtra opaca, por entre cortinas,
de la tarde triste la luz azulosa.

Los niños, cansados, suspenden sus juegos;
de la calle vienen extraños ruídos;
en estos momentos, en todos los cuartos,
se van despertando los duendes dormidos.

La sombra que sube por los cortinajes,
para los hermosos oyentes pueriles,
se puebla y se llena con los personajes
de los tenebrosos cuentos infantiles.

Flota en ella el pobre Rin Rin Renacuajo,
corre y huye el triste Ratoncito Pérez,
y la entenebrece la forma del trágico
Barba Azul, que mata sus siete mujeres.

En unas distancias enormes e ignotas,
que por los rincones oscuros suscita,
andan por los prados el Gato con Botas,
y el Lobo que marcha con Caperucita.

Y, ágil caballero, cruzando la selva,
do vibra el ladrido fúnebre de un gozque,
a escape tendido va el Príncipe Rubio
a ver a la Hermosa Durmiente del Bosque.
. . . .

Del infantil grupo se levanta leve,
argentada y pura una vocecilla
que comienza: «Entonces se fueron al baile
y dejaron sola a Cenicentilla;

se quedó la pobre triste en la cocina,
de llanto, de pena nublados los ojos,
mirando los juegos extraños que hacían
en las sombras negras los carbones rojos.

Pero vino el hada, que era su madrina,
le trajo un vestido de encaje y crespones,
le hizo un coche de oro de una calabaza,
convirtió en caballos unos seis ratones,

le dió un ramo enorme de magnolias húmedas,
unos zapatitos de vidrio, brillantes,
y de un solo golpe de la vara mágica
las cenizas grises convirtió en diamantes.»
. . . .

Con atento oído las niñas la escuchan;
las muñecas duermen en la blanca alfombra,
medio abandonadas, y en el aposento
la luz disminuye, se aumenta la sombra.

. . . .

¡Fantásticos cuentos de duendes y hadas,
llenos de paisajes y de sugestiones,
que abrís a lo lejos amplias perspectivas
a las infantiles imaginaciones!

¡Cuentos que nacisteis en ignotos tiempos
y que vais volando por entre lo oscuro,
desde los potentes arios primitivos
hasta las enclenques razas del futuro!;

¡cuentos que repiten sencillas nodrizas
muy paso a los niños cuando no se duermen,
y que en sí atesoran del sueño poético
el íntimo encanto, la esencia y el germen!;

¡cuentos más durables que las convicciones
de graves filósofos y sabias escuelas,
y que rodeasteis con vuestras ficciones
las cunas doradas de las bisabuelas!

¡Fantásticos cuentos de duendes y hadas,
que pobláis los sueños confusos del niño,
el tiempo os sepulta por siempre en el alma
y el hombre os evoca con hondo cariño!

Poesías, [1908].

LOS MADEROS DE SAN JUAN

... Y aserrín
aserrán,
los maderos
de San Juan
piden queso,
piden pan;

los de Roque,
Alfandoque;
los de Rique,
Alfeñique;
los de Trique,
Triquitrán.
¡Triqui, triqui, triqui, tran!
¡Triqui, triqui, triqui, tran!...

Y en las rodillas duras y firmes de la abuela
con movimiento rítmico se balancea el niño,
y entrambos agitados y trémulos están...
La abuela se sonríe con maternal cariño,
mas cruza por su espíritu como un temor extraño
por lo que en el futuro, de angustia y desengaño,
los días ignorados del nieto guardarán...

Los maderos
de San Juan
piden queso,
piden pan;
¡triqui, triqui, triqui, tran!

¡Esas arrugas hondas recuerdan una historia
de largos sufrimientos y silenciosa angustia!,
y sus cabellos blancos como la nieve están;
... de un gran dolor el sello marcó la frente mustia,
y son sus ojos turbios espejos que empañaron
los años, y que a tiempo las formas reflejaron
de seres y de cosas que nunca volverán...

... Los de Roque,
Alfandoque...
¡Triqui, triqui, triqui, tran!

Mañana, cuando duerma la abuela, yerta y muda,
lejos del mundo vivo, bajo la oscura tierra,
donde otros, en la sombra, desde hace tiempo están,
del nieto a la memoria, con grave voz que encierra
todo el poema triste de la remota infancia,
pasando por las sombras del tiempo y la distancia,
de aquella voz querida las notas volverán...

... Los de Rique,
Alfeñique...
¡Triqui, triqui, triqui, tran!...

En tanto, en las rodillas cansadas de la abuela
con movimiento rítmico se balancea el niño,
y entrambos agitados y trémulos están...
La abuela se sonríe con maternal cariño,
mas cruza por su espíritu como un temor extraño
por lo que en el futuro, de angustia y desengaño,
los días ignorados del nieto guardarán...

... Los maderos
de San Juan
piden queso,
piden pan;
los de Roque,
Alfandoque;
los de Rique,
Alfeñique;
los de Trique,
Triquitrán,
¡Triqui, triqui, triqui, tran!

Poesías, [1908].

NOCTURNOS

I

RONDA

Poeta, di paso
los furtivos besos...

La ronda... Los recuerdos... La luna no vertía
allí ni un sólo rayo; temblabas y eras mía;
el aire estaba tibio bajo el follaje espeso.
Una errante luciérnaga alumbró nuestro beso...
El contacto amoroso de tus labios de seda ..
La selva oscura y mística fué la alcoba sombría;
el musgo en ese sitio tiene olor de reseda.
. . . .

Filtró luz por las ramas cual si llegara el día;
entre las nieblas pálidas la luna aparecía.

Poeta, di paso
los íntimos besos...

¿De las noches más dulces te acuerdas todavía?
En señorial alcoba, do la tapicería
amortiguaba el ruido con sus hilos espesos,
palpitante en mis brazos, fueron míos tus besos,
tus labios perfumados como una roja seda,
tus cabellos dorados y tu melancolía,
tus caricias de virgen y tu olor de reseda...
. . . .
Apenas alumbraba la lámpara sombría
las desteñidas sedas de la tapicería...

Poeta, di paso
el último beso...

De la trágica noche me acuerdo todavía;
el ataúd heráldico en el salón yacía;
fatigado mi cuerpo por vigilias y excesos,
oí como a distancia los monótonos rezos;
tú, mustia, yerta y rígida entre la negra seda;
la llama de los cirios temblaba y se movía;
perfumaba la atmósfera un olor de reseda...
Un crucifijo pálido los brazos extendía,
y estaba helada y cárdena tu boca que fué mía.

Poeta, a las sombras
temblando me vuelvo.

Los poemas inéditos (en *Universidad,*
Bogotá, 1928, núm. 10b).

III

Una noche,
una noche toda llena de murmullos, de perfumes y de
una noche   [músicas de alas;
en que ardían en la sombra nupcial y húmeda las lu-
                                              [ciérnagas fantásticas,

a mi lado lentamente, contra mí ceñida toda, muda y
                                                  [pálida,
como si un presentimiento de amarguras infinitas
hasta el más secreto fondo de las fibras te agitara,
por la senda florecida que atraviesa la llanura,
caminabas;
y la luna llena
por los cielos azulosos, infinitos y profundos esparcía
y tu sombra,   [su luz blanca;
fina y lánguida,
y mi sombra,
por los rayos de la luna proyectadas,
sobre las arenas tristes
de la senda se juntaban,
y eran una,
y eran una,
y eran una sola sombra larga,
y eran una sola sombra larga,
y eran una sola sombra larga...

        Esta noche,
solo, el alma
llena de las infinitas amarguras y agonías de tu muerte,
separado de ti misma por el tiempo, por la tumba y
por el infinito negro   [la distancia,
donde nuestra voz no alcanza,
mudo y solo
por la senda caminaba...
Y se oían los ladridos de los perros a la luna,
a la luna pálida.
y el chirrido
de las ranas...
Sentí frío. Era el frío que tenían en tu alcoba
tus mejillas y tus sienes y tus manos adoradas,
entre las blancuras níveas
de las mortuorias sábanas.
Era el frío del sepulcro, era el hielo de la muerte,
era el frío de la nada.
Y mi sombra,
por los rayos de la luna proyectada,

iba sola,
iba sola,
iba sola por la estepa solitaria;
y tu sombra esbelta y ágil,
fina y lánguida,
como en esa noche tibia de la muerta primavera,
como en esa noche llena de murmullos, de perfumes y
[de músicas de alas,
se acercó y marchó con ella,
se acercó y marchó con ella,
se acercó y marchó con ella... ¡Oh, las sombras enla-
[zadas!
¡Oh, las sombras de los cuerpos que se juntan con las
[sombras de las almas!
¡Oh, las sombras que se buscan en las noches de triste-
[zas y de lágrimas!...

Poesías, [1908].

VEJECES

Las cosas viejas, tristes, desteñidas,
sin voz y sin color, saben secretos
de las épocas muertas, de las vidas
que ya nadie conserva en la memoria,
y a veces a los hombres, cuando inquietos
las miran y las palpan, con extrañas
voces de agonizante dicen, paso,
casi al oído, alguna rara historia
que tiene oscuridad de telarañas,
son de laúd y suavidad de raso.

¡Colores de anticuada miniatura,
hoy de algún mueble en el cajón dormida;
cincelado puñal; carta borrosa;
tabla en que se deshace la pintura,
por el tiempo y el polvo ennegrecida;
histórico blasón, donde se pierde
la divisa latina, presuntuosa,
medio borrada por el liquen verde;
misales de las viejas sacristías;

de otros siglos fantásticos espejos
que en el azogue de las lunas frías
guardáis de lo pasado los reflejos;
arca, en un tiempo de ducados llena;
crucifijo que tanto moribundo
humedeció con lágrimas de pena
y besó con amor grave y profundo;
negro sillón de Córdoba; alacena
que guardaba un tesoro peregrino
y donde anida la polilla sola;
sortija que adornaste el dedo fino
de algún hidalgo de espadín y gola;
mayúsculas del viejo pergamino;
batista tenue que a vainilla hueles;
seda que te deshaces en la trama
confusa de los ricos brocateles;
arpa olvidada que, al sonar, te quejas;
barrotes que formáis un monograma
incomprensible en las antiguas rejas:
el vulgo os huye, el soñador os ama
y en vuestra muda sociedad reclama
las confidencias de las cosas viejas!

El pasado perfuma los ensueños
con esencias fantásticas y añejas,
y nos lleva a lugares halagüeños
en épocas distantes y mejores;
¡por eso a los poetas soñadores,
les son dulces, gratísimas y caras,
las crónicas, historias y consejas,
las formas, los estilos, los colores,
las sugestiones místicas y raras
y los perfumes de las cosas viejas!

Poesías, [1908].

. . . .

Estrellas que entre lo sombrío
de lo ignorado y de lo inmenso
asemejáis en el vacío

jirones pálidos de incienso;
nebulosas que ardéis tan lejos
en el infinito que aterra,
que sólo alcanzan los reflejos
de vuestra luz hasta la tierra;
astros que en abismos ignotos
derramáis resplandores vagos,
constelaciones que en remotos
tiempos adoraron los magos;
millones de mundos lejanos,
flores de fantástico broche,
islas claras en los oceanos
sin fin ni fondo de la noche;
¡estrellas, luces pensativas!
¡estrellas, pupilas inciertas!
¿por qué os calláis si estáis vivas,
y por qué alumbráis si estáis muertas?

Poesías, [1908].

UN POEMA

Soñaba en ese entonces con forjar un poema
de arte nervioso y nuevo, obra audaz y suprema.

Escogí entre un asunto grotesco y otro trágico,
llamé a todos los ritmos con un conjuro mágico,

y los ritmos indóciles vinieron acercándose,
juntándose en las sombras, huyéndose y buscándose:

ritmos sonoros, ritmos potentes, ritmos graves,
unos cual choque de armas, otros cual canto de aves;

de Oriente hasta Occidente, desde el Sur hasta el
de metros y de formas se presentó la corte.   [Norte,

Tascando frenos áureos bajo las riendas frágiles
cruzaron los tercetos, como corceles ágiles;

abriéndose ancho paso por entre aquella grey,
vestido de oro y púrpura llegó el soneto rey.

Y allí cantaron todos... Entre la algarabía
me fascinó el espíritu por su coquetería

alguna estrofa aguda, que excitó mi deseo,
con el retintín claro de su campanilleo.

Y la escogí entre todas... Por regalo nupcial
le di unas rimas ricas, de plata y de cristal.

En ella conté un cuento, que, huyendo lo servil,
tomó un carácter trágico, fantástico y sutil;

era la historia triste, desprestigiada y cierta
de una mujer hermosa, idolatrada y muerta;

y para que sintieran la amargura, ex profeso,
junté sílabas dulces, como el sabor de un beso,

bordé las frases de oro, les di música extraña,
como de mandolinas que un laúd acompaña;

dejé en una luz vaga las hondas lejanías
llenas de nieblas húmedas y de melancolías,

y por el fondo oscuro, como en mundana fiesta,
cruzan ágiles máscaras al compás de la orquesta,

envueltas en palabras que ocultan como un velo,
y con caretas negras de raso y terciopelo

cruzar hice en el fondo las vagas sugestiones...
de sentimientos místicos y humanas tentaciones...

Complacido en mis versos, con orgullo de artista,
les di olor de heliotropos y color de amatista...

Le mostré mi poema a un crítico estupendo...
y lo leyó seis veces, y me dijo: «¡No entiendo!»

Poesías, [1908].

PAISAJE TROPICAL

Magia adormecedora vierte el río
en la calma monótona del viaje,
cuando borra los lejos del paisaje
la sombra que se extiende en el vacío.

Oculta en sus negruras al bohío
la maraña tupida, y el follaje
semeja los calados de un encaje,
al caer del crepúsculo sombrío.

Venus se enciende en el espacio puro.
La corriente dormida, una piragua
rompe en su viaje rápido y seguro,

y con sus nubes el Poniente fragua
otro cielo rosado y verdeoscuro
en los espejos húmedos del agua.

Poesías, [1908].

DÍA DE DIFUNTOS

La luz vaga... opaco el día...
la llovizna cae y moja
con sus hilos penetrantes la ciudad desierta y fría;
por el aire, tenebrosa, ignorada mano arroja
un oscuro velo opaco, de letal melancolía,   [coja
y no hay nadie que en lo íntimo no se aquiete y se real mirar las nieblas grises de la atmósfera sombría,
y al oír en las alturas
melancólicas y oscuras
los acentos dejativos
y tristísimos e inciertos
con que suenan las campanas,
las campanas plañideras,
que les hablan a los vivos
de los muertos.

Y hay algo de angustioso y de incierto
que mezcla a ese sonido su sonido,
e inarmónico vibra en el concierto
que alzan los bronces al tocar a muerto
por todos los que han sido.
Es la voz de la campana
que va marcando la hora
hoy lo mismo que mañana,

rítmica, igual y sonora;
una campana se queja
y la otra campana llora;
ésta tiene voz de vieja
y ésa de niña que ora.
Las campanas más grandes que dan un doble recio
suenan con acento de místico desprecio;
mas la campana que da la hora
ríe, no llora;
tiene en su timbre seco sutiles armonías;
su voz parece que habla de fiestas, de alegrías,
de citas, de placeres, de cantos y de bailes,
de las preocupaciones que llenan nuestros días;
es una voz del siglo entre un coro de frailes,
y con sus notas se ríe
escéptica y burladora
de la campana que gime,
de la campana que implora
y de cuanto aquel coro conmemora;
y es que con su retintín
ella midió el dolor humano
y marcó del dolor el fin.

Por eso se ríe del grave esquilón
que suena allá arriba con fúnebre son;
por eso interrumpe los tristes conciertos
con que el bronce santo llora por los muertos.
No le oigáis, ¡oh bronces!, no le oigáis, campanas,
que con la voz grave de ese clamoreo
rogáis por los seres que duermen ahora
lejos de la vida, libres del deseo,
lejos de las rudas batallas humanas;
seguid en el aire vuestro bamboleo,
¡no le oigáis, campanas!...
Contra lo imposible, ¿qué puede el deseo?

Allá arriba suena, rítmica y sonora,
esa voz de oro,
y sin que lo impidan sus graves hermanas
que rezan en coro,

la campana del reló
suena, suena, suena ahora,
y dice que ella marcó,
con su vibración sonora,
de los olvidos la hora;
que después de la velada
que pasó cada difunto
en una sala enlutada
y con la familia junto
en dolorosa actitud,
mientras la luz de los cirios
alumbraba el ataúd
y las coronas de lirios;
que después de la tristura,
de los gritos de dolor,
de las frases de amargura,
del llanto conmovedor,
marcó ella misma el momento
en que, con la languidez
del luto, huyó el pensamiento
del muerto, y el sentimiento
seis meses más tarde... o diez.

Y hoy, día de los muertos..., ahora que flota
en las nieblas grises la melancolía,
en que la llovizna cae gota a gota
y con sus tristezas los nervios embota,
y envuelve en un manto la ciudad sombría;
ella, que ha marcado la hora y el día
en que a cada casa lúgubre y vacía
tras el luto breve volvió la alegría;
ella, que ha marcado la hora del baile
en que al año justo un vestido aéreo
estrena la niña, cuya madre duerme
olvidada y sola en el cementerio;
suena indiferente a la voz del fraile
del esquilón grave a su canto serio;
ella, que ha marcado la hora precisa
en que a cada boca que el dolor sellaba
como por encanto volvió la sonrisa,

esa precursora de la carcajada;
ella, que ha marcado la hora en que el viudo
habló de suicidio y pidió el arsénico,
cuando aun en la alcoba recién perfumada
flotaba el aroma del ácido fénico;
y ha marcado luego la hora en que mudo
por las emociones con que el gozo agobia,
para que lo unieran con sagrado nudo
a la misma iglesia fué con otra novia;
¡ella no comprende nada del misterio
de aquellas quejumbres que pueblan el aire,
y lo ve en la vida todo jocoserio;
y sigue marcando con el mismo modo,
el mismo entusiasmo y el mismo desgaire
la huída del tiempo, que lo borra todo!

Y eso es lo angustioso y lo incierto
que flota en el sonido;
ésa es la nota irónica que vibra en el concierto
que alzan los bronces al tocar a muerto
por todos los que han sido.
Es la voz fina y sutil
de vibraciones de cristal
que con acento juvenil,
indiferente al bien y al mal,
mide lo mismo la hora vil
que la sublime y la fatal,
y resuena en las alturas
melancólicas y oscuras,
sin tener en su tañido
claro, rítmico y sonoro,
los acentos dejativos
y tristísimos e inciertos
de aquel misterioso coro
con que suenan las campanas...
¡las campanas plañideras
que les hablan a los vivos
de los muertos!...

                              Poesías, [1908].

SALVADOR RUEDA

1857 - 1933

Español, de Málaga. Desbordado temperamento meridional, de noble espíritu dotado de grandes cualidades nativas, aunque de escasa cultura, su vida ha sido consagrada a su arte literario. Desde que empezó a escribir en 1883 hasta el triunfo del modernismo y la aparición de sus grandes poetas, es decir, hasta poco antes de 1900, Salvador Rueda fué la figura más importante de la poesía española. Sus innovaciones significaron una ruptura audaz con la poesía del siglo XIX todavía imperante y se miraron como una revolución poética. Pareció que él representaba en España lo mismo que los precursores de América, y cuando Rubén Darío llegó a España en 1892, todo el mundo creyó, incluso ellos·mismos, que ambos simbolizaban en los dos lados del Atlántico idéntica revolución literaria. Sin embargo, las innovaciones de Rueda, aunque ejercieron mucha influencia, no estaban destinadas a tener la plena aceptación que tuvieron las de Darío. Éste es hoy un clásico: aquél es un poeta poco o nada leído, olvidado y escasamente estimado, a pesar de los aplausos y coronaciones en los viajes que repetidamente ha hecho a los países hispanoamericanos en la última parte de su vida. Dañan a Rueda el exceso, la insistencia, la fecundidad misma, la falta de medida y de buen gusto. Y, sin embargo, estos mismos defectos implican indudable originalidad y poder creador. Hay que reconocer, venciendo toda repugnancia, que los aciertos de Salvador Rueda son innumerables; que de su obra varia y multiforme ha surgido una influencia difusa que se encuentra por todas partes, y que es uno de los poetas más completos y espontáneamente originales de esta época. Debe poco a la poesía extranjera y aun a la española, y esto, más bien que un mérito, es uno de sus grandes defectos. Sus semejanzas con poetas antiguos o modernos nacen de su propio temperamento, en el que el artificio y la afectación mismos son instintivos y naturales. Sintiéndose una fuerza de la Naturaleza, ha creado toda una poesía propia, en la que hay mucho que morirá, traduciendo a ritmos, metáforas, expresiones y formas métricas nuevas los temas más diversos de la realidad. No hay aspecto de la vida que Rueda no haya sentido en verso, en una especie de panteísmo retórico y declamatorio, hecho de formas, luces, colores y sonidos expresados con facundia inagotable.

BIBLIOGRAFÍA. — **Poesía:** *Noventa estrofas,* Madrid, 1883. *Cuadros de Andalucía,* 1883. *Poema nacional: Costumbres populares,* 1885. *Sinfonía del año,* poema, 1888. *Estrellas errantes,* 1889. *Poema nacional: Aires españoles,* 1890. *Himno a la carne,* 1890. *Cantos de la vendimia,* 1891; Valencia, 1892. *En tropel,* Madrid [1892]. *La bacanal,* 1893. *Fornos,* poema [1895]. *El bloque,* poema, 1896. *Bajo la parra,* prosa y verso [1897]. *Camafeos,* Sevilla, 1897. *El César,* poema, Madrid, 1898. *Flora,* poema [1898]. *Piedras preciosas,* cien sonetos, 1900. *Fuente de salud,* pról. de M. de Unamuno, 1906. *Trompetas de órgano,* 1907. *Lenguas de fuego,* 1908. *El poema a la mujer,* 1910. *Poesías completas,* Barcelona, Maucci, [1910]. *Poesías escogidas,* Madrid, 1912. *Cantando por ambos mundos,* Barcelona, [1913]. *Antología poética,* Madrid, [1928]. *Poesías escogidas,* sel. de J. Torri, México, 1917. **Otras obras:** *El patio andaluz,* cuadro de costumbres, Madrid, 1886. *La reja,* novela andaluza, 1890; Valencia, 1896. *Granada y Sevilla,* bajorrelieves, 1890. *El secreto,* poema escénico, 1891. *Tanda de valses,* 1891. *La gitana,* novela andaluza, 1892. *Sinfonía callejera,* 1893. *El ritmo,* crítica contemporánea, 1894. *El gusano de luz,* novela andaluza, Barcelona, 1896. *El cielo alegre,* Madrid, 1896. *El país del sol (España),* novela, 1900. *La musa,* idilio en tres actos, estr. en 1901, 1903. *El clavel murciano,* 1902. *La cópula,* novela de amor, 1906. *Vaso de rocío,* idilio griego, en tres actos en llano romance, 1908. *El poema de los ojos,* drama en dos actos, 1908. **Estudios:** L. ALAS, «CLARÍN», pról. a *Cantos de la vendimia,* Madrid, 1891. F. ALCÁNTARA, en Sol, 3 febr. 1929. E. DÍEZ-CANEDO, sobre S. R., *La procesión de la Naturaleza,* poema, y *Vaso de rocío,* idilio griego, en L, 1909, año IX, vol. I, 72-74; *Lírica española moderna,* en Nac, abril, 1923; 24 enero 1923. A. GONZÁLEZ BLANCO, *Historia de la novela en España desde el romanticismo a nuestros días,* Madrid, 1908. p. 668; *Los grandes maestros: S. R. y Rubén Darío,* Madrid, 1908, F. A. DE ICAZA, en Sol, 20 julio 1924. A. MARTÍNEZ OLMEDILLA, *S. R.: su significación, su vida, sus obras,* Madrid, 1908. J. ORTEGA MUNILLA, *S. R. a México,* en EyAC, 1918, núm. 65, 93-94. C. PITOLLET, *En marge des «Poesías completas» de D. S. R.,* en HispP, 1921, IV, 217-220. G. RUIZ DE ALMODÓVAR, *S. R. y sus obras,* Madrid, 1891. E. SALAZAR Y CHAPELA, en GLit, 1 marzo 1929.

LA CIGARRA

Canta tu estrofa, cálida cigarra,
y baile al son de tu cantar la mosca;

que ya la sierpe en el zarzal se enrosca
y lacia extiende su verdor la parra.

Desde la yedra que a la vid se agarra
y en su cortina espléndida te embosca,
recuerda el caño de la fuente tosca
y el fresco muro de la blanca jarra.

No consientan tus élitros fatiga,
canta del campo el productivo costo,
ebria de sol y del trabajo amiga.

Canta y excita el inflamado agosto
a dar el grano de la rubia espiga
y el chorro turbio del ardiente mosto.

Cantos de la vendimia, 1891.

LA CLUECA

Todo en la siesta
se rinde al sueño,
menos las mozas
en los paseros;

menos las mozas
y los polluelos,
que de la clueca
forman cortejo.

De los tejados
por los aleros,
de los chocines
bajo los techos,

entre las uvas
de claro seno,
y por las pasas
y los fruteros,

la avispa, el tábano,
la mosca, el terco
sutil mosquito
de leve cuerpo,

todo lo llenan
de varios ecos,
de alas vibrantes
y abejorreos.

Quieto el canario,
mira suspenso
del campo verde
la luz y el fuego.

La vid compone
con sus sarmientos
mustia corona
de rostro ebrio.

Las madreselvas
mecen sus flecos
cabeceando
de dulce sueño.

De las paredes
en los extremos
las lacias rosas
se dan los pétalos.

Cansancio lúbrico
bate los pechos,
el campo duerme,
todo es silencio:

sólo la clueca
levanta un eco
llamando a voces
a sus polluelos.

La olla que hierve
con ritmo lento,
lanza a la vida
su canto eterno.

El perro enarca
su lomo crespo,
y al lobo imita
su desperezo.

Por la ventana
se ve a lo lejos
la tralla lenta
de los barqueros;

todos encorvan
el torso recio,
y tiran, tiran
del copo inmenso.

De entre las olas,
de tiempo en tiempo,
salobres átomos
conduce el viento.

Siguiendo el rumbo
del manijero
van las cuadrillas
a los paseros;

y cuando pasan,
van esparciendo
vigor robusto
y olor de cuerpos.

La siesta aviva
su fosco incendio,
y entra en los ojos
el blando sueño.

Las ramas tristes
penden cual velos;
el campo duerme;
todo es silencio;

sólo la clueca
levanta un eco
llamando a voces
a sus polluelos.

Cantos de la vendimia, 1891.

EL CANTO DE LAS CARRETAS

Por las altas montañas del verde Asturias,
por los desfiladeros y los barrancos
donde fingen las rocas greñas de furias
y gradas de gigantes los recios flancos;

donde las simas lanzan de entre sus bocas
en contracción eterna picos valientes,
y cincelan los ríos dando en las rocas,
monstruos en los declives y en las vertientes;

al dar tras de las crestas el rojo disco
que las luces del día lleva sujetas,
se escuchan rebotando de risco en risco
los ecos rechinantes de las carretas.

Su música salvaje de agria armonía
se une al bravo torrente que hayas destronca,
y yo no sé qué acordes hay de poesía
en su canción terrible, bárbara y ronca.

El gañán, entre el juego de los varales
llenos hasta las puntas de yerba verde,
lanza una copla triste que en los maizales
y en los altos castaños larga se pierde;

y allá lejos, del lado donde se acuesta
el sol, que ya se borra de los linderos,
otra voz a los cantos de amor contesta
cayendo por los bruscos derrumbaderos.

Esos cantos dolientes de eco sublime
que acompañan los tardos ejes premiosos,
parecen los de un pueblo que llora y gime
por que admiren sus grandes hechos gloriosos.

En sus hombros robustos lleva su carga,
su gran carga de gloria que asombro inspira,
y como a nadie admira, con voz amarga
el eje en las carretas canta y suspira.

Sin haber halagado nunca mi oído
el eco hipnotizante de sus canciones,
yo he escuchado en mis sueños medio dormido
ese grito de lentas repercusiones;

y desde niño lleva mi fantasía,
no sé por qué ignoradas causas secretas,
como el largo lamento de una agonía
el canto quejumbroso de las carretas.

Desde el fresco Borines hasta el Pajares,
de Busdongo a la orilla del mar undoso,
no hay lugar entre tantos bellos lugares
que no iguale a Suiza por lo precioso.

En Asturias la flora fimbria parece
en verde terciopelo con luz bordada,
y está de margaritas que el aire mece
y pálidos matices fantaseada.

Un músico es el campo que la armonía
va casando en las hojas de miles flores,
y es cada huerto alegre la sinfonía
de ópera sin sonidos fija en colores.

Suavidades sedosas como las alas
tienen los tonos verdes de vario hechizo,
y se van sucediendo por las escalas
del verde de esmeraldas hasta el pajizo.

Las viviendas que envuelve fresco ramaje,
parecen nidos puestos en las laderas,
y las faldas del monte les dan paisaje
y las ciñen los hórreos y las paneras.

Saltos, fuentes y ríos bajan trazando
por las rocas agrestes curso distinto,
y entre tanto prodigio va dibujando
la larga carretera su laberinto.

Id a ver esa inmensa quebrada altura,
corona de altos picos que tiene España;
de sus tranquilos valles en la hermosura
el alma de delicias y paz se baña.

Yo volveré a su seno, que desde niño
lleva mi mente ansiosa de alas inquietas,
¡como un himno de amores y de cariño,
el canto quejumbroso de las carretas!

En tropel, 1892.

LA ALBAHACA

Albahaca menudita,
linda y graciosa albahaca,
del búcaro compañera
y adorno de la ventana;
ya tus verbenas pasaron,
llenas de juegos y danzas,
con sus bordados mantones
y sus luces de bengala.
Ya pasaron tus verbenas
con sus cohetes de lágrimas,
sus coruscantes buñuelos
y sus macetas galanas.
Separada del bullicio
de las alegres veladas,
si sueñas, ¡serán tus sueños
los sueños de la nostalgia!
Ya junto al puesto florido
no ves la española gracia
de andares, rostros y cuerpos
pasar en ola bizarra.
Ya de la chulesca polka
no ves las vueltas pausadas
en el salón callejero
hecho con arcos de ramas.
Pasó tu reinado alegre,
cual todo reinado pasa,
y angustiada, tu rocío
lloras cuando viene el alba.
¿Qué te importa ya que el búcaro
te dé en la reja compaña,
si antes sudaba sus perlas
y ahora de frío las cuaja?

El fuego forma tu vida,
y cobra fuerza tu savia
entre las siestas de oro
y las noches abrasadas.
Están tus hojas pidiendo
sopor de atmósfera cálida,
cadencias de mecedora
y perezas de guitarra.
Pero el otoño te acecha
lejos moviendo sus alas,
y sus avisos te envía
en el soplo de sus ráfagas.
Pronto verás los ramajes
tender su seca hojarasca,
y en remolinos crujientes
bailar su danza macabra.
Pronto verás de los cielos
la mutación angustiada,
y trocar oro y carmines
por tintas grises y pálidas.
Tú también ante la muerte
exhalarás tu plegaria,
e irás con el remolino
a bailar tu última danza...
   Albahaca menudita,
linda y graciosa albahaca,
¿dónde fueron tus verbenas?,
¿qué se hicieron tus veladas?

En tropel, 1892.

EL TABLADO FLAMENCO

En el resonante tablado flamenco
su zapateado describe *la Penco,*
y las castañuelas de poza de cuenco
juntan sus compases al baile flamenco.

Con los libres brazos como una bandera
sobre los tacones va *la bayadera,*
y al doblar el gozne la curva cadera
los brazos ondula como una bandera.

Las palmas alegres de ritmo vibrante
indican las vueltas del cuerpo ondulante,
y arrancan suspiros del pecho anhelante
las palmas alegres de ritmo vibrante.

Alarga la cuerda llorosa y sentida
su línea tirante de notas vestida,
y un aire de España que al sueño convida
se ajusta a la cuerda llorosa y sentida.

Pájaros brillantes y flecos de oro
el mantón desborda del pecho sonoro,
que al lanzar valiente su trino canoro
deja que retiemblen los flecos de oro.

El concurso alegre se agita y vocea
al lúbrico canto que aturde y marea,
y a la bailadora que el talle cimbrea
el feroz concurso aplaude y vocea.

A cada arrogancia y a cada donaire
sombreros en lluvia conmueven el aire,
y la flor prendida del pelo, al desgaire,
oscila en las vueltas a cada donaire.

Resuena y acrece la vocinglería
y el ritmo acelera su ardiente armonía,
y la bailadora su cuerpo deslía
más raudo, sintiendo la vocinglería.

Ya el licor dorado perfuma la caña,
ya la última vuelta la copla acompaña,
ya suspende el baile su música extraña...
¡y la manzanilla sonríe en la caña!

En tropel, 1892.

LA SANDÍA

Cual si de pronto se entreabriera el día
despidiendo una intensa llamarada,
por el acero fúlgido rasgada
mostró su carne roja la sandía.

Carmín incandescente parecía
la larga y deslumbrante cuchillada,
como boca encendida y desatada
en frescos borbotones de alegría.

Tajada tras tajada, señalando
las fué el hábil cuchillo separando
vivas a la ilusión como ningunas.

Las separó la mano de repente,
y de improviso decoró la fuente
un círculo de rojas medias lunas.

Fuente de salud, 1906.

VIAJE REAL

Un elefante inmenso mandóme un rey de Oriente
con un castillo encima del espaldar gigante,
y en el castillo puso bajo un dosel triunfante
un trono como un ágata de luz resplandeciente.

Como corona brava del risco de mi frente
colgó sobre él un águila de vista rutilante,
y dando vuelta en torno del épico elefante
le ató ricas gualdrapas de brillo sorprendente.

A recorrer mis reinos del ritmo castellano
voy en mi torre altiva; mi trono soberano,
mujer de luz te ofrezco bañado en pedrería.

Desde el castillo, te echo larga escalera de oro;
sube, y en mis Estados te aclamarán en coro
diosa de cien Naciones, reina de la Poesía.

Poesías completas, [1910]

ARCO DE TRIUNFO

(PRÓLOGO A UN LIBRO DE PICHARDO)

La voz de toda América le pides a Darío,
la voz de toda España le pides a mi acento,
al cisne desplegando las alas en el viento,
y al pavo real abriendo la cola como un río.

Quiere de las dos aves tu egregio señorío
hacer un áureo escudo de gloria a tu talento,
en que deslíe el cisne su blando movimiento,
y en que la cola estalle de rosas y de brío.

Pero es mejor trofeo tender Rubén su mano,
tenderle yo la mía por   cima al Oceano,
y así formar un pórtico sobre el azul intenso.

Él tañerá su lira, yo tocaré mi trompa,
y en una regia nave llena de sol y pompa,
tú cruzarás, poeta, bajo del arco inmenso.

Poesías completas, [1910].

EL FRISO DEL PARTENÓN

II

LA CELA

En derredor del templo milenario
vese en los muros regia cabalgata,
que ondulando se extiende y se dilata
con el compás de un rítmico rosario.

Hecha a cincel por genio estatuario,
finge un andar de vírgenes de plata,
donde la luz se rompe y desbarata
entre el reír del griego santuario.

Dando la vuelta al templo milagroso
corre un intercolumnio cadencioso
como un paso numérico y preciso.

Y detrás de sus mármoles se mira
cual tras las cuerdas de grandiosa lira,
¡la augusta y larga procesión del Friso!

VI

EL PEPLOS

Ya un joven brinda al sacerdote el velo
simbolizando con figuras bellas,
que tejieron las hábiles doncellas,
gloria y honor del ateniense suelo.

Es la áurea tela cual jirón de cielo
con diversos colores por estrellas,
y lanzará sus haces de centellas
de Atena augusta entre el undoso pelo.

Ya el sacerdote acércase a la diosa;
ya está bajo su vista poderosa;
ya le da el velo que a sus hombros ata.

Y después de entregado su tesoro,
se ven pasar las vírgenes en coro
bajo un temblor de túnicas de plata.

XI

LAS VACAS

Brillante con el brillo de la vida,
de asta pequeña y de pezuña breve,
de piel con la blancura de la nieve,
y ubres como una fuente dividida,

va a una cadena de metal prendida
la res lustrosa donde el Sol luz llueve,
y arrastra al hombre cuyo paso mueve,
retozando de todo sorprendida.

Muge, brinca, sacude la cabeza;
la espléndida salud, que es su belleza,
muestra en el ancho lomo y cuello altivo.

Y cuando cesa, de jugar cansada,
mansa, enorme, paciente y reposada,
¡parece andando un monumento vivo!

Poesías completas, [1910].

EL PAN

En nombre del padre de toda armonía
que amasa los hombres, los astros, las cosas,
yo elevo la hostia del Pan, que es poesía,
comunión de espigas y gracia de rosas.

¿Qué boca merece tocarla? La lengua
que noble reciba del pan la hermosura,
no ha de haber sus frases manchado la mengua,
y ha de ser diamante de clara y de pura.

Él es sacrificio sublime que calla,
la hoz lo destroza, lo trilla la era,
los puños le imprimen terrible batalla,
y el horno hace místico su ser en la hoguera.

¿Qué lengua merece comerlo? ¿qué boca?
Él es un extracto de inmensos dolores,
y es cuerpo formado de trigo, en que choca
todo son de lágrimas y humanos sudores.

El pan es dorado como una patena;
es copón de granos, de seno fecundo;
el pan es Sol santo que todo lo llena,
y su ara es la esfera redonda del mundo.

Tendiendo a él las manos el rey y el mendigo,
temblando le piden calor y energía,
y el disco de espigas, el sol de áureo trigo,
les manda en sus rayos virtud y alegría.

Pero el que perciba del pan la fragancia,
ha de trabajarlo para merecerla;
no basta a los hombres comer su sustancia :
han de hacerse dignos también de comerla.

El pan no se tira, se besa; es sol rubio;
es Dios hecho espigas y ardientes trigales;
es luz de la copa del Sol, que en diluvio
se vuelca y desata sus libres raudales.

Quien el pan sostiene, feliz, en sus manos,
mira en él un cáliz de forma precisa;
con él hace a todos los hombres hermanos
y dice en su mesa, que es ara, su misa.

Nadie el pan ultraje, que es cosa sagrada;
yo, cuando a mi boca gozoso lo llevo,
pienso, fascinado, que es hostia dorada,
y cual sacerdote que oficia, lo elevo.

Ganar el pan noble de todo redime;
él ata la suma de cien maravillas;
su cuerpo es presente tan alto y sublime,
que el pan se debiera comer de rodillas.

Más sabe una espiga que todos los sabios;
tiene magia eterna la luz de su brillo;
¡entra, oh rubia forma de trigo, en mis labios,
y hazme noble, y sano, y alegre, y sencillo!

Poesías completas, [1910].

ZUMBIDOS DEL CARACOL

¿Nunca inclinasteis con fe los oídos al cerco redondo
de un caracol encantado que engrecan marinos lunares,
donde, al igual que por largo turbante, se elevan del fondo
voces, cadencias, estruendos de trompas y gritos de
[mares?

En su interior, de las olas se escucha la vida latente,
y recogida en el hueco de nácar que clama vibrando,
va la epopeya marina, que abarca del Norte al Oriente,
como en Ilíada de nácares cóncava rugiendo y zumbando.

En lo profundo se escucha la risa de Venus fecunda
al retorcerse el cabello en las ondas cual trigo ondulante,
y la carrera veloz de Neptuno que truena rotunda
con sus corceles que estampan los cascos con ruido gi-
[gante.

Se escucha el libre jugar que levantan los raudos
[tritones
sobre el cristal infinito de rizos que el viento dilata,
y oís las náyades que aéreas se mecen lanzando canciones
sobre el colchón de plumajes que embuclan los mares
[de plata.

Y cuando goza el oído sintiendo del fondo el encanto,
se oye de pronto subir de los nácares, en breve com-
[pendio,
bronca tragedia de bárbaros gritos que hielan de espanto
al ondular cual penacho en los mares la luz del incendio.

Os cuenta el nácar las madres que lloran, los niños
[que claman,
las despedidas, los golpes tremendos que da el oleaje,
los griteríos que en locos tumultos los vientos derraman
y el resilbar de las cuerdas ardiendo con gozo salvaje.

Y se os figura un actor de mil labios, un trágico intenso,
el caracol que el magnífico drama recita iracundo,
con alaridos y lenguas de llamas de son tan inmenso
como si ardiera cual un promontorio la esfera del mundo.

Son otras veces clamores de tierra los que oye el
[sentido,
fiestas grandiosas que prenden los lazos de luz de las razas,
o de cantantes en noches de triunfo la voz y el sonido,
o los broqueles, combates navales y choques de mazas.

Toda la vida, lo intenso y lo grande del mar y la tierra,
del caracol repercute en los círculos igual que un encanto,
en cuyo fondo se escuchan vibrantes, al par de la guerra,
los oradores, las bombas, los órganos, la risa y el llanto.

El caracol es cerebro que piensa y es pecho que llora,
es microcosmos que encierra infinito zumbar de cordajes;
todos los gritos los tienen sus nácares que el iris colora,
y de los hombres, las aves, los brutos, los varios lenguajes.

Mi vario libro que el alma ha rimado del mar a la orilla,
es caracol que tumultos distintos de voces encierra,
en cuyo largo turbante se esconde la audaz maravilla
de aprisionar con palabras y ritmos el haz de la tierra.

Pegad ansiosos los dulces oídos buscando su fondo,
y escucharéis ascender en mareas del largo turbante,
hecha cadencias la vida del hombre que va en lo más
[hondo,
como el torrente de voces y gritos de un gran concertante.

Un caracol es mi libro, formado de ritmos vehementes;
grande es su boca, que vibra cual ancha corona de palma;
si os ajustáis a los hondos oídos sus bordes ardientes,
¡percibiréis el hervir sempiterno del mundo y del alma!

Cantando por ambos mundos, [1913].

FRANCISCO A. DE ICAZA

1863-1925

Mejicano. Pasó la mayor parte de su vida — desde 1886 — en España como diplomático. Por eso dijo de él Rubén Darío que era «el poeta artista que tiene España, prestado por América, mientras brota uno propio», y por eso también críticos españoles le han mirado como español y críticos mejicanos le han reprochado el haber perdido por este motivo su carácter nacional. Es verdad que Icaza vivió incorporado a las actividades literarias españolas y que llegó a ser en un grado máximo el tipo perfecto del hispanoamericano europeo; pero no es menos cierto que, como ha dicho Pedro Henríquez Ureña, «conocerlo en Madrid, en los últimos años, era descubrir con asombro cómo persistía el mexicano debajo de su capa de madrileño». Alfonso Reyes ha señalado también el carácter nacional de su poesía, que es mejicana, no por los asuntos — que cuando no son, como es lo más general, intimidades líricas, se refieren a realidades españolas —, sino por el «tono suave», la «sutilidad de sentimiento», la «sucinta elegancia de forma», notas persistentes de su poesía desde su juventud hasta su madurez que le han mantenido aparte de las modas y escuelas literarias de su tiempo, sin perjuicio de conocerlas y aprovecharlas, y que le enlazan en cambio con uno de los modos más típicos de poesía mejicana, el que representan Gutiérrez Nájera y González Martínez. Fué muy culto; entre 1904 y 1912 residió en Berlín como ministro de su país y adquirió la cultura literaria y filosófica alemanas; escribió muchas obras de crítica literaria y de erudición clásica española. Se le ha tachado de crítico mordaz; la verdad es que sólo usó su agudeza, su ingenio y su saber para deshacer errores y valores falsos. Su poesía, tan recatada, nos muestra, bajo su aparente impasibilidad, la intimidad de un espíritu delicado, fino y melancólico.

BIBLIOGRAFÍA. — **Poesía:** *Efímeras*, Madrid, 1892. *Lejanías*, 1899. *La canción del camino*, [1905]. *Cancionero de la vida honda y de la emoción fugitiva*, 1922; Segovia, 1928. **Otras obras:** *Examen de críticos*, Madrid, 1894. *Las «Novelas ejemplares» de Cervantes*, 1901, 1915, 1928. *De los poetas y de la poesía*, 1916. *De cómo y por qué la «Tía fingida» no* *es de Cervantes,* 1916; Segovia, 1928. *La universidaa alemana,* Madrid, 1916. *Supercherias y errores cervantinos,* 1917. *El «Quijote» durante tres siglos,* 1918. *Sucesos reales que parecen imaginados de Gutierre de Cetina, Juan de la Cueva y Mateo Alemán,* 1919. *Lope de Vega, sus amores y sus odios,* 1919; Segovia, 1926. *La risa, la muerte y el hambre,* Madrid, 1919. *Paisajes sentimentales,* 1919. *Conquistadores y pobladores de Nueva España: diccionario autobiográfico,* 1923. **Estudios:** C. G. Amézaga, *Poetas mexicanos,* Buenos Aires, 1896. M. Bacarisse, *Don F. A. de I.,* en ROcc, 1925, VIII, 387-389. E. Díez-Canedo, *Don F. A. de I.,* en Sol, 19 mayo 1925. C. de Figueiredo, *F. A. de I.,* en Rep, 1892. E. Gómez de Baquero, *I. y su obra literaria,* en Sol, 10 junio 1925; *Al margen de las «Obras completas» de I.,* en Sol, 12 abril 1928. P. Henríquez Ureña, *Dos escritores de América: I., García Godoy,* en Nos, 1925, L, 225-229. *La muerte de D. F. A. de I.,* en LyP, 1925, IV, núms. 4-6. A. de la Peña y Reyes, *Muertos y vivos,* México, 1896. S. Rueda, *Efímeras, libro de poesías de D. F. A. de I.,* en HM, 1892. M. Soto Hall, *Don F. A. de I.,* en PrBA, 22 nov. 1925. L. G. Urbina, *Los libros del año* [sobre F. A. de I., *La canción del camino*], en MuI, 1 enero 1907. A. de Valbuena, *Ripios ultramarinos,* t. II, Madrid, 1905. E. J. Varona, *Efímeras, por F. A. de I.,* en RCu, 1892. (Véase, además, Estrada, *PNM,* p. 141.)

ESTANCIAS

Éste es el muro, y en la ventana
que tiene un marco de enredadera
dejé mis versos una mañana,
una mañana de primavera.

Dejé mis versos en que decía
con frase ingenua cuitas de amores;
dejé mis versos que al otro día
su blanca mano pagó con flores.

Éste es el huerto, y en la arboleda,
en el recodo de aquel sendero,
ella me dijo con voz muy queda:
«Tú no comprendes lo que te quiero.»

Junto a las tapias de aquel molino,
bajo la sombra de aquellas vides,
cuando el carruaje tomó el camino,
gritó llorando: «¡Que no me olvides!»

Todo es lo mismo: ventana y yedra,
sitios umbrosos, fresco emparrado
gala de un muro de tosca piedra;
y, aunque es lo mismo, todo ha cambiado.

No hay en la casa seres queridos;
entre las ramas hay otras flores;
hay nuevas hojas y nuevos nidos,
y en nuestras almas nuevos amores.

1890.   *Efímeras,* 1892.

OTOÑAL

Han callado las cigarras:
no fingen un mar los trigos
cuando el céfiro en la siesta
mece los campos dormidos;

el viento llega impregnado
del acre olor de los pinos;
circulan por el ramaje
misteriosos calosfríos;

bajo del toldo de parra
tiembla el último racimo,
y en los aleros las aves
abandonaron sus nidos.

Con el rostro entre las manos,
silencioso y pensativo,
desde la abierta ventana
el campo brumoso miro,

dentro del alma sintiendo
algo del paisaje mismo:
la tristeza resignada
de un cielo gris y tranquilo.

1889.   *Efímeras,* 1892.

LA CANCIÓN DEL CAMINO

Aunque voy por tierra extraña
solitario y peregrino,
no voy solo, me acompaña
mi canción en el camino.

Y si la noche está negra,
sus negruras ilumino:
canto, y mi canción alegra
la oscuridad del camino.

La fatiga no me importa,
porque el báculo divino
de la canción hace corta
la distancia del camino.

¡Ay triste y desventurado
quien va solo y peregrino,
y no marcha acompañado
por la canción del camino!

1903.   *La canción del camino,* 1905.

LA SOMBRA

Íbamos hacia el Oriente,
cara al sol; amanecía,
y todo era luz al frente:
nuestra sombra nos seguía.

Hoy, con el sol en ocaso,
al proseguir la jornada,
una sombra prolongada
va precediendo mi paso.

1904.   *La canción del camino,* 1905.

EN LA SELVA

Se me acerca un caminante:
desconoce dónde está,

y antes de seguir delante
quiere saber el viandante
si descaminado va:

—Buen hombre, en la selva oscura
hace poco penetré
y camino a la ventura:
el sendero en la espesura
ni lo busco ni lo sé.

1904.   *La canción del camino*, 1905.

PAISAJE DE SOL

Azul cobalto el cielo, gris la llanura,
de un blanco tan intenso la carretera,
que hiere la retina con la blancura
de la plata bruñida que reverbera.

Allá lejos, muy lejos, una palmera,
tras unas tapias rojas, a grande altura,
como el airón flotante de una cimera,
levanta su penacho de fronda oscura.

Llego al lejano huerto; bajo la parra
que da sombra a la escena que me imagino,
resuenan los acordes de la guitarra;

rompe el aire una copla que ensalza el vino...
y al monótono canto de la cigarra
avanzo triste y solo por el camino.

Cancionero, [1922].

CALLA

En otros tiempos, tiempos mejores,
los dos cumplimos nuestro deseo,
y sin querernos, de unos amores
urdimos ambos el fantaseo.

Los dos mentimos: ¡dulce mentira!
Yo te escuchaba con alma absorta
y, habla, te dije, que amor te inspira;
miente y soñemos, la vida es corta.

Hoy, fatigado de la comedia,
porque la ruda verdad amarga,
y con engaños no se remedia,
pienso al oírte: la vida es larga.

¿A qué las frases que me dijiste?...
Mimos gastados, suspiros viejos...
¡Estoy tan solo y estoy tan triste!
Los que me quieren están muy lejos.

Cancionero, [1922].

TONOS DEL PAISAJE

DE ORO

En los trigos.

Bajo el oro vespertino,
sobre las mieses doradas,
mueve sus aspas dentadas
pausadamente el molino.

Con enormes paletadas
echa del cielo al camino
sobre las mieses doradas
el tesoro vespertino.

DE PLATA

Álamo y arroyo.

En el fondo del barranco
alguien llora: es la sonata
del río cuando desata
un rizo ondulante y blanco
en cada guija de plata.

En la cima del barranco
alguien ríe: es la sonata
del viento cuando desata
de aquel alamito blanco
los cascabeles de plata.

DE ACERO   *Lluvia.*

Ya las aves vuelan bajo:
es que viene el aguacero:
en las piedras del atajo
interrumpe su trabajo
de va y ven el hormiguero.

De pronto, cual si de cuajo
rodara el monte al estero,
retumba el trueno en el tajo
y tiende la lluvia abajo
sus barras color de acero.

                    Cancionero, [1922].

CANTABA EL MOZO

Cantaba el mozo y decía:
— «El querer es cosa buena,
porque dobla la alegría
y parte entre dos la pena...»
¡Pero nadie le quería!

                    Cancionero, [1922].

PARA EL POBRECITO CIEGO

Dale limosna, mujer,
que no hay en la vida nada
como la pena de ser
ciego en Granada.

                    Cancionero, [1922].

PEDRO ANTONIO GONZÁLEZ

1863-1905

Chileno. Su vida fué desdichada: la vida del poeta bohemio,
alcohólico, miserable y altivo. Por estas cosas y por sus versos
sonoros y de fácil y romántica emoción, gozó de gran popularidad en Chile hasta que surgieron los buenos poetas de la gene-

ración posterior. Su poesía pudo aparecer a los ojos de sus contemporáneos como innovadora, porque no faltan en ella novedades de expresión y de versificación, teniendo en cuenta la pobreza de la poesía chilena anterior; pero muestra claramente que la estancia de Rubén Darío en Chile y la obra de los otros poetas americanos precursores del modernismo no llegó a influír más que en aspectos superficiales sobre el temperamento poético superior que Chile tuvo en aquel momento.

BIBLIOGRAFÍA. — **Poesía :** *Ritmos,* Santiago de Chile, 1895. *Poesías,* ed. A. Donoso, 1917, 1923. *Sus mejores poemas,* ed., introd. y notas por A. Donoso, 4.ª ed., 1927. **Estudios :** R. ARRATIA, *El poeta chileno P. A. G.,* en PrNY, 7 abril 1921. F. CONTRERAS, *P. A. G.,* en NMerc, 1908. R. DÁVILA, *P. A. G.,* en NacC, 1917. A. DONOSO, *Vida de P. A. G.,* introd. a *Poesías,* 1917, 1923. N. PEÑA MUNIZAGA, *P. A. G.,* en RevChil, nov. 1918. M. L. ROCUANT, *Los líricos y los épicos,* Madrid, 1922.

MI VELA

Cerca de mi vela, que apenas alumbra
la estancia desierta de mi buhardilla,
yo leo en el libro de mi alma sencilla
por entre la vaga y errante penumbra.

Despide mi vela la llama de un cirio
a fin de que acaso con ella consagre
mi cáliz sin fondo de hiel y vinagre
delante del ara de mi hondo martirio.

A mí no me queda ya nada de todo.
Mis viejos recuerdos son humo que sube,
formando en el éter la trágica nube,
que marca la ruta de mi último exodo.

Yo cruzo la noche con pasos aciagos,
sin ver brillar nunca la estrella temprana
que vieron delante de su caravana
brillar a lo lejos los tres reyes magos.

¡Quizá soy un mago maldito! —Yo ignoro
cuál es el Mesías en cuyos altares
pondré con mi lira de alados cantares
mi ofrenda de incienso, de mirra y de oro.

Al golpe del viento rechinan las trancas
detrás de la puerta de mi buhardilla.
¡Y vierte mi vela — que apenas ya brilla—
goteras candentes de lágrimas blancas!

Poesías, 1917.

LEOPOLDO DÍAZ
1862 - 1947

Argentino. Diplomático desde 1884, ha residido en diversos
países americanos y europeos; desde 1906 fué cónsul argentino
en Ginebra; desde 1909, en Cristianía, y más tarde ministro en
Caracas. Conocedor de la poesía francesa y en general de la
moderna — de la cual ha hecho traducciones —, se dedicó desde su juventud al cultivo de! soneto. Así vino a ser como el
Heredia de la poesía castellana, pues en gran medida tuvo los
sonetos de éste como modelo; pero en su caso, como en general en la poesía hispanoamericana de esta época, es erróneo
suponer que se trata de la imitación de un modelo. Aunque
Díaz sea principalmente un parnasiano, con influjos de Heredia y de Leconte de Lisle, sus sonetos reflejan conjuntamente
influencias simbolistas y clásicas españolas, y la forma y carácter de ellos han evolucionado mucho y ofrecen gran variedad
a través de sus obras. Trata en ellos diversidad de temas, pre-
dominando los helénicos y los americanos en sus aspectos de-
corativos o simbólicos.

BIBLIOGRAFÍA. — **Poesía :** *Los genios,* sonetos, Buenos Aires, 1888.
Bajorrelieves, sonetos, 1895. *Byron,* 1895. *Poemas,* 1896. *Las sombras
de Hellas,* [con trad. franc. por F. Raisin, pról. de R. de Gourmont Ge-
nève, 1902. *Atlántida conquistada,* poème en sonnets, [texto español y
trad. franc. por F. Raisin], 1906. *El sueño de una noche de invierno,*
Caracas, 1928. **Estudios:** R. BLANCO-FOMBONA, *L. D,* en C. Santos
González, *Poetas y críticos de América,* París, 1912. L. DE GASPERI,
La personalidad literaria de L. D., en Nos, 1927, año LVI, 494-504;
CVen, 1928, abril-junio, 193-203.

LOS CONQUISTADORES

Libre el indio, vagando a su albedrío,
sorprende en el juncal ágiles pumas;

y tras el ave de irisadas plumas,
vuela su flecha en bucaral sombrío.

Meandros sigue de tortuoso río;
cruza el raudal de diáfanas espumas,
y al hondo valle de azuladas brumas
desciende en los crepúsculos de estío.

Acecha, entre macizos de manglares,
las furtivas parejas de jaguares
que bajan a beber en la laguna;

y su silbante dardo, en la imprecisa
noche, atraviesa con rumor de brisa
los boscajes bañados por la luna.

SÍMBOLO

Dijo a la blanca luna el asfodelo:
«¡Oh, reina del azur solemne y triste!
¿Qué misteriosa palidez te viste,
Ofelia vagabunda por el cielo?

Cándido cisne de color de hielo:
¿en qué profundo Flegetón caíste?
¿A qué brumoso páramo tendiste
las plumas albas, con silente vuelo?»

Calló la flor..., y doblegó en la urna
su fúnebre corola taciturna
cual simbólica imagen de lo inerte;

mientras el astro, como esquife indiano
de vela de ámbar, se perdió en lo arcano,
con rumbo a las riberas de la Muerte.

LA TUMBA DE ANACREÓN

En la tumba del lírico cantor de los amores
el cincel inspirado grabó un bajo-relieve:
una danza de ninfas coronadas de flores,
con los senos erguidos, como lotos de nieve.

Rosales florecidos mezclaban sus rumores
a la callada ronda, sutilísima y leve,
y dos sátiros, llenos de lúbricos ardores,
miraban de las ninfas el pie ligero y breve.

Y cuando misteriosa, la noche, descendía,
un genio de las selvas, con lánguida armonía,
su dulce flauta rústica iba a tocar en ella.

Y el caminante, absorto, creyendo que soñaba,
al escuchar el canto crepuscular, dudaba
si era la voz de Apolo o el himno de una estrella.

Las sombras de Hellas, 1902.

EL ÁNFORA

Cincela, orfebre amigo, una ánfora de oro
para encerrar la roja púrpura de la viña,
que posea la gracia de un dáctilo sonoro
y que el alegre pámpano de Anacreonte ciña.

Una ánfora que tenga las curvas de una niña
y evoque del ensueño el singular tesoro:
cincela, orfebre, el ánfora con la doble ansa de oro,
para encerrar la roja sangre que da la viña...

Despertará la flauta viejas mitologías,
y bajo los laureles, en blancas theorías,
desfilarán las vírgenes de la tierra de Paros;

¡y junto al mar de Myrtos, bajo el azur del cielo,
como un alción, el himno levantará su vuelo
en alas de los versos magníficos y raros!

Las sombras de Hellas, 1902.

PROFESIÓN DE FE

El puro y alto amor de la Belleza,
de la Virtud y la Verdad me inflama,
y devorado por la triple llama
inclino en sus altares la cabeza.

Adorando la gran Naturaleza
como todo lo excelso y noble se ama,
sordo a las vanidades de la fama,
vivo en la torre azul de mi tristeza.

Cincelo el mármol de la estrofa; el duro
bronce de las estatuas del futuro;
a las cumbres dirijo el Pensamiento;

embriágome de luz y de harmonía,
y decoro misales cada día
como los monjes del Renacimiento.

Atlántida conquistada, 1906.

EL AMAZONAS

Padre Río, que avanzas al Oriente;
opulento, magnífico Amazonas,
que de vírgenes lianas te coronas
y el sol del Ecuador besa en la frente:

¿Cantas al porvenir con voz rugiente?
¿Ser libre, como América, ambicionas?
Monarca augusto de invioladas zonas,
¿qué dios nos habla en tu rumor potente?

Atraviesas florestas tropicales,
y del Andes ceñidos por las brumas
se desploman tus férvidos raudales.

Cunde en los bosques tu tronar lejano,
y arrojando a su frente tus espumas
haces retroceder el Oceano!

Atlántida conquistada, 1906.

LA QUENA

En la noche del Trópico serena,
sobre sus alas muelles alza el viento
las fatigadas notas de un lamento,
que allá en el fondo de los valles suena.

Es la canción doliente de la *Quena;*
de las vencidas razas el acento;
la voz con que en el rústico instrumento
traduce el indio su insondada pena...

Y esa voz narra la extinguida gloria
del Inca, hijo del Sol, y la victoria
implacable y sangrienta del hispano.

Esa voz resucita el dulce coro
de las Vestales indias y el tesoro
del Templo, hundido en el confín lejano...

Atlántida conquistada, 1906.

ISMAEL ENRIQUE ARCINIEGAS
1865 - 1938

Colombiano. Como diplomático ha residido en Francia y en
Chile. En su país ha sido periodista y político. Ha hecho traducciones excelentes de poesía extranjera del siglo XIX. Su cultura,
buen gusto y decoro literario se muestran en su obra original,
no muy extensa, pero de calidad suficiente para hacer de él un
excelente poeta parnasiano, con ligereza y concisión modernas.

BIBLIOGRAFÍA. — **Poesía:** *Poesías,* pref. de R. Becerra, Caracas, 1897.
Cien poesías, en NTL, Bogotá, 1911, X, núms. 7-9; Bogotá, 1916.
Traducciones poéticas, París, 1926. **Estudios:** E. Díez-Canedo, *Poetas
extranjeros en castellano* [sobre *Traducciones poéticas*], en Sol, 29 junio
1926. A. Gómez Restrepo, *I. E. A., traducteur,* en RAmL, 1925,
t. IX, 109-119. J. Lozano y Lozano, *Les traductions poétiques d'I. E. A.,*
en RAmL, 1927, XIV, 511-519. *Perfil autobiográfico,* en Arch, 1929,
II, 212-213.

ACUARELAS

I

EL BAJO MAGDALENA

Subiendo el barco aceza.
El río, somnoliento. Sol. Pereza.
Inquietud y calor. Bancos, más bancos
de arena. Cielo azul. Bosque y barrancos.

Y sobre el agua turbia que dormita,
y de una y otra playa entre lo verde,
como un blanco pañuelo que se agita,
una garza que vuela y que se pierde...

II

MEDIODÍA

Polvo, cansancio y sol. Y un torbellino
de polvo, y otro..., y otro de contino
en la aridez desierta del camino.

De la montaña en el oscuro flanco,
junto al río, a la luz radia un barranco
de color ocre. El cielo es casi blanco.

Tronco erecto, sin hojas, como una asta
corta el confín. Y en la llanura vasta
el sol refulge y el rebaño pasta.

III

MARINA

Listo a zarpar el barco
sopla como si fuera enorme fuelle.
Al puerto, cielo y mar forman un marco
azul. Despierta entre el bullicio el muelle.

En la desierta playa
una palmera el horizonte raya.

Peces, al sol vivaces
las escamas, del mar los alcatraces
rápidos sacan. Negro el humo asciende.

Van en bandadas pájaros fugaces.

Y blanca vela hiende
la trémula bahía, mientras fragua
el sol, que vivo esplende
como un jardín en el cristal del agua.

IV

GRIS

Cercas de piedra cortan la llanura.
El cielo, gris. Una casita blanca.
En el cerro, unas manchas de verdura,
y abajo, un pozo que el guadal estanca.

El pajonal con un susurro leve
tiembla. Se apaga el horizonte turbio,
y de un techo lejano en el suburbio
del pueblo, el humo sube lento.
                                    Llueve.
En el campo hay modorra,
y en el límite gris de la pradera
un carro va por la ancha carretera,
y en el vago crepúsculo se borra.

V

EN LA PLAYA

El mar contra el escollo
una lluvia de lirios parecía,
y entre el susurro del palmar se oía,
lejos, la queja de un cantar criollo.

Llegaban a tus pies espumas rotas
en cambiantes de luz rosada y lila,
y entre un vuelo callado de gaviotas
se dormía la tarde en tu pupila.

VI

EL ANOCHECER

Canta la fuente en el jardín. La tarde
se apaga, seda y oro, y una nube
en el ocaso entre arreboles arde.
Baja la noche. El pensamiento sube.

En torno, sombras. Entra.
Todo en reposo. El bosque es negra mancha.
La visión del espíritu se ensancha
y el alma en el recuerdo se concentra.

En las manos la frente taciturna.
Sueño... Sombras. Callada la arboleda.
Todo se ha ido...
        En la quietud nocturna
el rumor de la fuente sólo queda.

VII

EL REPROCHE

Entre los temblorosos cocoteros
sollozaba la brisa; y en la rada,
del ocaso los rayos postrimeros
eran como una inmensa llamarada.

Al oír mi reproche
se apagaron en llanto sus sonrojos,
y fué cual pincelada de la noche
el cerco de violetas de sus ojos.

Y al confesar su culpa
su voz era sollozo de agonía,
y la blancura de su tez fingía
del coco tropical la nívea pulpa.

«ALMAFUERTE»

(PEDRO B. PALACIOS)

1854-1917

Argentino. Fué maestro rural y empleado en la Cámara de Diputados de la provincia de Buenos Aires. Su vida parece estar reducida a un número de anécdotas, recogidas por sus biógrafos, que nos muestran un hombre bueno, generoso y desgraciado, atacado de megalomanía apostólica, con una desmedida idea de su superioridad sobre el resto de los hombres. Esto no tiene nada de particular, ya que tal idea puede darse en un gran poeta o en un hombre vulgar. Más significación tiene el hecho de que haya otros que piensen lo mismo de él. «Almafuerte» parece que gozó de prestigio y popularidad innegables en la República Argentina; sobre él se han escrito libros y artículos en los que se le reputa, no sólo el poeta nacional argentino por excelencia, sino el poeta más grande de la literatura castellana y hasta una de las figuras más grandes de la humanidad. En España, Cejador puso todo el peso de su «autoridad» en favor de tal exaltación. Claro está que no todos los argentinos participan de ese entusiasmo y que esas opiniones se han combatido y rectificado en su propio país, donde casi exclusivamente se le conoce. Cuando se leen las obras de «Almafuerte», casi lo único que sigue interesando es este fenómeno local de su prestigio, debido sin duda a causas también locales. Nos parece que Borges ha visto muy exactamente el carácter de «Almafuerte» como una mezcla de rudeza y cursilería, y a él como un compadrón, un San Juan Moreira. Por ahí se podrá explicar su popularidad; pero en todo caso su poesía, aunque a veces está escrita en décimas y se titula «milongas» no nos parece que tenga nada de la savia popular argentina que da vida a tantas obras valiosas. Por ser una figura tan discutida publicamos una de sus poesías características, que mostrará, creemos, cómo «Almafuerte» no deja de tener originalidad aunque su ideología sea vulgar y su arte pedestre.

BIBLIOGRAFÍA.—**Poesía:** *Lamentaciones,* La Plata, 1906; Montevideo, 1921. *Poesías,* est.-pról. por J. Más y Pi, Buenos Aires, 1916. *Amorosas,* Ed. mínimas, 1917. *Poesías completas,* pról. de A. Lasplaces, Montevideo, 1917. *Nuevas poesías y evangélicas,* con estudio de A. Palacios, 1918. *Obras completas,* Buenos Aires, 1928 **Otras obras:** *Evangélicas,* Buenos Aires, Ed. mínimas, 1915. **Estudios:** *Apunte bio-bibliográfico* (precede a *Amorosas),* Buenos Aires, Ed. mínimas, 1917. J. L. BORGES, *Ubicación de A.,* en PrBA. F. BRUGHETTI, *Un poema de A.: «Confiteor deo»,* en Nos, 1929, LXIII, 186-200; *A. (De mis memorias),* La Plata, 1929. V. GARCÍA CALDERÓN, *Semblanzas de América,* Madrid, 1920. A. HERRERO, *A. y Zoilo,* La Plata, 1920; *El poeta del hombre: A., su vida y su obra,* Buenos Aires, 1918. G. LAFOND, *Le poète argentin A.,* en NR, 1917, XXVIII, 270-276. A. MARASSO ROCCA, *Estudios literarios,* Buenos Aires, 1920. J. MÁS Y PI, estudio que precede a *Lamentaciones,* Montevideo, 1921. A. MELIÁN LAFINUR, *Litera-*

tura contemporánea, Buenos Aires, 1918. E. MORALES, *Significación de la obra de A.,* en Nos, 1928, LXII, 150-160. H. B. OYHANARTE, *Oración al poeta,* discurso, Buenos Aires, 1916. A. J. TORCELLI, pról. a *Obras completas,* Buenos Aires, El Ateneo, 1928. A. VÁZQUEZ CEY, *A., poeta nacional,* en CBibl, 1925, I, 105-121; *La obra poética de A.,* en Hu, 1925, X, 165-187. V. VERGARA y O. F. SIRI, *Edición de las obras de A.,* en Bases, mayo, 1929.

EN EL ABISMO

Para una joven.

I

Me pides versos, y voy,
sin poner y sin quitar,
para tu bien, a mostrar
lo que por adentro soy,
para que comiences hoy,
pues hoy mismo debe ser,
resueltamente a romper
ese camarín rosado
donde me tiene guardado
tu corazón de mujer.

II

Yo soy el negro pinar
cuyo colosal ramaje
cual un colosal cordaje
no cesa de resonar;
soy el resuello del mar,
del mar augusto y perverso,
la repercusión, el verso,
la placa donde resuena
la formidable y serena
rotación del Universo.

III

Yo soy la brillante flor
con cuya sutil esencia
corta o alarga la ciencia

los dominios del Dolor;
yo siento el sacro furor
del Oráculo demente
y alumbra o quema mi frente
con su genial llamarada,
cual una zarza incendiada
que se retuerce doliente.

IV

Yo no podré cavilar
por más que cavilar quiera;
como un insecto cualquiera
me desempeño al azar;
cual un sistema solar
me desdoblo en el misterio;
cual un ínfimo bacterio
me debato en el vacío;
cual un tormentoso río
busco la mar sin criterio.

V

Yo voy en recta fatal
hacia mi primer deseo;
yo no palpo, yo no veo
los muros de lo rëal:
jamás la fiebre carnal
conturbó mi luz interna;
ni por feroz ni por tierna
la pasión me deja rastro...
¡Yo palpito, como un astro,
dentro de la paz eterna!

VI

Yo voy con el alma ufana
por más dolor que me oprima;
yo marcho por más que gima
toda mi miseria humana;

yo siempre tuve por vana
la lengua de la opinión;
yo no indago la razón
del can que ladra mi sombra;
yo me río y hago alfombra
de cualquier admiración.

VII

Yo consigo la verdad
sin buscarla mucho rato;
yo procedo por mandato
de la Gran Fatalidad;
yo a la necia Humanidad
la menosprecio y desgarro;
con las llantas de mi carro
de surcos hondos la lleno,
cual si corriese sin freno
por una pampa de barro.

VIII

Y como el negro pinar
cuando se pone a gemir
ni pretende seducir
ni pretende amedrentar,
yo no intento gobernar
las riendas del corazón;
pero yo no sé qué don,
qué providencia, qué ley
me habrá consagrado rey
del reino de la emoción.

IX

Por mí, tal vez, retroceden
los tiempos meditabundos,
como abren plaza los mundos
para que los mundos rueden;
cual se licúan y ceden

los hielos con el calor,
como bregan sin rumor
las fuerzas universales
porque rían los rosales
con los labios de la flor.

X

Por no sé qué maldición
yo nací con una estrella,
como nacieron con ella
Moisés, Jesús y Nerón;
para mi modelación
tuvo Dios un ideal,
pues me consumó cabal
ras con ras de mi destino,
cual pudiera un asesino
labrar su propio puñal.

XI

Yo no tengo obligación,
como los demás mortales,
de presentar bien cabales
las cuentas del corazón;
yo siento la persuasión,
la vez que me precipito,
de que voy en pos de un grito
que se dilata en la sombra,
de que me besa y me nombra
la boca de lo Infinito.

XII

Yo soy el buen soberano
de todas las almas mustias;
yo consuelo las angustias
de lo sucio y de lo insano.
Por eso, cuando más vano
me yergo sobre mi nada,

si cruza la bocanada
del cubil o del hospicio,
mi gran corazón patricio
se renuncia y anonada.

XIII

Yo siento por el dolor
de la chusma miserable
la suprema, la inefable
maternidad del amor;
yo siento el mismo fervor
del Cordero supersanto,
fervor tan profundo y tanto
que tendrá que vaporarme
y en la miseria regarme
como un diluvio de llanto.

XIV

Y como los grandes son
nada más que chusma vil
que desertó su cubil
por pura combinación,
cuando vuelven al montón,
doloridos y maltrechos,
yo les entrego mis pechos
como la loba romana...
¡Tan sólo la sobra humana
tiene sobre mí derechos!

XV

Yo proclamo lo que digo
sin meditar lo que dije;
ni me asombra ni me aflige
pensar que me contradigo.
Cualquier ideal persigo,
pues todos los hallo buenos;
los magines están llenos

de juicios que no se avienen,
y las mismas cosas tienen
mil razones, por lo menos.

XVI

Yo no pienso conjurar
la sociedad que me azota;
ni la sueño como gota,
ni me asusta como mar.
¿Ni quién la podrá pensar
nada más que como nada?
¿Ni quién la vió coronada,
sino por pura ficción?
¿Ni quién le dió más razón
que su razón de majada?

XVII

Como perdura el visaje
y el ademán del histrión
lo que dura en la ficción
del drama su personaje,
así la faz del chusmaje
pone su gesto en la Historia;
así el alma sin memoria
de la perdurable sierva
ni merece, ni conserva
los dedazos de la Gloria.

XVIII

Como creemos, dormidos,
que duros bronces labramos;
como al despertar hallamos
los bronces desvanecidos,
sólo son los redimidos
por toda predicación
duros bronces de ilusión
que no tienen de rëal

nada más que su infernal
trabajo de forjación.

XIX

Pero yo no quiero ser
ni riel, ni pauta, ni estrella;
como el hacha y la centella,
corto y caigo sin querer;
tengo la pasión de hacer
cual un motor en mi pecho;
voy al caso, voy al hecho,
yo no sé por qué pendiente...;
como un niño que no siente
que duerme sobre su lecho.

XX

Sólo sé que soy mejor
por lo que me dejan solo;
si lo mejor es un polo,
nó es polo de lo peor.
De mi estirpe superior
yo no estaría tan cierto
si no me viese cubierto
de tétricas imposturas,
como el mar y las alturas,
las tinieblas y el desierto.

XXI

Como en seguros corrales
necios pavipollos pían
mientras al sol desafían
las águilas imperiales,
los pavipollos mentales
militan en la legión
que murmura en el rincón
del establo de la prosa...;
¡cobarde recua sarnosa
que se rasca en la razón!

XXII

Mi hogar, si tuviese hogar,
sería un huerto sellado,
tan solemne, tan aislado
como una roca en el mar.
Nido azul—nido y altar—,
todo en él luz y armonía;
pero a la primer falsía,
todo en él espanto y duelo,
como si el alma de Otelo
resplandeciese en la mía!

XXIII

Yo respeto en la mujer
a la madre, nada más;
y jamás, nunca jamás,
por su igual me ha de tener,
virgen roja en el taller,
toga ilustre en los procesos,
verbo mismo en los congresos
y genio mismo en las artes;
pero allí, y en todas partes,
¡catedrática de besos!

XXIV

Yo soy de tal condición
que me habrás de maldecir,
porque tendrás que vivir
en eterna humillación.
Soy el alma, la visión,
el hermano de Luzbel,
que, impotente como él,
como él blasfema y grita;
¡sobre mi testa gravita
la maldición del laurel!

XXV

Como las aguas del mar
al muro que las encierra,
yo quiero poner la tierra
bajo mis pies y avanzar;
ser un padre, ser un zar
todo miel, todo perdón,
¡o ser la Nada en acción,
cuyas tenias inhartables
sorbiesen, inexorables,
sol por sol la Creación!

XXVI

Yo soy un palmar plantado
sobre cal y pedregullo;
la floración del orgullo
del orgullo sublimado;
soy un esporo lanzado
tras la procesión astral,
vil chorlo del pajonal
que al par del águila vuela;
¡sombra de sombra que anhela
ser una sombra inmortal!

XXVII

Yo, cada vez que me río,
pienso que ríe algún otro,
y cual si domase un potro
no me trato como a mío.
Soy la expresión del vacío,
de lo infecundo y lo yerto,
como ese polvo desierto
donde toda hierba muere...;
¡yo soy un muerto que quiere
que no le tengan por muerto!

XXVIII

Puesto que conoces ya
la filiación, el prontuario
del rimador visionario
que mordiendo angustias va,
y pues que tu alma, quizá
por ser alma de mujer,
ha de obstinarse en querer
lo que no quiero yo mismo,
¡sobre la faz del abismo
te mando retroceder!

Obras completas, 1928.

FABIO FIALLO

1865 - 1942

Dominicano. A pesar de su carácter apacible, se distinguió por su patriotismo al protestar de la ocupación de Santo Domingo por los norteamericanos. Fué muy amigo de Rubén Darío, quien le definió como «sencillamente pulcro y sentimentalmente elegante»; pero esta amistad no le arrastró a las filas del modernismo. Su temperamento, sencillo y sentimental, le mantuvo en el estadio inicial de la mayoría de los precursores del modernismo, o sea el de la influencia de Bécquer y Campoamor; fundiendo a los dos en su propio temperamento ha sido Fiallo el creador, con mayor éxito sobre todo entre las mujeres, de lo que podríamos llamar el madrigal sentimental antillano.

Bibliografía. — **Poesía:** *La canción de una vida,* Madrid, 1926. **Otras obras:** *Cuentos frágiles,* New York, 1908.   **Estudios:** F. Álvarez Almanzar, *F. F., el hombre, el poeta, el cuentista,* en RepAm, 1930, núm. 4, 57-58. R. Darío, estudio crítico en *La canción de una vida,* Madrid, 1926. F. García Godoy, *La literatura americana de nuestros días,* Madrid, 1915. M. M. Lamarche, *La canción de una vida, de F. F.,* en RepAm, 17 ag. 1929. G. de Lis, *F. F. y Rubén Darío,* en RepAm, 10 ag. 1929. J. F. Villalobos, *El escritor F. F.,* en RepAm, 1930, núm. 17.

PLENILUNIO

> Fué un suave rozar de labios
> sobre sedosos cabellos.
>
> DULCE MARÍA BORRERO.

Por la verde alameda, silenciosos,
íbamos ella y yo :
la luna tras los montes ascendía
y en la fronda cantaba el ruiseñor.

Y la dije... No sé lo que la dijo
mi temblorosa voz...
En el éter detúvose la luna,
interrumpió su canto el ruiseñor,
y la amada gentil, turbada y muda,
al cielo interrogó.

¿Sabéis de esas preguntas misteriosas
que una respuesta son?...
Guarda, ¡oh luna!, el secreto de mi alma;
¡cállalo, ruiseñor!

La canción de una vida, 1926.

RIMA PROFANA

La blanca niña que adoro
lleva al templo su oración,
y, como un piano sonoro,
suena el piso bajo el oro
de su empinado tacón.

Sugestiva y elegante
toca apenas con su guante
el agua de bautizar,
y queda el agua fragante,
con fragancias de azahar.

Luego, ante el ara se inclina,
donde un Cristo de marfil
que el fondo oscuro ilumina,

muestra la gracia divina
de su divino perfil.

Mirándola, así, de hinojos,
siento invencibles antojos
de interrumpir su oración,
y darla un beso en los ojos
que estalle en su corazón.

La canción de una vida, 1926.

II

RUBÉN DARÍO

1867-1916

RUBÉN DARÍO

1867-1916

Nicaragüense, centroamericano, chileno, argentino, «español de América y americano de España»: todas estas patrias tuvo Rubén Darío. Porque si en Nicaragua nació y quedó para siempre en su alma lo que de ella recibió durante su infancia precoz, exaltada y triste, renació cada vez más grande y más él al pasar por cada uno de los pueblos hispanos a donde le llevó, en su vida errante, un impulso que parecía nacido de accidentes y necesidades fortuitos, pero que él sentía como una misión misteriosa y fatal. No sólo él miró a cada uno de estos países como su patria, sino que fué mirado por todos ellos como su hijo. En todos ellos su presencia produjo una revolución espiritual y el principio de una nueva era literaria. La hoguera que él encendió corrió por todo el mundo de habla española; la semilla que él esparció fructificó en todas partes, y por primera vez la cultura de España y de la América española alcanzó verdadera unidad y universalidad hispánica. A nadie puede aplicarse con tanta justicia como a él el título de ciudadano hispánico. Y al mismo tiempo y por lo mismo tenía un sentido cosmopolita y universal que le hizo capaz de asimilar todo lo que llegó a él de otras culturas, y le llevó a vivir y a sentirse como en casa propia en Francia — «mi esposa es de mi tierra, mi querida de París» — y en los demás países extranjeros que visitó.

Nació en Metapa (Nicaragua) el 18 de enero de 1867, de padres malavenidos, y se crió como huérfano al lado de una tía en León de Nicaragua. Su ascendencia era criolla antigua y su sangre mestiza. De su educación infantil le quedó el sentimiento católico — que nunca perdió a pesar de su paganismo y su escepticismo intelectual — y una melancólica sensualidad tropical. Estudió con los jesuítas y en el Instituto Nacional y fué empleado en la Biblioteca Nacional. Un cuaderno manuscrito fechado en 10 de julio de 1881 contiene poesías y artículos que publicaba en los periódicos locales y que hicieron de él una especie de niño prodigio. A esa edad había leído mucho de la literatura clásica española, conocía la latina y se había iniciado en la francesa; pero imitaba principalmente a los poetas españoles de aquella época : Campoamor, Zorrilla, Bécquer, Bartrina. Ya desde el principio, antes de ser original, muestra Rubén Darío una de las cualidades de su genio: la variabilidad. En 1881 residió por un tiempo en El Salvador, donde conoció a Francisco Gavidia, traductor de Víctor Hugo, quien le adestró en el uso del alejandrino, y le ayudó a ampliar su conocimiento de la literatura francesa, adquiriendo desde entonces la influencia duradera de Víctor Hugo y Teophile Gautier. Las poesías de su obra *Primeras notas : Epístolas y poemas,* corresponden a este período de 1881-1885, anterior a su ida a Chile a mediados de 1886.

En Chile amplió sus lecturas francesas, y entre ellas las que dejaron mayor huella en su obra fueron las de Flaubert y Catulle Mendès. Publicó *Abrojos* (1887) y *Rimas* (1888), donde aún predominan las influencias anteriores, y *Azul* (1888), su primera obra original. Don Juan Valera escribió una crítica famosa de esta obra señalando su aparición como el comienzo de un gran temperamento poético que no se parecía a ningún poeta antiguo ni moderno y cuya nota más característica era lo que él llamó su «galicismo mental», compatible con un sentido impecable del casticismo español. Los cuentos y los artículos en prosa contenidos en esta obra ofrecen aún más novedad y más riqueza de influencias extranjeras que las poesías. No faltan, sobre todo en la segunda edición, los temas americanos; pero la mayor novedad de la obra estribaba en la modernización de la lengua y la sensibilidad castellanas mediante la asimilación profunda de procedimientos estilísticos tomados de la literatura francesa.

Nombrado corresponsal de *La Nación,* de Buenos Aires — que fué durante toda su vida su principal sostén y el órgano para el que escribió la mayoría de los artículos que formaron sus libros en prosa —, envió su primera correspondencia en 3 de febrero de 1889. En ese mismo año volvió a Nicaragua, y al siguiente se casó en El Salvador con la señorita hondureña Rafaela Contreras. Incidentes de la inestable política centroamericana — a la que Rubén Darío estaba vinculado por sus actividades periodísticas, que constituían su manera de ganarse la vida — le obligaron a cambiar de país varias veces, y así residió temporalmente en Guatemala y en Costa Rica, donde nació su primer hijo.

En 1892 fué por primera vez a España como delegado de su país a las fiestas del Centenario del Descubrimiento de América. Conoció a varios escritores españoles y fué bien acogido por las grandes figuras de la Restauración, entonces en el apogeo de su gloria, tales como Castelar, Valera, Menéndez y Pelayo, Núñez de Arce, D.ª Emilia Pardo Bazán, a los que él siempre guardó admiración y agradecimiento. Conoció también a Salvador Rueda, escritor joven que se distinguía entonces por sus innovaciones en la poesía, y ambos se miraron como hermanos que representaban la misma aspiración de renovación literaria en dos continentes. Pero en realidad el verdadero movimiento español nuevo, el de Benavente, Unamuno, Valle-Inclán, Azorín y los que después les siguieron, no había brotado todavía en aquel momento : iba a brotar inmediatamente después. Al regresar de esta corta estancia en España se detuvo en Cuba, donde conoció a Casal, y en Cartagena de Indias, donde conoció al poeta Rafael Núñez, presidente de Colombia, que le nombró cónsul de Colombia en Buenos Aires. A su regreso a Nicaragua recibió la noticia de la muerte de su esposa que había quedado en El Salvador. En 1893, mientras se hallaba en estado de irresponsabilidad a lo que parece, fué casado por sorpresa con D.ª Rosario Murillo, de la que más tarde se separó para no juntarse más, hecho que pesó sobre todo el resto de su vida impidiéndole la formación del hogar que su temperamento infantil y su incapacidad para regirse a sí mismo le hacían necesitar como un ancla. Más adelante encontró esta compañera de su vida — «Francisca Sánchez, acompáñame» — en una buena campesina española, de tierras de Ávila, madre de su segundo hijo, Rubén Darío Sánchez.

En 1893 partió para Buenos Aires, pasando por Nueva York, donde conoció a Martí, quien le llamó «hijo mío», y por París, donde conoció a Moreas, Maurice, Banville, y una vez a Verlaine. Pero esta primera visita a París fué muy corta. En Buenos Aires residió varios años, en el momento en que se había realizado la transformación de la «gran aldea» en la metrópoli cosmopolita de la América española y se iniciaba el auge de la literatura rioplatense. Rodeado de un grupo de jóvenes brillantes, el ambiente de Buenos Aires fué propicio a su personalidad, que alcanzó allí pleno desarrollo. Allí publicó *Los raros* (1893), colección de ensayos sobre sus admiraciones literarias, entre las que se contaban, además de los escritores franceses de la época y anteriores — algunos de gran valer y otros de significación sólo transitoria —, figuras universales que aquella época puso de relieve como Poe o Ibsen, y junto a ellos hispanoamericanos como Martí y portugueses como Eugenio de Castro. Allí publicó también, en 1896, *Prosas profanas,* obra poética que señala la plena asimilación de todas esas influencias y la realización de un arte nuevo. Este libro fué comentado por José Enrique Rodó, y sobre.él se dió la batalla capital de la revolución literaria que se llamó «modernismo» y que se extendió por todo el mundo de habla española. La belleza de esta obra, como el mismo Darío dijo después, «se juzgó mármol y era carne viva». Las innovaciones métricas, la preciosidad del lenguaje y la artificiosidad de los temas hicieron que esta obra se mirase como magnífica labor de orfebre, falta de verdaderos sentimientos y por lo tanto de humana poesía. Pero la marquesa que se ríe, la princesa que está triste, los centauros que dialogan sobre el misterio de la vida y de la muerte, la oración sobre la tumba de Verlaine, en cuyas palabras mágicas suenan fundidos el sentimiento pagano y.el cristiano, y los demás temas que en este libro se expresan con maravillosa riqueza musical y pictórica, no son meros virtuosismos, sino realidades humanas y poéticas eternas. Las innovaciones métricas, que tanta extrañeza causaban y que llegaron a hacerse vulgares después — tales como el uso de los alejandrinos franceses modernos, del verso de nueve sílabas, de una mayor variedad en la acentuación del endecasílabo y el empleo de combinaciones estróficas no usadas antes en España —, no son ni pueden ser lo que hace de Rubén Darío un gran poeta, sino el acierto y la intensidad con que crea su propia forma y su propia expresión. Por eso todas esas innovaciones extrañas a la tradición castellana — aunque muchas habían existido en tiempos muy antiguos, en los albores mismos de la literatura — quedaron nacionalizadas e incorporadas desde entonces a la poesía española posterior, no de otro modo que lo fueron las innovaciones de Boscán y Garcilaso y demás italianizantes de principios del siglo XVI.

En 1898, enviado por *La Nación,* volvió a España, y entonces encontró completamente cambiado el aspecto literario de la nación. Los viejos literatos a quienes conoció en su viaje anterior se encontraban en plena decadencia, algunos a las puertas de la muerte. Habían surgido entretanto varios jóvenes que afirmaban en sus obras con gran originalidad y energía los ideales más opuestos al pasado inmediato. Estos jóvenes escritores habían realizado un arte. nuevo en campos poco cultivados en América: Benavente en el teatro, Unamuno y «Azorín» en el ensayo, Valle-Inclán y Baroja en la novela, llevando a cabo en dichos campos una revolución independiente y paralela que vino a completar la que Rubén Darío y otros poetas de América habían llevado a cabo principalmente en la poesía. A este grupo activo fué al que se sumó Rubén Darío, colaborando en sus revistas y siendo desde aquel momento la figura culminante de la poesía española y el padre y maestro de los jóvenes poetas españoles que entonces empezaban a darse a conocer, sobre todos los cuales la influencia de Rubén Darío se dejó sentir en mayor o menor grado, aunque la originalidad poderosa de algunos de estos poetas y las diferencias del temperamento español les llevasen por caminos propios e inconfundibles. Producto de este viaje es su libro *España contemporánea* (1901) y la mayor parte de las poesías de su nueva colección poética *Cantos de vida y esperanza* (1905), su obra más madura y más intensa. En esta obra Rubén Darío renuncia al parecer a la riqueza de expresión desplegada tan brillantemente en su obra anterior y se nos muestra como un poeta más profundo y más sencillo. En rigor, su técnica es más difícil y más compleja en esta segunda obra; porque ha llegado en ella a la difícil sencillez de la madurez. Su lirismo es más puro y más íntimo, tanto cuando analiza mejor que lo ha hecho nadie su propia poesía, desnudando su alma ante el lector en la poesía inicial «Yo soy aquel», como cuando llora en su «Canción de otoño en primavera» a la juventud que se va para no volver, o cuando describe las sensaciones atormentadas de sus «Nocturnos» o la desesperación ante el enigma tremendo del humano destino en «Lo fatal». En estas poesías suenan con timbre nuevo los temas eternos de la poesía, que siempre han conmovido y conmoverán a los hombres, y por eso llega en ellas Rubén Darío a la cumbre a donde sólo llegan los más grandes poetas. Al lado de estas hay otras poesías más objetivas que condensan y expresan los sentimientos e ideales colectivos del mundo hispanoamericano, poesías que ya no permiten dudar de que Rubén Darío era el poeta de América. Cuando Rodó escribió su magnífico ensayo sobre *Prosas profanas* cometió el error de decir que Rubén Darío no era el poeta de América, sólo porque en aquel libro faltaban los temas americanos. No es una obra más americana porque trate de asuntos americanos; de hecho las más de las obras que tratan de ellos son europeas, aunque se hayan escrito en América, como ocurre con tantas imitaciones de Chateaubriand o Bernardino de Saint-Pierre. El valor y la originalidad de Rubén Darío, lo que constituye la esencia de su poesía, es algo genuinamente americano, aunque proceda, como América misma, de orígenes europeos. El americanismo original hay que buscarlo en una sensibilidad nueva, y *Prosas profanas,* con su delectación en los temas helénicos o versallescos o de la España antigua, con su gusto por el lujo, el refinamiento y la sensualidad, con su desarraigado cosmopolitismo y su capacidad asimiladora e imitativa, muestra uno de los lados más significativos de la sensibilidad americana. Pero en *Cantos de vida y esperanza* y en otras obras posteriores encontramos, no ya la sensibilidad americana, sino el sentimiento de América. Es éste un sentimiento complejo que comprende el sentimiento profundo de España mirada como cosa propia : la España histórica, como el pasado de América; la España moderna, como la hermana de los pueblos hispanoamericanos hijos todos de la misma tradición. Comprende asimismo el sentimiento profundo del pasado indígena de América y el del paisaje americano, mezclado a menudo a sus recuerdos de infancia. Comprende también el sentimiento de los Estados Unidos, que es un sentimiento mezclado de admiración por lo que tienen aquéllos de máxima realización americana, de temor ante sus aspiraciones imperialistas panamericanas y de afirmación de la diferencia radical e irreductible de las dos Américas. Y comprende, en fin, el sentimiento del porvenir de la América española, que más adelante encontró su expresión más alta en el *Canto a la Argentina* (1910), nación a la que amó siempre por ser la que encerraba la mayor promesa de América.

En 1900 fué a París con motivo de la Exposición Universal, y desde entonces tuvo allí su residencia habitual interrumpida por constantes viajes. Hizo una excursión a Italia y viajó por Bélgica, Austria y Alemania. En 1906 volvió a América, asistiendo a la Conferencia panamericana del Brasil y pasando por Buenos Aires antes de regresar a Europa. Volvió entonces a España con una misión diplomática y regresó a su país después de diez y ocho años de ausencia. En 1908 fué nombrado Ministro de Nicaragua en España y en 1910 partió para Méjico, como enviado extraordinario para las fiestas del Centenario de la Independencia; pasó por la Habana y al llegar a Méjico recibió la noticia de su destitución debida a un cambio de gobierno. Regresó a la Habana sin recursos, y ayudado por amigos — como tantas veces le ocurrió en su vida por la inseguridad de los puestos oficiales y por su incapacidad económica — pudo verse de nuevo en París. Por estos años publicó *El canto errante* (1907), *El viaje a Nicaragua* (1909) y el *Poema del otoño* (1910). Estas obras insisten sobre los temas de las obras anteriores, sin que falten en ellas poesías que se cuentan entre las mejores que escribió y aun ciertas innovaciones y avances en el camino progresivo de su evolución lírica. En ellas se encontrarían ejemplos de las diversas reacciones que caracterizaron el movimiento postmodernista e intentos de superación del modernismo anterior que anuncian las nuevas tendencias literarias. Pero en muchas de las poesías de estos últimos volúmenes se ven los efectos del cansancio y agotamiento físico e intelectual, precursor de su temprana muerte; aunque la poesía de Rubén Darío es genial hasta en sus caídas.

En los últimos años de su vida, su gloria y su miseria fueron utilizadas o explotadas por varias empresas. Con motivo de la fundación de la revista *Mundial* hizo un viaje de propaganda por España e Hispanoamérica, pasando por Buenos Aires por última vez en 1912. Su salud se había ido agotando por los excesos alcohólicos y por este continuo trajinar. Buscó reposo en la Isla Dorada y después estuvo por última vez en Barcelona. A fines de 1914 emprendió un viaje a Nueva York, donde padeció una pulmonía que agravó su estado de salud; partió para Guatemala y, sintiendo la muerte cercana, volvió a su Nicaragua natal, para morir en León el 6 de febrero de 1916.

Me he detenido en los detalles biográficos porque muestran que Rubén Darío fué un hispanoamericano representativo, encontrándose reunidas en su vida circunstancias que hallaríamos repetidas en muchos otros escritores. Ellos nos permiten también explicarnos el papel que Rubén Darío tuvo en esta época, no sólo como creador, sino como transmisor de la nueva literatura por todos los países de América y como lazo de unión entre América y España. Muestran además las condiciones de su temperamento individual. Según todos los que le conocieron, fué Rubén Darío un hombre fundamentalmente bueno, un niño grande, cuyos errores y desarreglos procedían de su misma ingenuidad y exaltación sentimental, de típica inadaptación genial. Era tímido y audaz, místico y sensual, amante del placer y temeroso de la muerte, católico y pagano, noble y a menudo abyecto, inclinado al reposo familiar y siempre errante : pobre y grande humanidad la suya que despertaba admiración hasta en los más altos y compasión hasta en los más bajos.

Su obra literaria, tanto en verso como en prosa, significó una renovación tan amplia y tan profunda de las letras españolas, que encontró desde el principio, no sólo el aplauso y la imitación, sino la incomprensión y la crítica. Unos creyeron que su arte era sólo exterior y superficial; otros que era descastado y extranjerizante. Tenía, en efecto, Rubén Darío dotes prodigiosas de artífice del verso y de la palabra, y una asombrosa capacidad de asimilación de lo extraño. Pero estas cualidades más llamativas ocultaban, como ya hemos visto, una potente sensibilidad original de los temas más íntimos, eternos y humanos, y un sentido español que arraigaba en la mejor y más larga tradición española y apuntaba al lejano porvenir colectivo hispanoamericano.

Las influencias extrañas que hay en su obra son tantas y están tan fundidas y entremezcladas las unas con las otras, y los resultados son tan diferentes y a menudo tan superiores a sus fuentes, que hay que desechar enteramente la idea de que el mérito de Rubén Darío haya consistido en renovar la literatura española mediante la importación de influencias extranjeras. Ordinariamente se le mira como un discípulo de Verlaine y de los simbolistas franceses : sin duda aprendió mucho de ellos y con Verlaine tiene un notable parecido, no sólo literario, sino moral y hasta físico; pero no es menor la influencia que sobre él ejercieron los parnasianos y los románticos franceses, escuelas de distintas épocas y de carácter contradictorio. Y no fué menor que esta influencia francesa la de los poetas españoles del siglo XIX — entre los cuales admiró más que a ninguno a Zorrilla — y la de sus mismos contemporáneos hispanoamericanos, los otros iniciadores del modernismo, sin contar la de los clásicos del siglo de oro — sobre todo Góngora y Quevedo — y los primitivos medievales. Habría que añadir la influencia anglosajona, la italiana, la portuguesa y también la clásica, de todas las cuales se han señalado huellas directas importantes en su obra, y cuya extensión y profundidad se verán más claras cuando se llegue a hacer un estudio completo y detenido de sus fuentes.

El crítico que ha estudiado especialmente la influencia francesa en Rubén Darío, el norteamericano E. K. Mapes, llega a esta conclusión muy justa : «En resumen, Darío conoció admirablemente bien la lengua y la literatura españolas y realizó la mayor parte de su obra maravillosa sirviéndose únicamente de los recursos de su propia lengua, que manejó con incomparable gusto personal. Durante la última parte de su vida conocía el francés casi tan bien como el español y sacó de él muchas novedades. No se le puede reprochar, sin embargo, haber innovado sin discernimiento. Su juicio era por lo común muy sobrio e inspirado por un sentido serio de la dignidad y el valor del arte. Era un gran poeta español, un incomparable artista, un sabio innovador cuyas búsquedas han traído a la lengua española numerosos elementos de valor permanente.» El poeta mejicano Luis G. Urbina dice: «Fué, acaso, más que un innovador, un sabio reconstructor», y Enrique Díez-Canedo, el mejor crítico español de nuestra época : «Renovación no es acaso la palabra más justa. Una amplificación podría decirse, una anexión de procedimientos hasta él extraños : una incorporación de nuevos medios expresivos que coexisten con los tradicionales»; citas que refuerzan las siguientes palabras del gran ensayista mejicano Alfonso Reyes : «Porque ya no está a discusión — sino entre los necios y los sordos — el radical casticismo de Rubén Darío. ¡Francesismo!, se ha dicho. Y es verdad, porque Rubén Darío trajo a la masa de la lengua española, trajo a la atmósfera del alma española cuanto el mundo tenía entonces que aprender de Francia. Acaso su condición de hijo de América le ayudaba a dar el salto mortal del espíritu... En la gran renovación de la sensibilidad española que precipita América sobre España... Rubén Darío desató la palabra mágica en que todos habíamos de reconocernos como herederos de igual dolor y caballeros de la misma promesa.» Y en fin, el mismo Rubén Darío confiesa: «En el fondo de mi espíritu, a pesar de mis vistas cosmopolitas, existe el inacabable filón de la raza; mi pensar mi sentir continúan un proceso histórico y tradicional.»

Bibliografía. — **Poesía:** *Primeras notas: Epístolas y poemas* [1885], Managua, 1888. *Abrojos,* Santiago de Chile, 1887. *Canto épico a las glorias de Chile* [1887], Santiago de Chile, 1918. *Rimas,* en *Las rosas andinas, Rimas y contrarrimas,* por R. D. y Rubén Rubí, Valparaíso, 1888. *Azul* [pról. de E. de la Barra], Valparaíso, 1888; Guatemala, 1890; Buenos Aires, 1903 [prólogo de J. Valera]; Barcelona, 1907; Madrid, 1917. *Prosas profanas,* Buenos Aires, 1896; París, 1901; 1915; Buenos Aires, 1927. *Cantos de vida y esperanza,* Madrid, 1905; Barcelona [1907]; 1916. *Oda a Mitre,* París, 1906. *El canto errante,* Madrid, 1907. *Poema del otoño y otros poemas,* 1910. *Canto a la Argentina,* en La Nación, Buenos Aires, 1910. *Canto a la Argentina y otros poemas,* Madrid, 1914. *Sol de Domingo,* poesías inéditas, 1917. *Lira póstuma,* 1919. *R. D. en Costa Rica, 1891-1892: Cuentos y versos, artículos y crónicas,* San José de Costa Rica, 1919-1920, 2 vols. *Versos inéditos,* en Pl, 1920, I, 289-293. *Hipsipilas,* poesías raras recogidas y ordenadas por R. E. Boti, Habana, 1920. *Versos inéditos y desconocidos de R. D.,* ed. de R. E. Boti, en CuC, 1923, XXXI, 260-283. *Una poesía inédita,* en Nos, 1926, LII, 302-308. *Obras escogidas,* ed. A. González Blanco, Madrid, 1910, 3 vols. *Obra poética,* Madrid, Bibl. Corona, 1914-1916, 4 vols. *Sus mejores cuentos y sus mejores cantos,* Madrid, Editorial América, 1916. *Versos,* México, Bibl. Cultura, 1917. *Poemas,* Buenos Aires, 1920 (Ediciones selectas América). *Obras de juventud,* ed. por A. Donoso, Santiago de Chile, 1927. *Antología poética,* formada por J. de Entrambasaguas y Peña, pról. de J. Hurtado, Madrid, 1927. *Selections from the Prose and Poetry of R. D.,* ed., introd., notes, bibl. and voc., by G. W. Umphrey and C. García Prada, New York, Macmillan, 1928. *Las mejores poesías,* Barcelona, Edit. Cervantes, s. a. *Sus mejores poemas,* sel. de E. Barrios y R. Meza Fuentes, Santiago de Chile, Nascimento, s. a. **Traducciones:** *Eleven poems,* transl. by T. Walsh and S. de la Selva, introd. by P. Henríquez Ureña, New York, 1916. *Pages choisies,,* choix et préface de V. García Calderón, trad. de M. André, G. J. Aubry, A. de Bengochea, J. Cassou, etc., París, 1918. *Quelques poèmes de R. D.,* trad. de G. J. Aubry, en HispP, 1918, I, 33-40. Traducción alemana de algunas poesías, por R. Zickel, en Spanien, 1920, II, 184-188. *To Roosevelt* [trad. al inglés], en LAg, 1 mayo 1927. **Otras obras:** *Emelina* [en colab. con Eduardo Poirier], Valparaíso, 1887; París, 1928, [pról. de F. Contreras]. *A. de Gilbert,* San Salvador, 1889. *Los raros,* Buenos Aires, 1893; Barcelona, 1896; París, 1901; Barcelona, 1905. *Castelar,* Madrid [1899]. *España contemporánea,* París

[1901]; 1907; 1917. *Peregrinaciones,* 1901; 1915. *La Caravana pasa* [1903].
Tierras solares, Madrid, 1904. *Opiniones* [1906]. *Parisiana* [1908]. *El
viaje a Nicaragua e Intermezzo tropical,* 1909. *Alfonso XIII, semblanza,*
1909. *Letras,* París [1911]. *Todo al vuelo,* Madrid, 1912. *La vida de R. D.
escrita por él mismo,* Barcelona [1915]. *Cabezas,* Buenos Aires, 1916. *El
mundo de los sueños,* prosas póstumas, Madrid, 1917. *Ramillete de reflexiones,* 1917 [colección póstuma, prosa.] *Epistolario,* con un estudio preliminar de V. García Calderón. París, 1920. *Cartas a Amado Nervo,* en
Pl, 1920, I, 132-136. *El árbol del rey David,* prosas raras, escogidas y
ordenadas por R. E. Boti, Habana, 1921. *Páginas olvidadas,* Buenos
Aires, 1921 (Ediciones selectas América.)   **Obras completas :** *Obras*
[ed. A. Ghiraldo], Madrid, Mundo Latino, 1917-1919. *Obras completas,* ordenadas y prol. por A. Ghiraldo y A. González Blanco, Madrid,
Biblioteca Rubén Darío. *Obras completas* [publ. por su hijo Rubén Darío
Sánchez], Madrid, Tip. Hernández y Sáez, 1922.   **Estudios:** J. M. Ai-
cardo, *R. D.,* en RyF, XII, 526; XIV, 203. *A la gloriosa memoria del
gran poeta R. D.,* en ASal, 1916, IV, núm. 34 [núm. dedicado a R. D.].
G. Alemán Bolaños, *La juventud de R. D.,* Guatemala, 1923; *La jira
triunfal de D. en Nicaragua,* en RR, 1918, núm. 407, 15-16; *Libros
inéditos de R. D.,* en Nos, 1920, XXXIV, 249-253; *Cómo fué tratado D.
en Nicaragua,* en EyACVL, 1927, I, 75-76. J. Alsina, Sobre *Canto
épico a las glorias de Chile y otros cantos,* en RevChil, 1927, año XI,
núms, 86-87, 181-183. F. F. de Amador, *D. en el país del nunca jamás,*
en PrBA 7 feb. 1929. A. Ambrogi, *Una visita a R. D.,* en RR,
10 oct. 1915, 9-10; *Crónicas marchitas,* San Salvador, 1916, p. 29-43.
M. Aramburo y Machado, *Literatura crítica,* París, 1909, p. 273-278.
E. de la Barra, *El endecasílabo dactílico : crítica de una crítica del crítico
Clarín,* Rosario, 1895. I. J. Barrera, *R. D.,* en Let, 1916, III, 353-357.
L. Berisso, *El pensamiento de América,* Buenos Aires, 1898, p. 299-315.
A. Bermúdez, *R. D. : Pinceladas de apoteosis,* San Salvador, 1916, p. 12-17;
R. D., San Salvador, 1916. E. Bobadilla, *Muecas,* París, 1908, pá-
ginas 127-134. L. Bonafoux, *Bombos y palos,* París, 1907, p. 189-191.
R. E. Boti, *Martí en D.,* en CuC, 1925, XXXVII, 112-124; *Cuestiones
rubendarianas: El soneto de 13 versos,* en EyACVL, 1927, I, 78; *R. D. en
La Habana (Discusión cronológica),* en REstH, 1929, II, 148-155. R. Brenes Mesén, *R. D.,* en Foro, 1917, XIII, 332-339. B. G. de Candamo,
sobre *Cantos de vida y esperanza,* en L, 1905, año V, vol. III, 663-
667. R. Cansinos-Asséns, *Poetas y prosistas del novecientos,* Madrid,
1919, p. 9-21. E. Cañas, *R. D. en Centro América,* en Act, 1915, núm. 8, 2-5.
F. Cañellas, *La vida que pasa,* Valencia, 1912, p. 67-73. E. de Carvalho, *R. D.,* Río de Janeiro, 1906. J. Cassou, *L'âme de R. D.,* en
RAmL, 1923, IV, 209-216. T. M. Cestero, *R. D., el hombre y el poeta,*
Habana, 1916. F. Contreras, *Lettres hispano-americaines : Le grand
poète R. D.,* en MF, 1921, CXLVII, 824-828; *R. D. : su vida y su obra,*

Barcelona, 1930. N. Coronado, *R. D.*, en Nos, 1926, LIII, 313-319.
J. B. Delgado, *El país de R. D.*, Bogotá, 1922. G. Díaz Plaja, *R. D.*,
su vida, su obra, su escuela, Barcelona, 1930. E. Díaz-Romero, *Lettres
hispano-americaines*, en MF, 1901, XXXVIII, 567-571; XXXIX, 829-831:
Un nuevo libro de R. D. [*Cantos de vida y esperanza*], en RM, oct. 1905.
E. Díez-Canedo, *El canto errante, por R. D.*, en L, 1907; *Relaciones entre
la poesía francesa y la española desde el romanticismo*, en RdL, 1914, número 8, 55-65; *La poesía castellana y R. D.*, en CAr, 1916, XI₂, 336-342;
en Esp, 17 febrero 1916; *R. D. y España*, en UHA, 1919, núms. 34, 12;
Conversaciones literarias, Madrid, 1921; *Hacia una edición completa de R.
D.*, en Esp, X, 16 febrero 1924. L. Dobles Segreda, *R. D. en Heredia
(mayo 1892)*, en Athenea, IV, núm. 9, 929-932. A. D., *R. D. en Chile*,
en PMag, febr. 1916, núm. 38. A. Donoso, *La juventud de R. D.*, en
Nos, 1919, XXXI, 443-528; *Ensayo sobre R. D. en Chile*, en R. D.,
Obras de juventud, Santiago de Chile, 1927. A. Espinosa, *R. D. en Cas-
tilla*, en GLit, núm. 88, 15 agosto, 1930. R. Fernández Güell, *El retrato
de D.*, en ASal, 1916, 760-771. J. Fitzmaurice-Kelly, *R. D.*, en YBML,
1920, 166-168; *Some masters of Spanish verse*, Oxford, 1924. V. García
Calderón, *R. D.*, en MF, 1916, núm. 427, 385-399; *Los primeros versos de
R. D.*, en Let, 1917, IV, 385-387; *Semblanzas de América*, Madrid, 1919.
F. Gavidia, *Los nuevos versos de la América latina*, en CAln, junio, julio
y agosto, 1909; *La parte que corresponde a R. D. en el movimiento salva-
dorense de las letras en los últimos cinco lustros*, en RdEn, 1916, II, 54-64;
en ASal, 1916, IV, 1035-1042. I. Goldberg, *R. D., the man and the
poet*, en TB, 1919, XLIX, 563-568; *Studies in Spanish-American Literature*, New York, 1920, p. 101-183. E. Gómez Carrillo, *Con R. D. en
Guatemala*, Obras, vol. X. A. González-Blanco, *Salvador Rueda y
R. D.*, Madrid, 1908; *R. D.*, en *Los Contemporáneos*, 3.ª serie, París,
1910; *Estudio preliminar* [t. I de *Obras escogidas de R. D.*, Madrid, 1910].
J. González Olmedilla, *La ofrenda de España a R. D.*, Madrid, 1916
[artículos y poesías de muchos autores españoles]. P. Groussac, *R. D.*,
en BibBA, nov. 1896; *R. D.*, en Nos, febr. 1916; *Dos artículos críticos sobre D., 1: Los raros, II: Prosas profanas*, en L, 1916, XVI, I, 372-
384. M. Henríquez Ureña, *R. D.*, en CuC, 1918, VI, 274-326 [reimpre-
so con un apéndice bibliográfico en *Rodó y R. D.*, Habana, 1918].
P. Henríquez Ureña, *Ensayos críticos*, Habana, 1905, p. 53-71; *Horas
de estudio*, París, 1910, p. 112-137; *R. D.*, en CAr, 1916, núm. 75, 243-
247; *R. D. y el siglo XV*, en RHi, 1920, L, 324-327. F. Huezo, *Últimos
días de R. D.*, Managua, 1925. F. A. Kirkpatrick, *R. D.*, en YBML,
1920, p. 158-165. A. Largaespada, *El primer libro original de R. D.*,
en ASal, 1916, 703-705. Lauxar, *Motivos de crítica hispanoamericanos*,
Montevideo, 1914; *R. D. y José Enrique Rodó*, Montevideo, 1924.
M. Leão, *R. D.* [sobre *Baladas y canciones*], en RBr, 1924, XXV, 352-354.
Letras argentinas, Buenos Aires, 1916, II, núm. 9 [núm. consagrado a

R. D.] L. López Roselló, *R. D.,* en RCal, 1916, IV, 809-818, 1008-1018.
L. Lugones, *R. D.,* Buenos Aires, 1919. R. Maestri y Arredondo,
R. D., en CuC, 1924, XXXV, 245-266. R. de Maeztu, *El clasicismo y el
romanticismo de R. D.,* en Nos, 1922, XL, 124-129. M. Maldonado,
R. D., León, 1919. E. K. Mapes, *L'influence française dans l'œuvre de
R. D.,* París, 1925 [cf. Díez-Canedo, en Sol, 14 agosto 1925; A. L., en
BSS, 1926, III, 146; M. Carayon, en RFE, 1928, XV, 85-86; G. Cirot, en
BHi, 1928, XXX, 3, 276-281; H. Petriconi, en NSpr, 1927, XXXV,
70-72.] A. Marasso Rocca, *El coloquio de los centauros y el verso alejandrino,* en *Estudios literarios,* Buenos Aires, 1920; *El coloquio de los centauros,* Buenos Aires, 1927; *Imágenes mitológicas de R. D.,* en Nos, 1929,
LXIV, 161-172. M. Márquez Sterling, *Burla burlando...,* Habana,
1907, p. 111-117. J. J. Martínez, *Consideraciones sobre el cerebro y la
personalidad de R. D.,* Managua, 1916. G. Martínez Sierra, *Motivos,*
París, 1908. A. Melián Lafinur, *R. D.,* en Nos, 1917, p. 145 y siguientes; *R. D.,* en Conferencias del año 1923, Buenos Aires, Imp. Jockey
Club, 1924; *Literatura contemporánea,* Buenos Aires, 1918. J. Mercado, *R. D.,* en HispCal, 1918, I, 38-42. J. E. Moreno, *R. D.,* en RJLQuito, 1916, XVI, 104-113. P. E. Moreu, *Cultura literaria,* Barcelona, 1908.
S. G. Morley, *A cosmopolitan poet,* en D, 1917, LXII, 509-511. T. Navarro Tomás, *La cantidad silábica en unos versos de R. D.,* en RFE, 1922,
IX, 1-29. *Nosotros,* 1916, X, núm. 82 [dedicado a R. D.]. M. S. Oliver,
Hojas del sábado, t. II, Barcelona, 1918. *Orto,* Manzanillo (Cuba), 20
febr. 1916, V, núm. 7 [dedicado a R. D.]. Olimpos, *Comentarios lauda-
torios y discordantes a la obra literaria de R. D.,* en Atenea, 1916, I, 74-80;
97-104. E. Ory, *R. D.,* Cádiz, 1918. Pablo de Grecia, *Prosas,* Montevideo, 1918. *Para la bibliografía de R. D.,* en LyP, 1924, III, 99-100.
V. Pérez Petit, *Los modernistas,* Montevideo, 1903, p. 253-283. H. Petriconi, *Góngora und D.,* en NSpr, 1927, XXXV, 261-272. J. B. Prado,
Laurel solariego [colec. de artículos, discursos y poemas escritos por diversos autores con motivo del viaje de R. D. a Nicaragua], Managua,
1909. Rachilde, *R. D.,* en RAmL, 1922, I, 5-8. C. Rangel Báez, *La
poesía de ideas en D. y Nervo,* en CVen, 1923, VI, 291-303. *Renacimiento,*
Madrid, 1907, I, núm. 4 [dedicado a R. D.]. A. Reyes, *R. D. en México,*
en NT, 1916, II, 331-345; reimpr. en *Los dos caminos,* vol. III de *Simpatías y Diferencias.* A. del Río, *El españolismo en la obra de R. D.,* en
BSS, 1924, II, 12-25. J. P. Rivas, *R. D.,* en Estudio, 1916, XIII, 368-
373. M. Robin, *R. D., 1871-1916; son rôle dans l'evolution litteraire de
l'Espagne depuis la fin du XIX*e *siècle,* en MF, 1916, p. 324-328.
J. E. Rodó, *R. D. (Su personalidad literaria, su última obra),* Montevideo, 1899. C. Rodríguez, *Páginas literarias,* Panamá, 1917, p. 108-112.
E. Rodríguez Mendoza, *R. D. en Chile,* en L, 1916, año XVI, I, 384-394.
R. Rojas, *El alma española,* Valencia, 1908, p. 203-234. P. Rojas Paz,
Paisajes literarios: Garcilaso de la Vega y R. D., en Sin, 1928, III, 207-

221. P. R. Sanjurjo, *R. D.,* en MP, 1923, X, 377-388. B. Sanín Cano, *Declina el véspero,* en Hisp, 1 marzo 1916. M. Santiago Valencia, *R. D. ante la muerte,* en RAmL, 1923. J. Sierra, Introd. a *Peregrinaciones,* París, 1901. R. Silva Castro, *R. D. y Chile,* Santiago de Chile, 1930. M. Soto Hall, *Revelaciones íntimas de R. D.,* Buenos Aires, 1925. R. Thollier, *Episodios tragicómicos da vida amargurada do poeta R. D.,* en RBr, 1924, XXV, 302-312. M. Toro y Gisbert, *Los nuevos derroteros del idioma,* París, 1918, p. 60-65. M. Ugarte, *R. D.,* íntimo, en RUnTeg, 1917, IX, 16-19. G. W. Umphrey, *R. D.,* en HispCal, 1919, II, 64-81. L. G. Urbina, *Impresiones sobre dos poetas: I., R. D.,* en CerM, 1917, núm. 8, 12-19. J. Valera, *Cartas americanas* (primera serie), Madrid, 1889, p. 213-239; *Ecos argentinos,* Madrid, 1901. J. M. Vargas Vila, *R. D.,* Madrid, 1917. A. Vázquez Varela, *Apuntes de historia literaria,* Madrid, 1914, p. 159-160. J. D. Venegas, *Por qué R. D. nació en Metapa,* en RFil, 1922, VIII, 142-144. B. Vicuña Subercaseaux, *Gobernantes i literatos,* Santiago de Chile, 1907, p. 275-290· Baronesa de Wilson, *El mundo literario americano,* Barcelona, 1903, II, p. 168-180. J. Zavala, *R. D. y la literatura española,* en RR, 1923, XIV, 4 y 11 febr. D. Zuñiga Pallais, *Homenaje de Nicaragua a R. D.,* León, 1916.

ESTIVAL

I

La tigre de Bengala,
con su lustrosa piel manchada a trechos,
está alegre y gentil, está de gala.
Salta de los repechos
de un ribazo, al tupido
carrizal de un bambú; luego a la roca
que se yergue a la entrada de su gruta.
Allí lanza un rugido,
se agita como loca
y eriza de placer su piel hirsuta.

La fiera virgen ama.
Es el mes del ardor. Parece el suelo
rescoldo; y en el cielo
el sol inmensa llama.
Por el ramaje oscuro
salta huyendo el kanguro.

El boa se infla, duerme, se calienta
a la tórrida lumbre;
el pájaro se sienta
a reposar sobre la verde cumbre.

Siéntense vahos de horno;
y la selva indiana
en alas del bochorno,
lanza, bajo el sereno
cielo, un soplo de sí. La tigre ufana
respira a pulmón lleno,
y al verse hermosa, altiva soberana,
le late el corazón, se le hincha el seno.

Contempla su gran zarpa, en ella la uña
de marfil; luego toca
el filo de una roca,
y prueba y lo rasguña.
Mírase luego el flanco
que azota con el rabo puntiagudo
de color negro y blanco,
y móvil y felpudo;
luego el vientre. En seguida
abre las anchas fauces, altanera,
como reina que exige vasallaje;
después husmea, busca, va. La fiera
exhala algo a manera
de un suspiro salvaje.
Un rugido callado
escuchó. Con presteza
volvió la vista de uno a otro lado.
Y chispeó su ojo verde y dilatado
cuando miró de un tigre la cabeza
surgir sobre la cima de un collado.
El tigre se acercaba.
                    Era muy bello:
gigantesca la talla, el pelo fino,
apretado el ijar, robusto el cuello;
era un don Juan felino
en el bosque. Anda a trancos
callados; ve a la tigre inquieta, sola,

y le muestra los blancos
dientes, y luego arbola
con donaire la cola.
Al caminar se vía
su cuerpo ondear, con garbo y bizarría.
Se miraban los músculos hinchados
debajo de la piel. Y se diría
ser aquella alimaña
un rudo gladiador de la montaña.
Los pelos erizados
del labio relamía. Cuando andaba,
con su peso chafaba
la yerba verde y muelle;
y el ruido de su aliento semejaba
el resollar de un fuelle.
Él es, él es el rey. Cetro de oro
no, sino la ancha garra
que se hinca recia en el testuz del toro
y las carnes desgarra.
La negra águila enorme, de pupilas
de fuego y corvo pico relumbrante,
tiene a Aquilón; las ondas y tranquilas
aguas, el gran caimán; el elefante,
la cañada y la estepa;
la víbora, los juncos por do trepa;
y su caliente nido,
del árbol suspendido,
el ave dulce y tierna
que ama la primer luz.
                 Él, la caverna.

   No envidia al león la crin, ni al potro rudo
el casco, ni al membrudo
hipopótamo el lomo corpulento,
quien, bajo los ramajes de copudo
baobab, ruge al viento.

   Así va el orgulloso, llega, halaga;
corresponde la tigre que le espera,
y con caricias, las caricias paga,
en su salvaje ardor, la carnicera.

Después, el misterioso
tacto, las impulsivas
fuerzas que arrastran con poder pasmoso;
y, ¡oh gran Pan!, el idilio monstruoso
bajo las vastas selvas primitivas.
No el de las musas de las blandas horas
suaves, expresivas,
en las rientes auroras
y las azules noches pensativas,
sino el que todo enciende, anima, exalta,
polen, savia, calor, nervio, corteza,
y en torrentes de vida brota y salta
del seno de la gran Naturaleza.

II

El príncipe de Gales va de caza
por bosques y por cerros,
con su gran servidumbre y con sus perros
de la más fina raza.

Acallando el tropel de los vasallos,
deteniendo traíllas y caballos,
con la mirada inquieta,
contempla a los dos tigres, de la gruta
a la entrada. Requiere la escopeta,
y avanza, y no se inmuta.

Las fieras se acarician. No han oído
tropel de cazadores.
A esos terribles seres,
embriagados de amores,
con cadenas de flores
se les hubiera uncido
a la nevada concha de Citeres
o al carro de Cupido.

El príncipe atrevido,
adelanta, se acerca, ya se para;
ya apunta y cierra un ojo; ya dispara;
ya del arma el estruendo

por el espeso bosque ha resonado.
El tigre sale huyendo
y la hembra queda, el vientre desgarrado.
¡Oh, va a morir!... Pero antes, débil, yerta,
chorreando sangre por la herida abierta,
con ojo dolorido
miró a aquel cazador; lanzó un gemido
como un ¡ay! de mujer..., y cayó muerta.

III

Aquel macho que huyó, bravo y zahareño
a los rayos ardientes
del sol, en su cubil después dormía.
Entonces tuvo un **sueño**:
que enterraba las garras y los dientes
en vientres sonrosados
y pechos de mujer, y que engullía
por postres delicados
de comidas y cenas,
como tigre goloso entre golosos,
unas cuantas docenas
de niños tiernos, rubios y sabrosos.

Azul, 1888.

CAUPOLICÁN

Es algo formidable que vió la vieja raza:
robusto tronco de árbol al hombro de un campeón
salvaje y aguerrido, cuya fornida maza
blandiera el brazo de Hércules o el brazo de Sansón.

Por casco sus cabellos, su pecho por coraza,
pudiera tal guerrero, de Arauco en la región,
lancero de los bosques, Nemrod que todo caza,
desjarretar un toro o estrangular un león.

Anduvo, anduvo, anduvo. Le vió la luz del día,
le vió la tarde pálida, le vió la noche fría,
y siempre el tronco de árbol a cuestas del titán.

«¡El Toqui, el Toqui!», clama la conmovida casta.
Anduvo, anduvo, anduvo. La Aurora dijo: «Basta»,
e irguióse la alta frente del gran Caupolicán.

Azul, 1890.

WALT WHITMAN

En su país de hierro vive el gran viejo,
bello como un patriarca, sereno y santo.
Tiene en la arruga olímpica de su entrecejo,
algo que impera y vence con noble encanto.

Su alma del infinito parece espejo;
son sus cansados hombros dignos del manto;
y con arpa labrada de un roble añejo,
como un profeta nuevo canta su canto.

Sacerdote, que alienta soplo divino,
anuncia en el futuro tiempo mejor.
Dice al águila: «¡vuela!», «¡boga!» al marino,

y «¡trabaja!» al robusto trabajador.
¡Así va ese poeta por su camino
con su soberbio rostro de emperador!

Azul, 1890.

DE INVIERNO

En invernales horas, mirad a Carolina.
Medio apelotonada, descansa en el sillón,
envuelta con su abrigo de marta cibelina
y no lejos del fuego que brilla en el salón.

El fino angora blanco junto a ella se reclina,
rozando con su hocico la falda de Alençón,
no lejos de las jarras de porcelana china
que medio oculta un biombo de seda del Japón.

Con sus sutiles filtros la invade un dulce sueño;
entro, sin hacer ruido; dejo mi abrigo gris;
voy a besar su rostro, rosado y halagüeño

como una rosa roja que fuera flor de lis;
abre los ojos; mírame, con su mirar risueño,
y en tanto cae la nieve del cielo de París.

Azul, 1890.

DEL TRÓPICO

¡Qué alegre y fresca la mañanita!
Me agarra el aire por la nariz:
los perros ladran, un chico grita
y una muchacha gorda y bonita,
junto a una piedra, muele maíz.

Un mozo trae por un sendero
sus herramientas y su morral;
otro con caites y sin sombrero
busca una vaca con su ternero
para ordeñarla junto al corral.

Sonriendo a veces a la muchacha,
que de la piedra pasa al fogón,
un sabanero de buena facha,
casi en cuclillas afila el hacha
sobre una orilla del mollejón.

Por las colinas la luz se pierde
bajo del cielo claro y sin fin;
ahí el ganado las hojas muerde,
y hay en los tallos del pasto verde
escarabajos de oro y carmín.

Sonando un cuerno corvo y sonoro,
pasa un vaquero, y a plena luz
vienen las vacas y un blanco toro
con unas manchas color de oro
por la barriga y en el testuz.

Y la patrona, bate que bate,
me regocija con la ilusión
de una gran taza de chocolate,
que ha de pasarme por el gaznate
con la tostada y el requesón.

1889   *Poemas de adolescencia*, 1923.

ERA UN AIRE SUAVE...

Era un aire suave, de pausados giros;
el hada Harmonía ritmaba sus vuelos,
e iban frases vagas y tenues suspiros
entre los sollozos de los violoncelos.

Sobre la terraza, junto a los ramajes,
diríase un trémolo de liras eolias
cuando acariciaban los sedosos trajes,
sobre el tallo erguidas, las blancas magnolias.

La marquesa Eulalia risas y desvíos
daba a un tiempo mismo para dos rivales:
el vizconde rubio de los desafíos
y el abate joven de los madrigales.

Cerca, coronado con hojas de viña,
reía en su máscara Término barbudo,
y como un efebo que fuese una niña,
mostraba una Diana su mármol desnudo.

Y bajo un boscaje del amor palestra,
sobre rico zócalo al modo de Jonia,
con un candelabro prendido en la diestra
volaba el Mercurio de Juan de Bolonia.

La orquesta perlaba sus mágicas notas;
un coro de sones alados se oía;
galantes pavanas, fugaces gavotas
cantaban los dulces violines de Hungría.

Al oír las quejas de sus caballeros,
ríe, ríe, ríe la divina Eulalia,
pues son su tesoro las flechas de Eros,
el cinto de Cipria, la rueca de Onfalia.

¡Ay de quien sus mieles y frases recoja!
¡Ay de quien del canto de su amor se fíe!
Con sus ojos lindos y su boca roja,
la divina Eulalia ríe, ríe, ríe.

Tiene azules ojos; es maligna y bella;
cuando mira, vierte viva luz extraña;
se asoma a sus húmedas pupilas de estrella
el alma del rubio cristal de Champaña.

Es noche de fiesta, y el baile de trajes
ostenta su gloria de triunfos mundanos.
La divina Eulalia, vestida de encajes,
una flor destroza con sus tersas manos.

El teclado armónico de su risa fina
a la alegre música de un pájaro iguala,
con los *staccati* de una bailarina
y las locas fugas de una colegiala.

¡Amoroso pájaro que trinos exhala
bajo el ala a veces ocultando el pico,
que desdenes rudos lanza bajo el ala,
bajo el ala aleve del leve abanico!

Cuando a media noche sus notas arranque
y en arpegios áureos gima Filomela,
y el ebúrneo cisne, sobre el quieto estanque,
como blanca góndola imprima su estela,

la marquesa alegre llegará al boscaje,
boscaje que cubre la amable glorieta
donde han de estrecharla los brazos de un paje,
que siendo su paje será su poeta.

Al compás de un canto de artista de Italia
que en la brisa errante la orquesta deslíe,
junto a los rivales, la divina Eulalia,
la divina Eulalia ríe, ríe, ríe.

¿Fué acaso en el tiempo del rey Luis de Francia,
sol con corte de astros, en campo de azur,
cuando los alcázares llenó de fragancia
la regia y pomposa rosa Pompadour?

¿Fué cuando la bella su falda cogía
con dedos de ninfa, bailando el minué,
y de los compases el ritmo seguía
sobre el tacón rojo, lindo y leve el pie?

¿O cuando pastoras de floridos valles
ornaban con cintas sus albos corderos,
y oían, divinas Tirsis de Versalles,
las declaraciones de sus caballeros?

¿Fué en ese buen tiempo de duques pastores,
de amantes princesas y tiernos galanes,
cuando entre sonrisas, y perlas, y flores,
iban las casacas de los chambelanes?

¿Fué acaso en el Norte o en el Mediodía?
Yo el tiempo y el día y el país ignoro;
pero sé que Eulalia ríe todavía,
¡y es cruel y eterna su risa de oro!

Prosas profanas, 1896.

SONATINA

La princesa está triste... ¿Qué tendrá la princesa?
Los suspiros se escapan de su boca de fresa,
que ha perdido la risa, que ha perdido el color.
La princesa está pálida en su silla de oro;
está mudo el teclado de su clave sonoro,
y en un vaso olvidada se desmaya una flor.

El jardín puebla el triunfo de los pavos reales.
Parlanchina, la dueña dice cosas banales,
y vestido de rojo piruetea el bufón.
La princesa no ríe, la princesa no siente;
la princesa persigue por el cielo de Oriente
la libélula vaga de una vaga ilusión.

¿Piensa acaso en el príncipe de Golconda o de China,
o en el que ha detenido su carroza argentina
para ver de sus ojos la dulzura de luz,
o en el rey de las islas de las rosas fragantes,
o en el que es soberano de los claros diamantes,
o en el dueño orgulloso de las perlas de Ormuz?

¡Ay!, la pobre princesa de la boca de rosa
quiere ser golondrina, quiere ser mariposa,
tener alas ligeras, bajo el cielo volar;

ir al sol por la escala luminosa de un rayo,
saludar a los lirios con los versos de mayo,
o perderse en el viento sobre el trueno del mar.

Ya no quiere el palacio, ni la rueca de plata,
ni el balcón encantado, ni el bufón escarlata,
ni los cisnes unánimes en el lago de azur.
Y están tristes las flores por la flor de la corte;
los jazmines de Oriente, los nelumbos del Norte,
de Occidente las dalias y las rosas del Sur.

¡Pobrecita princesa de los ojos azules!
Está presa en sus oros, está presa en sus tules,
en la jaula de mármol del palacio real;
el palacio soberbio que vigilan los guardas,
que custodian cien negros con sus cien alabardas,
un lebrel que no duerme y un dragón colosal.

¡Oh, quién fuera hipsipila que dejó la crisálida!
(La princesa está triste; la princesa está pálida.)
¡Oh, visión adorada de oro, rosa y marfil!
¡Quién volara a la tierra donde un príncipe existe
(la princesa está pálida; la princesa está triste),
más brillante que el alba, más hermosa que abril!

— Calla, calla, princesa – dice el hada madrina —;
en caballo con alas hacia acá se encamina,
en el cinto la espada y en la mano el azor,
el feliz caballero que te adora sin verte,
y que llega de lejos, vencedor de la Muerte,
a encenderte los labios con su beso de amor!

Prosas profanas, 1896.

†

VERLAINE

RESPONSO

Padre y maestro mágico, liróforo celeste,
que al instrumento olímpico y a la siringa agreste
diste tu acento encantador.

¡Panida! Pan tú mismo, que coros condujiste
hacia el propíleo sacro que amaba tu alma triste,
al son del sistro y del tambor!

Que tu sepulcro cubra de flores Primavera;
que se humedezca el áspero hocico de la fiera
de amor, si pasa por allí;
que el fúnebre recinto visite Pan bicorne;
que de sangrientas rosas el fresco abril te adorne,
y de claveles de rubí.

Que si posarse quiere sobre la tumba el cuervo,
ahuyenten la negrura del pájaro protervo
el dulce canto del cristal
que Filomela vierta sobre tus tristes huesos,
o la armonía dulce de risas y de besos
de culto oculto y florestal.

Que púberes canéforas te ofrenden el acanto;
que sobre tu sepulcro no se derrame el llanto,
sino rocío, vino, miel;
¡que el pámpano allí brote, las flores de Citeres,
y que se escuchen vagos suspiros de mujeres
bajo un simbólico laurel!

Que si un pastor su pífano bajo el frescor del haya,
en amorosos días, como en Virgilio, ensaya,
tu nombre ponga en la canción;
y que la virgen náyade, cuando ese nombre escuche,
con ansias y temores entre las linfas luche,
llena de miedo y de pasión.

De noche, en la montaña, en la negra montaña
de las visiones, pase gigante sombra extraña,
sombra de un sátiro espectral;
que ella al centauro adusto con su grandeza asuste;
de una extrahumana flauta la melodía ajuste
a la armonía sideral.

Y huya el tropel equino por la montaña vasta;
tu rostro de ultratumba bañe la luna casta

de compasiva y blanca luz;
¡y el sátiro contemple sobre un lejano monte
una cruz que se eleve cubriendo el horizonte,
y un resplandor sobre la cruz!

Prosas profanas, 1896.

CANTOS DE VIDA Y ESPERANZA

A J. Enrique Rodó.

I

Yo soy aquel que ayer no más decía
el verso azul y la canción profana,
en cuya noche un ruiseñor había
que era alondra de luz por la mañana.

El dueño fuí de mi jardín de sueño,
lleno de rosas y de cisnes vagos;
el dueño de las tórtolas, el dueño
de góndolas y liras en los lagos;

y muy siglo diez y ocho, y muy antiguo,
y muy moderno; audaz, cosmopolita;
con Hugo fuerte y con Verlaine ambiguo,
y una sed de ilusiones infinita.

Yo supe de dolor desde mi infancia;
mi juventud... ¿fué juventud la mía?;
sus rosas aun me dejan su fragancia,
una fragancia de melancolía...

Potro sin freno se lanzó mi instinto;
mi juventud montó potro sin freno;
iba embriagada y con puñal al cinto;
si no cayó, fué porque Dios es bueno.

En mi jardín se vió una estatua bella;
se juzgó mármol y era carne viva;
un alma joven habitaba en ella,
sentimental, sensible, sensitiva.

Y tímida ante el mundo, de manera
que encerrada en silencio no salía
sino cuando en la dulce primavera
era la hora de la melodía...

Hora de ocaso y de discreto beso;
hora crepuscular y de retiro;
hora de madrigal y de embeleso,
de «te adoro», de «¡ay!» y de suspiro.

Y entonces era en la dulzaina un juego
de misteriosas gamas cristalinas,
un renovar de notas del Pan griego
y un desgranar de músicas latinas,

con aire tal y con ardor tan vivo,
que a la estatua nacían de repente
en el muslo viril patas de chivo
y dos cuernos de sátiro en la frente.

Como la Galatea gongorina
me encantó la marquesa verleniana,
y así juntaba a la pasión divina
una sensual hiperestesia humana;

todo ansia, todo ardor, sensación pura
y vigor natural; y sin falsía,
y sin comedia y sin literatura...:
si hay un alma sincera esa es la mía.

La torre de marfil tentó mi anhelo;
quise encerrarme dentro de mí mismo,
y tuve hambre de espacio y sed de cielo
desde las sombras de mi propio abismo.

Como la esponja que la sal satura
en el jugo del mar, fué el dulce y tierno
corazón mío henchido de amargura
por el mundo, la carne y el infierno.

Mas, por gracia de Dios, en mi conciencia
el Bien supo elegir la mejor parte;
y si hubo áspera hiel en mi existencia,
melificó toda acritud el Arte.

Mi intelecto libré de pensar bajo,
bañó el agua castalia el alma mía,
peregrinó mi corazón y trajo
de la sagrada selva la armonía.

¡Oh, la selva sagrada! ¡Oh, la profunda
emanación del corazón divino
de la sagrada selva! ¡Oh, la fecunda
fuente cuya virtud vence al destino!

Bosque ideal que lo real complica;
allí el cuerpo arde y vive y Psiquis vuela;
mientras abajo el sátiro fornica,
ebria de azul deslíe Filomela.

Perla de ensueño y música amorosa
en la cúpula en flor del laurel verde,
Hipsipila sutil liba en la rosa,
y la boca del fauno el pezón muerde.

Allí va el dios en celo tras la hembra,
y la caña de Pan se alza del lodo;
la eterna Vida sus semillas siembra,
y brota la armonía del gran Todo.

El alma que entra allí debe ir desnuda,
temblando de deseo y fiebre santa,
sobre cardo heridor y espina aguda:
así sueña, así vibra y así canta.

Vida, luz y verdad, tal triple llama
produce la interior llama infinita;
el Arte puro como Cristo exclama:
Ego sum lux et veritas et vita!

Y la vida es misterio; la luz ciega
y la verdad inaccesible asombra;
la adusta perfección jamás se entrega
y el secreto ideal duerme en la sombra.

Por eso ser sincero es ser potente;
de desnuda que está, brilla la estrella;
el agua dice el alma de la fuente
en la voz de cristal que fluye d'ella.

Tal fué mi intento, hacer del alma pura
mía una estrella, una fuente sonora,
con el horror de la literatura
y loco de crepúsculo y de aurora.

Del crepúsculo azul que da la pauta
que los celestes éxtasis inspira,
bruma y tono menor—¡toda la flauta!,
y Aurora, hija del Sol—¡toda la lira!

Pasó una piedra que lanzó una honda;
pasó una flecha que aguzó un violento.
La piedra de la honda fué a la onda,
y la flecha del odio fuese al viento.

La virtud está en ser tranquilo y fuerte;
con el fuego interior todo se abrasa;
se triunfa del rencor y de la muerte,
¡y hacia Belén... la caravana pasa!

Cantos de vida y esperanza, 1905.

SALUTACIÓN DEL OPTIMISTA

Ínclitas razas ubérrimas, sangre de Hispania fecunda,
espíritus fraternos, luminosas almas, ¡salve!
Porque llega el momento en que habrán de cantar nuevos
[himnos
lenguas de gloria. Un vasto rumor llena los ámbitos;
ondas de vida van renaciendo de pronto;   [mágicas
retrocede el olvido, retrocede engañada la muerte;
se anuncia un reino nuevo; feliz sibila sueña,
y en la caja pandórica de que tantas desgracias surgieron
encontramos de súbito, talismánica, pura, riente,
cual pudiera decirla en su verso Virgilio divino,
la divina reina de luz, la celeste Esperanza!

Pálidas indolencias, desconfianzas fatales que a tumba
o a perpetuo presidio condenasteis al noble entusiasmo,
ya veréis el salir del sol en un triunfo de liras,
mientras dos continentes, abonados de huesos gloriosos,

del Hércules antiguo la gran sombra soberbia evocando,
digan al orbe: la alta virtud resucita
que a la hispana progenie hizo dueña de siglos.

Abominad la boca que predice desgracias eternas;
abominad los ojos que ven sólo zodiacos funestos;
abominad las manos que apedrean las ruinas ilustres,
o que la tea empuñan o la daga suicida.
Siéntense sordos ímpetus de las entrañas del mundo;
la inminencia de algo fatal hoy conmueve a la tierra;
fuertes colosos caen, se desbandan bicéfalas águilas,
y algo se inicia como vasto social cataclismo
sobre la faz del orbe. ¿Quién dirá que las savias dormidas
no despierten entonces en el tronco del roble gigante
bajo el cual se exprimió la ubre de la loba romana?
¿Quién será el pusilánime que al vigor español niegue
[músculos
y que al alma española juzgase áptera y ciega y tullida?
No es Babilonia ni Nínive enterrada en olvido y en polvo,
ni entre momias y piedras reina que habita el sepulcro,
la nación generosa, coronada de orgullo inmarchito,
que hacia el lado del alba fija las miradas ansiosas,
ni la que tras los mares en que yace sepulta la Atlántida,
tiene su coro de vástagos, altos, robustos y fuertes.

Únanse, brillen, secúndense tantos vigores dispersos;
formen todos un solo haz de energía ecuménica.
Sangre de Hispania fecunda; sólidas, ínclitas razas,
muestren los dones pretéritos que fueron antaño su
[triunfo.
Vuelva el antiguo entusiasmo, vuelva el espíritu ardiente
que regará lenguas de fuego en esa epifanía.
Juntas las testas ancianas ceñidas de líricos lauros
y las cabezas jóvenes que la alta Minerva decora,
así los manes heroicos de los primitivos abuelos,
de los egregios padres que abrieron el surco pristino,
sientan los soplos agrarios de primaverales retornos
y el rumor de espigas que inició la labor triptolémica.

Un continente y otro renovando las viejas prosapias,
en espíritu unidos, en espíritu y ansias y lengua,

ven llegar el momento en que habrán de cantar nuevos
La latina estirpe verá la gran alba futura;   [himnos.
en un trueno de música gloriosa, millones de labios
saludarán la espléndida luz que vendrá del Oriente:
Oriente augusto en donde todo lo cambia y renueva
la eternidad de Dios, la actividad infinita.
Y así sea Esperanza la visión permanente en nosotros,
¡ínclitas razas ubérrimas, sangre de Hispania fecunda!

Cantos de vida y esperanza, 1905.

A ROOSEVELT

¡Es con voz de la Biblia, o verso de Walt Whitman,
que habría que llegar hasta ti, cazador!
¡Primitivo y moderno, sencillo y complicado,
con un algo de Wáshington y cuatro de Nemrod!
Eres los Estados Unidos,
eres el futuro invasor
de la América ingenua que tiene sangre indígena,
que aun reza a Jesucristo y aun habla en español.

Eres soberbio y fuerte ejemplar de tu raza;
eres culto, eres hábil; te opones a Tolstoy.
Y domando caballos o asesinando tigres,
eres un Alejandro-Nabucodonosor.
(Eres un profesor de energía
como dicen los locos de hoy.)

Crees que la vida es incendio,
que el progreso es erupción;
que en donde pones la bala
el porvenir pones.
                    No.

Los Estados Unidos son potentes y grandes.
Cuando ellos se estremecen hay un hondo temblor
que pasa por las vértebras enormes de los Andes.
Si clamáis, se oye como el rugir del león.
Ya Hugo a Grant lo dijo: «Las estrellas son vuestras.»
(Apenas brilla, alzándose, el argentino sol
y la estrella chilena se levanta...) Sois ricos.

Juntáis al culto de Hércules el culto de Mammón;
y alumbrando el camino de la fácil conquista,
la Libertad levanta su antorcha en Nueva York.

Mas la América nuestra que tenía poetas
desde los viejos tiempos de Netzahualcoyotl;
que ha guardado las huellas de los pies del gran Baco;
que el alfabeto pánico en un tiempo aprendió;
que consultó los astros; que conoció la Atlántida,
cuyo nombre nos llega resonando en Platón;
que desde los remotos momentos de su vida
vive de luz, de fuego, de perfume, de amor;
la América del grande Moctezuma, del Inca;
la América fragante de Cristóbal Colón;
la América católica, la América española;
la América en que dijo el noble Guatemoc:
«Yo no estoy en un lecho de rosas»; esa América
que tiembla de huracanes y que vive de amor:
hombres de ojos sajones y alma bárbara, vive.
Y sueña. Y ama, y vibra; y es la hija del Sol.
Tened cuidado. ¡Vive la América española!
Hay mil cachorros sueltos del León español.
Se necesitaría, Roosevelt, ser, por Dios mismo,
el riflero terrible y el fuerte cazador,
para poder tenernos en vuestras férreas garras.

Y, pues, contáis con todo, falta una cosa: ¡Dios!

Cantos de vida y esperanza, 1905.

LOS CISNES

A Juan R. Jiménez.

I

¿Qué signo haces, oh cisne, con tu encorvado cuello
al paso de los tristes y errantes soñadores?
¿Por qué tan silencioso de ser blanco y ser bello,
tiránico a las aguas e impasible a las flores?

Yo te saludo ahora como en versos latinos
te saludara antaño Publio Ovidio Nasón.

Los mismos ruiseñores cantan los mismos trinos,
y en diferentes lenguas es la misma canción.

A vosotros mi lengua no debe ser extraña.
A Garcilaso visteis, acaso, alguna vez...
Soy un hijo de América, soy un nieto de España...
Quevedo pudo hablaros en verso en Aranjuez...

Cisnes, los abanicos de vuestras alas frescas
den a las frentes pálidas sus caricias más puras
y alejen vuestras blancas figuras pintorescas
de nuestras mentes tristes las ideas oscuras.

Brumas septentrionales nos llenan de tristezas,
se mueren nuestras rosas, se agostan nuestras palmas;
casi no hay ilusiones para nuestras cabezas,
y somos los mendigos de nuestras pobres almas.

Nos predican la guerra con águilas feroces,
gerifaltes de antaño revienen a los puños;
mas no brillan las glorias de las antiguas hoces,
ni hay Rodrigos ni Jaimes, ni hay Alfonsos ni Nuños.

Faltos de los alientos que dan las grandes cosas,
¿qué haremos los poetas sino buscar tus lagos?
A falta de laureles son muy dulces las rosas,
y a falta de victorias busquemos los halagos.

La América española como la España entera
fija está en el Oriente de su fatal destino;
yo interrogo a la Esfinge que el porvenir espera
con la interrogación de tu cuello divino.

¿Seremos entregados a los bárbaros fieros?
¿Tantos millones de hombres hablaremos inglés?
¿Ya no hay nobles hidalgos ni bravos caballeros?
¿Callaremos ahora para llorar después?

He lanzado mi grito, Cisnes, ante vosotros
que habéis sido los fieles en la desilusión,
mientras siento una fuga de americanos potros
y el estertor postrero de un caduco león...

... Y un cisne negro dijo: «La noche anuncia el día».
Y uno blanco: «¡La aurora es inmortal! ¡La aurora
es inmortal!» ¡Oh tierras de sol y de armonía,
aun guarda la Esperanza la caja de Pandora!

Cantos de vida y esperanza, 1905.

LA DULZURA DEL ÁNGELUS

La dulzura del Ángelus matinal y divino
que diluyen ingenuas campanas provinciales,
en un aire inocente a fuerza de rosales,
de plegaria, de ensueño de virgen y de trino

de ruiseñor, opuesto todo al rudo destino
que no cree en Dios... El áureo ovillo vespertino
que la tarde devana tras opacos cristales
por tejer la inconsútil tela de nuestros males,

todos hechos de carne y aromados de vino...,
y esta atroz amargura de no gustar de nada,
de no saber adónde dirigir nuestra prora,

mientras el pobre esquife en la noche cerrada
va en las hostiles olas huérfano de la aurora...
(¡Oh, suaves campanas entre la madrugada!)

Cantos de vida y esperanza, 1905.

CANCIÓN DE OTOÑO EN PRIMAVERA

¡Juventud, divino tesoro,
ya te vas para no volver!
¡Cuando quiero llorar, no lloro...
y a veces lloro sin querer!...

Plural ha sido la celeste
historia de mi corazón.
Era una dulce niña en este
mundo de duelo y aflicción.

Miraba como el alba pura;
sonreía como una flor.
Era su cabellera oscura
hecha de noche y de dolor.

Yo era tímido como un niño.
Ella, naturalmente, fué,
para mi amor hecho de armiño,
Herodías y Salomé...

¡Juventud, divino tesoro,
ya te vas para no volver!
¡Cuando quiero llorar, no lloro...
y a veces lloro sin querer!...

La otra fué más sensitiva,
y más consoladora y más
halagadora y expresiva,
cual no pensé encontrar jamás.

Pues a su continua ternura
una pasión violenta unía.
En un peplo de gasa pura
una bacante se envolvía...

En sus brazos tomó mi ensueño
y lo arrulló como a un bebé...
Y le mató, triste y pequeño,
falto de luz, falto de fe...

¡Juventud, divino tesoro,
te fuiste para no volver!
¡Cuando quiero llorar, no lloro...
y a veces lloro sin querer!...

Otra juzgó que era mi boca
el estuche de su pasión,
y que me roería, loca,
con sus dientes el corazón;

poniendo en un amor de exceso
la mira de su voluntad,
mientras eran abrazo y beso
síntesis de la eternidad;

y de nuestra carne ligera
imaginar siempre un Edén,
sin pensar que la Primavera
y la carne acaban también...

¡Juventud, divino tesoro,
ya te vas para no volver!
¡Cuando quiero llorar, no lloro...
y a veces lloro sin querer!...

¡Y las demás! En tantos climas,
en tantas tierras, siempre son,
si no pretextos de mis rimas,
fantasmas de mi corazón.

En vano busqué a la princesa
que estaba triste de esperar.
La vida es dura. Amarga y pesa.
¡Ya no hay princesa que cantar!

Mas a pesar del tiempo terco,
mi sed de amor no tiene fin;
con el cabello gris me acerco
a los rosales del jardín...

¡Juventud, divino tesoro,
ya te vas para no volver!
¡Cuando quiero llorar, no lloro...
y a veces lloro sin querer!...

¡Mas es mía el Alba de oro!

Cantos de vida y esperanza, 1905.

NOCTURNO

Los que auscultasteis el corazón de la noche,
los que por el insomnio tenaz habéis oído
el cerrar de una puerta, el resonar de un coche
lejano, un eco vago, un ligero ruído...

En los instantes del silencio misterioso,
cuando surgen de su prisión los olvidados,
en la hora de los muertos, en la hora del reposo,
sabréis leer estos versos de amargor impregnados...

Como en un vaso vierto en ellos mis dolores
de lejanos recuerdos y desgracias funestas,
y las tristes nostalgias de mi alma, ebria de flores,
y el duelo de mi corazón, triste de fiestas.

Y el pesar de no ser lo que yo hubiera sido,
la pérdida del reino que estaba para mí,
el pensar que un instante pude no haber nacido,
y el sueño que es mi vida desde que yo nací.

Todo eso viene en medio del silencio profundo
en que la noche envuelve la terrena ilusión,
y siento como un eco del corazón del mundo
que penetra y conmueve mi propio corazón.

Cantos de vida y esperanza, 1905.

ALLÁ LEJOS

Buey que vi en mi niñez echando vaho un día
bajo el nicaragüense sol de encendidos oros,
en la hacienda fecunda, plena de la armonía
del trópico; paloma de los bosques sonoros,
del viento, de las hachas, de pájaros y toros
salvajes, yo os saludo, pues sois la vida mía.

Pesado buey, tú evocas la dulce madrugada
que llamaba a la ordeña de la vaca lechera,
cuando era mi existencia toda blanca y rosada,
y tú, paloma arrulladora y montañera,
significas en mi primavera pasada
todo lo que hay en la divina Primavera.

Cantos de vida y esperanza, 1905.

LO FATAL

Dichoso el árbol que es apenas sensitivo,
y más la piedra dura, porque esa ya no siente,
pues no hay dolor más grande que el dolor de ser vivo,
ni mayor pesadumbre que la vida consciente.

Ser y no saber nada, y ser sin rumbo cierto,
y el temor de haber sido y un futuro terror...
y el espanto seguro de estar mañana muerto,
y sufrir por la vida, y por la sombra, y por

lo que no conocemos y apenas sospechamos,
y la carne que tienta con sus frescos racimos,
y la tumba que aguarda con sus fúnebres ramos,
y no saber a dónde vamos,
ni de dónde venimos...!

Cantos de vida y esperanza, 1905.

MOMOTOMBO

O vieux Momotombo, colosse chauve et nu...

V. H.

El tren iba rodando sobre sus rieles. Era
en los días de mi dorada primavera
y era en mi Nicaragua natal.
De pronto, entre las copas de los árboles, vi
un cono gigantesco, «calvo y desnudo», y
lleno de antiguo orgullo triunfal.

Ya había yo leído a Hugo y la leyenda
que Squire le enseñó. Como una vasta tienda
vi aquel coloso negro ante el sol,
maravilloso de majestad. Padre viejo
que se duplica en el armonioso espejo
de un agua perla, esmeralda, col.

Agua de un vario verde y de un gris tan cambiante,
que discernir no deja su ópalo y su diamante
a la vasta llama tropical.
¡Momotombo se alzaba lírico y soberano;
yo tenía quince años: una estrella en la mano!
Y era en mi Nicaragua natal.

Ya estaba yo nutrido de Oviedo y de Gomara,
y mi alma florida soñaba historia rara,
fábula, cuento, romance, amor
de conquistas, victorias de caballeros bravos,

incas y sacerdotes, prisioneros y esclavos,
plumas y oro, audacia, esplendor.

Y llegué y vi en las nubes la prestigiosa testa
de aquel cono de siglos, de aquel volcán de gesta,
que era ante mí de revelación.
Señor de las alturas, emperador del agua,
a sus pies el divino lago de Managua,
con islas todas luz y canción.

¡Momotombo!—exclamé—, ¡oh nombre de epopeya!
Con razón Hugo, el grande, en tu onomatopeya
ritmo escuchó que es de eternidad.
Dijérase que fueses para las sombras dique,
desde que oyera el blanco la lengua del cacique
en sus discursos de libertad.

Padre de fuego y piedra, yo te pedí ese día
tu secreto de llamas, tu arcano de armonía,
la iniciación que podías dar;
por ti pensé en lo inmenso de Osas y Peliones,
en que arriba hay titanes en las constelaciones
y abajo dentro la tierra y el mar.

¡Oh, Momotombo ronco y sonoro! Te amo,
porque a tu evocación vienen a mí otra vez,
obedeciendo a un íntimo reclamo,
perfumes de mi infancia, brisas de mi niñez.

¡Los estandartes de la tarde y de la aurora!
Nunca los vi más bellos que alzados sobre ti,
toda zafir la cúpula sonora
sobre los triunfos de oro, de esmeralda y rubí.

Cuando las babilonias del Poniente
en purpúreas catástrofes hacia la inmensidad
rodaban tras la augusta soberbia de tu frente,
eras tú como el símbolo de la Serenidad.

En tu incesante hornalla vi la perpetua guerra;
en tu roca, unidades que nunca acabarán.
Sentí en tus terremotos la brama de la tierra
y la inmortalidad de Pan.

¡Con un alma volcánica entré en la dura vida;
Aquilón y huracán sufrió mi corazón,
y de mi mente mueven la cimera encendida
huracán y Aquilón!

Tu voz escuchó un día Cristóforo Colombo;
Hugo cantó tu gesta legendaria. Los dos
fueron, como tú, enormes, Momotombo;
montañas habitadas por el fuego de Dios.

¡Hacia el misterio caen poetas y montañas,
y romperáse el cielo de cristal
cuando luchen sonando de Pan las siete cañas
y la trompeta del Juicio final!

El canto errante, 1907.

A FRANCIA

¡Los bárbaros, Francia! ¡Los bárbaros, cara Lutecia!
Bajo áurea rotonda reposa tu gran Paladín.
Del cíclope al golpe, ¿qué pueden las risas de Grecia?
¿Qué pueden las Gracias, si Herakles agita su crin?

En locas faunalias no sientes el viento que arrecia,
el viento que arrecia del lado del férreo Berlín,
y allí bajo el templo que tu alma pagana desprecia,
tu vate hecho polvo no puede sonar su clarín.

Suspende, Bizancio, tu fiesta mortal y divina;
¡oh, Roma, suspende la fiesta divina y mortal!
Hay algo que viene como una invasión aquilina,

que aguarda temblando la curva del Arco Triunfal.
¡*Tannhäuser*! Resuena la marcha marcial y argentina,
y vese a lo lejos la gloria de un casco imperial.

1893.   *El canto errante*, 1907.

¡EHEU!

Aquí, junto al mar latino,
digo la verdad:
Siento en roca, aceite y vino
yo mi antigüedad.

¡Oh, qué anciano soy, Dios santo!
¡Oh, qué anciano soy!...
¿De dónde viene mi canto?
Y yo, ¿adónde voy?

El conocerme a mí mismo
ya me va costando
muchos momentos de abismo
y el cómo y el cuándo...

Y esta claridad latina
¿de qué me sirvió
a la entrada de la mina
del yo y el no yo...?

Nefelibata contento
creo interpretar
las confidencias del viento,
la tierra y el mar...

Unas vagas confidencias
del ser y el no ser,
y fragmentos de conciencias
de ahora y ayer.

Como en medio de un desierto
me puse a clamar;
y miré el sol como muerto
y me eché a llorar.

El canto errante, 1907.

LA HEMBRA DEL PAVO REAL

En Ecbatana fué una vez,
o más bien creo que en Bagdad...
Era en una rara ciudad,
bien Samarcanda o quizás Fez.

La hembra del pavo real
estaba en el jardín desnuda;
mi alma amorosa estaba muda
y habló la fuente de cristal.

Habló con su trino y su alegro
y su stacatto y son sonoro,
y venían del bosque negro
voz de plata y llanto de oro.

La desnuda estaba divina,
salomónica y oriental :
era una joya diamantina
la hembra del pavo real.

Los brazos eran dos poemas
ilustrados de ricas gemas.
Y no hay un verso que concentre
el trigo y albor de palomas,
y lirios y perlas y aromas,
que había en los senos y el vientre.

Era una voluptuosidad
que sabía a almendra y a nuez
y a vinos que gustó Simbad...
En Ecbatana fué una vez,
o más bien creo que en Bagdad.

En las gemas resplandecientes
de las colas de los pavones
caían gotas de las fuentes
de los Orientes de ilusiones.

La divina estaba desnuda.
Rosa y nardo dieron su olor...
Mi alma estaba extasiada y muda
y en el sexo ardía una flor.

En las terrazas decoradas
con un gesto extraño y fatal
fué desnuda ante mis miradas
la hembra del pavo real.

El canto errante, 1907.

EPÍSTOLA A LA SEÑORA DE LEOPOLDO LUGONES

(FRAGMENTO)

I

Madame Lugones, j'ai commencé ces vers
en écoutant la voix d'un carillon d'Anvers...
Así empecé, en francés, pensando en Rodenbach,
cuando hice hacia el Brasil ¡una fuga... de Bach!

En Río de Janeiro iba yo a proseguir
poniendo en cada verso el oro y el zafir
y la esmeralda de esos pájaros-moscas
que melifican entre las áureas siestas foscas
que temen los que temen el cruel vómito negro.
Ya no existe allá fiebre amarilla. ¡Me alegro!
Et pour cause. Yo panamericanicé
con un vago temor y con muy poca fe
en la tierra de los diamantes y la dicha
tropical. Me encantó ver la vera machicha,
mas encontré también un gran núcleo cordial
de almas llenas de amor, de ensueño, de ideal.
Y si había un calor atroz, también había
todas las consecuencias y ventajas del día,
en panorama igual al de los cuadros y hasta
igual al que pudiera imaginarse... Basta.
Mi ditirambo brasileño es ditirambo
que aprobaría tu marido. *Arcades ambo.*

II

Mas al calor de ese Brasil maravilloso,
tan fecundo, tan grande, tan rico, tan hermoso,
a pesar de Tijuca y del cielo opulento,
a pesar de ese foco vivaz de pensamiento,
a pesar de Nabuco, embajador, y de
los delegados panamericanos que
hicieron lo posible por hacer cosas buenas,
saboreé lo ácido del saco de mis penas,

quiero decir que me enfermé. La neurastenia
es un don que me vino con mi obra primigenia.
¡Y he vivido tan mal, y tan bien, cómo y tanto!
¡Y tan buen comedor guardo bajo mi manto!
¡Y tan buen bebedor tengo bajo mi capa!
¡Y he gustado bocados de cardenal y papa!...
Y he exprimido la ubre cerebral tantas veces,
que estoy grave. Esto es mucho ruido y pocas nueces,
según dicen doctores de una sapiencia suma.
Mis dolencias se van en ilusión y espuma.
Me recetan que no haga nada ni piense nada;
que me retire al campo a ver la madrugada
con las alondras, y con Garcilaso, y con
el *sport*. ¡Bravo! Sí. Bien. Muy bien. ¿Y *La Nación?*
¿Y mi trabajo diario y preciso y fatal?
¿No se sabe que soy cónsul como Stendhal?
Es preciso que el médico que eso recete dé
también libro de cheques para el Crédit Lyonnais
y envíe un automóvil devorador del viento
en el cual se pasee mi egregio aburrimiento
harto de profilaxis, de ciencia y de verdad.

IV

· ·

   Hoy, heme aquí en Mallorca, *la terra dels foners,*
como dice Mossen Cinto, el gran Catalán.
Y desde aquí, señora, mis versos a ti van,
olorosos a sal marina y a azahares,
al suave aliento de las Islas Baleares.
Hay un mar tan azul como el Partenopeo.
Y el azul celestial, vasto como un deseo,
su techo cristalino bruñe con el sol de oro.
Aquí todo es alegre, fino, sano y sonoro.
Barcas de pescadores sobre la mar tranquila
descubro desde la terraza de mi *villa,*
que se alza entre las flores de su jardín fragante
con un monte detrás y con la mar delante.

V

A veces me dirijo al mercado que está
en la Plaza Mayor. (¡Qué Coppée, ¿no es verdad?)
Me rozo con un núcleo crespo de muchedumbre
que viene por la carne, la fruta y la legumbre.
Las mallorquinas usan una modesta falda,
pañuelo en la cabeza y la trenza a la espalda.
Esto las que yo he visto, al pasar, por supuesto.
Y las que no la lleven no se enojen por esto.
He visto unas payesas con sus negros corpiños,
con cuerpos de odaliscas y con ojos de niños;
y un velo que les cae por la espalda y el cuello,
dejando al aire libre lo oscuro del cabello.
Sobre la falda clara un delantal vistoso.
Y saludan con un *bon di tengui* gracioso
entre los cestos llenos de patatas y coles,
pimientos de corales, tomates de arreboles,
sonrosadas cebollas, melones y sandías,
que hablan de las Arabias y las Andalucías;
calabazas y nabos para ofrecer asuntos
a madame Noailles y a Francis Jammes juntos.

A veces me detengo en la plaza de abastos,
como si respirase soplos de vientos vastos,
como si me entrase con el respiro el mundo.
Estoy ante la casa en que nació Raimundo
Lulio. Y en ese instante mi recuerdo me cuenta
las cosas que le dijo la Rosa a la Pimienta...
¡Oh, cómo yo diría el sublime destierro
y la lucha y la gloria del mallorquín de hierro!
¡Oh, cómo cantaría en un carmen sonoro
la vida, el alma, el numen del mallorquín de oro!
De los hondos espíritus es de mis preferidos.
Sus robles filosóficos están llenos de nidos
de ruiseñor. Es otro y es hermano del Dante.
¡Cuántas veces pensara su verbo de diamante
delante la Sorbona vieja del París sabio!

¡Cuántas veces he visto su infolio y su astrolabio
en una bruma vaga de ensueño, y cuántas veces
le oí hablar a los árabes, cual Antonio a los peces,
en un imaginar de pretéritas cosas
que por ser tan antiguas se sienten tan hermosas!

. . . .

VI

. . . .

¿Por qué mi vida errante no me trajo a estas sanas
costas antes que las prematuras canas
de alma y cabeza hicieran de mí la mescolanza
formada de tristeza, de vida y esperanza?
¡Oh, qué buen mallorquín me sentiría ahora!
¡Oh, cómo gustaría sal de mar, miel de aurora,
al sentir como en un caracol en mi cráneo
el divino y eterno rumor mediterráneo!
Hay en mí un griego antiguo que aquí descansó un día
después que le dejaron loco de melodía
las sirenas rosadas que atrajeron su barca.
Cuanto mi ser respira, cuanto mi vista abarca,
es recordado por mis íntimos sentidos;
los aromas, las luces, los ecos, los ruídos,
como en ondas atávicas me traen añoranzas,
que forman mis ensueños, mis vidas y esperanzas.
Mas ¿dónde está aquel templo de mármol, y la gruta
donde mordí aquel seno dulce como una fruta?
¿Dónde los hombres ágiles que las piedras redondas
recogían para los cueros de sus hondas?...

Calma, calma. Esto es mucha poesía, señora.
Ahora hay comerciantes muy modernos. Ahora
mandan barcos prosaicos la dorada Valencia,
Marsella, Barcelona y Génova. La ciencia
comercial es hoy fuerte y lo acapara todo.
Entretanto respiro mi salitre y mi iodo
brindados por las brisas de aqueste golfo inmenso,

y a un tiempo, como Kant y como el asno, pienso.
Es lo mejor.
          Y aquí mi epístola concluye.

VII

Hay un ansia de tiempo que de mi pluma fluye
a veces, como hay veces de enorme economía.
—Si hay, he dicho, señora, alma clara, es la mía—.
Mírame transparentemente con tu marido,
y guárdame lo que tú puedas del olvido.

El canto errante, 1907.

EL POEMA DEL OTOÑO

Tú que estás la barba en la mano
meditabundo,
¿has dejado pasar, hermano,
la flor del mundo?

Te lamentas de los ayeres
con quejas vanas:
¡aun hay promesas de placeres
en los mañanas!

Aun puedes casar la olorosa
rosa y el lis,
y hay mirtos para tu orgullosa
cabeza gris.

El alma ahita cruel inmola
lo que la alegra,
como Zingua, reina de Angola,
lúbrica negra.

Tú has gozado de la hora amable,
y oyes después
la imprecación del formidable
Eclesiastés.

El domingo de amor te hechiza;
mas mira cómo
llega el miércoles de ceniza;
Memento, homo...

Por eso hacia el florido monte
las damas van,
y se explican Anacreonte
y Omar Kayam.

Huyendo del mal, de improviso
se entra en el mal
por la puerta del paraíso
artificial.

Y, no obstante, la vida es bella,
por poseer
la perla, la rosa, la estrella
y la mujer.

Lucifer brilla. Canta el ronco
mar. Y se pierde
Silvano oculto tras el tronco
del haya verde.

Y sentimos la vida pura,
clara, real,
cuando la envuelve la dulzura
primaveral.

¿Para qué las envidias viles
y las injurias,
cuando retuercen sus reptiles
pálidas furias?

¿Para qué los odios funestos
de los ingratos?
¿Para qué los lívidos gestos
de los Pilatos?

¡Si lo terreno acaba, en suma,
cielo e infierno,
y nuestras vidas son la espuma
de un mar eterno!

Lavemos bien de nuestra veste
la amarga prosa;
soñemos en una celeste
mística rosa.

Cojamos la flor del instante;
¡la melodía
de la mágica alondra cante
la miel del día!

Amor a su fiesta convida
y nos corona;
todos tenemos en la vida
nuestra Verona.

Aun en la hora crepuscular
canta una voz:
«¡Ruth, risueña, viene a espigar
para Booz!»

Mas coged la flor del instante,
cuando en Oriente
nace el alba para el fragante
adolescente.

¡Oh! Niño que con Eros juegas,
niños lozanos,
danzad como las ninfas griegas
y los silvanos.

El viejo tiempo todo roe
y va deprisa;
sabed vencerle, Cintia, Cloe
y Cidalisa.

Trocad por rosas azahares,
que suena el son
de aquel Cantar de los Cantares
de Salomón.

Príapo vela en los jardines
que Cipris huella;
Hécate hace aullar los mastines,
mas Diana es bella,

y apenas envuelta en los velos
de la ilusión,
baja a los bosques de los cielos
por Endimión.

¡Adolescencia! Amor te dora
con su virtud;
goza del beso de la aurora,
¡oh juventud!

¡Desventurado el que ha cogido
tarde la flor!
Y ¡ay de aquel que nunca ha sabido
lo que es amor!

Yo he visto en tierra tropical
la sangre arder,
como en un cáliz de cristal,
en la mujer.

Y en todas partes, la que ama
y se consume
como una flor hecha de llama
y de perfume.

Abrasáos en esa llama
y respirad
ese perfume que embalsama
la Humanidad.

Gozad de la carne, ese bien
que hoy nos hechiza,
y después se tornará en
polvo y ceniza.

Gozad del sol, de la pagana
luz de sus fuegos;
gozad del sol, porque mañana
estaréis ciegos.

Gozad de la dulce armonía
que a Apolo invoca;
gozad del canto, porque un día
no tendréis boca.

Gozad de la tierra, que un
bien cierto encierra;
gozad, porque no estáis aún
bajo la tierra.

Apartad el temor que os hiela
y que os restringe;
la paloma de Venus vuela
sobre la Esfinge.

Aún vencen muerte, tiempo y hado
las amorosas;
en las tumbas se han encontrado
mirtos y rosas.

Aún Anadiódema en sus lidias
nos da su ayuda;
aún resurge en la obra de Fidias
Friné desnuda.

Vive el bíblico Adán robusto,
de sangre humana,
y aún siente nuestra lengua el gusto
de la manzana.

Y hace de este globo viviente
fuerza y acción
la universal y omnipotente
fecundación.

El corazón del cielo late
por la victoria
de este vivir, que es un combate
y es una gloria.

Pues aunque hay pena y nos agravia
el sino adverso,
en nosotros corre la savia
del universo.

Nuestro cráneo guarda el vibrar
de tierra y sol,
como el ruido de la mar
el caracol.

La sal del mar en nuestras venas
va a borbotones;
tenemos sangre de sirenas
y de tritones.

A nosotros encinas, lauros,
frondas espesas;
tenemos sangre de centauros
y satiresas.

En nosotros la vida vierte
fuerza y calor.
¡Vamos al reino de la Muerte
por el camino del Amor!

Poema del Otoño, 1910.

CANTO A LA ARGENTINA

(FRAGMENTO)

. . . .

¡Argentina, región de la aurora!
¡Oh, tierra abierta al sediento
de libertad y de vida,
dinámica y creadora!
¡Oh, barca augusta, de prora
triunfante, de doradas velas!
De allá, de la bruma infinita,
alzando la palma que agita,
te saluda el divino Cristóbal,
príncipe de las carabelas.

Te abriste como una granada,
como una ubre te henchiste,
como una espiga te erguiste
a toda raza congojada,
a toda humanidad triste;
a los errabundos y parias
que bajo nubes contrarias
van en busca del buen trabajo,

del buen comer, del buen dormir,
del techo para descansar
y ver a los niños reír,
bajo el cual se sueña y bajo
el cual se piensa morir.

. . . .

Tú, el hombre de las estepas,
sonámbulo de sufrimiento,
nacido ilota y hambriento,
al fuego del odio huído;
hombre que estabas dormido
bajo una tapa de plomo,
hombre de las nieves del zar:
mira el cielo azul, canta, piensa;
mujik redento, escucha cómo
en tu rancho, en la pampa inmensa,
murmura alegre el samovar.

¡Cantad judíos de la pampa!
Mocetones de ruda estampa,
dulces Rebecas de ojos francos,
Rubenes de largas guedejas,
patriarcas de cabellos blancos
y espesos como hípicas crines;
cantad, cantad, Saras viejas
y adolescentes Benjamines,
con voz de vuestro corazón:
¡Hemos encontrado a Sión!

Hombres de Emilia y los del **agro**
romano, ligures, hijos
de la tierra del milagro
partenopeo, hijos todos
de Italia, sacra a las gentes;
familias que sois descendientes
de quienes vieron errantes
a los olímpicos dioses
de los antaños, amadores
de danzas gozosas y flores
purpúreas y del divino

don de la sangre del vino;
hallasteis un nuevo hechizo,
hallasteis otras estrellas,
encontrasteis prados en donde
se siembra, espiga y barbecha,
se canta en la fiesta del grano,
y hay un gran sol soberano,
como el de Italia y de Jonia
que en oro el terruño convierte:
el enemigo de la muerte
sus urnas vitales vierte
en el seno de la colonia.

Hombres de España poliforme,
finos andaluces sonoros,
amantes de zambras y toros;
astures que entre peñascos
aprendisteis a amar la augusta
Libertad; elásticos vascos
como hechos de antiguas raíces;
raza heroica, raza robusta,
rudos brazos y altas cervices;
hijos de Castilla la noble
rica de hazañas ancestrales;
firmes gallegos de roble;
catalanes y levantinos
que heredasteis los inmortales
fuegos de hogares latinos;
iberos de la península
que las huellas del paso de Hércules
visteis en el suelo natal:
¡he aquí la fragante campaña
en donde crear otra España
en la Argentina universal!
. . . .

Os espera el reino oloroso
al trébol que pisa el ganado,
océano de tierra sagrado
al agricultor laborioso

que rige el timón del arado.
¡La pampa! La estepa sin nieve,
el desierto sin sed cruenta,
en donde benéfico llueve
riego fecundador que aumenta
las demetéricas savias.
Bella de honda poesía,
suave de inmensidad serena,
de extensa melancolía
y de grave silencio plena;
o bajo el escudo del sol
y la gracia matutina,
sonora de la pastoral
diana de cuerno, caracol
y tuba de la vacada;
o del grito de la triunfal
máquina de la ferro-vía;
o del volar del automóvil
que pasa quemando leguas,
o de las voces del gauchaje,
o del resonar salvaje
del tropel de potros y yeguas.

. . . .

Canto a la Argentina, 1910.

III

TRIUNFO DEL MODERNISMO

(1896-1905)

1
POETAS ESPAÑOLES

MIGUEL DE UNAMUNO

1864 - 1936

Español. Vasco por los cuatro costados. Su novela *Paz en la guerra* (1897), describe, mejor aún que sus cuadros de costumbres *De mi país* (1903) y sus *Recuerdos de niñez y de mocedad* (1908), el ambiente en que pasó la primera parte de su vida hasta que en 1880 fué a Madrid a estudiar Filosofía y Letras. Su región vasca — centro del tradicionalismo carlista — y su ciudad natal, Bilbao — comerciante y liberal —, fueron la parte de España donde se manifestó con caracteres más agudos y violentos la crisis española que siguió a la revolución de 1868. Unamuno — que era entonces un muchacho tímido, reconcentrado y físicamente débil — recogió en su alma para siempre el influjo de las dos Españas en lucha — la tradicionalista y la progresista —, de modo que, como él suele decir, lleva dentro de sí un carlista y un liberal en perpetua discordia. En Madrid, mientras estudiaba en la Universidad, sufrió la primera crisis religiosa al perder su fe tradicional católica y entrar de lleno en la filosofía moderna; pero en este terreno también siguieron viviendo en su alma el católico y el racionalista en íntima discordia. En 1891 — casado ya con su primera novia y compañera de por vida — llegó, como catedrático de Lengua y Literatura griega, a Salamanca, donde encontró una segunda patria en la que absorbió el espíritu de la España central castellana que vive en las doradas piedras de sus edificios, en los trigales, encinares y sierras de su campiña, y en el lenguaje, costumbres y carácter de sus hombres. En 1901 fué nombrado por un Gobierno conservador Rector de la vieja Universidad, cargo administrativo al que él dió nuevo prestigio simbólico y universal, y del que fué destituído en 1914 por maniobras de baja política. Antes pudo Unamuno, a pesar de su conexión con la España oficial, intervenir a su manera, con máxima independencia, en la política nacional: pudo predicar la descatolización de España, hacer campañas de tendencia socialista, combatir el regionalismo vasco y catalán, denunciar una ley especial de delitos contra la patria y el ejército llamada «de Jurisdicciones», escribir contra la opinión internacional que se desató contra España con motivo del fusilamiento de Ferrer. Estos fueron los temas culminantes de su actuación en la política española por medio de la palabra y de la prensa. Desde 1914 su vida pública continuó, con la misma característica tenacidad, combatiendo a los germanófilos españoles, al rey Alfonso XIII y a su dictador Primo de Rivera. Estas últimas luchas le acarrearon procesos judiciales y finalmente su deportación a la isla de Fuerteventura (Canarias) en febrero de 1924. Durante la dictadura prefirió vivir expatriado en Francia, de donde volvió cano y glorioso a usar su vejez colaborando en el nuevo orden de cosas, como siempre, por medio de la lucha y la contradicción.

Unamuno, en su múltiple labor de político, profesor, periodista, conferenciante, escritor, conversador, excursionista, es siempre el mismo : una poderosa personalidad humana, cuyo equivalente sería difícil encontrar o imaginar, que afirma sobre todo y frente a todo su original individualidad sola y señera. Por esto, aunque se nos aparezca a primera vista como paradójico, inconsecuente y contradictorio, todo lo que Unamuno hace tiene la profunda unidad del hombre, el tono y el estilo. Hasta los rasgos más externos con que ha querido distinguirse de los demás hombres — como su chaleco cerrado, traje azul, zapatos y sombrero redondo, el ir a cuerpo, hacer pajaritas de papel y tantas otras peculiaridades que contribuyeron, tanto como sus ideas, a hacerle famoso al principio de su vida pública — no han sido caprichos pasajeros, sino hábitos permanentes mantenidos con incambiable consecuencia. Su vida es a todas horas y en sus menores detalles despliegue de su personalidad total y hechura de su voluntad : sus costumbres puras, su constante y metódico ejercicio físico, su endurecimiento para todas las fatigas, su armonización del trabajo y del ocio, su capacidad de relación social por medio de la conversación y de la correspondencia epistolar juntamente con su capacidad de concentración para escribir diariamente para el público en sus libros y artículos lo mismo que ha madurado en su conversación privada, su disposición constante para hablar en público y su afán por viajar por los campos y ciudades de España, suponen tal vigor y energía, o tal sentido de equilibrio y ahorro de sus fuerzas, que parecerían sobrehumanos si no fueran, como son, la más clara manifestación del temperamento y la voluntad de una personalidad humana ejemplar.

Esta afirmación radical de sí mismo se traduce en una lucha —o, como él dice, «agonía» — perpetua que no sólo no le cierra a lo exterior, sino que le lleva, según su método combatiente, a comprender todas las cosas. De ahí su gran cultura, adquirida mediante el dominio de muchas lenguas. Rezuman sus obras el conocimiento de los clásicos griegos y latinos, de la Biblia y los escritores religiosos católicos y protestantes, de los poetas y ensayistas ingleses, de los filósofos alemanes y de cuanto tiene valor en las literaturas antiguas y modernas. También ha cultivado siempre el conocimiento de todo lo español, llevándolo hasta aquellas manifestaciones más particulares de la cultura hispánica, ignoradas por lo general de los españoles, como la hispanoamericana, la portuguesa y la catalana. En hombre de cultura tan profunda y tan diversa pueden señalarse multitud de influencias, pero son éstas tantas, tan diversas y tan fundidas con el propio temperamento, que sería inútil y dado a equivocación el señalar algunas. Lo que debe señalarse en Unamuno es precisamente el hecho de haberse libertado de las influencias a fuerza de buscarlas y de tenerlas, y de que sea entre todos los escritores de nuestro tiempo el que representa mejor que ningún otro la reencarnación de lo más puro, permanente y diferencial del espíritu español. Con toda su cultura extranjera, tratando siempre temas universales y teniendo gran semejanza con los hombres más típicos de su época en Europa, Unamuno representa en el mundo la máxima afirmación de lo que hay de más inalienable en el ser español.

Su individualismo y preocupación religiosa son sin duda rasgos universales de su época — que hacen de él el más característico de los «modernistas» españoles, si por «modernismo» entendemos la revolución literaria de fines del siglo y no la forma o escuela que en ella predominó —; pero esos rasgos tienen en Unamuno una fisonomía española en la que se reconoce mayor semejanza con Séneca o Quevedo, con Fray Luis de León y los místicos del siglo xvi, con Góngora o Cervantes. Las obras de Unamuno — que son en su mayor parte ensayos, aunque abarcan todas las formas literarias : novela, poesía y teatro — son, al mismo tiempo que expresión de su propia personalidad, una nueva exposición de la filosofía, la religión y la poesía sustancialmente españolas. *En torno al casticismo* es una nueva interpretación de la historia y la cultura nacionales; su *Vida de Don Quijote* es la identificación de su persona con el personaje máximo en que ha encarnado el espíritu español; *Del sentimiento trágico de la vida* es la síntesis de su propio espíritu y el de España identificados ambos con el catolicismo español, raíz profunda de su religiosidad independiente y herética, apasionada y escéptica, que constituye el anhelo de toda su vida y el problema dominante y central de toda su obra.

La religiosidad es también el tema fundamental de su poesía, al que se reducen todas las demás preocupaciones y sentimientos que hay en ellas : políticos, afectivos y domésticos; de la naturaleza, de las ciudades y del amor. Su poesía, como la de los místicos, contiene la quintaesencia de sus tratados en prosa. Por eso Rubén Darío pudo decir con razón, sin ser entendido por los que le oían, que Unamuno era para él ante todo y sobre todo poeta. Empezó a escribir poesías al principio de su carrera literaria, aunque no se publicaran en volumen hasta 1907. Su producción poética ha aumentado desde entonces, en los años de su madurez. Pero Unamuno es poeta siempre; porque su filosofía y su religión y su crítica no son ciencia ni teología ni historia objetivas, sino intuición emocional, pasión, visión íntegra y total, creación nacida de la necesidad radical de afirmar la propia vitalidad, identificación con el propio yo. El sentimiento religioso que alienta en su mejores poesías es más humano por lo mismo de que está falto de dogmas y de fe: por ser escéptica y herética vuelve a ser la suya una religiosidad pura, busca infatigable de Dios, emoción de lo eterno, ansia de inmortalidad, conciencia del misterio de nuestro destino. En el renacimiento religioso y espiritualista de fines del siglo xix — en el que hay tanto de esteticismo y de vago sentimentalismo panteísta y sensual, cuando no de política y sociología, es decir, en el que hay tanto que no tiene nada que ver con la religión — nadie ha puesto el ardor y la profundidad que Unamuno en la busca y el mantenimiento de la fe, que no es otra sino la fe perdida, la fe católica tradicional española. Unamuno, que tiene todas las inquietudes modernas, no podía ser un modernista en el sentido decadente, y por eso su poesía huye de las formas y del espíritu que impuso Rubén Darío — a quien

Unamuno nunca entendió —; por eso su poesía parece tosca y ruda en medio del lujo y refinamiento que la poesía de su tiempo alcanzó. Pero Unamuno, aunque rechace las formas nuevas y prefiera las clásicas y tradicionales, no es un tradicionalista, sino un audaz innovador en la forma como en todo. Sus versos libres e irregulares, con sabor de prosa rítmica y de letanía; la barroca riqueza imaginera de *El Cristo de Velázquez;* el uso tan consciente del lenguaje culto y del popular, hacen de él un maestro y creador de la expresión y del estilo, que aunque no sean de época ni de escuela, sino individuales, son de una modernidad que — como dijimos de la de Martí, con quien tiene Unamuno no pocos puntos de contacto — apunta más lejos que la de los modernistas y sigue siendo, ahora que el modernismo ha pasado, más válida y patente.

BIBLIOGRAFÍA. — **Poesía** : *Poesías,* Bilbao, 1907. *Rosario de sonetos líricos,* Madrid, 1911. *El Cristo de Velázquez,* poema, 1920 [trad. franc. de tres fragmentos en HispP, 1918, I, 210-213]. *Andanzas y visiones españolas,* 1922 [la parte final es poesía]. *Kimas de dentro,* Valladolid, 1923. *Teresa,* Madrid, 1923. *De Fuerteventura a París: diario íntimo de confinamiento y destierro vertido en sonetos,* París, 1925. *Romancero del destierro,* Buenos Aires, 1928. **Otras obras:** *Paz en la guerra,* novela, Madrid, 1897. *De la enseñanza superior en España,* 1899. *Tres ensayos (Adentro, La ideocracia, La fe),* 1900. *En torno al casticismo,* en EM, 1895; 1902 [trad. franc. por M. Bataillon, París, 1926 *Paisajes,* ensayos, Salamanca, 1902. *Amor y pedagogía,* novela, Barcelona, 1902. *De mi país,* descripciones, relatos y artículos de costumbres, Madrid, 1903. *Vida de Don Quijote y Sancho,* 1905; 1914; 1922; 1928 [trad. ital. por G. Beccari, Firenze, 1913; trad. ingl. por H. P. Earle, New York, 1927]. *Recuerdos de niñez y de mocedad,* 1908; 1928 [trad. ital. por G. Beccari, Firenze, 1920]. *La venda, Doña Lambra,* dramas, [1909]. *Mi religión y otros ensayos,* 1910. *Por tierras de Portugal y de España,* 1911; 1930. *Soliloquios y conversaciones,* 1911. *Contra esto y aquello,* 1912; 1928. *El porvenir de España* [cartas cruzadas entre Unamuno y Ganivet], 1912. *Del sentimiento trágico de la vida,* ensayos, 1913; 1924; 1928 [trad. ital. por G. Beccari, Milano-Firenze. 1914-1924; trad. franc. por M. Faure-Beaulieu, París, s. a.; trad. ingl, por J. E. C. Flitch, London, 1921; trad. alem., intr. de E. R. Curtius, München, 1925]. *El espejo de la muerte,* novelas cortas, 1913; 1930 [trad. alem., München, 1925]. *Niebla (Nívola),* 1914; [1928] [trad. ital. por G. Beccari, Firenze, 1922; trad. franc. por N. Larthe, Paris, 1926; trad. ingl. por W. Fite, New York, 1928]. *Una visita a León,* 1916. *Ensayos,* 1916-1918. *Abel Sánchez,* novela, 1917;

1928 [trad. holand. por G. J. Geers, Maatschappij, 1927]. *Tres novelas ejemplares y un prólogo,* 1920 [trad. ital. por M. Puccini, Milano, 1924; trad. franc. por J. Cassou y M. Pomès, introd. de Valery Larbaud, Paris, 1925; trad. ingl. por A. Flores, New York, 1930]. *La tía Tula,* novela, 1921 [trad. holand. por G. J. Geers, Maatschappij, 1926]. *Sensaciones de Bilbao,* Bilbao, 1922. *Fedra,* ensayo dramático, Madrid, 1924 [trad. ital. por G. Beccari, Firenze, 1922; trad. ital. por P. Pillepich, Milano, 1925]. *L'agonie du christianisme,* trad. du texte espagnol inédite par J. Cassou, Paris, 1925 [trad. ingl. por P. Loving, New York, 1928]. *Cómo se hace una novela,* Buenos Aires, [1927]. *Sombras de sueño,* drama, Madrid, 1930. *Dos artículos y dos discursos,* Madrid, 1930. *San Manuel Bueno, mártir,* 1933. *Pages choisies,* trad., pref. et notes de M. Vallis, Paris, 1923. *Essays and soliloquies,* trans. and intr. by J. E. C. Flitch, New York, 1925. — **Estudios :** A. Alcalá Galiano, *Figuras excepcionales,* Madrid, 1930. J. G. Antuña, *Con U. en Hendaya,* en RepAm, 14 julio 1928. M. Aramburo, *Recuerdo de U. y su poesía,* en REstH, 1928, I, 68-72. C. E. Ayres, Sobre *The Life of Don Quijote and Sancho,* en NRep, 1927. LIII, 219-220. Azorín, *M. de U.,* en PrBA, 4 nov. 1928; en RepAm, 8 diciembre 1928. C. Barja, Sobre *Cómo se hace una novela* y *Romancero del destierro,* en REstH, 1928, I, 417-418. W. A. Beardsley, *Don Miguel,* en MLJ, 1925, XI, 353-362. J. L. Borges, *Acerca de U., poeta,* en Nos, 1923, XLV, 405-410. A. Capri, *Letteratura moderna,* Firenze, [1928]. R. Cansinos-Asséns, *La nueva literatura,* t. I, Madrid, 1925. J. Cassou, *M. de U., Miguel de Cervantes et «Don Quijote»,* en HispP, 1921, IV, 254-256. A. Clyne, *M. de U.,* en QR, 1924, XXVII, 205-214. E. Colín, *Siete cabezas,* México, 1921. A. Corthis, *Avec M. de U. à Salamanque,* en RDM, XXI, 168-188. Critilo, *La «Fedra» de U. en el Ateneo de Madrid,* en Esp, 28 marzo 1918. E. R. Curtius, *Über U.,* en NRu, feb. 1926, 163-181. G. Diego, *Poetas del Norte,* en ROcc, 1923, II, 128-132. E. Díez-Canedo, *M. U. y la poesía,* en GLit, 15 marzo 1930; *Un estreno de U.* [sobre *Sombras de sueño*], en Sol, 25 feb. 1930. L. Echavarri, *El sentimiento de la naturaleza en U.,* en Nac, 27 mayo 1928; *U. y Bilbao,* en Nac, 15 abril 1928; *U. poeta,* en Sin, 1928, VI, 139-155; *La Castilla de U.,* en Nos, 1929, LXVI, 342-351. J. Edwards Bello, *Destierro de U. y clausura del Ateneo,* en NacC, 24 feb. 1924. E. Elmore, *Sobre la figuración de U. en la inquietud política e intelectual de nuestros días,* en Nos, 1922, XLI, 556-561; *U. en Yanquilandia,* en RepAm, 30 julio 1923. J. G. Fletcher, *A knight-errant of the spirit,* en Fr, 18 marzo 1923. O. Forst de Battaglia, *M. de U.,* en DHF, 1930, XVII, 553-559. M. Gálvez, *La filosofía de U.,* en Sin, 1928, IV, 5-31. V. García Calderón, *En la verbena de Madrid,* París, 1921. G. J. Geers, *U.,* en *Het Karakter van Het Spaansche Volk,* Den Haag, 1928. A. Gerchunoff, *U. y las pajaritas de papel,* en Nac, 13 marzo 1927. T. G. C. Gerritsen, *M. de U.,* en Gids, 1927, agosto, 273-291.

E. Gómez de Baquero, *U. novelista*, en *Novelas y novelistas*, Madrid, 1918; *U.*, en *El renacimiento de la novela en el siglo XIX*, Madrid, 1924; *De Gallardo a U.*, Madrid, 1926. A. González Blanco, *Los contemporáneos*, 1.ª serie, París, [1906]. C. González Ruano, *Vida, pensamiento y aventura de M. de U.*, Madrid, 1930. *Homenaje a U.* [artículos de varios autores], en GLit, 1 abril 1930. M. Iberico, *La inquietud religiosa de M. de U.*, en NRP, 1929, I, 23-56. J. R. Jiménez, *M. de U.*, en Esp, 1924 M. Legendre, *Don M. de U.*, en RDM, 1 junio 1922, 667-684; *El sentimiento religioso en la España de nuestros días según M. de U.*, en RQ, 1918, IV, 301-314, 502-513; *La religión de M. de U.*, en RQ, 1918, V, 19-36. E. Levi, *U. romanziere*, en *Nella letteratura spagnuola contemporanea*, Firenze, 1922. J. A. Mackay, *Don M. de U.: su personalidad, obra e influencia*, en RUniv, 1918, XIII, vol. II, 404-431; *Don M. de U.*, Lima, 1919. S. de Madariaga, *L'oeuvre et la figure de M. de U.*, en E, 1925, VIII, 465-482; *M. de U.*, en Nos, 1922, XL, 264-276; *The genius of Spain*, Oxford, 1923; *Semblanzas literarias contemporáneas*, Barcelona, 1924. G. Mistral, *Cinco años de destierro de U.*, en RepAm, 5 nov. 1927. M. Moríñigo, Sobre *Romancero del destierro*, en Sin, 1928, V, 124-125. *Número extraordinario en homenaje a D. M. de U.*, en GLit, 15 marzo 1930. E. W. Olmsted, *A Modern Spanish Mystic*, en NaNY, XCIV, núm. 2431, 104-106. J. Padín, *El concepto de lo real en las últimas novelas de U.*, en HispCal, 1928, XI, 418-423. G. Papini, *Stroncature*, Firenze, [1919]; *U.*, trad. de A. Caronno, en CVen, 1924, VII, 170-176. L. Pfandl, Sobre *Gesammelte Werke*, en LGRPh, 1926, XLVII, 111-113. C. Pitollet, *A propos d'U.*, en ROB, 1923, VIII, 708-718; *Les deux oeuvres dramatiques de D. M. de U.*, en ROB, 1923, VIII, 1549-1551; Sobre *Abel Sánchez*, en HispP, 1920, III, 376-381; Sobre *Tres novelas ejemplares y un prólogo*, en HispP, 1921, IV, 186-189; *Sur l'essence de l'Espagne*, en ROB, 1923, VII, 1038-1044. M. Pomès, *M. de U.*, en VdP, 1922, VI, 833-840. M. Puccini, *M. de U.*, Roma, 1924. M. Robin, *Lettres espagnoles*, en MF, CVIII, 865-870; CX, 414-420. M. Romera-Navarro, *M. de U., novelista-poeta-ensayista*, Madrid, 1928 [cf. J. M. Hill, en HispCal, 1929, XII, 332-333; J. Robles, en MLN, 1929, XLIV, 348; W. Wurzbach, en LGRPh, 1930, 291-294]. R. Sáenz-Hayes, *Antiguos y modernos*, Buenos Aires, 1927, cap. IX. J. M. Salaverría, *U.*, en *A lo lejos: España vista desde América*, Madrid, 1914; *Retratos*, 1926; *Nuevos retratos*, 1930. Q. Saldaña, *Los «Ensayos» de M. de U.*, en RCHA, 1918, IV, 33-46; 60-88; *Mentalidades españolas: M. de U.*, Madrid, 1919 [cf. P. Perdomo Acedo, en L, 1920, XX, 181-183]. J. Sorel, *Los hombres del 98: U.*, Madrid, 1917. G. de Torre, *«Cómo se hace una novela» o los soliloquios obsesionantes de U.*, en Sin, 1928, IV, 111-114. *U. en Alemania: Un estudio de Curtius*, en Nos, 1926, LIV, 415-418. M. M. Val, *El idealismo español contemporáneo*, en At, 1910, IX, 142-158. L. Valli, *Scritti e discorsi della grande vigilia*, Bologna, [1924]. M. Va-

LLIS, *M. de U. et le sentiment tragique de la vie*, en MF, 1916, CXV, 47-60; *M. de U.*, en RdP, 1921, XXVIII, 850-869. M. Van Doren, *Don Quixote of Salamanca* [sobre *Del sentimiento trágico de la vida*], en NaNY, 1922, CXIV, núm. 2967, 600. E. Vauthier, *Introduction a l'oeuvre de M. de U.*, en RUB, 1927, XXXII, 544-559. L. A. de Vega, *U. y el separatismo europeo*, en DE, 13 febrero 1924. M. Verdad, *M. de U.*, Roma, 1925. J. Vicente Viqueira, *La filosofía de U.*, en BILE, 1925, XLIV, 47-49. W. V. Wartburg, *M. de U. und die Wiedergeburt Spaniens*, en WL, XVII, 14. T. R. Ybarra, *U. is back*, en Out, 1930, CLVI, 341. P. S. Zulen, *Hombres e ideas: Don Quijote en Salamanca*, en BBL, 1923, I, números 2-3, 1.

CASTILLA

Tú me levantas, tierra de Castilla,
en la rugosa palma de tu mano,
al cielo que te enciende y te refresca,
al cielo, tu amo.

Tierra nervuda, enjuta, despejada,
madre de corazones y de brazos,
toma el presente en ti viejos colores
del noble antaño.

Con la pradera cóncava del cielo
lindan en torno tus desnudos campos;
tiene en ti cuna el Sol, y en ti sepulcro,
y en ti santuario.

Es todo cima tu extensión redonda,
y en ti me siento al cielo levantado;
aire de cumbre es el que se respira
aquí, en tus páramos.

¡Ara gigante, tierra castellana,
a ese tu aire soltaré mis cantos;
si te son dignos, bajarán al mundo
desde lo alto!

Poesías, 1907.

SALAMANCA

Alto soto de torres que, al ponerse
tras las encinas que el celaje esmaltan,
dora a los rayos de su lumbre el padre
    Sol de Castilla;

bosque de piedras que arrancó la Historia
a las entrañas de la Tierra Madre,
remanso de quietud, ¡yo te bendigo,
    mi Salamanca!

Miras a un lado, allende el Tormes lento,
de las encinas el follaje pardo,
cual el follaje de tu piedra, inmoble,
    denso y perenne.

Y de otro lado, por la calva Armuña,
ondea el trigo, cual tu piedra, de oro,
y entre los surcos, al morir la tarde,
    duerme el sosiego.

Duerme el sosiego, la esperanza duerme
de otras cosechas y otras dulces tardes;
las horas al correr sobre la tierra
    dejan su rastro.

Al pie de tus sillares, Salamanca,
de las cosechas del pensar tranquilo
que año tras año maduró en tus aulas,
    duerme el recuerdo.

Duerme el recuerdo, la esperanza duerme,
y es el tranquilo curso de tu vida,
como el crecer de las encinas, lento,
    lento y seguro.

De entre tus piedras seculares, tumba
de remembranzas del ayer glorioso,
de entre tus piedras recogió mi espíritu
    fe, paz y fuerza.

En este patio que se cierra al mundo
y con ruinosa crestería borda
limpio celaje, al pie de la fachada
        que de plateros

ostenta filigranas en la piedra,
en este austero patio, cuando cede
el vocerío estudiantil, susurra
        voz de recuerdos.

En silencio Fray Luis quédase solo
meditando de Job los infortunios,
o paladeando en oración los dulces
        nombres de Cristo.

Nombres de paz y amor con que en la lucha
buscó conforte, y arrogante luego
a la brega volvióse amor cantando,
        paz y reposo.

La apacibilidad de tu vivienda
gustó, andariego soñador, Cervantes;
la voluntad le enhechizaste y quiso
        volver a verte.

Volver a verte en el reposo quieta;
soñar contigo el sueño de la vida;
soñar la vida que perdura siempre,
        sin morir nunca.

Sueño de no morir es el que infundes
a los que beben de tu dulce calma;
sueño de no morir, ése que dicen
        culto a la muerte.

En mí florezcan, cual en ti, robustas;
en flor perduradora las entrañas,
y en ellas talle con seguro toque
        visión del pueblo.

Levántense cual torres clamorosas
mis pensamientos en robusta fábrica,
y asiéntese en mi patria para siempre
        la mi Quimera..

Pedernoso cual tú sea mi nombre,
de los tiempos la roña resistiendo,
y por encima al tráfago del mundo
    resuene limpio.

Pregona eternidad tu alma de piedra
y amor de vida en tu regazo arraiga;
amor de vida eterna, y a su sombra
    amor de amores.

En tus callejas que del Sol nos guardan
y son cual surcos de tu campo urbano,
en tus callejas duermen los amores
    más fugitivos.

Amores que nacieron como nace
en los trigales amapola ardiente
para morir antes de la hoz, dejando
    fruto de sueño.

El dejo amargo del Digesto hastioso
junto a las rejas se enjugaron muchos,
volviendo luego, corazón alegre,
    a nuevo estudio.

De doctos labios recibieron ciencia,
mas de otros labios palpitantes, frescos,
bebieron del Amor, fuente sin fondo,
    sabiduría.

Luego, en las tristes aulas del Estudio,
frías y oscuras, en sus duros bancos,
aquietaron sus pechos encendidos
    en sed de vida.

Como en los troncos vivos de los árboles,
de las aulas así en los muertos troncos
grabó el Amor por manos juveniles
    su eterna empresa.

Sentencias no hallaréis del Triboniano,
del Peripato no veréis doctrina,
ni aforismos de Hipócrates sutiles,
    jugo de libros.

Allí Teresa, Soledad, Mercedes,
Carmen, Olalla, Concha, Blanca o Pura,
nombres que fueron miel para los labios,
        brasa en el pecho.

Así bajo los ojos la divisa
del Amor, redentora del estudio ,
y, cuando el maestro calla, aquellos bancos
        dicen amores.

¡Oh, Salamanca!, entre tus piedras de oro
aprendieron a amar los estudiantes,
mientras los campos que te ciñen daban
        jugosos frutos.

Del corazón en las honduras guardo
tu alma robusta; cuando yo me muera,
guarda, dorada Salamanca mía,
        tú mi recuerdo.

Y cuando el sol al acostarse encienda
el oro secular que te recama,
con tu lenguaje, de lo eterno heraldo,
        di tú que he sido.

                                Poesías, 1907.

LIBÉRTATE, SEÑOR

Dime tú lo que quiero,
que no lo sé...
Despoja a mis ansiones de su velo...
Descúbreme mi mar,
mar de lo eterno...
Dime quién soy... dime quién soy... que vivo...
Revélame el misterio...
descúbreme mi mar...
Ábreme mi tesoro,
mi tesoro, Señor!
Ciérrame los oídos,
ciérramelos con tu palabra inmensa,
que no oiga los quejidos
de los pobres esclavos de la Tierra...!

que al llegar sus murmullos a mi pecho,
al entrar en mi selva,
me rompen la quietud!

* * *

Tu palabra no muere, nunca muere...
porque no vive...
no muere tu palabra omnipotente,
porque es la vida misma,
y la vida no vive...
no vive... vivifica...
Tu palabra no muere... nunca muere...
nunca puede morir!
Follaje de la vida,
raíces de la muerte...
eso son sus palabras nada más!
Me llegan sus canciones al oído...
estribillos de moda...
cantan la libertad!
No canta libertad más que el esclavo,
el pobre esclavo;
el libre canta amor,
te canta a ti, Señor!
Que en mí cante tu selva,
selva de inmensidad!
Que en mí cante tu selva,
la virgen selva libre en que colgaste
al aire libre
mi nido del follaje...
Que en mí cante tu selva,
selva de inmensidad!
Allí, en sus jaulas de oro,
fuera de nido,
la cantinela en moda
repiten los esclavos... ¡pobrecillos!
Liberta-los!
Liberta-los, Señor!
Mira, Señor, que mi alma
jamás ha de ser libre

mientras quede algo esclavo
en el mundo que hiciste,
y mira que si al alma no libertas,
al alma en que Tú vives,
serás en ella esclavo,
Tú, Tú mismo, Señor!
Liberta-te!
Liberta-te, Señor!
Liberta-les,
átales con tu amor!
Liberta-te,
liberta-te en tu amor!
Liberta-me,
liberta-me, Señor!

* * *

No me muestres sendero,
no me muestres camino;
no me lo muestres,
que no lo sigo...
Déjame descansar en tu reposo,
en el reposo vivo,
y en su dulce regazo,
en tu seno dormido,
guarda-me, Señor!
Guárdame tranquilo,
guárdame en tu mar,
mar del olvido...
mar de lo eterno...
guarda-me, Señor!
No me muestres camino,
no me muestres sendero,
que no lo sigo...
no puedo andar!
A las demás renuncio
si sigo una vereda...
quiero perderme,
perderme sin senderos en la selva,
selva de vida;

quiero tenerla abierta...
las sendas me la cierran...
Guarda-me,
guarda-me, Señor!

* * *

Callaron los esclavos...
están durmiendo...
callaron los esclavos...
en silencio te rezan sin saberlo...
mientras duermen te rezan,
es oración su sueño...
No los despiertes...
liberta-los,
liberta-los, Señor!
Ata-les con el sueño...
liberta-los,
¡liberta-los, Señor!
Mientras quede algo esclavo
no será mi alma libre,
ni Tú, Señor,
ni Tú que en ella vives...
serás Tú mismo esclavo...
Liberta-me,
liberta-me, Señor!
Liberta-te,
liberta-te, Señor!
Liberta-te!

Poesías, 1907.

DUERME, ALMA MÍA

Duerme, alma mía, duerme,
duerme y descansa,
duerme en la vieja cuna
de la esperanza;
duerme!

Mira, el Sol de la noche,
padre del alba,

por debajo del mundo
durmiendo pasa;
duerme!

Duerme sin sobresaltos,
duerme, mi alma;
puedes fiarte al sueño,
que estás en casa;
duerme!

En tu seno sereno,
fuente de calma,
reclina tu cabeza
si está cansada;
duerme!

Tú que la vida sufres
acongojada,
Sus Pies tu congoja
deja dejada;
duerme!

Duerme, que Él con su mano
que engendra y mata
cuna tu pobre cuna
desvencijada;
duerme!

«Y si de este mi sueño
no despertara...»
Esa congoja sólo
durmiendo pasa;
duerme!

«¡Oh, en el fondo del sueño
siento a la nada...»
Duerme, que de esos sueños
el sueño sana;
duerme!

«Tiemblo ante el sueño lúgubre
que nunca acaba...»

Duerme y no te acongojes
que hay un mañana;
duerme!

Duerme, mi alma, duerme,
rayará el alba;
duerme, mi alma, duerme,
vendrá mañana...
duerme!

* * *

Ya se durmió en la cuna
de la esperanza...
se me durmió la triste...
¿habrá un mañana?
¿duerme?

Poesías, 1907.

RUIT HORA

Mira que van los días volanderos,
y con ellos las lunas y los soles,
susurrando cual huecos caracoles
marinos los susurros pasajeros

del mar del infinito; son luceros,
de misteriosa procesión faroles,
y a una esperanza ciega nunca inmoles
la realidad que cruza los senderos.

Querer guardar los ríos en lagunas
resulta siempre una imposible empresa;
no son sepulcros las abiertas cunas

en que la vida se eternice presa,
y no pudiendo detener las lunas
con ellas ve en el giro que no cesa.

Rosario de sonetos líricos, 1911.

REDENCIÓN

Dios te conserve fría la cabeza,
caliente el corazón, la mano larga,
corta la lengua, el oído con adarga
y los pies sin premura y sin pereza.

Cuando en la senda del vivir tropieza
el hombre, del dolor bajo la carga,
su propio peso es el que más le embarga
para alzarse del suelo. La tristeza

sacude, empero, que ella es el estrago
más corruptor de nuestras pobres vidas,
pues no es vivir vivir bajo su amago.

No por tus obras tus tesoros midas,
sino que el alma, de fe pura en pago,
se levanta merced a sus caídas.

Rosario de sonetos líricos, 1911.

PORTUGAL

Del atlántico mar en las orillas,
desgreñada y descalza, una matrona
se sienta al pie de sierra que corona
triste pinar. Apoya en las rodillas

los codos y en las manos las mejillas,
y clava ansiosos ojos de leona
en la puesta del sol; el mar entona
su trágico cantar de maravillas.

Dice de luengas tierras y de azares
mientras ella, sus pies en las espumas
bañando, sueña en el fatal imperio

que se le hundió en los tenebrosos mares,
y mira cómo entre agoreras brumas
se alza Don Sebastián, rey del misterio.

Rosario de sonetos líricos, 1911.

PIEDAD CASTIZA

¡Que no hay más Dios que Dios, y su profeta
Íñigo es, el vasco morabito,
el que el Corán de Cristo en monolito
erigiera! Que el alma más inquieta

si se somete a su piadosa dieta,
se le arranca de manos del Precito;
hay que buscar la libertá en el rito,
los *Ejercicios* dicen la receta.

No se injerta la palma en el abeto,
ni caben mescolanzas; africana
nuestra piedad será, y frente al reto

de la insufrible petulancia ariana,
de pitas y de chumbos con un seto
guarde su senda nuestra caravana.

Rosario de sonetos líricos, 1911.

DULCE SILENCIOSO PENSAMIENTO

Sweet silent thought
SHAKESPEARE, Sonnet xxx.

En el fondo las risas de mis hijos;
yo sentado al amor de la camilla;
Heródoto me ofrece rica cilla
del eterno saber, y entre acertijos

de la Pitia venal, cuentos prolijos,
realce de la eterna maravilla
de nuestro sino. Frente a mí en su silla
ella cose, y teniendo un rato fijos

mis ojos de sus ojos en la gloria,
digiero los secretos de la historia
y en la paz santa que mi casa cierra,

al tranquilo compás de un quieto aliento
ara en mí, como un manso buey la tierra,
el dulce silencioso pensamiento.

Rosario de sonetos líricos, 1911.

EL CRISTO DE VELÁZQUEZ

PRIMERA PARTE

XV

NUBE-MÚSICA

Números, IX, 15, Nube eres de blancura al par de aquella
etc.
  que a través del desierto fuera al pueblo
  de Dios guiando; nube de blancura
  como la perla de la negra nube
  sin contornos, del infinito concha,
  que es tu Padre. Nube blanca teñida
  por la sangre del sol que entra en la tierra
  y se pone a nacer en otro mundo
  donde es su reino. Blanco cual las nubes,
  espuma de los cielos, los vellones
  celestiales que riegan a la tierra.
  Como la nieve blanco está el vestido
  de esa tu alma rendida, Nazareno;
Marcos, IX, 2. como la nieve; lavador en tierra
Éxodo, XXXIV, no hay que le haga tan blanco: resplandece
29.
Mat., XVII, 1; Lu- cual nieve, espejo de la luz. Convida
cas, IX, 28. a quedarse en el monte y, acampados,
  gozar de su blancura. Mas de pronto,
  ve, otra nube hace sombra de tristeza

  sobre tu frente lívida, y nos dice
  suave voz de su seno: «¡Éste es mi Hijo,
  mi Hijo amado en quien me gozo, oídle!»
  Y el níveo albor de tu divino cuerpo
  — no dice —, porque es música tu cuerpo
  divino, y ese cántico callado
  — música de los ojos su blancura —
I. Samuel, XVI, como arpa de David da refrigerio
14-23.
  a nuestras almas cuando ya el espíritu
  del Malo las tortura, y a las notas
  de la armonía de tu pecho santo
  se aduermen nuestras penas hechizadas

en los nidos de nuestros corazones
abrigados. Y entonces la pobre alma,
hecha antes un ovillo por la tétrica
Luc., XIII, 11-13. mano del Tentador, que nos la estruja
y engurruñe, al sentir la sinfonía
de tu cuerpo, como un retoño ajado
a que la savia vuelve, se endereza
Luc., XIII, 10. y en postura de marcha se recobra.

El canto eres sin fin y sin confines;
eres, Señor, la soledad sonora,
y del concierto que a los seres liga
la epifanía. Cantan las esferas
por tu cuerpo, que es arpa universal.

SEGUNDA PARTE

VII

Lucas, XXIII, 49.

Juan, XI. Con aquellos sus ojos que probaron
las tinieblas del seno de la tierra,
tu amigo Lázaro, el de Betania,
pálido repatriado de la tumba,
que vivía en dos mundos, te miraba
muerto en la Cruz, y al recordar su muerte
lloraba recordando le lloraste.
Con sus vírgenes ojos en Ti fijos
tu madre te bebía la blancura,
y toda tu pasión se trasegaba
desde tu quieto corazón al suyo
crucificado en infinita pena.
Con aguileños ojos contemplaba
tu cuerpo Juan, y tras de Ti veía
el sol de las edades y los pueblos,
el hito eterno de la historia. Al verte
sin vida ya, Tomás se resistía
dar a sus ojos fe, y con su mano
quiso tocar la nieve de la muerte
de tu cuerpo. Miraba al triste piso
Pedro desencantado, y de sus ojos

Luc., xxii, 62. un venero de lágrimas cayendo
iba a bañar la sangre que dejaste
Juan, iii, 2. por huella en el Calvario. Nicodemo,
vergonzante discípulo de noche,
desde lejos tu cruz miraba absorto,
sintiendo renacérsele en el pecho
de nuevo el corazón. La Magdalena
sólo una sola nube tras las lágrimas
veía de sus ojos: todo envuelto
tras negra noche. Con furor Santiago
mirando a la ciudad cerraba el puño,
Hechos, vi, 15. fruncido el ceño. Esteban, tierno mozo,
el de angélico rostro, recogía
con piedad, cual reliquias, los guijarros
con señal de tu sangre. Y entre tanto,
allá en su Tarso, Saulo, el fariseo,
Hec., 8-9, 18; ; al borde del mar jónico, sus ojos
Gáls., iv, 13; flacos hincaba con afán inquieto
vi, 11; Tesalo-
ricenses, ii, 19. sobre los rollos de la ciencia helénica,
para ser tu Mercurio entre las gentes.   Hec., iv, 12.
Y a lo lejos, perdido en las tinieblas,
el germen de Atanasio contemplando
la luminosa oscuridad y viendo
creado al Creador, la acción paciente,
la infinitud finita, y humanado
Dios para hacernos dioses a los hombres.
Desde el cielo cayó sobre tu frente
una gota de sangre desprendida
del corvo pico de un ahito buitre
que venía del Cáucaso, y tu sangre
con la de Prometeo se mezcló.

IX

Al ocaso del día en que moriste
se acostó el sol en nubes de sangría,
en nubes agoreras que anunciaban
el tormentoso anhelo de los hombres.
    La pobre codorniz presa en la jaula,
Números, ix, 31. a la que vino desde el mar traída,

salta buscando libertad y vuelo
sobre los trigos, y en sus vanos saltos
de su prisión el techo con la sangre
de su cabeza sella, y a las veces
sucumbe así, de sus anhelos mártir.

¿No es acaso esa sangre del poniente
señal del pensamiento dolorido
de la pobre alma humana, que con saltos
de loco escudriñar quiso la bóveda
del cielo azul romper y ver los ojos
de Aquél que a dar tu sangre así te enviara
como remedio de esa sangre trágica?

Ciegan, crueles, al cóndor de los Andes,
lo sueltan, y el ceñudo soberano
de las crestas, creyéndose en el fondo
de barranca sin luz, levanta el vuelo,
derecho, a plomo, así como guardando
sus alas de los tormos de las rocas;
va buscando la luz sin ojos, sube,
no la encuentra, ¡cuitado¡, y va subiendo,
y llega a las alturas en que el aire
para el vuelo y el huelgo se adelgaza;
no logra respirar, sigue buscando
la luz de vida con sus cuencas ciegas;
pliega sobre su pecho que revienta
su corvo pico y se desploma muerto.

Así del hombre el insaciable espíritu
tras de la luz se alzó hasta las alturas
donde no hay aire para el huelgo y vuelo,
saber buscando a trueque del ahogo;
pero bajaste Tú, luz de la gloria,
la vida que era luz para los hombres,
luz que en lo oscuro brilla iluminando
a todo hermano tuyo que a este mundo
a respirar el graso aire del valle
mejido con la boira de las lágrimas
y del sudor penitencial se viene.

Con tu muerte trajiste Dios al suelo
y la luz verdadera has enterrado;
con ella nos bañaste las entrañas;

de tu sangre, que es luz, has hecho sangre
de nuestras almas, dando vista al ciego.
Dios antes nos cegó para traernos,

Hec., IX, 8. como a Saulo, camino de Damasco,
a morir a tus pies, y con tu muerte
darnos la luz a cuya busca errábamos
por las alturas del mortal saber.

El Cristo de Velázquez, 1920.

RIMAS

49

Cuando duerme una madre junto al niño
duerme el niño dos veces;
cuando duermo soñando en tu cariño
mi eterno ensueño meces.
Tu eterna imagen llevo de conducho
para el viaje postrero;
desde que en ti nací, una voz escucho
que afirma lo que espero.
Quien así quiso y así fué querido
nació para la vida;
sólo pierde la vida su sentido
cuando el amor se olvida.
Yo sé que me recuerdas en la tierra
pues que yo te recuerdo,
y cuando vuelva a la que tu alma encierra
si te pierdo, me pierdo.
Hasta que me venciste, mi batalla
fué buscar la verdad;
tú eres la única prueba que no falla
de mi inmortalidad.

52

Cuando baja por la tarde
del cielo la hora bendita.
en que acudía a la cita
temblando mi corazón,
siento que me estruja el pecho

todo el tiempo que ha corrido
desde que el tuyo ha sentido
tierra sobre su pasión.
Todas las horas pasadas
se hacen un solo momento,
de tal modo, que en él siento
una eternidad posar;
un momento que me oprime
cual gigante cordillera
que los ríos contuviera
que ha contemplado pasar.
El manto de polvo rubio
vestido de hierba verde
en que el juicio se me pierde
cuando intento descubrir
el misterio de tu vida,
se me hace imponente sierra
como si toda la tierra
me viniese a comprimir.
Se me amontonan los años;
el tiempo se me hace roca;
me sabe a tierra en la boca
el aliento al respirar,
y entonces sé lo que pesa
momento que se detiene
y que el vacío retiene
de los otros, al rodar.
Acaso fué nuestra vida
nada más que un aletazo
del Señor, que en el regazo
del sueño nos enterró,
sollozos del Universo,
una arruga del torrente
que forma de Dios la mente
y que en ella se perdió.
Teresa, en la última cuna,
la de madre tierra, pide
que nunca Dios nos olvide
lo que es vivir de verdad.
Y que nos recuerde unidos

como en la Cruz los dos trazos,
que es llevarnos en sus brazos
por toda la eternidad.

Teresa, 1923.

ANTE SU ÚLTIMO RETRATO

Ahora que voy tocando ya la cumbre
de la carrera que mi Dios me impuso
— hila su última vuelta al fin mi huso —
me dan tus ojos su más pura lumbre.

Siento de la misión la pesadumbre,
grave carga deber decir: «¡Acuso!»,
y en esta lucha contra el mal intruso
eres tú, Concha mía, mi costumbre.

En la brega se pierde hojas y brotes
y alguna rama de vigor se troncha,
que no en vano dió en vástagos azotes;

pero al alma del alma ni una roncha
tan sólo me rozó, que con tus dotes
eres de ella la concha tú, mi Concha.

De Fuerteventura a París, 1925.

HILO EL NEGRO TOISÓN...

Hilo el negro toisón de la quimera,
nube que ciñe con su manto suave
a la argentada Luna, y que a la nave
de mi magín da velas de carrera.

Hilo el negro toisón, siempre en espera
de que la hebra algún día se me acabe,
y en ese día se me dé la llave
de la puerta de allende la frontera.

Hilo el negro toisón con el que emboza
su desnudez la noche, y de ese paño,
hago la alfombra de la humilde choza

que me erijo en el cielo. Por peldaño
tiene una cruz, y con su techo roza
los pies de Dios en el sublime escaño.

De Fuerteventura a París, 1925.

VUELVE HACIA ATRÁS LA VISTA

Vuelve hacia atrás la vista, caminante;
verás lo que te queda de camino;
desde el oriente de tu cuna el sino
ilumina tu marcha hacia adelante.

Es del pasado el porvenir semblante;
como se irá la vida así se vino;
cabe volver las riendas del destino
como se vuelve del revés un guante.

Lleva tu espalda reflejado el frente;
sube la niebla por el río arriba
y se resuelve encima de la fuente;

la lanzadera en su vaivén se aviva;
desnacerás un día de repente;
nunca sabrás dónde el misterio estriba.

De Fuerteventura a París, 1925.

NO, NO ES GREDOS...

No, no es Gredos aquella cordillera;
son nubes del confín, nubes de paso
que de oro viste el sol desde el ocaso;
sobre la mar, no roca: bruma huera.

Gredos, que en la robusta primavera
de mi vida llenó de mi alma el vaso
con visiones de gloria que hoy repaso
junto a esta mar que canta lagotera.

¡Aquel silencio de la inmoble roca,
lleno de gesto de cordial denuedo!
¡Aquel silencio de la inmensa boca

del cielo, en que ponía sello el dedo
del Almanzor! ¡En su uña al paso choca
y se rompe la sierra de remedo!

De Fuerteventura a París, 1925.

¿QUÉ ES TU VIDA, ALMA MÍA?

¿Qué es tu vida, alma mía? ¿cuál tu pago?
lluvia en el lago!
Qué es tu vida, alma mía, tu costumbre?
viento en la cumbre!
Cómo tu vida, mi alma, se renueva?
sombra en la cueva!
lluvia en el lago!
viento en la cumbre!
sombra en la cueva!
Lágrimas es la lluvia desde el cielo,
y es el viento sollozo sin partida,
pesar la sombra sin ningún consuelo,
y lluvia y viento y sombra hacen la vida.

Romancero del destierro, 1928.

Y PASAN DÍAS...

Y pasan días sin que pase nada,
y todo queda pues que pasa todo,
que el paso es queda de distinto modo,
y el ayer va al mañana, que es su rada.

Me pesa de lo que hice; en la estacada
se queda del pasado, en un recodo;
el polvo cuando posa se hace lodo,
y luego piedra que sirve de arcada.

No hay corte alguno que deshaga el nudo;
inmudable es el mundo cuando muda;
cuantas veces se quiso no se pudo;

vive el punto que pasa, y en la duda;
que el acto es muerte, y en el paso agudo
del último acto nada nos escuda.

Romancero del destierro, 1928.

DIOS DE MI ESPAÑA CONTRITA

Dios de mi España contrita,
tómame un chorro de voz,
recibe el recio lamento
de una agónica oración.
Sé bien que está envenenada,
mas el veneno, Señor,
viene de los empresarios
que.están mintiéndote amor.
Tú eres la verdad, mas ellos
le guardan tanto pavor
que contra ella han levantado
nuestra vieja Inquisición.
Dicen que la Patria siempre,
pues madre, tiene razón,
arrogándose ser Patria
e imprimiéndole su voz.
Se nos vienen con mentiras
a que llaman tradición,
y se valen de tu nombre
para hundir a la nación.
Han hecho del Evangelio
texto de abominación;
de tu ley una cruzada,
sangre, robo y destrucción!
A cristazos pretendían
conquistar el corazón
de menguados sarracenos...
camino de perdición!
Al obispo Don Jerónimo,
abad sangriento y feroz,
le han tomado por Santiago
apóstol de tu pasión.
Tu mano, Señor, no vieron
ni en Annual y les cegó
la impía sed de desquite
en su impura cerrazón.

No quieren que España purgue
los pecados que pecó,
para que alcance tu gracia
con sumisa expiación.
No quieren la paz bendita
del que el imperio abdicó
y en su casa busca a solas
tu justicia y tu perdón.
Dios de mi España contrita,
oye mi chorro de voz,
escucha el recio lamento
de un hijo de tu pasión,
de un hijo de tu hija España,
de un agónico español.

Romancero del destierro, 1928.

FRANCISCO VILLAESPESA

1879 - 1936

De Laujar (Almería), lleva en su carácter las notas de uno
de los tipos del español meridional: el excesivo, brillante y
bien dotado, de facundia fácil y de tendencia improvisadora,
impresionable y voluble, pródigo de sus facultades, con cierto
fatalismo oriental que le lanza a todas las aventuras de ganar o
de perder. Así ha sido la vida de Villaespesa, siguiendo a través de todo género de altibajos la doble carrera de poeta y de
aventurero que su estrella le señaló. Cuando se dió a conocer
en Madrid hacia 1897 estuvo a la cabeza del nuevo movimiento
poético que, siguiendo el ejemplo de los americanos, empezaba
a formarse entre los jóvenes españoles, para los cuales fueron
sus revistas y su casa centro de reunión. Su poesía anterior
— obra precoz de adolescencia — era de formación española,
con influencias predominantes de Rueda, Reina y otros poetas
andaluces como él; mostraba bien sus dotes naturales y su
capacidad de asimilación. Después, desde 1898, cae bajo la
influencia de Rubén Darío y entra de lleno en el modernismo
de aquél y de otros americanos, como Silva y Lugones, y más
tarde Herrera y Reissig y González Martínez, a todos los cuales

imita, así como a otros poetas contemporáneos italianos, portugueses y franceses, llegando a convertirse la serie ininterrumpida de sus libros en punto de cita de las formas y temas poéticos del modernismo, que él contribuyó más que nadie a divulgar en España. Su éxito, mayor que el de otros poetas de entonces que luego le superaron, venía de que todos estos elementos nuevos o extranjeros, y por lo tanto, de difícil acogida por parte del público, adquirían en la poesía de Villaespesa la facilidad de su retórica tradicional española. Porque, aunque su contenido y su forma fueran modernistas, la poesía y el temperamento de Villaespesa eran y han seguido siendo románticos. Tanto en sus obras poéticas como en sus obras dramáticas más tarde—también de gran éxito –, Villaespesa se parece más que a nadie a Zorrilla, en su orientalismo, en su visión convencionalmente poética de España y en su facilidad para lograr efectos con la mera sonoridad verbal. En los últimos años —cuando empezó a ser menos estimado en España—hizo repetidos viajes a América, donde renovó sus triunfos componiendo poesías y dramas sobre temas americanos. Con una mayor concentración y una menor facilidad hubiera evitado Villaespesa sus múltiples caídas y repeticiones, su obra se habría mantenido en el nivel que sólo algunas de sus poesías alcanzan y su valor permanente sería igual a su popularidad.

BIBLIOGRAFÍA.—**Poesía:** *Intimidades*, Madrid, 1898. *Flores de almendro*, 1898. *Luchas*, 1899. *Confidencias*, 1899. *La copa del rey de Thule*, 1900; 1909. *La musa enferma*, 1901. *El alto de los bohemios*, 1902. *Rapsodias*, 1905. *Canciones del camino*, 1906. *Tristitiae rerum*, 1906. *Carmen : cantares*, 1907. *El patio de los arrayanes*, [1908]. *El mirador de Lindaraxa*, 1908. *El libro de Job*, [1908]. *Viaje sentimental*, [1909]. *El jardín de las quimeras*, Barcelona, 1909. *Las horas que pasan*, 1909. *Saudades*, Madrid, [1910]. *In memoriam*, 1910. *Bajo la lluvia*, 1910. *Retablo medioeval*, 1910. *Torre de marfil*, pról. de P. C. Dominici, París, 1911. *Andalucía*, Madrid, 1911; 1913; [1917]. *Los remansos del crepúsculo*, 1911. *El espejo encantado*, 1911. *Los panales de oro*, 1912. *El balcón de Verona*, 1912. *Palabras antiguas*, 1912. *Jardines de plata*, 1912. *El velo de Isis*, 1913. *Lámparas votivas*, 1913. *Ajimeces de ensueño*, 1914. *Campanas pascuales*, 1914. *El reloj de arena*, 1914. *Los nocturnos del Generalife*, 1915. *La fuente de las gacelas*, 1916. *Baladas de cetrería*, 1916. *Amor*, Barcelona, 1916. *Paz*, Madrid, 1916. *La cisterna*, 1916. *El libro del amor y de la muerte*, Barcelona, [1917]. *A la sombra de los cipreses*, Madrid, [1917]. *Tardes de Xochimilco*, México, 1919. *La casa del pecado*, Barcelona, [1919]. *La estrella solitaria*, pról. de M. Guerra Mondragón, Caracas, 1920. *Los conquistadores*, poema, pról. del Marqués de Dosfuentes, 1920. *Tierra de encanto y maravilla*, pról. de A. Bassave, 1921. *El encanto de la Alhambra*, 1922. *Poema del Panamá*, Panamá, 1924. *Panderetas sevillanas*, Barcelona, [1927]. *La gruta azul*, 1927. *Obras completas*, Madrid, Mundo Latino, 12 vols. *Mis mejores poesías*, Barcelona, Maucci, 1917. *Poesías escogidas*, Madrid, Hernando, 1917. *Sus mejores versos*, 1928. **Otras obras: Teatro:** *El último Abderramán*, 1909. *El alcázar de las perlas*, 1912. *Aben-Humeya*, 1913. *Doña María de Padilla*, 1913. *El Rey Galaor*, 1913. *¡Era él!*, 1913. *Judith*, 1913. *El halconero*, 1915. *En el desierto*, 1915. *La Leona de Castilla*, 1915. *La Maja de Goya*, 1915. *Hernán Cortés*, 1917. *Bolívar*, 1920. *El sol de Ayacucho*, 1925. *La danzarina de Gades*, 1927. *El ídolo roto*, s. a. *El pirata*, s. a. *Ensueño de una noche de invierno*, s. a. *La Cenicienta*, s. a. *Pascua de Resurrección*, s. a. *Un nocturno de Chopin*, s. a. **Prosa:** *El milagro de las rosas*, 1907. *Zarza florida*, 1908. *La venganza de Aischa*, 1911. *Fiesta de poesía*, 1912. *Las granadas de rubíes*, 1917. *Las joyas de Margarita*, 1917. *Breviario de amor*, s. a. *Resurrección*, s. a. *Amigas viejas*. s. a. *Horas de tedio*, s. a. *La tela de Penélope*, s. a. *Las garras de la pantera*, s. a. *Primavera romántica*, s. a. *Mis mejores cuentos*, s. a. — **Estudios:** L. ASTRANA MARÍN, *El libro de los plagios*, Madrid, [1920]. R. CANSINOS-ASSÉNS, *La nueva literatura*, t. I, Madrid, s. a. P. GENER, *V.*, en CerM, 1916, núm. 1, 27-40. J. DE LEMOS, *F. V.*, en Inst, 1906, LIII, 115-120 [sobre *El alto de los bohemios*]. PABLO DE GRECIA [C. MIRANDA], *Prosas*, Montevideo, 1918. M. G. REVILLA, *Las urracas académicas y el bulbul modernista, o los deslices gramaticales de D. F. V.*, México, 1917. B. TAVERA, *El patio de los arrayanes*, en RLat, 1908, II, núm. 6, 1-4.

LA SOMBRA DE LAS MANOS

¡Oh, enfermas manos ducales,
olorosas manos blancas!...

¡Qué pena me da miraros,
inmóviles y enlazadas
entre los mustios jazmines
que cubren la negra caja!

¡Mano de marfil antiguo,
mano de ensueño y nostalgia,
hecha con rayos de luna
y palideces de nácar!...

¡Vuelve a suspirar amores
en las teclas olvidadas!...

¡Oh, piadosa mano mística!...
Fuiste bálsamo en la llaga
de los leprosos; peinaste
las guedejas desgreñadas
de los pálidos poetas,
acariciaste la barba
florida de los apóstoles
y los viejos patriarcas;
y en las fiestas de la carne,
como una azucena, pálida,
quedaste en brazos de un beso
de placer extenuada!...

¡Oh, manos arrepentidas!...
¡Oh, manos atormentadas!...

¡En vosotras han ardido
los carbones de la Gracia!
¡En vuestros dedos de nieve
soñó amores la esmeralda;
fulguraron los diamantes
como temblorosas lágrimas;
y entreabrieron los rubíes
sus pupilas escarlata!

¡Junto al tálamo florido,
en la noche epitalámica,
temblorosas desatasteis
de una virgen las sandalias!
¡Encendisteis en el templo
los incensarios de plata;
y al pie del altar, inmóviles,
os elevasteis cruzadas,
como un manojo de lirios
que rezase una plegaria!

¡Oh, mano exangüe, dormida
entre flores funerarias!...
¡Los ricos trajes de seda,
esperando tu llegada,

envejecen en las sombras
de la alcoba solitaria!...

¡En la argéntea rueca, donde
áureos ensueños hilabas,
hoy melancólicas tejen
sus tristezas las arañas!...

¡Abierto, te espera, el clave;
y sus teclas empolvadas
aún de tus pálidos dedos
las blancas señales guardan!

En el jardín, las palomas
están tristes y calladas,
con la cabeza escondida
bajo el candor de las alas...

¡Sobre la tumba, el poeta
inclina la frente pálida;
y sus pupilas vidriosas
en el fondo de la caja,
aún abiertas permanecen,
esperando tu llegada!

Blancas sombras, blancas sombras
de aquellas manos tan blancas,
que en las sendas florecidas
de mi juventud lozana,
deshojaron la impoluta
margarita de mi alma...
¿Por qué oprimís en la noche
como un dogal mi garganta?

¡Blancas manos!... Azucenas
por mis manos deshojadas...
¿Por qué vuestras finas uñas
en mi corazón se clavan?

¡Oh, enfermas manos ducales,
olorosas manos blancas!...

¡Qué pena me da miraros,
inmóviles y enlazadas,

entre los mustios jazmines
que cubren la negra caja!

El alto de los bohemios, 1902.

PAISAJE

¡Un sol de plomo y púrpura incendia el firmamento!...
El supremo cansancio... La llama infinita...
¡En un sopor de fiebre la atmósfera dormita,
y jadeante abrasa de la tierra el aliento!

¡Todo polvo!... Se duerme aletargado el viento...
Ni un pájaro gorjea, ni una rama se agita...
La nota agria y aguda de la cruz de una ermita
perturba del paisaje el tono amarillento.

Sólo alguna cigüeña proyecta en la llanura
su móvil sombra rápida... Entre el polvo chispean
la punta de la lanza y el yelmo de Mambrino

del ingenioso hidalgo de la Triste Figura;
y allá, lejos, cual brazos de un gigante, voltean
con lenta pesadumbre, las aspas de un molino!

El alto de los bohemios, 1902.

OFERTORIO

En esas horas íntimas de gran recogimiento,
cuando escuchamos hasta girar agonizante,
en torno de la lámpara que alumbra vacilante
como una mariposa, un vago pensamiento,

Cuando en la mano helada de una tristeza inmensa,
el corazón sentimos temblar, aprisionado,
como un latir medroso de pájaro asustado,
y el alma está en la pluma, sobre el papel suspensa,

Cuando en el gran silencio nocturno se percibe
el hálito más tenue, el son más fugitivo,
y se funden en uno los cien ecos dispersos,

alguien dice a mi oído, con voz muy baja: «¡Escribe!...»
¡Y yo, entonces, llorando y sin saberlo, escribo
esas cosas tan tristes que algunos llaman versos!

Rapsodias, 1905.

LA HERMANA

En tierra lejana
tengo yo una hermana.

Siempre en Primavera
mi llegada espera
tras de la ventana.

Y a la golondrina
que en sus rejas trina,
dice con dulzura:

—¡Por aquella espina
que arrancaste a Cristo,
dime si le has visto
cruzar la llanura!—

¡El ave su queja
lanza temerosa,
y en la tarde rosa,
bajo el sol se aleja!

Desde su ventana,
mi pálida hermana,
pregunta al viajero
que camina triste:

—¡Por tu amor primero,
dime si le viste
por ese sendero!—

¡Pero el pasajero
su calvario sube,
y se aleja lento
dejando una nube
de polvo en el viento!

Desde su ventana
a la luna grita
mi pálida hermana:

—¡Por la faz bendita
del Crucificado,
dime en qué sendero
tu rayo postrero
su paso ha alumbrado! —

¡La luna la vaga
llanura ilumina,
trémula declina,
y en el mar se apaga!

Acaso yo errante
pase vacilante
bajo tu ventana,
y sin conocerme,
mi pálida hermana,
preguntes al verme
venir tan lejano:

—Dime, peregrino,
¿has visto a mi hermano
por ese camino?

Rapsodias, 1905.

LA RUECA

La Virgen cantaba,
la dueña dormía...
La rueca giraba
loca de alegría.

— ¡Cordero divino,
tus blancos vellones
no igualan al lino
de mis ilusiones!

Gira, rueca mía,
gira, gira al viento...
¡Amanece el día
de mi casamiento!

¡Hila con cuidado
mi velo de nieve,
que vendrá el Amado
que al altar me lleve!

Se acerca... Lo siento
cruzar la llanura...
Sueña la ternura
de su voz el viento...

¡Gira, rueca loca,
gira, gira, gira!...
¡Su labio suspira
por besar mi boca!

¡Gira, que mañana
cuando el alba cante
la clara campana,
llegará mi amante!

¡Cordero divino,
tus blancos vellones
no igualan al lino
de mis ilusiones! —

La luz se apagaba;
la dueña dormía;
la Virgen hilaba,
y sólo se oía

la voz crepitante
de la leña seca...,
y el loco y constante
girar de la rueca!

Rapsodias, 1905.

ANIMAE RERUM

Al mirar del paisaje la borrosa tristeza
y sentir de mi alma la sorda pena oscura,
pienso, a veces, si esta dolorosa amargura
surge de mí o del seno de la Naturaleza.

Contemplando el paisaje lluvioso en esta hora
y sintiendo en los ojos la humedad de mi llanto,
ya no sé, confundido de terror y de espanto,
si lloro su agonía o si él mis penas llora.

A medida que sobre los valles anochece
todo se va borrando, todo desaparece...
El labio, que recuerda, un dulce nombre nombra.

Y en medio de este oscuro silencio, de esta calma,
ya no sé si es la sombra quien invade mi alma
o si es que de mi alma va surgiendo la sombra.

Tristitiae rerum, 1906.

HASTÍO

Yo soy el soberano de mi propio egoísmo.
Mis dudas son creencias y mis vicios virtudes,
y me encuentro más solo entre las multitudes
que en este pobre cuarto solo conmigo mismo.

He sentido placeres y dolores profundos,
mi insaciable deseo todo lo ha devorado,
y entretengo hoy mis ocios de león fatigado,
igual que un Dios, creando y destruyendo mundos.

La soledad me cansa... Los mismos ideales...
Se van los que vinieron, vuelven los que se han ido,
y siempre el mismo tedio y todos siempre iguales.

A veces de mí mismo también me encuentro hastiado.
¡No tengo ya un deseo que no haya poseído,
ni duermo con un sueño que ya no haya gozado!

Tristitiae rerum, 1906.

HUMILDAD

Ten un poco de amor para las cosas :
para el musgo que calma tu fatiga,
para la fuente que tu sed mitiga,
para las piedras y para las rosas.

16

En todo encontrarás una belleza
virginal y un placer desconocido...
Ritma tu corazón con el latido
del corazón de la Naturaleza.

Recibe como un santo sacramento
el perfume y la luz que te da el viento...
¡Quién sabe si su amor en él te envía

aquella que la vida ha transformado...!
¡Y sé humilde, y recuerda que algún día
te ha de cubrir la tierra que has pisado!

Tristitiae rerum, 1906.

PAZ

Este cuarto pequeño y misterioso
tiene algo de silencio funerario,
y es una tumba el lecho hospitalario,
donde al fin mi dolor halla reposo.

Dormir en paz, en un soñar interno
sin que nada a la vida me despierte.
El sueño es el ensueño de la muerte
como la muerte es un ensueño eterno.

Cerrar a piedra y lodo las ventanas
para que no entre el sol en las mañanas
y, olvidando miserias y quebrantos,

dormir eternamente en este lecho,
con las manos cruzadas sobre el pecho
como duermen los niños y los santos.

Tristitiae rerum, 1906.

RITORNELOS

I

¡Yo era un niño, yo era un niño,
y cuánto ya te quería!
El dolor de mi cariño
era mi sola alegría.

Siempre en el alma la idea
de ser contigo sincero:
—¡Mañana como la vea
le diré cuánto la quiero!...

Y cuando a ti me acercaba,
te miraba, te miraba,
y a hablarte no me atrevía

de aquel tímido cariño...
¡Yo era un niño, yo era un niño,
y cuánto ya te quería!

Las horas que pasan, 1909.

EL POETA RECUERDA

VII

Sus frases nunca me hirieron
y siempre me consolaron...
¡Heridas que otras me abrieron
sus propias manos cerraron!

Aun cuando penaba tanto,
tan buena conmigo era
que hasta me ocultaba el llanto
para que yo no sufriera.

Con su infinita ternura
mi más intensa amargura
supo siempre consolar...

¡Y qué buena no sería
que al morirse sonreía
para no verme llorar!

In memoriam, 1910.

MANUEL MACHADO
1874 - 1947

Sevillano. Su padre fué el eminente folklorista D. Antonio Machado y Álvarez. A los nueve años se trasladó con su familia a Madrid, donde se educó en la Institución Libre de Enseñanza. Sería difícil determinar la huella que la Institución dejase en su espíritu; sin duda no le prestó ninguno de los rasgos formales que distinguen a los institucionistas. En cambio es imborrable y esencial lo que en él quedó del ambiente sevillano, que le formó en su infancia y en posteriores contactos con su ciudad natal, aunque haya pasado en Madrid lo más de su vida. Su madrileñismo, cultivado desde su juventud, en el que supo armonizar cierta chulería distinguida con la bohemia literaria, no es incompatible con su andalucismo básico, como tampoco vino a destruirlo sino a depurarlo su vida en París entre 1898 y 1900. Estos años y los que siguen hasta 1907 son la época más intensa de su producción poética. Antes, a los veinte años, había publicado parte de un libro, donde hay cantares y poesías a la manera anterior al modernismo que muestran a veces la distinción que ha de tener su futura poesía. Fué en París y bajo el influjo de la poesía simbolista francesa cuando la personalidad tan española de Manuel Machado — moldeada por las dos ciudades españolas más refinadas y populares a la vez — llegó a revelarse plenamente con originalidad universal y moderna. Después de continuar en España por algunos años su producción poética, en la que se dan la mano la exquisitez y la perfección con la flojedad y el cansancio, cae en una depresión que le lleva a atenuar sus actividades literarias y su vida bohemia para entrar desde 1912 en la oscura normalidad de su vida profesional, como bibliotecario de la Universidad de Santiago de Galicia primero, de la Biblioteca Nacional después, y en fin, de la Biblioteca y Museo Municipales de Madrid. En este último puesto ha dado muestras de aficiones eruditas dirigiendo la revista de dicha institución. Al mismo tiempo ha cultivado el periodismo, principalmente como crítico dramático de «El Liberal» y «La Libertad». Últimamente, desde 1921, fecha de su última obra poética, ha cultivado, en colaboración con su hermano Antonio, el teatro, traduciendo y adaptando obras extranjeras y comedias clásicas, y escribiendo obras originales en verso donde resucitan muchos de los temas y el espíritu de su poesía lírica.

La poesía de Manuel Machado representa en sus mejores momentos una de las formas supremas de la poesía contemporánea. Aunque parece escasa — porque su infalible buen gusto le impide la insistencia y la repetición — ofrece gran variedad y riqueza de temas y de formas. De hecho sería él, mejor que ningún otro de los poetas españoles, quien representaría en toda su amplitud el movimiento modernista: por el dominio de la técnica poética francesa perfectamente fundida con las formas más tradicionales y populares españolas, por el uso de los temas y la emoción simbolista, por el impresionismo de sus descripciones, por su primitivismo arqueológico, por sus transcripciones pictóricas, por su sentimiento de lo pequeño, lo vulgar y lo decadente, por su hiperestesia y su abulia, por su interpretación aristocrática de lo popular. Todo ello, tan diverso, está unificado sin esfuerzo en cada momento de su obra por algo sutil e indefinible que constituye su originalidad, algo que es gracia, ligereza, tono, aroma, gesto — todo sobrio y exacto —; elegancia, en una palabra, de carácter bien español y de matiz bien sevillano. Porque esta poesía, siendo tan pura, parece no más que un juego, hay quien no la estima bastante; por eso mismo nosotros la consideramos única e insustituíble y miramos a su autor como uno de los poetas de primer orden de esta época.

BIBLIOGRAFÍA.—**Poesía:** *Tristes y alegres* [en colab. con Enrique Paradas], Madrid, 1894. *Alma,* 1902. *Caprichos,* 1905; 1908. *La fiesta nacional,* 1906. *Alma, Museo, Los cantares,* pról. de Unamuno, 1907. *El mal poema,* 1909. *Alma (Opera selecta),* est. crít. de C. Santos González, París, [1910]. *Apolo (Teatro pictórico),* Madrid, 1911. *Cante hondo,* [1912]; 1916. *Trofeos,* 1913. *Canciones y dedicatorias,* 1915. *Sevilla y otros poemas,* 1918. *Ars moriendi,* 1921. *Poesías (Opera omnia lírica),* Madrid, Editora Internacional, 1924. *Poesías escogidas,* Barcelona, Maucci, s. a. **Otras obras:** *Amor al vuelo,* comedia [en colab. con J. L. Montoto], Sevilla, 1904. *El amor y la muerte,* capítulos de novela, Madrid, 1913. *La guerra literaria (1898-1914),* 1913. *Un año de teatro,* ensayos de crítica dramática, [1917]. *Día por día de mi calendario,* 1918. *Desdichas de la fortuna o Julianillo Valcárcel,* tragicomedia, 1926; 1928. *Juan de Mañara,* drama, 1927. *Las adelfas,* comedia, 1928. *La Lola*

se va a los puertos, comedia, 1930. [Las cuatro últimas en colab. con
Antonio Machado]. *Teatro completo,* 1930-[en publicación]. — **Estudios:** M. ABRIL, Sobre *Caprichos,* en L, 1905, año V, vol. III, 667-670.
R. CANSINOS-ASSÉNS, *La nueva literatura,* t. I, Madrid, s. a. J. CHABÁS,
Sobre *Poesías (Opera omnia),* en ROcc, 1924, VI, 286-291; *Crítica concéntrica: M. M.,* en Alf, núm. 49, abril, 1925, 4-10. R. DARÍO, *Prosa
dispersa,* Madrid, 1919, p. 43-55. E. DÍEZ-CANEDO, *Los dos hermanos
poetas,* en Nac, junio, 1923. E. GÓMEZ DE BAQUERO, Sobre *Alma, Museo, Los cantares,* en EM, CCXXVI, 157-164; *El «Ars moriendi» de M. M.,*
en *Pen Club,* I: *Los poetas,* Madrid, [1929], p. 229-233. A. GONZÁLEZ-
BLANCO, *Los contemporáneos,* 2.ª serie, París, [1908]. C. SANTOS GONZÁ-
LEZ, estudio crítico en *Alma (Opera selecta),* París, [1910]. J. B. TREND,
The brothers Machado, en *Alfonso the Sage,* London, 1926, p. 135-146.
M. DE UNAMUNO, pról. a *Alma, Museo, Los cantares,* Madrid, 1907.

LA HIJA DEL VENTERO

> «La hija callaba, y de cuando en
> cuando se sonreía.»
>
> CERVANTES, *Quijote.*

«La hija callaba
y se sonreía...»

Divino silencio,
preciosa sonrisa,
¿por qué estáis presentes
en la mente mía?

La venta está sola.
Maritornes guiña
los ojos, durmiéndose.
La ventera hila.

Su mercé el ventero,
en la puerta, atisba
si alguien llega... El viento
barre la campiña.

...Al rincón del fuego,
sentada, la hija
— soñando en los libros
de caballerías —,

con sus ojos garzos,
ve morir el día
tras el horizonte...

Parda y desabrida,
la Mancha se hunde
en la noche fría.

Caprichos, 1905.

PIERROT Y ARLEQUÍN

Pierrot y Arlequín,
mirándose sin
rencores,
después de cenar
pusiéronse a hablar
de amores.
Y dijo Pierrot :
— ¿Qué buscas, tú?
                    — ¿Yo?...
¡Placeres!
— Entonces no más
disputas por las
mujeres.
Y sepa yo, al fin,
tu novia, Arlequín...
— Ninguna.
Mas dime, a tu vez,
la tuya.
                    — ¡Pardiez...
la Luna!

Caprichos, 1905.

ADELFOS

Yo soy como las gentes que a mi tierra vinieron :
soy de la raza mora, vieja amiga del Sol...
que todo lo ganaron y todo lo perdieron.
Tengo el alma de nardo del árabe español.

Mi voluntad se ha muerto una noche de luna
en que era muy hermoso no pensar ni querer...
Mi ideal es tenderme, sin ilusión ninguna...
De cuando en cuando un beso y un nombre de mujer.

En mi alma, hermana de la tarde, no hay contornos,
...y la rosa simbólica de mi única pasión
es una flor que nace en tierras ignoradas
y que no tiene aroma, ni forma, ni color.

Besos, ¡pero no darlos! ¡Gloria, la que me deben;
que todo como un aura se venga para mí!
Que las olas me traigan y las olas me lleven,
y que jamás me obliguen el camino a elegir.

¡Ambición!, no la tengo. ¡Amor!, no lo he sentido.
No ardí nunca en un fuego de fe ni gratitud.
Un vago afán de arte tuve... Ya lo he perdido.
Ni el vicio me seduce, ni adoro la virtud.

De mi alta aristocracia, dudar jamás se pudo.
No se ganan, se heredan, elegancia y blasón.
...Pero el lema de casa, el mote del escudo,
es una nube vaga que eclipsa un vano sól.

Nada os pido. Ni os amo, ni os odio. Con dejarme,
lo que hago por vosotros hacer podéis por mí.
...Que la vida se tome la pena de matarme,
ya que yo no me tomo la pena de vivir!...

Mi voluntad se ha muerto una noche de luna
en que era muy hermoso no pensar ni querer...
De cuando en cuando un beso, sin ilusión ninguna.
¡El beso generoso que no he de devolver!

Alma, Museo, Los cantares, 1907.

MADRIGAL

Y no será una noche
sublime de huracán, en que las olas
toquen los cielos... Tu barquilla leve

naufragará de día, un día claro
en que el mar esté alegre.
Te matarán jugando. Es el destino
terrible de los débiles...
Mientras un sol espléndido
sube al cenit, hermoso como siempre.

Alma, Museo, Los cantares, 1907.

CASTILLA

El ciego sol se estrella
en las duras aristas de las armas,
llaga de luz los petos y espaldares
y flamea en las puntas de las lanzas.

El ciego sol, la sed y la fatiga.
Por la terrible estepa castellana,
al destierro, con doce de los suyos
— polvo, sudor y hierro —, el Cid cabalga.

Cerrado está el mesón a piedra y lodo...
Nadie responde. Al pomo de la espada
y al cuento de las picas el postigo
va a ceder... ¡Quema el sol, el aire abrasa!

A los terribles golpes,
de eco ronco, una voz pura, de plata
y de cristal, responde... Hay una niña
muy débil y muy blanca
en el umbral. Es toda
ojos azules, y en los ojos lágrimas.

Oro pálido nimba
su carita curiosa y asustada.
«Buen Cid, pasad... El rey nos dará muerte,
arruinará la casa,
y sembrará de sal el pobre campo
que mi padre trabaja...
Idos. El cielo os colme de venturas...
¡En nuestro mal, oh Cid, no ganáis nada!»

Calla la niña y llora sin gemido...
Un sollozo infantil cruza la escuadra
de feroces guerreros.
Y una voz inflexible grita : «¡En marcha!»

El ciego sol, la sed y la fatiga.
Por la terrible estepa castellana,
al destierro con doce de los suyos
— polvo, sudor y hierro —, el Cid cabalga.

Alma, Museo, Los cantares, 1907.

FELIPE IV

Nadie más cortesano ni pulido
que nuestro Rey Felipe, que Dios guarde,
siempre de negro hasta los pies vestido.

Es pálida su tez como la tarde;
cansado el oro de su pelo undoso,
y de sus ojos, el azul, cobarde.

Sobre su augusto pecho generoso
ni joyeles perturban ni cadenas
el negro terciopelo silencioso.

Y, en vez de cetro real, sostiene apenas,
con desmayo galán, un guante de ante
la blanca mano de azuladas venas.

Alma, Museo, Los cantares, 1907.

UN HIDALGO

En Flandes, en Italia, en el Franco Condado
y el Portugal, las armas ejercitó. Campañas,
doce; tiempo, cuarenta años. En las Españas
no hay soldado más viejo. Este viejo soldado

tiene derecho a descansar y estar ahora
paseando por bajo los arcos de la plaza
— solemne —, y entre tanto que el patrio sol desdora
sus galones — magnífico ejemplar de una raza —,

negar que la batalla de Nancy se perdiera
si el gran Duque de Alba ordenado la hubiera;

negar su hija al rico indiano pretendiente,
porque no es noble asaz D. Bela. Y, finalmente,

invocar sus innúmeras proezas militares
para pedirle unos ducados a Olivares.

Alma, Museo, Los cantares, 1907.

CANTARES

Vino, sentimiento, guitarra y poesía
hacen los cantares de la patria mía...
          Cantares...
Quien dice cantares, dice Andalucía.

A la sombra fresca de la vieja parra
un mozo moreno rasguea la guitarra...
          Cantares...
Algo que acaricia y algo que desgarra.

La prima que canta y el bordón que llora...
Y el tiempo callado se va hora tras hora.
          Cantares...
Son dejos fatales de la raza mora.

No importa la vida, que ya está perdida;
y después de todo, ¿qué es eso, la vida?...
          Cantares...
Cantando la pena, la pena se olvida.

Madre, pena, suerte, pena, madre, muerte;
ojos negros, negros, y negra la suerte...
          Cantares...
En ellos el alma del alma se vierte.

Cantares. Cantares de la patria mía;
cantares son sólo los de Andalucía.
          Cantares...
No tiene más notas la guitarra mía.

Alma, Museo, Los cantares, 1907.

LA PENA

I

Mi pena es muy mala,
porque es una pena que yo no quisiera
que se me quitara...

II

Vino como vienen,
sin saber de dónde,
el agua a los mares, las flores a Mayo,
los vientos al bosque.

III

Vino y se ha quedado
en mi corazón,
como el amargo en la corteza verde
del verde limón.

IV

Como las raíces
de la enredadera
se va alimentando la pena en mi pecho
con sangre e mis venas.

V

Yo no sé por dónde
ni por dónde no,
se me ha liao esta soguita al cuerpo
sin saberlo yo.

Alma, Museo, Los cantares, 1907

PAZ

¡Qué harto estoy de luchar...! Tirar a un lado
el puñal y el revólver y la espada,

y el mentir y las uñas aceradas,
y la sonrisa falsa, y el veneno...
¡Y ser un día bueno, bueno, bueno!

Y reír de alegría y llorar de dolor,
¡y amar al agua clara sin sabor ni color!
Y la sencilla paz de los días iguales,
y las amables sutilezas de
una creencia antigua en cosas inmortales,
que nos permita un inocente «yo sé».

Alma, Museo, Los cantares, 1907.

RETRATO

Esta es mi cara y esta es mi alma : leed.
Unos ojos de hastío y una boca de sed...
Lo demás... Nada.. Vida... Cosas... Lo que se sabe...
Calaveradas, amoríos... Nada grave.
Un poco de locura, un algo de poesía,
una gota del vino de la melancolía...
¿Vicios? Todos. Ninguno... Jugador, no lo he sido;
ni gozo lo ganado, ni siento lo perdido.
Bebo, por no negar mi tierra de Sevilla,
media docena de cañas de manzanilla.
Las mujeres... — sin ser un Tenorio, ¡eso no! —
tengo una que me quiere y otra a quien quiero yo.

Me acuso de no amar sino muy vagamente
una porción de cosas que encantan a la gente...
La agilidad, el tino, la gracia, la destreza,
más que la voluntad, la fuerza y la grandeza...
Mi elegancia es buscada, rebuscada. Prefiero
a lo helénico y puro lo «chic» y lo torero.
Un destello de sol y una risa oportuna
amo más que las languideces de la luna.
Medio gitano y medio parisién — dice el vulgo —
con Montmartre y con la Macarena comulgo...
Y, antes que un tal poeta, mi deseo primero
hubiera sido ser un buen banderillero.

Es tarde... Voy de prisa por la vida. Y mi risa
es alegre, aunque no niego que llevo prisa.

El mal poema, 1909.

MI PHRINÉ

No es cinismo. Es la verdad:
Yo quiero a una mujer mala
fuera de la sociedad.
Una *declassée,* lo sé;
pero... ¿la conoce usté?
¡No! Pues, bueno,
sea usted bueno y cállese,
que es el saber más profundo,
y nadie diga en el mundo
de este agua no beberé.

Es hermosa.
Sabe ser
a ratos voluptuosa
y querer
o no querer.

De la prosa, sabe hacer
otra cosa.
Y es mujer
muy hermosa,
muy hermosa y muy mujer.

Lo tiene todo bonito
mi Phriné...
Desde el cabello hasta el pie
chiquitito.

Ahí tiene usté
disculpado mi delito.
— No es delito.
— Ya lo sé.

El mal poema, 1909.

CHOUETTE

En cualquier parte hay un espejo, un poco
de agua clara y un peine. Y si la nena
es bonita, ¡ya está! La noche pasa
y el nuevo día llega.
Y no se te conoce
la batalla de amor ni a ti ni a ella.

Y luego son dos vidas
separadas, ajenas,
dos mundos. Tú, al trabajo
cotidiano, a la eterna
lucha, pequeña o grande, cosas de hombre
archisabidas... Ella
a dormir y a esperar la noche.
                                            Y viene
la noche y la despierta.

                                    El mal poema, 1909.

CARLOS V

El que en Milán nieló de plata y oro
la soberbia armadura, el que ha forjado
en Toledo este arnés, quien ha domado
el negro potro del desierto moro...

el que tiñó de púrpura esta pluma
— que al aire en Mulberg prepotente flota —,
esta tierra que pisa y la remota
playa de oro y de sol de Moctezuma...

todo es de este hombre gris, barba de acero,
carnoso labio socarrón y duros
ojos de lobo audaz, que, lanza en mano,

recorre su dominio, el orbe entero,
con resonantes pasos y seguros.
En este punto lo pintó el Tiziano.

                                    Apolo, 1911.

A LOS VERSOS DE UN SEVILLANO

Pobre Juan de la tierra clara,
pobre Juan de la triste cara,
pobre poeta...
Canto sincero,
oloroso y humilde
como el romero...

Ya se ve que vivir es guerra.
Ya se sabe que nuestra tierra,
llena de gracia,
está de pena
tan verdadera como
de gracia llena.

Timidez es nuestra osadía,
nuestra risa no es alegría...
¡Que somos pobres,
aunque queremos
hacer de ricos dando
cuanto tenemos!...

Canta tú las fatalidades,
que son las únicas realidades :
Amor y Muerte.
Sigue cantando
coplas, que hombres muy hombres
oyen llorando.

Y si alguno te preguntara,
pobre Juan de la tierra clara,
quién las compuso,
di que lo ignoras...
que tú, con Juan del Pueblo,
cantas y lloras.

Canciones y dedicatorias, 1915.

CANTE HONDO

«La Lola,
la Lola se va a los Puertos.
La Isla se queda sola.»
Y esta Lola ¿quién será,
que así se ausenta, dejando
la Isla de San Fernando
tan sola cuando se va?...

Sevillanas,
chuflas, tientos, marianas,
tarantas, «tonás», livianas...
Peteneras,
«soleares», «soleariyas»,
polos, cañas, «seguiriyas»,
martinetes, carceleras...
Serranas, cartageneras.
Malagueñas, granadinas.
Todo el cante de Levante,
todo el cante de las minas,
todo el cante...

que cantó tía Salvaora,
la Trini, la Coquinera,
la Pastora...
y el Fillo y el Lebrijano,
y Curro Pabla, su hermano,
Proita, Moya, Ramoncillo,
Tobalo — inventor del Polo —,
Silverio, el Chato, Manolo
Torres, Juanelo, Maoliyo...

Ni una ni uno,
cantaora o cantaor,
llenando toda la lista,
desde Diego el Picaor
a Tomás el Papelista
(ni los vivos ni los muertos),

cantó una copla mejor
que la Lola...
Esa que se va a los Puertos
y la Isla se queda sola.

Sevilla y otros poemas, 1918.

MORIR, DORMIR...

— Hijo, para descansar
es necesario dormir,
no pensar,
no sentir,
no soñar...
— Madre, para descansar,
morir.

Ars moriendi, 1921.

ANTONIO MACHADO

1875 - 1939

Nació en Sevilla y pasó allí su infancia hasta que a los ocho años se trasladó con su familia a Madrid. Su vida siguió un curso semejante a la de su hermano Manuel, sólo un año mayor; pero este año de diferencia, el hecho de que Manuel volviese a estudiar en la Universidad de Sevilla donde se graduó de licenciado en Filosofía y Letras, mientras que Antonio siguió la misma carrera hasta graduarse de doctor en la Universidad de Madrid, y sobre todo la diversidad de temperamento, hicieron que mientras en el uno perduró la solera sevillana hasta el punto de ser mirado por todos como un poeta esencialmente andaluz, en el otro predominó el influjo recibido de las altas tierras de Castilla, siendo mirado por todos como un poeta esencialmente castellano. Creo, sin embargo, que el fondo de la Andalucía nativa está más vivo aún en Antonio, por ser hombre solitario y reconcentrado, constantemente replegado sobre sí mismo, de profundas raíces espirituales, en quien el recuerdo es la emoción dominante y que se caracteriza por llevar junto a su aire meditativo y viejo una perenne infantilidad. Lo que ocurre probablemente es—al menos así yo lo creo—que las diferencias que vemos entre Castilla y Andalucía son superficiales, no siendo ambas sino modalidades del mismo espíritu; y si vimos que el sevillanismo de Manuel no fué incompatible con su madrileñismo, a pesar de estar hechos ambos de lo más artificial y superficial de las dos regiones, no debe extrañarnos encontrar en un espíritu profundo como el de Antonio la profunda identidad de lo andaluz y lo castellano. La verdadera diferencia que hay entre Manuel y Antonio es que el uno es esencialmente superficial y el otro es esencialmente profundo, y, al decir esto, no queremos dar a la palabra superficial un valor peyorativo, como creemos quedó claro al tratar de aquel poeta de valor supremo y único; queremos sencillamente establecer la afortunada diferencia de personalidad que existe entre estos dos grandes poetas hermanos y contemporáneos. Igualmente suele emparejársele con otro poeta contemporáneo, Juan Ramón Jiménez, para presentarlos como los dos mayores poetas de esta época, representantes antitéticos de la poesía castellana y andaluza, respectivamente. La verdad es que con todas las diferencias de temperamento que hay entre ellos y que en muchas cosas les hacen ciertamente antitéticos, siendo, como en efecto son, los dos poetas españoles más grandes de esta época, son entre todos los que más tienen en común. La división tradicional de la poesía del siglo XVI y del siglo XVIII en escuelas andaluza y castellana no es realmente una división geográfica y toca a divergencias retóricas y técnicas más que al carácter regional. Bástenos saber que Antonio Machado se enlaza con Juan Ramón Jiménez por la melancolía y la delicadeza típicamente andaluzas, como se enlaza con su hermano Manuel por la sobriedad elegante y el sentido de lo popular.

Estudió Antonio Machado en la Institución Libre de Enseñanza, y el ejemplo de D. Francisco Giner — por quien siempre tuvo un culto filial — contribuyó sin duda a desarrollar en él el gusto por la Filosofía y el afán por la elevación moral que caracterizan su vida y su obra. Residió en París algunos años desde 1899; en 1900 fué vicecónsul de Guatemala en dicha ciudad, y allí conoció a Rubén Darío. En 1907, reintegrado a España, obtuvo cátedra de Lengua francesa en el Instituto de Soria que profesó durante cinco años. Allí se casó y perdió a su esposa, recatado y hondo amor y dolor de su vida; allí se adentró en la Castilla provinciana y campesina, en el alma de sus paisajes y de sus hombres; allí maduraron su espíritu y su poesía. Estuvo de nuevo en París en 1910, interesado entonces en la filosofía más que en la literatura; en 1912 abandonó a Soria — que vivirá siempre en su recuerdo— para ir de catedrático a Baeza, en Andalucía, pasando en 1919 al Instituto de Segovia— de nuevo en Castilla la Vieja—, cuya proximidad a Madrid le permite residir parte del año en cada una de las dos ciudades. Desde 1927 pertenece a la Academia Española. Últimamente, en colaboración con su hermano, ha escrito para el teatro.

«Misterioso y silencioso», dijo de él Rubén Darío. «Mis aficiones—ha dicho él—son pasear y leer.» Hombre de vida exterior sencilla y oscura, dado a la meditación y a la filosofía, libre de ambiciones y vanidades, genuinamente bueno y sincero, lleva una vida interior preñada de luminosidad y turbulencia, donde late la hondura de la emoción y el pensamiento. Como él es su poesía, reflejo y creación de su vida interior, de sus emociones humildes, de sus visiones reconcentradas y sus meditaciones trascendentales: puro lirismo, cuyo supremo valor está en la vibración personal que penetra todo lo que entra en él, los paisajes y los hombres, lo actual y lo histórico, lo anecdótico y lo eterno. Porque en la poesía pura de Machado cabe el mundo objetivo de las realidades y de las ideas: los paisajes concretos de la alta tierra soriana, la visión de la historia dormida en las decrépitas ciudades castellanas y en el alma de sus hombres, la sátira de las realidades nacionales y el ideal político de su regeneración, los problemas filosóficos y religiosos. Estos temas, tan característicos del modernismo — o del 98, como suele decirse en España —, le enlazan estrechamente con Unamuno, «Azorín» y Baroja; por otros aspectos de su emoción y expresión poética se enlaza también con el simbolismo y con Rubén Darío. Machado no hace esfuerzos por seguir las modas, ni tampoco por rehuírlas: se viste modestamente y sin pretensiones con el traje de su tiempo, seguro de no parecerse a nadie, porque su aire y su tono, la vibración de su espíritu, son originales y dan a todo lo que tocan valor de eternidad. Por eso también su poesía es íntima y anecdótica, como la de Horacio, la de Fray Luis de León o la de Leopardi, como toda grande y verdadera poesía que eterniza el momento y la emoción que pasan. Antonio Machado nos hace sentir muy próximo a nosotros esa calidad única de la pura poesía intemporal que hace presentes y hermanos a los pocos grandes poetas de todos los tiempos. Pobre, limitado y monótono como una cumbre, se descubren a través de su transparencia serena misteriosas lejanías y profundidades. Esta claridad serena y precisa ha hecho que se le mire como un escritor de tendencia clásica; pero bajo ella corren turbias aguas románticas. No es hombre de escuela; ni sigue ni crea ninguna particular; más bien parece que su poesía refleja lo esencial de todas. Su sencilla desnudez y su austero sintetismo contienen una rica complejidad de elementos y cualidades poéticas, todos identificados entre sí y con el alma que los expresa. Claridad y misterio, gravedad e ironía, pensamiento y emoción, y tantas otras cosas que parcialmente dan valor a los poetas que las poseen solas, las hallamos juntas en cada uno de los momentos de la poesía densa y límpida de Machado, encerradas en una expresión sobria y certera. A menudo se le elogia por una cualquiera de estas cualidades, como cuando se dice que es el poeta de Castilla, o un poeta de ideas, o un poeta religioso, o un poeta civil, acercándole a otros poetas que poseen este carácter parcial o contraponiéndole a los que carecen de él. La verdad es que lo que distingue a Machado de todos los poetas contemporáneos y al mismo tiempo le une aun con los más dispares, es el que su poesía sea, en mayor grado que la de ningún otro, total e integral, cobrando en ella supremo valor cada uno de los elementos que la forman, gracias a la presencia constante de tódos los demás. Esto, unido al hecho de su pobreza en elementos perecederos y su limitación a los humanos y eternos, hará que sea sin duda la que, pasada esta época, menos envejecerá.

BIBLIOGRAFÍA. — **Poesía :** *Soledades*, Madrid, 1903. *Soledades, galerías y otros poemas*, 1907; ed. aum., 1919. *Campos de Castilla*, 1912 [*Terre espagnole*, trad. por M. Carayon, en AO, 1924, III, febr., 426]. *Páginas escogidas*, Madrid, Calleja, 1917; 1925. *Poesías completas*, Madrid, Residencia de Estudiantes, 1917. *Nuevas canciones (1917-1920)*, 1924. *Poesías completas (1899-1925)*, Madrid, Espasa-Calpe, [1928]. — **Otras obras :** *Desdichas de la fortuna o Julianillo Valcárcel*, tragicomedia, 1926; 1928. *Juan de Mañara*, drama, 1927. *Las adelfas*, comedia, 1928. *La Lola se va a los puertos*, comedia, 1930 [Las cuatro últimas en colab. con Manuel Machado]. *Teatro completo*, 1930-[en publicación]. — **Estudios :**

F. Acebal, *A. M.*, en Hisp, 1912, I, 216-217. «Andrenio» [E. Gómez de Baquero], *Pen Club*, I: *Los poetas*, Madrid, [1929], p. 53-67. M. Bacarisse, *La poesía de A. M.*, en RdL, nov. 1919. R. Cansinos-Asséns, Sobre *Nuevas canciones*, en Imp, 10 ag. 1924; *La nueva literatura*, t. I, Madrid, s. a.; t. III, 1927. J. Cassou, *A. M.*, en HispP, 1920, III, 244-248. J. Chabás, *Crítica concéntrica*, *A. M.*, en Alf, núm. 43, sep. 1924, 15-21. J. M. Chacón y Calvo, *El poeta de Soria*, en *Ensayos de literatura española*, Madrid, 1928, p. 171-183. R. Darío, *Opiniones*, Madrid, [1906]. E. Díez-Canedo, Sobre *Soledades, galerías y otros poemas*, en L, 1908, año VIII, vol. I, 57-58; *Los dos hermanos poetas*, en Nac, junio 1923; *A. M., poeta japonés*, en Sol, 20 junio 1924; *Teatro impreso* [sobre *Desdichas de la fortuna o Julianillo Valcárcel*], en Sol, 20 mayo 1926; *A. M. completo* [sobre *Poesías completas (1899-1925)*], en Sol, 22 abril 1928. J. Dos Passos, *A. M.*, *Poet of Castile*, en *Rosinante to the road again*, New York, 1922. M. Fernández Almagro, Sobre *Don Juan de Mañara*, en Voz, 18 marzo 1927; Sobre *La Lola se va a los puertos*, en Voz, 9 nov. 1929. A. González-Blanco, *A. M.*, en NT, 1914, XIV, 176-194. P. González-Blanco, *Soledades*, en L, 1903, año III, t. II, p. 549-550. J. T. B., Sobre *Nuevas canciones*, en LyP, oct.-dic. 1924. J. R. Jiménez, *Soledades*, en País, 1903; *A. M.*, en *Unidad*, Madrid, 1925. «Lauxar», *A. M., y sus «Soledades»*, en HispCal, 1929, XII, 225-242. E. Levi, *Machado [Antonio]*, en IMz, 1927, XXXII, 12 junio; *A. M.*, en HispCal, 1928, XI, 471-476. M. de Lozoya, *A. M., poeta da geração de 1898*, en Port, 1925, I, 49-53. M. Machado, *La guerra literaria (1898-1914)*, Madrid, 1914. E. Montes, Sobre *Nuevas canciones*, en ROcc, 1924, IV, 392-396. C. Pitollet, *Les «Nuevas Canciones», de D. A. M.*, en ROB, 1924, XI, 203-205. J. B. Trend, *The brothers Machado*, en *Alfonso the Sage*, London, 1926, p. 135-146. Vila-Pedro [J. Guillén], *La poesía española en 1923*, en. Lib, 16 en. 1924. L. de Zulueta, *«Nuevas Canciones» de A. M.: Modernidad, eternidad*, en Lib, 23 mayo 1924.

YO VOY SOÑANDO CAMINOS

Yo voy soñando caminos
de la tarde. ¡Las colinas
doradas, los verdes pinos,
las polvorientas encinas!...

¿Adónde el camino irá?
Yo voy cantando, viajero
a lo largo del sendero...
La tarde cayendo está.

«En el corazón tenía
la espina de una pasión,
logré arrancármela un día:
ya no siento el corazón.»

Y todo el campo un momento
se queda mudo y sombrío,
meditando. Suena el viento
en los álamos del río.

La tarde más se oscurece,
y el camino que serpea
y débilmente blanquea,
se enturbia y desaparece.

Mi cantar vuelve a plañir:
«Aguda espina dorada,
quién te pudiera sentir
en el corazón clavada.»

Soledades, 1903.

HACIA UN OCASO RADIANTE

Hacia un ocaso radiante
caminaba el sol de estío,
y era, entre nubes de fuego, una trompeta gigante,
tras de los álamos verdes de las márgenes del río.

Dentro de un olmo sonaba la sempiterna tijera
de la cigarra cantora, el monorritmo jovial,
entre metal y madera,
que es la canción estival.

En una huerta sombría,
giraban los cangilones de la noria soñolienta.
Bajo las ramas oscuras el son del agua se oía.
Era una tarde de julio, luminosa y polvorienta.

Yo iba haciendo mi camino,
absorto en el solitario crepúsculo campesino.

Y pensaba: «¡Hermosa tarde, nota de la lira inmensa
toda desdén y armonía;
hermosa tarde, tú curas la pobre melancolía
de este rincón vanidoso, oscuro rincón que piensa!»

Pasaba el agua rizada bajo los ojos del puente.
Lejos, la ciudad dormía
como cubierta de un mago fanal de oro transparente.
Bajo los arcos de piedra el agua clara corría.

Los últimos arreboles coronaban las colinas,
manchadas de olivos grises y de negruzcas encinas.
Yo caminaba cansado,
sintiendo la vieja angustia que hace el corazón pesado.

El agua en sombra pasaba tan melancólicamente,
bajo los arcos del puente,
como si al pasar dijera :

«Apenas desamarrada
la pobre barca, viajero, del árbol de la ribera,
se canta: no somos nada.
Donde acaba el pobre río, la inmensa mar nos espera.»

Bajo los ojos del puente pasaba el agua sombría.
(Yo pensaba : «¡El alma mía!»)

Y me detuve un momento,
en la tarde, a meditar...
«¿Qué es esta gota en el viento
que grita al mar: soy el mar?»

Vibraba el aire asordado
por los élitros cantores que hacen el campo sonoro,
cual si estuviera sembrado
de campanitas de oro.

En el azul fulguraba
un lucero diamantino.
Cálido viento soplaba
alborotando el camino.

Yo, en la tarde polvorienta,
hacia la ciudad volvía.
Sonaban los cangilones de la noria soñolienta.
Bajo las ramas oscuras caer el agua se oía.

Soledades, 1903.

DEL CAMINO

Daba el reloj las doce... y eran doce
golpes de azada en tierra...
¡Mi hora! — grité —... El silencio
me respondió : — No temas;
tú no verás caer la última gota
que en la clepsidra tiembla.

Dormirás muchas horas todavía
sobre la orilla vieja,
y encontrarás una mañana pura
amarrada tu barca a otra ribera.

Soledades, 1903.

LA CASA TAN QUERIDA

La casa tan querida
donde habitaba ella,
sobre un montón de escombros, arruinada
o derruída, enseña
el negro y carcomido
maltrabado esqueleto de madera.

La luna está vertiendo
su clara luz en sueños que platea
en las ventanas. Mal vestido y triste,
voy caminando por la calle vieja.

Soledades, 1903.

TARDE TRANQUILA

Tarde tranquila, casi
con placidez de alma,
para ser joven, para haberlo sido

cuando Dios quiso, para
tener algunas alegrías... lejos
y poder dulcemente recordarlas.

Soledades, 1903.

Y NO ES VERDAD, DOLOR

Y no es verdad, dolor, yo te conozco:
tú eres nostalgia de la vida buena
y soledad de corazón sombrío,
de barco sin naufragio y sin estrella.

Como perro olvidado que no tiene
huella ni olfato y yerra
por los caminos, sin camino, como
el niño que en la noche de una fiesta

se pierde entre el gentío
y el aire polvoriento y las candelas
chispeantes, atónito, y asombra
su corazón de música y de pena,

así voy yo, borracho, melancólico,
guitarrista lunático, poeta
y pobre hombre en sueños,
siempre buscando a Dios entre la niebla.

Soledades, 1903.

RETRATO

Mi infancia son recuerdos de un patio de Sevilla
y un huerto claro donde madura el limonero;
mi juventud, veinte años en tierra de Castilla;
mi historia, algunos casos que recordar no quiero.

Ni un seductor Mañara ni un Bradomín he sido
— ya conocéis mi torpe aliño indumentario —;
mas recibí la flecha que me asignó Cupido
y amé cuanto ellas pueden tener de hospitalario.

Hay en mis venas gotas de sangre jacobina,
pero mi verso brota de manantial sereno;

y, más que un hombre al uso que sabe su doctrina,
soy, en el buen sentido de la palabra, bueno.

Adoro la hermosura, y en la moderna estética
corté las viejas rosas del huerto de Ronsard;
mas no amo los afeites de la actual cosmética
ni soy un ave de esas del nuevo gay-trinar.

Desdeño las romanzas de los tenores huecos
y el coro de los grillos que cantan a la luna.
A distinguir me paro las voces de los ecos,
y escucho solamente entre las voces, una.

¿Soy clásico o romántico? No sé. Dejar quisiera
mi verso como deja el capitán su espada :
famosa por la mano viril que la blandiera,
no por el docto oficio del forjador preciada.

Converso con el hombre que siempre va conmigo
— quien habla solo, espera hablar a Dios un día —;
mi soliloquio es plática con este buen amigo
que me enseñó el secreto de la filantropía.

Y al cabo, nada os debo; debéisme cuanto he escrito.
A mi trabajo acudo, con mi dinero pago
el traje que me cubre y la mansión que habito,
el pan que me alimenta y el lecho donde yago.

Y cuando llegue el día del último viaje
y esté al partir la nave que nunca ha de tornar,
me encontraréis a bordo ligero de equipaje,
casi desnudo, como los hijos de la mar.

Campos de Castilla, 1912.

A ORILLAS DEL DUERO

Mediaba el mes de julio. Era un hermoso día.
Yo, solo, por las quiebras del pedregal subía,
buscando los recodos de sombra, lentamente.
A trechos me paraba para enjugar mi frente

y dar algún respiro al pecho jadeante;
o bien, ahincando el paso, el cuerpo hacia adelante
y hacia la mano diestra vencido y apoyado
en un bastón, a guisa de pastoril cayado,
trepaba por los cerros que habitan las rapaces
aves de altura, hollando las hierbas montaraces
de fuerte olor — romero, tomillo, salvia, espliego —.
Sobre los agrios campos caía un sol de fuego.

Un buitre de anchas alas con majestuoso vuelo
cruzaba solitario el puro azul del cielo.
Yo divisaba lejos un monte alto y agudo,
y una redonda loma cual recamado escudo,
y cárdenos alcores sobre la parda tierra
—harapos esparcidos de un viejo arnés de guerra—
las serrezuelas calvas por donde tuerce el Duero
para formar la corva ballesta de un arquero
en torno a Soria — Soria es una barbacana
hacia Aragón que tiene la torre castellana —
Veía el horizonte cerrado por colinas
oscuras, coronadas de robles y de encinas;
desnudos peñascales, algún humilde prado
donde el merino pace y el toro arrodillado
sobre la hierba rumia, las márgenes del río
lucir sus verdes álamos al claro sol de estío,
y, silenciosamente, lejanos pasajeros,
¡tan diminutos! — carros, jinetes y arrieros —
cruzar el largo puente y bajo las arcadas
de piedra ensombrecerse las aguas plateadas
del Duero.

El Duero cruza el corazón de roble
de Iberia y de Castilla.
                    ¡Oh tierra triste y noble,
la de los altos llanos y yermos y roquedas,
de campos sin arados, regatos ni arboledas;
decrépitas ciudades, caminos sin mesones,
y atónitos palurdos sin danzas ni canciones
que aun van. abandonando el mortecino hogar,
como tus largos ríos, Castilla, hacia la mar!

Castilla miserable, ayer dominadora,
envuelta en sus andrajos desprecia cuanto ignora.
¿Espera, duerme o sueña? ¿La sangre derramada
recuerda, cuando tuvo la fiebre de la espada?
Todo se mueve, fluye, discurre, corre o gira;
cambian la mar y el monte y el ojo que los mira.
¿Pasó? Sobre sus campos aun el fantasma yerra
de un pueblo que ponía a Dios sobre la guerra.

La madre en otro tiempo fecunda en capitanes
madrastra es hoy apenas de humildes ganapanes.
Castilla no es aquella tan generosa un día
cuando Myo Cid Rodrigo el de Vivar volvía,
ufano de su nueva fortuna y su opulencia,
a regalar a Alfonso los huertos de Valencia;
o que, tras la aventura que acreditó sus bríos,
pedía la conquista de los inmensos ríos
indianos a la corte, la madre de soldados
guerreros y adalides que han de tornar cargados
de plata y oro a España en regios galeones,
para la presa cuervos, para la lid leones.
Filósofos nutridos de sopa de convento
contemplan impasibles el amplio firmamento;
y si les llega en sueños, como un rumor distante,
clamor de mercaderes de muelles de Levante,
no acudirán siquiera a preguntar ¿qué pasa?
Y ya la guerra ha abierto las puertas de su casa.

Castilla miserable, ayer dominadora,
envuelta en sus harapos desprecia cuanto ignora.

El sol va declinando. De la ciudad lejana
me llega un armonioso tañido de campana
— ya irán a su rosario las enlutadas viejas —.
De entre las peñas salen dos lindas comadrejas;
me miran y se alejan, huyendo, y aparecen
de nuevo ¡tan curiosas!... Los campos se oscurecen.
Hacia el camino blanco está el mesón abierto
al campo ensombrecido y al pedregal desierto.

Campos de Castilla, 1912.

EL DIOS IBERO

Igual que el ballestero
tahur de la cantiga,
tuviera una saeta el hombre ibero
para el Señor que apedreó la espiga
y malogró los frutos otoñales,
y un «gloria a ti» para el Señor que grana
centenos y trigales
que el pan bendito le darán mañana.

«Señor de la ruina,
adoro porque aguardo y porque temo:
con mi oración se inclina
hacia la tierra un corazón blasfemo.

»¡Señor, por quien arranco el pan con pena,
sé tu poder, conozco mi cadena!
¡Oh dueño de la nube del estío
que la campiña arrasa,
del seco otoño, del helar tardío
y del bochorno que la mies abrasa!

»¡Señor del iris, sobre el campo verde
donde la oveja pace,
Señor del fruto que el gusano muerde
y de la choza que el turbión deshace,
tu soplo el fuego del hogar aviva,
tu lumbre da sazón al rubio grano
y cuaja el hueso de la verde oliva,
la noche de San Juan, tu santa mano!

»¡Oh dueño de fortuna y de pobreza,
ventura y malandanza,
que al rico das favores y pereza
y al pobre su sudor y su esperanza!

»¡Señor, Señor: en la voltaria rueda
del año he visto mi simiente echada,
corriendo igual albur que la moneda
del jugador en el azar sembrada!

»¡Señor, hoy paternal, ayer cruento,
con doble faz de amor y de venganza,
a ti, en un dado de tahur al viento,
va mi oración, blasfemia y alabanza!»

Este que insulta a Dios en los altares,
no más atento al ceño del destino,
también soñó caminos en los mares
y dijo: es Dios sobre la mar camino.

¿No es él quien puso a Dios sobre la guerra,
más allá de la suerte,
más allá de la tierra,
más allá de la mar y de la muerte?

¿No dió la encina ibera
para el fuego de Dios la buena rama,
que fué en la santa hoguera
de amor una con Dios en pura llama?

Mas hoy... ¡Qué importa un día!
Para los nuevos lares
estepas hay en la floresta umbría,
leña verde en los viejos encinares.

Aun larga patria espera
abrir al corvo arado sus besanas;
para el grano de Dios hay sementera
bajo cardos y abrojos y bardanas.

¡Qué importa un día! Está el ayer alerto
a mañana, mañana al infinito,
hombres de España, ni el pasado ha muerto,
ni está el mañana — ni el ayer — escrito.

¿Quién ha visto la faz al Dios hispano?
Mi corazón aguarda
al hombre ibero de la recia mano,
que tallará en el roble castellano
el Dios adusto de la tierra parda.

Campos de Castilla, 1912.

LAS ENCINAS

¡Encinares castellanos
en laderas y altozanos,
serrijones y colinas
llenos de oscura maleza,
encinas, pardas encinas
— humildad y fortaleza — !

Mientras que llenándoos va
el hacha de calvijares,
¿nadie cantaros sabrá,
encinares?

El roble es la guerra; el roble
dice el valor y el coraje,
rabia inmoble
en su torcido ramaje,
y es más rudo
que la encina, más nervudo,
más altivo y más señor.

El alto roble parece
que recalca y ennudece
su robustez como atleta
que, erguido, afinca en el suelo.

El pino es el mar y el cielo
y la montaña: el planeta.
La palmera es el desierto,
el sol y la lejanía:
la sed; una fuente fría
soñada en el campo yerto.

Las hayas son la leyenda.
Alguien, en las viejas hayas,
leía una historia horrenda
de crímenes y batallas.

¿Quién ha visto sin temblar
un hayedo en un pinar?

Los chopos son la ribera,
liras de la primavera,
cerca del agua que fluye,
pasa y huye,
viva o lenta,
que se emboca turbulenta
o en remanso se dilata.
En su eterno escalofrío
copian el agua del río
que fluye en ondas de plata.

De los parques las olmedas
son las buenas arboledas
que nos han visto jugar
cuando eran nuestros cabellos
rubios, y, con nieve en ellos,
nos han de ver meditar.

Tiene el manzano el olor
de su poma,
el eucalipto el aroma
de sus hojas, de su flor
el naranjo la fragancia;
y es del huerto
la elegancia
el ciprés oscuro y yerto.

¿Qué tienes tú, negra encina
campesina,
con tus ramas sin color
en el campo sin verdor;
con tu tronco ceniciento
sin esbeltez ni altiveza;
con tu vigor sin tormento,
y tu humildad que es firmeza?

En tu copa ancha y redonda
nada brilla,
ni tu verdioscura fronda
ni tu flor verdiamarilla.

18

Nada es lindo ni arrogante
en tu porte, ni guerrero,
nada fiero
que aderece su talante.
Brotas derecha o torcida
con esa humildad que cede
sólo a la ley de la vida,
que es vivir como se puede.

El campo mismo se hizo
árbol en ti, parda encina.
Ya bajo el sol que calcina,
ya contra hielo invernizo,
el bochorno y la borrasca,
el agosto y el enero,
los copos de la nevasca,
los hilos del aguacero,
siempre firme, siempre igual,
impasible, casta y buena,
¡oh tú, robusta y serena,
eterna encina rural
de los negros encinares
de la raya aragonesa
y las crestas militares
de la tierra pamplonesa;
encinas de Extremadura,
de Castilla, que hizo a España,
encinas de la llanura,
del cerro y de la montaña;
encinas del alto llano
que el joven Duero rodea,
y del Tajo que serpea
por el suelo toledano;
encinas de junto al mar
— en Santander —; encinar
que pones tu nota arisca,
como un castellano ceño,
en Córdoba la morisca,
y tú, encinar madrileño,
bajo el Guadarrama frío,

tan hermoso, tan sombrío,
con tu adustez castellana
corrigiendo
la vanidad y el atuendo
y la hetiquez cortesana...
Ya sé, encinas
campesinas,
que os pintaron con lebreles
elegantes y corceles
los más egregios pinceles,
que os cantaron los poetas
augustales,
que os asordan escopetas
de cazadores reales;
mas sois el campo y el lar
y la sombra tutelar
de los buenos aldeanos
que visten parda estameña,
y que cortan vuestra leña
con sus manos.

Campos de Castilla, 1912.

AMANECER DE OTOÑO

Una larga carretera
entre grises peñascales
y alguna humilde pradera
donde pacen negros toros. Zarzas, malezas, jarales.

Está la tierra mojada
por las gotas de rocío,
y la alameda dorada,
hacia la curva del río.

Tras los montes de violeta
quebrado el primer albor.
A la espalda la escopeta,
entre sus galgos agudos, caminando un cazador.

Campos de Castilla, 1912.

LA TIERRA DE ALVARGONZÁLEZ

(FRAGMENTO)

. . . .

Ya están las zarzas floridas
y los ciruelos blanquean;
ya las abejas doradas
liban para sus colmenas,
y en los nidos que coronan
las torres de las iglesias
asoman los garabatos
ganchudos de las cigüeñas.
Ya los olmos del camino
y chopos de las riberas
de los arroyos, que buscan
al padre Duero, verdean.
El cielo está azul, los montes
sin nieve son de violeta.
La tierra de Alvargonzález
se colmará de riqueza;
muerto está quien la ha labrado,
mas no le cubre la tierra.

II

La hermosa tierra de España,
adusta, fina y guerrera
Castilla, de largos ríos,
tiene un puñado de sierras
entre Soria y Burgos como
reductos de fortaleza,
como yelmos crestonados,
y Urbión es una cimera.

III

Los hijos de Alvargonzález,
por una empinada senda,

para tomar el camino
de Salduero a Covaleda,
cabalgan en pardas mulas
bajo el pinar de Vinuesa.
Van en busca de ganado
con que volver a su aldea,
y por tierra de pinares
larga jornada comienzan.
Van Duero arriba, dejando
atrás los arcos de piedra
del puente y el caserío
de la ociosa y opulenta
villa de indianos. El río,
al fondo del valle, suena,
y de las cabalgaduras
los cascos baten las piedras.
A la otra orilla del Duero
canta una voz lastimera :
«La tierra de Alvargonzález
se colmará de riqueza,
y el que la tierra ha labrado
no duerme bajo la tierra.»

IV

Llegados son a un paraje
en donde el pinar se espesa,
y el mayor, que abre la marcha,
su parda mula espolea,
diciendo : «Démonos prisa;
porque son más de dos leguas
de pinar y hay que apurarlas
antes que la noche venga.»

Dos hijos del campo, hechos
a quebradas y asperezas,
porque recuerdan un día
la tarde en el monte, tiemblan.
Allá en lo espeso del bosque
otra vez la copla suena :

«La tierra de Alvargonzález
se colmará de riqueza,
y el que la tierra ha labrado
no duerme bajo la tierra.»

. . . .

Campos de Castilla, 1912.

CAMINOS

Señor, ya me arrancaste lo que yo más quería.
Oye otra vez, Dios mío, mi corazón clamar.
Tu voluntad se hizo, Señor, contra la mía.
Señor, ya estamos solos mi corazón y el mar.

Campos de Castilla, 1912.

ALLÁ, EN LAS TIERRAS ALTAS

Allá, en las tierras altas,
por donde traza el Duero
su curva de ballesta
en torno a Soria, entre plomizos cerros
y manchas de raídos encinares,
mi corazón está vagando, en sueños...

¿No ves, Leonor, los álamos del río
con sus ramajes yertos?
Mira el Moncayo azul y blanco; dame
tu mano y paseemos.
Por estos campos de la tierra mía,
bordados de olivares polvorientos,
voy caminando solo,
triste, cansado, pensativo y viejo.

Campos de Castilla, 1912.

A JOSÉ MARÍA PALACIO

Palacio, buen amigo,
¿está la **primavera**
vistiendo ya las ramas de los chopos

del río y los caminos? En la estepa
del alto Duero, Primavera tarda,
¡pero es tan bella y dulce cuando llega!...
¿Tienen los viejos olmos
algunas hojas nuevas?
Aun las acacias estarán desnudas
y nevados los montes de las sierras.
¡Oh, mole del Moncayo blanca y rosa,
allá, en el cielo. de Aragón, tan bella!
¿Hay zarzas florecidas
entre las grises peñas,
y blancas margaritas
entre la fina hierba?
Por esos campanarios
ya habrán ido llegando las cigüeñas.
Habrá trigales verdes,
y mulas pardas en las sementeras,
y labriegos que siembran los tardíos
con las lluvias de abril. Ya las abejas
libarán del tomillo y el romero.
¿Hay ciruelos en flor? ¿Quedan violetas?
Furtivos cazadores, los reclamos
de la perdiz bajo las capas luengas,
no faltarán. Palacio, buen amigo,
¿tienen ya ruiseñores las riberas?
Con los primeros lirios
y las primeras rosas de las huertas,
en una tarde azul, sube al Espino,
al alto Espino donde está su tierra...

Baeza, 29 marzo 1913.   *Campos de Castilla*, 1912.

LLANTO DE LAS VIRTUDES Y COPLAS
POR LA MUERTE DE DON GUIDO

Al fin una pulmonía
mató a don Guido, y están
las campanas todo el día
doblando por él ¡din-dán!

Murió don Guido, un señor
de mozo muy jaranero,
muy galán y algo torero;
de viejo, gran rezador.

Dicen que tuvo un serrallo
este señor de Sevilla;
que era diestro
en manejar el caballo,
y un maestro
en refrescar manzanilla.

Cuando mermó su riqueza,
era su monomanía
pensar que pensar debía
en asentar la cabeza.

Y asentóla
de una manera española,
que fué casarse con una
doncella de gran fortuna;
y repintar sus blasones,
hablar de las tradiciones
de su casa,
a escándalos y amoríos
poner tasa,
sordina a sus desvaríos.

Gran pagano,
se hizo hermano
de una santa cofradía;
y el Jueves Santo salía,
llevando un cirio en la mano
— ¡aquel trueno! —,
vestido de Nazareno.

Hoy nos dice la campana
que han de llevarse mañana
al buen don Guido, muy serio,
camino del cementerio.

Buen don Guido, ya eres ido
y para siempre jamás...

Alguien dirá : ¿Qué dejaste?
Yo pregunto : ¿Qué llevaste
al mundo donde hoy estás?

¿Tu amor a los alamares
y a las sedas y a los oros,
y a la sangre de los toros
y al humo de los altares?

¡Buen don Guido y equipaje,
buen viaje!...

El acá
y el allá,
caballero,
se ve en tu rostro marchito,
lo infinito :
cero, cero.

¡Oh, las enjutas mejillas,
amarillas,
y los párpados de cera,
y la fina calavera
en la almohada del lecho!

¡Oh, fin de una aristocracia!
La barba canosa y lacia
sobre el pecho;
metido en tosco sayal,
las yertas manos en cruz
¡tan formal!
el caballero andaluz.

Campos de Castilla, 1912.

PROVERBIOS Y CANTARES

II

¿Para qué llamar caminos
a los surcos del azar?...
Todo el que camina anda,
como Jesús, sobre el mar.

XIII

Virtud es la alegría que alivia el corazón
más grave y desarruga el ceño de Catón.
El bueno es el que guarda, cual venta del camino,
para el sediento, el agua; para el borracho, el vino.

XX

Ayer soñé que veía
a Dios y que a Dios hablaba,
y soñé que Dios me oía...
Después soñé que soñaba.

XXV

Poned sobre los campos
un carbonero, un sabio y un poeta.
Veréis cómo el poeta admira y calla,
el sabio mira y piensa...
Seguramente, el carbonero busca
las moras o las setas.
Llevadlos al teatro
y sólo el carbonero no bosteza.
Quien prefiere lo vivo a lo pintado
es el hombre que piensa, canta o sueña.
El carbonero tiene
llena de fantasías la cabeza.

XXVIII

Caminante, son tus huellas
el camino, y nada más;
caminante, no hay camino,
se hace camino al andar.
Al andar se hace camino,
y al volver la vista atrás
se ve la senda que nunca
se ha de volver a pisar.
Caminante, no hay camino,
sino estelas en la mar.

XXX

Corazón, ayer sonoro,
¿ya no suena
tu monedilla de oro?
Tu alcancía,
antes que el tiempo la rompa,
¿se irá quedando vacía?
Confiemos
en que no será verdad
nada de lo que sabemos.

XL

Bueno es saber que los vasos
nos sirven para beber;
lo malo es que no sabemos
para qué sirve la sed.

Campos de Castilla, 1912.

PARÁBOLAS

III

Érase de un marinero
que hizo un jardín junto al mar
y se metió a jardinero.
Estaba el jardín en flor
y el jardinero se fué
por esos mares de Dios.

IV

Sabe esperar, aguarda que la marea fluya
—así en la costa un barco— sin que el partir te inquiete.
Todo el que aguarda sabe que la victoria es suya;
porque la vida es larga y el arte es un juguete.
Y si la vida es corta
y no llega la mar a tu galera,
aguarda sin partir y siempre espera,
que el arte es largo y, además, no importa.

VII

Dice la razón: Busquemos
la verdad.
Y el corazón: Vanidad.
La verdad ya la tenemos.
La razón: ¡Ay, quién alcanza
la verdad!
El corazón: Vanidad.
La verdad es la esperanza.
Dice la razón: Tú mientes.
Y contesta el corazón:
Quien miente eres tú, razón,
que dices lo que no sientes.
La razón: Jamás podremos
entendernos, corazón.
El corazón: Lo veremos.

Campos de Castilla, 1912.

TIERRA DE OLIVAR

I

Desde mi ventana,
¡campo de Baeza,
a la luna clara!

¡Montes de Cazorla,
Aznaitín y Mágina!

¡De luna y de piedra
también los cachorros
de Sierra Morena!

II

Sobre el olivar,
se vió a la lechuza
volar y volar.

Campo, campo, campo.
Entre los olivos,
los cortijos blancos.

Y la encina negra,
a medio camino
de Úbeda a Baeza.

III

Por un ventanal,
entró la lechuza
en la catedral.

San Cristobalón
la quiso espantar,
al ver que bebía
del velón de aceite
de Santa María.

La Virgen habló :
— Déjala que beba,
San Cristobalón.

IV

Sobre el olivar,
se vió a la lechuza
volar y volar.

A Santa María
un ramito verde
volando traía.

¡Campo de Baeza,
soñaré contigo
cuando no te vea!

1917.   *Nuevas canciones,* 1924.

HACIA TIERRA BAJA

Una noche de verano,
en la playa de Sanlúcar,
oí una voz que cantaba:
Antes que salga la luna...

Antes que salga la luna,
a la vera de la mar,
dos palabritas a solas
contigo tengo de hablar.

¡Playa de Sanlúcar,
noche de verano,
copla solitaria
junto al mar amargo!

¡A la orillita del agua,
por donde nadie nos vea,
antes que la luna salga!

Nuevas canciones, 1924.

DE CAMINO

Por la sierra blanca...
La nieve menuda
y el viento de cara.

Por entre los pinos...
Con la blanca nieve
se borra el camino.

Recio viento sopla
de Urbión a Moncayo.
¡Páramos de Soria!

Nuevas canciones, 1924.

SOLEDADES

I

Ya habrá cigüeñas al sol,
mirando la tarde roja,
entre Moncayo y Urbión.

III

Es la parda encina
y el yermo de piedra.
Cuando el sol tramonta
el río despierta.

¡Oh montes lejanos
de malva y violeta!
En el aire en sombra
sólo el río suena.

¡Luna amoratada
de una tarde vieja,
en un campo frío,
más luna que tierra!

Nuevas canciones, 1924.

PROVERBIOS Y CANTARES

I

El ojo que ves no es
ojo porque tú lo veas;
es ojo porque te ve.

V

Entre el vivir y el soñar
hay una tercera cosa.
Adivínala.

XVII

En mi soledad
he visto cosas muy claras,
que no son verdad.

XXIII

Canta, canta, canta,
junto a su tomate,
el grillo en su jaula.

XXIV

Despacito y buena letra:
el hacer las cosas bien
importa más que el hacerlas.

XXXII

Camorrista, boxeador,
zúrratelas con el viento.

XLVII

Se miente más de la cuenta
por falta de fantasía:
también la verdad se inventa.

LIV

Tras el vivir y el soñar,
está lo que más importa:
despertar.

LXII

Que se divida el trabajo:
los malos unten la flecha;
los buenos tiendan el arco.

LXXIII

Da doble luz a tu verso,
para leído de frente
y al sesgo.

XCI

¡Oh Guadalquivir!
Te vi en Cazorla nacer;
hoy, en Sanlúcar morir.

Un borbollón de agua clara,
debajo de un pino verde,
eras tú, ¡qué bien sonabas!

Como yo, cerca del mar,
río de barro salobre,
¿sueñas con tu manantial?

XCVIII

Doy consejo, a fuer de viejo:
nunca sigas mi consejo.

Nuevas canciones, 1924.

SONETOS

II

Verás la maravilla del camino,
camino de soñada Compostela
— ¡oh monte lila y flavo! —, peregrino,
en un llano, entre chopos de candela.

Otoño con dos ríos ha dorado
el cerco del gigante centinela
de piedra y luz, prodigio torreado
que en el azul sin mancha se modela.

19

Verás en la llanura una jauría
de agudos galgos y un señor de caza,
cabalgando a lejana serranía,

vano fantasma de una vieja raza.
Debes entrar cuando en la tarde fría
brille un balcón de la desierta plaza.

IV

Esta luz de Sevilla... Es el palacio
donde nací, con su rumor de fuente.
Mi padre, en su despacho. — La alta frente,
la breve mosca y el bigote lacio. —

Mi padre, aún joven. Lee, escribe, hojea
sus libros y medita. Se levanta;
va hacia la puerta del jardín. Pasea.
A veces habla solo, a veces canta.

Sus grandes ojos de mirar inquieto
ahora vagar parecen, sin objeto
donde puedan posar, en el vacío.

Ya escapan de su ayer a su mañana;
ya miran en el tiempo, ¡padre mío!,
piadosamente mi cabeza cana.

Poesías completas (1899-1925), 1928.

PRIMAVERAL

Nubes, sol, prado verde y caserío
en la loma, revueltos. Primavera
puso en el aire de este campo frío
la gracia de sus chopos de ribera.

Los caminos del valle van al río,
y allí, junto del agua, amor espera.
¿Por ti se ha puesto el campo ese atavío
de joven, oh invisible compañera?

¿Y ese perfume del habar al viento?
¿Y esa primera blanca margarita?...
¿Tú me acompañas? En mi mano siento

doble latido; el corazón me grita,
que en las sienes me asorda el pensamiento:
eres tú quien florece y resucita.

Poesías completas (1899-1925), 1928.

ROSA DE FUEGO

Tejidos sois de primavera, amantes,
de tierra y agua y viento y sol tejidos.
La sierra en vuestros pechos jadeantes,
en los ojos los campos florecidos,

pasead vuestra mutua primavera,
y aun bebed sin temor la dulce leche
que os brinda hoy la lúbrica pantera,
antes que, torva, en el camino aceche.

Caminad, cuando el eje del planeta
se vence hacia el solsticio de verano,
verde el almendro y mustia la violeta,

cerca la sed y el hontanar cercano,
hacia la tarde del amor, completa,
con la rosa de fuego en vuestra mano.

Poesías completas (1899-1925), 1928.

LA PLAZA TIENE UNA TORRE

La plaza tiene una torre,
la torre tiene un balcón,
el balcón tiene una dama,
la dama una blanca flor.
Ha pasado un caballero
— ¡quién sabe por qué pasó! —

> y se ha llevado la plaza
> con su torre y su balcón,
> con su balcón y su dama,
> su dama y su blanca flor.

Poesías completas (1899-1925), 1928.

EDUARDO MARQUINA

1879 - 1946

Nació en Barcelona, donde se educó y empezó a escribir. Al contrario de muchos otros compañeros de su juventud que se esforzaban por resucitar la lengua catalana usándola en sus obras, Marquina ha preferido escribir en castellano, no porque sea menos catalán que los otros ni porque ame menos la tierra donde nació y se crió, sino porque sintiéndose, como catalán, muy español, ha querido a través del castellano dar universalidad a todo lo que Cataluña había puesto en su espíritu. Marquina recogió en el ambiente agitado de Barcelona el espíritu de la poesía nueva, que llegaba allí tanto de Italia como de Francia, y el sentido político, nacional, que hay en muchas de sus obras. Catalán es su carácter, franco, serio, optimista, de exuberancia vital e idealismo sincero, fácil al entusiasmo y propenso a cierta afectación efusiva, ingenua y natural.

Empezó siendo un poeta lírico lleno de fuerza y originalidad en sus *Odas* (1900), *Églogas* (1902) y *Elegías* (1905), obras que encerraban mucha modernidad bajo sus títulos y su espíritu clásicos. Su clasicismo es italiano y mediterráneo más que castellano, porque hay en él demasiada complacencia en el goce de vivir, porque su idealismo sano y optimista se contenta fácilmente con lo bello y bueno que este mundo da de sí. Tiene sin embargo sabor castizo, y por eso, aunque sufriera la influencia de Rubén Darío y supiese usar los refinamientos de la técnica modernista, no se le miró nunca como un poeta decadente y extranjerizante, sino como un poeta moderno de pura cepa española. Lo era mucho menos, sin embargo, que los poetas más significadamente modernistas. Su poesía, tan sincera, tiene mucha retórica, y si hay en ella nobleza, decoro y elevación, hay a menudo falta de finura y concentración, exceso de palabras y abuso de símbolos. Con todo ello es un gran poeta, que alcanza la culminación de sus virtudes y defectos en el poema *Vendimión* (1909), audaz expresión lírica de su panteísmo naturalista. En estas primeras obras, junto a los temas dominantes del amor y la naturaleza, aparece ya el sentimiento social y político, que empieza siendo vaga rebeldía regeneradora y humanitaria y que acabará por llegar a ser la nota más personal y característica de su poesía cuando se concreta en la preocupación por los problemas nacionales en sus poesías periodísticas llamadas *Canciones del momento*. Esta poesía civil y patriótica es el comentario lírico de los hechos de actualidad. que trata de desentrañar su sentido nacional, mirándolos a la luz de una interpretación del pasado y un ideal del porvenir característicos del estado de espíritu propio de los hombres de 1898. La poesía de Marquina, capaz de expresar sentimientos colectivos, se acercaba, sin perder altura, al público general y trataba de influír en la formación de sus ideales. Esta inclinación encuentra pronto su cauce adecuado en el teatro, al que se ha consagrado casi por completo desde 1908, produciendo obras que alcanzaron gran popularidad, y en algunas de las cuales late un moderno sentido de las realidades históricas españolas.

Bibliografía.—**Poesía :** *Jesús y el diablo,* poema, Barcelona, 1899 [en colab. con L. de Zulueta]. *Odas,* 1900. *Las vendimias,* 1901. *Églogas,* Madrid, [1902]. *Elegías,* 1905; 1912. *Vendimión,* poema, 1909. *Canciones del momento,* pról. de E. Gómez Carrillo, 1910; 1916. *Tierras de España,* [1914]. *Juglarías,* Barcelona, 1914. **Otras obras:** *El pastor,* poema dramático, Barcelona, 1902. *Agua mansa,* zarzuela, 1902. *La vuelta del rebaño,* zarzuela, Madrid, 1903. *Benvenuto Cellini,* biografía dramática, 1906. *Emporium,* drama lírico (catalán), Barcelona, 1906. *Mala cabeza,* pequeño drama, Madrid, 1906. *La caravana,* novela, 1907. *El delfín,* zarzuela, 1907. *Almas anónimas,* novelas cortas, Barcelona, 1908. *Las hijas del Cid,* leyenda trágica, Madrid, 1908; 1912. *Corneja siniestra,* novela, 1908. *Doña María la Brava,* romancero dramático, 1909; 1911; 1914. *En Flandes se ha puesto el sol,* 1910; 1912; 1914; 1924; ed., notes and vocab. by E. H. Hespelt and P. R. Sanjurjo, Boston, 1924. *La Alcaidesa de Pastrana,* auto teresiano, Madrid, 1911. *El rey trovador,* trova dramática, 1912. *Cuando florezcan los rosales,* comedia, [1913]; [trad. ingl. por C. A. Turrell, en *Contemporary Spanish dramatists,* Boston, 1919]. *Por los pecados del rey.* drama. 1913. *El retablo de Agrellano,*

1914. *La hiedra,* tragedia vulgar, 1914. *Tapices viejos* (teatro corto),
1914. *Cantiga de serrana,* 1914 [contiene varias obras dramáticas]. *Las flores de Aragón,* comedia histórica, 1915; ed., introd., notes and vocab. by S. E. Leavitt, New York, 1928. *Una mujer,* comedia, Madrid, 1915. *El Gran Capitán,* leyenda dramática, 1916. *Beso de oro,* Barcelona, 1917. *Maternidad,* novela, 1917. *Alondra,* drama, Madrid, 1918. *Breviario de un año,* 1918. *El abanico duende,* comedia musical, 1918. *La morisca,* drama lírico, 1918; ed., introd., notes and vocab. by R. Lansing and M. de Alda, Winston, 1927. *El beso en la herida,* novela, Madrid, 1920. *El pavo real,* comedia, 1922. *Rosa de Francia,* juego de comedia, Madrid, 1923. *Una noche en Venecia,* poema dramático, 1923. *Don Luis Mejía,* drama [en colab. con Hernández Catá], 1925. *Fruto bendito,* drama, 1927. *La ermita, la fuente y el río,* drama, 1927. *La vida es más,* comedia, 1928, *La dueña del mundo,* 1928. *Salvadora,* drama, 1929. *El camino de la felicidad,* comedia, 1929. *Sin horca ni cuchillo,* drama, 1929. *El monje blanco,* 1930. *Almas de mujer,* novelas, [1930]. — **Estudios:** E. Díez-Canedo, Sobre *Vendimión,* en L, 1909, I, 448-450; Sobre *Canciones del momento,* en L, 1910, II, 44-45. E. Gómez de Baquero, *La emoción histórica en el teatro de Marquina,* en R, 30 dic. 1923. A. González-Blanco, *Los dramaturgos españoles contemporáneos,* serie I, Valencia, [1917]. F. de Onís, *E. M.,* introd. a *En Flandes se ha puesto el sol,* Boston, 1924. J. L. Pagano, *Al través de la España literaria,* 3.ª ed., Barcelona, s. a. J. R. Sánchez, *El teatro poético : Valle-Inclán, Marquina,* Madrid, 1914. C. A. Turrell, *Contemporary Spanish dramatists,* Boston, 1919. J. Valera, *Ecos argentinos,* Madrid, 1901; *Florilegio,* t. I, Madrid, 1902.

LA ALEGRÍA FECUNDA

    Volvíamos alegres de una fiesta
en medio de los campos, por la noche.
A nuestra espalda, resonaba el pueblo
con un ruido de música de danzas,
y a favor del silencio y de las sombras,
reinaba en el paisaje, como un héroe
después de la victoria.

           Los reflejos
de sus hogueras fáciles, la espléndida
cascada de la luz en sus ventanas,
las risas de las mozas, y el chillido
de los viejos alegres, se movían,
como dorados pájaros en medio

de la negra quietud : aquella noche,
la bestia amodorrada de la Vida
sacudía en el pueblo su cabeza
y hacía estremecer los cascabeles
con que cubre su cráneo.
                      Y mensajeros
de aquel foco de luz, nuestras entrañas
llenas de libertad y atravesando
el camino desierto con la fácil
rapidez de unas alas que se mueven,
íbamos satisfechos; encendiendo
la noche en torno nuestro; derramando
canciones sin sentido a boca llena.

Pasaba un aire fresco y recogía
nuestra respiración de libertados;
las estrellas brillaban, levantándose
del horizonte hundido bruscamente,
como pequeñas chispas arrancadas
por nuestro propio carro; y las seguían,
enamoradas de ellas, absorbidas
por su triunfante luz, nuestras canciones
tejidas sin palabras.
                     Nos mirábamos
como desconocidos que se encuentran
en torno de un banquete; sonreía
llena de intensa caridad la Hermana
sintiéndose vivir, y santamente
se hundía en las delicias de su sangre,
alimentando al pequeñuelo débil
con los tibios raudales de su pecho.

Éramos los Hermanos, la familia
que no desea nada y lo ama todo.

Y la Hermana triunfante, descansando
sobre la profusión de sus cabellos,
negros como la noche, nos miraba
haciéndonos cantar.
                   A nuestro paso,
los seculares árboles erguían

con asombro las copas desmayadas;
entre las piedras del camino hundíanse
las bestiezuelas de los campos; hubo
sensaciones de gozo en los sombríos
perros de los cercados, y callaron,
dejándonos pasar, las apopléticas
ranas de los estanques.

     Pero fuimos
malditos una vez: una alquería
no lejos del camino, reposaba
en un sueño de muerte; en torno de ella
hirvieron nuestras risas, como hierven
las olas sacudiendo a los peñascos,
y el viejo labrador que la habitaba
maldijo de nosotros, porque habíamos
llevado los rumores de la fiesta
a su callado hogar; entonces dijo
que éramos como zánganos, que, estériles
consumidores de la vida, nunca
echaríamos gérmenes fecundos
en los surcos abiertos.

     Luego, viendo
que ya sobre los cielos relucían
las claridades tenues de la aurora,
dejó su lecho, descolgó su azada
y, arrastrando los pies, bajó a su huerta.

Nosotros, los estériles, seguíamos
atravesando los caminos quietos
y despertando a todos; y aquel día
los labradores del contorno hubieron
de acudir a su cita con la Tierra
dos horas más temprano.

     Y nuestra Hermana,
sintiéndose feliz, al ver que hacíamos
sonar la vida a nuestro paso, hablaba
con nosotros de todo; el tibio pecho
seguía dando al hijo y sonreía...

        Églogas, [1902].

SÁTIRA DE LAS ROCAS

Las viejecitas hablan junto al mar...

Tarde, a la tarde,
con sus corcovas y sus carcomas,
de lo que pasa y ha de pasar,
haciendo ovillos con las espumas,
todas las rocas hablan junto al mar.

Tarde, a la tarde,
dice la enorme de roña verde:
«Mis alabanzas puedo cantar;
aquí he nacido y aquí envejezco.»
¡Ríen todas las aguas en el mar!

Tarde, más tarde,
dice la débil de huesos grises:
«Madre, ninguno verá jamás
hierbas lascivas sobre mi espalda.
¡Y las aguas riendo desde el mar!

Tarde, muy tarde,
grita el pedrusco de frente obtusa:
«¡Bien de mí mismo puedo cantar;
todas las olas a mis pies mueren!»
¡Y las olas se ríen junto al mar!

Tarde, más tarde,
piensa la fatua roca vacía:
«Yo solamente puedo cantar;
¡todos mis ecos son musicales!»
¡Cómo ríen las aguas en el mar!

Tarde, ya noche,
brama el islote deforme y negro:
«¡Temedme todos; la oscuridad
me da el hocico largo de un lobo!»
¡Y las aguas se ríen al pasar!

Noche, a la noche,
con sus corcovas y sus carcomas
y con su hueca longevidad
las rocas duermen pesadamente
y las aguas se ríen en el mar.

Églogas, [1902].

ELLA CUENTA SU AMOR

Ella me contaba su sentir oculto.

Cuando no tenía amor
iba dormida por el mundo allá,
sin ningún placer, sin ningún dolor,
como si viviera por otro Señor
y pensando: «¿cuándo se terminará?»

Cuando no tenía amor
nunca los gestos de las cosas vi:
pasaba el placer, pasaba el dolor,
todo eran señales a mi alrededor,
¡pero no se hacía la fiesta por mí!

Despertó el amor
y ardiente fué en su augusto despertar:
me causó placer, me causó dolor,
y de aquel suplicio remunerador
con el comprender me vino el gozar.

Que es fuego mi amor
y todo el mundo se consume en él:
comprendo el placer, comprendo el dolor,
a todas las cosas les doy mi fervor
y todas me entregan su gota de miel.

Que estar en amor
es como estar en larga comunión:
gusto del placer, gusto del dolor,
brilla el Universo a mi alrededor
y su luz la acojo yo en mi corazón.

Elegías, 1905.

SE PINTA EL MAR

La tierra es toda vida
y el mar es todo amor.
En el mar hay escondida
una fuerza más grande que la vida :
la tierra es criatura, y el mar es creador.

Todo el mar es misterio resonante
y palabra inicial :
nada hay a espaldas de él, nada hay delante :
el mar es una eternidad constante
y un movimiento en lo inmortal.

Escapa al pertinaz conocimiento
y prolonga en fantasmas la visión :
el mar es elemento,
hermano del pensamiento
y lecho azul de la imaginación.

Las mujeres suspiran
cuando en la tarde miran
la gran fatiga, hecha pasión, del mar :
toda mujer quisiera
en una noche encapotada y fiera
estarse a solas abrazando al mar.

Los marineros de canosa frente,
estatuas que ha esculpido su garra omnipotente,
pasan como hombres tipos a la orilla del mar :
llevan en sus pupilas el misterio
y tienen un hablar de magisterio,
mamado en su nodriza, la recia tempestad.

A las mozas alegres de la costa,
cuando más lindas van, se les agosta
en sólo un día toda su beldad :
prometidas tal vez a un fiero esposo,
pierden en un abrazo misterioso,
como la tierra en junio, toda su majestad.

Los barrios, junto al mar, de pescadores,
son hornos de fantásticas mentiras,
cunas de unos deseos buscadores,
que se echan a volar emprendedores
renuevos de la tierra en arriesgadas jiras.

Las noches, en las casas marineras,
vienen con aparato de quimeras
poniendo luces rojas en todas las ventanas :
detrás de los cristales arden unas pupilas
espiando las sombras intranquilas
y en atisbo de barcas lejanas.

Entre las rocas de la costa alzada
se oye un extraño hablar, de madrugada,
de gentes que en la noche vigilaron :
las barcas, animadas de un deseo,
tienen un misterioso balanceo
y nunca se están quietas en donde las dejaron.

Las casas de los pueblos marineros
abren todas al mar sus agujeros :
rejas y puertas y ventanas
toda la vida, de la mar, esperan :
al monte sólo irán cuando se mueran,
al quieto cementerio de las tapias enanas.

¡Oh, mar! ¡Oh, extraño mar! ¡Oh, gran misterio!
¡Oh! ¡No saben tus gentes el imperio
que ejerces en sus almas!
Tú has sabido, a través de las edades,
garantir con tus altas tempestades
la majestad suprema de tus calmas.

¡Santo mar, fuerza nueva, agua querida,
adobo espiritual de nuestra vida,
campo siempre fecundo a la mirada!
¡Sólo tú, cuando un ansia la enajena,
pones la gracia de una paz serena
en la pupila fácil de la Amada!

Elegías, 1905.

EL ASNO

II

¿Y la bondad, y la bondad florida?...
¿Ya no quedan raíces de esta planta en la vida?
¿No andará, por las grietas de la tierra, escondida?
¿Ya no hay bondad, ya no hay bondad florida?...

— Tú, que me miras grave con tus ojos tristones,
¡oh, rucio de trapero, cosido a costurones!,
di : ¿no hallaste, estos días, por entre estos montones,
los restos de la planta de mis salutaciones?...

¡Oh, rucio de trapero, qué lindos ojos pones!

¡Qué lindos ojos tristes de niño envejecido!
¡Qué ojos, soñando un goce que no te han concedido!
Tú conoces la planta porque no la has tenido;
de tanto desearla, su virtud has cogido.

Tu martirio en silencio pide una letanía;
el vaho, cuando sudas, se te hace poesía,
y del vello que cubre tus lomos, tejería
su cenicienta túnica Madre Melancolía.

Tus sedosas pestañas se cierran maquinales
ante la dura sombra de las cosas reales;
y guardan, codiciosas, tus pupilas sensuales
la verde maravilla de los campos natales.

¡Oh, pobre rucio flaco!... En tu frente hay señales...

En tu frente hay señales que me quitan la venda;
bajo tus pobres patas florece la leyenda;
el aire, cuando avanzas, parece que se encienda;
toda tu mansedumbre solicita una ofrenda.

...Veo un camino de árboles en floridas arcadas,
y veo casas blancas sobre azul destacadas,
y palomas que flotan por el aire a bandadas;
¡y me llega un rumor de palmas agitadas!

Hay una muchedumbre que se lanza a un camino,
salen brazos desnudos de las mangas de lino,
van los niños por alto en el sol matutino,
las mujeres se empinan sobre el hombro vecino...

Se hace blando, en las rosas, el andar de un pollino
y, entre lo más humano, pasa lo más divino...

Aun conservas señales de la gran maravilla,
¡oh, pobre rucio flaco!; y, al andar, tu rodilla
en una involuntaria genuflexión se humilla;
aun tiene santidad tu buena fe sencilla.

— ¡Ah!... Vengamos a cuentas: los tigres, los reptiles,
los erizos huraños, los camellos civiles,
y vosotros, rebaños que pululáis a miles
por estos verdes trigos y estos montes cerriles:

Yo, sobre todos juntos, colocaré este asnillo,
porque fué, en los dolores, laborioso y sencillo;

porque llevó al mercado su carga cada día
y en los campos natales soñó, cuando dormía;

porque su alma doméstica santamente se avino
con la gallina y con el cerdo, su vecino;

porque, sin proclamarlo pomposo sacrificio,
su vida fué una fuerza y su fuerza un servicio;

porque, poco orgulloso de sus carnes enjutas,
gozó llevando a cuestas una carga de frutas;

porque, jamás avara, su alma espléndida y larga
no cambiaba de dueño y cambiaba de carga;

y porque, visionario, no trotó nunca, como
cuando llevaba flores — ¡o a Jesús! — en el lomo.

Vendimión, 1909.

EL SENDERO

Tú, que andas este sendero
conmigo, hijo mío,
tan suave y tan hacedero
en el soto umbrío,
con el humilde madero
de puente, en el río,
que va al molino harinero
desde el caserío,
¿no piensas en el primero
que lo abrió, hijo mío?

Fué un mozo que pasaría
por aquí, saltando;
las yerbas no miraría
que aplastaba andando;
la guija, que se salía
de sus pies botando,
o el césped, donde se hundía
su pisada en blando,
¡le eran igual aquel día
que pasó, saltando!

Fué un tiempo en que tuvo amores
el mozo, hijo mío;
quería llegar con flores
hasta el caserío;
buscó los sitios mejores
en el soto umbrío;
ya ellos le eran guiadores
y no su albedrío,
¡y así empezaron amores
la senda, hijo mío!

Fué un tiempo en que los deberes
su paso acuciaron,
y al ir para sus quehaceres,
sus plantas buscaron
la horma aquella en que placeres

de amor le empeñaron;
ocasos y amaneceres
pasar le miraron,
y así afanes y deberes
la senda trillaron.

Fué aquel tiempo en que los años
pesan, hijo mío;
cuidados y desengaños
menguaron su brío;
el viejo, en días huraños
de un Diciembre frío,
tendió un puente en que, sin daños,
traspasar el río;
¡y así acabaron los años
la senda, hijo mío!

Tú, que andas este sendero
de mi mano, cuida
de pensar en el primero
que le dió medida,
¡viejecito molinero!,
la harina molida
que te cayó del harnero
no será perdida:
la encuentro en este sendero,
que es toda una vida.

Hijo mío, espera bueno
y suelta mis manos,
¡anda!, que en todo terreno
hay dejos humanos;
recorres un mundo lleno
de muertos hermanos;
buscan tu mano, en tu seno,
millares de manos.

Porque esta tierra, en contienda
con lo violento,
recoge como una ofrenda
todo humilde aliento;

los imperios de leyenda
trago en un momento;
¡pero conserva esta senda
como un monumento!

Busca, hijo mío, la fuente
de las maravillas;
aprende a inclinar tu frente,
a hincar tus rodillas,
¡y Dios quiera, en tu poniente
de hojas amarillas,
que tus manos — o tu mente —
las tablas sencillas
puedan colocar, de un puente
entre dos orillas!

Tierras de España, [1914].

ESTROFAS

> Ante el cadáver de don
> Benito Pérez Galdós, como le
> vi, en su último escritorio de
> la calle de Hilarión Eslava.

I

Habías vivido y trabajado
y eras el cuerpo de un hombre coloso :
recio en la planta y nimbado,
como todo arquetipo plenamente acabado,
de una fina dulzura de reposo...

II

Tronco de roble; en duros muñones,
llevaste miel de panales,
y cerraste el ciclo de las estaciones,
y hubo para todos en las profusiones
de tu copa...
    Anidaron pardales

en el entronque de tus ramas capitales
y cubrieron del suelo patrio los desgarrones
tus flores y tus hojas otoñales...

III

Glorioso cráneo, arrebujado
entre los pliegues del paño listado,
sobre el que fulges como diadema,
he aquí, en sobrio emblema,
tu vivir figurado:
tu alma que sale a la quietud suprema
por el resquicio hendido
del capullo de seda que ella misma ha tejido...

IV

Tú habías trabajado...
En labor de gañán y de obrero,
artista, empleado
cuotidianamente,
tú habías trabajado;
párroco de la mente
habías sido, y minero;
y, en agrio campo, curvado
sobre los surcos, labrador;
y leñador... y sembrador;
y anudando al futuro los hilos del pasado,
tejedor;
ambicioso como un constructor;
sobrio como un soldado.
Y así tú que, en tus manos, habías sostenido,
por la vida adelante, sin buscar un atajo
y en lo más duro, más enardecido,
todos los instrumentos de trabajo,
finalmente debías
descansar;
y en la paz de tus blancas profecías
a medio granar,
hoy te duermes, tal vez porque ya no podías
trabajar...

V

Descansa; eterniza
tus postreros latidos en quietud de ceniza,
corazón, de latir fatigado;
párate, emplea
toda la eternidad en tu última idea,
cráneo en el idear tenazmente probado;
antorcha viva el cuerpo muerto sea,
y en tu final trasiego depurado,
divinamente quieto, crea, crea...

VI

Crea, a la luz de estos blandones
que te dan una mística traza,
la amargura de tus segundones
y la orfandad vacía de tu raza.
Crea el dolor y el arrepentimiento;
deja de ser, para que te deploren;
la amputación de tu muerte un momento
valga, a tu pueblo, de recogimiento,
y los que no pensaron, haz que lloren...

VII

Glorioso cráneo, esquilmado
en el desgaste productor,
noble corteza de un astro, apagado
detrás de una montaña de labor;
arco roto, resorte relajado,
labio callado,
manantial detenido en su hervor :
merma el orbe, privado
en ti de un sentido,
y tu progenie otea lo por venir, inquieta
porque, desde hoy, tendrá, en su recorrido,
un camino de menos para alcanzar la meta.
Maestro : tu labio se calla
cuando más fiero a nuestro lado

el huracán estalla...
¿por qué nos has abandonado
en lo peor de la batalla...?

VIII

Se enturbia el aire en un vaho iracundo
y gritos de odio y de saña,
rompiendo están de la tierra la entraña
en parto infecundo,
¿por qué doblar el cuello también a la guadaña
tú, que eras un gesto del mundo
y una manera de España?...

IX

Co-autor con Dios de la Patria, preveo
que mañana, en tributo pigmeo
la oficial caravana
hilará vanidades sobre tu mausoleo;
para ella, la piedad de tu sonrisa humana:
siempre es pequeño el muro cuando es grande el trofeo,
no queda voz que de tu gloria invicta
no tiemble al peso ponderoso:
el silencio es tributo forzoso
cuando muere el que dicta.

X

Ve en paz: te guardaremos, en un dolor de ausencia,
perpetuamente a nuestro lado,
y en toda lucha nueva y en toda nueva urgencia,
recordatorio tuyo será nuestra indigencia;
nuestro miedo, señal de que nos has dejado...
Ahora aprendo en tu labio, aunque no hable,
y leo, aunque hayas muerto, en tu mirada,
y entrego a España el ejemplo admirable
de tu energía hasta el final gastada:
«Sembró ciencia y amor, sueños y besos;
para trillar azul, segó lo bajo;
hoy da a la tierra la piel y los huesos
y todo el resto se lo dió al trabajo.»

RAMÓN PÉREZ DE AYALA

1881

Asturiano. La ciudad de Oviedo, donde se crió, se educó y empezó a escribir, fuertemente penetrada del ambiente regional, ha dejado profunda y duradera huella en su obra: asuntos, personajes, paisajes, lenguaje, y algo más hondo, una psicología peculiar que se ha manifestado a través de una tradición literaria asturiana que va desde los reformadores del siglo XVIII hasta Campoamor, Palacio Valdés y Leopoldo Alas. Ayala es el nuevo representante de esta modalidad regional española, que se caracteriza por combinar con el apego a lo local el sentido de lo español y de lo extranjero y universal, como en otra forma también mezcla, lo mismo que la región nativa, lo más arcaico y patriarcal con la extrema modernidad. Son notas comunes a estos escritores asturianos el buen sentido, el idealismo práctico, el predominio de lo intelectual, el sentido social, el humorismo malicioso y bonachón. Allí recibió Ayala la influencia literaria decisiva en su formación, la de Leopoldo Alas; después, con su espíritu flexible y abierto a lo nuevo y lo extranjero, recogerá las influencias más diversas, la de Rubén Darío y Unamuno, la de determinados escritores franceses e ingleses, al mismo tiempo que la de las literaturas antiguas, especialmente la clásica española. Hombre de mucha y variada lectura, que ha residido en varios países, con marcada preferencia por Inglaterra — donde es ahora embajador de la República española — y dotado de gran curiosidad y talento literario, ha realizado en España el tipo perfecto del literato moderno, dueño de su arte de escritor, que logra darnos en sus obras, a través de su personalidad, el vario y complejo mundo de sus observaciones, sus sensaciones y sus ideas. Pero esta inquieta y versátil modernidad está refrenada en Ayala por un sentido conservador y clásico, que se manifiesta en el decoro constante de su estilo trabajado y consciente y en el respeto y preocupación por todo lo castizo español. Por eso ha venido a sustituir en la admiración pública a don Juan Valera, ha tenido menos dificultad que otros para entrar en la Academia española, y goza de una amplia y sólida reputación. Ésta se basa principalmente en sus novelas; pero ellas, como toda su obra, participan de la naturaleza del ensayo y tienen un carácter personal, subjetivo y lírico. Sus poesías andan a menudo mezcladas con su prosa y tienen estrecha relación con ella. Además, a través de toda su vida, ha escrito obras exclusivamente de poesía; todo lo cual demuestra, contra la opinión corriente que tiende a mirarle sólo como novelista, que la poesía forma una parte muy principal de su obra total. En ella se muestra, en efecto, el desarrollo de su formación literaria y la mayor condensación y perfección de sus temas y de su estilo. Modernista en su obra de juventud, *La paz del sendero* (1903), con dejos franceses y primitivos españoles juntamente, va ascendiendo a lo largo de sus otros «senderos» simbólicos hacia una poesía muy suya, intelectual, humorística, fríamente apasionada, llena de novedades de fondo y de forma que significan la rotura de los moldes del modernismo y el avance decidido hacia una nueva poesía postmodernista.

BIBLIOGRAFÍA.—**Poesía:** *La paz del sendero,* Madrid, 1903; 1916; 1924. *La paz del sendero: El sendero innumerable,* 1916. *El sendero andante,* 1921; 1924. **Otras obras:** *Tinieblas en las cumbres,* [1907]. *A. M. D. G.: La vida en los colegios de jesuítas,* 1911; 1923 [trad. ital., Milano, 1925; trad. franc., por J. Cassou, París, s. a.]. *La pata de la raposa,* [1912]; 1917; 1926; 1930 [trad. ingl., por T. Walsh, New York, 1924]. *Troteras y danzaderas,* [1912]; 1923; 1930. *Prometeo, Luz de domingo, La caída de los Limones,* 1916; 1920; 1924 [trad. franc., por M. Carayon, pról. de J. Cassou, París, s. a.]. *Herman encadenado,* 1917. *Las máscaras,* 1917-1919. *Política y toros,* 1918; 1925. *Belarmino y Apolonio,* 1921. *El ombligo del mundo,* 1922. *Éxodo,* 1923. *Luna de miel, luna de hiel,* 1923. *Los trabajos de Urbano y Simona,* 1923. *Tigre Juan o El curandero de su honra,* 1926. *El libro de Ruth: ensayos en vino,* 1928. *Obras completas,* Madrid, Mundo Latino, 1923. — **Estudios:** F. AGUSTÍN, *R. P. de A.: su vida y obras,* Madrid, 1927. L. AMBRUZZI, *Da «Don Ramón» a «Ramón»,* en Conv, 1929, I, 720-727. D. K. ARJONA, *La «voluntad» and «abulia» in contemporary Spanish ideology,* en RHi, 1928, LXXIV, 373-672. AZORÍN, *El intelectualismo de P. de A.,* en TSDB, 27 enero 1924. J. A. BALSEIRO, *R. P. de A., novelista,* en *El vigía,* t. II, Madrid, 1928, p. 123-269. M. BATAILLON, Sobre *Belarmino y Apolonio,* en BHi, 1922, XXIV, 189-191. R. CANSINOS-ASSÉNS, *La nueva literatura,* t. I, Madrid, s. a. G. DÍAZ PLAJA, *R. P. de A., poeta,* en DG, 20 mayo 1928. E. DÍEZ-CANEDO, *A. y sus tres senderos,* en Sol, 27 marzo 1925; *El sendero innu-*

merable, en Esp, 1916, núm. 54, 13. E. Gascó Contell, *R. P. de A.*, en RAmL, 1928, XVI, 90-92. E. Gómez de Baquero, *Novelas y novelistas*, Madrid, 1918; Sobre *Tigre Juan o El curandero de su honra*, en Sol, 13 marzo 1926. A. González-Blanco, *Los contemporáneos*, 1.ª serie, París, [1906]; *R. P. de A.*, en RCo, CXXX, 143-168. J. Ibarra, *R. P. de A.*, en GLit, 1930, IV, núm. 92. S. de Madariaga, *The genius of Spain*, Oxford, 1923; *Semblanzas literarias contemporáneas*, Barcelona, 1924. H. Merimée, Sobre *El ombligo del mundo*, en BHi, 1925, XXVII, 375-378. *Politics and bulls* [sobre *Política y toros*], en Times, 12 feb. 1920. C. Rivas Cherif, Sobre *Tinieblas en las cumbres*, en Esp, 8 dic. 1923. R. Sáenz-Hayes, *Antiguos y modernos*, Buenos Aires, 1927. E. Salazar y Chapela, Sobre *El libro de Ruth*, en Sol, 8 set. 1928. R. M. Tenreiro, Sobre *La pata de la raposa*, en L, 1912, II, 390-397. J. de Zuazagoitia, *Tres entes de ficción: Pepet, Alejandro Gómez y Tigre Juan*, en Sol, 9 mayo 1926.

LA PAZ DEL SENDERO

Con sayal de amarguras, de la vida romero,
topé tras luenga andanza con la paz de un sendero.
Fenecía del día el resplandor postrero.
En la cima de un álamo sollozaba un jilguero.

No hubo en lugar de tierra la paz que allí reinaba.
Parecía que Dios en el campo moraba,
y los sones del pájaro que en lo verde cantaba
morían en la esquila que a lo lejos temblaba.

La flor de madreselva, nacida entre bardales,
vertía en el crepúsculo olores celestiales;
víanse blancos brotes de silvestres rosales
y en el cielo las copas de los álamos reales.

Y como de la esquila se iba mezclando el son
al canto del jilguero, mi pobre corazón
sintió como una lluvia buena, de la emoción.
Entonces, a mi vera, vi un hermoso garzón.

Este garzón venía conduciendo el ganado,
y este ganado era por seis vacas formado,
lucidas todas ellas, de pelo colorado,
y la repleta ubre de pezón sonrosado.

Dijo el garzón : —¡Dios guarde al señor forastero!
—Yo nací en esta tierra; morir en ella quiero,
rapaz. —¡Que Dios le guarde! — Perdióse en el sendero.
En la cima del álamo sollozaba el jilguero.

Sentí en la misma entraña algo que fenecía,
y queda y dulcemente otro algo que nacía.
En la paz del sendero se anegó el alma mía,
y de emoción no osó llorar.
                                   Atardecía.

                            La paz del sendero, 1903.

COLOQUIOS

Hoy viene a visitarme Francisquín, un vecino
que es un buen hombre. No fuma ni prueba el vino,
y a su mujer, Teresa, le da toda la plata
que puede. Es un bendito; un bendito... que mata
reses, y que la carne lleva a vender a Oviedo.
Se ha sentado a mi lado, y como yo no puedo
explicarme que sea buen hombre y matachín,
le digo de esta suerte :
                        — Amigo Francisquín,
¿no te tiembla la mano, no sientes mucha pena
al matar a esas pobres reses inofensivas?
¿Y no creíste ver su pupila serena
mirar como implorando que las dejases vivas?
Él hace un gesto y dice :
                        — Pss. Nunca creí ver nada.
— Pues tienen esos animales una mirada
tan dulce, tan amiga y buena, tan resignada,
que todo un universo en su globo se encierra.
¿No has visto tú los diáfanos ojos de una becerra?
No, no supiste verlos. Si los hubieras visto
no serías carnicero.
                        Y Francisquín : — ¡Recristo!
Y... ¿qué iba usted a comer, don Ramón?
                                        — Ten por
que un animal es más útil vivo que muerto;   [cierto,

y es la Naturaleza tan sabia y maternal,
que en ella vivir pueden todos sin hacer mal.
La vaca da su leche, sus huevos la gallina,
y la abeja su miel para nosotros deja;
el pan viene del trigo, que es la flor de la harina,
y el vino tinto sale de la uva bermeja.
Y por si esto no basta, los árboles amigos
nos ofrecen sus frutos (peras, manzanas, higos) :
cada cual a su tiempo bríndalos en sazón,
abundantes y dulces, que es una bendición.
Pero aun hay más, querido Francisquín : hortalizas
existen que a las gentes ponen gordas, rollizas,
con su virtud oculta. Y, en fin, como propina,
alimento del alma da la tierra divina
con sus pájaros, sus arroyos y sus flores,
que cantan dulcemente o parlan reidores,
o exhalan ambrosías al hombre triste gratas. —
Y añado, semi en serio: —¡Francisquín! ¿Por qué matas?
Y como siempre ha sido un pobre hombre, un bendito,
sólo dice :

          — ¡Qué cosas tiene usté, señorito!

                              La paz del sendero, 1903.

                    EL ALEGRO

                              El espíritu del hombre ante el
                              mar sereno.

De sí el alma se ajena y se esparce en la brisa,
sin rumbo ni asidero. Está añil y tranquilo
el mar. Sonríe. De pronto, me he acordado que Esquilo
al mar llamaba la innumerable sonrisa.

                    El mar es sendero innumerable.

Antes bien se dijera sendero innumerable :
infinitos senderos de peregrinación.
Y para la jornada, el áncora y el cable
son esperanza y fuerza, calabaza y bordón.

> El mar ofrece un camino para
> cada destino.

Abre una ruta virgen a cada peregrino,
por una pauta de astros que dicta el firmamento.
Y para los gentiles carros de alas de lino,
en relevos constantes hay corceles de viento.

> Nacimiento de Venus.

Antes de roturada por el remo y la quilla
desgarróse en el fruto de doncellil preñez.
Nació la Diosa, y vino danzando hasta la orilla.
Era oro, perla, seda, rosa, su desnudez.

> El mar rememora el milagro
> de Venus.

Con inefables lenguas y cristalinas bocas
renueva eternamente el mito primieval.
Todavía el venusto temblor tiembla en las rocas
y el talón ambarino aun dora el arenal.

> Y el milagro de Jesús.

Y luego, cuando las evangélicas edades,
se repite el milagro que antes nadie había visto.
La senda innumerable — Jesús, en Tiberiades —
la hollaron a pie enjuto sólo Venus y Cristo.

> El sendero innumerable se re-
> sume en dos sendas.

Jesucristo, amoroso por amor a la espina,
y Venus, amorosa por amor a la flor.
Senda de Citerea; senda de Palestina.
Senda de amor profano. Senda de Sacro amor.

> El mar es la música absoluta.
> Concuerda todos los cánticos.

Para cada conciencia suena el apto instrumento.
Suena la flauta pánica y el bíblico laúd.
Tiene el ritmo adecuado de cada pensamiento
y melodías para cada vicio y virtud.

Predomina el aire del alegro.

Brota la espuma cándida sobre el abismo negro,
y sobre la amargura de sus entrañas hay
un inefable alegro, un clamoroso alegro
de esperanza, un alegro plata, azul, verdegay.

El sendero innumerable, 1916.

LA PRIMERA NOVIA

(Fragmento.)

Palique.

Da. Gaviota. —Don Cuervo amigo: juro, por mi fe de Gaviota,
que este hombre macilento, de voz opaca y rota,
que así se plañe, así maldice y alborota,
me parece sin duda el hombre más idiota.

D. Cuervo. — ¡Ave María Purísima! (dijo en tono eclesiástico
señor don Cuervo), tienes el pico un tanto cáustico,
Dime qué silogismo o sofisma fantástico
te ha inducido a ese juicio tan radical y drástico

Da. Gaviota. — Digo, que haber amado a una tal Asunción,
que se ha casado y ha engordado, no es razón
para afirmar que el mundo es una maldición
y que la vida es más breve que un cañamón.

D. Cuervo. — Verdad ha dicho, amiga, el hombre macilento.
Colmado de sentido ha estado su lamento,
pues nuestra vida es breve, se escapa como el viento.
La vida es de la muerte un continuo memento.
Reza el proverbio — y es la voz de la verdad —
que el cuervo a los cien años entra en la pubertad,
y a los doscientos es ya mayor de edad.
Mas ¿qué son estos años junto a la eternidad?
¿Encuentras, por ventura, la vida suficiente?

Da. Gaviota. — ¡Claro!

D. Cuervo. — Doña Gaviota, pienso que estás demente.
El temor a morirte, ¿no tortura tu mente?

Da. Gaviota. — ¡Jamás!

D. Cuervo. —Lo que me dices es estupefaciente.

Es que no filosofas.

Da. Gaviota.   —¿Para qué? Amo la acción.
Me gusta con las alas azotar el ciclón,
en plenitud gozosa henchido el corazón.
A mí, ¿qué se me importa que esté gorda Asunción?

D. Cuervo. — ¿No te pesa el pasado?

Da. Gaviota.   — Tengo mala memoria.

D. Cuervo. —¿La tradición desdeñas?

Da. Gaviota.   —Me fastidia la Historia.

D. Cuervo. —Pues la acción de tu vida es acción ilusoria.
Estás como el borrico en torno de la noria.

Da. Gaviota. — Cuanto me dices me parece algarabía.

D. Cuervo. — Se debe a que tu casta carece de hidalguía,
de tradición; en cambio guardamos en la mía
los dictados añejos de la sabiduría.
Algún abuelo — y de esto hace miles de años —
vivió en larga compaña con santos ermitaños
que, adoloridos del mundo y sus desengaños,
huían a esconderse en parajes huraños.
A estos santos varones les tentaba Satán
con dueñas regaladas o en la traza de un can.
De un ermitaño cierto abuelo fué el edecán;
le llevaba en el pico cada mañana un pan.
La sapiencia de aquellos santísimos varones
muestra que el mundo es un tejido de ilusiones,
que el dolor nos acecha en todas ocasiones.
Y así la conservamos en nuestras tradiciones.

Da. Gaviota. — Vamos, que si en el agua me doy un chapuzón
y aleteo en un sumo deleite, ¿es ilusión?
Cuando como, sabroso y vivo, un camarón,
¡nada como?; ¿es engaño de la imaginación?

D. Cuervo. — ¿Vivo dices?

Da. Gaviota.   — En este juego soy tan experta,
que pez que yo descubro tenlo por presa cierta.

D. Cuervo. — Tu atroz canibalismo deja mi sangre yerta.

Da. Gaviota.— ¿Canibalismo? ¿Y tú, qué comes?

D. Cuervo.   — Carne muerta.

Da. Gaviota.— ¡Qué indecencia!

D. Cuervo.   — No entiendes. Te falta tradición.

Da. Gaviota — Te equivocas. Mi casta se remonta a Jasón;

fué amiga de Oddiseus y amiga de Colón.
Sólo que no me gusta jactarme de blasón.

D. Cuervo. — Jáctate, aunque muy presto tu jactancia se frustre.
Doña Gaviota, en balde pretendes darte lustre.
Eres, como palmípedo, de vil casta palustre.
En tu vasta familia, sólo el cisne es ilustre.

Da. Gaviota. — ¡Valiente ganso!

D. Cuervo.   — Digo cisne; ¿no has oído hablar
del cisne aristocrático?

Da. Gaviota.   — Te voy a declarar
que yo coloco al cisne y al ganso par a par.
Don Cuervo, adiós. Hasta otro día. Voy a volar.

(Y se partió, silbando como una jabalina
de plata. A sus alcances, negro como la endrina,
don Cuervo fué volando. Pero se quedó atrás,
porque doña Gaviota volaba mucho más.)

El sendero innumerable, 1916.

POBRE CASTILLA LA LLANA

Pobre Castilla la llana, — que no puede ver el mar.
Pobre terruño, adscripto — a la gleba de un erial.
Con quebranto, de vosotros — me parto, con Dios que-
[dad.
Pueblo sobrio, pueblo hidalgo,—prez de hidalguía cabal;
triste de ti, que la infamia—llegó a meterse en tu hogar.
Adiós por siempre. Me parto—no sé adónde. A un más
[allá.
Partíos todos conmigo. — Sembrad las tierras de sal.
Maldito de Dios el pueblo — que se deja amiserar,
que humilla su cuello al yugo — y moja en llanto su pan.
Malhaya aquel que, cobarde, — se deja mal gobernar.
Quédense los regidores — solos, un tal para un cual.

¡Cómo sopla alegre el viento! — ¡Qué azul y blanco
[está el mar!
El galeón se impacienta — cual potro ensillado ya.
Marinos levan el ancla — con gritos de libertad.
Las velas tiemblan, como alas — congojosas por volar

del reino de la mentira — al reino de la verdad.
Timonel, rige la caña. — Corta la amarra, rapaz.

Salió mar adentro el buque, — con rumbo a la Eter-
[nidad.

Prometeo, 1916.

UNA VEZ, ÉRASE QUE SE ERA...

Una vez, érase que se era...

Érase una niña bonita.
La decían todos ternezas
y le hacían dulces halagos.
Tenía la niña una muñeca.
Era la muñeca muy rubia
y su claro nombre Cordelia.
Una vez, érase que se era...

La muñeca, claro, no hablaba,
nada decía a la chicuela.
«¿Por qué no hablas como todos
y me dices palabras tiernas?»
La muñeca nada responde.
La niña, enojada, se altera.
Tira la muñeca en el suelo
y la rompe y la pisotea.
Y habla entonces por un milagro,
antes de morir, la muñeca:
«Yo te quería más que nadie,
aunque decirlo no pudiera.»
Una vez, érase que se era...

Prometeo, 1916.

LA CENICIENTA

Yace silencioso el pueblo. Hora de la solanera.
Los hombres andan ausentes, porfiando con la tierra.
Sólo posan en los lares las muy mozas o muy viejas.
Está vacía la calle, están cerradas las puertas.
En lo hondo de una casona canta una voz lastimera:
Por ese hombre daría mi vida entera.

De las Gilas, ahidalgadas, es la casa solariega.
Son las Gilas cuatro hermanas: todas las cuatro son feas;
todas las cuatro con novio, que hay para todas hacienda.
La que canta es Clementina, una prima pobre y huér-
[fana,
que han recogido las Gilas: criada y parienta a medias.
Cuanto de ruindad las otras, tanta es su gracia y lindeza;
tanto es gentil y riente, cuanto las otras zahareñas.
Ningún mozo en ella cuida, ningún galán la corteja,
porque en la noble Castilla si eres pobre eres soltera.
Desde el alba hasta la noche, Clementina azacanea;
la casa adoba y avía, previene el pienso a las huebras,
amasa el pan y lo cuece, baja el yantar a las eras,
hila la lana en el huso, a los rebaños ordeña,
hace cuajadas y quesos, rige y castra las colmenas.
Dice una Gila: Holgazana. Otra dice: Date priesa.
Y otra: Malhayan los deudos, nunca valen lo que cues-
[tan.
Clementina, humilde el rostro, de aquí y de acullá tre-
[beja,
y sin dar paz a la mano canta con voz lastimera:
        Por ese hombre daría mi vida entera.

Clementina, a hurto del sueño, leyó antaño una no-
Amores de Lanzarote y de la reina Ginebra.   [vela:
Y ya su vida es un sueño, esté dormida o despierta.
Vendrá, vendrá el caballero, jinete en blanca hacanea,
que le besará en los labios y la hará suya por fuerza,
y la robará, a la grupa, y se casará con ella.
Y Clementina solloza con voz que el deseo altera:
        Por ese hombre daría mi vida entera.

Canta del alba a la noche; pero ese hombre nunca
Yace silencioso el pueblo. Hora de la solanera.   [llega.
Está vacía la calle. Están cerradas las puertas.

1920.   *El sendero andante,* 1921.

FILOSOFÍA

Agua en cestillo;
llanto femenino;
congoja de niño.
Todo es uno y lo mismo.

Granazón de trigo;
simiente en silo;
moler de molino.
Todo es uno y lo mismo.

Mayo florido;
sol de estío;
otoño fructífero;
hielo invernizo.
Todo es uno y lo mismo.

Beso furtivo;
carnal deliquio;
ebriedad de vino.
Todo es uno y lo mismo.

Canario de trino;
rana en paroxismo;
cigarrón estrídulo;
canicular grillo;
ruiseñor, ¿sublime?, ¿ridículo?;
Mozart; Borodino;
el ciego del guitarrillo.
Todo es uno y lo mismo.

Príncipe o mendigo;
tabardo harapiento o armiño;
burdeos, borgoña o tintillo.
Todo es uno y lo mismo.
Bermellón, añil o amarillo.

Lenín, apóstol o cretino;
Wilson, un profeta o un timo;
Lloyd George, celta o celtíbero.
Todo es uno y lo mismo.

Vuelo de las aves — auspicios —;
velas en el horizonte marino;
rodar de las aguas del río;
son de campanas — entierro o bautizo —;
humo, nube, sombra, eco indistinto.
Todo es uno y lo mismo.

Todo es fugitivo,
todo es efímero,
ante el Infinito.
Pero, al tiempo mismo...
todo es divino;
cabos, hebras, hilos
de un solo ovillo:
el Infinito.
En un nudo se enlazan innumerables hilos.
En el punto que pisas se cruzan todos los caminos.
Todo es necesario y todo es preciso.
Por lo tanto, amigos,
besemos sin tino
el labio encendido,
bebamos el vino,
sembremos el trigo;
confiemos sin distingo,
a Lenín o a La Cierva, nuestro proselitismo;
tripulemos un navío
rumbo a lo desconocido,
flotemos en el caudal del río,
elevemos los ojos al Olimpo,
y hundamos los pies en el abismo;
gocemos del rosal y del árbol frutecido,
de los crepúsculos indecisos
— matutino y vespertino —,
del mediodía, y cuando la noche está por filo,
del calor perezoso, del vigoroso frío;
lloremos llanto femenino,
sintamos congojas de niño,
cojamos agua en cestillo.
Mañana haremos lo mismo,
... si mañana vivimos.

Un instante vivido
es compendio de siglos.

   Así pensó el egoísta exquisito,
el esteta así dijo,
así quieren el desalentado y el místico.
Y replicó un murmullo íntimo:
todo es necesario y preciso;
PERO todo a su tiempo debido
y cada cosa en su sitio;
desnudo el pecho, las sienes en Sirio,
la planta acaso en el limo.
¿Totalidad? Sueño imposible. *Harmonía*. Apuntad a ese
¡Lo justo y lo harmonioso; uno y lo mismo!   [hito.

1919.   *El sendero andante*, 1921.

RAMÓN DEL VALLE-INCLÁN
1866 - 1936

   Gallego. Esto podemos decirlo, sin destruír la leyenda vivi-
da y verdadera que es toda la vida de Valle-Inclán, porque él
ha aceptado este hecho en ella y ha llenado de materia y espíritu gallegos su obra. Pero no podríamos decir con exactitud
de biógrafos que nació en Villanueva de Arosa, aunque da de
ello fe su partida de bautismo, donde, por cierto, consta también su verdadero nombre; porque ni ha llevado nadie un
nombre tan suyo como el que él se puso, ni hay exactitud
comparable con la suya al escoger — él sabrá por qué — a
Puebla de Caramiñal como su lugar de nacimiento. El testimonio documental queda destruído por su afirmación de haber
nacido, no en ninguno de esos dos pueblos, sino en la ría, en un
galeón que iba de Puebla de Caramiñal a Villanueva de Arosa,
y habiendo nacido en aguas de aquélla tuvo que ser bautizado
en ésta después de desembarcar. Baste este hecho inicial de su
vida como ejemplo de los problemas que a cada paso ofrecerá
la biografía de este gran escritor, que — siguiendo una tendencia muy de su tiempo — ha creado su propia vida y personali-

dad como una obra de arte. Su leyenda—recogida en anécdotas
innumerables que él cuenta con maravilloso arte de narrador
y que todo el mundo sabe — es lo más lejano que cabe de la
ficción y de la mentira; está hecha carne en él desde que—a la
vuelta de un viaje juvenil a Méjico y después de haber recibido
la primera iniciación literaria en un raro foco de contacto con
la literatura extranjera que había en Pontevedra — llegó a
Madrid ya con su luenga barba y con sus melenas decadentes,
rapadas éstas más tarde, para ser desde entonces la figura más
extraordinaria entre las muchas que iban llegando, con raro
sincronismo de época, de puntos lejanos y aislados de España
y de la América española. Entonces empezaron a aparecer sus
obras en prosa, que, como se ha dicho muchas veces, significaron una revolución semejante a la que Rubén Darío realizó en
el verso. Era una prosa rítmica, numerosa, cuya virtud estaba
en el valor evocador de las palabras, en la novedad de las
imágenes, en la rareza de las sensaciones: prosa poética y musical, que culmina en las *Sonatas* y en *Flor de santidad,* y que
expresaba con arte refinado y decadente el sentimiento del
paisaje espiritualizado por la leyenda. Esta fase de su obra, que
está de lleno dentro del modernismo, se cierra con su primer
libro de poesías *Aromas de leyenda* (1907). Vienen después sus
«comedias bárbaras», en las que el lenguaje y la técnica literaria se transforman para expresar el sentimiento dramático del
arcaísmo rústico y medieval: a esta fase corresponden los
rudos versos de *Voces de gesta* (1912). En estos dos libros de
poesía, como en los dos modos de prosa correspondientes, hay
influencias bien notorias de la literatura de la época; pero la
sustancia poética la da la Galicia rústica, arcaica, mítica y
legendaria, y la obra de creación de un nuevo idioma poético
es toda de Valle-Inclán. Más adelante, con capacidad de renovación no igualada por ningún escritor contemporáneo, este
creador de mundos artificiales de belleza y armonía, aplicará
su maestría en el manejo del idioma como obra de arte a la
creación de mundos de fealdad y disonancia, tales como los
llamados por él «esperpentos», sus obras de mayor valor y
originalidad: a esta última fase corresponden sus mejores versos, los de *La pipa de Kif* (1919) y algunos de *El Pasajero* (1920).
Recurrirá en ellos, por una parte, como otro Quevedo moderno, al fondo bajo, grosero y chabacano del lenguaje plebeyo

madrileño moderno y rústico, y por otra, al lenguaje misterioso de la magia agorera y abracadabrante. Con esta materia hará sus cuadros de figuras caricaturescas y colores recortados y disonantes: obras maestras de un arte que, aunque tiene sus antecedentes literarios y pictóricos, adquiere por su perfección e intensidad, por su verdad española y universal, todo el valor de un arte nuevo. Nuestra insistencia en el valor del lenguaje en la poesía de Valle-Inclán no significa que la consideremos una poesía meramente exterior y formal; en su obra, como en toda obra literaria, la palabra es la materia única de expresión y ella lo contiene todo. Decir, como en el caso de Valle-Inclán, que todo su arte está en las palabras, quiere decir que la suya es obra de arte pura y perfecta, que subsiste por sí misma y no meramente apoyada sobre el mundo exterior de la realidad ni sobre el mundo interior de los sentimientos y las ideas. Por eso su poesía produce una impresión equivalente a la de otras artes: en su primera época, la música, y la pintura en su última época. La poesía de Valle-Inclán, que arranca desde sus principios hasta su fin de las diversas corrientes literarias—tan distintas—que agrupamos bajo el nombre de «modernismo», es tan original que significa siempre una superación y escape de éste; pero es al mismo tiempo tan individual, que resulta inimitable sin que sea patente la imitación, y, por tanto, su influencia en las nuevas escuelas literarias — aunque considerable — no corresponde a su calidad e importancia.

Bibliografía.—**Poesía :** *Aromas de leyenda,* Madrid, 1907; 1913; 1920. *Cuento de abril,* escenas rimadas en una manera extravagante, 1910; 1913; 1922. *Voces de gesta,* tragedia pastoril, 1912. *La pipa de Kif,* Madrid, 1919. *El pasajero,* 1920. *Claves líricas,* 1930. *Cuentos, Estética y Poemas,* nota y selec. de G. Jiménez, México, 1919. **Otras obras:** *Femeninas,* Pontevedra, 1894. *Epitalamio,* Madrid, 1897. *Cenizas,* drama, 1899. *Adega,* 1899. *Sonata de otoño,* 1902; [1913]; 1918; 1924. *Corte de amor,* 1903; 1908; 1914; 1922. *Jardín umbrío,* 1903; 1914; 1920; ed. by P. P. Rogers, New York, 1928. *Sonata de estío,* 1903; 1906; 1913; 1917; 1928. *Sonata de primavera,* 1904; 1907; 1914; 1917; 1928. *Flor de Santidad,* 1904; 1913. *Sonata de invierno,* 1905; 1913 [trad. ingl. de las cuatro sonatas por M. H. Broun and T. Walsh, New York, 1924; trad. franc. por Glorget, Paris, [1928], cf. J. Cassou, en NRFr, 1928, XXX, 285]. *Jardín novelesco,* Barcelona, 1905; 1908. *Historias perversas,* pról. de M. Murguía, 1907; 1908. *El Marqués de Bradomín,* Madrid, 1907.

Águila de blasón, Barcelona, 1907; Madrid, 1915; 1922. *El yermo de las almas*, 1908; 1914. *Romance de lobos*, 1908; 1914; 1922 [trad. franc. por J. Chaumié, en MF, 1914, CVIII; trad. italiana por A. De Stefani, Milano, 1923]. *La guerra carlista:* vol. I: *Los cruzados de la causa*, 1908-1909; 1920; vol. II : *El resplandor de la hoguera*, 1909; vol. III : *Gerifaltes de antaño*, 1909. *Cofre de sándalo*, 1909. *Las mieles del rosal*, 1910. *La Marquesa Rosalinda*, 1913. *El embrujado*, 1913. *La cabeza del dragón*, 1914 [trad. ingl. por M. H. Broun, en PLore, 1918, XXIX, 531-564.] *La lámpara maravillosa*, 1916; 1922. *Eulalia*, 1917. *La media noche*, visión estelar de un momento de guerra, 1917. *Divinas palabras*, 1920. *Farsa de la enamorada del rey*, 1920. *Farsa y licencia de la Reina castiza*, en Pl, 1920; Madrid, 1922. *Los cuernos de Don Friolera*, en Pl, 1921; Madrid, 1925. *Cara de plata*, en Pl, 1922; Madrid, 1923. *La rosa de papel* y *La cabeza del Bautista*, Madrid, La Novela Semanal, 22 marzo 1924. *Luces de Bohemia*, Madrid, 1924. *Tirano Banderas*, 1926 [trad. inglesa, New York, 1929]. *Retablo de la avaricia, la lujuria y la muerte*, 1927. *La corte de los milagros*, 1927. *Viva mi dueño*, 1928. *Martes de Carnaval*, 1930. *Tablado de marionetas para educación de príncipes*, 1930. — **Estudios:** A. ALCALÁ GALIANO, *Un hidalgo de las letras: Don R. del V.-I.*, en SNac, 2 junio 1929; *Figuras excepcionales*, Madrid, 1930. A. ALONSO, *Estructura de las «Sonatas» de V.-I.*, en Verbum, 1928, XXI, 7-42. R. BAEZA, *La resurrección de V.-I.*, en GLit, 15 junio 1927. CORPUS BARGA, *V.-I. y D'Annunzio*, en TSDB, 9 marzo 1924. R. BLANCO-FOMBONA, *En torno a «Tirano Banderas»*, en GLit, 15 enero 1927. G. CAMPOS, *Hablando con V.-I.*, en CE, 4 nov. 1911. J. CASARES, *Crítica profana*, Madrid, 1916. J. CHAUMIÉ, *Don R. del V.-I.*, en MF, 1914, CVIII, 225-246. E. COLÍN. *Siete cabezas*, México, 1921. R. DARÍO, *Algunas notas sobre V.-I.*, en *Todo al vuelo*, Madrid, [1919]. E. DÍEZ-CANEDO, *V.-I., lírico*, en Pl, 1923, VI, 15-18; Sobre *Los cuernos de Don Friolera*, en Sol, 5 junio 1925; Sobre *Tablado de Marionetas*, en Sol, 23 junio 1926; Sobre *Tirano Banderas*, en Sol, 3 feb. 1927. W. A. DRAKE, Sobre *Tirano Banderas*, en NYHT, 5 junio 1927. A. ESPINA, Sobre *Tirano Banderas*, en ROcc, 1927, XV, 274-279. M. FERNÁNDEZ ALMAGRO, *V.-I., la anécdota y la fantasía*, en Esp, 3 marzo 1923; *V.-I. y sus «Esperpentos»*, en Voz, 11 julio 1930. F. FORTÚN, Sobre *Sonata de primavera* e *Historias perversas*, en RLat, 1907, I. núm. 1, 51-52. A. GHIRALDO, *Cómo perdió su brazo Don R. M. del V.-I.*, en DP, 9 sept. 1923. E. GÓMEZ DE BAQUERO, *Novelas y novelistas*, Madrid, 1918; *V.-I., novelista*, en Pl, 1923, VI. 7-14; *Las «Comedias bárbaras» de V.-I.*, en GdL, 1924, I, núm. 5, 3-4; *Las marionetas de V.-I.*, en Sol, 24 abril 1926; *La novela de tierra caliente* [sobre *Tirano Banderas*], en Sol, 20 enero 1927; Sobre *La corte de los milagros*, en Sol, 30 abril 1927; Sobre *Viva mi dueño*, en Sol, 1 nov. 1928. R. GÓMEZ DE LA SERNA, *Comment Don Ramón, marquis del V.-I. perdit un bras*, en HispP, 1918, I, 329-331; 1919, 64-70.   A. González-Blanco, *Los contemporáneos,* 3.ª serie, París, [1910].   N. González Ruiz, *Don R. del V.-I.,* en BSS, 1925, II, 173-178.   F. Guarderas, *D. R. M. del V.-I.,* en MP, 1924, XIII, 157-169.   M. L. Guzmán, Sobre *Tirano Banderas,* en RepAm, 1927, XIV, 196-197. *La pluma,* Madrid, 1923, VI, núm. 32, dedicado a Valle-Inclán.   M. Latorre, *Méjico: dos novelas sobre la revolución: R. del V.-I., «Tirano Banderas» y M. Azuela, «Los de abajo»,* en Inf, 1927, XII, 689-694.   O. K. Lundeberg, *An Evening with V.-I.,* en HispCal, 1930, XIII, núm. 5, 399 403.   S. Madariaga, *Don R. M. del V.-I.,* en Nos, 1922, XLI, 258-267; *The genius of Spain,* Oxford, 1923; *Semblanzas literarias contemporáneas,* Barcelona, 1924.   G. Martínez Sierra, *Hablando con V.-I., de él y su obra,* en ABC, 7 diciembre 1928.   M. Nelken, *Josefina Blanco de V.-I.,* en Día, 23 abril 1917. J. Ortega y Gasset, *«Sonata de estío» de Don R. del V.-I.,* en L, 1904, I, 227-233.   A. L. Owen, *Sobre el arte de Don R. del V.-I.,* en HispCal, 1923, VI, 69-80; *V.-I.'s recent manner,* en BA, 1927, I, núm. 4, 9-12. R. Pérez de Ayala, *V.-I., dramaturgo,* en Pl, 1923, VI, 19-27.   H. Pérez de la Ossa, *V.-I., poeta cristiano,* en RQ, 1917, I, 647-652.   P. Pillepich, *R. del V.-I.,* en Colombo, 1930, V, 130-138.   C. Pitollet, *Don R. M. del V.-I. y Montenegro,* en ROB, 1923, VIII, 1018-1028; *La nouvelle œuvre de V.-I.* [*Cara de plata*], en ROB, 1924, X, 158-166; *Les deux traductions françaises des «Sonatas» de V.-I.,* en ROB, 1925, XIII, 560-577.   A. Reyes, *V-I. y América,* en Pl, 1923, VI, 30-34.   C. Rivas Cherif, *La comedia bárbara de V.-I.,* en Esp, 16 feb. 1924; *Bradomín en la Corte,* en HM, 4 agosto 1924.   J. Rogerio Sánchez, *El teatro poético,* Madrid, 1914.   P. P. Rogers, *Merimée and V.-I. again,* en MLN, 1930, XLV, 529.   J. M. Salaverría, *Nuevos retratos,* Madrid, 1930.   A. G. Solalinde, *Prósper Merimée y V.-I.,* en RFE, 1919, VI, 389-391.   D. Tejera, *Don R. del V.-I.,* en Acción, 31 julio 1916.   J. M. Tenreiro, *V.-I. y Galicia,* en Pl, 1923, VI, 35-39.   R. del Valle-Inclán, *Autocrítica,* en Esp, 8 marzo 1924.   H. V. Wishnieff, *A Synthesis of South America* [sobre *Tirano Banderas*], en NaNY, 1928, CCXXVI, 569-570.

MILAGRO DE LA MAÑANA

Tañía una campana
en el azul cristal
de la santa mañana.

Oración campesina
que temblaba en la azul
santidad matutina.

Y en el viejo camino
cantaba un ruiseñor,
y era de luz su trino.

La campana de aldea
le dice con su voz,
al pájaro, que crea.

La campana aldeana
en la gloria del sol
era alma cristiana.

Al tocar esparcía
aromas del rosal
de la Virgen María.

Esta santa conseja
la recuerda un cantar
en una fabla vieja.

Campana, campaniña do pico sacro,
toca porque floreza o rosal do milagro.

Aromas de leyenda, 1907.

GEÓRGICA

Húmeda de la aurora, despierta la campana
en el azul cristal de la paz aldeana,
y por las viejas sendas van a las sementeras
los viejos labradores, camino de las eras,
en tanto que su vuelo alza la cotovía
a la luna, espectral en el alba del día.

Molinos picarescos, telares campesinos,
cantan el viejo salmo del pan y de los linos,
y el agua que en la presa platea sus cristales,
murmura una oración entre los maizales,
y las ruedas temblonas, como abuelas cansadas,
loan del tiempo antiguo virtudes olvidadas.

Dice la lanzadera el olor del ropero,
donde se guarda el lino, el buen lino casero:

y el molino, que esconde bajo la vid su entrada,
dice el áureo recuerdo de una historia sagrada :
bajo la parra canta el esponsal divino
de la sangre y la carne, de la hostia y el vino.

El aire se embalsama con aromas de heno,
y los surcos abiertos esperan el centeno,
y en el húmedo fondo de los verdes herbales
pacen vacas bermejas entre niños zagales,
cuando en la santidad azul de la mañana,
canta húmeda de aurora la campana aldeana.

Estaba unha pomba blanca sobre un rosal florecido
pra un ermitaño do monte o pan levaba no vico.

Aromas de leyenda, 1907.

PROSAS DE DOS ERMITAÑOS

En la austera quietud del monte
y en la sombra de un peñascal,
nido de buitres y de cuervos
que el cielo cubren al volar,
razonaban dos ermitaños:
San Serenín y San Gundián.

— — San Serenín, padre maestro,
tu grande saber doctoral
que aconseja a Papas y Reyes,
¿puede mi alma aconsejar,
y un cirio de cándida cera
encender en su oscuridad?

— San Gundián, padre maestro
y definidor teologal,
confesor de Papas y Reyes
en toda la cristiandad,
el cirio que encienda mi mano
ninguna luz darte podrá.

— San Serenín, padre maestro,
mis ojos quieren penetrar

en el abismo de la muerte,
el abismo del bien o del mal
adonde vuelan nuestras ánimas,
cuando el cuerpo al polvo se da.

— San Gundián, padre maestro,
¡quién el trigo contó al granar,
y del ave que va volando
dice en dónde se posará,
y de la piedra de la onda
y de la flecha, adónde van?

— San Serenín, padre maestro,
como los ríos a la mar,
todas las cosas en el mundo
hacen camino sin final,
y el ave y la flecha y la piedra
son en el aire Eternidad.

— San Gundián, padre maestro,
todo el saber en eso da :
cuanto es misterio en el misterio
ha de ser por siempre jamás,
hasta que el cirio de la muerte
nos alumbre en la Eternidad.

— San Serenín, padre maestro,
esa luz que no apagarán
todas las borrascas del mundo,
mi aliento quisiera apagar.
¡El dolor de sentir la vida
en la otra vida seguirá!

— San Gundián, padre maestro,
mientras seas cuerpo mortal
y al cielo mires, en el día
la luz del sol te cegará,
y en la noche las negras alas
del murciélago Satanás.

Callaron los dos ermitaños
y se pusieron a rezar.

San Serenín, como más viejo,
tenía abierto su misal,
y en el misal la calavera
abría su vacío mirar.

Aromas de leyenda, 1907.

VOCES DE GESTA

(FRAGMENTO)

GINEBRA

¡Siempre a mirar y a querer cegar
en aquel sol de los días distantes!
Abuelo Tibaldo, antes y con antes,
no se hiló la lana sin la cardar,
ni se cogía trigo sin lo sembrar,
ni nunca hubo pan sin moler la harina,
ni tasajo magro sin ahumar cecina,
y como hogaño,
bien que mal,
la res al nacer era lechal,
y cordera al año,
y cuando era oveja
ya iba para vieja.

TIBALDO

¡Trabajos pasados
son hijos criados,
y contento recordados!
Si vuelves los ojos a tu alrededor,
hallarás que todo lo formó el Señor
en un día lejano. Sin luenga memoria
no hay reino, ni Historia,
ni claro linaje.
A mi parecer,
sólo a la mujer
el tiempo hace ultraje.

GINEBRA

Abuelo Tibaldo, para dar consejo,
mejor que home mozo quisiera home viejo;
mas para marido,
mejor que home viejo un mozo garrido.

TIBALDO

El más acabado, igual que el más fuerte,
están a un paso de la muerte.
A un ermitaño de esta soledad
oíle decir una vez
que no es la vejez
ni la mocedad
quien nos abre la Eternidad,
sino el Supremo Juez.

GINEBRA

¡Abuelo Tibaldo, sabe qué le digo!
¡El sol que se pone no madura el trigo!...
¡Cierto que soy moza, mas en el Enero
no rompí zapatos del trillo al granero!...
¡Ni en campo de rico segaron mis manos,
ni hicieron vendimia los Inviernos canos!
¡Ni los pies descalzos pisaran el mosto
si la uva granada no fuera al Agosto!

TIBALDO

¿Pero el vino, moza, lo querrás añejo?
Y a las barbas blancas pedirás consejo
si tienes oveja con alferecía
o pierdes la senda en la serranía.
Si buscas la yerba para la cuajada,
o lugar seguro para la tenada,
o manera cierta de pasar los puertos,
si están, como ahora, de nieve cubiertos.
¡Y no hay sol de Agosto que pueda igualar
al fuego que un viejo enciende en su hogar!

Un tiempo fuí mozo como tú eres moza,
pero siempre amé la lumbre en mi choza,
y asar las castañas, y migar pan tierno,
y el vino caliente, y el cuento de Invierno,
y pasar la vela en ocupación
herrando un cayado, tejiendo un zurrón,
o a labrar el cuerno sonoro de guerra
que alce las partidas en toda esta tierra.

Voces de gesta, 1912.

EL JAQUE DE MEDINICA

La llama arrebola la negra cocina,
pone Maritornes magras de cecina
en las sopas cáusticas de ajo y pimentón.
El Jaque se vuelve templando el guitarro;
a la moza tose porque sirva un jarro
y oprime los trastes pulsando el bordón.

La jeta cetrina, zorongo a la cuca;
fieltro de catite, rapada la nuca,
el habla rijosa, la ceja un breñal.
Cantador de jota, tirador de barra;
bebe en la taberna, tañe la guitarra;
la faja violeta esconde un puñal.

Crepúsculo malva. Puerta de la villa
sobre los batanes. Bajan a la orilla
del Ebro las recuas. Lento tolondrón.
Templa la guitarra el gañán avieso,
y el agudo galgo roe sobre un hueso
en la laureada puerta del figón.

Al coime que pone vino en las corambres
enseña las ligas de azules estambres
la moza encorvada sobre el fogaril.
Y por amarillos vanos de pajares
los mozos de mulas llevan sus cantares,
disputas por naipes y gay moceril.

El Jaque merienda con dos bigardones
de fusta, zamarro, roñosos zajones
y gorra orejera de pelo de can.
Hecha la merienda juegan al boliche;
en medio del juego hablan sonsoniche,
demandan el gasto, pagan y se van.

Tejados haldudos de lejana villa,
que en el horizonte es toda amarilla
sobre la desnuda corva de un alcor...
En el campanario la flaca cigüeña
esconde una pata y el misterio enseña :
la villa amarilla toda es resplandor.

Figón del camino : Votos arrieros,
piensos de cebada, corral con luceros,
por los corredores la luz de un candil.
Lejanas estrellas hacen gorgoritos
en el cielo zarco. En los monolitos
del camino fuma la Guardia civil.

La pipa de Kif, 1919.

GARROTE VIL

¡Tan!, ¡tan!, ¡tan!, canta el martillo.
El garrote alzando están,
canta en el campo un cuclillo,
y las estrellas se van
al compás del estribillo
con que repica el martillo :
¡Tan! ¡Tan! ¡Tan!

El patíbulo destaca
trágico, nocturno y gris;
la ronda de la petaca
sigue a la ronda de anís;
pica tabaco la faca,
y el patíbulo destaca
sobre el alba flor de lis.

Áspera copla remota,
que rasguea un guitarrón,
se escucha. Grito de jota
del morapio peleón.
El cabileño patriota
canta la canción remota
de las glorias de Aragón.

Apicarada pelambre,
al pie del garrote vil,
se solaza muerta de hambre.
Da vayas al alguacil,
y con un rumor de enjambre
acoge hostil la pelambre
a la hostil Guardia civil.

Un gitano vende churros
al socaire de un corral;
asoman flautistas burros
las orejas al bardal;
y en el corro de baturros
el gitano de los churros
beatifica al criminal.

El reo espera en capilla,
reza un clérigo en latín,
llora una vela amarilla,
y el sentenciado da fin
a la amarilla tortilla
de yerbas. Fué a la capilla
la cena del cafetín.

Canta en la plaza el martillo,
el verdugo gana el pan.
Un paño enluta el banquillo;
como el paño es catalán,
se está volviendo amarillo,
al son que canta el martillo :
¡Tan! ¡Tan! ¡Tan!

La pipa de Kif, 1919.

EL CRIMEN DE MEDINICA

¡Crimen horrible!, pregona el ciego,
y el cuadro muestra de un pintor lego,
que acaso hubiera placido al Griego.

El cuadro tiene fondo de yema,
cuadriculado para el esquema
de aquel horrible crimen del tema.

ESCENA PRIMERA

Abren la puerta brazos armados,
fieros puñales son levantados,
quinqué y mesilla medio volcados.

Sale una dama que se desvela,
camisón blanco, verde chinela,
y palmatoria con una vela.

Azul de Prusia son las figuras
y de albayalde las cataduras
de los ladrones. Goyas a oscuras.

ESCENA SEGUNDA

En la cocina tienen doblada
dos hombres negros a la criada.
Moño colgante, boca crispada.

Boca con grito que pide tila,
ojos en blanco, vuelta pupila.
Una criada del Dies Illa.

Entre los senos encorsetados
sendos puñales tiene clavados,
de rojas gotas dramatizados.

Pompa de faldas almidonadas,
vuelo de horquillas, medias listadas :
las botas nuevas muy bien pintadas.

ESCENA TERCERA

Azules frisos, forzado armario,
jaula torcida con el canario,
vuelo amarillo y extraordinario.

Por una puerta pasa arrastrada
de los cabellos la encamisada.
El reló tiene la hora parada.

Manos abiertas en abanico,
trágicas manos de uñas en pico :
los cuatro pelos en acerico.

ESCENA ÚLTIMA

Un bandolero — ¡qué catadura! —
cuelga la faja de su cintura,
Solana sabe de esa pintura.

Faja morada, negra navaja.
Como los oros de la baraja
ruedan monedas desde su faja.

Coge en las manos un relicario,
y con los pelos de visionario
queda espantado frente al canario.

COMENTO

¡Madre! Qué grito del bandolero.
¡Muerta! Qué brazos de desespero.
¡Sangre! A sus plantas corre un reguero.

¡Su propia madre! Canta el coplero.
Y el viejo al niño le signa austero,
corta la rosa del Romancero.

La pipa de Kif, 1919.

RESOL DE VERBENA

Ingrata la luz de la tarde,
la lejanía en gris de plomo,
los olivos de azul cobarde,
el campo amarillo de cromo.

Se merienda sobre el camino
entre polvo y humo de churros,
y manchan las heces del vino
las chorreras de los baturros.

Agria y dramática la nota
del baile. La sombra morada;
el piano desgrana una jota,
polvo en el viento de tronada...

El tiovivo su quimera
infantil erige en el raso:
en los caballos de madera
bate el reflejo del ocaso.

Como el monstruo del hipnotismo
gira el anillo alucinante,
y un grito pueril de histerismo
hace a la rueda el consonante.

Un chulo en el baile alborota,
un guardia le mira y se naja:
en los registros de la jota
está desnuda la navaja.

Y la daifa con el soldado
pide su suerte al pajarito:
los envuelve un aire sagrado
a los dos descifrando el escrito.

La costurera endomingada
en el columpio da su risa,
y enseña la liga rosada
entre la enagua y la camisa.

El estudiante se enamora,
ve dibujarse la aventura,
y su pensamiento decora
un laurel de literatura.

Corona el columpio su juego
con cantos. La llanura arde:
tornóse el ocaso de fuego,
los nardos ungieron la tarde.

Por aquel rescoldo de fragua
pasa el inciso transparente
de la voz que pregona: — ¡Agua,
azucarillos y aguardiente!

Vuela el columpio con un vuelo
de risas. Cayóse en la falda
de la niña la rosa del pelo,
y Eros le ofrece una guirnalda.

Se alza el columpio alegremente,
con el ritmo de onda en la arena,
onda azul donde asoma la frente
vespertina de una sirena.

Brama el idiota en el camino,
y lanza un destello rijoso,
bajo el belfo, el diente canino
recordando a Orlando Furioso.

¡Un real, la cabeza parlante!
¡A la suerte del pajarito!
¡La foca y el hombre gigante!
¡Los gozos del Santo Bendito!

¡Naranjas! ¡Torrados! ¡Limones!
¡Claveles! ¡Claveles! ¡Claveles!
Encadenados, los pregones
hacen guirnaldas de babeles.

Se infla el buñuelo. La aceituna
aliñada reclama el vino,
y muerde el pueblo la moruna
rosquilla, de anís y comino.

La pipa de Kif, 1919.

ROSA DEL CAMINANTE

Álamos fríos en un claro cielo
— azul con timideces de cristal —
sobre el río la bruma como un velo,
y las dos torres de la catedral.

Los hombres secos y reconcentrados,
las mujeres deshechas de parir :
rostros obscuros llenos de cuidados,
todas las bocas clásico el decir.

La fuente seca. En torno el vocerío,
los odres a la puerta del mesón,
y las recuas que bajan hacia el río,

y las niñas que acuden al sermón.
¡Mejillas sonrosadas por el frío
de Astorga, de Zamora, de León!

El pasajero, 1920.

ALEGORÍA

Era nocturno el potro. Era el jinete
de cobre — un indio que nació en Tlaxcala —,
y su torso desnudo, coselete
dorado y firme, al de la avispa iguala.

El sol en el ocaso, como un lauro
a la sien del jinete se ofrecía,
y vi lucir el mito del centauro
en la Hacienda del Trópico, aquel día.

De la fábula antigua un verde brote
cortaba el indio sobre el potro rudo,
era el campo sonoro en cada bote,

era el jinete frente al sol, desnudo,
y cara al sol partió como un azote...
Iba a robarlo para hacer su escudo.

El pasajero, 1920.

LA ROSA DEL RELOJ

Es la hora de los enigmas:
cuando la tarde del verano
de las nubes mandó un milano
sobre las palomas benignas.
¡Es la hora de los enigmas!

Es la hora de la paloma:
sigue los vuelos la mirada
de una niña. Tarde rosada,
musical y divina coma.
¡Es la hora de la paloma!

Es la hora de la culebra:
el diablo se arranca una cana,
cae del árbol la manzana
y el cristal de un sueño se quiebra.
¡Es la hora de la culebra!

Es la hora de la gallina:
el cementerio tiene luces,
se santiguan ante las cruces
las beatas, el viento agorina.
¡Es la hora de la gallina!

Es la hora de la doncella:
lágrimas, cartas y cantares,
el aire pleno de azahares,
la tarde azul, sólo una estrella.
¡Es la hora de la doncella!

Es la hora de la lechuza:
descifra escrituras el viejo,
se quiebra de pronto el espejo,
sale la vieja con la alcuza.
¡Es la hora de la lechuza!

Es la hora de la raposa:
ronda la calle una vihuela,
porta la vieja a la mozuela
un anillo con una rosa.
¡Es la hora de la raposa!

Es la hora del alma en pena:
una bruja en la encrucijada,
con la oración excomulgada
le pide al muerto su cadena.
¡Es la hora del alma en pena!

Es la hora del lubricán:
acecha el mochuelo en el pino,
el bandolero en el camino
y en el prostíbulo Satán.
¡Es la hora del lubricán!

El pasajero, 1920.

LA TRAE UN CUERVO

¡Tengo rota la vida! En el combate
de tantos años ya mi aliento cede,
y al orgulloso pensamiento abate
la idea de la muerte, que lo obsede.

Quisiera entrar en mí, vivir conmigo,
poder hacer la cruz sobre mi frente,
y sin saber de amigo ni enemigo,
apartado, vivir devotamente.

¿Dónde la verde quiebra de la altura
con rebaños y músicos pastores?
¿Dónde gozar de la visión tan pura

que hace hermanas las almas y las flores?
¿Dónde cavar en paz la sepultura
y hacer místico pan con mis dolores?

El pasajero, 1920.

ROSA DE JOB

Todo hacia la muerte avanza,
        de concierto;
toda la vida es mudanza
        hasta ser muerto!

¡Quién vió por tierra rodado
        el almenar,
y tan alto levantado
        el muladar!

¡Mi existir se cambia y muda
        todo entero,
como árbol que se desnuda
        en el enero!

¡Fueron mis goces auroras
        de alegrías,
más fugaces que las horas
        de los días!

¡Y más que la lanzadera
        en el telar,
y la alondra, tan ligera
        en el volar!

¡Alma, en tu recinto acoge
        al dolor,
como la espiga en la troje
        el labrador!

¡Levántate, corazón,
        que estás muerto!
¡Esqueleto de león
        en el desierto!

¡Pide a la muerte posada,
    peregrino,
como espiga que granada
    va al molino!

¡La vida!... Polvo en el viento
    volador.
¡Sólo no muda el cimiento
    del dolor!

El pasajero, 1920.

2

POETAS AMERICANOS

GUILLERMO VALENCIA

1872 - 1943

Colombiano, de Popayán, la capital de Antioquia — región
de fuerte carácter—, donde reside y a la que dedicó uno de sus
mejores cantos, escrito en hexámetros llenos de decoro antiguo y de espíritu moderno. Descendiente de noble familia, es
en todo un verdadero señor. Sencillo y democrático, gusta del
lujo y de los deportes; según los biógrafos de su intimidad es
gran jinete y tirador, brillante conversador, amante de la acción. Él mismo ha dicho: «Yo nunca he sido un profesional de
las letras, ni creo que éstas sean mi verdadera vocación. Hubiera preferido ser un buen general o un buen médico.» A su
manera ha sido político y candidato a la Presidencia de la República. Estudió en el seminario de Popayán, institución tradicionalista y católica, donde adquirió una sólida educación clásica que se encuentra como base de toda su obra. A ella sumó
desde su juventud una amplia y selecta cultura moderna, no
sólo francesa, sino alemana, italiana e inglesa. En 1898 — al
mismo tiempo que publicó su volumen único de poesías —viajó por Europa. Después su producción poética ha sido escasa :
últimamente ha publicado un nuevo libro, *Catay* (1928), de traducciones chinas, que equivalen a obra original. Traducciones
admirables — de Hugo, Verlaine, Wilde, D'Annunzio, Eugenio
de Castro y otros poetas modernos — eran igualmente muchas
de las poesías de su primer volumen, ampliado en 1914. Su
cultura perfectamente asimilada y unificada en su temperamento intelectual y crítico, naturalmente ordenado y sereno,
hizo que su poesía original naciese perfecta y que su escasa
producción le haya conquistado desde entonces un lugar separado y preeminente entre los grandes poetas hispanoamericanos de esta época. Ordinariamente se le mira como el más
cabal parnasiano de nuestra lengua. Pero su parnasianismo
es en gran medida clasicismo auténtico — griego y latino, y
español a través del típico clasicismo colombiano —, y en-
cubre además, bajo la tersa superficie de sus versos marmó-

reos, una sensibilidad inquieta y compleja, íntima y personal, que ama la gracia, la vaguedad y el misterio, y que, como
ha dicho Sanín Cano, busca «refugio en su interior». Su emoción es siempre contenida y su inquietud y complejidad equi-
libradas por la armonía y la serenidad intelectuales y por la
limpidez y seguridad de la expresión. Le gusta tratar problemas ideales, y por eso prefiere los temas históricos que entra-
ñan el conflicto de mundos espirituales, como el cristianismo
primitivo; pero estos temas tan usados adquieren en él nueva
vida y originalidad, porque le interesa en ellos, más que el lado
histórico, la significación humana y los conflictos interiores del
hombre individual.

Bibliografía. — **Poesía**: *Ritos,* Bogotá, 1898; 2.ª ed. aum., Londres,
1914. *Catay,* 1928. *Poemas selectos,* introd. de M. Toussaint, México,
1917. *Poemas,* Buenos Aires, Edic. mínimas, 1918. *Sus mejores poemas,*
Madrid, 1919. — **Estudios:** V. Arango, Sobre *Catay,* en Universi, 1928,
núm. 82, 439-440. L. de Azuero, *G. V.,* en Universi, 1929, núm. 146,
160-161 y 167. E. Castillo, *G. V., íntimo,* en RepAm, 8 sept. 1924.
C. Cruz Santos, *La influencia del medio ambiente en la carrera literaria
de G. V.,* en RepAm, 13 oct. 1928. *G. V.,* en Esp, 10 oct. 1918. *G. V.
en la Universidad de Lima,* en MP, 1923, VI, 699-711. G. Ellauri-Obli-
gado, *Reminiscencias literarias : La iniciación poética de G. V.,* en PCor,
5 abril 1929. R. Maya, *G. V., poeta,* en Universi, 1929, núm. 146,
145-149. B. Sanín Cano, *G. V.,* en RAm, 1913, II, vol. I, 126-136; *El
poeta G. V.,* en Nos, 1926, LIII, 145-153; RepAm, 28 agosto 1926.
R. Schuller, *G. V., el amo de Popayán,* en RepAm, 21 julio 1928. S. Villegas, *V., orador,* en Universi, 1929, núm. 146, 143-144.

LEYENDO A SILVA

Vestía traje suelto de recamado biso
en voluptuosos pliegues de un color indeciso,

y en el diván tendida, de rojo terciopelo,
sus manos, como vivas parásitas de hielo,

sostenían un libro de corte fino y largo,
un libro de poemas delicioso y amargo.

De aquellos dedos pálidos la tibia yema blanda
rozaba tenuamente con el papel de Holanda

por cuyas blancas hojas vagaron los pinceles
de los más refinados discípulos de Apeles :

era un lindo manojo que en sus claros lucía
los sueños más audaces de la crisografía;

sus cuerpos de serpiente dilatan las mayúsculas
que desde el ancho margen acechan las minúsculas,

o trazan por los bordes caminos plateados
los lentos caracoles, babosos y cansados.

Para el poema heroico se vía allí la espada
con un león por puño y contera labrada,

donde evocó las formas del ciclo legendario
con sus torres y grifos un pincel lapidario.

Allí la dama gótica de rectilínea cara
partida por las rejas de la viñeta rara;

allí las hadas tristes de la pasión excelsa:
la férvida Eloísa, la suspirada Elsa.

Allí los metros raros de musicales timbres,
ya móviles y largos como jugosos mimbres,

ya diáfanos, que visten la idea levemente
como las albas guijas un río trasparente.

Allí la Vida llora y la Muerte sonríe
y el Tedio, como un ácido, corazones deslíe...

Allí, cual casto grupo de núbiles Citeres,
cruzaban en silencio figuras de mujeres

que vivieron sus vidas, invioladas y solas
como la espuma virgen que circunda las olas:

la rusa de ojos cálidos y de bruno cabello
pasó con sus pinceles de marta y de camello,

la que robó al piano en las veladas frías
parejas voladoras de blancas armonías

que fueron por los vientos perdiéndose una a una
mientras, envuelta en sombras, se atristaba la luna...

Aquesa, el pie desnudo, gira como una sombra
que sin hacer ruído pisara por la alfombra

de un templo..., y como el ave que ciega el astro diurno
con miradas nictálopes ilumina el *Nocturno*

do al fatigado beso de las vibrantes clines
un aire triste y vago preludian dos violines.

. . . .

La luna, como un nimbo de Dios, desde el Oriente
dibuja sobre el llano la forma evanescente

de un lánguido mancebo que el tardo paso guía,
como buscando un alma, por la pampa vacía.

Busca a su hermana; un día la negra Segadora
— sobre la mies que el beso primaveral enflora —

abatiendo sus alas, sus alas de murciélago,
hirió a la virgen pálida sobre el dorado piélago,

que cayó como un trigo... Amiguitas llorosas
la vistieron de lirios, la ciñeron de rosas;

céfiro de las tumbas, un bardo israelita
le cantó cantos tristes de la raza maldita

a ella, que en su lecho de gasas y de blondas,
se asemejaba a Ofelia mecida por las ondas;

por ella va buscando su hermano entre las brumas,
de unas alitas rotas las desprendidas plumas,

y por ella... «Pasemos esta doliente hoja
que mi ser atormenta, que mi sueño acongoja»,

dijo entre sí la dama del recamado biso
en voluptuosos pliegues de color indeciso,

y prosiguió del libro las hojas volteando,
que ensalza en áureas rimas de son *calino* y blando

los perfumes de Oriente, los vívidos rubíes
y los joyeros mórbidos de sedas carmesíes.

Leyó versos que guardan como gastados ecos
de voces muertas; cantos a ramilletes secos

que hacen crujir, al tacto, cálices inodoros;
metros que reproducen los gemebundos coros

de las locas campanas que en *El día de Difuntos*
despiertan con sus voces los muertos cejijuntos

lanzados en racimos entre las sepulturas
a beberse la sombra de sus noches oscuras...
. . . .

...Y en el diván tendida, de rojo terciopelo,
sus manos, como vivas parásitas de hielo,

doblaron lentamente la página postrera
que, en gris, mostraba un cuervo sobre una calavera...

y se quedó pensando, pensando en la amargura
que acendran muchas almas; pensando en la figura

del bardo, que en la calma de una noche sombría,
puso fin al poema de su melancolía;

exangüe como un mármol de la dorada Atenas,
herido como un púgil de itálicas arenas,

unió la faz de un Numen dulcemente atediado
a la ideal belleza del estigmatizado!...

Ambicionar las túnicas que modelaba Grecia,
y los desnudos senos de la gentil Lutecia;

pedir en copas de ónix el ático nepentes;
querer ceñir en lauros las pensativas frentes;

ansiar para los triunfos el hacha de un Arminio;
buscar para los goces el oro del triclinio;

amando los detalles, odiar el Universo;
sacrificar un mundo para pulir un verso;

querer remos de águila y garras de leones
con que domar los vientos y herir los corazones;

para gustar lo exótico que el ánimo idolatra
esconder entre flores el áspid de Cleopatra;

seguir los ideales en pos de Don Quijote
que en el azul divaga de su rocín al trote;

esperar en la noche las trémulas escalas
que arrebaten ligeras a las etéreas salas;

oír los mudos ecos que pueblan los santuarios,
amar las hostias blancas; amar los incensarios

(poetas que diluyen en el espacio inmenso
sus ritmos perfumados de vagaroso incienso);

sentir en el espíritu brisas primaverales
ante los viejos monjes y los rojos misales;

tener la frente en llamas y los pies entre lodo;
querer sentirlo, verlo y adivinarlo todo :

eso fuiste, ¡oh poeta! Los labios de tu herida
blasfeman de los hombres, blasfeman de la vida;

modulan el gemido de las desesperanzas,
¡oh místico sediento que en el raudal te lanzas!
. . . .

¡Oh Señor Jesucristo!, por tu herida del pecho,
¡perdónalo! ¡perdónalo!, desciende hasta su lecho

de piedra a despertarlo! Con tus manos divinas
enjuga de su sangre las ondas purpurinas...

Pensó mucho : sus páginas suelen robar la calma;
sintió mucho : sus versos saben partir el alma;

¡amó mucho! : circulan ráfagas de misterio
entre los negros pinos del blanco cementerio...
. . . .

No manchará su lápida epitafio doliente :
tallad un verso en ella, pagano y decadente,

digno del fresco Adonis en muerte de Afrodita:
un verso como el hálito de una rosa marchita,

que llore su caída, que cante su belleza,
que cifre sus ensueños, ¡que diga su tristeza!...
. . . .

¡Amor!, dice la dama del recamado biso
en voluptuosos pliegues de color indeciso;

¡Dolor!, dijo el poeta; los labios de su herida
blasfeman de los hombres, blasfeman de la vida,

modulan el gemido de la desesperanza;
fué el místico sediento que en el raudal se lanza;

su muerte fué la muerte de una lánguida anémona;
se evaporó su vida como la de Desdémona;

ebrio del vino amargo con que el dolor embriaga
y a los fulgores trémulos de un cirio que se apaga...

¡Así rindió su aliento, bajo un sitial de seda,
el último nacido del viejo Cisne y Leda!...

                                         Ritos, 1914.

LOS CAMELLOS

                        Lo triste es así...
                        PETER ALTENBERG.

Dos lánguidos camellos, de elásticas cervices,
de verdes ojos claros y piel sedosa y rubia,
los cuellos recogidos, hinchadas las narices,
a grandes pasos miden un arenal de Nubia.

Alzaron la cabeza para orientarse, y luego
el soñoliento avance de sus vellosas piernas
— bajo el rojizo dombo de aquel cenit de fuego —
pararon silenciosos al pie de las cisternas...

                                            23

Un lustro apenas cargan bajo el azul magnífico,
y ya sus ojos quema la fiebre del tormento:
tal vez leyeron, sabios, borroso jeroglífico
perdido entre las ruinas de infausto monumento.

Vagando taciturnos por la dormida alfombra,
cuando cierra los ojos el moribundo día,
bajo la virgen negra que los llevó en la sombra
copiaron el desfile de la Melancolía...

Son hijos del desierto: prestóles la palmera
un largo cuello móvil que sus vaivenes finge,
y en sus marchitos rostros que esculpe la Quimera
¡sopló cansancio eterno la boca del Esfinge!

Dijeron las Pirámides que el viejo sol rescalda:
«Amamos la fatiga con inquietud secreta...»,
y vieron desde entonces correr sobre una espalda
tallada en carne, viva, su triangular silueta.

Los átomos de oro que el torbellino esparce
quisieron en sus giros ser grácil vestidura,
y unidos en collares por invisible engarce
vistieron del giboso la escuálida figura.

Todo el fastidio, toda la fiebre, toda el hambre,
la sed sin agua, el yermo sin hembras, los despojos
de caravanas... huesos en blanquecino enjambre...
todo en el cerco bulle de sus dolientes ojos.

Ni las sutiles mirras, ni las leonadas pieles,
ni las volubles palmas que riegan sombra amiga,
ni el ruido sonoroso de claros cascabeles
alegran las miradas al rey de la fatiga.

¡Bebed dolor en ellas, flautistas de Bizancio
que amáis pulir el dáctilo al son de las cadenas;
sólo esos ojos pueden deciros el cansancio
de un mundo que agoniza sin sangre entre las venas!

¡Oh artistas! ¡Oh camellos de la llanura vasta
que vais llevando a cuestas el sacro monolito!
¡Tristes de esfinge! ¡novios de la palmera casta!
¡Sólo calmáis vosotros la sed de lo infinito!

¿Qué pueden los ceñudos? ¿Qué logran las melenas
de las zarpadas tribus cuando la sed oprime?
Sólo el poeta es lago sobre este mar de arenas;
sólo su arteria rota la Humanidad redime.

Se pierde ya a lo lejos la errante caravana
dejándome — camello que cabalgó el Excidio... —
¡cómo buscar sus huellas al sol de la mañana,
entre las ondas grises de lóbrego fastidio!

¡No!, buscaré dos ojos que he visto, fuente pura
hoy a mi labio exhausta, y aguardaré paciente
hasta que suelta en hilos de mística dulzura
refresque las entrañas del lírico doliente.

Y si a mi lado cruza la sorda muchedumbre
mientras el vago fondo de esas pupilas miro,
dirá que vió un camello con honda pesadumbre,
mirando silencioso dos fuentes de zafiro...

Ritos, 1914.

PALEMÓN EL ESTILITA

> Enfuriado el Maligno Spíritu de la
> devota e sancta vida que el dicho
> ermitanno facía, entróle fuertemien-
> tre deseo de facerlo caer en grande y
> carboniento peccado. Ca estos e non
> otros son sus pensamientos e obras.
>
> APELES MESTRES, *Garín.*

Palemón el Estilita, sucesor del viejo Antonio,
que burló con tanto ingenio las astucias del demonio,
antiquísima columna de granito
se ha buscado en el desierto por mansión,
y en un pie sobre la *stela*
ha pasado muchos días
inspirando a sus oyentes
el horror a los judíos
y el horror a las judías

que endiosaron, ¡Dios del Cielo!,
que endiosaron a una hermosa
de la vida borrascosa,
que llamaban Herodías.

Palemón el Estilita «era un Santo». Su retiro
circuían mercadantes de Lycoples y de Tiro,
judaizantes de apartadas sinagogas
que anhelaban de sus labios escuchar
la palabra de consuelo,
la palabra de verdad
que nos salve del castigo
y de par en par el cielo
nos entregue : solo abrigo
contra el pérfido enemigo
que nos busca sin cesar
y nos tienta con el fuego de unos ojos
que destellan bajo el lino de una toca,
con la púrpura de frescos labios rojos
y los pálidos marfiles de una boca.

Al redor de la columna que habitaba el Estilita,
como un mar efervescente, muchedumbre ingente agita
los turbantes, los bastones y los brazos,
y demanda su sermón al solitario,
cuya hueca voz de enfermo
fuerzas cobra ante la mies
que el Señor ha deparado
a su hoz, y cruza el yermo
que turbaron otros tiempos los timbales de Ramsés.

Y les habla de las obras de piedad y sacrificio,
de las rudas tentaciones del Apóstol, y del vicio
que llevamos en nosotros; del ayuno y el cilicio,
del vivir año tras año con las fieras
bajo rotos quitasoles de palmeras;
y les cuenta lo que es sed y lo que es hambre,
lo que son las noches cálidas de Libia,
cuando bulle de planetas un enjambre,
y susurra en los palmares la aura tibia,

que provocan en el ánimo cansado
de una vida muerta y loca
los recuerdos tormentosos
que en los días pesarosos,
que en los días soñolientos
de tristezas y de calma,
nos golpean en el alma
con sus mágicos acentos
cual la espuma débil
toca
la cabeza dura y fría
de la roca.

De la turba que le oía
una linda pecadora
destacóse: parecía
la primera luz del día,
y en lo negro de sus ojos
la mirada tentadora
era un áspid; amplia túnica de grana
dibujaba las esferas de su seno;
nunca vieran los jardines de Ecbatana
otro talle más airoso, blanco y lleno;
bajo el arco victorioso de las cejas
era un triunfo la pupila quieta y brava,
y, cual conchas sonrosadas, las orejas
se escondían bajo un pelo que temblaba
como oro derretido;
de sus manos blancas, frescas,
el purísimo diseño
semejaba lotos vivos
de alabastro;
irradiaba toda ella
como un astro :
era un sueño
que vagaba
con la turba adormecida
y cruzaba
—la sandalia al pie ceñida—
cual la muda sombra errante

de una sílfide,
de una sílfide seguida
por su amante.

Y el buen monje
la miraba,
la miraba,
la miraba,
y, queriendo hablar, no hablaba,
y sentía su alma esclava
de la bella pecadora de mirada tentadora,
y un ardor nunca sentido
sus arterias encendía,
y un temblor desconocido
su figura
larga
y flaca
y amarilla
sacudía:
¡era amor! El monje adusto
en esa hora sintió el gusto
de los seres y la vida;
su guarida
de repente abandonaron
pensamientos tenebrosos
que en la mente
se asilaron
del proscrito,
que, dejando su columna
de granito,
y en coloquio con la bella
cortesana,
se marchó por el desierto
despacito...
a la vista de la muda,
¡a la vista de la absorta caravana!...

Ritos, 1914

SAN ANTONIO Y EL CENTAURO

Y Antonio, que había estado descansando, por revelación supo que había otro
monje — llamado Pablo — mucho mejor
que él, a quien debía visitar. Y el venera-
ble anciano, apoyado en un báculo que
sostenía sus débiles miembros, empezó a
sentir deseo de ir no sabía dónde. Y pro-
seguía en el camino comenzado diciendo: «Creo en mi Dios; Él un día me mostrará al compañero que me ha prometido.»
Apenas pronunció estas palabras, vió a un
hombre en parte caballo, a quien los poetas denominaban Hipocentauro. Al instante arma el monje su frente con la señal de
la Cruz, y dice al monstruo: «¡Hola! ¿En
qué parte habita por aquí el siervo de
Dios?» Y el monstruo, haciendo rechinar
no sé qué de bárbaro, y triturando las palabras más bien que pronunciándolas, buscó entre su hórrida boca un discurso blando para responder; extendió luego la mano
derecha, mostró al monje el camino y,
semejante a un ave, desapareció a su vista,
atravesando los inmensos campos.

SAN JERÓNIMO, *In vita Sancti
Pauli eremitae.*

Antonio, el Cenobiarca del silencioso Egipto,
para templar los duelos de su vivir — proscripto
en una helada cueva donde retoza el Diablo —
marchóse en altas horas a visitar a Pablo,
el más viejo eremita.

La paz reinaba en torno;
en cálidos efluvios, por sus bocas de horno
respiraba el Desierto. Ya no volaba una
sola pareja de ibis rojos. La luna,
abriéndose ancho paso tras cenicienta franja,
vertía sobre el polvo su amarillo naranja,
seguida por un astro (dorada mariposa
que en derredor girase de una pálida rosa).

Súbitamente el monje, creyendo oír muy lejos
un rumor, se detuvo, y a los blancos reflejos
del astro melancólico vió la extraña figura

de un monstruo que, a galope, cruzaba la llanura,
y removiendo arenas se venía derecho
a él; su cuerpo flaco tembló como un helecho
que el aura mece : «acaso esa bruta carrera
fuese fuego diabólico; tal vez hambrienta fiera...»
¡Ya llega!, y frente a frente del vital esqueleto
del monje, un ser no visto, desmelenado, inquieto,
se para. El ermitaño y el monstruo se interrogan,
y así, bajo la calma de la noche, dialogan :

EL CENTAURO

Yo soy el viejo Hippofos : el último Centauro
que circundó sus sienes con el augusto lauro
crecido entre las grutas del Sagrado Archipiélago;
soy un hijo de Grecia, que, atravesando el piélago,
vino a buscar la sombra de bosques escondidos
para llorar la fuga de sus dioses vencidos.
Y soy la Fuerza alegre; mi brazo poderoso
sabe peinar la ninfa y estrangular el oso;
y en mi pecho, que tiene la aspereza del cardo,
se doblan las espadas y se despunta el dardo,
y, cual rodada piedra que va de tope en tope,
sobre las rocas duras revienta mi galope;
hasta los dioses tiemblan cuando la ceja enarco;
yo rompo dos encinas para forjarme un arco,
y cifro la alegría de vivir. Soy un hombre
que sueña, quiere y puede, y a la par lleva nombre
de monstruo; tengo mente, y endurecido callo;
soy malo como el hombre y ágil como el caballo,
y velo extraño símbolo. Soñador y lascivo,
quien conozca mi esencia conoce un adjetivo,
comprende el adjetivo universal y humano
que entre su seno oculta la palabra: ¡Pagano!
Tu nombre di, Fantasma que dialogas conmigo.

SAN ANTONIO

Yo soy Antonio, un siervo del Señor tu enemigo,
que atempera sus pasos a la celeste norma
de Jesús, y proscribe la diabólica forma

que corrompe los seres, arrebata la mente
y hace perder el alma del hombre eternamente...
No soy púgil; mis brazos no soportan el peso
de un ánfora colmada; se diría de yeso
mi figura unas veces; en otras aparenta
los contornos de una raíz amarillenta.
Mi frente, que no ciñe fresco gajo, sin vello
finge tan sólo el árida rodilla del camello.
Soy un heraldo mudo de la roja victoria
sobre el Olimpo. Digo la beldad y la gloria
de Cristo con los seres que son de polo a polo.

EL CENTAURO

No puede vuestro Cristo competir con Apolo,
con el hijo soberbio del Ceñudo y Latona,
que en los brazos de Dafnis al amor se abandona,
o lleva el ígneo carro que volcó Faetonte
por los campos azules del abierto horizonte.
El olímpico auriga de la eterna carroza
donde Febo, ceñido de laureles, retoza
con las Horas desnudas, los sonoros tropeles
por el éter dirige de sus raudos corceles.
Van cayendo las sombras bajo el dardo certero
del Arquero divino; por el ancho sendero
que siguió la carroza, cruza el sol, pasa el día
y la luz va regando su dorada armonía.

Ese numen risueño que ignoró la tristeza
y ha rendido al Olvido su robusta cabeza,
es el padre del Verso: con su mano divina,
al pulsar los bordones del arpa elefantina,
vaga, dulce, amorosa y simbólicamente,
ha forjado una patria más hermosa que Oriente,
donde yerra el perfume que al dolor nos arranca
y a do vuela el suspiro de amor—alondra blanca
que sobre el pico lleva la miel de un beso rojo—.
De allí parten los yambos como flechas de hinojo
del artista con celos que, siguiendo la huella
de Marsyas, lo cautiva, lo vence, lo desuella.

Por la senda más agria del adusto Parnaso,
con la crin en desorden, a la luz del ocaso
va subiendo Pegaso, portador en sus ancas
del cantor Musageta de las Vírgenes blancas.
Y en la fiesta del Mármol, sobre el bajorrelève,
entre dioses risueños y Afroditas de nieve,
cuyas bocas ensayan las sonrisas eternas,
se irgue Apolo: la carne de sus pálidas piernas;
el torso alabastrino donde la gracia ondula
en cadenciosos planos; la frente que simula
un ara donde ofician la Luz y la Alegría,
y de su cuerpo todo la vívida armonía,
parece que suspiren por el febril contacto
de efebos y de ninfas de delicioso tacto.
¡Al Crinado cantemos!

SAN ANTONIO

Es un ídolo yerto;
es un nombre, en el mundo del espíritu, muerto.

EL CENTAURO

Un dios más bello muestra que Apolo y Citerea.

SAN ANTONIO

El triste, el dulce, el pálido Rabí de Galilea.
Es el profeta joven: como dorada lluvia
tiembla su pelo dócil, fluye su barba rubia.
Él sabe lo que dice la voz de las colmenas,
y ama los canes tristes como las azucenas;
y son sus ojos grandes, melancólicos, vagos,
y en su fondo reflejan, como místicos lagos,
el divino silencio de las noches tranquilas;
y, cual besos que miren, sus absortas pupilas
aprisionan la calma del azul horizonte;
son sus manos delgadas como lirios de monte;
por su voz habla el eco de un arrullo divino,
y en vez de lauros lleva la toca del rabino.

Es triste cuando vaga cual un pastor extraño,
en busca de la oveja perdida del rebaño,
y cuando gime a solas por el amigo muerto;
es triste cuando, extinta la luz en el desierto,
con la cabeza baja y los ojos cerrados,
medita entre una fila de camellos cansados.
Si entre las frondas negras del olivar espeso
el de Kerioth le besa con su marchito beso,
sabiendo que su soplo sobre el ungido vierte
la hez de la perfidia y el vaho de la muerte;
cuando la vieja mano de Dios le desasiste
en el postrer instante de su dolor: ¡es triste!

Y si a la tibia sombra de la copada higuera
sentado por las tardes, al pueblo que lo espera
le dice la parábola, y en delicioso abrigo
bajo la vid en fruto de Lázaro, su amigo,
a María — la tierna — y a Marta — la sentida —
enseña a amar el alma y a despreciar la vida;
cuando, caudillo inerme de la legión futura
de mártires, levanta la mística figura
sobre el paciente lomo de la borrica tarda,
y en medio de las voces del pueblo que le aguarda
entra a Salem, de angustia y amor el alma llena;
cuando en las horas grises de la última Cena
no ya la Pecadora su casto pie le enjuga,
y mientras Juan — el virgen — comparte su lechuga,
el Rabí desolado por la melancolía,
¡es dulce, es dulce, es dulce!

La blanca Eucaristía
palpita entre sus manos; con la mirada alumbra
los tintes nebulosos de tímida penumbra
que va llenando en olas aquel sereno asilo,
y, destrozado mártir al parecer tranquilo,
suscita sobre el terso cristal de su memoria
la pena sin orillas de su futura historia,
y oye vibrar el beso del hombre que le entrega
y la cobarde excusa de Kefas que le niega,
y, como los retumbos de sorda catarata,

los bárbaros aullidos del pueblo que le mata,
mientras el ancho marco de la ventana hebrea
recorta azules franjas del éter de Judea,
que está diciendo al mártir de faz entristecida:
¡Cómo puede ser libre, fácil, sensual la vida!

Contéstame: ¿qué trágico calzó mejor coturno
que aquel Crucificado de rostro taciturno
que, erguido sobre el Gólgota, desde la cruz pasea
los ojos por su caro país de Galilea
que no verá en el tiempo, y en lánguido desmayo
se va muriendo exangüe? Cuando vestía el sayo
de punzador ultraje, cuando cargó la carga
de su futura gloria, cuando probó la amarga
bebida el virgen labio dolorido y sangriento,
y oyó que su lamento se perdía en el viento,
¡fué el trágico sublime! La flor de los dolores
regó desde ese instante sus cálidos olores,
y como banda nívea de cisnes familiares,
al arenal sin límites huyeron a millares
las vírgenes de Cristo, que en su mansión de palma
hallaron lo que Grecia no supo ver: ¡el alma!
Allí, más victorioso que el orcomenio atleta,
con sus pasiones lucha vetusto anacoreta,
creador, en el silencio de abruptas soledades,
de goces no sentidos, de voluptuosidades
que acendra el abstenerse y oculta la tristeza;
allá desde las cruces levantan la cabeza
los mártires heridos — sedientos gladiadores
que secan con sus bocas el mar de los dolores —.
El impasible Kosmos de vuestra fantasía
perdió tal vez su eurytmia, su Olimpo, su alegría;
en cambio nuestras almas trocaron la Quimera
por un país excelso donde el amor impera
y...

Súbito el Centauro, doliente, silencioso,
se fué sobre la arena con paso perezoso,
alejando, alejando... y entre la gris llanura
borró para los hombres su helénica figura,

mientras el viejo monje — con su báculo incierto —
con el signo de gracia borraba en el desierto
las huellas del Centauro...

Ritos, 1914.

RICARDO JAIMES FREYRE

1872 - 1933

Boliviano. Ha sido profesor y diplomático; como tal ha residido muchos años en la República Argentina y en los Estados
Unidos. Su primera obra, *Castalia bárbara* (1899), que sólo mucho después ha sido continuada por *Los sueños son vida* (1917),
contiene lo mejor de su poesía, y fué uno de los jalones fundamentales del modernismo. En ella aparecieron muchos de los
nuevos modos de expresión y de sensibilidad. Es poesía esencialmente poética, es decir, desligada de la realidad, creación
de mundos imaginarios y fantásticos, visión nueva de mundos
mitológicos extraños — el germánico más que el helénico —, y
de épocas lejanas— la Edad Media más que el Renacimiento—.
Aunque tiene semejanza a primera vista con Guillermo Valencia, por la perfección técnica y el carácter objetivo de sus temas, la sensibilidad de ambos poetas es muy diferente, predo-
minando en Jaimes Freyre el sentimiento de lo dramático, lo
tenebroso, lo lejano, lo extraño, de modo que su poesía es lo
que en términos parnasianos podría llamarse «poesía bárbara».
Es un artista muy consciente, y en cuanto a la forma ofrece en
su breve obra una gran variedad de metros modernos — que
han ejercido mucha influencia — habiendo escrito también
teóricamente sobre la versificación castellana.

BIBLIOGRAFÍA.—**Poesía**: *Castalia bárbara,* 1899. *Los sueños son vida,*
Buenos Aires, 1917. *Castalia bárbara, Los sueños son vida,* Madrid, [1918].
Castalia bárbara, País de sueño, País de sombra, pról. de Lugones, La
Paz, 1918. *Castalia bárbara y otros poemas,* pról. de Lugones, México,
1920. **Otras obras**: *La hija de Jephté,* drama, La Paz, 1889. *El Tucumán del siglo XVI,* Buenos Aires, 1914. *Historia del descubrimiento
de Tucumán,* 1916. *Los conquistadores,* drama histórico, 1928. *Leyes de
la versificación castellana.* — **Estudios**: L. LUGONES, pról. a *Castalia bárbara,* La Paz, 1918; México, 1920. *The new minister of Bolivia: R. J. F.,*
en BPAU, 1923, LVII, 547-549.

SIEMPRE

Peregrina paloma imaginaria.

Peregrina paloma imaginaria
que enardeces los últimos amores,
alma de luz, de música y de flores,
peregrina paloma imaginaria,

vuela sobre la roca solitaria
que baña el mar glacial de los dolores;
haya, a tu paso, un haz de resplandores
sobre la adusta roca solitaria...

Vuela sobre la roca solitaria,
peregrina paloma, ala de nieve
como divina hostia, ala tan leve

como un copo de nieve; ala divina,
copo de nieve, lirio, hostia, neblina,
peregrina paloma imaginaria...

Castalia bárbara, 1899.

LOS HÉROES

Por sanguinario ardor estremecido,
hundiendo en su corcel el acicate,
lanza el bárbaro en medio del combate
su pavoroso y lúgubre alarido.

Semidesnudo, sudoroso, herido,
de intenso gozo su cerebro late,
y con su escudo al enemigo abate,
ya del espanto y del dolor vencido.

Surge de pronto claridad extraña
y el horizonte tenebroso baña
un mar de fuego de purpúreas ondas,

y se destacan, entre lampos rojos,
los anchos pechos, los sangrientos ojos
y las hirsutas cabelleras blondas.

Castalia bárbara, 1899.

ÆTERNUM VALE

Un Dios misterioso y extraño visita la selva.
Es un Dios silencioso que tiene los brazos abiertos.
Cuando la hija de Thor espoleaba su negro caballo,
le vió erguirse, de pronto, a la sombra de un añoso
Y sintió que se helaba su sangre   [fresno.
ante el Dios silencioso que tiene los brazos abiertos.

De la fuente de Imer, en los bordes sagrados, más tarde,
la Noche a los Dioses absortos reveló el secreto;
el Aguila negra y los Cuervos de Odín escuchaban,
y los Cisnes que esperan la hora del canto postrero;
y a los Dioses mordía el espanto
de ese Dios silencioso que tiene los brazos abiertos.

En la selva agitada se oían extrañas salmodias;
mecía la encina y el sauce quejumbroso viento;
el bisonte y el alce rompían las ramas espesas,
y a través de las ramas espesas huían mugiendo.
          En la lengua sagrada de Orga
despertaban del canto divino los divinos versos.

Thor, el rudo, terrible guerrero que blande la maza
—en sus manos es arma la negra montaña de hierro—,
va a aplastar, en la selva, a la sombra del árbol sagrado,
a ese Dios silencioso que tiene los brazos abiertos.
          Y los dioses contemplan la maza rugiente,
que gira en los aires y nubla la lumbre del cielo.
. . . .

Ya en la selva sagrada no se oyen las viejas salmodias,
ni la voz amorosa de Freya cantando a lo lejos;
agonizan los dioses que pueblan la selva sagrada,
y en la lengua de Orga se extinguen los divinos versos.

Solo, erguido a la sombra de un árbol,
hay un Dios silencioso que tiene los brazos abiertos.

Castalia bárbara, 1899.

HOC SIGNUM

Secó sus ojos turbios el villano,
y con paso medroso y vacilante,
fué a postrarse ante un Cristo agonizante,
símbolo eterno del tormento humano.

— *¡Piedad, Señor!* — Su labio palpitante
por decir su dolor pugnaba en vano;
y extendió el Cristo su llagada mano
y brilló la piedad en su semblante.

— *¡Señor, venganza!* — En la profunda herida
abierta en un costado, una encendida
gota de sangre apareció... El villano

sonrió entre las sombras... En sus ojos
había extraños resplandores rojos
y una ancha daga en su crispada mano.

Castalia bárbara, 1899.

LAS VOCES TRISTES

Por las blancas estepas
se desliza el trineo;
los lejanos aullidos de los lobos
se unen al jadeante resoplar de los perros.

Nieva.
Parece que el espacio se envolviera en un velo,
tachonado de lirios
por las alas del cierzo.

El infinito blanco...
sobre el vasto desierto
flota una vaga sensación de angustia,
de supremo abandono, de profundo y sombrío desaliento.

Un pino solitario
dibújase a lo lejos,
en un fondo de brumas y de nieve,
como un largo esqueleto.

Entre los dos sudarios
de la tierra y el cielo,
avanza en el Naciente
el helado crepúsculo de invierno...

Castalia bárbara, 1899.

LEOPOLDO LUGONES

1874 - 1938

Argentino, de Río Seco, pueblo de la provincia de Córdoba.
Desde que Rubén Darío le conoció en Buenos Aires en 1896,
consideró al joven poeta como la mayor promesa literaria
argentina y ya les unió para siempre una estrecha amistad y
mutua estimación. Ha ejercido Lugones diversos empleos en su
país, entre ellos el de empleado de Correos y Telégrafos y el de
director de la Biblioteca del Consejo de Educación, y fuera de
él, últimamente el de representante argentino en el Comité de
cooperación intelectual de la Liga de las Naciones. Ha hecho
varios viajes a Europa desde 1906, y siente un afecto muy particular por Francia. También lo siente por los Estados Unidos
— donde no sabemos que haya residido —, siendo uno de los
pocos escritores hispanoamericanos que miran, no ya sin apren-
sión, sino con entusiasmo, el ideal de solidaridad panamericana. En cambio, hacia España parece tener un sentimiento
de hostilidad, que a menudo se le ha reprochado y que él ha
explicado en varias ocasiones. También sus ideas políticas, que
han evolucionado desde el socialismo al nacionalismo más ex-
tremados, han sido muy discutidas y le han atraído la animosi-
dad de unos o de otros y a veces de todos. Sin pretender explicar en esta breve nota la ideología de Lugones, bástenos con
decir que todas sus ideas, por arbitrarias o contradictorias que
parezcan, tienen plena justificación y sentido en la unidad intelectual, sentimental y estética de su personalidad. Semejante
en esto al español Unamuno, el valor superior de sus ideas
está, no tanto en su significado objetivo, como en el tono y
temple que su temperamento les presta. Y está también en que
muchas de ellas son nacidas de la intención de crear una ideo-

logía argentina. Aunque haya sido combatido en su país, no ha tenido la Argentina en los últimos treinta años un escritor más alto y más representativo, uno que haya traído más inquietudes y novedades a su vida espiritual, y cuya influencia haya sido más general y más profunda. Una gran parte de su obra está escrita en prosa y consiste en ensayos, discursos, estudios históricos y obras de pura imaginación. Su valor es variable, yendo en aumento conforme el tema es más argentino; pero en todas ellas es inconfundible el estilo que, a pesar de las aficiones extranjeras, representa una forma muy personal y moderna del barroquismo más español.

Su poesía ofrece una rica y variada evolución. Esta variabilidad ha hecho que se la tache de poesía imitativa de modelos diversos, nacida del afán de novedad, guiado por una técnica experta de escritor. Este juicio tan repetido — que rebajaría a Lugones al nivel estimable de un escritor de talento y de facultades asimilativas — nos parece equivocado e injusto. Precisamente esta capacidad proteica de mostrarnos diversas caras siendo siempre él mismo, de ensayar con éxito los más diversos modos de poesía sonando siempre con timbre personal, es lo que le da un lugar aparte y superior al de los demás grandes poetas americanos de la época del modernismo — cada uno perfecto en una sola cuerda — y lo que le pone en el plano de poeta completo, juntamente con Rubén Darío, de quien, por otra parte, es tan distinto. Algunas de las acusaciones concretas de imitación que se han hecho a Lugones, como por ejemplo la de su dependencia de Herrera y Reissig, han sido desvanecidas con pruebas que no dejan lugar a duda. Es verdad que Lugones, como Rubén Darío, ha imitado a muchos autores desde Víctor Hugo hasta Laforgue; pero no es menos cierto que a través de todas esas imitaciones ha encontrado siempre su propia originalidad. Su arte — tanto en la grandilocuencia romántica de *Las montañas del oro*, como en los refinamientos decadentes de *Los crepúsculos del jardín*, la ironía extravagante de *Lunario sentimental*, la serenidad tradicional de las *Odas seculares*, la límpida sencillez de *Romancero* o la llaneza vernacular de *Poemas solariegos* — es siempre un arte culto, «culterano», diríamos más bien usando el viejo término clásico, en el que el amaneramiento es natural y hasta el prosaísmo es afectado y complicada la sencillez. Es un arte intelectual, de fría pasión y esfuerzo heroico, de rebuscada y sabia expresividad. Todo esto no puede parecernos defectuoso ahora que domina en la poesía una nueva forma de culteranismo literario, hacia la cual nadie ha avanzado más en América que Lugones, quien en rigor es un postmodernista que — aunque lo rechacen los jóvenes — enlaza en América el modernismo con las nuevas tendencias literarias.

Bibliografía. — **Poesía:** *Las montañas del oro,* Buenos Aires, 1897; con un juicio de R. Darío, Montevideo, 1919. *Los crepúsculos del jardín,* Buenos Aires, 1905; Montevideo, [1924]; Buenos Aires, 1926. *Lunario sentimental,* 1909; 1926. *Odas seculares,* 1910; nueva ed. corr., 1923. *El libro fiel,* París, 1912. *El libro de los paisajes,* Buenos Aires, 1917. *Las horas doradas,* 1922. *Romancero,* 1924; 1925. *Poemas solariegos,* 1928; 1929. **Otras obras:** *La reforma educacional,* 1903. *El imperio jesuítico,* 1904. *La guerra gaucha,* 1905; 1926. *Las fuerzas extrañas,* 1906. *Las limaduras de Hephæstos,* 1908. *Piedras liminares,* 1910. *Prometeo,* 1910. *Didáctica,* 1911. *Historia de Sarmiento,* 1911. *Elogio de Ameghino,* [1913]. *El ejército de la Ilíada,* 1915. *El payador,* t. I, 1916. *Cuentos,* 1916. *Mi beligerancia,* 1917. *Las industrias de Atenas,* 1919. *La torre de Casandra,* 1919. *Rubén Darío,* 1919. *El tamaño del espacio,* 1924. *Acción,* 1924. *Filosofícula,* 1924. *Cuentos fatales,* 1924. *Estudios helénicos,* 1924. *La organización de la paz,* 1925. *Elogio de Leonardo,* San José de C. R., 1925. *El ángel de la sombra,* novela, Buenos Aires, 1926. *Nuevos estudios helénicos,* Madrid, 1928. *La grande Argentina,* Buenos Aires, 1930. — **Estudios:** *Babel,* núm. 19, mayo 1926 [número dedicado a L.] R. Blanco-Fombona, *L. L.,* en GLit, 15 febrero 1929. J. M. Carbonell y Rivero, *Alrededor de un gran poeta : L. L.,* Habana, 1912. C. Cossío, *La nueva generación y L. L.,* en Nos, 1925, L, 98-105. R. Darío, *Un poeta socialista : L. L.,* en Tiempo, 12 mayo 1896; *Cabezas,* Madrid, 1919. E. Díez-Canedo, *Las «Odas seculares»,* de *L. L.,* en Esp., 2 febr. 1924. R. Doll, *Sobre La grande Argentina,* en VL, sept. 1930. Emin Arslau, *L., la evolución de sus ideas políticas, sus estudios de etimología arábiga, su traducción de «La Ilíada»,* en Nac, 3 julio 1927. E. Espinoza, *El humorismo poético de L. L.,* en RepAm, 24 sept. 1927. P. Fariña-Núñez, *Lugones,* en PCor, 20 nov, 1929. J. Fingerit, *Un enemigo de la civilización: L. L.,* Río de Janeiro, 1926. M. Gálvez, *La vida múltiple,* 1916. V. García Calderón, *L. L.,* en FrAmL, 1921, XII, 102-110. F. López Merino, *L. habla del ambiente literario argentino; los autores no estudian,* en RepAm, 1922, V, núm. 8, 103-105. R. F. Giusti, *Nuestros poetas jóvenes,* Buenos Aires, 1911. E. Martínez-Estrada, *«Poemas solariegos», por L. L.,* en VL, abril 1929. J. Mas y Pí, *L. L. y su obra,* Buenos Aires, 1911. A. Melián Lafinur, *Literatura contemporánea,* Buenos Aires, 1918 [sobre *El libro fiel*]; Sobre

Poemas solariegos, en RepAm, 8 junio 1929. E. Palacio, *Crítica litera-ria; «Poemas solariegos», por L. L.,* en CritBA, 31 enero 1929. J. Pe-reira Rodríguez, *El caso Lugones-Herrera y Reissig,* en RepAm, [1925]. E. Prins, *L., poeta de vanguardia,* en VL, 11 junio 1929. H. Quiroga, *El caso Lugones-Herrera y Reissig,* en RepAm, [1925]. J. B. Terán, *«El imperio jesuítico», por L. L.,* en *Estudios y notas,* 1908, p. 95-121. J. Tild, Sobre *Lunario sentimental,* en RAmL, 1927, XIII, 464-465. M. de Toro Gisbert, *El idioma de un argentino : La «Guerra gaucha» de L. L.,* en BAE, 1922, IX, 526-548, 705-728. J. Torrendell, *El año literario,* 1918. G. Uriarte, *La obra intelectual de L.,* en Nos, 1918, XXXI, 530-563; *The intellectual work of L. L.,* en IntAm, 1919, vol. 2, 368-386. C. Vi-llalobos Domínguez, *Las ideas regresivas de L.,* en Nos, 1925, L. 361-383; Sobre *La grande Argentina,* en Nos, 1930, LXX, 122-124.

LAS MONTAÑAS DEL ORO

(FRAGMENTO)

... Los grandes hombres y las montañas
es forzoso que siempre estén de pie. Extrañas
son las voces del antro a la cumbre. La oruga
que esconde entre las hierbas su imperceptible fuga,
ve al águila y opina: «¡Eres un ser monstruoso,
águila!» — En cambio el águila no ve a la oruga —.
                                              [Hermoso
y divino es el cielo porque es indiferente
a las nubes que le hacen mal. El cielo es la frente
de Dios, sobre la eterna serenidad suspensa;
cuando se llena de astros y sombra, es que Dios piensa.
El cielo se repite en las frentes radiosas.
No importa que ellas sean claras, o misteriosas,
o formidables, siendo capaces del martirio.
¡No de la infamia! Tanto vale rasgar un lirio
como manchar un astro; el viejo Cosmos gime
por la flor y la estrella con un amor sublime
y total. ¡Grave enigma de amor! Esto consiste
en que el gran Ser no quiere que ninguno esté triste,
y el dolor, ese fuego que exalta todo nombre
(Cristo sangriento, brilla; triste, suda como hombre),
es un heroico vino que ignora la tristeza.
¡Hombres!, no escupáis nunca sobre una gran cabeza.

No seáis mancha cuando pudierais ser herida.
El hierro sufre en lo hondo de la fragua encendida,
pero hasta hoy nadie ha visto las lágrimas del hierro.

El poeta es el astro de su propio destierro.
Él tiene su cabeza junto a Dios, como todos;
pero su carne es fruto de los cósmicos lodos
de la vida. Su espíritu del mismo yugo es siervo,
pero en su frente brilla la integridad del Verbo.
Cada vez que una de sus columnas, que en la historia
trazan nuevos caminos de esfuerzo y de victoria,
emprende su jornada, dejando detrás de ella
rastros de lumbre como los pasos de una estrella,
noches siniestras, ecos de lúgubres clarines,
huracanes colgados de gigantescas crines
y montes descarnados como imponentes huesos :
uno de esos engendros del prodigio, uno de esos
armoniosos doctores del Espíritu Santo,
alza sobre la cumbre de la noche su canto.
(La alondra y el sol tienen de común estos puntos:
que reinan en los cielos y se levantan juntos.)
El canto de esos grandes es como un tren de guerra
cuyas sonoras llantas surcan toda la tierra.
Cantan por sus heridas ensangrentadas bocas
de trompeta, que mueven el alma de las rocas
y de los mares. Hugo con su talón fatiga
los olímpicos potros de su imperial cuadriga;
y, como de un océano que el sol naciente dora,
de sus grandes cabellos se ve surgir la aurora.
Dante alumbra el abismo con su alma. Dante piensa.
Alza entre dos crepúsculos una portada inmensa,
y pasa, transportando su empresa y sus escombros,
una carga de montes y noches en los hombros.

Whitman entona un canto serenamente noble.
Whitman es el glorioso trabajador del roble.
Él adora la vida que irrumpe en toda siembra,
el grande amor que labra los flancos de la hembra;
y todo cuanto es fuerza, creación, universo,
pesa sobre las vértebras enormes de su verso.

Homero es la pirámide sonora que sustenta
los talones de Júpiter, goznes de la tormenta.
Es la boca de lumbre surgiendo del abismo.
Tan de cerca le ha hablado Dios, que él habla lo mismo.

Las montañas del oro, 1897.

DELECTACIÓN MOROSA

La tarde, con ligera pincelada
que iluminó la paz de nuestro asilo,
apuntó en su matiz crisoberilo
una sutil decoración morada.

Surgió enorme la luna en la enramada;
las hojas agravaban su sigilo,
y una araña en la punta de su hilo,
tejía sobre el astro, hipnotizada.

Poblóse de murciélagos el combo
cielo, a manera de chinesco biombo;
tus rodillas exangües sobre el plinto

manifestaban la delicia inerte,
y a nuestros pies un río de jacinto
corría sin rumor hacia la muerte.

Los crepúsculos del jardín, 1905.

OCÉANIDA

El mar, lleno de urgencias masculinas,
bramaba alrededor de tu cintura,
y como un brazo colosal, la oscura
ribera te amparaba. En tus retinas,

y en tus cabellos, y en tu astral blancura,
rieló con decadencias opalinas,
esa luz de las tardes mortecinas
que en el agua pacífica perdura.

Palpitando a los ritmos de tu seno,
hinchóse en una ola el mar sereno;
para hundirte en sus vértigos felinos

su voz te dijo una caricia vaga,
y al penetrar entre tus muslos finos,
la onda se aguzó como una daga.

Los crepúsculos del jardín, 1905.

EL SOLTERÓN

I

Largas brumas violetas
flotan sobre el río gris,
y allá en las dársenas quietas
sueñan oscuras goletas
con un lejano país.

El arrabal solitario
tiene la noche a sus pies,
y tiembla su campanario
en el vapor visionario
de ese paisaje holandés.

El crepúsculo perplejo
entra a una alcoba glacial,
en cuyo empañado espejo
con soslayado reflejo
turba el agua del cristal.

El lecho blanco se hiela
junto al siniestro baúl,
y en su herrumbrada tachuela
envejece una acuarela
cuadrada de felpa azul.

En la percha del testero,
el crucificado frac
exhala un fenol severo,
y sobre el vasto tintero
piensa un busto de Balzac.

La brisa de las campañas
con su aliento de clavel
agita las telarañas
que son inmensas pestañas
del desusado cancel.

Allá por las nubes rosas
las golondrinas, en pos
de invisibles mariposas,
trazan letras misteriosas
como escribiendo un adiós.

En la alcoba solitaria,
sobre un raído sofá
de cretona centenaria,
junto a su estufa precaria,
meditando un hombre está.

Tendido en postura inerte
masca su pipa de boj,
y en aquella calma advierte
¡qué cercana está la muerte
del silencio del reloj!

En su garganta reseca
gruñe una biliosa hez,
y bajo su frente hueca
la verdinegra jaqueca
maniobra un largo ajedrez.

¡Ni un gorjeo de alegrías!
¡Ni un clamor de tempestad!
Como en las cuevas sombrías,
en el fondo de sus días
bosteza la soledad.

Y con vértigos extraños,
en su confusa visión
de insípidos desengaños,
ve llegar los grandes años
con sus cargas de algodón.

II

A inverosímil distancia
se acongoja un violín,
resucitando en la estancia
como una ancestral fragancia
del humo de aquel esplín.

Y el hombre piensa. Su vista
recuerda las rosas te
de un sombrero de modista...
El pañuelo de batista...
Las peinetas... el corsé...

Y el duelo en la playa sola:
Uno... dos... tres... Y el lucir
de la montada pistola...
Y el son grave de la ola
convidando a bien morir.

Y al dar a la niña inquieta
la reconquistada flor
en la persiana discreta,
sintióse héroe y poeta
por la gracia del amor.

Epitalamios de flores
la dicha escribió a sus pies,
y las tardes de colores
supieron de esos amores
celestiales... Y después...

Ahora, una vaga espina
le punza en el corazón,
si su coqueta vecina
saca la breve botina
por los hierros del balcón;

y si con voz pura y tersa,
la niña del arrabal,
en su malicia perversa,

temas picantes conversa
con el canario jovial;

surge aquel triste percance
de tragedia baladí:
la novia... la flor... el lance...
Veinte años cuenta el romance.
Turguenef tiene uno así.

¡Cuán triste era su mirada,
cuán luminosa su fe
y cuán leve su pisada!
¿Por qué la dejó olvidada?
¡Si ya no sabe por qué!

III

En el desolado río
se agrisa el tono punzó
del crepúsculo sombrío,
como un imperial hastío
sobre un otoño de gro.

Y el hombre medita. Es ella
la visión triste que en un
remoto nimbo descuella:
es una ajada doncella
que le está aguardando aún.

Vago pavor le amilana,
y va a escribirla por fin
desde su informe nirvana...
La carta saldrá mañana
y en la carta irá un jazmín.

La pluma en sus dedos juega;
ya el pliego tiene el doblez
y su alma en lo azul navega.
A los veinte años de brega
va a decir «tuyo» otra vez.

No será trunca ni ambigua
su confidencia de amor
sobre la vitela exigua.
¡Si esa carta es muy antigua!...
Ya está turbio el borrador.

Tendrá su deleite loco,
blancas sedas de amistad
para esconder su ígneo foco.
La gente reirá un poco
de esos novios de otra edad.

Ella, la anciana, en su leve
candor de virgen senil,
será un alabastro breve.
Su aristocracia de nieve
nevará un tardío abril.

Sus canas, en paz suprema,
a la alcoba sororal
darán olor de alhucema,
y estará en la suave yema
del fino dedo el dedal.

Cuchicheará a ras del suelo
su enagua un vago fru-frú,
¡y con qué afable consuelo
acogerá el terciopelo
su elegancia de bambú!...

Así está el hombre soñando
en el aposento aquel,
y su sueño es dulce y blando;
mas la noche va llegando
y aun está blanco el papel.

Sobre su visión de aurora,
un tenebroso crespón
los contornos descolora,
pues la noche vencedora
se le ha entrado al corazón.

Y como enturbiada espuma,
una idea triste va
emergiendo de su bruma:
¡Qué mohosa está la pluma!
¡La pluma no escribe ya!

Los crepúsculos del jardín, 1905.

EMOCIÓN ALDEANA

Nunca gocé ternura más extraña,
que una tarde entre las manos prolijas
del barbero de campaña —
furtivo carbonario que tenía dos hijas.
Yo venía de la montaña
en mi claudicante jardinera,
con timidez urbana y ebrio de primavera.

Aristas de mis parvas,
tupían la fortaleza silvestre
de mi semestre
de barbas;
recliné la cabeza
sobre la fatigada almohadilla,
con una plenitud sencilla
de docilidad y de limpieza;
y en ademán cristiano presenté la mejilla...

El desconchado espejo
protegido por marchitos tules,
absorbiendo el paisaje en su reflejo,
era un óleo enorme de sol bermejo,
praderas pálidas y cielos azules.
Y ante el mórbido gozo
de la tarde vibraba en pastorelas,
flameaba como un soberbio trozo
que glorificara un orgullo de escuelas.

La brocha, en tanto,
nevaba su sedosa espuma

con el encanto
de una caricia de pluma.
De algún redil cabrío, que en tibiezas amigas,
aprontaba al rebaño su familiar sosiego,
exhalaban un perfume labriego
de polen amizclado las boñigas.

Con sonora mordedura
raía mi fértil mejilla la navaja,
mientras sonriendo anécdotas en voz baja,
el liberal barbero me hablaba mal del cura.
A la plática ajeno,
preguntábale yo, superior y sereno
(bien que con cierta inquietud de celibato),
por sus dos hijas, Filiberta y Antonia;
cuando de pronto deleitó mi olfato
una ráfaga de agua de colonia.

Era la primogénita, doncella preclara,
chisporroteada en pecas bajo rulos de cobre.
Mas en ese momento, con presteza avara,
rociábame el maestro su vinagre a la cara,
en insípido aroma de pradera pobre.

Harto esponjada en sus percales,
la joven apareció, un tanto incierta,
a pesar de las lisonjas locales.
Por la puerta,
asomaron racimos de glicinas,
y llegó de la huerta
un maternal escándalo de gallinas.

Cuando, con fútil prisa,
hacia la bella volví mi faz más grata,
su púdico saludo respondió a mi sonrisa,
y ante el sufragio de mi amor pirata,
y la flamante lozanía de mis carrillos,
vi abrirse enormemente sus ojos de gata,
fritos en rubor como dos huevecillos.

Sobre el espejo, la tarde lila
improvisaba un lánguido miraje

en un ligero vértigo de agua tranquila.
Y aquella joven con su blanco traje,
al borde de esa visionaria cuenca,
daba al fugaz paisaje
un aire de antigua ingenuidad flamenca.

Los crepúsculos del jardín, 1905.

A LOS GAUCHOS

Raza valerosa y dura
que con pujanza silvestre
dió a la patria en garbo ecuestre
su primitiva escultura.
Una terrible ventura
va a su sacrificio unida,
como despliega la herida
que al toro desfonda el cuello,
en el raudal del degüello
la bandera de la vida.

Es que la fiel voluntad
que al torvo destino alegra,
funde en vino la uva negra
de la dura adversidad.
Y en punto de libertad
no hay satisfacción más neta,
que medírsela completa
entre riesgo y corazón,
con tres cuartas de facón
y cuatro pies de cuarteta.

En la hora del gran dolor
que a la historia nos paría,
así como el bien del día
trova el pájaro cantor,
la copla del payador
anunció el amanecer,
y en el fresco rosicler

que pintaba el primer rayo,
el lindo gaucho de Mayo
partió para no volver.

Así salió a rodar tierra
contra el viejo vilipendio,
enarbolando el incendio
como estandarte de guerra.
Mar y cielo, pampa y sierra,
su galope al sueño arranca,
y bien sentada en el anca
que por las cuestas se empina,
le sonríe su *Argentina*
linda y fresca, azul y blanca.

Desde Suipacha a Ayacucho
se agotó en el gran trabajo,
como el agua cuesta abajo
por haber corrido mucho;
mas siempre garboso y ducho
aligeró todo mal,
con la gracia natural
que en la más negra injusticia
salpicaba su malicia
clara y fácil como un real.

Luego al amor del caudillo
siguió, muriendo admirable,
con el patriótico sable
ya rebajado a cuchillo;
pensando, alegre y sencillo,
que en cualesquiera ocasión,
desde que cae al montón
hasta el día en que se acaba,
pinta el culo de la taba
la existencia del varón.

Su poesía es la temprana
gloria del verdor campero
donde un relincho ligero
regocija la mañana.

Y la morocha lozana
de sediciosa cadera,
en cuya humilde pollera,
primicias de juventud
nos insinuó la inquietud
de la loca primavera.

Su recuerdo, vago lloro
de guitarra sorda y vieja,
a la patria no apareja
preocupación ni desdoro.
De lo bien que guarda el oro,
el guijarro es argumento;
y desde que el pavimento
con su nivel sobrepasa,
va sepultando la casa
las piedras de su cimiento.

Odas seculares, 1910.

LA BLANCA SOLEDAD

Bajo la calma del sueño,
calma lunar de luminosa seda,
la noche
como si fuera
el blanco cuerpo del silencio,
dulcemente en la inmensidad se acuesta.
Y desata
su cabellera,
en prodigioso follaje
de alamedas.

Nada vive sino el ojo
del reloj en la torre tétrica,
profundizando inútilmente el infinito
como un agujero abierto en la arena.
El infinito.
Rodado por las ruedas
de los relojes,
como un carro que nunca llega.

La luna cava un blanco abismo
de quietud, en cuya cuenca
las cosas son cadáveres
y las sombras viven como ideas.
Y uno se pasma de lo próxima
que está la muerte en la blancura aquella.
De lo bello que es el mundo
poseído por la antigüedad de la luna llena.
Y el ansia tristísima de ser amado,
en el corazón doloroso tiembla.

Hay una ciudad en el aire,
una ciudad casi invisible suspensa,
cuyos vagos perfiles
sobre la clara noche transparentan,
como las rayas de agua en un pliego,
su cristalización poliédrica.
Una ciudad tan lejana,
que angustia con su absurda presencia.

¿Es una ciudad o un buque
en el que fuésemos abandonando la tierra,
callados y felices,
y con tal pureza,
que sólo nuestras almas
en la blancura plenilunar vivieran?...

Y de pronto cruza un vago
estremecimiento por la luz serena.
Las líneas se desvanecen,
la inmensidad cámbiase en blanca piedra,
y sólo permanece en la noche aciaga
la certidumbre de tu ausencia.

El libro fiel, 1912.

SALMO PLUVIAL

TORMENTA

Érase una caverna de agua sombría el cielo;
el trueno, a la distancia, rodaba su peñón;

y una remota brisa de conturbado vuelo,
se acidulaba en tenue frescura de limón.

Como caliente polen exhaló el campo seco
un relente de trébol lo que empezó a llover.
Bajo la lenta sombra, colgada en denso fleco,
se vió al cardal con vívidos azules florecer.

Una fulmínea verga rompió el aire al soslayo;
sobre la tierra atónita cruzó un pavor mortal;
y el firmamento entero se derrumbó en un rayo,
como un inmenso techo de hierro y de cristal.

LLUVIA

Y un mimbreral vibrante fué el chubasco resuelto
que plantaba sus líquidas varillas al trasluz,
o en pajonales de agua se espesaba revuelto,
descerrajando al paso su pródigo arcabuz.

Saltó la alegre lluvia por taludes y cauces;
descolgó del tejado sonoro caracol;
y luego, allá a lo lejos, se desnudó en los sauces,
transparente y dorada bajo un rayo de sol.

CALMA

Delicia de los árboles que abrevó el aguacero.
Delicia de los gárrulos raudales en desliz.
Cristalina delicia del trino del jilguero.
Delicia serenísima de la tarde feliz.

PLENITUD

El cerro azul estaba fragante de romero,
y en los profundos campos silbaba la perdiz.

El libro de los paisajes, 1917.

LAS CIGARRAS

I

Con la aurora estival rompe su coro.
La seda azul del sueño hacen harnero.
Cascabeles del sol cuyo pandero
las despilfarra en cáscaras de oro.

Asolando las mentas y las malvas,
el creciente calor fraga su dardo,
y cada una, así herida, es un petardo
con que gasta el amor pólvora en salvas.

Bajo la paz del campo que se dora
como el pan, al rescoldo de la siesta,
parece que el estío en ellas tuesta
sus gárrulas castañas a deshora.

Dando al clásico ripio el «vano alarde»
de habernos aturdido todo el día,
en su ya fatigado son chirría
la lejana carreta de la tarde.

Cuando en quietud de especular laguna
el plenilunio cálido alucina,
entorchan su bordón de plata fina
para el laúd ebúrneo de la luna.

Y todavía, en obstinado roce,
la más ronca y urgente del enjambre,
finge con su timbal cascado alambre
de péndola que está por dar las doce.

II

Ya el tordo ministril canta en las vides;
pulsan en el estanque claras glotis,
y las dulces pupilas de miosotis
dicen con su celeste «no me olvides».

La blonda madurez de la algarroba
peina bucles de sol; se almizcla el chivo;
y como joven cabra, en su aire esquivo,
seduce la que fué zagala boba.

El almíbar frutal bulle en la paila;
guiña mil ojos el racimo negro;
y al ritmo de su más inflado alegro,
borracho el Carnaval insulta y baila.

Todo eso está en el coro paladino
que con ardor viril al sol saluda
(porque madama la cigarra es muda
a pesar de su sexo femenino).

Así el buen cigarrón templa su solo
— feliz marido, como dice Lope —,
con él acendra el mosto y el arrope,
y aspira a una hoja del laurel de Apolo.

Por esto, en la guirnalda que les trenza,
confunde el arte églógico sus ramos:
Anacreonte da rosas de Samos,
y Mistral mejorana de Provenza.

III

Fútil cantora, sonora cigarra,
en la alegría de tu aire pueril,
crispa su prima sutil mi guitarra,
bate su parche mi azul tamboril.

El libro de los paisajes, 1917

LA ESTRELLA Y EL CIPRÉS

I

Honda y nocturnamente azul la calma,
en el ciprés delgado transfigura
la esbeltez melancólica de un alma.

Tras del árbol palpita en la blancura
de su inocente desnudez, la estrella.
Y en él es más sombría la hermosura,
cuando más celestial se aclara en ella.

II

La estrella sube, y de la negra punta
se desprende, cual llama que no pudo
al cirio inerte conservarse junta.

El árbol, hasta entonces quieto y mudo,
tiembla un poco y parece, lo que gime,
que hacia ella se alargara más agudo,
en suspiro de amor grave y sublime.

III

Yo soy como el ciprés del canto mío,
que por lejana estrella suspirando,
se vuelve más delgado y más sombrío.

Y así, cuando la noche llega, y cuando
a través del ciprés la estrella asoma,
penetra mi alma un hálito tan blando,
que te revela en mí como un aroma.

Las horas doradas, 1922.

ALMA VENTUROSA

Al promediar la tarde de aquel día,
cuando iba mi habitual adiós a darte,
fué una vaga congoja de dejarte
lo que me hizo saber que te quería.

Tu alma, sin comprenderlo, ya sabía...
con tu rubor me iluminó al hablarte,
y al separarnos te pusiste aparte
del grupo, amedrentada todavía.

Fué silencio y temblor nuestra sorpresa;
mas ya la plenitud de la promesa
nos infundía un júbilo tan blando,

que nuestros labios suspiraron quedos...
y tu alma estremecíase en tus dedos
como si se estuviera deshojando.

Las horas doradas, 1922.

ELEGÍA CREPUSCULAR

Desamparo remoto de la estrella,
hermano del amor sin esperanza,
cuando el herido corazón no alcanza
sino el consuelo de morir por ella.

Destino a la vez fútil y tremendo
de sentir que con gracia dolorosa
en la fragilidad de cada rosa
hay algo nuestro que se está muriendo.

Ilusión de alcanzar, franca o esquiva,
la compasión que agonizando implora,
en una dicha tan desgarradora
que nos debe matar por excesiva.

Eco de aquella anónima tonada
cuya dulzura sin querer nos hizo
con la propia delicia de su hechizo
un mal tan hondo al alma enajenada.

Tristeza llena de fatal encanto,
en el que ya incapaz de gloria o de arte,
sólo acierto, temblando, a preguntarte
qué culpa tengo de quererte tanto!...

Heroísmo de amar hasta la muerte,
que el corazón rendido te inmolara,
con una noble sencillez tan clara
como el gozo que en lágrimas se vierte.

Y en lenguaje a la vez vulgar y blando,
al ponerlo en tus manos te diría:
no sé cómo no entiendes, alma mía,
que de tanto adorar se está matando.

Cómo puedes dudar, si en el exceso
de esta pasión, yo mismo me lo hiriera,
sólo porque a la herida se viniera
toda mi sangre desbordada en beso.

Pero ya el día, irremediablemente,
se va a morir más lúgubre en su calma :
y más hundida en soledad mi alma,
te llora tan cercana y tan ausente.

Trágico paso el aposento mide...
Y allá al final de la alameda oscura,
parece que algo tuyo se despide
en la desolación de mi ternura.

Glorioso en mi martirio, sólo espero
la perfección de padecer por ti.
Y es tan hondo el dolor con que te quiero,
que tengo miedo de quererte así.

Romancero, 1924.

JUAN ROJAS

(FRAGMENTOS)

Juan Rojas, nuestro capataz,
era alto, cenceño y cetrino.
Al volcar, como es de uso campesino,
sobre el hombro el sombrero, con vigor montaraz
rodaba un bucle lóbrego hasta el ojo beduino
que él despejaba en mosqueada vivaz.
Tenía el ceño del valor genuino,
barbada en punta la aguileña faz,
firme el porte, la fibra tenaz,
el puño recio y el tobillo fino.

Sumamente sagaz
para el rastro y el monte, su tino
de índole poco locuaz,
prefería el renombre que se labra
tras largo acierto y callada porfía,
porque con doble mérito valía
su silencio tanto como su palabra.

. . . .

Nunca dejó el chiripá ni la ojota,
ni la camisa de lienzo arrollada al codo
para el trabajo, que érale más fácil de tal modo;
pues solamente calzaba la bota
en algún padrinazgo, casorio o procesión
cual la de San Isidro, al que hacía compaña
tocando la flauta de caña
y disparando el trabuco por devoción,
cuando para mandarle cantar misa en la villa,
ocho leguas andaban a pie hasta la capilla.
A esa imagen tenía legalmente derecho
Antonia Jara, su mujer, y era Antonia
quien, durante lo más largo del trecho,
le llevaba a él las botas de la ceremonia;
pues para las mujeres había licencia
de cumplir a caballo, sin perder la indulgencia.

. . . .

A falta de hijos, educaba un loro
que se llamaba, claro está, Pico de Oro;
y que aun cuando sabía
el Bendito y el Avemaría,
olvidaba el decoro
no bien la peonada se venía
tras el bagual o el toro,
para terciar en la blasfema algarabía;
hasta que ante algún ajo demasiado sonoro,
su dueña en un capacho lo escondía.
Porque Juan era en esto tan aseado y severo,
que ni yegua decía sin el perdón primero.

Para aquellos trabajos de bravura tremenda,
que imponían un temple de combate al afán,
nadie competía con Juan
en el lazo, la bola y la rienda.
Dominaba todas las fatigas paisanas,
desde el corcovo con su abismante vértigo,
hasta la formidable tarea del pértigo
con tres yuntas y dos picanas.
Podía lo mismo calzar la yanta a un carro,
porque no carecía de discurso en la fragua,
que atar la paja o pisar el barro
para cortar adobes y techar a media agua.
Era en hierras y esquilas tan hábil como probo.
Entendía bastante de trenzado y retobo.
En el hacha, portábase empeñoso y seguro.
Sabía calar flautas en la caña hembra,
elegir el mejor grano de siembra
y hasta curar por conjuro.
Tenía buena mano y condición
para enfrenar un redomón
y sacarlo de coscoja,
poner un noque de aloja
y llapar una lejía de jabón.
Decía con modesta convicción,
entre risueño y corrido,
que lo único que no había aprendido
era a leer y a usar pantalón.

. . . .

Relataba con sobrio vigor,
y yo tenía el privilegio sumo
de acurrucarme para oír mejor
en su poncho listado, oliente a humo.
La llama del fogón o el candil
poníale en la barba bruscos toques de añil;
y en el fondo de la órbita sombría
un dorado reflejo de ron le traslucía;
o con súbito tajo le alumbraba los dientes
como si le sacara palabras relucientes.

Conocía la derecera
en aire, tierra y agua, del pájaro y la res,
el reptil y el insecto, la alimaña y la fiera.
Y no existía nido ni madriguera
que hubiese escapado a su interés.
Por esto pretendía con veracidad grave,
que a él no lo equivocaban huella ni maña de ave,
(porque para él era ave todo animal montés).
Así seguía al vuelo
la pista de la abeja,
o rastreaba al ñandú, que sólo deja
el hoyito de la uña del medio en el suelo.
Conocía por el relincho a la distancia,
los caballos de la estancia;
y hasta en la noche completa,
los sacaba, al pasar, por la silueta.

. . . .

Había buscado con paciencia felina
al pájaro Carbunclo que por la noche espanta,
y sólo se ve, dicen, para Semana Santa;
y la piedrita adivina
que en los sesos de la golondrina
suelen algunos hallar.
Sabía mil sucedidos,
casos y cuentos de aparecidos;
mas, cuando alguno de ellos consentía narrar,
poníase, primero, lentamente a fumar.
Requería con calma el mangorrero
de peinar la chala y picar el tabaco;
y era una gloria verlo rastrillar al yesquero
de pitón de ternero
o cola de mataco,
la culebreante chispa que, relámpago casi,
no más que a un solo golpe del eslabón, prendía
la yesca que él mismo componía
con la borra del tasi.

Y ésta y que era la historia jocosa
del tigre viejo ño Pancho,

con su sobrino el zorro, que se llamaba Juancho,
y con el gendarme don Rosa,
que era el necio del carancho.
Y el cuento del gigante con el loro traidor,
y el de los Tres Verdes Picos de Amor.
Y el caso de los primores,
andanzas, magias y guerras,
del Niño Ladino, que salió a rodar tierras
en busca del potrillo de siete colores.

Cuando era algún romance
de buen verso y mayor alcance,
como los de Barraca-Yaco o el gaucho Parra,
solía cantarlo en la guitarra.
Entonces le sobrevenía
una remota melancolía;
y entre los toscos dedos, con mansedumbre fiel,
las cuerdas le lloraban cual lágrimas de miel.
. . . .

Renitente al jolgorio libertino,
sólo se lo veía obligar con vino,
para alguna elección, donde votaba
con lealtad sencilla, siempre por su padrino;
o tirar cinco pesos a la taba
por no echarse fama de mezquino;
y entreverarse al final
con los que celebraban rayando los fletes
sobre un cajón de cohetes
el triunfo del Partido Nacional.

Tal pasaron los días (qué es lo que al fin no pasa),
en que hubo para todos prosperidad en casa.
Hasta que cuando, al cabo, nos separó la suerte,
el ramo del adiós nos fué a ofrecer,
callado, con los ojos duros y el ceño inerte,
como el *huíllaj*, el árbol recto, sensible y fuerte,
que florece cuando va a llover.

Así vivió Juan Rojas en sosegada unión
con la finada Antonia, que ambos difuntos son.
Yo le rindo el sufragio de este recuerdo amigo,
porque fué consecuente y afectuoso conmigo.

Poemas solariegos, 1928.

AMADO NERVO

1870-1919

Mejicano. Empezó la carrera religiosa, que dejó un sello permanente en su obra y en su aspecto físico. Rubén Darío pudo
llamarle «fraile o monje del arte». En la ciudad de Méjico se
unió al grupo de la *Revista Azul,* como luego al de la *Revista
Moderna,* y recibió la influencia de Gutiérrez Nájera. Fué a París en 1900, donde conoció a Rubén Darío, con quien le unió
siempre estrecha amistad. Desde 1905 residió en España como
diplomático. En 1919 fué nombrado ministro de su país en la
Argentina y el Uruguay, y el 24 de mayo de dicho año murió
en Montevideo. Era un hombre bueno y sencillo, un alma fina
que amaba la vida y se preocupaba de la muerte. Gris y opaco,
tenía sin embargo un gran encanto; recatado y limpio moralmente, no carecía de cierta sensualidad egoísta y gracia maliciosa; profundamente religioso, no dejaba por eso de tener un
cínico escepticismo. Puro y noble, en resolución, su vida fué
consagrada a la literatura y al amor, y si su literatura y sus amores son a veces bajos, flojos y desvaídos, el impulso siempre es
hacia lo más alto, y muchas veces el impulso logró verse realizado. Alfonso Reyes, su buen amigo — en quien ha tenido la
fortuna de encontrar el excelente editor de su obra que Rubén
Darío no ha podido encontrar todavía —, nos ha contado sus
amores recatados e íntimos, a veces trágicos, siempre delicados. Entre 1901 y 1912 vive el más intenso de sus amores, el
que con la muerte de «la amada inmóvil» produce la crisis moral de la que nace no sólo esta obra, sino sus más serenos y
elevados libros, llamados sencillamente *Serenidad* y *Elevación.*
Pero su necesidad de buscar la felicidad en el amor femenino

no acaba sino con su muerte, y en sus últimas obras hay la huella sutil de los últimos amores que supo sentir y despertar.

Su obra es como él, un tanto contradictoria y desigual, pero siempre amable, noble y sincera, y en sus mejores momentos, llena de profundo y sencillo sentido humano. Aunque cultivó algunos de los aspectos exteriores y fastuosos del modernismo, era un poeta para hablar «en voz baja», y fué siendo mejor poeta conforme se fué desnudando de los adornos y llegó a dar, en forma pobre de tan sencilla, sus emociones íntimas y sus preocupaciones trascendentales. Piedad y humildad, teñidas a la vez de gracia y de melancolía, dan a sus poesías un tono muy suyo, que a menudo se ha designado como misticismo. Difícilmente puede llamarse mística, en sentido estricto, la poesía de Amado Nervo, que no era precisamente un hombre de fe; pero no habría inexactitud en afirmar que su actitud ante la vida y la emoción dominante en su poesía es de naturaleza religiosa. Y, a pesar de su escepticismo y su ironía y de sus toques de budismo y panteísmo asiático o de vago seudomisticismo sentimental maeterlinckiano, podría decirse que su religiosidad es católica, la de su fe perdida. Y podría añadirse, para definirla con más precisión, que su religiosidad es mejicana y que en ella se siente el latido indígena; porque su religiosidad es sumisión, resignación, aceptación sin protesta del destino. Su religiosidad y la del español Unamuno son antitéticas, aunque sean las dos de origen católico; Nervo no lucha ni se desespera como Unamuno porque no puede creer. Nervo dice: «Hágase tu voluntad», como dijo Cristo en el huerto, o quiere arrodillarse delante de nada, como Renán: extremos ambos de la misma y única religiosidad, la que Schleiermacher definió como un «sentimiento de dependencia». Como Gutiérrez Nájera, cultivó Nervo la prosa en formas diversas: el cuento, la novela, la crónica, con estilo ligero, moderno y personal.

BIBLIOGRAFÍA. — **Poesía :** *Perlas negras,* México, 1898. *Poemas,* París, 1901. *Lira heroica,* México, 1902. *El éxodo* y *Las flores del camino (1900-1902),* verso y prosa, 1902. *Perlas negras, Místicas, Las voces,* París, 1904. *Los jardines interiores,* México, 1905. *En voz baja,* París, 1909. *Serenidad (1909-1912),* Madrid, [1914]. *Elevación,* 1917. *Plenitud,* prosa y verso, 1918 [trad. ing. por W. F. Rice, Los Ángeles, 1928.] *El estanque de los lotos,* Buenos Aires, 1919. *La amada inmóvil,* Madrid, 1920. *El arquero divino,* 1927. *Los cien mejores poemas de A. N.,* escog. y prol. por E. González Martínez, México, 1919. *Nervo: selección breve de sus poesías,* pról. de J. de Godoy, 1919. *Los mejores poemas de A. N.,* sel. por E. Barrios y R. Meza Fuentes, Santiago de Chile, 1924. *Sorella acqua, Plenitudo ed altre liriche e prose,* trad. y pról. de J. R. Lozada, Roma, 1930. **Otras obras:** *El bachiller,* novela, México, 1896 [trad. franc., París, 1901]. *Otras vidas,* novelas cortas, Barcelona, s. a. *Almas que pasan,* Madrid, 1906. *Ellos,* París, 1909. *Juana de Asbaje,* Madrid, 1910. *Mis filosofías,* París, 1912. *El diablo desinteresado,* Madrid, 1916. *El diamante de la inquietud y otros cuentos,* con un ensayo de A. Reyes, 1919. *La mujer moderna y su papel en la evolución actual del mundo,* Buenos Aires, 1919. *Obras completas,* ed. A. Reyes, Madrid, Biblioteca Nueva, 1920-1928, 29 vols. — **Estudios** N. ACEVEDO, *The soul of A. N.,* en IntAm, 1919, II, 348-349. R. BLANCO-FOMBONA, *A. N.,* en Sol, 15 enero 1929. R. CANSINOS-ASSÉNS, *Poetas y prosistas del novecientos,* Madrid, 1919; *La nueva literatura,* tomo III, Madrid, 1927. A. CASTRO LEAL, *A. N.,* en HispCal, 1919, II, 265-267. J. CELSO TÍNDARO, *A. N., acotaciones a su vida y obra,* Buenos Aires, 1919. A. COESTER, *A. N.,* en HispCal, 1921, IV, 285-300. R. DARÍO, *Cabezas,* Madrid, s. a.; *Los diplomáticos poetas,* en RM, set. 1909; en *Todo al vuelo,* Madrid, [1919]. E. DÍEZ-CANEDO, «*En voz baja*», *por A. N.,* en RM, 1909, núm. 4; *A. N.,* en UHA, 1919, núm. 32, 5. A. DOTOR, *Mirador,* Madrid, 1929. G. ESPINOSA, *La evolución de A. N.,* en SNac, 30 junio 1929. G. ESTRADA, *Bibliografía de A. N.,* México, 1925. F. D. G., *A propósito de las «Poesías» de A. N.,* en RCChile, 1919, XXXVII, 351-356. M. GÁLVEZ, *A tribute to A. N.,* en IntAm, 1919, II, 340-342. M. P. GONZÁLEZ, *Apuntes sobre la lírica hispano-americana: A. N.,* en HispCal, 1929, XII, 147-162. B. GONZÁLEZ ARRILI, *La muerte de A. N.,* en L, 1919, II, 281-287. A. GONZÁLEZ BLANCO, «*Almas que pasan*»; *últimas prosas de A. N.,* en RM, feb. 1907. H. M. GUGLIELMINI, *Notas sobre A. N.* , en Nos, 1921, XXXIX, 358-372. M. HENRÍQUEZ UREÑA, *A. N.,* en RCo, 1918, II, 65-68. *Homenaje a la memoria del poeta A. N.,* organ. por la Univ. Nacional, México, 1919. G. JIMÉNEZ, *A. N. y la crítica literaria,* México, [1919]. J. R. JIMÉNEZ, *Sobre El éxodo y Las flores del camino,* en HeliosM, 1903, X, 364-369. A. LAMAR SCHWEYER, *Las rutas paralelas,* Habana, 1922, p. 19-35. J. LEÓN SUÁREZ y R. MONNER SANS, *Homenaje a la memoria de A. N.,* Buenos Aires, 1919. A. MARASSO ROCCA, *Estudios literarios,* Buenos Aires, 1920. E. MARTÍN, *Nervo, orientador espiritual,* en RepAm, 19 mayo 1928. C. MELÉNDEZ, *A. N.,* New York, 1926. A. MELIÁN LAFINUR, *Literatura contemporánea,* Buenos Aires, 1918 [sobre *Serenidad*]. R. MONNER SANS, *A. N., poeta místico,* en RAHispAm, 1919, I, 247-256. A. NERVO, *The story of my life,* en IntAm, 1922, VI, 97-98. *Nosotros,* 1919, XXXII, núm. 122 [núm. dedicado a Nervo]. P. M. OBLIGADO, *La tristeza de Sancho y otros ensayos,* Buenos Aires, 1927. E. DE ORY, *A. N., estudio crítico,* Cádiz, [1916]. A. PANDO,

A. N., en UIAm, 1919, núm. 4, 1-5. A. DE LA PEÑA Y REYES, *Muertos y vivos,* México, 1896. A. QUIJANO, *A. N., el hombre,* México, 1919. C. RANGEL BÁEZ, *The poetry of ideas in Darío and Nervo,* en IntAm, 1924, VIII, 29-38. A. REY MOLINÉ, *Impresiones literarias: A. N.,* en RM, 1907, núm. 1. A. REYES, *Un libro de A. N.: «Serenidad»,* en RAm, 1 julio 1914; *El viaje de amor de A. N.,* en SNac, 19 mayo 1929; en RepAm, 22 junio 1929; *Carta a Juana de Ibarbourou,* en RepAm, 6 julio 1929. R. RINALDINI, *A. N.,* en IntAm, [1918], I, 62-72. S. SALAZAR Y ROIG, *Conferencia* [sobre A. N.], Madrid, 1927. A. M. SIERRA, *El misticismo de A. N.,* en CVen, 1922, V, 241-247; *Amado Nervo's «Mysticism»,* en IntAm, 1923, VI, 236-239. J. J. TABLADA, *Notas bibliográficas* [sobre *Otras vidas*], en RM, 1905, núm. 6. E. TALERO, *A. N.,* Buenos Aires, 1919. A. TORRE RUIZ, *La poesía de A. N.,* Valladolid, [1924]. M. UGARTE, *La joven literatura hispano-americana,* París, 1906. M. DE UNAMUNO, Sobre *El éxodo* y *Las flores del camino,* en L., 1913, año III, vol. III, 96-101. L. G. URBINA, *Impresiones sobre dos poetas.* II: *A. N.,* en CerM, 1917, núm. 8, 20-30. J. E. VALENZUELA, *Los modernistas mexicanos,* en RM, 1898, núms. 9 y 10. A. ZAMBONINI LEGUIZAMÓN, *A. N.,* en RUnTeg, 1920, X, 18-22.

LA HERMANA AGUA

(Fragmento.)

EL AGUA MULTIFORME

«El agua toma siempre la forma de los vasos
que la contienen», dicen las ciencias que mis pasos
atisban y pretenden analizarme en vano;
yo soy la resignada por excelencia, hermano.
¿No ves que a cada instante mi forma se aniquila?
Hoy soy torrente inquieto y ayer fuí agua tranquila;
hoy soy, en vaso esférico, redonda; ayer, apenas
me mostraba cilíndrica en las ánforas plenas,
y así pitagorizo mi ser, hora tras hora:
hielo, corriente, niebla, vapor que el día dora,
todo lo soy, y a todo me pliego en cuanto cabe.
¡Los hombres no lo saben, pero Dios sí lo sabe!

¡Por qué tú te rebelas! ¡Por qué tu ánimo agitas!
¡Tonto! ¡Si comprendieras las dichas infinitas
de plegarse a los fines del Señor que nos rige!

¿Qué quieres? ¿Por qué sufres? ¿Qué sueñas? ¿Qué te
¡Imaginaciones que se extinguen en cuanto   [aflige?
aparecen... En cambio yo canto, canto, canto!
Canto mientras tú penas, la voluntad ignota;
canto cuando soy linfa; canto cuando soy gota,
y al ir, Proteo extraño, de mi destino en pos,
murmuro: — ¡Que se cumpla la santa ley de Dios!

¡Por qué tantos anhelos sin rumbo tu alma fragua!
¿Pretendes ser dichoso? Pues bien: sé como el agua;
sé como el agua, llena de oblación y heroísmo,
sangre en el cáliz, gracia de Dios en el bautismo;
sé como el agua, dócil a la ley infinita,
que reza en las iglesias en donde está bendita,
y en el estanque arrulla meciendo la piragua.
¿Pretendes ser dichoso? Pues bien: sé como el agua;
viste, cantando, el traje de que el Señor te viste,
y no estés triste nunca, que es pecado estar triste.
Deja que en ti se cumplan los fines de la vida;
sé declive, no roca; transfórmate y anida
donde al Señor le plazca, y al ir del fin en pos,
murmura: — ¡Que se cumpla la santa ley de Dios!
Lograrás, si lo hicieres así, magno tesoro
de bienes: si eres bruma, serás bruma de oro;
si eres nube, la tarde te dará su arrebol;
si eres fuente, en tu seno verás temblando al sol;
tendrán filetes de ámbar tus ondas, si laguna
eres, y si oceano, te plateará la luna.
Si eres torrente, espuma tendrás tornasolada,
y una crencha de arco iris en flor, si eres cascada.

Así me dijo el agua con místico reproche,
y yo, rendido al santo consejo de la Maga,
sabiendo que es el Padre quien habla entre la noche,
clamé con el Apóstol: — *Señor, ¿qué quieres que haga?*

París, enero de 1901.   *Poemas,* 1901.

VIEJO ESTRIBILLO

¿Quién es esa sirena de la voz tan doliente,
de las carnes tan blancas, de la trenza tan bruna?
— Es un rayo de luna que se baña en la fuente,
es un rayo de luna...

¿Quién gritando mi nombre la morada recorre?
¿Quién me llama en las noches con tan trémulo acento?
— Es un soplo de viento que solloza en la torre,
es un soplo de viento...

Di ¿quién eres, arcángel cuyas alas se abrasan
en el fuego divino de la tarde y que subes
por la gloria del éter?
                        — Son las nubes que pasan;
mira bien, son las nubes...

¿Quién regó sus collares en el agua, Dios mío?
Lluvia son de diamantes en azul terciopelo.
— Es la imagen del cielo que palpita en el río,
es la imagen del cielo...

¡Oh, Señor! La Belleza sólo es, pues, espejismo,
nada más Tú eres cierto: sé Tú mi último Dueño.
¿Dónde hallarte, en el éter, en la tierra, en mí mismo?
— Un poquito de ensueño te guiará en cada abismo,
un poquito de ensueño...

El éxodo y *Las flores del camino*, 1902.

UNA FLOR DEL CAMINO

La muerta resucita cuando a tu amor me asomo;
la encuentro en tus miradas inmensas y tranquilas
y en toda tú... Sois ambas tan parecidas como
tu rostro, que dos veces se copia en mis pupilas.

Es cierto: aquélla amaba la noche radiosa,
y tú siempre en las albas tu ensueño complaciste.

26

(Por eso era más lirio, por eso eres más rosa.)
Es cierto, aquélla hablaba: tú vives silenciosa.
Y aquélla era más pálida; pero tú eres más triste.

El éxodo y *Las flores del camino*, 1902.

DIAFANIDAD

Yo soy un alma pensativa. ¿Sabes
lo que es un alma pensativa? — Triste,
pero con esa fría
melancolía
de las suaves
diafanidades. Todo lo que existe,
cuando es diáfano, es sereno y triste.
— ¡Sabino peregrino
que contempla en las vivas
transparencias del agua vocinglera
todas las fugitivas
metamorfosis de su cabellera,
peregrino sabino!
— Nube gemela de su imagen, nube
que navega en las fuentes y que en el cielo sube.
Dios en hondo mutismo,
viéndose en el espejo de sí mismo.

La vida toca
como una loca
trasnochadora:
«¡Abridme, es hora!»
«Desplegad los oídos, rimadores,
a todos los ruídos exteriores.»
«Despliega tus oídos
a todos los ruídos.»
Mi alma no escucha, duermen mis sentidos.
Mi espíritu y mi oreja están dormidos.

— El pecado del río es su corriente;
la quietud, alma mía,
es la sabiduría
de la fuente.

Los astros tienen miedo
de naufragar en el perenne enredo
del agua que se riza en espirales;
cuando el agua está en éxtasis, bajan a sus cristales.

Conciencia,
sé clara;
pero con esa rara
inconsistencia
de toda proyección en un espejo,
devuelve a la importuna
vida, sólo un reflejo
de su paso furtivo ante tu *luna*.
Alma, tórnate onda
para que cada flor y cada fronda
copien en ti su fugitiva huella;
para que cada estrella
y cada nube hirsuta
se equivoquen de ruta,
y en tu claro caudal encuentren una
prolongación divina de su abismo:
que así, merced a singular fortuna,
el infinito y tú seréis lo mismo.

El éxodo y Las flores del camino, 1902.

A KEMPIS

*Sicut nubes, quasi naves,
velut umbra...*

Ha muchos años que busco el yermo,
ha muchos años que vivo triste,
ha muchos años que estoy enfermo,
¡y es por el libro que tú escribiste!

¡Oh, Kempis, antes de leerte, amaba
la luz, las vegas, el mar Oceano;
mas tú dijiste que todo acaba,
que todo muere, que todo es vano!

Antes, llevado de mis antojos,
besé los labios que al beso invitan,
las rubias trenzas, los grandes ojos,
¡sin acordarme que se marchitan!

Mas como afirman doctores graves,
que tú, maestro, citas y nombras
que el hombre pasa *como las naves*,
como las nubes, como las sombras...

huyo de todo terreno lazo,
ningún cariño mi mente alegra,
y con tu libro bajo del brazo
voy recorriendo la noche negra...

¡Oh, Kempis, Kempis, asceta yermo,
pálido asceta, qué mal hiciste!
¡Ha muchos años que estoy enfermo,
y es por el libro que tú escribiste!

Perlas negras, Místicas, Las voces, 1904.

VIEJA LLAVE

Esta llave cincelada
que en un tiempo fué colgada
(del estrado a la cancela,
de la despensa al granero),
del llavero
de la abuela,
y en continuo repicar
inundaba de rumores
los vetustos corredores;
esta llave cincelada,
si no cierra ni abre nada,
¿para qué la he de guardar?

Ya no existe el gran ropero,
la gran arca se vendió:
sólo en un baúl de cuero,

desprendida del llavero
esta llave se quedó.

Herrumbrosa, orinecida,
como el metal de mi vida,
como el hierro de mi fe,
como mi querer de acero,
esta llave sin llavero
nada es ya de lo que fué.

Me parece un amuleto
sin virtud y sin respeto;
nada abre, no resuena...,
¡me parece un alma en pena!

Pobre llave sin fortuna
... y sin dientes, como una
vieja boca, si en mi hogar
ya no cierras ni abres nada,
pobre llave desdentada,
¿para qué te he de guardar?

* * *

Sin embargo, tú sabías
de las glorias de otros días;
del mantón de seda fina
que nos trajo de la China
la gallarda, la ligera
española nao fiera.
Tú sabías de tibores
donde pájaros y flores
confundían sus colores;
tú, de lacas, de marfiles
y de perfumes sutiles
de otros tiempos; tu cautela
conservaba la canela,
el cacao, la vainilla,
la suave mantequilla,
los grandes quesos frescales

y la miel de los panales,
tentación del paladar;
mas si hoy, abandonada,
ya no cierras ni abres nada,
pobre llave desdentada,
¿para qué te he de guardar?

* * *

Tu torcida arquitectura,
es la misma del portal
de mi antigua casa oscura
(que en un día de premura
fué preciso vender mal).

Es la misma de la ufana
y luminosa ventana
donde Inés, mi prima, y yo
nos dijimos tantas cosas
en las tardes misteriosas
del buen tiempo que pasó...

Me recuerdas mi morada,
me retratas mi solar;
mas si hoy, abandonada,
ya no cierras ni abres nada,
pobre llave desdentada,
¿para qué te he de guardar?

En voz baja, 1909.

INMORTALIDAD

No, no fué tan efímera la historia
de nuestro amor: entre los folios tersos
del libro virginal de tu memoria,
como pétalo azul está la gloria
doliente, noble y casta de mis versos.

No puedes olvidarme: te condeno
a un recuerdo tenaz. Mi amor ha sido

lo más alto en tu vida, lo más bueno;
y sólo entre los légamos y el cieno
surge el pálido loto del olvido.

Me verás dondequiera: en el incierto
anochecer, en la alborada rubia;
y cuando hagas labor en el desierto
corredor, mientras tiemblan en tu huerto
los monótonos hilos de la lluvia.

¡Y habrás de recordar! Esa es la herencia
que te da mi dolor, que nada ensalma.
¡Seré cumbre de luz en tu existencia,
y un reproche inefable en tu conciencia
y una estela inmortal dentro de tu alma!

En voz baja, 1909.

A LEONOR

Tu cabellera es negra como el ala
del misterio; tan negra como un lóbrego
jamás, como un adiós, como un «¡quién sabe!»
Pero hay algo más negro aún: ¡tus ojos!

Tus ojos son dos magos pensativos,
dos esfinges que duermen en la sombra,
dos enigmas muy bellos... Pero hay algo,
pero hay algo más bello aún: tu boca.

Tu boca, ¡oh, sí!; tu boca, hecha divinamente para el amor, para la cálida
comunión del amor, tu boca joven;
pero hay algo mejor aún : ¡tu alma!

Tu alma recogida, silenciosa,
de piedades tan hondas como el piélago,
de ternuras tan hondas...

                    Pero hay algo,
pero hay algo más hondo aún: ¡tu ensueño!

En voz baja, 1909.

AUTOBIOGRAFÍA

¿Versos autobiográficos? Ahí están mis canciones,
allí están mis poemas: yo, como las naciones
venturosas, y, a ejemplo de la mujer honrada,
no tengo historia: nunca me ha sucedido nada,
¡oh, noble amiga ignota!, que pudiera contarte.

Allá en mis años mozos, adiviné del Arte
la armonía y el ritmo, caros al Musageta,
y, pudiendo ser rico, preferí ser poeta.

—¿Y después?
                    —He sufrido como todos y he amado.
—¿Mucho?
                    —Lo suficiente para ser perdonado...

                                        Serenidad, 1914.

EN PAZ

Artifex vitae, artifex sui.

Muy cerca de mi ocaso, yo te bendigo, Vida,
porque nunca me diste ni esperanza fallida,
ni trabajos injustos, ni pena inmerecida;

porque veo al final de mi rudo camino
que yo fuí el arquitecto de mi propio destino;
que si extraje las mieles o la hiel de las cosas,
fué porque en ellas puse hiel o mieles sabrosas:
cuando planté rosales coseché siempre rosas.

... Cierto, a mis lozanías va a seguir el invierno:
¡mas tú no me dijiste que mayo fuese eterno!

Hallé sin duda largas las noches de mis penas;
mas no me prometiste tú sólo noches buenas;
y en cambio tuve algunas santamente serenas...

Amé, fuí amado, el sol acarició mi faz.
¡Vida, nada me debes! ¡Vida, estamos en paz!

Marzo, 20 de 1915.   *Elevación,* 1917.

EXPECTACIÓN

Siento que algo solemne va a llegar en mi vida.
¿Es acaso la muerte? ¿Por ventura el amor?
Palidece mi rostro, mi alma está conmovida,
y sacude mis miembros un sagrado temblor.

Siento que algo sublime va a encarnar en mi barro,
en el mísero barro de mi pobre existir.
Una chispa celeste brotará del guijarro,
y la púrpura augusta va el harapo a teñir.

Siento que algo solemne se aproxima, y me hallo
todo trémulo; mi alma de pavor llena está.
Que se cumpla el destino, que Dios dicte su fallo,
mientras yo, de rodillas, oro, espero y me callo,
para oír la palabra que el ABISMO dirá.

Mayo, 6 de 1915.   *Elevación,* 1917.

SI ERES BUENO

Si eres bueno, sabrás todas las cosas
sin libros; y no habrá para tu espíritu
nada ilógico, nada injusto, nada
negro, en la vastedad del Universo.

El problema insoluble de los fines
y las causas primeras,
que ha fatigado a la Filosofía,
será para ti diáfano y sencillo.

El mundo adquirirá para tu mente
una divina transparencia, un claro
sentido, y todo tú serás envuelto
en una inmensa paz...

Marzo, 6 de 1916.   *Elevación,* 1917.

ESPACIO Y TIEMPO

> . . Esta cárcel, estos hierros
> en que el alma está metida!
>
> Santa Teresa.

Espacio y tiempo, barrotes
de la jaula
en que el ánima, princesa
encantada,
está hilando, hilando cerca
de las ventanas
de los ojos (las únicas
aberturas por donde
suele asomarse, lánguida).

Espacio y tiempo, barrotes
de la jaula:
ya os romperéis, y acaso
muy pronto, porque cada
mes, hora, instante, os mellan,
¡y el pájaro de oro
acecha una rendija para tender las alas!

La princesa, ladina,
finge hilar, pero aguarda
que se rompa una reja...
En tanto, a las lejanas
estrellas dice: «Amigas,
tendedme vuestra escala
de luz sobre el abismo.»

Y las estrellas pálidas
le responden: «Espera,
espera, hermana,
y prevén tus esfuerzos:
¡ya tendemos la escala!»

Agosto, 13 de 1916.   *Elevación,* 1917

DORMIR

Yo lo que tengo, amigo, es un profundo
deseo de dormir...

                  ¿Sabes? : el Sueño
es un estado de divinidad.
El que duerme es un Dios...

                        Yo lo que tengo,
amigo, es gran deseo de dormir.

El Sueño es en la vida el solo mundo
nuestro, pues la vigilia nos sumerge
en la ilusión común, en el oceano
de la llamada REALIDAD. Despiertos,
vemos todos lo mismo :
vemos la tierra, el agua, el aire, el fuego,
las criaturas efímeras... Dormidos,
cada uno está en su mundo,
en su exclusivo mundo:
hermético, cerrado a ajenos ojos,
a ajenas almas; cada mente hila
su propio ensueño (o su verdad: ¡quién sabe!).

Ni el ser más adorado
puede entrar con nosotros por la puerta
de nuestro sueño. Ni la esposa misma
que comparte tu lecho
y te oye dialogar con los fantasmas
que surcan por tu espíritu
mientras duermes, podría,
aun cuando lo ansiara,
traspasar los umbrales de ese mundo,
de TU MUNDO mirífico de sombras.

¡Oh, bienaventurados los que duermen!
Para ellos se extingue cada noche,
con todo su dolor, el universo
que diariamente crea nuestro espíritu.
Al apagar su luz se apaga el COSMOS.

El castigo mayor es la vigilia:
el insomnio es destierro
del mejor paraíso...

Nadie, ni el más feliz, restar querría
horas al sueño para ser dichoso.
Ni la mujer amada
vale lo que un dormir manso y sereno
en los brazos de Aquél, que nos sugiere
santas inspiraciones...
«El día es de los hombres; mas la noche,
de los dioses», decían los antiguos.

No turbes, pues, mi paz con tus discursos;
amigo: mucho sabes;
pero mi sueño sabe más... ¡Aléjate!
No quiero gloria ni heredad ninguna:
yo lo que tengo, amigo, es un profundo
deseo de dormir...

El estanque de los lotos, 1919.

LA SED

Inútil la fiebre que aviva tu paso;
no hay fuente que pueda saciar tu ansiedad,
por mucho que bebas....
                    El alma es un vaso
que sólo se llena con eternidad.

¡Qué mísero eres! Basta un soplo frío
para helarte... Cabes en un ataúd;
¡y en cambio a tus vuelos es corto el vacío,
y la luz muy tarda para tu inquietud!

¿Quién pudo esconderte, misteriosa esencia,
entre las paredes de un vil cráneo? ¿Quién
es el carcelero que con la existencia
te cortó las alas? ¿Por qué tu conciencia,
si es luz de una hora, quiere el sumo BIEN?

Displicente marchas del orto al ocaso;
no hay fuente que pueda saciar tu ansiedad
por mucho que bebas... ¡El alma es un vaso
que sólo se llena con eternidad!

El estanque de los lotos, 1919.

OFERTORIO

Deus dedit, Deus abstulit.

Dios mío, yo te ofrezco mi dolor:
¡Es todo lo que puedo ya ofrecerte!
Tú me diste un amor, un solo amor,
¡un gran amor!
                        Me lo robó la muerte
... y no me queda más que mi dolor.
            Acéptalo, Señor:
¡Es todo lo que puedo ya ofrecerte!...

La amada inmóvil, 1920.

GRATIA PLENA

Todo en ella encantaba, todo en ella atraía:
su mirada, su gesto, su sonrisa, su andar...
El ingenio de Francia de su boca fluía.
Era *llena de gracia,* como el Avemaría;
¡quien la vió no la pudo ya jamás olvidar!

Ingenua como el agua, diáfana como el día,
rubia y nevada como Margarita sin par,
al influjo de su alma celeste, amanecía...
Era llena de gracia, como el Avemaría;
¡quien la vió no la pudo ya jamás olvidar!

Cierta dulce y amable dignidad la investía
de no sé qué prestigio lejano y singular.
Más que muchas princesas, princesa parecía:
era llena de gracia como el Avemaría;
¡quien la vió no la pudo ya jamás olvidar!

Yo gocé el privilegio de encontrarla en mi vía
dolorosa: por ella tuvo fin mi anhelar,
y cadencias arcanas halló mi poesía.
Era llena de gracia como el Avemaría;
¡quien la vió no la pudo ya jamás olvidar!

¡Cuánto, cuánto la quise! Por diez años fué mía;
pero flores tan bellas nunca pueden durar!
Era llena de gracia, como el Avemaría,
y a la Fuente de gracia de donde procedía,
se volvió... como gota que se vuelve a la mar!

Marzo de 1912.   *La amada inmóvil,* 1920.

ME BESABA MUCHO...

Me besaba mucho, como si temiera
irse muy temprano... Su cariño era
inquieto, nervioso.
                    Yo no comprendía
tan febril premura. Mi intención grosera
nunca vió muy lejos...
                    ¡Ella presentía!

Ella presentía que era corto el plazo,
que la vela herida por el latigazo
del viento, aguardaba ya..., y en su ansiedad
quería dejarme su alma en cada abrazo,
poner en sus besos una eternidad.

Mayo, 4 de 1912.   *La amada inmóvil,* 1920.

SEIS MESES...

¡Seis meses ya de muerta! Y en vano he pretendido
un beso, una palabra, un hálito, un sonido...
y, a pesar de mi fe, cada día evidencio
que detrás de la tumba ya no hay más que silencio...

Si yo me hubiese muerto, ¡qué mar, qué cataclismos,
qué vórtices, qué nieblas, qué cimas ni qué abismos

burlaran mi deseo febril y omnipotente
de venir por las noches a besarte en la frente,
de bajar con la luz de un astro zahorí,
a decirte al oído: «No te olvides de mí»!

Y tú, que me querías tal vez más que te amé,
callas inexorable, de suerte que no sé
sino dudar de todo, del alma, del destino,
¡y ponerme a llorar en medio del camino!
Pues con desolación infinita evidencio
que detrás de la tumba ya no hay más que silencio...

Julio, 7 de 1912.   *La amada inmóvil*, 1920.

EL AMOR NUEVO

Todo amor nuevo que aparece,
nos ilumina la existencia,
nos la perfuma y enflorece.

En la más densa oscuridad
toda mujer es refulgencia
y todo amor es claridad.
Para curar la pertinaz
pena en las almas escondida,
un nuevo amor es eficaz;
porque se posa en nuestro mal
sin lastimar nunca la herida,
como un destello en un cristal.

Como un ensueño en una cuna,
como se posa en la encina
la piedad del rayo de luna.

Como un encanto en un hastío,
como en la punta de una espina
una gotita de rocío...

* * *

¿Que también sabe hacer sufrir?
¿Que también sabe hacer llorar?
¿Que también sabe hacer morir?
— Es que tú no supiste amar...

26 enero 1918.   *El arquero divino*, 1927.

LUIS G. URBINA

1867-1934

Mejicano. Perteneció al grupo de la *Revista Azul*, y no sólo recibió la influencia de Gutiérrez Nájera, sino que puede considerársele su más legítimo continuador, porque reune las cualidades de aquél en mayor grado que ningún otro escritor mejicano y porque se ha mantenido fiel a lo esencial de aquel tipo de poesía, aunque lo haya enriquecido con los desarrollos posteriores de la poesía modernista. Ha sido, como Gutiérrez Nájera, excelente cronista y crítico. Ha viajado mucho y reside en España. Por su carácter sencillo, sincero y bondadoso, se hace querer de cuantos le conocen.

La poesía de Urbina significa la perduración del romanticismo a través del modernismo. Adopta las formas y los temas del modernismo conforme se iban creando y haciendo habituales, sin pretender llevar adelante las innovaciones. Es por lo tanto Urbina uno de los modernistas que podríamos llamar pasivos, los que aceptan sin reservas y hasta con entusiasmo las nuevas formas, porque para ellos cualquiera forma es buena mientras sea espontánea. Por eso la poesía de Urbina usa indistintamente y con la misma facilidad las formas tradicionales y las modernistas, y por eso la llamamos romántica : porque es espontánea y sentimental. Su sentimentalismo, sin embargo, no es desbordado ni trascendental; es suave y lleno de íntima musicalidad, al mismo tiempo que de tierna familiaridad. Hay en él juntamente la lágrima y la sonrisa perpetuas de su raza mejicana, el «humorismo triste» que caracteriza a sus mejores poetas. Entre ellos se cuenta sin duda Urbina, aunque su obra sea desigual a causa de la excesiva facilidad.

BIBLIOGRAFÍA. — **Poesía:** *Versos*, México, 1890. *Ingenuas*, París, 1903-1912. *Puestas de sol*, 1910. *Lámparas en agonía*, pról. de E. González Martínez, México, 1914. *El glosario de la vida vulgar*, Madrid, 1916; 1918. *Antología romántica, 1887-1914*, Barcelona, 1917. *Poemas selectos*, pról. de M. Toussaint, México, Cultura, 1919. *El corazón juglar*, Madrid, 1920. *Los últimos pájaros*, 1924. **Otras obras:** *La literatura mexicana*, conferencia, México, 1913. *El teatro nacional*, 1914. *Cuentos vividos y crónicas soñadas*, 1915. *Bajo el sol y frente al mar*, artículos, Madrid, 1916. *La vida literaria de México*, 1917. *La literatura mexicana durante la guerra de la independencia*, 1917. *Estampas de viaje (España en los días de la guerra)*, 1920. *Psiquis enferma*, México, 1923. *Hombres y libros*, crítica, [1923]. — **Estudios:** G. ALFARO, *Dos libros nuevos de L. G. U.* [sobre *Hombres y libros* y *Psiquis enferma*], en Reno, agosto, 1923. C. G. AMÉZAGA, *Poetas mexicanos*, Buenos Aires, 1896. A. CAMÍN, *Poetas latinoamericanos : L. G. U.*, en CerM, 1917, núm. 6, 77-81. R. CANSINOS ASSÉNS, *Poetas y prosistas del novecientos*, Madrid, 1919; *La nueva literatura*, tomo III, Madrid, 1927. C. DÍAZ DUFÓO, *Impresiones íntimas, L. G. U.*, en RA, 16 junio, 1895. L. DOMÍNGUEZ, *Urbina*, en CerM, 1917, núm, 7, 169-180. R. DOMÍNGUEZ, *Los poetas mexicanos*, México, 1888. F. GARCÍA GODOY, *La literatura americana de nuestros días*, Madrid, s. a., p 45-57 [sobre *Puestas de sol*]. M. GUTIÉRREZ NÁJERA, *L. G. U.*, en RA, 16 junio, 1895. M. HENRÍQUEZ UREÑA, *El jardin romántico*, en RM, junio 1910. A. NERVO, Sobre *Ingenuas*, en RM, oct., 1902. *Nuestros colaboradores*, en Biblos, mayo, 1913. A. DE LA PEÑA Y REYES, *Algunos poetas*, México, 1889; *Muertos y vivos*, México, 1896. G. SÁNCHEZ GALARRAGA, *Un poeta crepuscular*, conferencia, Habana, 1918. E. SORT DE SANZ, *Poesías y algunos artículos referentes a varios poetas mexicanos*, México, 1897. (Véase además ESTRADA, *PNM*, p. 300-302.)

HUMORISMOS TRISTES

¿Que si me duele? Un poco; te confieso
que me heriste a traición; mas por fortuna
tras el rapto de ira vino una
dulce resignación... Pasó el acceso.

¿Sufrir? ¿Llorar? ¿Morir? ¿Quién piensa en eso?
El amor es un huésped que importuna;
mírame cómo estoy; ya sin ninguna
tristeza que decirte. Dame un beso.

Así; muy bien; perdóname; fui un loco;
tú me curaste — gracias —, y ya puedo
saber lo que imagino y lo que toco.

Eñ la herida que hiciste, pon el dedo;
¿que si me duele? Sí; me duele un poco,
mas no mata el dolor... No tengas miedo...

Ingenuas, 1903.

VESPERTINA III

Más, apóyate más, que sienta el peso
de tu brazo en el mío; estás cansada,
y se durmió en tu boca el postrer beso
y en tus pupilas la última mirada.

¡Qué fatiga tan dulce, la fatiga
que precede a los éxtasis; pereza
del cuerpo y del espíritu, que obliga
a mezclar el amor con la tristeza!

Se va la luz.
            Y la Naturaleza
parece que nos dice : Soy amiga
de todos los que se aman; soy amparo.
Ya os di alcobas de flores, ya os di asilos
misteriosos..., descansad tranquilos
en la estrellada sombra que os preparo.

¡Oh, buena amiga! — El alma de las cosas
sigue de nuestro espíritu las huellas —;
primero, para amar, nos diste rosas;
después, para soñar, nos das estrellas.

La luz se duerme en el zafir, lo mismo
que en los profundos ojos de mi amada;
pero queda un fulgor en el abismo
y un toque de pasión en la mirada.
¡Sutil y misterioso panteísmo!
... Más, apóyate más; vienes cansada...

Ingenuas, 1903.

ASÍ FUÉ...

Lo sentí : no fué una
separación sino un desgarramiento :
quedó atónita el alma, y sin ninguna
luz, se durmió en la sombra el pensamiento.

Así fué; como un gran golpe de viento
en la serenidad del aire. Ufano,
en la noche tremenda,
llevaba yo en la mano
una antorcha con que alumbrar la senda,
y que de pronto se apagó : la oscura
asechanza del mal y del destino
extinguió así la llama y mi locura.

Vi un árbol a la orilla del camino
y me senté a llorar mi desventura.

Así fué, caminante,
que me contemplas con mirada absorta
y curioso semblante.

Yo estoy cansado, sigue tú adelante;
mi pena es muy vulgar y no te importa.
Amé, sufrí, gocé, sentí el divino
soplo de la ilusión y la locura;
tuve una antorcha, la apagó el destino,
y me senté a llorar mi desventura
a la sombra de un árbol del camino.

1909.   *Puestas de sol,* 1910.

TRÍPTICO CREPUSCULAR

EN EL CIELO

El cielo y yo quedamos frente a frente.
Y eran como tropel de informes canes
persiguiendo una fuga de titanes,
las nubes milagrosas del Poniente.

En el fondo de púrpura candente,
los forzados y altivos ademanes
erguíanse en coléricos afanes
y vaguedad de sueño...
            De repente

se iluminó de sol el friso oscuro,
y el oro interno, sideral y puro,
rompió en deslumbramientos de escarlata,

resplandeció con palidez de luna,
y lentamente se deshizo en una
apacible visión de ópalo y plata.

EN EL LAGO

Las aguas, con azul fosforescencia,
reflejan el crepúsculo divino
más tenue, más sutil, más cristalino
bajo la luminosa transparencia.

Las ondas, en su gárrula impaciencia,
se desgranan en polvo diamantino,
y en un rosa de nácar, dulce y fino,
diluyen, de los rojos, la violencia.

Los matices celestes, áureos domos,
torres de llama, encajes policromos,
submarinos alcázares fabrican;

y el lago, en la fusión de los colores,
es un muaré joyante, que salpican
de pétalos de luz, ardientes flores.

EN EL ALMA

... Y todo vive en mí... pero ¡quién sabe!
Entre la sombra, la conciencia mía
canta, con ideal melancolía,
no sé qué sueño misterioso y grave.

Por una estela de oro va la nave
rumbo hacia el horizonte en agonía,
y a lo lejos, nostálgica del día,
en el postrer fulgor se baña un ave.

Yo pongo en la remota lontananza
una piadosa y mística esperanza
como una ofrenda a mis delirios vagos,

y junto mis humanos desconsuelos
al dolor infinito de los cielos
y a la inmortal tristeza de los lagos.

Chapala, 1905.   *Puestas de sol,* 1910.

METAMORFOSIS

Madrigal romántico.

Era un cautivo beso enamorado
de una mano de nieve que tenía
la apariencia de un lirio desmayado
y el palpitar de un ave en agonía.
Y sucedió que un día,
aquella mano suave
de palidez de cirio,
de languidez de lirio,
de palpitar de ave,
se acercó tanto a la prisión del beso,
que ya no pudo más el pobre preso
y se escapó; mas, con voluble giro,
huyó la mano hasta el confín lejano,
y el beso, que volaba tras la mano,
rompiendo el aire, se volvió suspiro.

1905.   *Puestas de sol,* 1910.

VIEJA LÁGRIMA

Como en el fondo de la vieja gruta,
perdida en el riñón de la montaña,

desde hace siglos, silenciosamente,
        cae una gota de agua,
aquí en mi corazón oscuro y solo,
en lo más escondido de la entraña,
oigo caer, desde hace mucho tiempo,
        lentamente, una lágrima.
¿Por qué resquicio oculto se me filtra?
¿De cuáles fuentes misteriosas mana?
¿De qué raudal fecundo se desprende?
¿Qué remoto venero me la manda?
¡Quién sabe!... Cuando niño, fué mi lloro
rocío celestial de la mañana;
cuando joven, fué nube de tormenta,
tempestad de pasión, lluvia de ansias.
Más tarde, en un anochecer de invierno,
        mi llanto fué nevasca...
Hoy no lloro... Ya está seca mi vida
        y serena mi alma.
Sin embargo... ¿Por qué siento que cae
        así, lágrima a lágrima,
tal fuente inagotable de ternura,
tal vena de dolor que no se acaba?
¡Quién sabe...! Y no soy yo : son los que fueron;
mis genitores tristes; es mi raza;
los espíritus apesadumbrados,
        las carnes flageladas;
milenarios anhelos imposibles,
        místicas esperanzas,
melancolías bruscas y salvajes,
cóleras impotentes y selváticas.
Al engendrarme el sufrimiento humano
        en mí dejó sus marcas,
sus desesperaciones, sus angustias,
sus gritos, sus blasfemias, sus plegarias.

    Es mi herencia, mi herencia la que llora
        en el fondo del ánima;
mi corazón recoge, como un cáliz,
el dolor ancestral, lágrima a lágrima.
Así lo entregaré, cuando en su día

del seno pudoroso de la amada,
corporizados besos, otros seres,
transformaciones de mi vida, salgan.

Estoy frente a mi mesa de trabajo.
La tarde es linda. Alumbra el sol mi estancia.
Afuera en el jardín, oigo las voces
de los niños, que ríen y que cantan.
Y pienso : acaso, ¡pobres criaturas!,
sin daros cuenta, en medio a la algazara,
ya en vuestro alegre corazón se filtra,
silenciosa y tenaz, la vieja lágrima!

1909.   *Lámparas en agonía*, 1914.

EL RUISEÑOR CANTABA

El ruiseñor cantaba. La noche era divina,
toda cendal de nieve, toda cristal azul;
y en el jardín de plata, la coruscante encina
alzaba entre la sombra su cúpula de luz.

El ruiseñor cantaba. Y en un ambiente extático
dormían las praderas. Cantaba el ruiseñor;
y el viento flébil, alitendido y aromático,
soplaba el adorable cantar de flor en flor.

Y repintó las cumbres la aurora ardiente y flava,
y levantó la alondra su trino matinal,
y abrió su seno el día... y el ruiseñor cantaba
soñando en el nocturno misterio de cristal.

Vino la siesta cálida: la tarde pensativa
vino; la noche negra sus lumbres apagó,
y el ruiseñor cantaba, como si la votiva
lámpara de la luna colgase de un crespón.

Estío, otoño, invierno, primavera..., y el canto
surgía de las verdes entrañas del jardín,
alegre o melancólico — ora risa, ora llanto —,
inacabable y único, magnífico y sin fin.

El ruiseñor se había vuelto loco; se había
embriagado de luna, de sueño y de pasión,
y cantaba, cantaba...
                        (Como la poesía
que llevo en el oscuro jardín del corazón.)

12 de abril de 1913.   *Lámparas en agonía,* 1914.

CONFESIÓN

   Bien está: me río
porque es una forma de pudor la risa;
pero muy adentro, muy solo, muy mío,
un pesar cansado se me vuelve hastío
y un último anhelo se me extingue aprisa.
Mas no me contemples tan sólo la cara;
acerca a mi espíritu — que es vaso pequeño —
tu vida, radiante de júbilo, para
gustar de la gota de miel de un ensueño.
Del juvenil cántico
un eco remoto queda todavía
en tal cual epigrama romántico,
y en una que otra sutil ironía.
Hace tiempo adquirí la destreza ·
de ser frívolo. Ve mi alegría:
¡que de cuando en cuando sale la tristeza
en un gesto ambiguo de melancolía!
Vivo y basta. Muerdo los frutos amargos
de mi otoño, anuncio de un vecino invierno;
para mi fastidio los días son largos,
ásperas las piedras, y el camino eterno.

   ¡Ba! ¡No importa! Deja que alumbre mi paso
una intermitente luz de poesía;
yo voy como todos, sin rumbo, al acaso...
Bebe, y no preguntes si hay hiel en el vaso:
                        ¡Déjame que ría!

                      Lámparas en agonía, 1914.

LA CONFIDENCIA

¡Pobre galleguito, rubio y candoroso,
que a América vino sin ir a la escuela!
Tiene torpes andares de oso
y apacible mirar de gacela.

Su ademán es brusco, pero ¡qué sincero!
Su palabra es ruda, pero ¡qué leal!
Tiene el galleguito corpachón de acero
y alma de cristal.

¡Madera de santo, carne de héroe... pero
será «bodeguero»,
ganará dinero,
y hará capital.

Una vez nos vimos, y simpatizamos:
y en el «bar» humilde, muertos de calor,
charlamos, charlamos,
con los codos puestos sobre el mostrador.

Y pasan los días, y siempre le digo,
después de probar
mi vaso de «Láguer»:
                    — ¡Si usted viera, amigo,
qué linda es mi tierra; qué bueno mi hogar!

Y él me dice:
                    — ¡Señor, qué delicia
es sentarse a cuidar el rebaño
a la sombra de un viejo castaño
o a la vera de un río, en Galicia!

Y así vamos, el hombre y el niño,
viendo, viendo...: él, la sierra; yo, el valle;
su aldea, él; yo, mi calle;
yo, mi lago; él, su Miño.

Y así enmudecemos, casi aletargados,
atisbando el recuerdo que vuela
por frente a mis ojos, negros y cansados,
por frente a sus grises ojos de gacela.

Lo que yo te digo, lo que tú me dices,
de mi hermosa tierra, de tu ancha campiña,
abre y emponzoña nuestras cicatrices...
¡Pobre galleguito, somos infelices!
¡Yo tengo nostalgia; tú tienes «morriña!»

El glosario de la vida vulgar, 1916.

NUESTRAS VIDAS SON LOS RÍOS...

... Yo tenía una sola ilusión : era un manso
pensamiento : el del río que ve próximo el mar
y quisiera un instante convertirse en remanso
y dormir a la sombra de algún viejo palmar.

Y decía mi alma: turbia voy y me canso
de correr las llanuras y los diques saltar;
ya pasó la tormenta; necesito descanso,
ser azul como antes y, en voz baja, cantar.

Y tenía una sola ilusión, tan serena
que curaba mis males y alegraba mi pena
con el claro reflejo de una lumbre de hogar.

Y la vida me dijo: ¡Alma, ve turbia y sola,
sin un lirio en la margen ni una estrella en la ola,
a correr las llanuras y a perderte en el mar!

El glosario de la vida vulgar, 1916,

JOSÉ SANTOS CHOCANO

1867 - 1934

Peruano. Su vida sería buen asunto para una novela, que re-
sultaría suma y compendio de todo género de novelas de aventuras : amorosas, picarescas, policíacas, de viajes, de intriga política, de vida literaria, de crímenes célebres. Esa biografía,
bien escrita, iluminaría ciertos aspectos de la vida hispanoamericana y ayudaría a formar un juicio recto de la personalidad de Chocano, a todas luces extraordinaria, y que ahora está
oscurecida por las pasiones diversas y contradictorias que sus
acciones han provocado en torno de él. No creemos necesario
entrar en los pormenores de su biografía ni tratar de definir su
carácter más allá de lo que implican estas líneas, porque
— aparte de la falta de espacio y competencia para fundamen-
tar el juicio acerca de un hombre a quien se ha juzgado desde
un genio sobrehumano de excepción hasta un vulgar criminal — el problema de definir y valorar su poesía nos parece bastante claro.

Una gran parte de la obra poética de Chocano es perecede-
ra; de hecho, él mismo ha condenado y desea que se consi-
deren por no escritas muchas de las obras de su juventud.
Había en aquellas obras un exaltado romanticismo en el que
predominaban sentimientos generosos de redención social y
donde se iniciaba el sentimiento de la naturaleza y de la vida
americana. Mostraban aquellos versos juveniles una vigorosa
capacidad poética, un tanto desbordada, que se manifestaba en
obras notoriamente defectuosas. Pesaba sobre ellas la influencia del peor Víctor Hugo y del peor Núñez de Arce y, en general, de lo más gastado y más falso de la poesía del siglo xix. La
personalidad poética de Chocano encuentra su camino y alcanza
su plenitud cuando aquel desenfrenado anhelo romántico de
grandeza se identifica con las ingentes realidades americanas in-
dominables e inabarcables. Los defectos iniciales de su poesía y
de su temperamento van a continuar a pesar de todos los buenos propósitos; pero la grandilocuencia, el dramatismo efectis-
ta, el exceso, la falsedad misma, son y han sido hasta ahora

casi los únicos gestos con que se ha logrado interpretar en su totalidad esa realidad incomprensible y romántica que es América, tanto en su naturaleza como en su historia. Por eso cuando Chocano llena sus versos magníficos y resonantes con los grandes mitos poéticos americanos — los Andes y los cóndores, las selvas y las pampas, los ríos que unen las naciones y los mares que unen los continentes, los conquistadores legendarios y los indios ancestrales — nos da una sensación real de América y está creando una poesía americana. Por eso puede decir : «Walt Whitman tiene el Norte; pero yo tengo el Sur»; acabándose en este reparto del continente su semejanza con el poeta norteamericano, pues la influencia que se ha señalado en Chocano de aquél sólo toca a algunos aspectos superficiales, siendo los dos tan diferentes en su concepción de la vida y del arte como lo son las dos Américas. Merece por lo tanto Chocano el título que se le ha dado de «poeta de América», sin que esto quiera decir que lo sea más que otros, como Rubén Darío, de quien se dijo que no lo era, y a quien bastó sólo el canto *A Roosevelt* para expresar en forma más pura y sintética toda la esencia de la emoción americana que caracteriza a la poesía de Chocano.

BIBLIOGRAFÍA. — **Poesía:** *En la aldea*, Lima, 1895. *Iras santas*, 1895. *La epopeya del Morro*, poema, [Iquique], 1899. *El canto del siglo, poema finisecular*, Lima, 1901. *El fin de Satán y otros poemas*, Guatemala, 1901. *La selva virgen*, París, 1901; 1909. *Los cantos del Pacífico*, París-México, 1904. *Alma América*, Madrid, 1906; París-México, 1908; 1924. *El Dorado*, epopeya salvaje (fragmentos de un libro en preparación), Santiago de Cuba, 1908. *Fiat lux*, pról. de A. González-Blanco, París, 1908. *Poesías completas*, Barcelona, 1910. *Ayacucho y los Andes*, Canto IV de *El hombre-sol*, Lima, s. a. **Otras obras:** *Los conquistadores*, drama heroico, Madrid, 1906. *Por la raza y por la humanidad: Santos Chocano habla sobre México...*, Puebla, 1914. *Brief interpretation of the programme of the Mexican Revolution*, [El Paso, Texas, 1915]. — **Estudios:** R. CANSINOS ASSÉNS, *La nueva literatura*, t. III, Madrid, 1927. J. CEJADOR Y FRAUCA, *Cabos sueltos, literatura y lingüística*, Madrid, 1907; *Chocano y los demás poetas jóvenes de América*, en L, 1907, año VII, vol. II, 240-248. E. DÍEZ-CANEDO, *Chocano, poeta épico* [sobre *Ayacucho y los Andes*], en Sol, 12 marzo 1925; *Letras de América*, en Esp, 21 abril 1923 [a propósito de la coronación de Ch. en Lima.] E. ELMORE, *Vasconcelos frente a Chocano y Lugones*, Lima, 1926. V. GARCÍA CALDERÓN, *Del romanticismo al modernismo: prosistas y poetas peruanos*, París, 1910;

Semblanzas de América, Madrid, [1919]; *J. S. C.,* en C. Santos González, *Poetas y críticos de América,* París, 1912. I. GOLDBERG, *Studies in Spanish-American Literature,* New York, 1920. A. GONZÁLEZ-BLANCO, *El poeta de América, J. S. C.,* en NT, 1907, VII, vol. II, 220-237, 330-365; *Escritores representativos de América.* Madrid, [1917]; *Los contemporáneos,* 2.ª serie, París, [1908]. M. GONZÁLEZ PRADA, *J. S. C.,* en C. Santos González, *Poetas y críticos de América,* París, 1912. M. GUERRA MONDRAGÓN, *Libros y poetas : El Caribe,* en RAnt, 1914, II, núm. 3. *Las ideas políticas de Ch.,* en MP, 1922, IV, vol. VII, 523. *Poetas y bufones, polémica Vasconcelos-Santos Chocano,* París, 1926. G. AGENORE MAGNO, *La «Terra del Sole» nella poesia di S. Ch.,* en NAnt, 1929, CCLXIII, 330-339. D. RUBIO, *Un gran cantor de Suramérica* [*J. S. C.*], en MLJ, 1923, VII, 297-300. G. W. UMPHREY, *J. S. C., el poeta de América,* en HispCal, 1920, III, 304-315; *J. S. C. y Walt Whitman,* en CVen, 1922, 159-172; MP, 1922, V, vol. VII, 553-565; Ideas, 1929, II, 31-40.

DE VIAJE

Ave de paso,
fugaz viajera desconocida:
fué sólo un sueño, sólo un capricho, sólo un acaso;
duró un instante, de los que llenan toda una vida.

No era la gloria del paganismo,
no era el encanto de la hermosura plástica y necia:
era algo vago, nube de incienso, luz de idealismo.
No era la Grecia,
¡era la Roma del cristianismo!

Alredor era de sus dos ojos — ¡oh, qué ojos ésos! —
que las facciones de su semblante desvanecidas
fingían trazos de un pincel tenue, mojado en besos,
rediviviendo sueños pasados y glorias idas...

Ida es la gloria de sus encantos;
pasado el sueño de su sonrisa.
Yo lentamente sigo la ruta de mis quebrantos;
¡ella ha fugado como un perfume sobre una brisa!

Quizás ya nunca nos encontremos;
quizás ya nunca veré a mi errante desconocida;

quizás la misma barca de amores empujaremos,
ella de un lado, yo de otro lado, como dos remos,
toda la vida bogando juntos y separados toda la vida!

1895.   *La selva virgen,* 1901.

CRÓNICA ALFONSINA

Fué en el mar que separa la América de Europa,
una noche.
              Las nubes encrespaban su tropa,
el viento inflaba el grito de su clarín sonoro
y arrastraban los rayos sus espuelas de oro.

Se encontraron dos barcas: mientras que una iba,
otra tornaba.
              (Sólo Dios las ve desde arriba.)
En el silencio de esa soledad y esa calma,
propias de los momentos decisivos del alma,
resonó entre las brumas la nota mortecina
de una bocina... y luego respondió otra bocina.

Y fuéronse las barcas acercando.
                          Y el cielo,
como una virgen loca que rasgase su velo,
se hacía mil jirones. El mar, cual cabellera
de un filósofo anciano de la Clásica Era,
sacudía los bucles de sus olas. El viento
devoraba las leguas como el Ogro del cuento...

Se unieron las dos barcas. Y eran iguales. Una
por mascarón de proa, tenía la fortuna
de ostentar la cabeza de un gran león de oro;
y la otra un castillo labrado en plata. El coro
de las olas cantaba, con fantástico empeño,
al león de la fuerza y al castillo del sueño...

Ambas tripulaciones se hablaron con la propia
lengua de España. ¡Oh, lengua del país de la Utopia!

En una barca iba de viaje Dulcinea
al Nuevo Mundo: estaba grave como una Idea,
triste como un Ensueño, muda como un Encanto,
y toda arrebujada dentro su propio manto.
En la otra venía Jimena haciendo viaje
de regreso: en sus plantas el carcaj de un salvaje,
en su espalda el adorno de vicuña más rico
y en su diestra las plumas del más raro abanico...

Y se hablaron.

         — Amiga: yo camino a las tierras
que nuestros ascendientes, en fabulosas guerras,
empaparon de sangre. Llevo a ellas la pura
ilusión, la fe dulce, la divina locura,
todo cuanto es Ensueño, todo cuanto es Encanto,
todo cuanto es Idea, todo, sí, todo cuanto
puede dar a esas gentes nuestra más bella gala,
para que se defiendan del Puño con el Ala...

— Amiga: yo hacia España regreso, porque ahora
parece que hace en ella su insinuación la aurora
y le es precisa el alma de grandes decisiones:
espumas de corceles, melenas de leones,
radiantes armaduras, heráldicas proezas,
espadas que se cansen de cercenar cabezas,
todo un ardor de lucha, toda una santa ira,
en cetro, crucifijo, tizona, yunque y lira.

Don Quijote, que estaba sin decir una sola
palabra, ya no pudo, y habló:
         — Tú eres la ola
que de América viene. Tú empujaste el navío
de Colón a esas playas. Tu corazón y el mío
se completan, señora.
         Don Rodrigo, que mudo
miraba persignarse los rayos, ya no pudo
tampoco, y habló y dijo:
         — Dulcinea, señora,
saltar dame a tu barca. Yo bendigo la hora
en que de oír tus frases alcancé la fortuna.
Yo tengo el alma llena de Sol... y tú de Luna.

Después... la paz. Las olas se adormecen tranquilas,
cien puñados de estrellas dilatan sus pupilas;
y, de astro en astro, entre una nube que la recata,
la Luna va pasando su bandeja de plata...

En una barca vuelan a España Don Quijote
y Jimena; en la otra desafía el azote
del viento, Don Rodrigo que va con Dulcinea
al Nuevo Continente.
                    ¡Maravillosa idea,
que al través de dos mundos y cuatro siglos crece!

Alma América, 1906.

LA EPOPEYA DEL PACÍFICO

(A la manera yanki.)

I

Los Estados Unidos, como argolla de bronce,
contra un clavo torturan de la América un pie;
y la América debe, ya que aspira a ser libre,
imitarles primero e igualarles después.
Imitemos, ¡oh, musa!, las crujientes estrofas
que en el Norte se mueven con la gracia de un tren;
y que giren las rimas como ruedas veloces;
y que caigan los versos como varas de riel.

II

Desconfiemos del Hombre de los ojos azules,
cuando quiera robarnos al calor del hogar
y con pieles de búfalo un tapiz nos regale,
y lo clave con discos de sonoro metal,
aunque nada es huírle, si imitarle no quieren
los que ignoran, gastándose en belígero afán,
que el trabajo no es culpa de un Edén ya perdido,
sino el único medio de llegarlo a gozar.

III

Pero nadie se duela de futuras conquistas;
nuestras selvas no saben de una raza mejor,
nuestros Andes ignoran lo que importa ser blanco,
nuestros ríos desdeñan lo que vale un sajón;
y, así, el día en que un pueblo de otra raza se atreva
a explorar nuestras patrias, dará un grito de horror,
porque el miasma y la fiebre y el reptil y el pantano
le hundirán en la tierra, bajo el fuego del Sol.

IV

No podrá ser la raza de los blondos cabellos
la que al fin rompa el Istmo... Lo tendrán que romper
veinte mil antillanos de cabezas oscuras,
que hervirán en las brechas cual sombrío tropel.
Raza de las Pirámides, raza de los asombros:
faro en Alejandría, templo en Jerusalem;
¡raza que exprimió sangre sobre el romano circo
y que exprimió sudores sobre el canal de Suez!

V

Cuando corten el nudo que Natura ha formado,
cuando entreabran las fauces del sediento canal,
cuando al golpe de vara de un Moisés en las rocas
solemnemente arrójese uno contra otro mar,
en el único instante del titánico encuentro,
un aplauso de júbilo esos mares darán,
que se eleve en los aires a manera de un brindis,
cual chocasen dos vasos de sonoro cristal...

VI

El canal será el golpe que abrir le haga las manos
y le quite las llaves del gran río al Brasil;
porque nuestras montañas rendirán sus tributos

a las naves que lleguen hasta el puerto feliz,
cuando luego de Paita, con enérgico trazo,
amazónica margen solicite el carril,
y el Pacífico se una con el épico río,
y los trenes galopen sacudiendo su crin...

VII

¡Oh, la turba que, entonces, de los puertos vibrantes
de la Europa latina llegará a esa región!
Barcelona, Havre, Génova, en millares de manos,
mirarán los pañuelos desplegando un adiós...
Y el latino que sienta del vivaz Mediodía
ese sol en la sangre parecido a este sol,
poblará nuestros bosques y vendrá desde Europa,
¡por el propio camino que le alista el sajón!

VIII

Vierte, ¡oh, musa!, tus cantos, como linfas que corren
y que fingen corriendo milagroso Jordán,
donde América puede redimir sus pecados,
refrescar sus fatigas, sus miserias lavar;
y, después que en el baño quede exenta de culpa,
enjugarse las aguas y envolverse quizás
entre sábanas puras, que se tiendan al viento,
¡como blancas banderas de Trabajo y de Paz!

Alma América, 1906.

LOS CABALLOS DE LOS CONQUISTADORES

¡Los caballos eran fuertes!
¡Los caballos eran ágiles!
Sus pescuezos eran finos y sus ancas
relucientes y sus cascos musicales...
¡Los caballos eran fuertes!
¡Los caballos eran ágiles!

¡No! No han sido los guerreros solamente,
de corazas y penachos y tizonas y estandartes,
los que hicieron la conquista
de las selvas y los Andes:
los caballos andaluces, cuyos nervios
tienen chispas de la raza voladora de los árabes,
estamparon sus gloriosas herraduras
en los secos pedregales,
en los húmedos pantanos,
en los ríos resonantes,
en las nieves silenciosas,
en las pampas, en las sierras, en los bosques y en los
¡Los caballos eran fuertes!   [valles.
¡Los caballos eran ágiles!

　　Un caballo fué el primero,
en los tórridos manglares,
cuando el grupo de Balboa caminaba
despertando las dormidas soledades,
que, de pronto, dió el aviso
del Pacífico Oceano, porque ráfagas de aire
al olfato le trajeron
las salinas humedades;
y el caballo de Quesada, que en la cumbre
se detuvo, viendo, al fondo de los valles,
el fuetazo de un torrente
como el gesto de una cólera salvaje,
saludó con un relincho
la sabana interminable...
y bajó, con fácil trote,
los peldaños de los Andes,
cual por unas milenarias escaleras
que crujían bajo el golpe de los cascos musicales...
¡Los caballos eran fuertes!
¡Los caballos eran ágiles!

　　¿Y aquel otro de ancho tórax,
que la testa pone en alto, cual queriendo ser **más grande**,
en que Hernán Cortés un día,
caballero sobre estribos rutilantes,

desde México hasta Honduras,
mide leguas y semanas, entre rocas y boscajes?
¡Es más digno de los lauros
que los potros que galopan en los cánticos triunfales
con que Píndaro celebra las olímpicas disputas
entre el vuelo de los carros y la fuga de los aires!
Y es más digno todavía
de las Odas inmortales
el caballo con que Soto, diestramente
y tejiendo sus cabriolas como él sabe,
causa asombro, pone espanto, roba fuerzas
y, entre el coro de los indios, sin que nadie
haga un gesto de reproche, llega al trono de Atahualpa
y salpica con espumas las insignias imperiales...
¡Los caballos eran fuertes!
¡Los caballos eran ágiles!

El caballo del beduíno
que se traga soledades;
el caballo milagroso de San Jorge,
que tritura con sus cascos los dragones infernales;
el de César en las Galias;
el de Aníbal en los Alpes;
el centauro de las clásicas leyendas,
mitad potro, mitad hombre, que galopa sin cansarse
y que sueña sin dormirse
y que flecha los luceros y que corre más que el aire;
todos tienen menos alma,
menos fuerza, menos sangre
que los épicos caballos andaluces
en las tierras de la Atlántida salvaje,
soportando las fatigas,
las espuelas y las hambres,
bajo el peso de las férreas armaduras
y entre el fleco de los anchos estandartes,
cual desfile de heroísmos coronados
con la gloria de Babieca y el dolor de Rocinante...
En mitad de los fragores
decisivos del combate,
los caballos con sus pechos

arrollaban a los indios y seguían adelante;
y, así, a veces, a los gritos de ¡Santiago!,
entre el humo y el fulgor de los metales,
se veía que pasaba, como un sueño,
el caballo del Apóstol a galope por los aires...
¡Los caballos eran fuertes!
¡Los caballos eran ágiles!

Se diría una epopeya
de caballos singulares,
que a manera de hipogrifos desalados
o cual río que se cuelga de los Andes,
llegan todos,
empolvados, jadeantes,
de unas tierras nunca vistas
a otras tierras conquistables;
y, de súbito, espantados por un cuerno
que se hincha de huracanes,
dan nerviosos un relincho tan profundo,
que parece que quisiera perpetuarse...
y, en las pampas sin confines,
ven las tristes lejanías, y remontan las edades,
y se sienten atraídos por los nuevos horizontes,
se aglomeran, piafan, soplan... y se pierden al escape:
detrás de ellos una nube,
que es la nube de la gloria, se levanta por los aires...
¡Los caballos eran fuertes!
¡Los caballos eran ágiles!

Alma América, 1906.

BLASÓN

Soy el cantor de América autóctono y salvaje:
mi lira tiene un alma, mi canto un ideal.
Mi verso no se mece colgado de un ramaje
con un vaivén pausado de hamaca tropical...

Cuando me siento Inca, le rindo vasallaje
al Sol, que me da el cetro de su poder real;
cuando me siento hispano y evoco el Coloniaje,
parecen mis estrofas trompetas de cristal.

Mi fantasía viene de un abolengo moro:
los Andes son de plata, pero el León de oro;
y las dos castas fundo con épico fragor.

La sangre es española e incaico es el latido;
y de no ser Poeta, quizás yo hubiera sido
un blanco Aventurero o un indio Emperador.

Alma América, 1906.

CIUDAD DORMIDA

Cartagena de Indias: tú, que, a solas
entre el rigor de las murallas fieras,
crees que te acarician las banderas
de pretéritas huestes españolas;

tú, que ciñes radiantes aureolas,
desenvuelves, soñando en las riberas,
la perezosa voz de tus palmeras
y el escándalo eterno de tus olas...

¿Para qué es despertar, bella durmiente?
Los piratas tus sueños mortifican,
mas tú siempre serena te destacas;

y los párpados cierras blandamente,
mientras que tus palmeras te abanican
y tus olas te mecen como hamacas...

Alma América, 1906.

TRÍPTICO HEROICO

I

CAUPOLICÁN

Ya todos los caciques probaron el madero.
«¿Quién falta?», y la respuesta fué un arrogante: «¡Yo!»
«¡Yo!», dijo; y, en la forma de una visión de Homero,
del fondo de los bosques Caupolicán surgió.

Echóse el tronco encima, con ademán ligero,
y estremecerse pudo, pero doblarse no.
Bajo sus pies, tres días crujir hizo el sendero,
y estuvo andando... andando... y andando se durmió.

Andando, así, dormido, vió en sueños al verdugo:
él muerto sobre un tronco, su raza con el yugo,
inútil todo esfuerzo y el mundo siempre igual.

Por eso, al tercer día de andar por valle y sierra,
el tronco alzó en los aires y lo clavó en la tierra,
¡como si el tronco fuese su mismo pedestal!

II

CUACTHEMOC

Solemnemente triste fué Cuacthemoc. Un día
un grupo de hombres blancos se abalanzó hasta él;
y mientras que el imperio de tal se sorprendía,
el arcabuz llenaba de huecos el broquel.

Preso quedó, y el indio, que nunca sonreía,
una sonrisa tuvo que se deshizo en hiel.
— ¿En dónde está el tesoro? —clamó la vocería,
y respondió un silencio más grande que el tropel...

Llegó el tormento... Y alguien de la imperial nobleza
quejóse. El héroe díjole, irguiendo la cabeza:
— ¡Mi lecho no es de rosas! —y se volvió a callar.

En tanto, al retostarle los pies, chirriaba el fuego,
que se agitaba a modo de balbuciente ruego,
¡porque se hacía lenguas como queriendo hablar!

III

OLLANTA

Contra el imperio un día su espíritu levanta;
afila en los peñascos su espada y su rencor;

el nudo de un sollozo retuerce en la garganta,
y jura, en un gran charco de sangre hundir su amor.

Huye, de risco en risco, con trepadora planta;
impone en una cumbre su nido de condor;
y entre una fortaleza diez años lucha Ollanta,
que son para su ñusta diez siglos de dolor...

Amó a la sacra hija del Inca, en el misterio:
cuando el Señor lo supo, se estremeció el imperio,
cayó la ñusta en tierra e irguióse el paladín.

Después vino otro Inca, que le llamó su hermano;
¡y tras de tanta sangre, no derramada en vano,
sólo quedó la nieve teñida de carmín!

Alma América, 1906.

EL SUEÑO DEL CAIMÁN

Enorme tronco que arrastró la ola,
yace el caimán varado en la ribera:
espinazo de abrupta cordillera,
fauces de abismo y formidable cola.

El sol lo envuelve en fúlgida aureola;
y parece lucir cota y cimera,
cual monstruo de metal que reverbera
y que al reverberar se tornasola.

Inmóvil como un ídolo sagrado,
ceñido en mallas de compacto acero,
está ante el agua extático y sombrío,

a manera de un príncipe encantado
que vive eternamente prisionero
en el palacio de cristal de un río.

Alma América, 1906.

LA CANCIÓN DEL CAMINO

Era un camino negro.
La noche estaba loca de relámpagos. Yo iba
en mi potro salvaje
por la montaña andina.
Los chasquidos alegres de los cascos
como masticaciones de monstruosas mandíbulas,
destrozaban los vidrios invisibles
de las charcas dormidas.
Tres millones de insectos
formaban una como rabiosa inarmonía.

Súbito, allá, a lo lejos,
por entre aquella mole doliente y pensativa
de la selva,
vi un puñado de luces, como en tropel de avispas.
¡La posada! El nervioso
látigo persignó la carne viva
de mi caballo, que rasgó los aires
con un largo relincho de alegría.

Y como si la selva
lo comprendiese todo, se quedó muda y fría.

Y hasta mí llegó, entonces,
una voz clara y fina
de mujer que cantaba. Cantaba. Era su canto
una lenta..., muy lenta... melodía;
algo como un suspiro que se alarga
y se alarga y se alarga... y no termina.

Entre el hondo silencio de la noche
y al través del reposo de la montaña, oíanse
los acordes
de aquel canto sencillo de una música íntima,
como si fuesen voces que llegaran
desde la otra vida...

Sofrené mi caballo,
y me puse a escuchar lo que decía:

— Todos llegan de noche,
todos se van de día...

Y formándole dúo,
otra voz femenina
completó así la endecha
con ternura infinita:

— El amor es tan sólo una posada
en mitad del camino de la vida...

Y las dos voces luego
a la vez repitieron con amargura rítmica:

— Todos llegan de noche,
todos se van de día...

Entonces, yo bajé de mi caballo
y me acosté en la orilla
de una charca.
Y fijo en ese canto que venía
a través del misterio de la selva,
fuí cerrando los ojos al sueño y la fatiga.
Y me dormí, arrullado; y desde entónces,
cuando cruzo las selvas por rutas no sabidas,
jamás busco reposo en las posadas;
y duermo al aire libre mi sueño y mi fatiga,
porque recuerdo siempre
aquel canto sencillo de una música íntima:

— Todos llegan de noche,
todos se van de día.
El amor es tan sólo una posada
en mitad del camino de la vida...

Fiat Lux, 1908.

¡QUIEN SABE!

Indio que asomas a la puerta
de esa tu rústica mansión:
¿para mi sed no tienes agua?
¿para mi frío, cobertor?
¿parco maíz para mi hambre?
¿para mi sueño, mal rincón?
¿breve quietud para mi andanza?...
    — ¡Quién sabe, señor!

Indio que labras con fatiga
tierras que de otros dueños son:
¿ignoras tú que deben tuyas
ser, por tu sangre y tu sudor?
¿ignoras tú que audaz codicia,
siglos atrás, te las quitó?
¿ignoras tú que eres el Amo?
    — ¡Quién sabe, señor!

Indio de frente taciturna
y de pupilas sin fulgor:
¿qué pensamiento es el que escondes
en tu enigmática expresión?
¿qué es lo que buscas en tu vida?
¿qué es lo que imploras a tu Dios?
¿qué es lo que sueña tu silencio?
    — ¡Quién sabe, señor!

¡Oh, raza antigua y misteriosa,
de impenetrable corazón,
que sin gozar ves la alegría
y sin sufrir ves el dolor:
eres augusta como el Ande,
el Grande Océano y el Sol!
Ese tu gesto que parece
como de vil resignación,
es de una sabia indiferencia
y de un orgullo sin rencor...

Corre en mis venas sangre tuya,
y, por tal sangre, si mi Dios
me interrogase qué prefiero,
cruz o laurel, espina o flor,
beso que apague mis supiros
o hiel que colme mi canción,
respondaríale dudando:
         — ¡Quién sabe, señor!

RUFINO BLANCO-FOMBONA

1874 - 1944

Venezolano. Nadie más hispanoamericano que él, en su persona, en su vida y en su obra. Rubén Darío nos ha dejado un retrato de su juventud impetuosa, apasionada, violenta y refinada a la vez, entregada a la conquista de todos los goces de la vida y del arte, fuerte ejemplo de energía y de vitalidad. De «gentil hablar, gallarda figura, docto en finas rimas, finas palabras», era mirado por Darío como un hombre del Renacimiento; pero su psicología y su temperamento corresponden más definidamente al tipo español de Don Juan, el de la amoral superabundancia vital. Más que el ansia de goce, le ha movido el orgullo individual; el puro placer de la acción y la lucha; la imposibilidad de mantenerse indiferente ante las cosas o las personas; la necesidad instintiva de dominarlas y hacerlas propias, identificándolas consigo mismo en un sentimiento de amor o de odio. De esta actitud excesivamente personal nacen los múltiples conflictos que Fombona ha tenido en su vida, las injusticias y errores que a veces ha cometido, algunos de los cuales ha rectificado después noblemente; y también las virtudes que prestan a su personalidad y a su obra su alto valor hispanoamericano y universal. Ante un hombre tan personal y apasionado suelen los demás tomar una actitud personal y apasionada también, y por eso los juicios que se hacen de Blanco-Fombona y de su obra son a menudo injustos. Pero hasta sus mayores enemigos tienen que reconocer que, tanto cuando acierta como cuando se equivoca, no es nunca un farsante ni un hombre

desdeñable : es siempre sincero, valiente, leal, generoso, y en
el fondo muy humano. Y cuando el día de mañana se haga completa justicia a su obra, se reconocerá por todos lo que ya se ve
hoy por muchos con claridad : que en medio de la impulsividad
con que está escrita y de su volubilidad, aparente inconsistencia y falta de concentración y pulimento, hay en ella la visión
más clara, segura y profunda que hasta hoy se ha escrito de las
realidades y los ideales fundamentales hispanoamericanos.
Cuando se ponga orden en su obra confusa y multiforme, se
encontrará en ella una profunda unidad y persistencia, y se
verá que sus temas todos tocan certeramente a los centros
vitales del organismo hispanoamericano. Blanco-Fombona ha
sido el principal creador de la preocupación por el creciente
empuje norteamericano, de la exaltación de la figura de Bolívar,
de la rehabilitación del españolismo original de América, de la
afirmación de los valores literarios de la revolución modernista,
de la excitación a adentrarse en el propio espíritu y a crear una
literatura hecha de materia y de espíritu americano : temas
todos ellos que en conjunto constituyen la suma del idearium
afirmativo de América, tanto respecto a su pasado como a su
porvenir. Su guerra a muerte con el tirano de su patria, su crítica de las corrupciones y ficciones de la vida pública y privada
venezolanas, sus ataques contra las tendencias literarias falsas
y artificiales desde el extranjerismo simiesco al españolismo
academicista, son otros tantos temas negativos de la América
que tiene que desaparecer si América ha de existir.

Por todo lo dicho, pensamos que Blanco-Fombona, en otra
forma y por otros motivos que Rubén Darío, merece como él
más que nadie el título de ciudadano hispánico. Pero esta universalidad hispánica no viene, creemos, en este caso de la asimilación de nuevos elementos producida por el trasplante; aunque Blanco-Fombona ha pasado gran parte de su vida en España
y ha residido en Francia y viajado por Europa y América, y todo
ello, naturalmente, ha enriquecido su espíritu y le ha dado campos nuevos donde ejercitar su acción, nos parece que la amplitud
hispánica de su carácter y de su obra le vienen de su pequeña
patria venezolana, que es, como ha indicado Salaverría, una de
las regiones más españolas de América, la patria de Bolívar y el
centro principal de la independencia americana, y, por su triste
situación actual, una de las llagas que hacen sentir más viva-

mente los males y las necesidades de América. Blanco-Fombona
vivió intensamente la dramática vida de su patria; en ella sufrió
persecuciones y encarcelamientos, y aunque reside desde hace
muchos años en Europa, a la que ama y admira, se siente des-
terrado en ella, y sus obras y actividades todas siguen concentradas con la misma intensidad sobre las realidades nacionales
de su país o sobre las más amplias hispanoamericanas. Como
hombre de acción organizó en Madrid su Editorial América, en
la que bajo los nombres simbólicos de «Andrés Bello», «Ayacucho», «Sarmiento», ha publicado bibliotecas enteras que han
dado a conocer en Europa la producción intelectual de Hispanoamérica.

Toda su obra literaria original — ensayos, novelas, poesía —
tiene un contenido y un tono muy personal y está llena de su
propia vida. Lo está muy particularmente su poesía; si empezó
cultivándola en su juventud como un arte y fué uno de los
innovadores del modernismo, fué también de los primeros en
reaccionar contra éste. En sus libros posteriores la poesía ha
sido para él algo así como el diario sincero, rápido y emocio-
nante de los hechos de su vida sentimental, de los dolores y
alegrías, los amores y odios que ellos produjeron en su espíritu
apasionado y veraz.

Bibliografía. — **Poesía :** *Patria,* Caracas, 1895. *Trovadores y trovas,*
1899. *Pequeña ópera lírica,* Madrid, 1904. *Cantos de la prisión y del
destierro,* París, 1911. *Cancionero del amor infeliz,* Madrid, 1918. *Pequeña
ópera lírica : Trovadores y trovas,* 1919. **Otras obras :** *Cuentos de
poeta,* Maracaibo, 1900. *Más allá de los horizontes,* Madrid, 1903. *Cuentos americanos,* 1904; París, [1913]. *El hombre de hierro,* novelín, Caracas,
1907; París, [1914]; Madrid, 1917. *Letras y letrados de Hispano-América,*
París, 1908. *La evolución política y social de Hispano-América,* Madrid,
1911. *Judas Capitolino,* París, 1912. *La lámpara de Aladino,* notículas,
Madrid, 1915. *El hombre de oro,* novela, [1916]; 1930 [trad. ingl. por
I. Goldberg, New York, 1920]. *Grandes escritores de América (Siglo XIX),*
1917. *Dramas mínimos,* [1921]. *El conquistador español del siglo XVI,
ensayo de interpretación,* [1922]. *La máscara heroica,* [1923]. *Por los
caminos del mundo,* 1926. *La mitra en la mano,* novela, 1927. *Tragedias grotescas,* 1928. *Diario de mi vida,* 1929. *La espada del Samuray,*
1930. — **Estudios :** J. M. Aguiar, *José Enrique Rodó y R. B.-F.,* Mon-
tevideo-Buenos Aires, 1925. J. Aramburu, *R. B.-F.,* en Nos, 1921,
XXXVII, 455-462. I. E. Arciniegas, *Paliques de historia literaria : los
bastones de B.-F.,* en Arch, 1929, I, 164-166. R. Cansinos Asséns, *Poetas*

y prosistas del novecientos, Madrid, 191ç; *La nueva literatura,* tomo III, Madrid, 1ç27. F. Carmona Nenclares, *Vida y literatura de R. B.-F.,* Madrid, 1928. J. Casares, *Crítica efímera,* Madrid, 1918. P. E. Coll, *El castillo de Elsinor,* Madrid, 1916. R. Darío, *R. B.-F.,* en C. Santos-González, *Poetas y críticos de América,* París, 1912. E. Díez-Canedo, *Versos de amor* [sobre *Cancionero del amor infeliz*], en Esp, 18 abril 1918. A. Donoso, *R. B.-F.,* en C. Santos González, *Poetas y críticos de América,* París, 1912. A. Dotor, *Mirador,* Madrid, 1929. M. Gahisto, sobre *La mitra en la mano,* en RAmL, 1928, XV, 77-79. F. García Godoy, *Americanismo literario,* Madrid, [1917]. I. Goldberg, *Studies in Spanish-American Literature,* New York, 1920. E. Gómez de Baquero, *Una novela de B.-F.* [sobre *La mitra en la mano*], en Sol, 25 agosto 1927. A. González-Blanco, *Escritores representativos de América,* Madrid, [1917]. G. Lafond, *R. B.-F.,* en VdP, 1925, XV, 445-510. M. Latorre, sobre *La mitra en la mano,* en Inf., 1927, XII, 573-574. P. Lebesgue, *R. B. F.,* en RAmL, 1923, VI, 163-167. E. Levi, *Nella letteratura spagnola contemporanea,* Firenze, 1922, p. 93-114. J. López, *Sobre El hombre de hierro,* en RLat, 1908 II, 42-45. H. B. Macdonald, *R. B.-F.; su vida, su obra y su actitud para con los Estados Unidos,* New York, 1925. J. Natalicio González, *B.-F. en el Paraguay,* en RepAm, 23 feb. 1929; Sol, 1 enero 1929. P. Pillepich, *Scrittori Americani: R. B.-F.,* Roma, 1928. M. Puccini, *Sobre La mitra en la mano,* en GPL, 1927, V, 933-934. D. F. Ratcliff, *Sobre La mitra en la mano,* en REstH, 1928, 418-421. E. Salazar y Chapela, *Un libro de B.-F.: «Tragedias grotescas»,* en GLit, 1 julio 1928; RepAm, 11 agosto 1928; *Entrevista con R. B. F.,* en GLit, 1 nov. 1929. C. Zumeta, *R. B.-F.,* en C. Santos González, *Poetas y críticos de América,* París, 1912.

NOCHE DORADA

Rompe la orquesta de alegrías hondas
que labios junta y corazones ata,
rompe a sonar bajo las verdes frondas,
en la noche de estío azul y plata.

Echa a volar la luna por el cielo :
ave maravillosa,
bate la nívea pluma
y se convierte en blanca rosa,
en fantástica rosa de espuma.

Pasan bajo el azul del firmamento
los Deseos, cual potros voladores;

y se escucha un fragmento
de una canción de amores.

   Los poderosos brazos no intimidan
a la breve cintura delicada;
y los besos anidan
entre la blonda cabellera amada.

   Tiemblan sobre el corpiño
de la bella adorada
las camelias de armiño;
arden los sexos de rosa y de seda,
y en fúlgidos colores
teñido el rostro de la virgen queda.
Es noche de alegría. Los amores
cantan bajo la erótica arboleda.
Revuelan por las callejas, como pájaros, las trovas
al son de dulces bandolines,
y ríen, en las rústicas y fragantes alcobas,
los faunos de metal de los jardines.

Trovadores y trovas, 1899.

EXPLICACIÓN

   No busques, poeta, collares de rimas
en casas de orfebre. Cinceles y limas
repujan ni nielan los cantos mejores:
los cantos mejores son nuestros amores,
son nuestros amores y nuestros dolores;
las dulces quimeras, los casos de angustia,
idilio que enflora, pasión que se mustia;
visiones de encanto
al vuelo de un tren,
y cosas de llanto
y cosas de bien.

   El mejor poema es el de la vida :
de un piano, en la noche, la nota perdida;
la estela de un barco; la ruta de flores

que lleva a ciudades ignotas; dolores
pueriles; mañanas de riñas; sabor
de besos no dados, y amor sin amor.

¡Qué alegre es la casa del titiritero!
La casa que pasa por todo sendero
y exhibe a los bordes de tantos poblachos
sus damas, sus hércules y sus mamarrachos!
Qué libre es la vida de todo bohemio,
poetas, gitanos. Por único premio
de su rebeldía y su libertad
los saluda el cielo de cada ciudad;
y son sus amigos las cosas viajeras :
las brisas, las nubes y las primaveras.

Adoro la gente que adora la errante
vida. La bohemia libre y trashumante.
Seguí sus pendones, eché a caminar,
y en burgos y villas me puse a cantar.

¡Oh, amores y rutas y alarmas! ¡Oh, acciones!
Bardo, la poesía no está en las canciones.

Pequeña ópera lírica, 1904.

LAS JOYAS DE MARGARITA

Es una tarde. Es el remoto
místico tiempo medioeval.
Es el lejano tiempo ignoto,
el tiempo místico y feudal.

Es una tarde. Es la erudita
patria de Gretchen, donde amor
puso a los pies de Margarita
una leyenda siempre en flor.

Es una tarde. Misteriosas
penumbras llenan la mansión.
Se oye el acento de las cosas
en un lenguaje de ilusión.

Dice un galán reclinatorio
de terciopelo carmesí :
—¿Cuándo vendrás al oratorio
a arrodillarte sobre mí?

La mano blanca y lisonjera
reclama el uso danzarín;
y el lecho, la amplia cabellera
y las caderas de jazmín.

Y surgen voces tremulantes
y cristalinas de un arcón :
es el cantar de los diamantes,
es de las prendas la canción.

Gimen las joyas, las pulseras,
collar, anillo y áurea cruz,
en rojo estuche prisioneras
y desterradas de la luz.

— Vierta mi sangre generosa
— clama el rubí —; no puedo ver
la amada tinta de la rosa,
bocas ni senos de mujer.

Bello zafir se descolora
triste y anémico, al soñar
una visión azul de aurora,
una visión azul de mar.

Y los diamantes de aguas puras
lloran sus lágrimas de amor,
porque no besan las blancuras
de un perfumado seno en flor.

Y más los dijes deslumbrantes
tiemblan y sufren, al pensar
que se deslizan los instantes
y Margarita va a llegar.

— No tornes, blanca Margarita
— murmura cálido zafir —;
ni del dolor de esta maldita
sombra nos pienses redimir.

— No tornes, blanca Margarita
— repite fúlgido rubí —;
cómplices venos de maldita
liga del diablo contra ti.

— No tornes, blanca Margarita
— gime un diamante brillador —;
mi luz de encanto es la maldita
e infausta aurora de tu amor.

¡Oh, epifanía!... En los umbrales,
blanca figura mueve el pie;
y de su boca los corales
cantan el canto de Thulé.

Y Margarita, lo primero,
corre al estuche seductor;
sin olvidar al caballero
que al verla dijo algo de amor.

Pequeña ópera lírica, 1904.

MEDIODÍA ALDEANO

De fe ya difunta, la torre
túmulo semeja. El hastío
devora al poblacho. Y un río
de agua negra, a sus plantas, corre.

El viento salmodia en los sauces.
Silentes, el paso de entierro,
los rústicos marchan. Un perro
bosteza. ¡Qué sarna! ¡Qué fauces!

Tres chicos patean el barro,
do muere de tedio un nelumbo.
Al pasar a mi vera, da un tumbo
un hombre que tira de un carro.

¿Y sufro...? Mi pecho se expande.
Adoro la vida zahareña,
¡oh, amigos de musa pequeña
y de envidia grande, muy grande!

Ni quiero encontrar las pupilas
de la niña cuca y muy maja,
brial rojo, sombrero de paja,
y en el seno petunias, lilas.

Pequeña ópera lírica, 1904.

LA PETICION AL HADA

Sentado a mi balcón, miro las nubes
errantes. Caravanas
de sueños y ambiciones
por mi cerebro pasan.
Mi querida se acerca, y dulcemente
apóyase en mi espalda.
Su cabellera se impregnó en el baño
de un olor de campiña. Me dan ganas
de beber leche, de domar un potro,
de atravesar un río. Nuestra charla
se inicia con un beso. Ella confía
en mis puños. Hablamos del mañana.
¡Cómo es hermoso el gesto del que lucha!
Y el lauro del que triunfa, ¡cómo ata!
Si esta noche, de súbito,
a mí viniera un hada
y me dijese:
       — Escúchame, poeta;
traigo para tus sienes esta rama
de florido laurel; traigo esta púrpura
para ceñir de púrpura tu espalda;
para tu bolso, un vellocino de oro,
y esta rubia gentil para tu cama:
     al hada bienhechora
     le daría las gracias,
     y a trueque de esos dones
     le pediría:
         — Hada:
ponme en el brazo músculos,
y ambición en el alma.

Pequeña ópera lírica, 1904.

LA RAMA VERDE

Tanto verso de oro se engríe,
tanta boca de grana sonríe,
tanta gloria conquista el valor,
que el orgullo del macho potente
vacila. ¿Qué lauro a la frente?
¿El de Marte, corona académica, o beso de amor?

Reducirse, ¿por qué? ¿Ceñirse a pactos?
Que se traduzca en bellos actos
el corazón viril.
Romped, romped casillas, y barajad las estaciones:
vengan al propio tiempo lirios, melocotones;
y que octubre sea en abril.

1907.   *Cantos de la prisión y del destierro*, 1911.

EL CABALLO DEL ESCUDO

¿Adónde vas, caballo del Escudo,
que nunca cesas de correr?
Los cóndores andinos te mandan su saludo
y el huracán, tu hermano, te ve desparecer.

¿Adónde vas? ¿Mensaje del destino
por acaso vas a cumplir?
Cruzas llanos y montes en tu vuelo aquilino,
y cándido, del fango, se te mira salir.

¡Jamás, jamás te canses! Y recuerdes
que el Hombre del misterio, Él,
un día, en Carabobo, entre las palmas verdes,
te palmoteó y te dijo: vuela, vuela, corcel.

Cantos de la prisión y del destierro, 1911.

CORAZÓN ADENTRO

Her voice was like the voice
of his own soul in the calm of thought.

SHELLEY, *Alastor*.

Llamé a mi corazón. Nadie repuso.
Nadie adentro. ¡Qué trance tan amargo!
El bosque era profuso,
negra la noche y el camino largo.
Llamé, llamé. Ninguno respondía.
Y el murado castillo, taciturno,
único albergue en el horror nocturno
era mi corazón. ¡Y no me abría!

¡Iba tan fatigado!, casi muerto,
rendido por el áspera subida,
por el hostil desierto
y las fuentes saladas de la vida.
A sol de fuego y pulmonar garúa
ya me atería o transpiraba a chorros;
empurpuré las piedras y los cardos;
y, a encuentro por segundo, topé zorros,
buhos, cerdos, panteras y leopardos
Y en un prado inocente: malabares,
anémonas, begonias y diamelas,
vi dos chatas cabezas triangulares
derribar muchas ágiles gacelas.
¡Qué hórrido viaje y bosque tan ceñudo!
La noche, negra; mi cabeza, loca;
mis pies, cansados; el castillo, mudo;
y yo, toca que toca.

¡Por fin se abrió una puerta!
Toda era sombra aquella casa muerta.
Tres viejecitos de cabello cano
y pardas vestiduras de estameña,
me recibieron: — Adelante, hermano.
Parecidos los tres. La blanca greña
nevaba sobre el hombro a cada anciano.

Al fondo, en una esquina,
luchaba con la sombra un reverbero
de lumbre vacilante y mortecina.
— Somos felices, dijo el uno; el otro:
resignados; aquí, dijo el tercero,
sin amigos, sin amos y sin émulos,
esperamos el tránsito postrero.

Eran Recuerdos los ancianos trémulos.

— No es posible, pensaba. ¿Es cuanto queda
de este palacio que vivieron hadas?
¿dónde está la magnífica arboleda?
¿en dónde las cascadas;
los altos miradores;
las salas deslumbrantes,
y las bellas queridas suspirantes,
muriéndose de amores?

Y me lancé a los negros corredores.

Llegué a las cuatro conocidas puertas
por nadie, nunca, abiertas.
Entré al rojo recinto: una fontana
de sangre siempre vívida y ardiente
corría de la noche a la mañana,
y de mañana a noche, eternamente.

Yo había hecho brotar aquella fuente.

Entré al recinto gris donde surtía
otra fontana en quejumbroso canto;
¡el canto de las lágrimas! Yo había
hecho verter tan generoso llanto.
Entré al recinto gualda; siete luces,
siete cruces de llama fulgecían,
y los Siete Pecados se morían
crucificados en las siete cruces.

Y a Psiquis alas nuevas le nacían.

Rememoré las voces del Misterio
— cuando sea tu alma

de las Desilusiones el imperio;
cuando el sufrir tus lágrimas agote;
cuando inmisericorde su cauterio
te aplique el Mundo, y el Dolor te azote,
puedes salvar la puerta tentadora,
la puerta blanca, la Tulé postrera;
entonces — dije —, es hora.
Y entré con paso firme y alma entera.

Quedé atónito. Hallábame en un campo
de nieve, de impoluta perspectiva:
cada llanura, un ampo;
cada montaña, un irisado bloque;
cada picacho, una blancura viva.
Y de la luz al toque
eran los farallones albicantes
chorreras de diamantes.
— ¿En dónde estoy? — me dije tremulento;
y un soplo de dulzuras teologales
trajo a mi oído regalado acento:

— Estás lejos de aquellos arenales
ardientes, donde surgen tus pasiones
y te devoran como cien chacales.
Lejos de las extrañas agresiones;
a estas cimas no alcanza
ni el ojo inquiridor de la acechanza,
ni el florido puñal de las traiciones.
Son ignorado asilo
al tigre humano y a la humana hiena,
a los pérfidos cantos de sirena
y al aleve llorar del cocodrilo.
Llegas a tierra incógnita;
a tierra de simbólicas alburas,
todo misterio y calma.
Estás en las serenas, en las puras
e ignoradas regiones de tu alma.

Y me quedé mirando las alturas.

Cantos de la prisión y del destierro, 1911.

ROSA

I

¿Qué sucede en tu alma, Rosa?
¿por qué, voluble mariposa,
tu fantasía migradora vuela,
mientras cambur y alpiste das a tu paraulata,
o riegas las macetas, o ensayas la sonata,
cuando retornas de la escuela?

Tú no sabes por qué suspiras,
ni por qué, al cerrar ojos, miras
a Juan, a Pedro, amigos de tu hermano.
¿Prefieres al moreno, tal vez al pelirrojo?
Sabes que los prefieres al maestro patojo,
a tu paraulata y al piano.

II

— Amor mío, Rosa, te adoro —;
y el bigote de seda y oro
hizo leves cosquillas en tu oreja.
El cultivado sueño granaba sus espigas:
¡primer amor confeso! ¡Y delante de amigas!
Te pusiste (¿adrede?) bermeja.

¡Por qué interrumpes la novela,
y pasas las noches en vela,
y te reprochas dar tu blanca mano?
Displicente a los ósculos, te preguntas: — ¿Es eso
el amor?, ¿amo al novio?
                    — Sí; prefieres su beso
a la paraulata y al piano.

III

¡El deber! ¡Fruta desabrida!
Y a gustar la fruta prohibida,
¡con cuánto ardor limaste el cautiverio!

El *rendez-vous*, ¿recuerdas?, la joya que perdiste,
la angustia placentera... Pero, ¿por qué estás triste,
alma de pasión y misterio?

Tu sed, ¿qué fuente la mitiga?
¿Qué anhelo insaciable te hostiga?
¿Por qué ese hervir, neurosis de oceano?
Como el tábano a Io, te persigue un anhelo
de absoluto, de amor, de imposible, de cielo...
¡Cuán lejos paraulata y piano!

IV

¿Qué sucede en tu alma, Rosa?
¿por qué, voluble mariposa,
tu fantasía migradora vuela,
cuando la falda corta y el jubón escarlata
ves de otra Rosa cándida que ensaya la sonata,
no bien retorna de la escuela?

Tú no sabes por qué suspiras,
ni por qué, al cerrar ojos, miras
a Juan, a Pedro, ya el cabello cano.
¿Amado los hubieras? ¿Erraste tu camino?
Rosa, oye en el crepúsculo de aquella tarde el trino
de otra paraulata y el piano.

1910.   *Cantos de la prisión y del destierro,* 1911.

LOS CARBUNCLOS TRÁGICOS

Yo venía del Norte,
llegabas tú del Mediodía...
¡Y qué correr! No vuelan
tanto ni pájaros ni brisas.
¿Era busca, era fuga,
esa carrera por la vida?
Los cabellos al aire,
y un negro asombro en las pupilas,
bebíamos el viento
con ansia trágica, infinita.

Buscábamos, huíamos...
de la dulce hada munífica,
la de celestes dones
que da a los labios la sonrisa,
a los pechos la calma,
y miel y flores a la vida;
buscábamos la puerta:
y «es más allá», nos parecía.
Y huíamos, huíamos,
de la negra dama Desdicha.

Los ojos de la dama
negra, en la sombra relucían:
encendidos carbunclos
eran sus trágicas pupilas;
sus manos eran garfios;
sus intenciones, ¡qué asesinas!
Buscábamos, buscábamos
la puerta del hada munífica.
Huíamos, huíamos
de la negra dama Desdicha.

¡Y qué correr! ¡No vuelan
tanto ni pájaros ni brisas!
Bebíamos el viento
con ansia trágica, infinita.
«Salvos, por fin», pensamos;
«se abrió, por fin, la puerta amiga».
Pero al entrar, ¡qué grito!
Allí, en la sombra, fulgecían
los dos carbunclos trágicos
de la negra dama fatídica.

Cancionero del amor infeliz, 1918.

LA CASA TRISTE

Cuando ella entró en la casa; cuando los blancos
miraron su prestancia;   [muros
cuando sus pies, dos tórtolas, y sus ojos oscuros
volaron por la estancia,

los grifos saludáronla con un agua de rosas,
con fuego de rubíes los fogones,
de fina gasa argéntea vistieron las baldosas,
de flores los balcones.

Dejan pasar un fúlgido reflejo de diamantes
las ventanas abiertas,
se cubre la bañera de randas espumantes,
se laminan de oro las puertas.

Pero un día rompieron a suspirar las cosas
y el alma de la estancia quedóse pensativa...
En una caja negra, bajo lirios y rosas,
para siempre la amada, para siempre, se iba.

Cancionero del amor infeliz, 1918.

LA PROTESTA DEL PELELE

¿Locura? Bien. No me resigno;
que se resignen los esclavos.
Deme el Destino la cicuta,
el dolor me clave sus clavos.

Yo no diré: «bendito seas,
mi Dios, tu voluntad acato»;
diré: «soy menos que el insecto
bajo la suela de un zapato;

pero no hay que beber mis lágrimas,
ni placerse en mi desventura,
o asistir con aspecto olímpico
e indiferente a mi tortura;

porque en mí, pelele, hay sufrir,
y tengo un alma yo, el enano,
y puedo pesar la injusticia,
y puedo juzgar al tirano.»

Cancionero del amor infeliz, 1918.

JOSÉ JUAN TABLADA

1871 - 1945

Mejicano. Otro mejicano ha dicho de él: «Si nos viéramos forzados a condensar en un solo individuo la biografía literaria de México, escogeríamos a Tablada.» En efecto, desde los tiempos de Gutiérrez Nájera hasta hoy, Tablada ha figurado en las avanzadas de todos los movimientos poéticos. Así como, por lo general, hemos visto y seguiremos viendo que los poetas mejicanos han sido parcos y mesurados, comparados con los de otros países, en el uso de las innovaciones, disimulando aquellas mismas que estaban realizando, Tablada ha perseguido abiertamente, y con plena consciencia, una constante renovación mediante el cultivo de todas las tendencias poéticas que han aparecido en el horizonte en estos años, tan fecundos en ellas, prefiriendo las más exóticas y audaces. Su conocimiento de idiomas extranjeros, sus viajes — ha estado en varios países hispanoamericanos, en el Japón, en Europa y en los Estados Unidos, donde ahora reside —, y sobre todo su curiosidad incansable y sus grandes dotes de escritor, han hecho posible que desde su primera colección, publicada en 1899, hasta sus últimas obras, haya escrito poesías que podrían distribuírse en las diferentes épocas y escuelas en que está dividida esta antología. Desde el primitivo modernismo afrancesado, hasta las recientes escuelas vanguardistas o ultraístas, como nosotros preferimos llamarlas, pueden contar a Tablada como uno de sus primeros y más decididos cultivadores. Pero la nota más suya y la que al mismo tiempo ha ejercido mayor influencia es el japonesismo, que aparece ya en forma modernista y afrancesada en su *Florilegio* (1899), y que más tarde tomará la forma del «hai-kai» «que—dice Tablada—me complace haber introducido en castellano». Ésta y otras formas de poesía sintética con toques de gongorismo y disonancias humorísticas, le han dado en los últimos años nuevo ascendiente sobre los poetas jóvenes, especialmente de Méjico. El carácter y el valor mismo de su obra han hecho que Tablada no haya tenido nunca la popularidad que han logrado alcanzar otros de los compañeros, jóvenes o viejos, de sus diferentes etapas, aunque sí ha gozado siempre de la estimación y aun de la imitación de los demás poetas.

BIBLIOGRAFÍA. — **Poesía :** *El florilegio (1891-1897),* México, 1899; segunda ed. aum., París-México, 1904. *Al sol y bajo la luna,* México, 1918. *Un día,* poemas sintéticos, Caracas, 1919. *Li-Po y otros poemas,* 1920, *El jarro de flores,* New York, 1920. *La feria,* poemas mexicanos, 1928. **Otras obras:** *Tiros al blanco,* México, s. a. *Madero-Chantecler,* pieza dramática, 1910. *La defensa social: historia de la campaña de la División del Norte,* 1913. *Hiroshigué: el pintor de la nieve y de la lluvia, de la noche y de la luna,* 1914. *Los días y las noches de París,* 1918. *En el país del sol,* New York, 1919. *Cultura Mexicana: artes plásticas,* conferencia, Caracas, 1920. — **Estudios :** C. G. AMÉZAGA, *Poetas mexicanos,* Buenos Aires, 1896. E. DÍEZ-CANEDO, *Letras de América: T.,* en Esp, 17 febr. 1923. E. HERNÁNDEZ, *El florilegio, versos de J. J. T.,* en RM, oct. 1904. A. NERVO, Sobre *El florilegio,* en RM, 1899, núm. 11. A. DE LA PEÑA Y REYES, *Muertos y vivos,* México, 1896. M. UGARTE, *Notas de México: los escritores,* en RM, junio 1900. L. G. URBINA, *Florilegio de J. J. T.,* en RM, 1899, núm. 11; *Máscaras: J. J. T.,* en RM, febr. 1903. A. VALBUENA, *Ripios ultramarinos,* t. III, Madrid, 1896. J. E. VALENZUELA, *Para un libro de T.* [pról. de *El florilegio*], en RM, febr. 1904. (Véase, además, ESTRADA, *PNM,* p. 290-291.)

JAPÓN

¡Áureo espejismo, sueño de opio,
fuente de todos mis ideales!
¡Jardín que un raro kaleidoscopio
borda en mi mente con sus cristales!

Tus teogonías me han exaltado
y amo ferviente tus glorias todas;
¡yo soy el siervo de tu Mikado!
¡yo soy el bonzo de tus pagodas!

Por ti mi dicha renace ahora,
y en mi alma escéptica se derrama
como los rayos de un sol de aurora
sobre la nieve del Fusiyama.

Tú eres el opio que narcotiza,
y al ver que aduermes todas mis penas
mi sangre—roja sacerdotisa—
tus alabanzas canta en mis venas.

¡Canta! En sus cauces corre y se estrella
mi tumultuosa sangre de Oriente,
y ése es el canto de tu epopeya,
mágico imperio del Sol Naciente.

En tu arte mágico—raro edificio—
viven los monstruos, surgen las flores:
es el poema del Artificio
en la Obertura de los colores.

¡Rían los blancos con risa vana!
Que al fin contemplas indiferente
desde los cielos de tu Nirvana
a las naciones del Occidente.

Distingue mi alma cuando en ti sueña
—cuadro sombrío y aterrador—
la inmóvil sombra de una cigüeña
sobre un sepulcro de emperador.

Templos grandiosos y seculares,
y en su pesado silencio ignoto,
Budhas que duermen en los altares
entre las áureas flores de loto.

De tus princesas y tus señores
pasa el cortejo dorado y rico,
y en ese canto de mil colores
es una estrofa cada abanico.

Se van abriendo, si reverbera
el sol y lanza sus tibias olas,
los parasoles, cual primavera
de crisantemos y de amapolas.

Amo tus ríos y tus lagunas,
tus ciervos blancos y tus faisanes,
y el ampo triste con que tus lunas
bañan la cumbre de tus volcanes.

Amo tu extraña mitología,
los raros monstruos, las claras flores
que hay en tus biombos de seda umbría
y en el esmalte de tus tibores.

¡Japón! Tus ritos me han exaltado,
y amo ferviente tus glorias todas;
¡yo soy el siervo de tu Mikado!
¡yo soy el bonzo de tus pagodas!

¡Y así quisiera mi ser que te ama,
mi loco espíritu que te adora,
ser ese astro de viva llama
que tierno besa y ardiente dora
la blanca nieve del Fusiyama!.

El florilegio, 1899.

ÓNIX

Torvo fraile del templo solitario
que al fulgor de nocturno lampadario
o a la pálida luz de las auroras
desgranas de tus culpas el rosario...
— ¡Yo quisiera llorar como tú lloras!

Porque la fe en mi pecho solitario
se extinguió como el turbio lampadario
entre la roja luz de las auroras,
y mi vida es un fúnebre rosario
más triste que las lágrimas que lloras.

Casto amador de pálida hermosura
o torpe amante de sensual impura
que vas — novio feliz o amante ciego —
llena el alma de amor o de amargura...
— ¡Yo quisiera abrasarme con tu fuego!

Porque no me seduce la hermosura,
ni el casto amor, ni la pasión impura;
porque en mi corazón, dormido y ciego,

ha caído un gran soplo de amargura,
que también pudo ser lluvia de fuego.

¡Oh, guerrero de lírica memoria
que al asir el laurel de la victoria
caíste herido con el pecho abierto
para vivir la vida de la Gloria...
— ¡Yo quisiera morir como tú has muerto!

Porque al templo sin luz de mi memoria,
sus escudos triunfales la victoria
no ha llegado a colgar, porque no ha abierto
el relámpago de oro de la Gloria
mi corazón obscurecido y muerto.

Fraile, amante, guerrero, yo quisiera
saber qué obscuro advenimiento espera
el amor infinito de mi alma,
si de mi vida en la tediosa calma
no hay un Dios, ni un amor, ni una bandera.

El florilegio, 1899.

LAS ABEJAS

Sin cesar gotea
miel el colmenar;
cada gota es una abeja...

Un día, 1919.

EL SAÚZ

Tierno saúz,
casi oro, casi ámbar,
casi luz...

Un día, 1919.

EL PAVO REAL

Pavo real, largo fulgor,
por el gallinero demócrata
pasas como una procesión...

Un día, 1919.

NOCTURNO ALTERNO

Neoyorquina noche dorada,
    fríos muros de cal moruna,
Rector's, champaña, fox-trot,
    casas mudas y fuertes rejas,
y volviendo la mirada
    sobre las silenciosas tejas,
el alma petrificada,
    los gatos blancos de la luna
como la mujer de Loth.
    Y sin embargo
    es una
    misma
    en New York
    y en Bogotá
        la luna...!

           Li-Po y otros poemas, 1920.

GARZA

    Garza, en la sombra,
es mármol tu plumón,
móvil nieve en el viento
y nácar en el sol...

           El jarro de flores, 1920.

EL MONO

    El pequeño mono me mira...
¡Quisiera decirme
algo que se le olvida!

           El jarro de flores, 1920.

PECES VOLADORES

Al golpe del oro solar,
estalla en astillas el vidrio del mar.

El jarro de flores, 1920,

SANDÍA

Del verano, roja y fría
carcajada,
rebanada
de sandía!

El jarro de flores, 1920.

TIANGUIS

Día de Plaza, día
de trabajo, pero de alegría...
Desde ayer, de la azul serranía
descendieron los indios marchantes
hasta los hondos valles...
pobláronse las calles
de tropeles itinerantes...
quedaron los polvosos caminos
como los viejos códices,
estampados con pies de peregrinos...

El Tianguis... Del convento arcaico
al Corral del Consejo
es, al solar reflejo,
palpitante mosaico...

De los indios contentos,
en los rostros de terracota
la plácida sonrisa brota
de la Diosa de los Mantenimientos.

Cromática alegría de la plaza,
verde jaspe de los chilacayotes;
cinabrio de la flor de calabaza
y alabastro de los chinchayotes...

¡Toda la gama! Para hacer feliz
al ojo del pintor... Desde la negra noche
hasta el día... ¡Betún del huitlacoche
y oro del pródigo maíz...!

Los áureos chiquihuites
están llenos de chalchihuites.

Y aquella polifonía...
del sinsonte la clara melodía;
hozar del cerdo; piafar del caballo
con el tema del canto del gallo
de puerta en puerta, hasta la pulquería!

Casa de adobes,
del barro del ceramista,
de la loza de Guadalajara,
del nido de la golondrina.

¡Guajolote, cólera absurda,
carcajada inoportuna,
montón de plumas!

Un olor de copal que arrastra el viento,
perdura como hálito fatal...
Es el vaho de ayer, es el aliento
del icono ortodoxo y el ídolo ancestral.

Y a su soplo, en los rostros ambiguos
de los indígenas estoicos
lucen los antifaces pavorosos o heroicos
de los dioses antiguos...

Y bajo de la lumbre meridiana,
entre tanta esmeralda y tanta grana

va el ánima perdida,
hormiga que no halla la salida
dentro de una batea michoacana.

La feria, 1928.

CANCIÓN DE LA MULATA

Esos «que ven claro de noche».
¡Vengan!
¡Aquí hay candela!

Mi cuerpo es una hamaca
tropical con vaivenes de danzón;
mis labios tienen miel de níspero;
mi cuerpo es un jardín nocturno;
mis senos dos guanábanas;
mis ojos dos cocuyos...!

Esos que «mascan goma», vengan,
¡aquí hay candela!

De la Reina de Saba, Salomón
amaba la canela;
vengan; para encenderse el corazón,
¡aquí hay candela!

La feria, 1928.

JULIO HERRERA Y REISSIG

1875-1910

Uruguayo, de Montevideo. De ilustre familia criolla caída en
la desgracia, su vida fué difícil. Su temperamento inadaptable,
y el cultivo del aristocratismo artístico a la manera artificial de
los decadentes complacida en su misma inadaptación, llevaron
gradualmente a este hombre sensitivo, pero en el fondo sano,
primero al aislamiento y la extravagancia, después a la miseria
y la tortura física y moral, y en fin, a la perturbación mental y

la muerte prematura. A través de ese proceso de disolución se produce la obra del poeta quizá más genial que ha nacido hasta ahora en América. Nunca salió de su país, y en él no pudo tener más maestros que los libros; sus obras muestran que tenía cultura clásica, y que de Buenos Aires, a través de Darío y Lugones, llegó a él la iniciación modernista, que era iniciación en la literatura francesa y en los espíritus hermanos de entonces o de antes en todo el mundo. Poe, Heine y Baudelaire, Heredia y Flaubert, Verlaine, Mallarmé, Laforgue y Samain, dejaron su huella en el espíritu del solitario poeta uruguayo. Su soledad era mayor por lo mismo que tenía un coro de admiradores, pequeño grupo que se reunía en una especie de cenáculo íntimo al que llamaban la «Torre de los Panoramas», atmósfera ficticia donde ardió, hasta consumirse, su superioridad. De aquel foco salió, sin embargo, la inquietud que había de llegar a producir la gran literatura uruguaya del siglo xx.

La poesía original de Herrera y Reissig aparece hacia 1900. Antes, casi en su adolescencia, había escrito cantos románticos a Lamartine, a España, a Castelar y a Guido Spano, que estaban completamente dentro de la poesía tradicional. Cuando en 1900 empieza a publicar en revistas de su país sus *Wagnerianas,* se ha realizado en él una completa evolución que no sólo le pone en el modernismo de Darío y Lugones, sino que le lleva más allá de él por caminos ajenos y por caminos propios. En los diez años que van hasta su muerte, en 1910, produce toda su obra, que quedó esparcida en diversas publicaciones o inédita, y que de modo desordenado se encuentra reunida en ediciones póstumas y en sus *Obras completas.* Mas y Pi ha hecho el siguiente intento de cronología de su obra: 1900: *Pascuas del tiempo. Aguas del Aqueronte.* Traducciones en verso. — 1902: *Los maitines de la noche. Las manzanas de Amarylis.* — 1903: *La vida. Conferencias.* — 1904: *Los éxtasis de la montaña.* — 1905-1909: *El alma del poeta* (Epistolario). — 1906: *Poemas violetas. Sonetos vascos. Ópalos.* — 1907: *Átomos. El Renacimiento en España* (prosa). — 1908: *Los parques abandonados. El círculo de la muerte* (prosa)* La sombra* (teatro). — 1909: *Ensayos sociológicos.*—1910: *Los éxtasis de la montaña* (segunda serie). *Los pianos crepusculares. Clepsidras*

A través de la variedad de estas obras y de las influencias

que reflejan, se manifiesta la identidad de una personalidad originalísima que, con máxima pureza poética, crea su propio mundo de sensaciones y de expresiones. Las realidades más tangibles y concretas de sus poesías se refieren a países y escenas nunca vistos por el autor, y son soñadas lo mismo que las realidades sobrenaturales y fantasmagóricas que pueblan también sus poemas; sin embargo, ambas son precisas, definidas, intensas, con sus líneas y sus masas, sus colores y sus sonidos, y su nombre siempre justo y muchas veces nunca dicho antes. Tan serena es en él la límpida sencillez de unas poesías como la turbia complejidad de otras. Por eso da conjuntamente la impresión de ser el más clásico y el más decadente de los modernistas. El «largo crepúsculo» que — según definición suya — fué el simbolismo, adquiere en su obra madura y tardía una nueva coloración de matices delicados, ultraterrenales, a cuya luz las cosas se transfiguran tiñéndose a la vez de ironía y de melancolía. Fué un artista consciente, y supo muy bien la correspondencia de su época con la del decadentismo culterano; aprendió mucho de Góngora y se adelantó a sus más recientes intérpretes, siendo la suya una de las influencias capitales que llevaron el modernismo hacia el ultraísmo.

BIBLIOGRAFÍA. — **Poesía:** *Obras completas,* Montevideo, 1913: vol. I: *Los peregrinos de piedra;* vol. II: *El teatro de los humildes;* vol. III: *Las lunas de oro;* vol. IV: *Las pascuas del tiempo;* vol. V: *La vida y otros poemas. Páginas escogidas,* est. prelim. de J. Mas y Pi, Barcelona, [1919]. *Los parques abandonados,* 1919. *Las pascuas del tiempo,* Madrid, 1920. *Los peregrinos de piedra,* París, [1923]. **Otras obras:** *Prosas, crítica, cuentos, comentarios,* pról. de V. A. Salaverri, Montevideo, 1918. *El Renacimiento en España,* Montevideo, 1919. *Ópalos,* prosas, 2.ª ed., Buenos Aires, 1919. — **Estudios:** R. BLANCO-FOMBONA, *El poeta uruguayo J. H. R. (1873-1910),* en Sol, 6 junio 1923. J. L. BORGES, *Inquisiciones,* Buenos Aires, 1925, p. 139-145. R. CANSINOS-ASSÉNS, *Poetas y prosistas del novecientos,* Madrid 1919; *La nueva literatura,* t. III, Madrid, 1927. V. GARCÍA-CALDERÓN, *Semblanzas de América,* Madrid, [1920]. V. GARCÍA-CALDERÓN y H. D. BARBAGELATA, *La literatura uruguaya,* en RHi, 1917, XL, 415-542. LAUXAR (O. CRISPO ACOSTA), *Motivos de crítica,* Montevideo, 1929. PABLO DE GRECIA (C. MIRANDA), *Prosas,* Montevideo, 1916. J. PEREIRA RODRÍGUEZ, *El caso Lugones — H. y R.,* en RepAm, 1925. P. PILLEPICH, *Poeti americani,* Roma, 1929. H. QUIROGA, *El caso Lugones— H. y R.,* en FepAm, 1925. O. RAMÍREZ, *El humorismo de J. H. y R.,* en Nac, 22 agosto, 1925. C. ROXLO, *Histo-*

ria crítica de ,literatura⁚⁚⁚ uruguaya, t. VII, Montevideo, 1916, p. 5-64.
V. A. SALAVERRI, *J. H. R., poeta de excepción,* en Nac, 14 dic. 1924.
T. WALSH, *J. H. y R., a disciple of E. A. Poe,* en PLore, 1922, XXXIII,
601-607. A. ZUM FELDE, *Proceso intelectual del Uruguay,* t. II, Montevideo, 1930, p. 115-150.

FIESTA POPULAR DE ULTRATUMBA

Un gran salón. Un trono. Cortinas. Graderías.
(Adonis ríe con Eros de algo que ha visto en Aspasia.)
Las lunas de los espejos muestran sus pálidos días,
y hay en el techo y la alfombra mil panoramas de Asia.

Las lámparas se consumen en amarillas lujurias,
y las estufas se encienden en pubertades de fuego.
(Entran Sátiros, Gorgonas, Ménades, Ninfas y Furias,
mientras recita unos versos el viejo patriarca griego.)

Unos pajes a la puerta visten dorado uniforme;
cruzan la sala doncellas ornadas con velos blancos.
(Anuncian: están Goliat y una señora biforme
que tiene la mitad pez, Barba Azul y sus dos zancos.)

Un buen Término se ríe de un efebo que se baña.
Todos tiemblan de repente. (Entra el Hércules nervudo.)
Grita Petronio : «¡Salerno!» Grita Luis Once: «¡Cham-
                                                    paña!»
Grita un pierrot: «¡Menelao con un cuerno y un escudo!»

Todos ríen; sólo guardan seriedad Juno y Mahoma,
el gran César y Pompeyo, Belisario y otros nobles
que no fueron muy felices en el amor. Se oyen dobles
funerarios: es la Parca que se asoma...

Todos tiemblan; los más viejos rezan, se esconden,
                                            [murmuran.
Safo le besa la mano. Se oye de pronto un gran ruido,
es Venus que llega: todos se desvisten, tiemblan, juran,
se arrojan al suelo, y sólo se oye un inmenso rugido

de fiera hambrienta : los hombres se abalanzan a la
[diosa.
(Ya no hay nadie que esté en calma, todos perdieron el
[juicio.)
Todos la besan, la muerden, con una furia espantosa,
y Adonis llora de rabia... En medio de ese desquicio

el Papa Borgia está orando (mientras pellizca a una
[niña);
tan sólo un bardo protesta: Lamartine, con voz airada;
para restaurar el orden se llamó a Marat. La riña
duró un minuto, y la escena vino a terminar en nada.

Con el ala en un talón entra Mercurio; profundo
silencio halló el mensajero. El gran Voltaire guiñó un
[ojo,
como queriendo decir: ¡Cuánto pedante en el mundo
que piensa con los talones! Juan lo miró de reojo,
y un periodista que había se puso serio y muy rojo.

Entra Aladino y su lámpara. Entran Cleopatra y
[Filipo.
Entra la Reina de Saba. Entran Salomón y Creso.
(Con las pupilas saltadas se abalanzó un burgués rico,
un banquero perdió el habla y otro se puso muy tieso.)

«Mademoiselle Pompadour», anuncia un paje. Mil
[notas
vibran de pronto; los hombres aparecen con peluca.
(Un calvo aplaude, y de gozo brinca una vieja caduca.)
Comienza el baile: pavanas, rondas, minués y gavotas.

Bailan Nemrod y Sansón, Anteo, Quirón y Eurito;
bailan Julieta, Eloísa, Santa Teresa y Eulalia,
y los centauros Caumantes, Grineo, Medón y Clito.
(Hércules, no; le ha prohibido bailar la celosa Onfalia.)

Entra Baco, de repente; todos gritan: «¡Vino! ¡Vino!
(Borgoña, Italia y Oporto, Jerez, Chipre, Cognac, Caña,
Ginebra y hasta Aguardiente), ¡viva el pámpano divino,
vivan Noé y Edgard Poe, Byron, Verlaine y el Cham-
[paña!»

Esto dicho, se abalanzan a un tonel. Un fraile obeso
cayó, debido, sin duda (más que al vino), al propio peso.
Como sintieron calor, Apuleyo y Anacreonte
se bañaron en un cubo. Entra de pronto Caronte.

(Todos corren a ocultarse.) No faltó algún moralista
español (ya se supone) que los llamara beodos;
el escándalo tomaba una proporción no vista,
hasta que llegó Saturno, y gritando de mil modos,
dijo que de buenas ganas iba a comerlos a todos.

Hubo varios incidentes. Entra Atila y se hunde el
                                             [piso.
Eolo apaga unas bujías. Habla Dantón: se oye un trueno.
En el vaso en que Galeno
y Esculapio se sirvieron, ninguno servirse quiso.

Un estoico de veinte años, atacado por el asma,
se hallaba lejos de todos. «Denle pronto este jarabe»,
dijo Hipócrates, muy serio. Byron murmuró, muy grave:
«Aplicadle una mujer en forma de cataplasma.»

Una risa estrepitosa sonó en la sala. De rojo
vestido un dandy gallardo, dióle la mano al poeta
que tal ocurrencia tuvo. (El gran Byron, que era cojo,
tanto como presumido, no abandonó su banqueta,
y tuvo para Mefisto la inclinación más discreta.)

En esto hubo discusiones sobre cuál de los suicidas
era más digno de gloria. Dijo Julieta: «Yo he sido
una reina del amor; hubiera dado mil vidas   [plido»
por juntarme a mi Romeo.» Dijo Werther: «Yo he cum-

con un impulso sublime de personal arrogancia.
Hablaron Safo y Petronio, y hasta Judas el ahorcado;
por fin habló el cocinero del famoso Rey de Francia,
el bravo Vatel: «Yo—dijo—con valor me he suicidado
por cosas más importantes, ¡por no encontrar un pes-
                                              [cado!»

Todos soltaron la risa. (Grita un paje: «Está Morfeo.»)
Todos callan, de repente... todos se quedan dormidos.
Se oyen profundos ronquidos.
(Entra en cuclillas un loco que se llama Devaneo.)

Las pascuas del tiempo, 1900.
(Obras completas, t. IV.)

DESOLACIÓN ABSURDA

¡Je serai ton cercueil
aimable pestilence!...

Noche de tenues suspiros
platónicamente ilesos:
vuelan bandadas de besos
y parejas de suspiros;
ebrios de amor, los cefiros
hinchan su leve plumón;
y los sauces en montón
obseden los camalotes
como torvos hugonotes
de una muda emigración.

Es la divina hora azul
en que cruza el meteoro,
como metáfora de oro
por un gran cerebro azul.
Una encantada Stambul
surge de tu guardapelo,
y llevan su desconsuelo
hacia vagos ostracismos,
floridos sonambulismos
y adioses de terciopelo.

En este instante de esplín,
mi cerebro es como un piano
donde un aire wagneriano
toca el loco del esplín.
En el lírico festín
de la ontológica altura,

muestra la luna su dura
calavera torva y seca,
y hace una rígida mueca
con su mandíbula oscura.

El mar, como gran anciano,
lleno de arrugas y canas,
junto a las playas lejanas
tiene rezongos de anciano.
Hay en acecho una mano
dentro del tembladeral;
y la supersustancial
Vía Láctea se me finge
la osamenta de una Esfinge
dispersada en un erial.

Cantando la tartamuda
frase de oro de una flauta,
recorre el eco su pauta
de música tartamuda.
El entrecejo de Buda
hinca el barranco sombrío,
abre un bostezo de hastío
la perezosa campaña,
y el molino es una araña
que se agita en el vacío.

¡Deja que incline mi frente
en tu frente subjetiva,
en la enferma sensitiva
media luna de tu frente,
que en la copa decadente
de tu pupila profunda
beba el alma vagabunda
que me da ciencias astrales,
en las horas espectrales
de mi vida moribunda!

Deja que rime unos sueños
en tu rostro de gardenia,
hada de la neurastenia,

trágica luz de mis sueños.
¡Mercadera de beleños,
llévame al mundo que encanta;
soy el genio de Atalanta
que en sus delirios evoca
el ecuador de tu boca
y el polo de tu garganta!

¡Con el alma hecha pedazos,
tengo un Calvario en el mundo;
amo y soy un moribundo,
tengo el alma hecha pedazos:
cruz me deparan tus brazos,
hiel tus lágrimas salinas,
tus diestras uñas espinas,
y dos clavos luminosos
los aleonados y briosos
ojos con que me fascinas!

¡Oh, mariposa nocturna
de mi lámpara suicida,
alma caduca y torcida,
evanescencia nocturna,
linfática, taciturna,
de mi Nirvana opioso;
en tu mirar sigiloso
me espeluzna tu erotismo,
que es la pasión del abismo
por el Ángel Tenebroso!

(Es media noche.) Las ranas
torturan en su acordeón
un «piano» de Mendelssohn
que es un gemido de ranas;
habla de cosas lejanas
un clamoreo sutil;
y con aire acrobatil,
bajo la inquieta laguna,
hace piruetas la luna
sobre una red de marfil.

Juega el viento perfumado,
con los pétalos que arranca,
una partida muy blanca
de un ajedrez perfumado;
pliega el arroyo en el prado
su abanico de cristal,
y genialmente anormal
finge el monte a la distancia
una gran protuberancia
del cerebro universal.

¡Vengo a ti, serpiente de ojos
que hunden crímenes amenos,
la de los siete venenos
en el iris de sus ojos;
beberán tus llantos rojos
mis estertores acerbos,
mientras los fúnebres cuervos,
reyes de las sepulturas,
velan como almas oscuras
de atormentados protervos!

Tú eres póstuma y marchita
misteriosa flor erótica,
miliunanochesca, hipnótica,
flor de Estigia acre y marchita;
tú eres absurda y maldita,
desterrada del Placer,
la paradoja del ser
en el borrón de la Nada,
una hurí desesperada
del harem de Baudelaire!

¡Ven, declina tu cabeza
de honda noche delincuente
sobre mi tétrica frente,
sobre mi aciaga cabeza;
deje su indócil rareza
tu numen desolador,
que en el drama inmolador

de nuestros mudos abrazos
yo te abriré con mis brazos
un paréntesis de amor!

Los maitines de la noche, 1902.
(Obras completas, t. IV.)

JULIO

Frío, frío, frío. Pieles,
nostalgias y dolores mudos.

Flota sobre el esplín de la campaña
una jaqueca sudorosa y fría,
y las ranas celebran en la umbría
una función de ventriloquia extraña.

La Neurastenia gris de la montaña
piensa, por singular telepatía,
con la adusta y claustral monomanía
del convento senil de la Bretaña.

Resolviendo una suma de ilusiones,
como un Jordán de cándidos vellones,
la majada eucarística se integra;

y a lo lejos el cuervo pensativo
sueña, acaso, en un Cosmos abstractivo
como una luna pavorosa y negra.

Los maitines de la noche, 1902.
(Obras completas, t. IV.)

EL DESPERTAR

Alisia y Cloris abren de par en par la puerta,
y, torpes, con el dorso de la mano haragana,
restréganse los húmedos ojos de lumbre incierta
por donde huyen los últimos sueños de la mañana...

La inocencia del día se lava en la fontana,
el arado en el surco vagoroso despierta,
y en torno de la casa rectoral, la sotana
del cura se pasea gravemente en la huerta...

Todo suspira y ríe. La placidez remota
de la montaña suena celestiales rutinas.
El esquilón repite siempre su misma nota

de grillo de las cándidas églogas matutinas,
y hacia la aurora sesgan agudas golondrinas,
como flechas perdidas de la noche en derrota.

Los éxtasis de la montaña, 1904.
(Obras completas, t. I.)

LA VUELTA DE LOS CAMPOS

La tarde paga en oro divino las faenas...
Se ven limpias mujeres vestidas de percales,
trenzando sus cabellos con tilos y azucenas,
o haciendo sus labores de aguja en los umbrales.

Zapatos claveteados y báculos y chales...
Dos mozas con sus cántaros se deslizan apenas.
Huye el vuelo sonámbulo de las horas serenas.
Un suspiro de Arcadia peina los matorrales...

Cae un silencio austero... Del charco que se nimba,
estalla una gangosa balada de marimba.
Los lagos se amortiguan con espectrales lampos;

las cumbres, ya quiméricas, corónanse de rosas...
Y humean, a lo lejos, las rutas polvorosas
por donde los labriegos regresan de los campos.

Los éxtasis de la montaña, 1904.
(Obras completas, t. I.)

EL CURA

Es el Cura... Lo han visto las crestas silenciarias
luchando de rodillas con todos los reveses,
salvar en pleno invierno los riesgos montañeses
o trasponer de noche las rutas solitarias.

De su mano propicia, que hace crecer las mieses,
saltan como sortijas gracias involuntarias;
y en su asno taumaturgo de indulgencias plenarias
hasta el umbral del cielo lleva a sus feligreses...

Él pasa del hisopo al zueco y la guadaña;
él ordeña la pródiga ubre de su montaña
para encender con oros el pobre altar de pino;

de sus sermones fluyen suspiros de albahaca:
el único pecado que tiene es un sobrino...
Y su piedad humilde lame como una vaca.

Los éxtasis de la montaña, 1904.
(*Obras completas,* t. I.)

EL DOMINGO

Te anuncia un ecuménico amasijo de hogaza,
que el instinto del gato incuba antes que el horno.
La grey que se empavesa de sacrílego adorno,
te sustancia en un módico pavo real de zaraza...

Un rezongo de abejas beatifica y solaza
tu sopor, que no turban ni la rueca ni el torno...
Tú irritas a los sapos líricos del contorno;
y plebeyo te insulta doble sol en la plaza...

¡Oh, domingo! La infancia de espíritu te sueña,
y el pobre mendicante que es el que más te ordeña...
Tu genio bueno a todos cura de los ayunos,

la Misa te prestigia con insignes vocablos,
y te bendice el beato rumiar de los vacunos
que sueñan en el tímido Bethlem de los establos...

Los éxtasis de la montaña, 1904.
(Obras completas, t. I.)

EL MONASTERIO

A una menesterosa disciplina sujeto,
él no es nadie, él no luce, él no vive, él no medra.
Descalzo en dura arcilla, con el sayal escueto,
la cintura humillada por borlones de hiedra...

Abatido en sus muros de rigor y respeto,
ni el alud, ni la peste, sólo el diablo le arredra;
y como un perro huraño, él muerde su secreto,
debajo su capucha centenaria de piedra.

Entre sus claustros húmedos, se inmola día y noche
por ese mundo ingrato que le asesta un reproche...
Inmóvil ermitaño sin gesto y sin palabras,

en su cabeza anidan cuervos y golondrinas,
le arrancan el cabello de musgo algunas cabras,
·y misericordiosas le cubren las glicinas.

Los éxtasis de la montaña, 1904.
(Obras completas, t. I.)

DETERMINISMO PLÁCIDO

De tres en tres las mulas resoplan cara al viento,
y hacia la claudicante berlina que soslaya,
el sol, por la riscosa terquedad de Vizcaya,
en soberbias fosfóricas, maldice el pavimento...

La Abadía. El Castillo... Actúa el brioso cuento
de rapto y lid... Hernani allí campó su raya.
Y fatídico emblema, bajo el cielo de faya,
en rosarios de sangre, cuelga el bravo pimiento...

La Terma. Un can... La jaula del frontón en que bota,
prisionera del arte, la felina pelota...
el convoy, en la bruma, tras el puente se avista.

El vicario. La gresca. Dobles y tamboriles :
el tramonto concreta la evocación carlista
de somatén y «órdagos»... y curas con fusiles.

Sonetos vascos, 1906.
(Obras completas, t. II.)

LA SOMBRA DOLOROSA

Gemían los rebaños. Los caminos
llenábanse de lúgubres cortejos;
una congoja de holocaustos viejos
ahogaba los silencios campesinos.

Bajo el misterio de los velos finos,
evocabas los símbolos perplejos,
hierática, perdiéndote a lo lejos
con tus húmedos ojos mortecinos.

Mientras, unidos por un mal hermano,
me hablaban con suprema confidencia
los mudos apretones de tu mano,

manchó la soñadora transparencia
de la tarde infinita el tren lejano,
aullando de dolor hacia la ausencia.

Los parques abandonados, 1908.
(Obras completas, t. I.)

NIRVANA CREPUSCULAR

Con su veste en color de serpentina,
reía la voluble Primavera...
Un billón de luciérnagas de fina
esmeralda, rayaba la pradera.

Bajo un aire fugaz de muselina,
todo se idealizaba, cual si fuera
el vago panorama la divina
materialización de una quimera...

En consustanciación con aquel bello
nirvana gris de la Naturaleza,
te inanimaste... Una irreal pereza

mimó tu rostro de incitante vello,
y al son de mis suspiros, tu cabeza
durmióse como un pájaro en mi cuello...

Los parques abandonados, 3.ª serie.
(Obras completas, t. III.)

EL BESO

Disonó tu alegría en el respeto
de la hora, como una rima ingrata,
en toilette cruda, tableteado peto
y pasamanerías de escarlata...

De tu peineta de bruñida plata
se enamoró la tarde, y junto al seto,
loqueando, me crispaban de secreto
tus actitudes lúbricas de gata.

De pronto, cuando en fútiles porfías
me ajaban tus nerviosas ironías,
selló tu risa, de soprano alegro,

con un deleite de alevoso alarde,
mi beso, y fué a perderse con la tarde
en el país de tu abanico negro...

Los parques abandonados, 3.ª serie.
(Obras completas, t. III.)

EL CREPÚSCULO DEL MARTIRIO

> Te vi en el mar, te oí en el viento...
>
> OSSIÁN.

Con sigilo de felpa la lejana
piedad de tu sollozo en lo infinito
desesperó, como un clamor maldito
que no tuviera eco... La cristiana

viudez de aquella hora en la campana,
llegó a mi corazón... y en el contrito
recogimiento de la tarde, el grito
de un vapor fué a morir a tu ventana.

Los sauces padecían con los vagos
insomnios del molino... La profunda
superficialidad de tus halagos

se arrepintió en el mar... Y en las riberas
echóse a descansar, meditabunda,
la caravana azul de tus ojeras!...

Los parques abandonados, 3.ª serie.
(Obras completas, t. III.)

PANTEÍSMO

Los dos sentimos ímpetus reflejos,
oyendo, junto al mar, los fugitivos
sueños de Gluck, y por los tiempos viejos
rodaron en su tez oros furtivos...

La luna hipnotizaba nimbos vivos,
surgiendo entre abismáticos espejos.
Calló la orquesta y descendió a lo lejos
un enigma de puntos suspensivos...

Luego : la inmensidad, el astro, el hondo
silencio, todo penetró hasta el fondo
de nuestro ser... Un inaudito halago

de consustanciación y aéreo giro
electrizónos, y hacia el éter vago
,subimos en la gloria de un suspiro!...

Los parques abandonados, 3 ª serie.
(Obras completas, t. III.)

EL BURGO

Junto al cielo, en la cumbre de una sierra lampiña,
tal como descansando de la marcha, se sienta
el burgo, con su iglesia, su molino y su venta,
en medio a un estridente mosaico de campiña.

Regálase de oxígeno, de nuez sana y de piña...
rige chillonamente gitana vestimenta :
chales de siembra, rosas y una carga opulenta
de ágatas, lapislázulis y collares de viña.

Naturaleza pródiga lo embriaga de altruísmo;
el campo es su filósofo, su ley el catecismo.
Fieramente embutido en sus costumbres hoscas,

por vanidad ni gloria mundanas se encapricha;
tan cerca está del cielo que goza de su dicha,
y se duerme al narcótico zumbido de las moscas...

Los éxtasis de la montaña, 2.ª serie, 1910.
(Obras completas, t. II.)

EL AMA

Erudita en lejías, doctora en la compota
y loro en los esdrújulos latines de la misa,
tan ágil viste un santo, que zurce una camisa,
en medio de una impávida circunspección devota...

Por cuanto el señor cura es más que un hombre, flota
en el naufragio unánime su continencia lisa...
Y un tanto regañona, es a la vez sumisa,
con los cincuenta inviernos largos de su derrota.

Hada del gallinero. Genio de la despensa.
Ella en el paraíso fía la recompensa...
Cuando alegran sus vinos, el vicario la engríe

ajustándole en chanza las pomposas casullas...
Y en sus manos canónicas, golondrinas y grullas
comulgan los recortes de las hostias que fríe.

Los éxtasis de la montaña, 2.ª serie, 1910.
(Obras completas, t. II.)

MERIDIANO DURMIENTE

Frente a la soporífera canícula insensata,
la vieja sus remiendos monótonos frangolla;
y al son del gluglutante rezongo de la olla
inspírase el ambiente de bucólica beata...

En el sobrio regazo de la cocina grata,
su folletín la cándida maledicencia empolla,
hasta que la merienda de hogaza y de cebolla
abre un dulce paréntesis a la charla barata.

Afuera el aire es plomo... Casiopea y Melampo,
turban sólo el narcótico gran silencio del campo.
Ella, la muy maligna, finge torpes enredos,

como le habla al oído de divinos deslices...
y así el tiempo resbala por sus almas felices,
como un rosario fácil entre unos bellos dedos.

Los éxtasis de la montaña, 2.ª serie, 1910.
(Obras completas, t. II.)

EPITALAMIO ANCESTRAL

Con pompas de brahmánicas unciones,
abrióse el lecho de tus primaveras,
ante un lúbrico rito de panteras
y una erección de símbolos varones...

Al trágico fulgor de los hachones,
ondeó la danza de las bayaderas,
por entre una apoteosis de banderas
y de un siniestro trueno de leones.

Ardió al epitalamio de tu paso,
un himno de trompetas fulgurantes...
Sobre mi corazón los hierofantes

ungieron tu sandalia, urna de raso,
a tiempo que cien blancos elefantes
enroscaron su trompa hacia el ocaso.

Las clepsidras, 1910.
(Obras completas, t. II.)

ENRIQUE GONZÁLEZ MARTÍNEZ

1871 - 1952

Mejicano, de Guadalajara (Jalisco). Ejerció la medicina durante diez y siete años en su país. En la ciudad de Méjico, adonde se trasladó en 1911, ocupó cátedras y cargos políticos. Desde 1924 ha sido ministro de Méjico en España. A través de todas
estas fases de su vida ha cultivado la literatura escribiendo
para los periódicos, fundando revistas, y sobre todo mediante
la producción de sus obras poéticas, seguida sin ruido y sin inte-
rrupción desde 1903. Su vida se señala por su digna seriedad
y delicado recato. Su poesía, recatada y seria también, es uno
de los más claros ejemplos de perfección que ofrece la lírica
contemporánea. Su originalidad radica, a diferencia de otros
modernistas, en la sencillez de elementos, en la igualdad de
tono y en la tersura de expresión. Su sencillez nace de la perfecta unidad de su mundo interior, de la selección de su cultura—buena muestra de la cual son sus traducciones de poetas,
principalmente franceses — y de una natural y cultivada aspiración hacia la mesura, la armonía y la perfección. Su voz
suena en sordina tratando de dar la sensación del silencio; sus
sentimientos se recogen sobre sí mismos en los remansos de la

reflexión; su lenguaje rechaza los adornos llamativos, a los que prefiere una límpida diafanidad. Carece esta poesía de elementos exteriores y pintorescos; su riqueza está en la depuración de la vida espiritual interior, en la hondura de sus raíces, en la serenidad que de ella trasciende; en la busca, dentro de la propia conciencia, del sentido humano de las cosas. Hay en esta sensibilidad tan lírica una tendencia intelectual y moral que le presta universalidad. Nacido González Martínez a la vida literaria en el momento del triunfo del modernismo, reacciona contra él; quiere torcer el cuello al cisne modernista, y prefiere como símbolo al sapiente buho que penetra en la sombra y el silencio. Su poesía influyó mucho en el postmodernismo, pero no sirvió para preparar el ultramodernismo. Por el contrario, éste parece haber influído en el leve cambio hacia la ironía y la familiaridad que se nota en las últimas obras de González Martínez.

BIBLIOGRAFÍA. — **Poesía** : *Preludios*, Mazatlán, 1903. *Lirismos*, Mocorito, 1907. *Silenter*, 1909; México, 1916. *Los senderos ocultos*, Mocorito, 1911; México, [1915]; París, 1918. *La muerte del Cisne*, México, 1915. *Jardines de Francia*, versiones de poetas franceses contemp., pról. de P. Henríquez Ureña, 1915; 1919. *La hora inútil* [poemas escogidos de *Preludios* y *Lirismos*], 1916. *El libro de la fuerza, de la bondad y del ensueño*, 1917. *Parábolas y otros poemas*, 1918. *Los cien mejores poemas de E. G. M.*, con un estudio de M. Toussaint, 1920. *La palabra del viento*, 1921. *El romero alucinado*, Buenos Aires, 1923; con una nota crít. de E. Díez-Canedo, Madrid, 1925. *Las señales furtivas (1923-1924)*, prólogo de L. G. Urbina, 1925. *Poemas de ayer y de hoy*, México, 1927. *Poesía (1909-1929)*, Madrid, [1929]. — **Estudios** : C. E. ARROYO, *Modernos poetas mexicanos : E. G. M.*, en CerM, enero 1920, 86-96. F. BENGE, *La biografía lírica de E. G. M.*, México, 1925. M. F. CESTERO, *E. G. M.*, en CuC, 1924, XXXV, 147-159. E. COLÍN, *Verbo selecto*, México, 1922. N. A. CORTÉS, *E. G. M.*, en HispCal, 1928, XI, 205-210. E. DÍEZ-CANEDO, Sobre *Silenter*, en L, dic. 1910; *El cóndor, el cisne y el buho*, en ROcc, 1924, V, 375-380; *Dos obras de G. M.* [sobre *Las señales furtivas* y *El romero alucinado*], en Sol, 20 sept. 1925. E. M., Sobre *Poesía*, en Con, 1930, VIII, 272-275. G. ESTRADA, «*La muerte del Cisne*», últimos versos de E. G. M., en RR, 25 abril 1915. C. GONZÁLEZ PEÑA, *Al margen de «Los senderos ocultos»*, en MuI, 24 dic. 1911. P. HENRÍQUEZ UREÑA, *La poesía de E. G. M.*, en CuC, 1915, VIII, 164-171. F. A. DE ICAZA, *Letras americanas*, conferencia, en RdL, enero 1914. R. LÓPEZ VELARDE, *Frente al cisne muerto; impresiones y apuntes de crítica*, en RR, 9 mayo 1915. L. LUISI, *La poesía de E. G. M.*, Mon-

tevideo, 1923; *A través de libros y de autores,* Buenos Aires, 1925,
R. MARQUINA, Sobre *Poesía (1909-1929),* en GLit, 1 mayo 1930.
A. NERVO, *E. G. M.:* «*Preludios»,* en RM, 12 junio 1903. P. PILLEPICH,
Un grande poeta messicano: E. G. M., en Colombo, 1930, V, 261-266.
A. REYES, pról. a *Los senderos ocultos,* México, [1915]. J. M. SALAVERRÍA,
La poesía de la madurez [sobre *Poesía (1909-1929)*], en ABC, 5 abril
1930. M. SANTA CRUZ, *El ideal poético de E. G. M.,* en PTo, 1927,
I, 20-22; en RepAm, 24 sept. 1927. S. J. SENDER, «*Poesía»* de G. M., en
UniversalCar, 19 julio 1930. E. SUÁREZ CALIMANO, *21 ensayos,* Buenos
Aires, 1926. J. TORRES BODET, *La obra de E. G. M.,* en RepAm, 9 fe-
brero 1926. J. VILLALPANDO, «*Los senderos ocultos»,* *último libro de*
E. G. M., en RR, 22 oct. 1911. (Véase, además, ESTRADA, *PNM,*
p. 92-93.)

IRÁS SOBRE LA VIDA DE LAS COSAS...

Irás sobre la vida de las cosas
con noble lentitud; que todo lleve
a tu sensorio luz : blancor de nieve,
azul de linfas o rubor de rosas.

Que todo deje en ti como una huella
misteriosa grabada intensamente;
lo mismo el soliloquio de la fuente
que el flébil parpadeo de la estrella.

Que asciendas a las cumbres solitarias
y allí como arpa eólica te azoten
los borrascosos vientos, y que broten
de tus cuerdas rugidos y plegarias.

Que esquives lo que ofusca y lo que asombra
al humano redil que abajo queda,
y que afines tu alma hasta que pueda
escuchar el silencio y ver la sombra.

Que te ames en ti mismo, de tal modo
compendiando tu ser cielo y abismo,
que sin desviar los ojos de ti mismo
puedan tus ojos contemplarlo todo.

Y que llegues, por fin, a la escondida
playa con tu minúsculo universo,
y que logres oír tu propio verso
en que palpita el alma de la vida.

Silenter, 1909.

PSALLE ET SILE

No turbar el silencio de la vida,
ésa es la ley... Y sosegadamente
llorar, si hay que llorar, como la fuente
escondida.

Quema a solas (¡a solas!) el incienso
de tu santa inquietud, y sueña, y sube
por la escala del sueño... Cada nube
fué desde el mar hasta el azul inmenso...

Y guarda la mirada
que divisaste en tu sendero... (una
a manera de ráfaga de luna
que filtraba el tamiz de la enramada):
el perfume sutil de un misterioso
atardecer, la voz cuyo sonido
te murmuró mil cosas al oído,
el rojo luminoso
de una cumbre lejana,
la campana
que daba al viento su gemido vago...

La vida debe ser como un gran lago
cuajado al soplo de invernales brisas,
que lleva en su blancura sin rumores
las estelas de todas las sonrisas
y los surcos de todos los dolores.

Toda emoción sentida,
en lo más hondo de tu ser impresa
debe quedar, porque la ley es ésa:

no turbar el silencio de la vida,
y sosegadamente
llorar, si hay que llorar, como la fuente
escondida...

Los senderos ocultos, 1911.

DOLOR, SI POR ACASO...

Dolor, si por acaso a llamar a mi puerta
llegas, sé bienvenido; de par en par abierta
la dejé para que entres... No turbarás la santa
placidez de mi espíritu... Al contemplarte, apenas
el juvenil enjambre de mis dichas serenas
apartaráse un punto con temerosa planta...

Entra, sé bienvenido... Te sentaré en el viejo
sitial que ya otras veces ocupaste... Un reflejo
de sol vendrá a bañarnos... Y veremos la larga
y polvorosa ruta, la que tú conociste...
Brotará de mi alma algún recuerdo triste...
asomará a mis ojos una lágrima amarga...

Luego, como al conjuro de algún viento de olvido,
la barbilla en tu báculo, te quedarás dormido.
Regresará la alegre falange bullidora
a revolar en torno y a ofrecerme mi parte
en su festín de risas... Y entonces será hora
de posar en tus hombros mi mano y despertarte.

Y te veré cruzando la tediosa avenida
que allá de tarde en tarde te trae a mi guarida,
y te me irás perdiendo por la ruta lejana,
mientras bajo la hiedra que trepa en mi ventana
me envuelve la infinita claridad de la vida...

Los senderos ocultos, 1911.

INTUS

Te engañas, no has vivido... No basta que tus ojos
se abran como dos fuentes de piedad, que tus manos

se posen sobre todos los dolores humanos
ni que tus plantas crucen por todos los abrojos.

Te engañas, no has vivido mientras tu paso incierto
surque las lobregueces de tu interior a tientas :
mientras, en un impulso de introspección, no sientas
fecundado tu espíritu, florecido tu huerto.

Hay que labrar tu campo, hay que vivir tu vida,
tener con mano firme la lámpara encendida
sobre la eterna sombra, sobre el eterno abismo...

Y callar...; mas tan hondo, con tan profunda calma,
que absorto en la infinita soledad de ti mismo,
no escuches sino el vasto silencio de tu alma.

Los senderos ocultos, 1911.

TUÉRCELE EL CUELLO AL CISNE...

Tuércele el cuello al cisne de engañoso plumaje
que da su nota blanca al azul de la fuente;
él pasea su gracia no más, pero no siente
el alma de las cosas ni la voz del paisaje.

Huye de toda forma y de todo lenguaje
que no vayan acordes con el ritmo latente
de la vida profunda... y adora intensamente
la vida, y que la vida comprenda tu homenaje.

Mira al sapiente buho cómo tiende las alas
desde el Olimpo, deja el regazo de Palas
y posa en aquel árbol el vuelo taciturno...

Él no tiene la gracia del cisne, mas su inquieta
pupila que se clava en la sombra, interpreta
el misterioso libro del silencio nocturno.

Los senderos ocultos, 1911.

COMO HERMANA Y HERMANO

Como hermana y hermano
vamos los dos cogidos de la mano...

En la quietud de la pradera hay una
blanca y radiosa claridad de luna,
y el paisaje nocturno es tan risueño
que con ser realidad parece sueño.
De pronto, en un recodo del camino,
oímos un cantar... Parece el trino
de una ave nunca oída,
un canto de otro mundo y de otra vida...
«¿Oyes?», me dices. Y a mi rostro juntas
tus pupilas preñadas de preguntas.
La dulce calma de la noche es tanta
que se escuchan latir los corazones.
Yo te digo : «No temas, hay canciones
que no sabremos nunca quién las canta...»

Como hermana y hermano
vamos los dos cogidos de la mano...

Besado por el soplo de la brisa,
el estanque cercano se divisa...
Bañándose en las ondas hay un astro;
un cisne alarga el cuello lentamente
como blanca serpiente
que saliera de un huevo de alabastro...
Mientras miras el agua silenciosa,
como un vuelo fugaz de mariposa
sientes sobre la nuca el cosquilleo,
la pasajera onda de un deseo,
el espasmo sutil, el calosfrío
de un beso ardiente cual si fuera mío...
Alzas a mí tu rostro amedrentado
y trémula murmuras : «¿Me has besado?...»
Tu breve mano oprime
mi mano; y yo a tu oído : «¿Sabes? esos

besos nunca sabrás quien los imprime...
Acaso, ni siquiera si son besos...»

Como hermana y hermano
vamos los dos cogidos de la mano...

En un desfalleciente desvarío,
tu rostro apoyas en el pecho mío,
y sientes resbalar sobre tu frente
una lágrima ardiente...
Me clavas tus pupilas soñadoras
y tiernamente me preguntas : «¿Lloras?...»
«Secos están mis ojos... Hasta el fondo
puedes mirar en ellos... Pero advierte
que hay lágrimas nocturnas — te respondo —
que no sabemos nunca quién las vierte...»

Como hermana y hermano
vamos los dos cogidos de la mano...

Los senderos ocultos, 1911.

MAÑANA, LOS POETAS...

Mañana, los poetas cantarán en divino
verso que no logramos entonar los de hoy;
nuevas constelaciones darán otro destino
a sus almas inquietas con un nuevo temblor.

Mañana, los poetas seguirán su camino
absortos en ignota y extraña floración,
y al oír nuestro canto, con desdén repentino
echarán a los vientos nuestra vieja ilusión.

Y todo será inútil, y todo será en vano;
será el afán de siempre y el idéntico arcano
y la misma tiniebla dentro del corazón.

Y ante la eterna sombra que surge y se retira,
recogerán del polvo la abandonada lira
y cantarán con ella nuestra misma canción.

La muerte del cisne, 1915.

VIENTO SAGRADO

Sobre el ansia marchita,
sobre la indiferencia que dormita,
hay un sagrado viento que se agita;

un milagroso viento,
de fuertes alas y de firme acento,
que a cada corazón infunde aliento.

Viene del mar lejano,
y en su bronco rugir hay un arcano
que flota en medio del silencio humano.

Viento de profecía
que a las tinieblas del vivir envía
la evangélica luz de un nuevo día;

viento que en su carrera,
sopla sobre el amor, y hace una hoguera
que enciende en caridad la vida entera;

viento que es una aurora
en la noche del mal, y da la hora
de la consolación para el que llora...

Los ímpetus dormidos
despiertan al pasar, y en los oídos
hay una voz que turba los sentidos.

Irá desde el profundo
abismo hasta la altura, y su fecundo
soplo de redención llenará el mundo.

Producirá el espanto
en el pecho rebelde, y en el santo,
un himno de piedad será su canto.

Vendrá como un divino
hálito de esperanza en el camino,
y marcará su rumbo al peregrino.

Dejará en la conciencia,
la flor azul de perdurable esencia
que disipa el dolor con la presencia.

Hará que los humanos,
en solemne perdón, unan las manos
y el hermano conozca a sus hermanos.

No cejará en su vuelo
hasta lograr unir, en un consuelo
inefable, la tierra con el cielo;

hasta que el hombre, en celestial arrobo,
hable a las aves y convenza al lobo;

hasta que deje impreso
en las llagas de Lázaro su beso;

hasta que sepa darse, en ardorosas
ofrendas, a los hombres y a las cosas,
y en su lecho de espinas sienta rosas;

hasta que la escondida
entraña, vuelta manantial de vida,
sangre de caridad como una herida...

¡Ay de aquel que en la senda
cierre el oído ante la voz tremenda!
¡Ay del que oiga la voz y no comprenda!

El libro de la fuerza, de la bondad y del ensueño, 1917.

LA MUCHACHA QUE NO HA VISTO EL MAR

Rosa, la pobre Rosa, no ha visto nunca el mar.

Echa a volar sus sueños en el campo vecino,
a la alondra demanda el secreto del trino
cuando lanza a los vientos su canción matinal;
sabe de dónde nace la fuente rumorosa,
distingue con su nombre a cada mariposa
y oye correr el agua, y se pone a soñar...

Yo le pregunto : «Rosa,
¿no has visto nunca el mar?»
En infantil asombro menea dulcemente
la cabecita rubia; sobre la blanca frente,
cruza por vez primera una sombra fugaz,
y se sacian sus ojos en el breve horizonte
que a dos pasos limitan la verdura del monte,
el arroyo de plata y el tupido juncal.
Oye hablar a la selva cuya voz escondida
guarda aún su misterio... ¡Es tan corta la vida
para saberlo todo!... Siente la inmensidad
de lo breve y humilde en el ritmo diverso
que palpita en el alma de su pobre universo,
y ante lo ignoto siente un ansia de llorar.
Del instante que pasa, la virtud milagrosa
le revela el espíritu que vive en cada cosa,
y su blanca inocencia pugna por alcanzar
un recóndito enigma...

Y yo pienso que Rosa
no ha visto nunca el mar...

El libro de la fuerza, de la bondad y del ensueño, 1917.

PARÁBOLA DE LA CARNE FIEL

Aquel que celebraba sus nupcias en la hora
de la otoñal cordura, ceñido de laurel,
bajó la vista al suelo... La carne pecadora
se acurrucó a sus plantas como una bestia fiel.

Posó en ella los ojos y dijo : «Bienvenida,
¡oh, sangre de mi sangre!... Yo te ofrezco un sitial
cerca del mío; siéntate, pobre carne dolida
que hueles a mi santa noche primaveral.

»Cuando mis sueños iban a la estelar techumbre
y en fuga aventurera se embriagaban de añil,
tú fijabas mis pasos a la tierra hecha lumbre,
pujante y lujuriosa bajo el soplo de abril.

»(¡Oh, fenecidas horas que vivís en presente!
¡Labios de miel y grana como fresco botón!
¡Senos de nardo y rosas en que posé la frente!
¡Brazos que erais guirnaldas para mi corazón!)

»Me diste el sabor íntegro de la virtud completa;
la dualidad que mira de frente al porvenir
fundiste en tus crisoles : al hombre y al poeta,
en un afán de canto y un ansia de vivir.

»Tú morirás un día, ¡oh, carne pecadora!,
cuando en silencio el alma no sepa ya cantar,
cuando la esfinge muda, cogiendo la sonora
lira de nuestras manos, la precipite al mar.

»Mas hoy, ven a mi lado y goza de mi fiesta;
bebe en mi propio vaso la ola de carmín
en que fermenta el ósculo... ¡Acaso será ésta
la postrimera copa del último festín!»

Parábolas y otros poemas, 1918.

PARÁBOLA DEL HUÉSPED SIN NOMBRE

Han llamado a mi puerta,
que siempre está de par en par abierta,
y que esta vez la ráfaga nocturna
cerró de un golpe...
            Sola y taciturna,
en el umbral detiénese la extraña
silueta del viador. Lívida baña
su faz la luna; tiene el peregrino
sangre en los pies cansados del camino;
ojos en que retrátase y fulgura
una vasta visión que ha tiempo dura
en incesante asombro;
y con la gruesa alforja, la insegura
mano sustenta un báculo en el hombro.

— ¿Quién eres tú?, ¿de dónde
vienes y adónde vas?...
                Y me responde :

— Nunca supe quién soy, y no sé nada
del principio y el fin de mi jornada.
Yo sólo sé que en la llanura incierta
de mi peregrinar, llegué a tu puerta;
que mi cansancio pide tu hospedaje,
y que a la aurora seguiré mi viaje.
Destino, patria, nombre...
¿No te basta saber que soy un hombre?

A sus palabras, pienso que mi vida
es como una pregunta suspendida
en el arcano mudo, y digo : — Pasa;
sea la paz contigo en esta casa.
Y entra el viador, y nos quedamos luego
al amparo del fuego.
Nuestro mutismo sobrecoge y pasma,
y cual doble fantasma
que evocara un conjuro,
se alargan nuestras sombras en el muro...

Parábolas y otros poemas, 1918.

EL RETORNO IMPOSIBLE

Yo sueño con un viaje que nunca emprenderé,
un viaje de retorno, grave y reminiscente...

Atrás quedó la fuente
cantarina y jocunda, y aquella tarde fué
esquivo el torpe labio a la dulce corriente.
¡Ah, si tornar pudiera! Mas sé que inútilmente
sueño con ese viaje que nunca emprenderé.

Un pájaro en la fronda cantaba para mí...
Yo crucé por la senda de prisa, y no lo oí.

Un árbol me brindaba su paz... A la ventura,
pasé cabe la sombra sin probar su frescura.
Una piedra le dijo a mi dolor: «Descansa»,
y desdeñé las voces de aquella piedra mansa.

Un sol reverberante brillaba para mí;
pero bajé los ojos al suelo, y no lo ví.

En el follaje espeso
se insinuaba el convite de un ósculo divino...
Yo seguí mi camino
y no recibí el beso.

Hay una voz que dice : «Retorna, todavía
el ocaso está lejos; vuelve tu rostro, guía
tus pasos al sendero que rememoras; tente
y refresca tus labios en la sagrada fuente;
ve, descansa al abrigo
de aquel follaje amigo;
oye la serenata del ave melodiosa,
y en la piedra que alivia de cansancios reposa;
ve que la noche tarda
y oculto entre las hojas hay un beso que aguarda...»

Mas ¿para qué, si al fin de la carrera
hay un beso más hondo que me espera,
y una fuente más pura,
y una ave más hermosa que canta en la espesura,
y otra piedra clemente
en que posar mañana la angustia de mi frente,
y un nuevo sol que lanza
desde la altiva cumbre su rayo de esperanza?

Y mi afán repentino
se para vacilante en mitad del camino,
y vuelvo atrás los ojos, y sin saber por qué,
entre lo que recuerdo y entre lo que adivino,
bajo el alucinante misterio vespertino,
sueño con ese viaje que nunca emprenderé.

Parábolas y otros poemas, 1918.

EL RELOJ

(Tic-tac...)
Cuco de madera
isócrono y tenaz
en el recuento de las horas
que no tornarán...

(Tic-tac...)

Maldito seas por el beso interrumpido
en el minuto fatal,
por el poema trunco
que tu voz no dejó terminar,
y por las noches de insomnio
y por los días de mal...

(Tic-tac...)

Cuco de madera,
tienes tus horas contadas ya...
Te he dado cuerda por la vez última
y he arrojado la llave al mar,
y antes de poco quedarás mudo
por siempre jamás,
y serás el cadáver de un tirano
muerto por mis ansias de libertad...

Lanzarás el postrer suspiro
en el último tic-tac,
y después seré libre como el viento,
y como el río y como el mar...

El romero alucinado, 1923.

APUESTA

Corazón, ¿qué te apuestas que el mundo
y tú nunca se van a entender?
Tu tic-tac le suena lo mismo
que el tic-tac de un reloj de pared...

Él quiere *jazz-band* con serrucho,
y tango, y *shimmy*, y *one-step*...
¡Y tú cantando a la sordina!
¡Qué le vamos a hacer!...

Corazón, ¿qué te apuestas que el mundo
y tú nunca se van a entender?
¿Qué vamos a que un día te mueres
y nadie va a saber de qué?...

Las señales furtivas, 1925.

LA PERSECUCIÓN

Cómplice mía, nos persiguen;
arroja tu espejo, y se formará un mar...
Si lo cruzan, echa tu peine de oro
y sobre la arena crecerá un breñal...
Si el breñal trasponen, suspira tres veces
y una niebla los cegará...

Si a pesar de la niebla siguen
y sus pasos se oyen detrás,
juntemos nuestras manos trémulas
y sentémonos a esperar...

Las señales furtivas, 1925.

ÁLVARO ARMANDO VASSEUR

¿1875?

Uruguayo, de padres franceses. Desde muy joven frecuentó
los círculos literarios rioplatenses, regidos por Rubén Darío,
Lugones, Herrera y Reissig; se distinguía por su espíritu
inquieto y extraño, y no encajaba bien en ninguna parte. No
se hizo querer de sus paisanos, y aun después de una larga
obra, goza entre ellos de escasa reputación, y ésta más bien
mala que buena. No ha logrado ver compensado este desvío,
exagerado e injusto, mediante un sólido prestigio fuera de su

país, sin duda porque su obra no lleva en sí suficiente fuerza
para que sus méritos se hayan visto completamente logrados.
No carece Vasseur de originalidad; pero le ha dañado el
esfuerzo visible por buscar más de la que tenía. Se ha sentido
atraído por autores extraños en muy distante manera — como
Poe, Nietzsche, Kierkegaard, Whitman o Hearn —, de los cuales ha hecho traducciones y estudios, y ha cultivado las ciencias ocultas y las ciencias modernas en aquellas ramas que
tocan a los aspectos misteriosos y anormales de la vida psicológica. Su poesía carece de unidad: en sus primeras obras,
reunidas en el volumen *Cantos del Nuevo Mundo,* se inspira en
ideales de transformación social y en un místico escepticismo
científico; en sus últimos libros domina el sentido del misterio
y de lo subconsciente. En esta parte están sus mejores poesías: aquellas en que se siente un hálito de Poe, y aquellas otras
en que ha logrado dar expresión a una ironía sincera, agriada
y esquinosa. Por esta ironía, por el prosaísmo sentimental que
hay en ella, por el descoyuntamiento de las formas de expresión, está Armando Vasseur casi desde sus principios fuera y
más allá del modernismo en que se formó.

BIBLIOGRAFÍA. — **Poesía:** *Cantos augurales,* 1904. *Cantos del Nuevo
Mundo,* 1906. *Cantos del otro Yo,* 1909. *Cantos del Nuevo Mundo*
[contiene toda su producción poética hasta esa fecha], Valencia, 1910.
El vino de la sombra, Madrid, [1917]. *Hacia el gran silencio,* Montevideo,
1924. **Otras obras:** *Origen y desarrollo de las instituciones occidentales,*
Valencia, [1910]. *Gloria: aventuras peregrinas,* Madrid, 1919. *Los filósofos, la conciencia y la muerte,* s. a. *Prohombres de Italia,* s. a. *Maestros de
Francia,* s. a. *Vidas religiosas,* s. a. — **Estudios:** R. CANSINOS-ASSÉNS,
Poetas y prosistas del novecientos, Madrid, 1919; *La nueva literatura,*
t. III, Madrid, 1927. C. ROXLO, *Historia crítica de la literatura uruguaya,* t. VII, Montevideo, 1916, p 150 -162. V. A. SALAVERRI, *A propósito
de Vasseur...,* en Sig, 4 marzo, 1923. A. ZUM FELDE, *Proceso intelectual
del Uruguay,* t. II, Montevideo, 1930, p. 305-313.

EN LA TORRE NOCTURNA

Todos los horizontes le parecen iguales. Sólo
la inmensidad del soñar riela su desconsuelo.
Huír de sí quisiera por no sentirse solo,
y la fuga congela las alas de su anhelo.

Harto de la Quimera, sin ella el propio cielo
de Mahoma resultaríale un Polo.
Acodado en la torre nocturna del desvelo
mira, sin ver, los astros y mugir las trompetas de Eolo.

Ciñe sus sienes la fúnebre corona del fracaso,
corona de sol de eclipse, grave como ninguna;
alguien tras él recubre las huellas de su paso,
de las sagradas sombras no le acompaña una.

Su reino de entusiasmo se hundió bajo las olas,
ya no estalla en guerreras fanfarrias su pasión,
quédale el tedio mágico de recordar, a solas,
el mundo submarino de aquella inspiración...

¿Siente el tesoro hundido en los férreos galeones?
¿Las rimas cabrilleantes en sus juegos de luz?
¿El vértigo hecho verbo? ¿Las constelaciones
de imágenes, sangrientas como los clavos de la Cruz?...

(La Cruz, no la del *Hombre,* la eterna del Linaje
cuyos mástiles cósmicos de billonarios brazos
giran al par del Orbe sus molinos salvajes...;
la Cruz que sangra auroras cada noche del viaje...;
la cruz de cada día que cuaja en los ocasos...)

Todos los horizontes le parecen iguales. Vierte
en todos la misma melancolía su corazón.
Antaño aun aguardaba sorpresas de la muerte,
mas la vida es monótona y también la ilusión.

El vino de la sombra, 1917.

BEATA SENCILLEZ

Huella
del numen, abracadabra,
dinos sin palabra
lo que no otros con ella...

Honda ciencia en gracia leve
capaz de trocar la nieve
en mármol de eternidad.

Dinos
los sortilegios divinos
de tu intensidad.

Beata sencillez:
En ti se transfigura
la hez
de lo vivido
—rictus, jadear, rugido—
en máxima hermosura;
siempre viva,
línea pura.

El vino de la sombra, 1907.

¡PTS!

Yo tenía una «villa»
y la perdí.
¡Pts! Me la estafaron,
así...

No era la casa
donde nací,
allá en la antigua Cámaras
esquina Sarandí.

Era en Santa Lucía,
pueblo en que viví
interminables años:
(Santa Lucía,
desolación,
cara a mi
corazón.)
Y donde os conocí.

¡Oh, Elena! ¡Oh, Clotilde!
¡Oh, Marí!

Dorados asadores
en quienes vivo
ardí...

Yo tenía una «villa»
y la perdí.
¡Pts! Me la estafaron,
así...

Muerta en ella, mi madre
yace cerca de allí;
de la última ventana
más de una vez la vi.

La vi, blanca en el blanco
refugio zahorí,
alzarse de la tumba
y orar, orar por mí.

Oraba tanto en vida,
que siempre así
la veo,
siempre así.

Murió una tarde, a solas conmigo;
si
callar para siempre sonriendo
es morir, murió así.

Yo estaba en otra estancia haciendo versos
a Elena; cuando volví
la dije, mirándola: «Oye, mamá.»
¿Me oyó? ¿Estaba aún allí?

Su mirada dormida ya no posaba
en mí;
a gritos: «¡Mamá!, ¡mamá!, ¡mamá!»
entonces repetí.
Pero Ella, enmudecida,
¡ay!, ya no estaba allí.

Yo tenía una «villa»
y la perdí.
¡Pts! Me la estafaron,
así...

Revivo la famosa mañana
en que partí;
el sol, en cada lágrima
de los rociados campos
brillaba, como la Fe en mí.

(Me veo solo en marcha a la Estación;
solo no, me seguía *Bibí*.
«¡Pobre Bibí, no te puedo llevar!»,
le dije, acariciándolo.
Y él se quedó mirándome, mirándome
hasta que desaparecí.)

El tren: ¡Montevideo!
El mar: los Buenos Aires
donde fuí.

Mi pasaje era hasta la Asunción.
Pasaje de primera. Si
bajé, fué por una guitarra:
(¡Oh, serenatas de la adolescencia,
«tristes» de la Pampa, «estilos» orientales,
décimas de Ricardo Gutiérrez y
«nocturno» de Acuña! ¡Oh, serenatas!)
Bajé y quedé allí.

Tenía quince años, jaquet, anteojos verdes,
quimeras de argonauta y
un billete de *a mil* (¡el oro a 400!)
y la flor de Leví...

¡La flor entre las flores! En esos días
la perdí...
Apurate, che», decía en el horrendo trance
la inconmovible Hurí...

Dieu! Quelle chute d'un Ange!
Et c'est tout? Pour ça on vit?
¿Sollocé? Y el mundo me nauseó.
Y
toda la tarde pensé en matarme.
¡Horror! Días después, reincidí.

Una rubia del Bósforo doró mi desencanto,
hasta que, pobre de mí,
viendo cómo la mía disminuía,
a *La Plata* partí.

Yo tenía una «villa»
y la perdí.
¡Pts! Me la estafaron,
así...

Al llegar me instalé en *El Tortoni*.
En él conocí
amigos de corazón de oro, argentino,
cuyo recuerdo aun me sabe a benjuí...

¡Amigos! ¡Fraternales amigos!
Con ellos viví
extraños años de afán benedictino,
y el desierto floreció en mí.

¡*La Plata*! Juan Carlos, Ricardo, Delia,
Alberto, Adolfo, Manrique, el Rabbí...
Estos nombres son carillones de plata
para mí.

¡Almafuerte! Yo vi en Trenque Lauquero,
en el umbral pampeano, la escuela del Rabbí...
Pero fué en *La Plata* donde comí en su mesa,
donde su amigo fuí.

¡Su amigo! Más de una vez me dijo, en cólera
contra mí:
«¡Usted será un Rubén Darío!» Y era tal su desdén
que me ofendí.

«¡Un saltimbanqui errante!
¡Un cantor porque sí!»
(¡Él, que era un misionero «terrible» como Dante!
«puro» como el Rabbí!)

«¡Pero, qué bien guisa el condenao! ¡Qué tortillas
fríe!», pensaba para mí;
hasta que un día me escribió implacable:
«¡No venga más aquí!»

Yo tenía una «villa»
y la perdí.
¡Pts! Me la estafaron,
así...

Entonces fué el crujir de dientes; me dió
una especie de berí-berí;
caí enfermo afiebrado, mascando noche y día
el «¡no venga más aquí!»

Una que no se nombra — siempre hay una
que interviene así—,
cristiana madre de una bella amiga
tuvo piedad de mí.

Me curé. Y dejando en rehenes
una cama de bronce, un «mundo» de poemas
—eran todos mis bienes—
a Buenos Aires fuí.

Con el alma curada a fuego lento
como una buena pipa, volví;
con la pipa curada, a prueba de humos,
dentro del pobre maniquí...

Era cuando «La Siringa» iniciaba
su «do-re-mi»...
Cuando Rubén—noctámbulo divino—rimaba
entre las copas de «Anes»—fresas en crema Chantilly—;
y Leopoldo, buscador de oro, soñaba
un Sinaí...;

y D. Francisco en su jardín de *Flores*
cantaba el laboreo de las Razas
en la gran mina argentina; y
Grandmontagne, de vuelta de las Pampas
con «Teodoro Foronda», filtraba en «La Vasconia»
sidra espumante y «chacolí»;
y Ghiraldo, ya inquieto de utopía,
plañía: «Felices de vosotros los imbéciles»,
etcétera (ahora su peluca se ha vuelto carmesí);
y Belisario, calvo ya del fuego patrio,
con su voz como el cuerno de Roldán
sentía chica la prisión de «El Águila»...
(Aun no acechaba en la Ópera los estragos del lloro
de «Mimí»...)

    Y los grillos en coro
crí, crí, crí.

    Era cuando Groussac, harto de tantas *Vísperas,*
lanzaba su ¡halalí!
clamando:
«Aquí
hace falta genio;
aquí!»
Y los ecos de América
y España repetían:
«¡Aquí!»
«¡Aquí!»

    Era cuando el abate Ojeda ponía en música:
«Ludovico si sigue ansí...»;
y el brujo Ingenieros, Pardo cordial,
el cárdeno Mauricio, Soussens—«sans le sou»
y «sans-souci»—,
hasta el grave, «azafranado» Eugenio,
al volver por las noches del Cenáculo...
tarareaban la canción
de la ingrata digestión:
«Ludovico si sigue ansí»,

. . . .

sufrirá mucho en su transmi-
gra-ción (1).

    Yo tenía una «villa»
y la perdí.
¡Pts! Me la estafaron,
así.

              El vino de la sombra, 1917.

ECOS DE AMÉRICA

    Ecos de América
que de zona en zona
clamáis : Malhaya la Raza anglosajona
si pasa de esta playa o de esta zona;

    ecos de América,
el numen que os encona
¿podrá haceros clamar : Bien haya
la Raza Malaya?

    ¿Bien haya el Dragón que asoma
tras el largo Pacífico
su faz de luna ayuna,
y su gran Sol levante, como vientre prolífico?

    «¿Tantos millones de hombres hablaremos inglés?»,
plañe Darío, que lo leía como el francés :
pardiez, el real mitayo, habría preferido hablar en ja-
                           [ponés?

    Acaso lo hablarán algún día a la sombra del último
                              [ombú
los descendientes de esos que temen más el «box» que
                            [el «jui-jitsú».

    Cuando, con artes malabares
vengan y vengan a cientos de millares

---

  (1) ¡Ludovico! ¡Perdón! ¡Perdón!

los Garras Amarillas,
y armen sus hogares
— ellos que hacen del piso su Paraíso,
sin camas, ni mesas, ni vidrios, ni sillas,
los Garras Amarillas.

— ¿Volverán?
— ¡Volverán!
Las diosas blancas temblarán.
Los «hombres» enrojecerán. «El viejo Dios»
nada podrá. No sirven los rayos de su fragua,
contra titanes que beben agua
y se nutren de arroz.

Nápoles, 1917.   *Hacia el gran silencio,* 1924.

LA NIÑA Y EL RUISEÑOR

Había nevado tanto
cuando del fosco confín,
sobre palafrén con manto,
llegó la niña al jardín.

Llegó la niña al jardín
en cuyas tierras heladas
las plantas abandonadas
cubría nieve sin fin.

Quería la flor de armiño
de los altos ventisqueros,
para adornar su corpiño
en los saraos de los castillos roqueros.

En vano buscó la flor.
No había ramas floridas.
Sólo en una un ruiseñor
con las alas ateridas
tiritaba casi yerto
sangrando por sus heridas.

Acaso ya habría muerto
si, sofrenando las bridas,

la niña no hubiera alzado
la diestra hasta el gajo ruín
donde tiritaba helado
el mago de aquel jardín.

Según digo, mal o bien,
sofrenando el palafrén
la niña cogiólo al fin.

Mas, creyéndolo un vulgar
pájaro sin voz ni vuelo,
tras de mirar su plumaje,
iba a arrojarlo al suelo,
cuando un lampo lisonjero
la contuvo : disecado, acaso fuera
gala del ala de su sombrero.

Y tras secar el armiño
en la crín del palafrén,
lo conservó en su corpiño,
y se alejó del Edén.

Iba la niña callada,
bajo el triste cielo gris,
por la landa desolada
a su lejano país.

Iba la niña callada
cuando de pronto, extrañada,
oyó un gorjeo feliz.

¡Hechizo deslumbrador!
El pájaro revivía.
El estupor del calor,
la embriaguez de la alegría
en finos trinos vibraba
en la llanura sombría.
(Iba declinando el día).

El pájaro de quimera
cantaba a la primavera :
arpegios asordinados,

éxtasis maravillados
que la niña nunca oyera.

¡Oh, la celeste canción
del delirante fervor!
La niña paró el bridón,
para escucharla mejor.

Entretanto, en la silvestre
landa, densa la nieve caía.
La niña no la sentía caer.
Muda como estatua ecuestre,
oía el canto divino
que surgía de su ser...

Cuando pasé por allá, lo escuchaba todavía;
poeta, cuando tú pases quizá la verás también.
Ya la nieve habrá cubierto todo su palafrén,
pero ella escucha, escucha, escucha todavía...
Escuchará aún después que el hielo cubra su sien.

Abril de 1923.   *Hacia el gran silencio*, 1924.

CARLOS PEZOA VÉLIS

1879-1908

Chileno. Su vida fué corta y dolorosa: pobre, desgraciado,
apasionado y débil; lo bueno y noble que había en él — sus
afanes artísticos y su simpatía humana — luchó sin esperanza
para sobreponerse al ambiente canallesco del suburbio, a la
triste miseria nativa, a la incultura, a la bohemia vagabunda, a
la consunción física y la muerte en el hospital. Con todo, la
obra que dejó desperdigada y que sólo después de su muerte
se publicó en libro, siendo corta y en mucha parte endeble,
tiene sin embargo valor suficiente para colocar a Pezoa Vélis
entre los poetas americanos de primer orden, es decir, aquellos con personalidad propia que no podrían ser sustituídos por
ningún otro. Aunque cultivó el arte refinado del modernismo,
siguiendo a Rubén Darío y demás poetas que pudo conocer

— que no fueron muchos —, su originalidad está en aquello en que del modernismo se apartó, llevado a la sinceridad de su temperamento por el dolor y el desengaño, y por su amor a la naturaleza y al pueblo chilenos. Su realismo, su ironía, su comprensión de lo popular, su emoción apasionada y profunda, su sentido del idioma tienen raíces tradicionales chilenas y significan, por lo tanto, una reacción contra el cosmopolitismo modernista. Es Pezoa Vélis el primer poeta a quien podemos llamar chileno; aunque hoy haya una reacción contra él y una tendencia a señalar sus defectos, su influencia ha sido capital en el desarrollo de la poesía chilena postmodernista, de la que es el iniciador.

BIBLIOGRAFÍA. — **Poesía**: *Alma chilena*, pról. de E. Montenegro y epíl. de A. Thomson, Santiago de Chile, 1912. *Poesías líricas, poemas, prosa escogida*, Santiago-Valparaíso, [1912]. *Campanas de oro*, pról. de L. Pena, París, 1921. *Poesías y prosas completas*, ed. y est. de A. Donoso, Santiago, 1927. — **Estudios**: A. CARRASCO, *Letras hispano-americanas*, 1919. F. CONTRERAS, *Les ècrivains contèmporains de l'Amérique espagnole*, París, 1920. A. DONOSO, *Los nuevos (La joven literatura chilena)*, Valencia, [1912]. M. LATORRE, Sobre *Poesías y prosas completas*, en Inf, 1927, XII, 465-466. S. A. LILLO, *Vida de P. V.*, en Merc, 1912. E. MONTENEGRO, pról. a *Alma chilena*, Santiago, 1912. L. PENA, pról. a *Campanas de oro*, París, 1921. A. TORRES RIOSECO, *C. P. V.*, en RepAm, 24 abril 1922; *Algo más sobre P. V.*, en RepAm, 1930, año XI, núm, 4.

EL PINTOR PEREZA

Éste es un artista de paleta añeja
que usa una cachimba de color coñac
y habita una boharda de ventana vieja
donde un reloj viejo masculla : tic tac...

Tendido a la larga sobre un mueble inválido,
un bostezo largo, y otro, y otro : tres.
¡Diablo de muchacho, pobre diablo escuálido,
pero con modorras de viejo burgués!

Cerca de él, cigarros fingen los pinceles,
sobre la paleta de extraño color :
sus últimos toques fueron dos claveles
para un cuadro sobre cuestiones de amor.

Cerca un lápiz negro de familia Fáber
enristra la punta como un alfiler;
hay tufo a sudores y olor a cadáver;
hay tufo a modorras y olor a mujer.

Juan Pereza fuma; Juan Pereza fuma
en una cachimba de color coñac,
y mira unos cuadros repletos de bruma
sobre un hecho que hubo cerca del Rimac.

El pintor no lee. La lectura agobia
y anteojos de bruma pone en la nariz;
Juan odia los libros, ve horrible a su novia,
y todas las cosas con máscara gris.

Su mal es el mismo de los vagabundos:
fatiga, neurosis, anemia moral,
sensaciones raras, sueños errabundos
que vagan en busca de un vago ideal.

Ni piensa, ni pinta, ni el humor ingenia.
¡Qué ha de pintar si halla todo sin color!
Tiene hipocondría, tiene neurastenia
y hace un gesto de asco si oye hablar de amor.

Mira un cuadro antiguo sin pensar en nada:
mira el techo, el humo, las flores, el mar,
una barca inglesa que ha tiempo está anclada
y unas acuarelas a medio empezar.

De un escritorillo sobre la cubierta
un ramo de rosas chorrea placer,
y una obra moderna, rasgada y abierta,
muestra sus encantos como una mujer.

El pintor no lee. La lectura agobia:
Juan Valjean es bruto, necio Tartarín;
Juan odia los libros, ve horrible a su novia
y muere en silencio, de tedio, de esplín.

Sudores espesos empapan los oros
que el lacio cabello recoge del sol,
y se abren al beso del aire los poros
del rostro, manchado con tintas de alcohol.

Y mientras el meollo puebla un chiste rancio
que dicho con gracia fuera original,
una flor de moda muere de cansancio
sobre la solapa donde está el ojal.

Hay planchas que esperan el baño potásico,
un cuadro de otoño y una mancha gris,
una oleografía de un poeta clásico
con gestos de piedra y ojuelos de miss.

Juan Pereza fuma; Juan Pereza fuma
en una cachimba de color coñac,
y enfermo incurable de una larga bruma,
oye a un reloj viejo que dice: tic tac...

Ni piensa, ni pinta, ni el humor ingenia.
¡Qué ha de pintar si halla todo color gris!
Tiene hipocondría, tiene neurastenia
y anteojos de bruma sobre la nariz.

Así pasa el tiempo. Solo, solo el cuarto...
Solo Juan Pereza, sin hablar. ¿De qué?
Flojo y aburrido como un gran lagarto,
muerta la esperanza, difunta la fe.

La madre está lejos. A morir empieza,
allá donde el padre sirve un puesto ad-hoc;
no le escribe nunca porque la pereza
le esconde la pluma, la tinta o el block.

Hace ya diez años que en el tren nocturno
y en un vagón de última dejó la ciudad;
iba un desertado recluta de turno
y una moza flaca de marchita edad.

Un gringo de gorra pensaba, pensaba...
Luego un cigarrillo... Y otro. ¿Fuma usted?
Luego un frasco cuyo líquido apuraba
para tanta pena, para tanta sed.

¡Tanta pena, tanta! Su llanto salobre
secaba una vieja de andrajoso ajuar;
iba un mercachifle y un ratero pobre
y una lamparilla que hacía llorar.

La vida... Sus penas. ¡Chocheces de antaño!
Se sufre, se sufre. ¿Por qué? ¡Porque sí!
Se sufre, se sufre... Y así pasa un año
y otro año... ¡Qué diablo!, la vida es así...

Poesías, 1927.

TEODORINDA

Tiene quince años ya Teodorinda,
la hija de Lucas el capataz;
el señorito la halla muy linda;
tez de durazno, boca de guinda...
¡Deja que crezca dos años más!

Carne, frescura, diablura, risa;
tiene quince años no más... ¡olé!
y anda la moza siempre de prisa,
cual si a la brava pierna maciza
mil cosquilleos hiciera el pie...

Cuando a la aldea de la montaña
con otras mozas va en procesión,
su erguido porte, fascina, daña...
y más de un mozo de sangre huraña
brinda por ella vaca y lechón.

¡Si espanta el brío, la airosa facha
de la muchacha...! ¡Qué floración!
Carne bravía, pierna como hacha,
anca de bestia, brava muchacha
para las hambres de su patrón!

Antes que el alba su luz encienda
sale del rancho, toma el morral
y a paso alegre cruza la hacienda
por los pingajos de la merienda
o la merienda de un animal.

Linda muchacha, crece de prisa...
¡Cuídala, viejo, como a una flor!

Esa muchacha llena de risa
es un bocado que el tiempo guisa
para las hambres de su señor.

Todos los peones están cautivos
de sus contornos, pues que es verdad
que en sus contornos medio agresivos,
tocan clarines extralascivos
sus tres gallardos lustros de edad.

Sangre fecunda, muslo potente,
seno tan fresco como una col;
como la tierra, joven, ardiente;
como ella brava y omnipotente
bajo la inmensa gloria del sol.

Cuando es la tarde, sus pasos echa
por los trigales llenos de luz;
luego las faldas brusca repecha...
El amo, cerca del trigo, acecha,
y la echa un beso por el testuz...

Poesías, 1927.

NADA

Era un pobre diablo que siempre venía
cerca de un gran pueblo donde yo vivía;
joven, rubio y flaco, sucio y mal vestido,
siempre cabizbajo... ¡Tal vez un perdido!
Un día de invierno lo encontraron muerto,
dentro de un arroyo próximo a mi huerto,
varios cazadores que con sus lebreles
cantando marchaban... Entre sus papeles
no encontraron nada... Los jueces de turno
hicieron preguntas al guardián nocturno:
éste no sabía nada del extinto;
ni el vecino Pérez, ni el vecino Pinto.
Una chica dijo que sería un loco
o algún vagabundo que comía poco,
y un chusco que oía las conversaciones

se tentó de risa... ¡Vaya unos simplones!
Una paletada le echó el panteonero;
luego lió un cigarro, se caló el sombrero
y emprendió la vuelta... Tras la paletada,
nadie dijo nada, nadie dijo nada!...

Poesías, 1927.

PANCHO Y TOMÁS

(FRAGMENTO)

Pancho, el hijo del labriego,
y su hermano el buen Tomás
serán hombrecitos luego :
Pancho será peón del riego
y su hermano capataz.

Porque los chicos son guapos
de talladura y de piel :
viven como unos gazapos
entre un bosque hecho guiñapos
o algún llano sin dintel.

O montados en el anca
frescachona y montaraz
de alguna arisca potranca
que ha crecido en la barranca
sobre la avena feraz.

¡Son ya mozos! Pancho lleva
cumplidos veinte y un mes.
Es un mozo a toda prueba :
¡no hay bestia, por terca y nueva,
que no sepa quién Pancho es!

Porque el muchacho es bravío;
rubio como es el patrón;
como él detesta el bohío;
ama el poncho, el atavío
y usa un corvo al cinturón.

¡Ah, qué cosas las de Pancho!
¡Qué alegrote y qué feraz!
¡Cómo se alboroza el rancho
cuando echa a una moza el gancho
en una frase mordaz!

¡Qué continente! Es el vivo
retrato del buen patrón :
como él, nervioso y activo,
gesto brusco y agresivo,
pendenciero y socarrón.

Tomás cumplió los veintiuno,
pero no es mozo de ley;
es honrado cual ninguno,
ni es pendenciero ni es tuno,
pero es fuerte como un buey.

Y su hondo deseo fragua
una dicha que es mejor :
tener chacra, un surco de agua,
una mujer, una guagua...
¡todo un ensueño de amor!

Ama el rancho, las faenas;
ama el rancho, la mujer...
A veces le asaltan penas
si las tierras no son buenas,
si el agua tarda en caer.

Y así los dos muchachones
viven en juerga feliz;
Pancho hondea a los gorriones;
Tomás canta... Sus canciones
huelen a trigo y maíz.

Pancho es alegre. Su frase
lleva el chiste y la intención;
su frase, robusta nace
y en risotadas deshace
su endiablada perversión.

Tomás, bonachón, sumiso,
monta en precoz gravedad
si Pancho horada el carrizo
o si atrapa de improviso
fruta de ajena heredad.

Pancho corre. Tomás mira
crecer al viento la col;
Pancho abrupto monta en ira
si el pobre Tomás suspira
en la caída del sol...

Y en la noche Pancho se echa
sobre el colchón de maíz.
El viejo habla de otra fecha...
Tomás lo sigue, repecha
otra edad y otro país.

Otro país en que hay reyes
bondadosos y en que hay bien,
vacas encantadas, bueyes
de oro, pastores y greyes
con astas de oro también.

Y en que no hay mejillas flacas,
ni hombres que ultrajados son;
y en que hacen mil alharacas,
chicos, trigales y vacas
en eterna floración.

Y en que el labrador, buen amo
y siervo de sí mismo es,
y en que la encina, el retamo
sólo se entrega al reclamo
del que la encontró al través.

Luego Tomás se va al lecho
y el viejo y todos en pos :
todos miran hacia el techo;
y las manos en el pecho,
cuentan sus penas a Dios.

. . . .

Poesías, 1927.

UNA ASTUCIA DE MANUEL RODRÍGUEZ

Fray Alfonso Guimárez de Medina, el hermano
más bonachón y santo del templo franciscano,
bajaba por la cuesta con dirección al fondo
gloriosamente verde del valle de Aconcagua.
El río iba cantando no sé qué cosa en lo hondo
de una barranca agreste. Reía bajo el agua
con frescachona risa de mujer, con pomposa
locuacidad, con esa verbosidad latente
con que ríe en la gloria de los campos la rosa
a la gloria apacible de la alegre corriente.
Fray Alfonso iba al paso de su mula; iba al paso
porque dádivas, diezmos y primicias sumaban
como la siembra toda de aquel faldeo raso
que veía... Los buenos campesinos se daban
con espíritu y cuerpo... Desbordaban legumbres
desde el río a la cuesta, desde el llano a las cumbres.
Fray Alfonso pensaba tales cosas risueñas
con fruición inocente. Las pupilas zahareñas
se aguzaban de gozo bajo el amplio sombrero
que albergaba su rostro de religioso austero.
Fray Alfonso salía de las árguenas llenas,
por encima de un tiesto con gallinas rellenas,
por encima de rumas apretadas de coles
y pollos de plumajes ricos en tornasoles...
Fray Alfonso, al tufillo de ese monte, rumiaba
condimentos nefandos o comilonas sordas;
tal vez al paso lento de su mula soñaba
con siete vacas gordas...

Tal iba. En el quebrajo de la hondonada vino
la amable catadura de un pobre campesino,
rústico de lenguaje. «Güenos días, hermano»,
canturreó con devoto sonsonete el aldeano.
«Buenos se los dé el cielo», santamente repuso
Fray Alfonso Guimárez. Como entonces era uso
dar la diestra al creyente para el beso devoto,
alargó al campesino la diestra. (Por el soto

cantaba alegremente su copleja burlona
algún pájaro irónico, algún tril andariego,
para quien no era alegre ni era tan bonachona
la inocente mirada del devoto labriego.)
Fray Alfonso Guimárez, ante el sacro donaire
del labriego, hizo entonces una cruz en el aire
y alargó al campesino la sonora alcancía
con la mística imagen de una Virgen María,
que desde muchos años para los campos era
la bendición, el trigo para la sementera,
el sol para los ciegos, para el hambriento el pan,
la gloria del Altísimo para los que se van...

    La expresión del labriego, bajo el ala mohina
de un enorme bonete, resultaba tan boba
como el cuero pletórico que chorreaba en la esquina
de la enjalma. ¡Aquel cuero contenía una arroba!
Largo hilito de baya descendía hasta el suelo
desbordando dulzuras. El sabor iba al cielo
como incienso invisible, como incienso malsano
ofrecido a la gloria de algún dios campechano.
Fray Alfonso olfateaba con mirada simplona
la rosada frescura de esa baya... El labriego
brindó un sorbo al hermano. Resultaba dulzona...
Pero ¡qué! los gaznates son propicios al riego,
y aquel líquido alegre, de sabor nunca visto,
lo hallaría gracioso de sabor hasta Cristo.
— No es, hermano, limosna la que os trae un hermano
— recordó con devoto sonsonete el aldeano —:
es la grave noticia que en Los Ande hay sabío,
es la grave noticia que hay colgao al avío
para dir a Santiago... ¿Sabe, hermano? Roidrigue
pasó ayer como un viento por Los Ande... Le sigue
un alfeire del Cuarto...
                        Dios le guíe, mi hermano...
Los caminos son malos en la cuesta; en el llano
se amontonan herejes; hay escenas salvajes
de viajeros colgados a los altos ramajes
de los bosques; se sabe que por odio a los reyes,
se asesina, se incendian las carretas andinas,

para asar en las llamas los opíparos bueyes
de las chacras vecinas.

Fray Alfonso temblaba; la palabra ferviente
recorría un comienzo de oración. Lentamente
repartía el labriego maldiciones... La bota
del labriego franqueaba los groseros avíos
de la mula pacífica. (Otra gota, otra gota
no sería pecado. Tales gotas dan bríos
a los ánimos tristes...) Esa turba patriota
era sólo una turba de malvados impíos,
era sólo una turba de soldados feroces
que atronaban los campos con patrióticas voces
y rabiosos discursos. Desde ha mucho los buenos
campesinos decaen; sus graneros de trigo
ya no están, como en tiempos olvidados, rellenos
de cosechas; los diezmos que antes eran conmigo,
enflaquecen ahora... y al decir no hay engaño
que los padres ayunan doce meses al año...
¡Ah, esos pícaros que hablan a los pueblos de cosas
que los pueblos no entienden, de caer han un día;
se la estaban jugando con palabras hermosas
a los reyes de España y a la Virgen María!

La morriña del néctar convidaba al descanso...
Fray Alfonso bajóse. Cerca había un remanso
de apacible frescura;
la morriña del néctar, no se qué de ternura
impregnaba en las cosas de los campos agrestes,
se adhería a las plantas, empapaba el ramaje,
los parleros arroyos, los espacios celestes
y el solemne mutismo del tranquilo paisaje...
Y a la sombra de un árbol copetudo charlaron...
Y como era graciosa la cabeza de un fiambre
que rompía las árguenas, de improviso acordaron
engullirlo... ¡Qué diablos! ¡No era justo hacer hambre!
Esos malos patriotas no valían un sorbo
de esta baya dulzona. . (Discurría el labriego.)
La tal bota con baya resultaba un estorbo,
contemplándola... — Hermano, si la echásemos luego

por las vías resecas del gaznate ¿sería
grave falta? (El labriego la frescura ofrecía
de la pícara andina.)
                        Sí, mi hermano. Roidrigue
pasó ayer como un viento por Los Ande; le sigue
un alfeire del Cuarto con cien más talaveras.
Icen toos que y'andan por ahí montoneras,
que han entrao a la casa de on Pórfido Urriola,
que a las niñas más mozas del patrón han robao,
que han robao la caja, la bandera española
y una imagen de plata del Señor Crucijao...

(Era la hora de siesta, cuando viene la huraña
sensación del bochorno, y en la tarde encendida,
sobre el campo salvaje, sobre la hosca montaña,
con inmensos letargos explosiona la vida.)
Fray Alfonso no oía bajo el agrio bochorno...
La quietud campesina deslizábase en torno
de su ensueño. La siesta le traía un letargo
cansador; la morriña le sumía en el largo
descansar de la vida; la quietud del boscaje,
la piedad del riachuelo que empezaba un visaje,
la tristeza lejana de las cumbres, el ronco
rumoreo del río, la gramínea brava,
la silueta inmutable del hierático tronco
que en mitad del desmonte sabiamente pensaba...
todo ansiaba reposo. Fray Alfonso veía
panoramas en sueños... Ya la Virgen María
que pasaba por campos, por senderos y chozas,
recogiendo las dádivas de las gentes piadosas,
recogiendo primicias que el abad franciscano
recibía sonriendo... Ya era el pícaro aldeano
que escapaba en la mula y a los campos huía
con la santa persona de la Virgen María,
con los pollos que daban en las chacras cercanas,
con las frutas pompósas, las lechugas lozanas
que brindaba la hacienda de D. Pórfido Urriola,
con las tortas robustas, invisibles de vaho,
con la caja de fondos, la bandera española
y la imagen de plata del Señor Crucijao...

Ya era el pícaro aldeano cuya cara ladina
bajo el amplio bonete resultaba tan boba
como el cuero pletórico que chorreaba en la esquina
del apero. Aquel cuero contenía una arroba.
Le ofrecía una bota de la pícara baya,
y otra más... A la postre se embutía en la saya
para hurtar su apariencia de católico hermano,
para hurtar el prestigio del sayal franciscano,
para hurtar el prestigio de la vieja alcancía
con la mística imagen de una Virgen María,
para hacer batallones, levantar montoneras,
escapar con las mozas, degollar talaveras...

    Fray Alfonso dormía...
                        Por el monte lejano
revolaban los pliegues del sayal franciscano...
y aquel guapo Rodríguez que rumiaba un responso:
«¡Que le vaya bonito con el prior, Fray Alfonso!»
(En la cumbre, un devoto de la Virgen María
saludóle. El saludo del devoto era austero;
bajo el amplio sombrero del hermano reía
la cazurra mirada del audaz montonero.)
Alcanzaba la cuesta...
Las montañas mostraban los selváticos flancos
apretados de flores, cual si hubiera una fiesta
de color en la flora de los verdes barrancos;
los manzanos abrían las escuálidas ramas;
parloteaban las fuentes, despedía el sol llamas;
las vertientes cantaban con recónditos bríos,
y aprestaban sus mozos los agrestes bohíos
para el paso glorioso de aquel rústico hermano,
que si bien era hermano, no era tal franciscano;
que llevaba a los pobres la esperanza, que había
conquistado la imagen de la Virgen María,
la alcancía sonora, la pacífica mula
y una presa bucólica que hartaría la gula
de un convento; que había conquistado la saya
con la grata dulzura de esa opípara baya,
y que enviaba a los pueblos la esperanza bendita
de ser libres un día, de asistir a la cita

con la edad venidera, recorriendo el atajo
que conduce, entre música de besos y arrullos,
a la gloria fecunda de entregar al trabajo
la energía fecunda que le brindan los suyos.

Poesías, 1927.

TARDE EN EL HOSPITAL

Sobre el campo el agua mustia
cae fina, grácil, leve;
con el agua cae angustia;
llueve...

Y pues solo en amplia pieza,
yazgo en cama, yazgo enfermo,
para espantar la tristeza,
duermo.

Pero el agua ha lloriqueado
junto a mí, cansada, leve;
despierto sobresaltado;
llueve...

Entonces, muerto de angustia,
ante el panorama inmenso,
mientras cae el agua mustia,
pienso.

Poesías, 1927.

3

POETAS REGIONALES

VICENTE MEDINA

1866 - 1937

Español, de Murcia. Pobre y de clase humilde, sufrió muchas
privaciones; vendió de niño periódicos en las calles y sentó
plaza, como voluntario, a los diez y ocho años. Estuvo más de
un año en Filipinas, y cuando volvió, de veinticuatro años,
abrió, sin éxito, un pequeño comercio, teniendo por fin que
ganarse la vida como empleado en una oficina comercial. Desde muy joven mostró afición a la literatura, que cultivó lo mejor que pudo en condiciones tan adversas. Cuando su paisano
«Azorín» — entonces José Martínez Ruiz — dió a conocer en
Madrid los *Aires murcianos* (1898) de este obscuro literato local,
y aparecieron éstos en la «Biblioteca Mignón», acogedora de
los nuevos escritores modernistas, Medina fué elogiado por
Clarín, Unamuno, Maragall y muchos otros, y alcanzó una reputación que no han podido cambiar, aumentar ni disminuír sus
obras posteriores. A pesar de su éxito, su vida siguió siendo
difícil en España, y emigró, como tantos otros españoles, a la
República Argentina, donde ha pasado más de veinte años de
honrado trabajo, encontrando en la literatura el ocio y el
desahogo de su alma sencilla, noble y generosa. Su vida ha
sido la de un hijo del pueblo, y pueblo es él, como lo es su
literatura, a sabiendas y por propia determinación. Porque
aunque su cultura no sea muy grande, es bastante para poder
interpretar desde fuera el alma del pueblo, que es también su
propia alma. Al hacerlo acertó Vicente Medina a crear una manera nueva de poesía rústica y regional, muy distinta en el
espíritu de las formas anteriores, y que, aunque parece la negación de todo lo que era la poesía de la época, o sea el modernismo, es en realidad una de las manifestaciones del mismo
movimiento. La poesía de Medina no es «costumbrismo», como
fué la literatura regional del siglo xix — con excepción de las
poesías gallegas de Rosalía de Castro, precursora en varios

aspectos de la poesía contemporánea —; no se interesa en el
pueblo por lo que tiene de extraño y pintoresco, como hizo el
romanticismo, ni en su aspecto de medio físico y social, como
hizo el realismo, sino que se interesa en el alma popular: en
los sentimientos, dramas y cualidades humanos tal como se
manifiestan en el pueblo con caracteres ingenuos, simples,
elementales, primitivos. Pertenece, por lo tanto, a uno de
los modos de renovación del arte y la sensibilidad que caracterizaron a la literatura modernista. Por esto los *Aires murcianos* de Medina son en tan corta medida regionales; el sabor
regional está dado en ellos con algunos de los rasgos dialecta-
les más salientes, que, además, tratándose de una región fundamentalmente castellana — aunque con toques aragoneses y
moriscos — se comprenden y se sienten sin dificultad por todo
el que habla español; y por eso también su influencia ha llegado a los puntos más diversos y lejanos del mundo hispánico
— como demuestran los escasos ejemplos que siguen, escogidos entre los innumerables poetas regionales que, pretendien-
do expresar el carácter local, sólo logran demostrar que nada
hay tan uniforme y monótono como lo popular. Lo diferencial
que hay en el pueblo de las diversas regiones se escapa a esta
poesía popular. Ya en sí la poesía de Medina resulta monótona
y se agota en sus primeras creaciones, que, dígase lo que se
quiera, son obras maestras de un arte humano y humilde que
vivirán siempre, y que no han sido superadas ni por su autor
ni por sus numerosos imitadores.

BIBLIOGRAFÍA.—**Poesía:** *Aires murcianos,* 1.ª serie, pról. de J. Martínez
Ruiz, Cartagena, 1898; Madrid, 1899; 2.ª serie, 1900; Rosario de Santa
Fe, 1923; recopil. total, [1927]. *Alma del pueblo,* Cartagena, 1900. *La
canción de la vida,* 1902; 2.ª ed., 1903. *La canción de la huerta,* 1905.
Poesía, obras escogidas, 1908. *Canciones de la guerra,* Rosario de Santa
Fe, 1914. *Abonico (Nuevos aires murcianos),* Montevideo, 1917; Rosario
de Santa Fe, 1926. *Amáos los unos a los otros,* libro de escuela, prosa y
verso, 1918. *Canciones de niños,* 1919. *Viejo cantar,* 1919. *La compañera,* poema, s. a. *Sin rumbo,* s. a. *Sed tengo,* s. a. *La tirana,* s. a.
Mujer, ¡Dios te salve!, 1924. *Pavesa,* s. a. *Hielos,* s. a. *En la ñora (Aires
murcianos),* 1926. *Aires argentinos,* 1927. **Otras obras:** *El naufragio,* narración poética, Cartagena, 1895. *El alma del molino,* drama, s. a.
El rento, drama, Cartagena, 1898; 1907. *¡Lorenzo!,* drama, 1899. *La
sombra del hijo,* drama, 1899 [trad. ital., por A. Depascale, Buenos
Aires, 1915]. *La canción de la muerte,* Cartagena, 1904. *Letras,* revista,

Rosario de Santa Fe, 1916-1918. *Ya regada está la tierra*, 1919. *Hondos surcos han abierto*, 1919. *Sembradores, a los campos*, 1919. *Tribulación*, 1921. *Ecce Homo*, s. a. *Obras completas*, Rosario de Santa Fe, 1919-1927, 26 vol. — **Estudios:** M. ALONSO, *Literatura y literatos regionales en España*, en EstBA, en.-marzo, 1929. AZORÍN y CLARÍN, juicios críticos en *El rento*, Cartagena, 1907. P. GENER, *Figuras contemporáneas: Villaespesa*, en CerM, 1916, núm. 1, 27-40. A. GONZÁLEZ-BLANCO, *Los contemporáneos*, 1.ª serie, París, [1906]. M. DE UNAMUNO, pról. a *Viejo cantar*, Rosario de Santa Fe, 1919. Juicios críticos de varios autores en *Poesía*, Cartagena, 1908.

CANTARES

¡Qué bien lava mi nena!
¡Qué ropa tiende!...
La va ejando blanquica
como la nieve...
¡Paece que el agua
al pasar por sus manos
sale más clara!

¡Vidica, vidica mía,
vidica, qué cosas tienes!
siendo la vidica mía,
¡cómo estás siendo mi muerte!

Me tienes despreciaíco
y por otro te deshaces...
¡A unos to el mundo los quiere,
y a otros no los quiere naide!

Yo me quisiera morir,
porque el que muere descansa...
¡yo me quisiera morir
sin saber que tú me matas!

Aunque te laves y laves,
manchaíca te has de ver,
como está la cantarica
ande tos van a beber.

Cariñico que empezó
en un Domingo de Ramos
¡quién había de pensar
que acabara en Viernes Santo!

No he tenido carta tuya,
pero de mi madre sí...
¡y aun no le he escrito a mi madre,
y otra vez te escribo a ti!

Poesía, 1908.

¡SIEMPRE TE CONOCERÍA!

Nena que por cara tienes
una rosa alejandrina;
nena de los ojos negros
y de la boca encendía;
nena la del seno altico
y pelo como la endrina;
murcianica por el habla,
por el querer murcianica...
yo, ande te viera en el mundo,
siempre te conocería.

Zagala del Verdolay,
huertana de Albatalía,
de tu natural graciosa
y sin maldad ni malicia;
te lleven ande te lleven,
te llamarás Carmencica,
te llamarás Rosarico,
te llamarás Doloricas...
Yo, cuando oyera llamarte,
siempre te conocería.

Te vayas ande te vayas,
te llevarás tus ropicás
de huertana: tu refajo,
tu armaor, tu mantellina...

y aunque te llegues a ver
ande otras hablas se estilan,
yo sé que dirás «nenico»;
yo sé que dirás «bonica»...
y yo, si te oyera hablar,
siempre te conocería.

Te encuentres ande te encuentres,
serás siempre la mesmica;
suspirarás por la tierra,
que es lo que menos se olvida...
Tus recuerdos, tus cariños
y tu ilusión de algún día,
con estilo y sentimiento
pondrás en una coplica...
Yo, si te oyera cantar,
siempre te conocería.

También pondrás en un hombre
tu querer, con alma y vida,
y por un querer, sé yo
capás de lo que serías:
¡ay si tus celos despiertan!
¡ay si tu querer te quitan!...
huertana mora celosa,
¡ay cómo te trocarías!...
Yo, por tu querer, zagala,
siempre te conocería.

Y te vayas ande vayas,
yo sé que a la Fuensantica
tendrás en un fanalico
con una luz encendía
y el fanalico adornao
con alábegas benditas...
y sé que le rezarás
hincaíca de rodillas...
Yo, si te viera rezando,
siempre te conocería.

. . . .
. . . .

Nena la del seno altico
y el pelo como la endrina;
nena de los ojos negros
y de la boca encendía;
tú la que por cara tienes
una rosa alejandrina,
serás, cuanti más lejicos
te vayas, más murcianica...
y yo, en el mundo, ande fuera,
¡siempre te conocería!

Poesía, 1908.

CARMENCICA

Trempanera me has salío
como la flor del almendro;
¡cuánta flor trempanerica
se yela o se lleva el viento!...

I

¡Releñe! ¿No la has visto?
¡Carmencica con novio!
Y no está encelaíca, que digamos,
platica que platica con su mozo,
los dos bien rejunticos
sentaos en el poyo...
¡Demontre de zagala!... ¡me da pena
que despunte tan pronto!

¡Señor, si es una cría!
Si ayer mesmico, como dice el otro,
llevando elante su maná de pavos,
corría esaliñá por los rastrojos,
siempre pegando blincos y corriendo
dende un lugar a otro,
y siempre ennegrecía y tan secuza
que to en su cara se volvían ojos...
Y mirándola espacio... no es la mesma.

¡Si da, de verla, gozo!
¡Si su cara tie lumbre
y tien sombrica de parral sus ojos!...

II

Me lo daba el corazón:
salió lo que me temía.
¡Mia lo que ha tardao en irse
con el novio Carmencica!

¡Qué lástima de zagala!...
¡Más guardara lo que importa,
que agua que pasa y no vuelve
es en la mujer la honra!...

Ya está alegre y satisfecha,
sin rastro de sentimiento,
como está el que la perdió
con otra novia, tan fresco.

¡Lástima de Carmencica!,
¡qué malos pasicos lleva!,
¡unos mocicos anoche
cantaron esto a su puerta!

Aunque te laves y laves
manchaíca te has de ver,
¡como está la cantarica
ande tos van a beber!

III

¡Qué lástima de zagala!...
¡Frutica a medio maurarse
que cayó de su ramica
y anda por los barrizales!...
De otra manera se peina,
de otra manera es su traje,
no es el olorcico que echa
olorcico de azadares,

ni su cantar es el mesmo,
ni tien sus coplas el aire
de aquellas que por la huerta
se echan entre los cañares...
El arrebol de su cara
no es arrebol de su sangre;
el descaro de sus ojos
no es la lumbrecica de antes;
no es la mesma su risica,
ni los mesmos sus modales...
¡Quien la vió y la vé!... ¡Señor,
qué diferencia tan grande!...
Como está lo que se vende
a to el que va por la calle;
como lo que pué comprar
to el que se acerque y lo pague;
como cosa que está a mano;
como en las tablas la carne...
¡asina está Carmencica,
ya pensarás en qué parte!...

IV

Yo he puesto en cruz sus manos,
y he compuesto los rizos de su frente,
apañando el pelico que tenía
pegaíco a las sienes,
y he llenao su cuerpo de azadares
y rosas y claveles...

Yo he besao su cara,
abora que nenguno la apetece,
y he cerrao, llorando,
sus ojicos, pa siempre...
Otra vez sus pestañas
con su sombrica de parral se extienden...
Otra vez en su cuerpo
los azadares güelen...
¡ya está otra vez más pura
que el agua cristalina de la fuente!

. . . .

Florecica de almendro,
más blanca que la nieve,
¡tempranerica caes
al airecico helao de la muerte!

Poesía, 1908.

¡POBRETICO!

No espegas los labios... ni siquiá te quejas...
nunca como abora de apocao te he visto...
¡por lo que con ella te encierras y vives,
la melancolía paece tu cariño!...

Sé lo que te pasa,
igual que si fuera tu sentir el mío:
que nenguna moza del pueblo te quiere,
que no hay quien te mire ni te haga un roalico,
que eres un extraño pa tos, que no sabes
lo que es un amigo...
Te esprecian porque eres un pobre inclusero...
¡y tan pobretico!...
A más que no tienes sobre qué caerte,
¡ni padre, ni madre, tan siquiá has tenío!...

Sin sombra de naide te ves, y ya piensas
que tos en el mundo semos lo mesmico...
No te esansies tanto... Repara que hay alguien
que pena contigo...
Yo seré, si quieres, tu madre, tu hermana...
andas falto de amor y de cuidio...

No tos, en el mundo,
semos lo mesmico...
Si hay quien no te quiere, por ser pobre y solo,
¡yo, de verte triste, te he tomao cariño!

Poesía, 1908.

CANSERA

— ¿Pa qué quies que vaya? Pa ver cuatro espigas
arroyás y pegás a la tierra,
pa ver los sarmientos ruínes y mustios
y esnúas las cepas,
sin un grano d'uva,
ni tampoco, siquiá, sombra de ella...
pa ver el barranco,
pa ver la laera,
sin una matuja... ¡pa ver que se embisten,
de pelás, las peñas!...
Anda tú, si quieres,
que a mí no me quea
ni un soplo d'aliento,
ni una onza de fuerza,
ni ganas de verme,
ni de que me mienten, siquiá, la cosecha...
Anda tú, si quieres, que yo pue que nunca
pise más la senda,
ni pue que la pase, si no es que entre cuatro
ya muerto me llevan...
Anda tú, si quieres...
No he d'ir, por mi gusto, si en crus me lo ruegas,
por esa sendica por ande se fueron,
pa no volver nunca, tantas cosas buenas...
esperanzas, quereres, suores...
¡to se fué por ella!...
Por esa sendica se marchó aquel hijo
que murió en la guerra...
Por esa sendica se fué la alegría...
¡por esa sendica vinieron las penas!...
No te canses, que no me remuevo;
anda tú, si quieres, y éjame que duerma,
¡a ver si es pa siempre!... ¡Si no me espertara!...
¡Tengo una cansera!...

Poesía, 1908.

EN BUSCA DEL PAN

Hace más de tres años
que Juan salió de España,
desesperado el pobre
por la miseria horrible de su casa.
Les dijo a su mujer y a sus hijicos,
con un nudo de pena en la garganta:
«Iré hasta el fin del mundo
por el pan que nos falta.»
Pero en el mundo están, Señor, las cosas
como nunca de malas
¡y volver no ha podido Juan ni con un pedazo
de pan para su casa!...

Muy lejos de su tierra
leyendo el pobre Juan está una carta:
«Vente ya, papaíto...;
vente, ¡aunque vengas sin traernos nada!»

Abonico, 1926.

JACTANCIA

Voy
por mi camino...
Si tú me dices «adiós»,
«adiós» te digo;
si tú me gritas,
te grito;
si tú me silbas,
te silbo;
canto si cantas,
y pongo
a tu cantar mi estribillo...
Si rumbas, rumbo;
si maldices, maldigo.
Llevo la plata
y el arma al cinto;
juego si juegas,
¡naipe o cuchillo!

Aires argentinos, 1927.

JOSÉ MARÍA GABRIEL Y GALÁN

1870-1905

Nació, de padres labradores, en Frades de la Sierra, pueblo
de Salamanca. Mostró una inteligencia brillante y precoz al estudiar la carrera de maestro, que ejerció desde los diez y seis
años en el Guijuelo (Salamanca) y Piedrahita (Ávila). Ocho
años después la abandonó, al casarse, para ser labrador de las
tierras que su mujer poseía en Guijo de Granadilla (Cáceres),
pueblo extremeño aislado y arcaico, donde, después de vivir
unos años felices la vida tradicional que cantó en sus versos,
fué sorprendido por la muerte en plena gloria y juventud. Era
más bueno, sencillo y sincero que sus mismos versos, con serlo
éstos mucho, porque en él no había la parte de afectación y
retórica que no falta en ellos. Se dió a conocer súbitamente
por una poesía, *El ama,* premiada en los Juegos Florales cele-
brados en Salamanca en 1901; esa poesía y *El Cristu benditu,*
que con algunas otras se publicaron por aquellos días en edición privada, contenían todo Galán, y bastaron a darle inmediatamente una gloria y popularidad que contrastaban con la
incomprensión y hostilidad con que fueron acogidos los modernistas. En mucha parte la consagración apresurada de Galán
significaba no sólo entusiasmo por su obra, sino protesta y cen-
sura contra las tendencias revolucionarias de la nueva literatura. Sin embargo, Galán, aunque católico y tradicionalista sincero, estaba en la parte primera y mejor de su obra más cerca
de su época que de los reaccionarios que le aplaudían. Su sentimiento del paisaje castellano es el mismo de Unamuno, uno de
los rasgos más característicos de la época; y su poesía dialectal
extremeña — con todas sus diferencias de temperamento —
deriva de la de Vicente Medina. Su mismo clasicismo de los
principios es modernista más que reaccionario, porque no se
inspira en el clasicismo convencional del siglo xix, sino en
aspectos especiales de la poesía rústica antigua, desde Juan de
la Encina a Lope de Vega, y en la poesía popular. Sus sentimientos tradicionales son sinceros y vividos, aprendidos desde
niño en los pueblos y alquerías de Salamanca, donde las cos-

tumbres campesinas conservaban todavía la armonía y grandeza de la mejor España del pasado : eran los mismos sentimientos de que estaba hecho él. Por eso su tradicionalismo era sano, alegre y sereno — no triste y pesimista como el de los modernistas europeizados —; era comprensivo y tolerante — no negativo y dogmático como el de los reaccionarios teorizantes, afrancesados también. Todo esto es verdad de sus primeras poesías «charras» o «castellanas» — que trascienden de lo regional por ser tan normalmente española la compleja y elevada cultura popular de aquella región —, y lo es también de sus «extremeñas», en las que el uso del dialecto — leonés oriental muy próximo al castellano — simplifica y acentúa lo rústico y primitivo. Si Galán se hubiera mantenido en este terreno, depurando su expresión del exceso, vulgaridad y pedantería de la retórica del siglo xix que abundan aun en sus mejores composiciones, hubiera llegado a ser el verdadero gran poeta que llevaba dentro y que se manifiesta en ciertos aspectos de su poesía con fuerza y originalidad que, a pesar de sus defectos y de sus detractores, aseguran a su obra no sólo la popularidad de que goza, sino vida permanente y un lugar propio en la literatura de esta época.

BIBLIOGRAFÍA. — **Poesía** : *Castellanas,* Salamanca, 1902. *Extremeñas,* 1902. *Campesinas,* 1904; 1906. *Nuevas castellanas,* 1905. *Obras completas,* 1905; Madrid, 1909; 1912; 1917; 1921; 1926. *Cartas y poesías inéditas,* pról. de A. Cotarelo, Santiago, 1919. **Otras obras** : *Epistolario.* selec. por M. de Santiago Cividanes, Madrid, 1918. — **Estudios** : M. ALONSO, *El cantor de Castilla,* en EstBA, junio-julio-agosto, 1929; *Literatura y literatos regionales en España,* en EstBA, enero-feb.-marzo, 1929. J. M. CORRAL, *«Campesinas» de G. y G.,* en RCChile, 1916, VI, 932-935. F. GARCÍA, *G. y G.,* en CD, 1918, CXIV; 1919, CXVI, CXVII; *En memoria de G. y G.,* en CD, 1923, CXXXII, 40-47. A. y A. GARCÍA CARAFFA, *Españoles ilustres : G. y G.,* Madrid, 1918. P. HENRÍQUEZ UREÑA, *Horas de estudio,* París, s. a.; *J. M. G. y G.,* en HispCal, 1927, X, 109-119. *J. M. G. y G: a modern Spanish poet,* en BSS, 1927, IV, 3-15. J. A. MARTÍNEZ AJURIA, *G. y G.,* en ED, 1919, XVI, 76-86. E. PARDO BAZÁN, *J. M. G. y G.,* discurso, Madrid, [1905]; *Retratos y apuntes literarios,* 1.ª serie, Madrid, s. a. A. REVILLA MARCOS, *J. M. G. y G., su vida y sus obras,* estudio crítico, pról. de M. de Unamuno, Madrid, 1923 [cf. J. F. M., en RFE, 1924, XI, 327-328]. J. RINCÓN LAZCANO, *Madrid y el poeta G. y G.,* en RevBAM, 1925, II, 165-173. B. RODRÍGUEZ, *Memorias sobre J. M. G. y G,,* en RC, sept. 1913. J. SÁNCHEZ ROJAS, *Elogio de G y G.,* en NT, 1913, XIII, 3, 129-148.

EL AMA

Yo aprendí en el hogar en qué se funda
la dicha más perfecta,
y para hacerla mía
quise yo ser como mi padre era
y busqué una mujer como mi madre
entre las hijas de mi hidalga tierra.
Y fuí como mi padre, y fué mi esposa
viviente imagen de la madre muerta.
¡Un milagro de Dios, que ver me hizo
otra mujer como la santa aquella!
Compartían mis únicos amores
la amante compañera,
la patria idolatrada,
la casa solariega,
con la heredada historia,
con la heredada hacienda.
¡Qué buena era la esposa
y qué feraz mi tierra!
¡Qué alegre era mi casa
y qué sana mi hacienda,
y con qué solidez estaba unida
la tradición de la honradez a ellas!
Una sencilla labradora, humilde
hija de obscura castellana aldea;
una mujer trabajadora, honrada,
cristiana, amable, cariñosa y seria,
trocó mi casa en adorable idilio
que no pudo soñar ningún poeta.
¡Oh, cómo se suaviza
el penoso trajín de las faenas
cuando hay amor en casa
y con él mucho pan se amasa en ella
para los pobres que a su sombra viven,
para los pobres que por ella bregan!
¡Y cuánto lo agradecen, sin decirlo,
y cuánto por la casa se interesan,
y cómo ellos la cuidan,
y cómo Dios la aumenta!

Todo lo pudo la mujer cristiana,
logrólo todo la mujer discreta.
 La vida en la alquería
giraba en torno de ella
pacífica y amable,
monótona y serena...
 ¡Y cómo la alegría y el trabajo,
donde está la virtud se compenetran!
 Lavando en el regato cristalino
cantaban las mozuelas,
y cantaba en los valles el vaquero,
y cantaban los mozos en las tierras,
y el aguador camino de la fuente,
y el cabrerillo en la pelada cuesta...
¡Y yo también cantaba,
que ella y el campo hiciéronme poeta!
 Cantaba el equilibrio
de aquel alma serena,
como los anchos cielos,
como los campos de mi amada tierra;
y cantaba también aquellos campos,
los de las pardas onduladas cuestas,
los de los mares de enceradas mieses,
los de las mudas perspectivas serias,
los de las castas soledades hondas,
los de las grises lontananzas muertas...
 El alma se empapaba
en la solemne clásica grandeza
que llenaba los ámbitos abiertos
del cielo y de la tierra.
 ¡Qué plácido el ambiente,
qué tranquilo el paisaje, qué serena
la atmósfera azulada se extendía
por sobre el haz de la llanura inmensa!
 La brisa de la tarde
meneaba, amorosa, la alameda,
los zarzales floridos del cercado,
los guindos de la vega,
las mieses de la hoja,
la copa verde de la encina vieja...

¡Monorrítmica música del llano,
qué grato tu sonar, qué dulce era!
La gaita del pastor en la colina
lloraba las tonadas de la tierra,
cargadas de dulzuras,
cargadas de monótonas tristezas,
y dentro del sentido
caían las cadencias,
como doradas gotas
de dulce miel que del panal fluyeran.

La vida era solemne;
puro y sereno el pensamiento era;
sosegado el sentir, como las brisas;
mudo y fuerte el amor, mansas las penas,
austeros los placeres,
raigadas las creencias,
sabroso el pan, reparador el sueño,
fácil el bien y pura la conciencia.

¡Qué deseos el alma
tenía de ser buena,
y cómo se llenaba de ternura
cuando Dios le decía que lo era!

II

Pero bien se conoce
que ya no vive ella;
el corazón, la vida de la casa
que alegraba el trajín de las tareas;
la mano bienhechora
que con las sales de enseñanzas buenas
amasó tanto pan para los pobres
que regaban, sudando, nuestra hacienda.

¡La vida en la alquería
se tiñó para siempre de tristeza!

Ya no alegran los mozos la besana
con las dulces tonadas de la tierra
que al paso perezoso de las yuntas
ajustaban sus lánguidas cadencias.

Mudos de casa salen,
mudos pasan el día en sus faenas,
tristes y mudos vuelven
y sin decirse una palabra cenan;
que está el aire de casa
cargado de tristeza,
y palabras y ruidos importunan
la rumia sosegada de las penas.

Y rezamos, reunidos, el Rosario,
sin decirnos por quién... pero es por ella.
Que aunque ya no su voz a orar nos llama,
su recuerdo querido nos congrega,
y nos pone el Rosario entre los dedos
y las santas plegarias en la lengua.

¡Qué días y qué noches!
¡Con cuánta lentitud las horas ruedan
por encima del alma que está sola
llorando en las tinieblas!

Las sales de mis lágrimas amargan
el pan que me alimenta;
me cansa el movimiento,
me pesan las faenas,
la casa me entristece
y he perdido el cariño de la hacienda.

¡Qué me importan los bienes
si he perdido mi dulce compañera!

¡Qué compasión me tienen mis criados
que ayer me vieron con el alma llena
de alegrías sin fin que rebosaban
y suyas también eran!

Hasta el hosco pastor de mis ganados,
que ha medido la hondura de mi pena,
si llego a su majada
baja los ojos y ni hablar quisiera;
y dice al despedirme: «Ánimo, amo;
haiga mucho valor y *haiga pacencia*...»

Y le tiembla la voz cuando lo dice,
y se enjuga una lágrima sincera,
que en la manga de la áspera zamarra
temblando se le queda...

¡Me ahogan estas cosas,
me matan de dolor estas escenas!
    ¡Que me anime, pretende, y él no sabe
que de su choza en la techumbre negra
le he visto yo escondida
la dulce gaita aquella
que cargaba el sentido de dulzuras
y llenaba los aires de cadencias!...
    ¿Por qué ya no la toca?
¿Por qué los campos su tañer no alegra?
    Y el atrevido vaquerillo sano
que amaba a una mozuela
de aquellas que trajinan en la casa,
¿por qué no ha vuelto a verla?
¿por qué no canta en los tranquilos valles?
¿por qué no silba con la misma fuerza?
¿por qué no quiere restallar la honda?
¿por qué está muda la habladora lengua,
que al amo le contaba sus sentires
cuando el amo le daba su licencia?
    «¡El ama era una santa!...»
me dicen todos cuando me hablan de ella.
    «¡Santa, santa!» me ha dicho
el viejo señor cura de la aldea,
aquel que le pedía
las limosnas secretas
que de tantos hogares ahuyentaban
las hambres y los fríos y las penas.
    ¡Por eso los mendigos
que llegan a mi puerta,
llorando se descubren
y un Padrenuestro por *el ama* rezan!
    El velo del dolor me ha obscurecido
la luz de la belleza.
    Ya no saben hundirse mis pupilas
en la visión serena
de los espacios hondos,
puros y azules, de extensión inmensa.
    Ya no sé traducir la poesía,
ni del alma en la médula me entra

la intensa melodía del silencio,
que en la llanura quieta
parece que descansa,
parece que se acuesta.
   Será puro el ambiente, como antes,
y la atmósfera azul será serena,
y la brisa amorosa
moverá con sus alas la alameda,
los zarzales floridos,
los guindos de la vega,
las mieses de la hoja,
la copa verde de la encina vieja...
   Y mugirán los tristes becerrillos,
lamentando el destete, en la pradera;
y la de alegres recentales dulces,
tropa gentil, escalará la cuesta
balando plañideros
al pie de las dulcísimas ovejas;
y cantará en el monte la abubilla,
y en los aires la alondra mañanera
seguirá derritiéndose en gorjeos,
musical filigrana de su lengua...
   Y la vida solemne de los mundos
seguirá su carrera
monótona, inmutable,
magnífica, serena...
   Mas, ¿qué me importa todo,
si el vivir de los mundos no me alegra,
ni el ambiente me baña en bienestares,
ni las brisas a música me suenan,
ni el cantar de los pájaros del monte
estimula mi lengua,
ni me mueve a ambición la perspectiva
de la abundante próxima cosecha,
ni el vigor de mis bueyes me envanece,
ni el paso del caballo me recrea,
ni me embriaga el olor de las majadas,
ni con vértigos dulces me deleitan
el perfume del heno que madura
y el perfume del trigo que se encera?

Resbala sobre mí sin agitarme
la dulce poesía en que se impregnan
la llanura sin fin, toda quietudes,
y el magnífico cielo, todo estrellas.
   Y ya mover no pueden
mi alma de poeta,
ni las de mayo auroras nacarinas
con húmedos vapores en las vegas,
con cánticos de alondra y con efluvios
de rocïadas frescas;
ni estos de otoño atardeceres dulces
de manso resbalar, pura tristeza
de la luz que se muere
y el paisaje borroso que se queja... ;
ni las noches románticas de julio,
magníficas, espléndidas,
cargadas de silencios rumorosos
y de sanos perfumes de las eras;
noches para el amor, para la rumia
de las grandes ideas,
que a la cumbre al llegar de las alturas
se hermanan y se besan...
   ¡Cómo tendré yo el alma
que resbala sobre ella
la dulce poesía de mis campos
como el agua resbala por la piedra!
   Vuestra paz era imagen de mi vida
¡oh campos de mi tierra!
pero la vida se me puso triste
y su imagen de ahora ya no es ésa:
en mi casa, es el frío de mi alcoba,
es el llanto vertido en sus tinieblas;
en el campo, es el árido camino
del barbecho sin fin que amarillea.

. . . .

   Pero yo ya sé hablar como mi madre
y digo como ella
cuando la vida se le puso triste:
«¡Dios lo ha querido así! ¡Bendito sea!»

Castellanas, 1902.

EL CRISTU BENDITU

I

¿Ondi jueron los tiempos aquellos,
que pue que no güelvan,
cuando yo juí presona leía
que jizu comedias
y aleluyas también y cantaris
pa cantalos en una vigüela?
¿Ondi jueron aquellas cosinas
que llamaba ilusionis, y eran
a'specie de airinos
que atontá me tenían la mollera?
¿Ondi jueron de aquellos sentires
las delicaezas
que me jizun lloral como un neni,
de gustu y de pena?
¿Ondi jueron aquellos pensaris
que jacían dolel la cabeza
de puro lo jondus
y enreaos que eran?
Ajuyó tuito aquello pa siempri,
y ya no me quea
más remedio que dilme jaciendu
a esta vía nueva.
¡Ya no güelvin los tiempos de altoncis,
ya no tengo ilusionis de aquellas,
ni jago aleluyas,
ni jago comedias,
ni jago cantaris
pa cantalos en una vigüela...!

II

Pensando estas cosas,
que me daban ajogos de pena,
una ves andaba por los olivaris
que la ermita del Cristu roean.
Triste y aginao,
de la ermita me juí pa la vera,

solitaria y abierta la vide
y entrémi por ella.
Con el alma llenita de jielis,
con el pecho jechito una breva
y la cara jaciendo pucheros
lo mesmito que un niño de teta,
juíme ampié del Cristu,
me jinqué en la tierra,
y jaciendo la crus, recé un Creo
pa que Dios quisiera
jacelmi la vía
una miaja tan sólo más güena.
¡Qué güeno es el Cristu
de la ermita aquella!
Yo le ije, dispués de rezali:
— ¡Santo Cristu, que yo tengo pena,
que yo vivo tristi
sin sabel de qué tengo tristeza
y me ajogo con estos ansionis
y este jormiguillo que me jormiguea!
¡Santo Cristu querío del alma!
Tú pasastis las jielis más negras
que ha podío pasal un nacío
pa que tos los malos güenos se golvieran;
pero yo sigo siendo maletu
y a Ti te lo digo lleno de velgüenza
pa que me perdonis
y me jagas entral en verea.
Tú, que estás en la Crus clavaíto
pol sel yo maleto, ¡quítame esta pena
que aentru del pecho
me escarabajea!...
¡Jalo asina, que yo te prometo
jacelmi bien güeno, pa que Tú me quieras!

III

¡Qué güeno es el Cristu
de la ermita aquella!
Pa jacel más alegri mi vía,

ni dineros me dió ni jacienda,
polque ice la genti que sabi
que la dicha no está en la riqueza.
Ni me jizu marqués, ni menistro,
ni alcaldi siquiera,
pa podel dil a misa el primero
con la ensinia los días de fiesta
y sentalmi a la vera del cura
jaciendu fachenda.
¡Pa esas cosas que son de fanfarria
no da nada el Cristu de la ermita aquella!
Pero aquel que jaciendo pucheros
se jinqui en la tierra,
y, dispuis de rezali, le iga
las jielis que tenga,
que se vaiga tranquilo pa casa,
que ha de dali el Cristu lo que le convenga.
A mí me dió un hijo
que paeci de rosa y de cera,
como dos angelinos que adornan
el retablo mayol de la iglesia.
Un jabichuelino
con la cara como una azucena,
una miaja teñía de rosa
pa que entavia más guapo paeza.
A mí me entonteci
cuando alguna risina me jecha
con aquella boquina sin dientis,
reondina y fresca,
que paeci el cuenquín de una rosa
que se jabri sola pa si se la besa.
¡Juy, qué boca tan guapa y tan rica!
¡paeci de una tenca!
A vecis su madri
en cuerinos del to me lo quea,
se pone un pañali tendío en las sayas
y allí me lo jecha.
¡Paeci un angelino
de los de la iglesia!
Yo quería que asín, en coretis,

siempre lo tuviera;
y cuando su madri vuelvi a jatealo,
le igo con pena:
— Éjalo que bregui,
éjalo que puea
raneal con las piernas al airi
pa que críe juerza!
¡Éjalo que se esponji un ratino,
que tiempo le quea
pa enliarsi con esos pañalis
que me lo revientan!
¡Éjamelo un rato
pa que yo lo tenga
y le jaga cosinas bonitas
pa que se me ría mientras que pernea!
¡Que goci, que goci,
to lo que asín quiera;
que pa jielis, ajogos y aginos,
mucho tiempo quea!
¡Éjamelo pronto para zarandealo!
¡Éjame el mi mozu pa que yo lo meza,
pa que yo le canti,
pa que yo lo duerma
al ton de las guapas
tonás de mi tierra,
continas y dulcis,
que paecin zumbíos de abeja,
ruíos de regato,
airi de alamea,
sonsoneti del trillo en las miesis,
rezumbal de mosconis que vuelan
u cantal dormilón de chicharra
que entonteci de gustu en la siesta...
¡Miali cómo bulli,
miali cómo brega,
miali cómo sabi
óndi está la teta!
Si conocis que tieni jambrina,
dali una gotera
pa que prontu se jaga tallúo

y amarri los chotos a puro de juerza.
¡Miali qué prontino
jizu ya la presa!
¡Miali cómo traga; mia qué cachetinos
mientris mama en el pecho te pega!
¡Mia qué arrempujonis da con la carina
pa que salga la lechi con priesa!
¡Asín jacin también los chotinos
pa que baji el galro seguío y con juerza!
Ya se va jartando. ¡Mia cómo se ríe;
miali cómo enrea!
Jasta el garguerinu
la lechi le llega,
porque va poniendo cara de jartura
y el piquino del pecho ya eja.
Quítalo enseguía pa que no se empachi
y trai que lo tenga...
¡Clavelino querío del güerto!
¡Ven que yo te quiera,
ven que yo te canti,
ven que yo te duerma,
al ton de las guapas
tonás de mi tierra,
pa que pueas cantalas de mozo
cuando sepas tocal la vigüela.
¡Venga el mi mocino,
venga la mi prenda!
¡Ven que yo te besi
con delicaeza,
ondi menos te piquin las barbas
pa que no te ajuyas cuando yo te quiera,
ni te llorin los ojos, ni arruguis
esa cara más fina que sea,
ni te trinquis p'atrás enojao
si tu padri en la boca te besa...!

IV

Mujel, ¡mia qué lindu
cuando ya está dormío se quea!

¿Tú no sabis por qué se sonríe?
Es porqui se sueña
que anda con retozus con los angelinos
en la gloria mesma...

V

¡Qué guapo es mi neni!
¡Ya no tengo pena!
¡Qué güeno es el Cristu
de la ermita aquella!

Extremeñas, 1902.

«EL VIEJO PANCHO»

(JOSÉ ALONSO Y TRELLES)

1867?-1925

Uruguayo. Aunque español de nacimiento — de Navia (Asturias) —, fué muy joven a América, estudió en Montevideo, vivió muchos años en el campo y llegó a compenetrarse de tal modo con el carácter y las costumbres uruguayas, que cuando se inspiró en ellas para escribir poesía gauchesca, el público y los críticos uruguayos le consideraron como su mejor y más auténtico poeta popular. Su poesía se aparta de la tradición cómica, política o dramática de la poesía gauchesca del siglo xix, para seguir la nueva tendencia lírica de la poesía popular creada por Vicente Medina. Hay en la personalidad de Trelles y en la psicología y ambiente americanos, que tan bien conoce y siente, bastante originalidad para que su poesía tenga un tono propio, el mismo del campesino rioplatense, que, si se parece tanto al español por su lenguaje y por los rasgos de su carácter, es, sin embargo, un español aindiado — tenga o no sangre india —, más triste y resignado, suave, reservado y caviloso.

BIBLIOGRAFÍA. — **Poesía:** *Juan el Loco,* poema, Montevideo, 1887. *Paja brava,* versos criollos, 1916; 1920; 1926; 5.ª ed. aum., con un jui-

cio por J. Zavala Muñiz, Buenos Aires-Montevideo, 1929. — **Estudios:**
R. Montero Bustamante, *Dos ediciones póstumas* [sobre *Paja brava*], en
PrBA, 16 enero 1927. A. Zum Felde, *Proceso intelectual del Uruguay,*
t. III, Montevideo, 1930, p. 150-158.

TRISTEZAS

¿Que en qué cismo, decís? Dejáme, un rato,
pensar en lo que pienso.
Porque, a veces, pa juirles a mis penas,
les ando matreriando a mis recuerdos.

Pensaba... Pero, amigo, esto sí es lindo;
se me jué el santo al cielo...
De juro una zoncera: ¿en qué otra cosa
puede pensar un pobre gaucho viejo?

Yo nunca di trabajo a la cabeza;
¿pa qué si mi vivir siempre jué el mesmo;
si entre el hoy y el ayer la diferiencia
jué no más que de tiempo?

En la sobada trenza de mis penas
no se ruempe ni un tiento,
y va el dolor siguiéndome cerquita,
como atao a la cincha po'el cabresto...

Cuando se cruzan pagos nunca vistos,
pa no perder el rumbo hay qu'ir dispierto;
pero, ¿en la cancha propia? Hasta el más zonzo
hace el viaje durmiendo.

¡Pensar!... En las miserias de la vida
nunca supe poner el pensamiento;
puse mi corazón confiao y zonzo,
y a traición me lo hirieron.

De ahí vienen mis tristezas misteriosas,
mis horas de silencio...
¡Tal vez, mi corazón es ya fináito,
y cuando estoy ansina es que lo velo!

Paja brava, 1916.

LA GÜEYA

Pulpero, eche caña,
caña de la güena,
yene hasta los topes ese vaso grande,
no ande con miserias.

Tengo como un fuego
la boca, de seca,
y en el tragaero tengo como un ñudo
que me áhuga y me apreta...

Déme esa guitarra...
¡Quién sabe sus cuerdas
no me dicen algo que me dé coraje
pa echar esto ajuera...!

Hoy, de madrugada,
yegué a mis taperas
y oservé en el pasto, mojao po'el sereno,
yo no sé qué güeyas...

Tal vez, de algún perro...
Pero ¡de ande yerba!
Si al lao de mi rancho no tengo chiquero
ni en mi casa hay perra...

Dentré, y a mi china
la encontré dispierta...
Pulpero, eche caña, que tengo la boca
lo mesmo que yesca...

Yo tengo, pulpero,
pa que usté lo sepa,
la moza más linda que han visto los ojos
en tuita la tierra.

Con eya mi rancho
ni al cielo envidea...
Pero, ¡eche otro vaso, pa ver si me olvido
que he visto unas güeyas!...

Paja brava, 1916.

MIGUEL A. CAMINO

1877 - 1944

Argentino. Los únicos datos que conozco de su biografía, proporcionados por Noé, son los siguientes: que nació en Buenos Aires, viajó por Europa durante varios años, y a su regreso fué corresponsal de *La Nación* en San Martín de los Andes. De modo que este poeta regional, el mejor de la Argentina y aun de toda América hoy, es, como todos los demás que hemos citado y otros anteriores — José Hernández el más alto de todos —, una persona culta, aunque probablemente no mucho, que por algún motivo se ha acercado al pueblo de la región en que vive — y donde no es preciso que haya nacido — hasta sentirse identificada con él. San Martín de los Andes, donde Camino vive, está en una región remota, cerca de la frontera chilena, llamada Neuquén, en la cual, según el crítico argentino José Gabriel, hay montes de un árbol llamado «chacay», a orillas del lago Lacar. De ese nombre deriva el de «chacayaleras» que dió Camino a sus poesías regionales publicadas en 1921. A otras posteriores las ha llamado «chaquiras», que, en araucano, son las «cuentas de un collar». Lo extraño y local de aquella región es lo araucano; lo demás es popular argentino o español; lo que Camino pone es, en unas composiciones lo mismo que pusieron Medina y Galán: el sentimentalismo popular universal que hace al Neuquén extrañamente uniforme con Murcia y Extremadura, y en otras, un elemento original de gracia, concisión y finura que aleja y desrealiza la materia popular, dejando solamente los contornos tenues y justos de la creación artística. Esto, que en vano buscaríamos en sus antecesores, puede deberse a la distancia temporal a que Camino se encuentra de ellos o al temperamento personal de este autor; sea como quiera, su obra es la única que significa una superación de la poesía regional de 1900, y tanto por esto como por su fecha, se encuentra fuera y más allá de la época modernista.

BIBLIOGRAFÍA. — **Poesía:** *Chacayaleras,* Buenos Aires, 1921. *Nuevas chacayaleras,* 1923. *Chaquirás,* 1926; 1927. — **Estudios:** J. GABRIEL,

Estas chacayaleras, en Nos, 1923, XLIV, 355-366. S. JULIO, *Ideas e combates*, Rio de Janeiro, 1927. M. LÓPEZ PALMERO, Sobre *Chaquiras,* en Nos, 1927, LV, 118-119. E. MORALES, *M. A. C.,* en FM, 20 nov. 1923. J. TORRENDELL, *M. A. C.,* en Atl, 23 feb. y 2 marzo 1922; 11 oct. 1923.

CHACAYALERA

Hermosa chacayalera,
bronceadita por el sol,
dame un beso.

— ¡Ay que no, pue, mi iñor!
Esas cosas no se piden,
ni se venden, ni se ofrecen:
se cosechan entre dos.

De esos dos, estoy yo sola.
No ha venío aún, iñor,
el que coseche en mi boca
el beso que usía me pide
y no quiero darle yo.
¡Ay! ¡que no!...

— ¡Hermosa chacayalera
bronceadita por el sol!

Chacayaleras, 1921.

SILBANDO

Ella le pedía
con honda tristeza:

— No silbes, Lisandro.
¿No ves que silbando me apenas?
Si tienes un silbido, entre dientes,
que en vez de tonada
parece un llorare,
parece una queja!

Con ese tu silbo,
Lisandro, ¿te acuerdas?,
marchabas de niño a los cerros;
y en sus soledades,
con cabras y piedras,
pasabas silbando, silbando,
las horas enteras.

Con ese tu silbo
que me desespera,
te vide, ya hombre,
en busca'e cariño
llegar a mi puerta.
Con ese tu silbo
te vide alejarte
dejándome sola
y llena'e vergüenza.

Con ese tu silbo,
te vide ayer tarde
llegar por la güeya
trayendo a nuestro hijo
cruzado en la cruz de tu bayo
como una maleta...
Y allí lo enterraste,
silbando, silbando,
juntito a la tumba
de tu pobre vieja...

No silbes, Lisandro.
¡Por Dios, te lo pido!
¿No ves que al oírte
silbando, silbando,
el alma presiente
desgracias muy negras?

No silbes, Lisandro,
que en vez de tonada, tus silbos
parece que fueran
aullidos de perro

que nos anunciaran
una mala nueva.

. . . .

    Y él, indiferente,
silbando, silbando
entre dientes,
oía a la pobre...
como si lloviera.

. . . .

    Le mataron un hijo a Lisandro,
en una pelea
(hay quien dice que fué el Comisario,
a causa de un'hembra);
y después de enterrar a su güeñi
juntito a su vieja,
y afilar como luz su cuchillo,
por saber si es verdad lo que cuentan,
sin siquiera volcar una lágrima,
sin siquiera volver la cabeza,
al tranquito, montado en su bayo,
del palenque hacia el pueblo, silbando,
silbando entre dientes,
se aleja.

    Muy cerquita del rancho'e Lisandro
hay tres cruces, de dos que antes eran.
La mujer, que enfermó del disgusto,
para siempre descansa en la tierra;
y en Bahía se encuentra Lisandro
pagando su hombrada
metido entre rejas.

    Parece que en cuanto aquel día
silbando, silbando entre dientes,
al pueblo llegara,
y supo la cosa cual fuera,
sin decir una sola palabra
pilló al Comisario,
cobróle su cuenta,

asestándole en medio'e la guata
una puñalada
por cada una legua,
que llevando el cadáver del hijo
Lisandro anduviera...

Y la gente baquiana calcula
que del rancho'e Lisandro hasta el pueblo,
hay dieciocho legüitas, apenas.

Nuevas chacayaleras, 1923.

ANTONIO CASERO

1873 - 1936

Madrileño, aunque según creo nació fuera de allí — en Salamanca, si no me equivoco —, como la mayor parte de los madrileños. Aunque Madrid sea así desde el siglo XVII, aluvión y mezcla de toda España, tiene un carácter propio en el que actúa como fermento o fundente un elemento popular que reside en las clases bajas, que de ellas sube a las altas y que extiende su influencia por toda España. Las clases bajas madrileñas tienen rasgos que las asemejan al tipo cosmopolita de otras capitales europeas o americanas; pero al mismo tiempo conservan un carácter muy popular y tradicional español que las asemeja a las gentes rústicas de regiones arcaicas y apartadas. Es decir, que Madrid ha sido hasta ahora un pueblo grande al mismo tiempo que una gran corte, y esta mezcla rara se manifiesta en el carácter de sus hijos. Los tipos madrileños — con diversos nombres, últimamente el de «chulos» — han sido llevados a la literatura desde el siglo XVII, principalmente al teatro. En nuestro tiempo, José López Silva cultivó, y en cierta manera creó un nuevo género de poesía madrileñista, iniciada con su obra *Los barrios bajos* (1894); pero este autor, realista y cómico, no pertenece en rigor a la época contemporánea, siendo en cambio un producto típico de la época anterior. Antonio Casero, su discípulo, que no logró igualarle, debe estar aquí, sin embargo, porque en algunas de sus poesías hay

evidente influencia de Medina y Galán, y una de ellas bastará
para probar que si la literatura regional tiene un valor propio
— como hemos tratado de demostrar —, no es éste sin duda el
de haber logrado expresar lo característico de cada región,
sino más bien lo primario y elemental de los sentimientos
humanos, que naturalmente es idéntico en Madrid, en Extremadura o en el Neuquén. Ni siquiera el lenguaje popular con que
estos autores pretenden dar color local a sus obras — haciendo
el esfuerzo de que sus personajes hablen por sí mismos en un
lenguaje que no es el del autor— tiene carácter; porque, a juzgar
por sus poesías, la mayoría de los popularismos son idénticos
en toda la extensión de la lengua castellana. En consecuencia,
como dijimos ya, lo popular y regional es lo más uniforme y
monótono de toda la literatura que estamos examinando; porque se recordará que, en cambio, tenía sentido profundo, verdadero y diferencial, hablar de las regiones cuando nos refe-
ríamos a los poetas universales y cultos: al vasco Unamuno,
al catalán Marquina, al andaluz Machado, al asturiano Ayala, al
gallego Valle-Inclán, y lo mismo a los poetas de las varias y
distintas naciones americanas.

BIBLIOGRAFÍA. — **Poesía:** *Romeo y Julieta,* diálogo en verso, Madrid,
1902. *Los gatos,* pról. de J. O. Picón, 1906. *Los castizos,* pról. de M. de
Cavia y epíl. de C. Arniches, 1911. *El pueblo de los majos,* pról. de
J. Benavente, 1912. *La musa de los madriles,* pról. de B. Pérez Galdós
y epíl. de P. de Répide, 1914.

¡QUÉ VIDA MÁS LOCA!

Estoy al brasero,
le estoy dando coba:
éste es el amigo
que no me abandona.
Ya me falta en el mundo tóo el mundo.
Ya soy viejo, mu viejo; ya es cosa
de que, el día que menos se piensen,
la *diñe* y me *entierren,* que dice la copla.
Yo he pasao mi vereda entre zarzas,
y he tenío mis ratos de broma,
y he sufrío mu duros trabajos,

y he sufrío también por las mozas,
y he tomao mu en serio la vida,
que malhaya el que en serio la toma;
yo he danzao como dance el que dance,
y he *soplao,* y no cisco, y *cogorza*
m'han metío en la cama los sábados,
y los lunes he dío a la obra;
en mi casa no habrá habío lujos,
pero el hambre jamás hizo roncha,
y a mis hijos jamás por las calles
se les ha visto nunca sin botas,
y los he enrielao al trabajo
pa ganarse la vida con honra.
Hoy corre otro viento,
vuelan otras moscas;
ellos ya tien hijos,
yo no soy mi sombra.
Yo no soy aquel hombre de entonces,
el trabajo pa mí está de sobra,
me flaquean las piernas, no puedo,
ya no puedo coger la garlopa;
hoy estoy en el mundo lo mismo
que esos cofres que tien la carcoma,
con el forro de pelo sin pelo,
y averiao, y perdía la forma;
hoy estoy ya viviendo en el mundo
de propina, los viejos estorban;
hoy mis hijos me tien como al gato,
hoy mis hijos me tien de limosna;
ellos triunfan y beben y danzan,
y me riñen por na las bribonas
de las nueras, que no puen ni verme,
y los nietos, los pobres, me toman
por el coco; les pinchan mis barbas
y ni un beso me dan, a mí que ahora
más que nunca quisiera los besos,
esos besos que saben a gloria,
los que a mí me faltan,
los que a otros les sobran;
¡es ley de la vida:

los viejos estorban!
Cuántos besos que yo les he dado,
por la noche, al volver de la obra;
cuántas veces entré de puntillas,
porque estaban durmiendo, a su alcoba,
y con mucho cuidao les besaba
sus manitas, las mismas que ahora
no acarician a aquel que por ellos
ha pasao muchas penas mu hondas.
Cuántas noches, rendío del tajo,
me he pasao sin dormir, con zozobra,
porque alguno se hallaba con fiebre
y le ardían sus manos de rosas,
y yo, con su madre, velando su sueño
y oyendo sus ayes, besando su boca;
me acharaba el rodar de los coches,
el ruido del cuco que daba la hora,
y el aire, y la lluvia, y, en fin, el aliento
me estorbaba; ya ves tú qué cosas,
y hoy me escuchan toser y me dicen:
«¡Camará con la tos, y qué posma!»
«¡Demonio de viejo!»
«¡Qué tos más ladrona!»
«¡Aquí no hay quien duerma!»
«¡Cállese y no tosa!»
¡Ya ves tú qué contraste de mundo!
¡Ya ves tú cómo son las personas!
Hoy el Sol es mi amigo del alma,
su calor me da vida, me entona;
mas se oculta al ponerse la tarde,
y al ponerse repican las monjas
sus campanas al toque del *Angelus;*
yo, al oírlas, me quito la gorra
y aun le pido al Señor por mis hijos,
que al fin son mis hijos, mi vida, mi gloria,
y buscando el calor del brasero,
al rescoldo me paso las horas;
ellos beben y ríen y danzan;
ellas y ellos, alegres, retozan,
y los chicos diablean y brincan,

mientras yo, en un rincón de mi alcoba,
los escucho y contemplo el rescoldo,
que, cual yo, tie la vida mu corta,
y me duermo, y aun sueño con ellos,
y los beso al volver de la obra,
y sigo soñando...
¡Dios mío, qué cosas
sueño: que me quieren...
que no me abandonan!...
Y amanece, ¡y me encuentro sin ellos!...
¡Qué vida más loca!

El pueblo de los majos, 1912.

IV

JUAN RAMÓN JIMÉNEZ

JUAN RAMÓN JIMÉNEZ

1881

Nació en Moguer (Huelva), en la Andalucía baja, occidental. Su pueblo — su infancia — está por todas partes en su obra, y el alma de su pueblo, depurada y exaltada, está en su alma, universal e intemporal. Andalucía significa, dentro de España, refinamiento, tono, manera: producto de una superposición de floridas decadencias, la ibérica, la romana, la árabe, la castellana. Esta última fase, la española del siglo xvi, le dió su carácter esencial: entonces fué Andalucía la Castilla más nueva, el centro modernísimo y cosmopolita del imperio español, lazo entre España y América. Por el mar de Juan Ramón — limpio entre los pinos — salieron los barcos andaluces — castellanos — que la descubrieron. En la nueva cultura andaluza, creadora y universal, ampliamente española, quedó el aroma y el ritmo de las viejas culturas ancestrales, que añadieron a la austeridad castellana una nota de gracia y de melancolía. Después del siglo xvi la nueva centralización de la corte y la paralización de la vitalidad española convirtieron a Andalucía en una región aislada y periférica, de fuerte carácter arcaico y popular, que viene a ser en lo esencial la estilización y amaneramiento del carácter español. Lo malo andaluz es falso, exagerado, superficial; lo bueno es exquisito, señoril, sobrio, esencial, eterno. Juan Ramón — como suele llamársele — es el hombre y el poeta de lo bueno andaluz por excelencia, de la «Andalucía recóndita» que a través de él adivinó Rodó; por eso se le ha llamado también «el andaluz universal».

En su vida importan poco los accidentes externos: hijo de buena familia, estudió con los jesuítas y luego en la Universidad de Sevilla; tuvo una juventud delicada y enfermiza; ha vivido casi toda su vida en Madrid, algunos años en la Residencia de estudiantes, hasta que se casó en Nueva York en 1916 con Zenobia Camprubí, española de educación norteamericana, traductora de Tagore, fina y comprensiva colaboradora; ha viajado por España, Francia y los Estados Unidos; ha publicado revistas y ha inspirado empresas editoriales, poniendo el mismo ahinco, elevación y gusto en las formas tipográficas que en los ideales literarios. Lo que importa en todos los pormenores de su vida es la pasión heroica con que ha dado expresión en ellos a su propia personalidad, haciéndola la medida de todas las cosas.

Su obra lírica, su vida y el mundo exterior se identifican en él y son una misma cosa. Es un solitario que llega a encerrarse físicamente entre paredes de corcho y moralmente entre murallas de repugnancia y desdén; pero su soledad tiene sutiles contactos con la vida más rica de la realidad y del espíritu. A su manera, sin dejar de ser nunca quien es, sin concesión alguna a los demás, con implacable intransigencia para todo lo que no se acuerda con su gusto, es un perfecto caballero, un gozador de todas las cosas y hasta un hombre de acción. Pero su cortesía, su sensualidad, su curiosidad, su actividad, que le llevan como a un niño hacia las cosas, son de tal modo puras, despegadas y espirituales, tienen tal necesidad sobrehumana de perfección, que se convierten en causa de insatisfacción y alejamiento. El resultado es la melancolía, la exaltación del mundo interior, la fiebre de creación.

La Obra — como él la llama, con letra mayúscula, como cosa propia y única — es entonces la única realidad, que contiene todas las realidades: el mundo vuelto a crear de nuevo por el aliento de Juan Ramón. Pero esta obra creadora, poética, divina, sólo le satisface como fuente de constante recreación de la obra y de sí mismo: se recrea en la recreación de su obra. De ahí la obsesión constante de sus años maduros por ordenarla, fecharla, rehacerla, seleccionarla y editarla, y de ahí también que nosotros tengamos que tomarla en su totalidad, como la más lograda unidad poética que haya existido, si queremos entenderla y gozarla en su calidad sobrehumana y sobrerreal.

No quiero decir que Juan Ramón Jiménez sea el mayor poeta que ha existido; creo que se cuenta entre los más grandes y dudo que haya quien le supere en pureza y en unidad. Es dudoso que haya una poesía más libre de elementos no poéticos que la suya, una poesía de la que estén más ausentes las ideas y las realidades exteriores, y que sea toda, como la de los místicos, expresión en palabras de puras e inefables realidades interiores; y lo es también que haya habido una vocación

poética tan tenaz, continua, exclusiva y lograda como la suya,
una permanencia de identidad tal a través de tantas variaciones.

Por todo lo dicho se comprenderá el valor de la poesía de
J. R. J. — como gusta firmarse «el cansado de su nombre» — y
la dificultad insuperable de explicarla. Cuanto más pura es una
creación artística más se escapa a nuestra comprensión y aná-
lisis su valor evidente: la poesía de J. R. J. es tan desasida de
todo, se sostiene de tal modo sobre sí misma, que no ofrece los
asideros a que la crítica se agarra para adueñarse de la obra
de arte y acercarse hasta donde puede a su esencia última, misteriosa e inexplicable. El estudio de las relaciones de la poesía
de J. R. J. con la poesía de su época y la anterior y posterior
— uno de los asideros de la crítica — no hace más que confir-
mar su calidad señera y única, su radical originalidad. No es
que no existan tales relaciones: al contrario, J. R. J. muestra
en su obra múltiples influencias y a su vez ha influido más que
nadie en la poesía posterior. Bécquer, Heine, Góngora, San
Juan de la Cruz, Verlaine, Rubén Darío, Laforgue, Rimbaud,
Shelley, Yeats, son nombres que se han citado en relación con
Juan Ramón Jiménez, como podían citarse otros, por haber
influido en fases o aspectos de su poesía o por tener con él
parentesco espiritual. La influencia que Juan Ramón ha ejercido en muchas de las tendencias postmodernistas y en las escuelas ultraístas está patente y clara en las páginas que siguen de
esta antología.

Empieza a escribir Juan R. Jiménez en la adolescencia, y muy
pronto el poeta se encuentra a sí mismo. Ya en *Rimas* (1902) y
Arias tristes (1903) su voz es inconfundible y su obra perfecta:
este último libro, sobre todo, le reveló como un poeta de suprema originalidad. Escrito en el momento de triunfo del modernismo deslumbrador, prefiere las formas sencillas y tradicionales del octosílabo y el romance, la expresión límpida y sencilla,
la emoción íntima y cándida, y esto, como nota Pedro Henríquez Ureña, es indicio de precoz maestría. Esta perfecta sencillez se hace aún más delicada e intensa en los libros que
siguen hasta 1907, *Jardines lejanos* (1904), *Pastorales* (1905),
Olvidanzas (1907): en todos ellos hay una nota dominante, la
soledad melancólica expresada en el sentimiento lírico y musical del paisaje. A este grupo — que es para mucha gente todo
o el mejor Juan Ramón — habría que añadir las *Baladas de pri-*

mavera (1907), en las que la misma poesía se enriquece con los ritmos populares. Si la producción de Juan Ramón hubiera cesado entonces, sería en la poesía española algo semejante a Bécquer, un gran lírico, único e insustituíble, pero monótono en el sentimiento y en la expresión. Después su poesía va a ser todo lo que era antes y muchas cosas más: va a ganar primero en riqueza y variedad; después, en concentración y profundidad. Desde 1908, en que publica *Elegías puras,* hasta 1913, fecha de publicación de *Laberinto,* se suceden varias obras, publicadas o inéditas, de carácter diverso, con el alejandrino modernista como forma métrica dominante, en las que el mundo del poeta se ensancha y se llena de cosas concretas, la técnica se complica y enriquece, los sentimientos se enturbian y apasionan: el mundo, el demonio y la carne han entrado en el alma del poeta y han roto el equilibrio de su dulce y melancólica soledad lírica juvenil. De este desequilibrio, fuente de exaltada poesía, saldrá, gracias a una exaltación aún mayor, a la pura, sencilla, clara poesía de cumbre de su nueva época. Al mismo tiempo que crea la prosa esencial de *Platero y yo* (1914) para eternizar en ella sus recuerdos de la infancia, y se somete a la norma perfecta del soneto clásico para encerrar en ella rigurosamente y limpia de adornos toda la turbulencia lírica de sus *Sonetos espirituales* (1915), aparecen los libros en que madura, en ascensión gradual hacia una mayor concentración y desnudez, la poesía más genuinamente suya, la que se venía anunciando desde sus primeros versos, cuyo proceso de formación puede verse a través de las partes publicadas de su obra inédita, y a cuya plenitud llega ahora mediante un esfuerzo consciente en el que se identifican perfección y espontaneidad. En esta poesía desaparece la rima y toda forma métrica regular, buscando así libertad sólo para lograr exactitud y justeza; las imágenes en ella ocultan la realidad sólo para buscar mayor claridad poética; los sentimientos huyen de toda concreción sólo para ganar en concentración, precisión y eternidad. Es su misma poesía de siempre, depurada y reducida a lo esencial. J. R. J., tan puramente emocional antes, que con dificultad se encontraría en sus obras una idea, en esta última época ha hecho a la par que su obra poética la exposición de su estética, y creemos que en ella se encuentra la mejor crítica que se ha escrito de su poesía. Pero si no ha tenido críticos que hayan estudiado a fondo su obra, ha tenido, en cambio, discípulos excelentes, pues lo son en rigor los mejores poetas de la nueva generación.

Por eso en esta exposición histórica de la poesía española contemporánea, Juan Ramón Jiménez ocupa, como Rubén Darío, una sección por sí mismo, éste al principio y aquél al fin del modernismo; porque si por Rubén Darío entra definitivamente la poesía hispánica en el modernismo, por Juan Ramón Jiménez sale definitivamente de él. Por eso Rubén Darío y Juan Ramón Jiménez, el maestro y el discípulo por la cronología y por la admiración mutua, son los dos polos en torno a los cuales gira toda la poesía contemporánea: en torno al primero, la poesía de los precursores y de los modernistas; en torno al segundo, la de las escuelas que suceden al modernismo. Y así, cuando los poetas de hoy levantan nuevas banderas en franca reacción contra el modernismo rubendariano, se acogen a la paternidad de Juan Ramón Jiménez, a quien todos reconocen como maestro.

BIBLIOGRAFÍA. — **Obras:** *Almas de violeta*, atrio de F. Villaespesa, Madrid, 1900. *Ninfeas*, atrio de Rubén Darío, 1900. *Rimas*, 1902. *Arias tristes*, 1903. *Jardines lejanos*, 1904. *Elegías puras*, 1908. *Elegías intermedias*, 1909. *Las hojas verdes: Olvidanzas: 1906*, 1909. *Elegías lamentables: 1908*, 1910. *Baladas de primavera: 1907*, 1910. *La soledad sonora: 1908*, 1911. *Poemas mágicos y dolientes: 1909*, 1911. *Pastorales: 1905*, 1911. *Melancolía: 1910-1911*, 1912. *Laberinto: 1910-1911*, 1913. *Platero y yo*, 1914; ed. completa, 1917; ed. by G. M. Walsh, Boston, Heath, 1922. *Estío: 1915*, Madrid, 1916. *Sonetos espirituales: 1914-1915*, 1917. *Diario de un poeta recién casado: 1916*, 1917. *Poesías escojidas: 1899-1917*, New York, The Hispanic Society of America, 1917. *Eternidades: 1916-1917*, Madrid, 1918; 1931. *Piedra y cielo: 1917-1918*, 1919. *Segunda antolojía poética: 1898-1918*, 1922 (Colecc. Universal Calpe); 1933. *Poesías de J. R. J.*, selecc. y pról. de P. Henríquez Ureña, México, Cultura, 1923. *Poesía: 1917-1923*, Madrid, 1923. *Belleza: 1917-1923*, 1923. *Unidad*, 1925. *Sucesión*, 1-4, 1932. *Poesía en prosa y verso* (1902-1932), escog. para los niños por Z. Camprubí Aymar, 1932. — **Estudios:** M. ABRIL, *Senda de pureza: comentarios líricos a la obra de J. R. J.*, en Atenea, junio 1916, p. 154-160. G. ALOMAR, *Divagación sobre la poesía (Leyendo a J. R. J.)*, en Imp, 8 abril 1918; *La poesía, valor emocional*, en *La formación de sí mismo*, Madrid, s. a. AZORÍN, *Platero, Platerito...*, en ByN, 28 feb. 1915; *J. R. J.*, en *Los valores literarios*, Madrid, 1913, p. 199-203; *Clásicos y Modernos*, Madrid, 1913, p. 223-229; *Los Quinteros y otras páginas*, Madrid, 1925, p. 171-175 [sobre *Poesía*]. A. F. G. BELL, *Con-*

temporary Spanish literature, New-York, 1925, p. 208-218. L. BELLO, Sobre *Laberinto,* en RdL, 1913, núm. 2. R. CANSINOS ASSÉNS, *La nueva literatura,* ts. I y III. J. CASARES, *Crítica efímera,* Madrid, 1917, t. II. E. CROFTS, *Directions in modern Spanish poetry: J. R. J.,* en BSS, 1928, V, 25-30. J. CASSOU, *Littérature espagnole,* París, 1929, p. 104-107. J. CHABÁS, *Crítica concéntrica: J. R. J.,* en Alf, enero 1924, núm. 36, 17-24. R. DARÍO, *Tierras solares,* Madrid, 1904; *La tristeza andaluza: un poeta,* en HeliosM, 1904, núm. 13, 439-446. G. DÍAZ PLAJA, *La emoción por contraste en la lírica de J. R. J.,* en CBibl, 1927, IV, 423-429. G. DIEGO, Sobre *Segunda antolojia poética,* en ROcc, 1923, I, 364-368. E. DÍEZ-CANEDO, Sobre *Elegías puras,* en L, 1908, año III, t. III, 303-305; Sobre *Las hojas verdes,* en L, 1909, año IX, t. I, 187-190; Sobre *Elegías intermedias* y *Baladas de primavera,* en L, 1910, año X, t. III, 67-68; *Las antologías de J. R. J.,* en RepAm, 26 mayo 1924; *J. R. J. y su continuidad,* en Sol, 13 nov. 1932; RepAm, 11 marzo 1933. J. J. DOMENCHINA, Sobre *Poesía en prosa y verso,* en Sol, 5 feb. 1933. A. E[SPINA], Sobre *Segunda antolojia poética,* en Esp, 30 dic. 1922. FRAY CANDIL [E. BOBADILLA], *Desde mi celda: I,* en Imp, 2 sept. 1918. M. FERNÁNDEZ ALMAGRO, *La obra de J. R. J.,* en Epoca, junio 1926; *La prosa de los antepenúltimos,* en ROcc, 1927, XVIII, 259. W. FRANK, *Virgin Spain,* New York, 1926, p. 290-292. E. GIMÉNEZ CABALLERO, *Visitas literarias. Breve vigilancia de J. R. J.,* en Sol, 14 agosto 1926. R. GÓMEZ DE LA SERNA, Sobre *Las hojas verdes* y *Elegías puras,* en Prom, 1909, II, núm. 10; Sobre *Baladas de primavera,* en Prom, 1910, III, núm. 18; *La desesperación del poeta,* en El doctor inverosímil, Madrid, 1921, p. 178-182; *El ojo de J. R.* en *El Alba y otras cosas,* Madrid, 1923, p. 147-149. A. GONZÁLEZ-BLANCO, *Los Contemporáneos,* 1.ª serie, París, [1906], p. 146-221. J. GUERRERO RUIZ, *Un libro para niños* [sobre *Poesía en prosa y verso*], en Luchador, 2 feb. 1933. A. GUILLÉN, *La linterna de Diógenes,* Madrid, 1921, p. 188-194. P. HENRÍQUEZ UREÑA, *La obra de J. R. J.,* en CuC, 1919, XIX, 251-263; en RepAm, 1920, I, 236-238. J. MARÍA IZQUIERDO, *Divagando por la ciudad de la gracia,* Sevilla, 1923, t. I, p. 13; t. II, p. 7-26 y 47-48. B. JARNÉS, *Notas sobre la poesía española actual,* en Orien, 1926, I, núm. 2. J. A. MARAVALL, *El andaluz universal,* en Sol, 23 set. 1931. A. MARICHALAR, *Spanish literature of to-day: Glance,* en CriterionL, mayo 1923, núm. 3. G. MARTÍNEZ SIERRA, Sobre *Rimas,* en L, 1902, año II, t. I, 499-500; Sobre *Arias tristes,* en L, 1904, año IV, t. I, 343-346; *Motivos,* París, 1905, p. 7-9, 59-62, 165-169. J. MAS Y PI, *Letras españolas,* Buenos Aires, 1911, p. 217-225. M. NELKEN, *Publicación completa de las obras de J. R. J.,* en He, 1917, núm. 11. F. DE ONÍS, *J. R. J.,* en *Platero y yo,* ed. G. M. Walsh, Boston, 1922. J. ORTIZ DE PINEDO, Sobre *Arias tristes,* en HeliosM, 1904, XI, 238-239; Sobre *Jardines lejanos,* en L, 1905, año V, t. II, 284-287. A. R. PASTOR, *J. R. J.,* en *Contemporary movements in European literature: Spain,* London, 1928. V. DE PEDRO, *J. R. J.,* en *España renaciente,*

Madrid, 1922, p. 52-61. H. Petriconi, *Die Spanische Literatur der Gegenwart*, Wiesbaden, 1926, p. 179-180. A. Reyes, *Los dos caminos*, Madrid, 1923. C. Rivas Cherif, Sobre *Segunda antolojía poética*, en Pl, 1922, núm. 31, 474-476; *J. R. J.* en Esp, 24 nov. 1923; Sobre *Poesía*, en Esp, 20 oct. 1923; Sobre *Belleza*, en Esp. 29 dic. 1923. J. E. Rodó, *El mirador de Próspero*, Madrid, Edit. América, [1918], p. 219-220. J. Ruiz-Castillo, Sobre *Arias tristes*, en HeliosM, 1904, XI, 240-242. E. Salazar Chapela, *Soliloquios: J. R. J.*, en GLit, 15 agosto 1927. A. Serrano Plaja, *Interpretaciones: J. R. — Tagore*, en RepAm, 16 ab. 1932. J. Torres Bodet, *Contemporáneos*, México, 1928, p. 69-75. J. B. Trend, *Alfonso the Sage and other Spanish essays*, London, 1926, p. 147-154. X, Sobre *Sucesión*, en IL, 1932, I, 101-105. H. Weis, *J. R. J.*, en NZZ, 27 mayo 1928. L. A. Warren, *Modern Spanish Literature*, London, [1929], t. II, p. 432-442.

NOCTURNO

... Está desierto el jardín.
Las avenidas se alargan
entre la incierta penumbra
de la arboleda lejana.
— Ha consumado el crepúsculo
su holocausto de escarlata,
y de las fuentes del cielo
= fuentes de floridas aguas =
las brisas de los países
del sueño, a la tierra bajan
un olor de lirios nuevos
y un frescor de tenues ráfagas... —
Los árboles no se mueven;
es tan humana su calma,
que así parecen más vivos
que cuando ajitan las ramas.
— ...Y en la onda trasparente
del cenit verdoso, vagan
misticismos de suspiro
y perfume de plegarias —.

... ¡Qué triste es amarlo todo
sin saber lo que se ama!
— ...Parece que las estrellas

compadecidas me hablan,
pero, como están tan lejos,
no comprendo sus palabras —.
¡Qué triste es tener sin flores
el santo jardín del alma,
soñar con almas en flor,
soñar con sonrisas plácidas,
con ojos dulces, con tardes
de primaveras fantásticas!...
¡Qué triste es llorar, sin ojos
que contesten nuestras lágrimas,
estando toda la noche,
como unos ojos, mirándolas!

   ... Ha entrado la noche. El aire
trae un perfume de acacias
y de rosas; el jardín
duerme sus flores... Mañana,
cuando la luna se esconda
y la serena alborada
dé al mundo el beso tranquilo
de sus lirios y sus auras,
se inundarán de alegría
estas sendas solitarias;
vendrán los novios por rosas
para sus enamoradas,
y los niños y los pájaros
jugarán dichosos... ¡Alas
de oro, que no ven la vida
tras la nube de las lágrimas!

   ... ¡Quién pudiera desleírse
en esa tinta tan vaga,
que inunda el espacio de ondas
puras, fragantes y pálidas!
¡Ah, si el mundo fuera siempre
una tarde perfumada,
yo lo elevaría al cielo
en el cáliz de mi alma!

Rimas, 1900-1902.

ARIA OTOÑAL

Río de cristal, dormido
y encantado; dulce valle,
dulces riberas de álamos
blancos y de verdes sauces.

— El valle tiene un ensueño
y un corazón; sueña y sabe
dar con su sueño un son lánguido
de flautas y de cantares —.

Río encantado; las ramas
soñolientas de los sauces,
en los remansos caídos,
besan los claros cristales.

Y el cielo es plácido y blando,
un cielo bajo y flotante,
que con su bruma de plata
acaricia ondas y árboles.

— Mi corazón ha soñado
con la ribera y el valle,
y ha llegado hasta la orilla
serena, para embarcarse;
pero, al pasar por la senda,
lloró de amor, con un aire
viejo, que estaba cantando
no sé quién por otro valle —.

Arias tristes, 1902-1903.

NOCTURNO

La luna me echa en el alma
honda, un agua de deslumbres,
que me la deja lo mismo
que un pozo templado y dulce.

Entonces, mi fondo, bueno
para todos, sube, sube,
y abre, al nivel del prado
del mundo, su agua de luces.

Agua que une estrella y flor,
que llama a la sed con lumbres
celestes, donde están, náufragos
de amor, los reinos azules.

Arias tristes, 1902-1903.

JARDÍN GALANTE

¡Mañana de primavera!
Vino ella a besarme, cuando
una alondra mañanera
subió del surco, cantando :
«¡Mañana de primavera!»

Le hablé de una mariposa
blanca, que vi en el sendero;
y ella, dándome una rosa,
me dijo: «¡Cuánto te quiero!
¡No sabes lo que te quiero!»

¡Guardaba en sus labios rojos,
tantos besos para mí!
Yo le besaba los ojos...
—«¡Mis ojos son para ti;
tú para mis labios rojos!»

El cielo de primavera
era azul de paz y olvido...
Una alondra mañanera
cantó en el huerto aún dormido.
Luz y cristal su voz era
en el surco removido...
¡Mañana de primavera!

Jardines lejanos, 1903-1904.

JARDÍN GALANTE

— No era nadie. El agua. — ¿Nadie?
¿Que no es nadie el agua? — No
hay nadie. Es la flor. — ¿No hay nadie?
Pero, ¿no es nadie la flor?

— No hay nadie. Era el viento. — ¿Nadie?
¿No es el viento nadie? — No
hay nadie. Ilusión. — ¿No hay nadie?
¿Y no es nadie la ilusión?

Jardines lejanos, 1903-1904.

JARDÍN DOLIENTE

Tú me mirarás llorando
— será el tiempo de las flores —,
tú me mirarás llorando,
y yo te diré: No llores.

Mi corazón, lentamente,
se irá durmiendo... Tu mano
acariciará la frente
sudorosa de tu hermano...

Tú me mirarás sufriendo,
yo sólo tendré tu pena;
tú me mirarás sufriendo,
tú, hermana, que eres tan buena.

Y tú me dirás: ¿Qué tienes?
Y yo miraré hacia el suelo.
Y tú me dirás: ¿Qué tienes?
Y yo miraré hacia el cielo.

Y yo me sonreiré
— y tú estarás asustada —,
y yo me sonreiré
para decirte: No es nada...

Jardines lejanos, 1903-1904.

PASTORAL

Ya están ahí las carretas...
—Lo han dicho el pinar y el viento,
lo ha dicho la luna de oro,
lo han dicho el humo y el eco... —
Son las carretas que pasan
estas tardes, al sol puesto,
las carretas que se llevan
del monte los troncos muertos.

¡Cómo lloran las carretas,
camino de Pueblo Nuevo!

Los bueyes vienen soñando,
a la luz de los luceros,
en el establo caliente,
que sabe a madre y a heno.
Y detrás de las carretas
caminan los carreteros,
con la aijada sobre el hombro
y los ojos en el cielo.

¡Cómo lloran las carretas,
camino de Pueblo Nuevo!

En la paz del campo, van
dejando los troncos muertos
un olor fresco y honrado
a corazón descubierto.
Y cae el ángelus desde
la torre del pueblo viejo,
sobre los campos talados,
que huelen a cementerio.

¡Cómo lloran las carretas,
camino de Pueblo Nuevo!

Pastorales, 1903-1905.

PASTORAL

¡Granados en cielo azul!
¡Calle de los marineros,
qué verdes están tus árboles,
qué alegre tienes el cielo!

¡Viento ilusorio de mar!
¡Calle de los marineros
— ojo gris, mechón de oro,
rostro florido y moreno! —

La mujer canta a la puerta:
«¡Vida de los marineros:
el hombre siempre en el mar,
y el corazón en el viento!»

— ¡Virjen del Carmen, que estén
siempre en tus manos los remos;
que, bajo tus ojos, sean
dulce el mar y azul el cielo! —

... Por la tarde, brilla el aire;
el ocaso está de ensueños;
es un oro de nostaljia,
de llanto y de pensamiento.

— Como si el viento trajera
el sinfín y, en su revuelto
afán, la pena mirara
y oyera a los que están lejos —.

¡Viento ilusorio de mar!
¡Calle de los marineros
— la blusa azul y la cinta
milagrera sobre el pecho! —

¡Granados en cielo azul!
¡Calle de los marineros!
¡El hombre siempre en el mar,
y el corazón en el viento!

Pastorales, 1903-1905.

PASTORAL

¡Cállate, por Dios, que tú
no vas a saber decírmelo!
¡Deja que abran todos mis
sueños y todos mis lirios!

Mi corazón oye bien
la letra de tu cariño...
El agua lo va temblando
entre las flores del río;
lo va soñando la niebla,
lo están cantando los pinos
— y la luna rosa — y el
corazón de tu molino...

¡No apagues, por Dios, la llama
que arde dentro de mí mismo!
¡Cállate, por Dios, que tú
no vas a saber decírmelo!

Pastorales, 1903-1905.

CUARTO

¡Qué quietas están las cosas,
y qué bien se está con ellas!
Por todas partes, sus manos
con nuestras manos se encuentran.

¡Cuántas discretas caricias;
qué respeto por la idea;
cómo miran, estasiadas,
el ensueño que uno sueña!

¡Cómo les gusta lo que a uno
le gusta, cómo se esperan,
y a nuestra vuelta, qué dulces
nos sonríen entreabiertas!

Cosas — amigas, hermanas;
mujeres —, verdad contenta,
que nos devolvéis, celosas,
las más fugaces estrellas!

Olvidanzas, 1906-1907.

MAÑANA DE LA CRUZ

Dios está azul. La flauta y el tambor
anuncian ya la cruz de primavera.
¡Vivan las rosas, las rosas del amor,
entre el verdor con sol de la pradera!

Vámonos al campo por romero,
vámonos, vámonos
por romero y por amor...

Le pregunté: «¿Me dejas que te quiera?»
Me respondió, radiante de pasión :
«Cuando florezca la cruz de primavera,
yo te querré con todo el corazón.»

Vámonos al campo por romero,
vámonos, vámonos
por romero y por amor...

«Ya floreció la cruz de primavera.
¡Amor, la cruz, amor, ya floreció!»
Me respondió: «¿Tú quieres que te quiera?»
Y la mañana de luz me traspasó!

Vámonos al campo por romero,
vámonos, vámonos
por romero y por amor...

Alegran flauta y tambor nuestra bandera.
La mariposa está aquí con la ilusión...
¡Mi novia es la virjen de la era,
y va a quererme con todo el corazón!

Baladas de primavera, 1907.

EL MAR LEJANO

La fuente aleja su cantata.
Despiertan todos los caminos...
¡Mar de la aurora, mar de plata;
qué limpio estás entre los pinos!

Viento del sur, ¿viene sonoro
de soles? Ciegan los caminos...
¡Mar de la siesta, mar de oro;
qué alegre estás sobre los pinos!

Dice el verdón no sé qué cosa...
Mi alma se va por los caminos...
¡Mar de la tarde, mar de rosa;
qué dulce estás entre los pinos!

Baladas de primavera, 1907.

ANDANDO

Sueño.

Andando, andando;
que quiero oír cada grano
de la arena que voy pisando.

Andando, andando;
dejad atrás los caballos,
que yo quiero llegar tardando
— andando, andando —,
dar mi alma a cada grano
de la tierra que voy pisando.

Andando, andando.
¡Qué dulce entrada en mi campo,
noche inmensa que vas bajando!

Andando, andando.
Mi corazón ya es remanso;
ya soy lo que me está esperando
— andando, andando —,

y mi pie parece, cálido,
que me está el corazón besando.

Andando, andando;
¡que quiero ver todo el llanto
del camino que estoy cantando!

Baladas de primavera, 1907.

VERDE VERDEROL

Verde verderol,
¡endulza la puesta del sol!

Palacio de encanto,
el pinar tardío
arrulla con llanto
la huída del río.
Allí el nido umbrío
tiene el verderol.

Verde verderol,
¡endulza la puesta del sol!

La última brisa
es suspiradora;
el sol rojo irisa
al pino que llora.
¡Vaga y lenta hora
nuestra, verderol!

Verde verderol,
¡endulza la puesta del sol!

Soledad y calma;
silencio y grandeza.
La choza del alma
se recoge y reza.
De pronto, ¡oh belleza!,
canta el verderol.

Verde verderol,
¡endulza la puesta del sol!

Su canto enajena.
— ¿Se ha parado el viento? —
El campo se llena
de su sentimiento.
Malva es el lamento,
verde el verderol.

Verde verderol,
¡endulza la puesta del sol!

Baladas de primavera, 1907.

ELEJÍA PURA

Amo el paisaje verde, por el lado del río.
El sol, entre la fronda, ilusiona el poniente;
y, sobre flores de oro, el pensamiento mío,
crepúsculo del alma, se va con la corriente.

¿Al mar? ¿Al cielo? ¿Al mundo? Qué sé yo... Las es-
suelen bajar al agua, traídas por la brisa...   [trellas
Medita el ruiseñor... Las penas son más bellas,
y sobre la tristeza florece la sonrisa.

Elejías, 1907-1908.

ELEJÍA LAMENTABLE

¡Infancia! ¡Campo verde, campanario, palmera,
mirador de colores; sol, vaga mariposa
que colgabas a la tarde de primavera,
en el cenit azul, una caricia rosa!

¡Jardín cerrado, en donde un pájaro cantaba,
por el verdor teñido de melodiosos oros;
brisa suave y fresca, en la que me llegaba
la música lejana de la plaza de toros!

... Antes de la amargura sin nombre del fracaso
que engalanó de luto mi corazón doliente,
ruiseñor niño, amé, en la tarde de raso,
el silencio de todos o la voz de la fuente.

Elejías, 1907-1908.

ELEJÍA LAMENTABLE

¡Oh triste coche viejo que en mi memoria ruedas!
¡Pueblo, que en un recodo de mi alma te pierdes!
¡Lágrima grande y pura; lucero que te quedas,
temblando, en la colina, sobre los campos verdes!

Verde el cielo profundo, despertaba el camino,
fresco y fragante del encanto de la hora;
cantaba un ruiseñor despierto, y el molino
rumiaba un son eterno, rosa frente a la aurora.

— Y en el alma, un recuerdo, una lágrima, una
mano alzando un visillo blanco al pasar un coche...
la calle de la víspera, azul bajo la luna
solitaria, los besos de la última noche... —

¡Oh triste coche viejo que en mi memoria ruedas!
¡Pueblo, que en un recodo de mi alma te pierdes!
¡Lágrima grande y pura, lucero que te quedas,
temblando, en la colina, sobre los campos verdes!

Elejías, 1907-1908.

AGUA HONDA Y DORMIDA

Agua honda y dormida que no quieres ninguna
gloria, que has desdeñado ser fiesta y catarata;
que, cuando te acarician los ojos de la luna,
te llenas toda de pensamientos de plata...

Agua limpia y callada del remanso doliente
que has despreciado el brillo del triunfo sonoro,
que, cuando te penetra el sol dulce y caliente,
te llenas toda de pensamientos de oro...

Bella y profunda eres, lo mismo que mi alma;
a tu paz han venido a pensar los dolores,
y brotan, en las plácidas orillas de tu calma,
los más puros ejemplos de alas y de flores.

La soledad sonora, 1908.

DESNUDOS

(Adioses. Ausencia. Regreso.)

Nacía, gris, la luna, y Beethoven lloraba,
bajo la mano blanca, en el piano de ella...
En la estancia sin luz, ella, mientras tocaba,
morena de la luna, era tres veces bella.

Teníamos los dos desangradas las flores
del corazón, y acaso llorábamos sin vernos...
Cada nota encendía una herida de amores...
—... El dulce piano intentaba comprendernos —.

Por el balcón abierto a brumas estrelladas,
venía un viento triste de mundos invisibles...
Ella me preguntaba de cosas ignoradas
y yo le respondía de cosas imposibles...

La soledad sonora, 1908.

FRANCINA EN EL JARDIN

(... Rit de la fraîcheur de l'eau.)

(V. HUGO)

Con lilas llenas de agua,
le golpeé las espaldas.

Y toda su carne blanca
se enjoyó de gotas claras.

¡Ay, fuga mojada y cándida,
sobre la arena perlada!

—La carne moría, pálida,
entre los rosales granas;
como manzana de plata,
amanecida de escarcha —.

Corría, huyendo del agua,
entre los rosales granas.

Y se reía, fantástica.
La risa se le mojaba...

Con lilas llenas de agua,
corriendo, la golpeaba...

Poemas májicos y dolientes, 1909.

MARINA DE ENSUEÑO

El cielo de tormenta, pesado y retumbante,
se raja en el ocaso. Un agudo cuchillo
de luz agria y equívoca, orna el medroso instante,
de un estraño esplendor, delirante y amarillo.

Lo que hiere la luz, como un grito, se inflama;
carmín de oro es la costa de altas rocas;
las galeras se incendian, y una lívida llama
va por las olas negras, trájicamente locas.

Furioso, el viento da, y atormentado y hondo,
contra la irisación del día trastornado;
y en una alegoría fantástica, en el fondo
del oriente, persiste el sol falso y dorado...

Poemas májicos y dolientes, 1909.

PERFUME Y NOSTALJIA

Solía ser en el estío. El viejo coche
se llevaba a los otros... Y la tarde tranquila
se iba alejando por los prados de la noche,
a un murmullo de pinos y a una queja de esquila.

El coche aparecía, ladrado de lebreles,
a la vuelta fragante del camino de arena.
Los ¡adiós! se perdían entre los cascabeles...
Nos quedábamos solos en la hora serena.

Silencio, tú surjías de nosotros. Las manos,
más blancas que la luna, entibiaban su anhelo,
y, bajo los pinares, nuestros ojos cercanos
se ponían más grandes que la mar y que el cielo.

Poemas májicos y dolientes, 1909.

QUINTA CUERDA

No recordar nada...
Que se eche la noche callada,
como una bandada
blanda y enlutada...

Que no digan nada...
Que huya la mujer amada,
por una alfombrada
estancia soñada ..

No desear nada...
Perderse en la idea sagrada,
como una dorada
nube en la alborada.

Arte menor, 1909.

DESNUDOS

Por el mar vendrán
las flores del alba
— olas, olas llenas
de azucenas blancas —,
el gallo alzará
su clarín de plata.

— ... ¡Hoy!, te diré yo,
tocándote el alma —.

¡Oh, bajo los pinos,
tu desnudez malva,
tus pies en la tierna

yerba con escarcha,
tus cabellos, verdes
de estrellas mojadas!

— ... Y tú me dirás,
huyendo: ¡Mañana! —

Levantará el gallo
su clarín de llama,
y la aurora plena,
cantando entre granas,
prenderá sus fuegos
en las ramas blandas...

— ... ¡Hoy!, te diré yo,
tocándote el alma —.

¡Oh, en el sol nacido,
tus doradas lágrimas,
los ojos inmensos
de tu cara maga,
evitando, ardientes,
mis negras miradas!

— ... Y tú me dirás,
huyendo: ¡Mañana! —

Arte menor, 1909.

CLASE

¡Sevillanas en claustro mudéjar! ¡Qué piano
Pleyel... de Barcelona! ¡Debussy! En tres semanas,
Solfeo — ¡gracia inútil de la cansada mano! —
Clave de fa, Armonía, y luego... ¡Sevillanas!

— ¡Monjas en sevillana! ¡Oh cercana Sevilla!
= ¿Holbein os presintió en sus letras de la muerte? =
¡Sensualidad cargada, ligera pantorrilla,
con zapatón serrano y media azul y fuerte!

La tarde unje, divina, el claustro. El sol rosado
endulza el mar, el río, las viñas, los pinares.
En el aire sereno, grato de sol salado,
yerra un olor suave y triste de azahares —.

¡Sevillanas!... Se estinguen entre las azucenas...
Y vuelan, libro al brazo, en loca algarabía,
un grupo alegre de señoritas morenas,
que esconden, sin saberlo, tesoros de armonía.

Esto, 1908-1911.

LA ESPIGA

Granado el oro, está la espiga, al día claro,
encendiendo en la luz su apretado tesoro;
pero se pone triste, y, en un orgullo avaro,
derrama por la tierra, descontenta, su oro.

De nuevo se abre el grano rico en la sombra amiga
— cuna y tumba, almo trueque — de la tierra mojada,
para surjir de nuevo, en otra bella espiga
más redonda, más firme, más alta y más dorada.

Y... ¡otra vez a la tierra! ¡Anhelo inestinguible,
ante la norma única de la espiga perfecta,
de una suprema forma, que eleve a lo imposible
el alma, ¡oh poesía!, infinita, áurea, recta!

Poemas agrestes: 2, 1910-1911.

EL VIAJE DEFINITIVO

...Y yo me iré. Y se quedarán los pájaros
cantando,
y se quedará mi huerto, con su verde árbol,
y con su pozo blanco.

Todas las tardes, el cielo será azul y plácido,
y tocarán, como esta tarde están tocando,
las campanas del campanario.

Se morirán aquellos que me amaron,
y el pueblo se hará nuevo cada año,
y en el rincón aquel de mi huerto florido y encalado,
mi espíritu errará, nostáljico...

Y yo me iré; y estaré solo, sin hogar, sin árbol
verde, sin pozo blanco,
sin cielo azul y plácido...
Y se quedarán los pájaros cantando.

Corazón en el viento, 1910-1911.

RETRATO DE DESHORA

¡Qué eterna está la yerba nocturna, donde el grillo
canta, bajo el celeste silencio de la luna!
... El mundo va virando hacia la madrugada,
por un ocaso blanco, con nubes errabundas.

Ciudades de cristal, de azucena, de mármol,
aléjanse, en un sueño de cumbres de frescura;
y las colinas tienen bordes de plata yerta,
y no sé qué nostaljia de conmovidas tumbas.

Todo cae, llorando sin sentido. Se mueren
los momentos, en una esplendorosa fuga...
— Altivo, a proa del campo el rostro triste y pálido,
medita, deslumbrado de luna moribunda.

Laberinto, 1910-1911.

OLOR DE JAZMÍN

¡Qué tristeza de olor de jazmín! El verano
torna a encender las calles y a oscurecer las casas,
y, en las noches, regueros descendidos de estrellas
pesan sobre los ojos cargados de nostaljia.

En los balcones, a las altas horas, siguen
blancas mujeres mudas, que parecen fantasmas;
el río manda, a veces, una cansada brisa;
el acaso, una música imposible y romántica.

La penumbra reluce de suspiros; el mundo
se viene, en un olvido májico, a flor de alma;
y se cojen libélulas con las manos caídas,
y, entre constelaciones, la alta luna se estanca.

¡Qué tristeza de olor de jazmín! Los pianos
están abiertos; hay en todas partes miradas
calientes... Por el fondo de cada sombra azul,
se esfuma una visión apasionada y lánguida.

Laberinto, 1910-1911.

TENEBRÆ

Todo el ocaso es amarillo limón.
En el cenit cerrado, bajo las nubes mudas,
bandadas negras de pájaros melancólicos
rayan, constantes, el falso cielo de lluvia.

Por el jardín, sombrío, de los plúmbeos nimbos,
las rosas tienen una morada veladura,
y el crepúsculo vago, que cambia las verdades,
pone en todo, al rozarlo, no sé qué gasas húmedas.

Lívido, deslumbrado del amarillo, torvo
del plomo, en mis oídos, como un moscardón, zumba
una ronda monótona, que yo no sé de dónde   [ca...»
viene..., que deja lágrimas..., que dice: «Nunca... Nun-

Melancolía, 1910-1911.

CANCIÓN DE INVIERNO

Cantan. Cantan.
¿Dónde cantan los pájaros que cantan?

Ha llovido. Aún las ramas
están sin hojas nuevas. Cantan. Cantan
los pájaros. ¿En dónde cantan
los pájaros que cantan?

No tengo pájaros en jaulas.
No hay niños que los vendan. Cantan.
El valle está muy lejos. Nada...

Yo no sé dónde cantan
los pájaros — cantan, cantan —,
los pájaros que cantan.

Canciones, 1911-1912.

CENIZA DE ROSAS

A todas mis llamadas
has respondido con un eco lento. .
Pero ¿en dónde estás tú, mujer que ya eres mía;
en dónde estás, que no te veo?

— Jardín de las memorias inefables,
ocaso de los sueños de los sueños venideros,
brisa que acercas más las cosas
cuando viven más lejos;
¿pasaré ya la vida
a tientas, como un ciego?

Sí; a todos mis suspiros
has respondido con un suspirar quedo...
¡Aquí estás, aquí estás;
me embriagas, te siento!...
Pero ¿en dónde estás tú, mujer que ya eres mía;
en dónde estás, que no te veo?

La frente pensativa, 1911-1912.

DESVELO

(Aldea.)

El cordero balaba dulcemente.
El asno, tierno, se alegraba
en un llamar caliente.
El perro ladreaba,
hablando casi a las estrellas...

Me desvelé. Salí. Vi huellas
celestes por el suelo
florecido
como un cielo
invertido.

Un vaho tibio y blando
velaba la arboleda;

la luna iba declinando
en un ocaso de oro y seda,
que parecía un ámbito divino...

Mi pecho palpitaba,
como si el corazón tuviese vino...

Abrí el establo a ver si estaba
Él allí.
    ¡Estaba!

Pureza, 1912

NADA

A tu abandono opongo la elevada
torre de mi divino pensamiento.
Subido a ella, el corazón sangriento
verá la mar, por él empurpurada.

Fabricaré en mi sombra la alborada,
mi lira guardaré del vano viento,
buscaré en mis entrañas mi sustento...
Mas, ¡ay!, ¿y si esta paz no fuera nada?

¡Nada, sí; nada, nada!... —O que cayera
mi corazón al agua, y de este modo
fuese el mundo un castillo hueco y frío... —

Que tú eres tú, la humana primavera,
la tierra, el aire, el agua, el fuego, ¡todo!,
... ¡y soy yo sólo el pensamiento mío!

Sonetos espirituales, 1914-1915.

HASTÍO

Lo mismo que el enfermo desahuciado,
que vuelve a la pared, débil, su frente,
para morirse, resignadamente
mi espalda vuelvo a tu glacial cuidado.

¡Gracias a ti, mujer! Más tú me has dado
que merecí. ¡Capricho impertinente
de niño que creía en lo demente!...
... Pero estoy ya de agradecer cansado.

Tu sol discreto que desgarra un punto
el cielo gris de enero, y, dulce, dora
mi pena, ni me gusta, ni me incita.

¡Déjame! ¡Que se caiga todo junto,
tu conciencia y mi amor, en esta hora
que llega ya, vacía e infinita!

Sonetos espirituales, 1914-1915.

RETORNO FUGAZ

¿Cómo era, Dios mío, cómo era?
— ¡Oh, corazón falaz, mente indecisa! —
¿Era como el pasaje de la brisa?
¿Como la huída de la primavera?

Tan leve, tan voluble, tan lijera
cual estival vilano... ¡Sí! Imprecisa
como sonrisa que se pierde en risa...
¡Vana en el aire, igual que una bandera!

Bandera, sonreír, vilano, alada
primavera de junio, brisa pura...
¡Qué loco fué tu carnaval, qué triste!

Todo tu cambiar trocóse en nada
—¡memoria, ciega abeja de amargura!—
¡No sé cómo eras, yo que sé que fuiste!

Sonetos espirituales, 1914-1915.

A MI ALMA

Siempre tienes la rama preparada
para la rosa justa; andas alerta
siempre, el oído cálido en la puerta
de tu cuerpo, a la flecha inesperada.

Una onda no pasa de la nada,
que no se lleve de tu sombra abierta
la luz mejor. De noche, estás despierta
en tu estrella, a la vida desvelada.

Signo indeleble pones en las cosas.
Luego, tornada gloria de las cumbres,
revivirás en todo lo que sellas.

Tu rosa será norma de las rosas;
tu oír, de la armonía; de las lumbres
tu pensar; tu velar, de las estrellas.

Sonetos espirituales, 1914-1915.

ORO

(It is engender'd in the eyes;
With gazing fed; and Fancy dies
In the cradle where it lies...
SHAKESPEARE.)

Lejos tú, lejos de ti,
yo, más cerca del mí mío;
afuera tú, hacia la tierra,
yo hacia adentro, al infinito.

Los soles que tú verás,
serán los soles ya vistos;
yo veré los soles nuevos
que sólo enciende el espíritu.

Nuestros rostros, al volverse
a hallar, no dirán lo mismo.
Tu olvido estará en tus ojos,
en mi corazón mi olvido.

Estío, 1915.

CONVALECENCIA

Sólo tú me acompañas, sol amigo.
Como un perro de luz, lames mi lecho blanco;
y yo pierdo mi mano por tu pelo de oro,
caída de cansancio.

    ¡Qué de cosas que fueron
se van... más lejos todavía!
               Callo
y sonrío, igual que un niño,
dejándome lamer de ti, sol manso.

    ... De pronto, sol, te yergues,
fiel guardián de mi fracaso,
y, en una algarabía ardiente y loca,
ladras a los fantasmas vanos
que, mudas sombras, me amenazan
desde el desierto del ocaso.

Estío, 1915.

NOCTURNO

    ¡Oh mar sin olas conocidas,
sin «estaciones» de parada,
agua y luna, no más, noches y noches!

    ... Me acuerdo de la tierra,
que, ajena, era de uno,
al pasarla en la noche de los trenes,
por los lugares mismos y a las horas
de otros años...
              — ¡Madre lejana,
tierra dormida,
de brazos firmes y constantes,
de igual regazo quieto,
    — tumba de vida eterna
con el mismo ornamento renovado —;
tierra madre, que siempre
aguardas en tu sola

verdad el mirar triste
de los errantes ojos!—

           ... Me acuerdo de la tierra
— los olivares a la madrugada —,
firme frente a la luna
blanca, rosada o amarilla,
esperando retornos y retornos
de los que, sin ser suyos ni sus dueños,
la amaron y la amaron...

        Diario de un poeta recién casado, 1916.

MAR

   Parece, mar, que luchas
— ¡oh desorden sin fin, hierro incesante! —
por encontrarte o porque yo te encuentre.

   ¡Qué inmenso demostrarte, mar,
en tu desnudez sola
— sin compañera... o sin compañero,
según te diga el mar o la mar —, creando
el espectáculo completo
de nuestro mundo de hoy!

   Estás, como en un parto,
dándote a luz — ¡con qué fatiga! —
a ti mismo, ¡mar único!,
a ti mismo, a ti solo y en tu misma
y sola plenitud de plenitudes,
... ¡por encontrarte o porque yo te encuentre!

        Diario de un poeta recién casado, 1916.

INTELIJENCIA

   ¡Intelijencia, dame
el nombre exacto de las cosas!
... Que mi palabra sea
la cosa misma,

creada por mi alma nuevamente.
Que por mí vayan todos
los que no las conocen, a las cosas;
que por mí vayan todos
los que ya las olvidan, a las cosas;
que por mí vayan todos
los mismos que las aman, a las cosas...
¡Intelijencia, dame
el nombre exacto, y tuyo,
y suyo, y mío, de las cosas!

Eternidades, 1916-1617.

POESÍA

Vino, primero, pura,
vestida de inocencia;
y la amé como un niño.

Luego se fué vistiendo
de no sé qué ropajes;
y la fuí odiando, sin saberlo.

Llegó a ser una reina
fastuosa de tesoros...
¡Qué iracundia de yel y sin sentido!.

... Mas se fué desnudando.
Y yo le sonreía.

Se quedó con la túnica
de su inocencia antigua.
Creí de nuevo en ella.

Y se quitó la túnica,
y apareció desnuda toda...
¡Oh, pasión de mi vida, poesía
desnuda, mía para siempre!

Eternidades, 1916-1917.

A la puente del amor,
piedra vieja entre altas rocas
— cita eterna, tarde roja —,
vengo con mi corazón :

— *Mi novia sola es el agua,*
que pasa siempre y no engaña;
que pasa siempre y no cambia,
que pasa siempre y no acaba —.

Eternidades, 1916-1917.

El dormir es como un puente,
que va del hoy al mañana.
Por debajo, como un sueño,
pasa el agua.

Eternidades, 1916-1917.

¡Cuán extraños
los dos con nuestro instinto!
... De pronto, somos cuatro.

Eternidades, 1916-1917.

¡No corras, ve despacio,
que adonde tienes que ir es a ti solo!

¡Ve despacio, no corras,
que el niño de tu yo, reciennacido
eterno,
no te puede seguir!

Eternidades, 1916-1917.

Cada chopo, al pasarlos,
canta, un punto, en el viento
que está con él; y cada uno, al punto
— ¡amor! — es el olvido
y el recuerdo del otro.

Sólo es un chopo — ¡amor! —
el que canta.

Eternidades, 1916-1917.

MUERTO

Quedó fijo su peso:
un platillo en el cieno,
un platillo en el cielo.

Eternidades, 1916-1917.

(A Miss Rápida.)

Si vas de prisa,
el tiempo volará ante ti, como una
mariposilla esquiva.

Si vas despacio,
el tiempo irá detrás de ti,
como un buey manso.

Eternidades, 1916-1917,

Yo no soy yo.
            Soy este
que va a mi lado sin yo verlo;
que, a veces, voy a ver,
y que, a veces, olvido.
El que calla, sereno, cuando hablo;
el que perdona, dulce, cuando odio;
el que pasea por donde no estoy,
el que quedará en pie cuando yo muera.

Eternidades, 1916-1917

Soy como un niño distraído,
que arrastran de la mano
por la fiesta del mundo.
Los ojos se me cuelgan, tristes,
de las cosas...
¡Y qué dolor cuando me tiran de ellos!

Eternidades, 1916-1917.

EL POEMA

I

¡No le toques ya más,
que así es la rosa!

II

Arranco de raíz la mata,
llena aún del rocío de la aurora.

¡Oh, qué riego de tierra
olorosa y mojada,
qué lluvia—¡qué ceguera!—de luceros
en mi frente, en mis ojos!

Piedra y cielo, 1917-1918.

MARES

Siento que el barco mío
ha tropezado, allá en el fondo,
con algo grande.
                    ¡Y nada
sucede! Nada... Quietud... Olas...

— ¿Nada sucede; o es que ha sucedido todo,
y estamos ya, tranquilos, en lo nuevo? —

Piedra y cielo, 1917-1918.

EPITAFIO IDEAL DE UN MARINERO

Hay que buscar, para saber
tu tumba, por el firmamento.
— Llueve tu muerte de una estrella.
La losa no te pesa, que es un universo
de ensueño —.
En la ignorancia, estás
en todo—cielo, mar y tierra—muerto.

Piedra y cielo, 1917-1918.

CANCIÓN

Todo el otoño, rosa,
es esa sola hoja tuya
que cae.

Niña, todo el dolor
es esa sola gota tuya
de sangre.

Piedra y cielo, 1917-1918.

Sí — dice el día —. No
— dice la noche —.

¿Quién deshoja esta inmensa margarita,
de oro, blanca y negra?

¿Y cuándo, di, Señor de lo increado,
creerás que te queremos?

Piedra y cielo, 1917-1918.

ALREDEDOR DE LA COPA

Alrededor de la copa
del árbol alto,
mis sueños están volando.

Son palomas, coronadas
de luces puras,
que, al volar, derraman música.

¡Cómo entran, cómo salen
del árbol solo!
¡Cómo me enredan en oro!

Poesía, 1923.

DESVELO

Se va la noche, negro toro
— plena carne de luto, de espanto y de misterio — ;
que ha bramado terrible, inmensamente,
al temor sudoroso de todos los caídos;
y el día viene, niño fresco,
pidiendo confianza, amor y risa
— niño que, allá muy lejos,
en los arcanos donde
se encuentran los comienzos con los fines,
ha jugado un momento,
por no sé qué pradera
de luz y sombra,
con el toro que huía —.

Poesía, 1923.

LUZ Y AGUA

La luz arriba — oro, naranja, verde —,
entre las nubes vagas.

— ¡Ay, árboles sin hojas;
raíces en el agua,
ramajes en la luz! —

Abajo, el agua — verde, naranja, oro —,
entre la vaga bruma.

... Entre la bruma vaga, entre las vagas nubes,
luz y agua — ¡qué májicas! — se van.

Poesía, 1923.

LUNA GRANDE

La puerta está abierta;
el grillo, cantando.
¿Andas tú desnuda
por el campo?

Como un agua eterna,
por todo entra y sale.
¿Andas tú desnuda
por el aire?

La albahaca no duerme,
la hormiga trabaja.
¿Andas tú desnuda,
por la casa?

Poesía, 1923.

AURORAS DE MOGUER

¡Los álamos de plata,
saliendo de la bruma!
¡El viento solitario
por la marisma oscura
moviendo — terremoto
irreal — la difusa
Huelva lejana y rosa!
¡Sobre el mar, por la Rábida,
en la gris perla húmeda
del cielo, aún con la noche
fría tras su alba cruda
— ¡horizonte de pinos! —,
fría tras su alba blanca,
la deslumbrada luna!

Poesía, 1923.

VOZ MÍA

¡Voz mía, canta, canta;
que mientras haya algo
que no hayas dicho tú,
tú nada has dicho!

Poesía, 1923.

ÉSTA ES MI VIDA

Ésta es mi vida, la de arriba,
la de la pura brisa,
la del pájaro último,
la de las cimas de oro de lo oscuro!

¡Ésta es mi libertad, oler la rosa,
cortar el agua fría con mi mano loca,
desnudar la arboleda,
cojerle al sol su luz eterna!

Poesía, 1923.

LA MUERTE

La poca fuerza que tenías ya,
la gastaste en dos últimas sonrisas,
voluntarias aún, para mí. Luego,
te quedaste
involuntariamente seria para siempre.

Poesía, 1923.

CANCIÓN

Cojeremos flores
y nos las daremos.
Los ¡adiós! serán
— ¡alegres! —
para al punto vernos.

¡Qué quietos los ojos
en los ojos grandes!
Besos porque sí.
¡Silencio!
Los divinos árboles.

De oro será el río,
siempre, aunque anochezca.
Si vamos al cielo
por algo,
diremos: ¡Espera!

Poesía, 1923.

AURORA DE TRASMUROS

A todo se le ve la cara, blanca
— cal, pesadilla, adobe, anemia, frío —
contra el oriente. ¡Oh, cerca de la vida;
oh, duro de la vida! ¡Semejanza

animal en el cuerpo — raíz, escoria —,
— con el alma mal puesta todavía —,
y mineral y vejetal!
¡Sol yerto contra el hombre,
contra el cerdo, las coles y la tapia!
— ¡Falsa alegría, porque estás tan sólo
en la hora — se dice —, no en el alma! —

Todo el cielo tomado
por los montones humeantes, húmedos,
de los estercoleros horizontes.
Restos agrios, aquí y allá,
de la noche. Tajadas,
medio comidas, de la luna verde,
cristalitos de estrellas falsas,
papel mal arrancado, con su yeso aún fresco,
de cielo azul. Los pájaros,
aún mal despiertos, en la luna cruda,
farol casi apagado.
¡Recua de seres y de cosas!
—¡Tristeza verdadera, porque estás tan sólo
en el alma — se dice —, no en la hora! —

Poesía, 1923.

EL SOLO AMIGO

No me alcanzarás, amigo.
Llegarás ansioso, loco;
pero yo me habré ya ido.

— ¡Y qué espantoso vacío
todo lo que hayas dejado
detrás por venir conmigo!

¡Y qué lamentable abismo
todo lo que yo haya puesto
en medio, sin culpa, amigo! —

No podrás quedarte, amigo...
Yo quizás volveré al mundo;
pero tú ya te habrás ido.

Poesía, 1923.

SUR

¡Nostaljia aguda, infinita,
terrible, de lo que tengo!

Poesía, 1923.

EL PAJARITO VERDE

He venido.
Pero allí se quedó mi llanto,
a la orilla del mar,
llorando.

He venido.
Pero no os serviré de nada,
porque allí se quedó
mi alma.

He venido.
Pero no me llaméis hermano,
que mi alma está allí,
llorando.

Poesía, 1923.

SETIEMBRE

Voy a taparle a su carta
los pies, que esta noche hará
ya frío, a la madrugada.

Poesía, 1923.

LA MENTIRA

Ya están, juntos, enterrados.
¡Qué doble secreto frío!
No su secreto de muertos
— menos feo, menos gris
= ¡qué doble engaño en el sol! =
que su secreto de vivos —.

¿Mas ya, secos, nunca más
podrán, confiados, decírselo?
¿Ya son sólo, para siempre,
veneno de rosas tristes,
piedra maldita, usurpada
a la tierra que los hizo?

    — ¡Olor a mentira, flores
de sus corazones!, ¡falso
mineral de su albedrío!

    ¿Ya la angustia, el descompuesto
dolor de su ser de exvivos,
latente aún en el mundo,
pues que fué, será la eterna
sofocación que los tenga,
con su «¡imposible ya!», hundidos?

    ¿Y nunca, en la primavera,
volverán, en un instante
de amor, a querer decírselo?

Belleza, 1923.

ÁLAMO BLANCO

    Arriba canta el pájaro,
y abajo canta el agua.
— Arriba y abajo,
se me abre el alma —.

    ¡Entre dos melodías,
la columna de plata!
Hojas, pájaro, estrella;
ramilla, raíces, agua.

    ¡Entre dos conmociones,
la columna de plata!
— ¡Y tú, tronco ideal,
entre mi alma y mi alma! —

Mece a la estrella el trino,
la onda a la baja rama.
— Arriba y abajo,
me tiembla el alma —.

Belleza, 1923.

QUIERO DORMIR, ESTA NOCHE

Quiero dormir, esta noche
que tú estás muerto; dormir,
dormir, dormir paralela-
mente a tu sueño completo;
¡a ver si te alcanzo, así!

Dormir, alba de la tarde;
fuente del río, dormir;
dos días que luzcan juntos
en la nada, dos corrientes
que vayan, juntas, al fin;
dos todos, si es algo esto;
dos nadas, si todo es nada...

¡Quiero dormir tu morir!

Belleza, 1923.

LA MÚSICA

¡La música
— mujer desnuda,
corriendo loca por la noche pura —!

Belleza, 1923.

GENERALIFE

Nadie más. Abierto todo.
Pero ya nadie faltaba.
No eran mujeres, ni niños,
no eran hombres: eran lágrimas
— ¿quién se podía llevar

la inmensidad de sus lágrimas? —
que temblaban, que corrían,
arrojándose en el agua.

... Hablan las aguas y lloran,
bajo las adelfas blancas;
bajo las adelfas rosas,
lloran las aguas y cantan,
por el arrayán en flor,
sobre las aguas opacas.

¡Locura de canto y llanto,
de las almas, de las lágrimas!
Entre las cuatro paredes,
penan, cual llamas, las aguas;
las almas hablan y lloran,
las lágrimas olvidadas;
las aguas cantan y lloran,
las emparedadas almas.

... ¡Por allí la están matando!
¡Por allí se la llevaban!
— Desnuda se la veía —.
¡Corred, corred, que se escapan!
— Y el alma quiere salirse,
mudarse en mano de agua,
acudir a todas partes
con palabra desatada,
hacerse lágrima en pena,
en las aguas, con las almas...—
¡Las escaleras arriba!
¡No; la escalera bajaban!
— ¡Qué espantosa confusión
de almas, de aguas, de lágrimas;
qué amontonamiento pálido
de fugas enajenadas!
— ¿Y cómo saber qué quieren?
¿Dónde besar? ¿Cómo, alma,
almas ni lágrimas ver,
temblorosas en el agua?
¡No se pueden separar;

dejadlas huír, dejadlas! —
... ¿Fueron a oler las magnolias,
a asomarse por las tapias,
a esconderse en el ciprés,
a hablarle a la fuente baja?

    ... ¡Silencio!, que ya no lloran.
¡Escuchad!, que ya no hablan.
Se ha dormido el agua, y sueña
que la desenlagrimaban;
que las almas que tenía,
no lágrimas, eran alas;
dulce niña en su jardín,
mujer con su rosa grana,
niño que miraba el mundo,
hombre con su desposada...
Que cantaba y que reía...
¡Que cantaba y que lloraba,
con rojos de sol poniente
en las lágrimas más altas,
en el más alto llamar,
rodar de alma ensangrentada!

    ¡Caída, tendida, rota
el agua celeste y blanca!
¡Con qué desencajamiento
sobre el brazo se levanta!
Habla con más fe a sus sueños,
que se le van de las ansias;
parece que se resigna
dándole la mano al alma,
mientras la estrella de entonces,
presencia eterna, la engaña.

    Pero se vuelve otra vez
del lado de su desgracia;
mete la cara en las manos,
no quiere a nadie ni nada,
y clama para morirse,
y huye sin esperanza.
...Hablan las aguas y lloran,

lloran las almas y cantan.
¡Oh, qué desconsolación
de traída y de llevada;
qué llegar al rincón último,
en repetición sonámbula;
qué darse con la cabeza
en las finales murallas!

—...En agua el alma se pierde,
y el cuerpo baja sin alma;
sin llanto el cuerpo se va,
que lo deja con el agua,
llorando, hablando, cantando
= con las almas, con las lágrimas
del laberinto de pena =,
entre las adelfas blancas,
entre las adelfas rosas
de la tarde parda y plata;
con el arrayán ya negro,
bajo las fuentes cerradas —.

Unidad, 1925.

V

POSTMODERNISMO

1905-1914

1

MODERNISMO REFRENADO

(REACCIÓN HACIA LA SENCILLEZ LÍRICA)

ENRIQUE DÍEZ-CANEDO

1879 - 1944

Español. Nació en Badajoz; pero si hubiera que localizarle en una patria sería ésta Madrid más que aquella donde nació, porque en Madrid ha vivido lo más de su vida: en su Ateneo, sus periódicos, sus teatros y demás centros literarios han brillado sus dotes personales de finura, ingenio, cultura y caballerosidad, de matiz muy madrileño, y Madrid ha sido uno de los temas dominantes de su obra. En su juventud residió algún tiempo en Barcelona, y desde entonces ha conservado un contacto íntimo con los hombres y las letras catalanas. También temprano estuvo en París, donde adquirió el dominio perfecto de la lengua y la literatura francesas, base no sólo de su formación literaria, sino de su profesión de catedrático y director de la Escuela de Idiomas de Madrid, y estableció sus primeros contactos con las letras hispanoamericanas a través de los escritores residentes en París, entre ellos Rubén Darío. Desde entonces, poniendo en juego el raro equilibrio de cualidades intelectuales y artísticas que forma su temperamento, ha ensanchado constantemente su conocimiento de la literatura europea y de la americana hasta el punto de que sea dudoso que haya quien las conozca en la medida y con la perfección que él. Su gran cultura y su variedad de aptitudes le han llevado a ejercitar su actividad en muy diversos campos: la pura literatura, la crítica literaria y teatral, el periodismo, la conferencia, la cátedra y la diplomacia. Ha estado en casi todos los países hispanoamericanos dando conferencias y también en los Estados Unidos; en la actualidad representa oficialmente a España en el Uruguay, y de hecho, tanto ahora como antes, nadie como él ha representado a América en España y a España en América.

Su labor en relación con la poesía contemporánea es doble: creadora y crítica. En este último aspecto es la figura capital de toda la época: su situación cronológica en el centro de ella le ha permitido conocerla directamente en toda su evolución;

su temperamento intelectual, abierto y sereno, le ha hecho entenderla en todas las escuelas; su cultura, penetración y buen gusto le han capacitado para juzgarla. Si en el aspecto de su poesía original no llega a ocupar el mismo lugar preeminente y único que ocupa como crítico, es uno de los poetas más distinguidos del momento postmodernista en muchas de sus diversas tendencias. En su breve obra poética hay poesías — pocas — que pertenecen al modernismo típico rubendariano y afrancesado, pero contenido y refrenado por una aspiración nueva a la perfección dentro de la sencillez y la mesura; otras — las más — significan un retorno a las formas y al espíritu clásicos, no como imitación de poetas o escuelas del pasado, sino como sujeción de la sensibilidad moderna al yugo de la tradicionalidad esencial; otras — las madrileñas —, con aire neoclásico o popular de «chotis», son obras maestras de la nueva tendencia hacia el prosaísmo sentimental que poetiza la vida vulgar de la ciudad; otras — las que cantan en voz baja «la vida clara» — se refugian en la intimidad de los sentimientos delicados y sanos, curadas de la exaltación romántica y del morbo decadente; otras ensayan, siempre con sabiduría y buen gusto, diversas modalidades poéticas, y muchas son traducciones excelentes de poesía extranjera. Tendrían, por lo tanto, que ser divididas las poesías de Canedo en las varias secciones en que hemos clasificado la poesía postmodernista; para no romper la unidad indudable de este poeta, por otra parte tan vario, hemos preferido colocarle al frente de la época, como iniciador o representante de muchas de sus tendencias más características.

Bibliografía.—**Poesía:** *Versos de las horas,* Madrid, 1906. *La visita del sol,* 1907. *Del cercado ajeno,* versiones poéticas, 1907. *La sombra del ensueño,* París, 1910. *Imágenes,* versiones poéticas, [1910]. *Del toque de alba al toque de oración* [de Francis Jammes, trad.], 1922. *Cordura (Sagesse)* [de Verlaine, trad.], 1923. *La buena canción* [de Verlaine, trad.], 1924. *Algunos versos,* Madrid, 1924. *Epigramas americanos,* 1928. *La poesía francesa moderna,* antología [en colab. con F. Fortún], 1913. **Otras obras:** *Sala de retratos,* San José de Costa Rica, 1920. *Conversaciones literarias* (1915-1920), Madrid, 1921. *Los dioses en el Prado,* 1931. **Estudios:** Andrenio [E. Gómez de Baquero], *Pen Club,* I : *Los poetas,* Madrid, [1929], p. 83-87: Azorín, *E. D.-C.,* en PrBA, 10 marzo 1929. L. Bello, *«Epigramas americanos»,* versos de

D.-C., en Sol, 26 junio 1928; RepAm, 17 nov. 1928. R. BLANCO-FOMBO-
NA, *Un poeta preterido: E. D.-C.,* en Sol, 16 junio 1926; *Motivos y letras de
España,* Madrid, [1930]. F. CONTRERAS, *E. D.-C.: el escritor y el hombre,* en Nos, 1928, LX, 224-228. A. DONOSO, *D.-C., el crítico de Amé-
rica,* en RepAm, 1928, XVI, 46-47. E. S. C., Sobre *Epigramas americanos,* en Nos, 1928, LXII, 117-119. A. ESPINA, Sobre *Algunos versos,*
en ROcc, 1925, IX, 255-257. E. GÓMEZ DE BAQUERO, *Los «Epigramas
americanos», de D.-C.,* en RepAm, 17 nov. 1928. F. GONZÁLEZ, Sobre
Epigramas americanos, en RHACLA, 1929, VIII, núm. 69. H. MERI-
MÉE, Sobre *Conversaciones literarias,* en BHi, 1923, XXV, 298-300.
G. MISTRAL, *D.-C., el amigo de América,* en ABC, 6 marzo 1932. *Notas:
Un viajero fugaz* [sobre el viaje de E. D.-C. a Buenos Aires y Chile],
en Sin, 1927, III, 97-99. R. M. TENREIRO, Sobre *Del cercado ajeno,* en
L, 1907, año VII, t. V, 399-400; sobre *La visita del sol,* en L, 1907,
año VII, t. III, 401-404. L. G. DE VALDEAVELLANO, *Un poeta: D.-C.,*
en Época, 24 nov. 1923.

EL VIEJO QUE NOS ENSEÑABA LAS ESTRELLAS

— Aldebarán, el Carro, Casiopea... —
Lentamente las va nombrando el viejo.
Por el fulgor del celestial cortejo
nuestro mirar atónito pasea.

La murmuriosa noche de la aldea
pone un temblante, misterioso dejo
en estos nombres que repite el viejo:
— Aldebarán, el Carro, Casiopea... —

— ¿Veis allí la blancura de un camino?
Lo empolva el pie de tanto peregrino
que hacia el sepulcro va de Santiago... —

Su dedo indica la estrellada esfera
con un amplio ademán de docto mago
que todo el mundo sideral moviera.

Versos de las Horas, 1906.

LUCHA DE FAUNOS

Los dos faunos más jóvenes luchan en la pradera.
Los demás el combate van siguiendo, en espera
de lo que ha de ocurrir. A veces, un obsceno
chiste pica el orgullo del que pierde terreno,
y, al ver que su contrario le embiste, se afianza
sobre los pies caprinos, en contra del que avanza,
y se humillan las testas, y se topan las frentes
en las que apuntan, finos, los cuernos incipientes.
La lucha se prolonga. Si es el uno más diestro
porque tuvo en sus años de infancia por maestro
al chivo más potente de su rebaño, el otro
tiene la solidez y el empuje de un potro.
El césped magullado dice larga pelea.
Sudan los dos; al pecho fornido que jadea
bajan las gruesas gotas que impregnan los cabellos;
ha desaparecido la tierra para ellos;
hasta que, al cabo, en una formidable embestida,
cae rodando el más débil con la frente partida.

La visita del sol, 1907.

LA MOZA DE CÁNTARO

«Beba, señor; es hielo.» — Cantarina
la voz, cual manantial refrigerante,
fué remedio a mi sed de caminante
más que la propia vena cristalina.

«Gracias.» — Y la piadosa campesina
sigue, llevando el cántaro, adelante;
lo apoya en la cadera; su arrogante
cuerpo a un lado graciosamente inclina.

Yo pensaba: ¡Rebeca!... La voz mansa
que en la Biblia sonó... «Bebe y descansa.
Trae hacia la cisterna tus camellos.»

Sonreía Eliezer. Los animales
tendían a los líquidos cristales
con golosa avidez los largos cuellos...

La visita del sol, 1907.

ODA A LA CIBELES

No eres aquella matrona olímpica
madre de dioses, numen telúrico.
Los hados clementes te hicieron
soberana de un pueblo que vive.

No eres divina pieza escultórica
que, aun en fragmentos, entera el ánima
de un pueblo que ha sido conserva,
gozo y risa de un triste museo.

Tú, madrileña, miles de súbditos
tienes, y un alma goyesca, indómita,
que sabe de amores, de rezos,
de motines, de fiestas de toros.

Cuando sangrientos y patrióticos
aniversarios bullen magníficos
con sus pintorescos desfiles
y con sus fanfarronas charangas.

tú, coronada de torres, rígida,
desde tu carro que los ibéricos
leones arrastran, pareces
animada visión de la patria.

Y cuando llegan las tardes áureas
de abril, y al circo, la calle amplísima,
de las muchedumbres encauza
el sonoro, continuo torrente

—blancas mantillas, trenes espléndidos,
atronadores, magnos vehículos
que avanzan repletos, enormes,
como peñas de cuajo arrancadas;

y deslizantes coches minúsculos,
y el entoldado y airoso y rápido
que llenan los diestros de oro
y es, al sol, como un prisma irisante;

y oscuras manchas de guardias tétricos,
y acuchillados pencos escuálidos
que van a la muerte, cansinos,
con un rojo y un gualdo jinete —;

tú, madrileña de sangre cálida,
romper ansías tu calma pétrea,
trocar tus leones en potros
y en calesa tu carro de triunfo,

y una mantilla, y en el ubérrimo
pecho nutricio, llamas purpúreas
de ardientes claveles, ardientes
como tu corazón de manola.

Pero, indolente, tus ansias férvidas
ves luego extintas, del pueblo símbolo
que un sol implacable calcina,
que un cruel Guadarrama congela.

Cuando en su capa nocturna embózase
la regia villa, suena en su lóbrega
quietud la palabra que surte
del cristal de tus aguas de ensueño.

¿Cuentas historias? ¿Dices pronósticos?
¡Oh, si anunciaras gloriosas épocas!
¿Quién puede saber lo que dices
a la noche, señora de un pueblo?

La visita del sol, 1907.

CANTARES RIMADOS A LA MANERA TOSCANA

Flor de azahar:
un príncipe tu rostro quiere ver
y sus galeras vienen por el mar.

Flor de azucena:
bañada está la huerta por la luna
y el alma está de tu hermosura llena.

Flor de jazmín:
tu sueño arrullan con su blando son
los árboles floridos del jardín.

Flor de retama:
quiero dejar en tu balcón un ramo;
despierta, lo verás desde la cama.

Flor de amapola:
la estrellita del alba está en el cielo
y tú descansas en tu lecho, sola.

Botón de oro:
vas a la fuente, y ríe el agua clara;
vuelves a casa y se deshace en lloro.

Flor de romero:
todo el campo es olor, cuando te miro,
mañanita, venir por el sendero.

Flor de clavel:
cuando te ríes, parece que el sol
te hace más tersa y dorada la piel.

Flor de dondiego:
no sé por dónde voy ni lo que hago
cada vez que te ríes cuando llego.

Flor de reseda:
con tu hermosura estás envanecida
como el pavo real que hace la rueda.

Ramo de flores:
para ti son amores los cantares:
para ti son cantares los amores.

La sombra del ensueño, 1910.

SOLDADO

¡Soldado!
Tu sable y tu escopeta;
tu ros y tu caballo.

¡Soldado!
Huestes imaginarias
siguen tu voz de mando.

¡Soldado!
Frunces el ceño y huyen
dispersos los contrarios.

¡Soldado!
Toda la casa llena
de estrépito tu paso.

Bien lo adivinas, hijo;
¿quién te hizo adivinarlo?
Si eres como yo quiero,
tendrás que ser soldado.

Soldado aunque no quieras,
pero soldado raso,
sin galones ni estrellas,
en combate diario.
Soldado aunque no quieras,
sólo con que hable alto
tu corazón y escuche
lo que hablan tus hermanos.

¡Soldado!
Firme sin juramentos
y sin hazañas bravo.

¡Soldado!
Soldado a todas horas,
alerta y arma al brazo.

¡Soldado!
Contra el odio y la guerra,

contra todo lo falso,
contra todo lo impuro.
¡Soldado!

Algunos versos, 1924.

BALADA DE LOS TRES NAIPES

Se durmió como la marmota
entre la colilla y el jarro;
ya no tiene lumbre el cigarro,
ya el jarro no tiene ni gota.
Y, aun dormido, la palabrota
en sus torpes labios se cuaja.
Sobre la mesa, la baraja:
el rey, el caballo y la sota.

Su vida es adusta, de ilota;
su alma, sin soplo, es toda barro;
es inerte como el guijarro:
lo disparan, hiere y rebota.
Al trabajo el ocio derrota
dentro de él; tan sólo trabaja
si los gruesos naipes baraja:
el rey, el caballo y la sota.

No despertéis al pobre idiota.
Vuestra lástima es despilfarro.
Dejadle dormir: el cotarro
de ese modo no se alborota.
Fandango, petenera y jota
le arrullen; si al sepulcro baja,
ponedle dentro de la caja
el rey, el caballo y la sota.

FIN

¡Viva el puro, viva la bota!
¡Vivan la moza y la navaja!
¡Cosedle bien en la mortaja
el rey, el caballo y la sota!

Algunos versos, 1924.

MERENDERO

Quietud, pereza, sol; la vida
se paró de repente.
Las voces, como de otro mundo;
irreal, pasa un tren por el puente.

Un organillo, y otro, y otro,
mezclan su alegría extraurbana.
Pobres porfiados, no cejan
en su petición chabacana.
Uno y una al fin se deciden
como de limosna, sin gana.

Y otros después: a todos los mece
la musiquilla embaidora.
Con el ritmo de las parejas
da vueltas, sin huir, la hora.
Allá lejos, en el horizonte,
blanca y azul, la Sierra se evapora.

Algunos versos, 1924.

PRIMAVERA

Tienes razón: es lo que pasa.
¡Pero si tú le quieres
más de lo que creías!
Son cosas de hombres y mujeres...
cosas de todos los días...
Luego, en su casa,
lo pensaría bien, tranquilo.
Tú ya se lo dijiste.
Dijiste... la verdad: no es para tanto.
Y temblaba en el hilo
de tu voz todo el llanto
que a solas más tarde vertiste.
¡Fué tu noche tan triste!
Contaste hora tras hora,

pálida en tu desvelo,
y cuando, al fin, rendida,
te quedaste dormida,
ya pintaba la aurora
con su tenue color tierra y cielo...
Ya es tarde. Muy alto el sol brilla.
La mañana es de gloria.
¡Todo fué una pesadilla,
pero ya se acabó la historia!
Levántate. Que el agua fría
deje más tersa tu piel suave.
Te estará esperando:
¡si ya es mediodía!
¿Y... aquello? ¡Bah! no es nada grave.
Sí, te espera, de fijo, devorando
la impaciencia que le consume...
Retuércete con gracia el pelo.
Vístete como más le gusta:
cuerpo blanco, falda justa;
y el mantón de espuma, el pañuelo,
el bolso de plata, el perfume...
¡A la calle! La primavera
te envuelve toda.
Cuando bajas por la escalera,
ya tarareas la canción de moda...
¡Mírale, al borde de la acera!
Ya le iluminó tu sonrisa...
¡Qué pálido está! Ve de prisa...
¡Pero no, ten cuidado, espera!
Viene hacia ti derecho.
Te mira como nunca te miraba.
¡Vuélvete atrás!... ¿Qué has hecho?
¿No te mueves? ¿No ves el brillo
de su mirar? ¡Son dos infiernos rojos!
¡Ay, socorro!... Te clava
dos rayos en los ojos
y en el pecho un cuchillo...

Algunos versos, 1924.

ORACIÓN EN EL JARDÍN

Yo me quiero morir como se muere
todos los años el jardín, y luego
renacer de igual modo que renace
todos los años el jardín. Se han ido
los pájaros; volaron en pos de ellos
las hojas, pero no tenían alas.
No me quiero morir como las hojas,
ni quiero ser el árbol de perenne
verdor adusto, ni el arbusto dócil
cortado en seto, sino el árbol libre,
desnudo atleta, que en el suelo ahinca
las fuertes plantas y en el aire tuerce
los recios brazos: no el verdor eterno,
sino la fronda renovada, el fruto
cuando el año lo envíe. Aquí me tienes,
Señor, desnudo como el árbol. Dame
tu bautismo de lluvias y tu crisma
de sol, y dame vestiduras nuevas,
inmaculadas. El jardín de invierno
callado está: mi corazón callado.
Habla tú; luego, vísteme de hojas.
Algo de tus palabras, al moverse,
repetirán, como inspiradas lenguas.

Algunos versos, 1924.

EPIGRAMAS AMERICANOS

A VALERY LARBAUD,
PENSANDO EN RICARDO GÜIRALDES

Se fué. Ya no es más que sombra.
Montó en su pingo pampeano.
Solo se fué por el llano:
dejó atrás rancho y potrero
y en el último lindero
nos dijo adiós con la mano.

CIUDAD MEDIDA
(Santiago de Chile.)

Toda en ángulos rectos los tuyos te querían,
toda en cuadras iguales:
tal como Ercilla y Oña, severos, componían
sus poemas heroicos en octavas reales.

IMAGEN DEL MAPOCHO
(Santiago de Chile.)

Río de tierras libres, caudillo mal domado,
preso te ves de pronto; piensas que es un mal sueño,
y entre tus vencedores pasas precipitado,
prietos los puños, turbia la cara, duro el ceño.

Epigramas americanos, 1928.

MANUEL MAGALLANES MOURE

1878-1924

Chileno. Aficionado a la pintura y crítico de arte; de ahí las
notas impresionistas de color y forma que constituyen una de
las bellezas de su poesía. Hombre digno, recatado y silencioso,
llevó una vida exterior noble y correcta, y una vida interior de
concentración y soledad sentimental. Alma amorosa, limpia,
delicada, buena y generosa, se dió toda a sus amores sencillos,
sin pretensiones, al alcance de la mano: el hogar, la naturaleza,
la mujer. Pedro Prado — que le conocía bien por ser Magallanes
uno de su grupo de «Los Diez» — atestigua que «las mujeres lo
atraían poderosamente. No las quería como un hombre, sino
casi como un niño. La mujer a quien amó con mayor dedicación
fué con él un poco dura y coqueta. Lo desesperaba, lo hacía
sufrir sin necesidad». Sentía simpatía por las ideas sociales ge-
nerosas y redentoras; pero no actuó en la política. No ponía
orgullo en su obra poética, tan noble, tan bella, que hace de él
el iniciador no superado del gran desarrollo lírico de Chile en
el siglo xx. Como él dice, su amor a la poesía no era otra cosa

que el amor a la mujer, cuya dulzura y amargura llenaron su
alma y de ella pasaron a su poesía con sinceridad tal que hubiera hecho imposible su valor poético si no hubiera llegado
Magallanes en ella a tal grado de sencillez y transparencia, de
gracia y elegancia, de depuración sentimental, que alejan su
emoción de toda realidad psicológica y la prestan la calidad
pura de una vibración lírica personal. Esto es así, a pesar de las
influencias modernistas bajo las que su obra se desenvuelve, y
lo es tanto que el poeta no siente ninguna necesidad de recha-
zarlas, aunque en el fondo es ajeno a ellas, por ser su poesía de
las que caben dentro de cualquier manera poética.

BIBLIOGRAFÍA. — Poesía: *Facetas*, Santiago de Chile, 1902. *Matices*,
1904. *La jornada*, 1910. *La casa junto al mar*, 1918. *Florilegio*, sel.
del autor, pról. de P. Prado, San José de Costa Rica, 1921. *Sus mejores poemas*, Santiago de Chile, 1925.   **Otras obras:** *La batalla*, comedia, 1913. *¿Qué es amor?*, cuentos [Valparaíso, 1916].   **Estudios:**
ALONE [H. DÍAZ ARRIETA], *Un hallazgo literario*, en NacC, 5 marzo 1924.
A. LAGORIO, *Letras americanas*, en Nos, 1919, XXXII, 96-101.   P. PRADO,
M. M. M., en Merc, 3 feb. 1924.   R. SILVA CASTRO, *M. M. M.*, en Merc,
3 feb. 1924. (Véase además DONOSO, *NP*, p. 181).

SOBREMESA ALEGRE

La viejecita ríe como una muchachuela,
contándonos la historia de sus días más bellos.
Dice la viejecita: «¡Oh qué tiempos aquéllos
cuando yo enamoraba a ocultas de la abuela!»

La viejecita ríe como una picaruela
y en sus ojillos brincan maliciosos destellos.
¡Qué bien luce la plata de sus blancos cabellos
sobre su tez rugosa de color de canela!

La viejecita olvida todo cuanto la agobia
y ríen las arrugas de su cara bendita
y corren por su cuerpo deliciosos temblores.

Y mi novia me mira y yo miro a mi novia,
y reímos, reímos... mientras la viejecita
nos refiere la historia blanca de sus amores.

Matices, 1904.

EL VENDIMIADOR A SU AMADA

En los frescos lagares duerme el zumo oloroso
de las uvas maduras. Turbador, amoroso,
es el vapor que sube de los frescos lagares.

¡Y tu aliento oloroso como los azahares!

*

Ayer, cuando en la viña cogías los maduros
racimos, yo observaba los finos, los seguros
perfiles de tus amplias caderas y los llenos
contornos de tus breves y poderosos senos.

El sol quemaba el aire, y caía, caía
sobre mí, y en mi alma no sé qué florecía.
Algo en mí germinaba; algo ardiente, algo rudo.

¡Y tus ojos brillantes y tu cuello desnudo!

*

Ayer, cuando en la viña bañada en sol cogías
los racimos maduros, advertí que reías
con una risa nueva. Tus labios se esponjaban
húmedos, deliciosos... Y los míos temblaban.
En torno a ti agrupábanse todas tus compañeras.

¡Y la sencilla falda ciñendo tus caderas!

*

Cuando me quedé solo bajo el sol irritante
descubrieron mis ojos aquel bosque distante
de amarillentos álamos. Nunca había advertido
que existiera aquel bello bosque desconocido.

Caminando por entre las vides deshojadas,
ahuyentando a mi paso las sonoras bandadas
de los pájaros, fuíme hacia aquel bosquecillo.
Como oro al sol brillaba su follaje amarillo.

Allí en aquel boscaje, todo, todo es amable.
Allí las zarzas tejen un muro impenetrable
y se esparcen las hojas por el suelo, formando
como una alfombra de oro. ¡Si supieras qué blando
tapiz es el que forman las hojas amarillas!

Allí hay rumor de insectos y cantos de avecillas,
pero nada perturba la calma deseada...

¡Y tus labios henchidos cual fruta sazonada!

*

Me interné todo trémulo por aquel bosquecillo
y allí oculto, allí estuve hasta que cantó el grillo.
¿Por qué te esperé tanto? ¿Por qué creí que irías?

Al regreso las sendas todas eran sombrías...

La jornada, 1910.

JAMÁS...

Ante nosotros las olas
corren, corren sin cesar,
como si algo persiguieran
sin alcanzarlo jamás.

Dice la esposa: ¿no es cierto
que nunca habrás de tornar
junto a esa mujer lejana?
Y yo contesto: ¡jamás!

Ella pregunta: ¿no es cierto
que ya nunca volverás
a celebrar su hermosura?
Y yo contesto: ¡jamás!

Ella interroga: ¿no es cierto
que nunca habrás de soñar
con sus fatales caricias?
Y yo respondo: ¡jamás!

Las olas, mientras hablamos,
corren, corren sin cesar,
como si algo persiguieran
sin alcanzarlo jamás.

Dice la esposa: ¿no es cierto
que nunca me has de olvidar
para pensar sólo en ella?
Y yo le digo: ¡jamás!

Ella pregunta: ¿no es cierto
que ya nunca la amarás
como la amaste hasta ahora?
Y yo contesto: ¡jamás!

Ella interroga: ¿no es cierto
que su imagen borrarás
de tu mente y de tu alma?
Y yo murmuro: jamás...

Los dos callamos. Las olas
corren, corren sin cesar,
como si algo persiguieran
sin alcanzarlo jamás.

La jornada, 1910.

LAS VENTANAS

Maestro constructor: ¿crees que las ventanas
serán muchas? Pues yo pienso que no son tantas
como las que debiera poseer esta casa.
Si antes amé la sombra, fué porque había en mi alma
la inquietud de un secreto, la angustia de una falta.
Si antes amé la sombra, fué por creer que estaba
en ella mi ventura.
                    Yo iba a tientas y a cada
paso subir creía por la ilusoria escala
que a la dicha conduce, y bajaba, y bajaba...
Yo iba a tientas, yo iba guiado por la cálida
presión de una menuda mano, mano adorada,
mano a cuyo recuerdo mi voluntad desmaya.

¿Guiado? ¡No! Yo iba fiebrosamente, en alas
de una ilusión, de un vértigo, de una pasión, de un ansia.
Me impelía una fuerza interior, me arrastraba
un impulso invencible y se me iba el alma
como se va en el viento la enloquecida llama.

La sombra, y en la sombra los labios de la amada
suaves, suaves, con ese vivo sabor que nada
puede igualar, con ese sabor que en vano tratas
de definir, poeta.
            ¿Dulzura? No. Te engañas.
¡No son dulces los besos de la mujer amada!

Lentamente, en la sombra, con deliciosa calma,
mis labios en sus labios dejé, por ver si hallaba
la expresión milagrosa, la divina palabra
que dijera el sabor de un beso, y la increada
expresión todavía la busco, sin hallarla.

No es dulzura, no es miel, no es néctar. Son opacas
esas voces y el beso como una luz irradia,
luz que hace transparentes nuestras oscuras almas.

Miel y luz y placer infinito y nostalgia
de un cielo inaccesible, de una gloria lejana.
Sed que implacablemente devora las entrañas,
sed que con la embriaguez del beber no se sacia
sino que se acrecienta; sed que sólo se apaga
cuando en la dulce copa cae en gotas amargas
el desengaño...
            Luz, dulzura, sed, todo eso,
y locura..., ¡oh qué viva locura la del beso!
La sombra y en la sombra sus labios...
                       —¿Las ventanas?
Perdóname, maestro constructor, olvidaba...

¿Creíste que eran muchas? Pienso que no son tantas
como las que debiera poseer esta casa.
Si antes amé la sombra, hoy la luz me hace falta.
Quiero que el primer rayo del sol entre en mi estancia
y que se extinga en ella su última mirada.

En la sombra, maestro, germinó mi desgracia;
puede ser que a la luz mi ventura renazca.
¿A qué ir tras la sombra? —Llegará, sin buscarla.
Llegará con la tarde y ascenderá, pausada...

Y al fin vendrá esa noche que no tiene mañana.

La casa junto al mar, 1919.

ALMA MÍA

Alma mía, pobre alma mía,
tan solitaria en tu dolor:
enferma estás de poesía,
alma mía llena de amor.

Crees que la vida es un cuento,
crees que vivir es soñar...
Pobre alma sin entendimiento,
hora es ésta de razonar.

Ve que la vida no es aquélla
que te forjaste en tu candor:
la vida con amor es bella,
pero es más bella sin amor.

Ve, alma mía, pobre alma mía,
ve y empéñate en comprender
que el amor es melancolía
y es amargura la mujer.

Sin amor y sin sentimiento
serás fuerte, podrás triunfar.
Alma, la vida no es un cuento;
alma, el vivir no es el soñar.

Que en ti el vivir no deje huella
ni de placer ni de dolor:
la vida con amor es bella,
pero es más bella sin amor.

Sé cauta, sé diestra, sé fría:
no te dejes enternecer
por tu amor a la poesía,
que es el amor a la mujer.

Coge, alma, la flor del momento
y no la quieras conservar.
Si se marchita, échala al viento,
que lo demás fuera soñar.

Esta mujer es como aquélla:
todas son fuente de dolor.
Alma mía, la vida es bella,
pero es más bella sin amor.

Y mi alma dijo: «En mi embeleso
oí tu voz como un cantar.
¿Sabes? Soñaba con un beso
robado a orillas de la mar.»

La casa junto al mar, 1919.

¿RECUERDAS?

¿Recuerdas? Una linda mañana de verano.
La playa sola. Un vuelo de alas grandes y lerdas.
Sol y viento. Florida la mar azul. ¿Recuerdas?
Mi mano suavemente oprimía tu mano.

Después, a un tiempo mismo, nuestras lentas miradas
posáronse en la sombra de un barco que surgía
sobre el cansado límite de la azul lejanía
recortando en el cielo sus velas desplegadas.

Cierro ahora los ojos, la realidad se aleja,
y la visión de aquella mañana luminosa
en el cristal oscuro de mi alma se refleja.

Veo la playa, el mar, el velero lejano,
y es tan viva, tan viva la ilusión prodigiosa,
que a tientas, como un ciego, vuelvo a buscar tu mano.

La casa junto al mar, 1919.

APAISEMENT

Tus ojos y mis ojos se contemplan
en la quietud crepuscular.
Nos bebemos el alma lentamente
y se nos duerme el desear.

Como dos niños que jamás supieron
de los ardores del amor,
en la paz de la tarde nos miramos
con novedad de corazón.

Violeta era el color de la montaña.
Ahora azul, azul está.
Era una soledad el cielo. Ahora
por él la luna de oro va.

Me sabes tuyo, te recuerdo mía.
Somos el hombre y la mujer.
Conscientes de ser nuestros, nos miramos
en el sereno atardecer.

Son del color del agua tus pupilas:
del color del agua del mar.
Desnuda, en ellas se sumerge mi alma,
con sed de amor y eternidad.

La casa junto al mar, 1919.

LUIS FELIPE CONTARDO

1880-1921

Chileno. Dedicado a la Iglesia, estudió su carrera en Chile y
en Roma y se ordenó en 1903. Hizo un viaje a Tierra Santa.
Consagró su vida pura al cuidado de su parroquia rural de
Chillán. Solar Correa — por quien conozco estos datos — añade
que «era un espíritu muy moderno». Así lo muestran sus poe-

sías, en las que acepta humildemente las formas divulgadas por el modernismo. Pero su humildad católica, su religiosidad pacífica, sencilla y popular, sus emociones familiares y su delectación en los temas y las imágenes tradicionales, su tersura y serenidad, son más modernas que el modernismo y tan antiguas como la Edad Media y la tradición católica popular, que prestan a su pobre poesía una nota de encanto e ingenuidad muy singulares.

BIBLIOGRAFÍA. — **Poesía:** *Flor del monte,* Santiago de Chile, 1903. *Palma y hogar,* 1908. *Cantos del camino,* 1918. ʌ **Estudios:** F. CONCHA CASTILLO, introd. a *Cantos del camino,* 1918. *Corona fúnebre,* 1923 [artículos de varios autores]. E. LABARCA, *Figuras chilenas: El poeta L. F. C.,* en RevChil, 1927, año XI, núms. 86-87, 121-128. N. PEÑA MUNIZAGA, Sobre *Cantos del camino,* en RevChil, 1918, VII, 118-125.

RETABLO

Ya José, terminada del día la faena,
en el umbral enjuga de su frente el sudor;
y la Virgen María, para la parca cena,
las escudillas lava con sus manos de flor.

De la Luna que nace, la claridad serena
envuelve la casita, dulce nido de amor;
en el huerto inmediato hay olor de azucena
y aleteos de tórtolas y agua que hace rumor...

Y adentro... — ¿cayó acaso de la altura un lucero? —
como una palomita que se acoge al alero
para esperar del día nuevo la nueva luz;

como un lirio que pliega, para soñar, su broche;
encanto de los cielos, sol que alumbra la noche,
en su pequeña cuna duerme el Niño Jesús...

Cantos del camino, 1918.

MISTERIUM SACRUM

Campos de Galilea, campos llenos de espigas,
laderas en que medra la viña secular;
vosotras recogisteis de Jesús las fatigas,
seguido de las turbas le mirasteis pasar...

Vosotras le ofrecisteis imágenes amigas
que, hechas después parábolas, enseñaban a amar...
¡Oh dulce Galilea, tanto recuerdo abrigas
en tu seno sagrado, que eres como un altar!

De tus suaves colinas en que el trigo ya es oro,
de tus vides que guardan en germen su tesoro,
de esta tierra bendita, donde mis pasos van,

se elevan, entre ardientes fulgores celestiales,
por sobre los sarmientos, por sobre los trigales,
hecha vino su sangre y su cuerpo hecho pan...

Cantos del camino, 1918.

RINCÓN ISLEÑO

El barco, lentamente, por el canal marino,
desplegadas las velas con alburas de lino,
como un pájaro boga bajo el sol vespertino.

El verdor se oscurece de la colina isleña;
unos corderos bajan al plan; sobre una peña,
recogidas las alas, una gaviota sueña...

Por detrás de un ribazo, surge, blanca y sencilla,
sobre rústica torre la cruz de una capilla,
y una llama en el fondo de los árboles brilla.

Mientras el barco avanza, en un pliegue sombrío
del monte costanero, se muestra un caserío;
y hay un pequeño valle junto a un pequeño río.

Un rincón de la vida, humilde y solitario,
que al amparo se acoge del viejo campanario,
como un nido a la sombra de un roble centenario.

A la del hombre acerca el hombre su guarida;
para agruparse en torno busca la torre erguida,
índice de otro mundo y escala de otra vida.

Viajero que recorre la llanura infinita,
la mano del hermano su mano necesita,
y a mirar las estrellas la campana le invita.

Perdido entre la bruma, en la orilla lejana,
lo mismo que la tienda de alguna caravana,
lleno de paz, de ocaso y de piedad humana,

el caserío isleño, bajo el último alarde
del sol que en la montaña como un incendio arde,
parece que rezara la oración de la tarde.

Cantos del camino, 1918.

JOSÉ GARCÍA VELA

1885-1913

Español, de Asturias. Su muerte prematura cortó su carrera
literaria cuando había publicado un solo libro, en el que se
anunciaba un excelente poeta, versado en el modernismo y en
la poesía francesa, que produjo una casta y recogida poesía,
inspirada en la vida interior y en la idealización de la vida vulgar de cada día.

BIBLIOGRAFÍA.—**Poesía:** *Hogares humildes,* Madrid, 1909.   **Estudios:**
E. Díez-Canedo, *Un recuerdo de poetas españoles desaparecidos prematu-
ramente,* en Nac., ab. 1924.

HOGARES HUMILDES

II

En la blancura de la humilde mesa
hay un encanto místico y divino:
una blanca dulzura de abadesa
o una calma de ambiente campesino.

El sol, dorado y amoroso, besa
las copas donde nos espera el vino,
poniendo luces de color de fresa
en el mantel purísimo de lino.

¡Danos, oh pan, tu corazón cristiano;
danos, oh vino, tu perfume místico;
danos, oh lino, tu blancor de toca!

Que nos encuentre el día no lejano
de nuestra muerte con el eucarístico
sabor de pan y vino en nuestra boca.

Hogares humildes, 1909.

PEDRO PRADO

1886 - 1952

Chileno. Ha sido director del Museo de Bellas Artes, funda-dor de la *Revista Moderna* y del grupo *Los Diez.* Ha ejercido un magisterio intelectual y estético sobre las nuevas generaciones chilenas. Aunque ha escrito poesías, su forma propia de expre-sión es el ensayo, el poema en prosa, la novela simbólica. Todo ello — de gran valor — es poesía en su más amplio y hondo sen-tido; pero poesía intelectual, que huye del sentimiento y recha-za los adornos para buscar la clara frialdad, patética por lo mis-mo, de las ideas, y la escueta justeza de expresión.

Bibliografía. — **Poesía:** *Flores de cardo,* Santiago de Chile, 1908; 1912. *El llamado del mundo,* 1913. **Otras**

obras: *La casa abandonada: parábolas y pequeños ensayos,* poemas en prosa, 1912; Buenos Aires, 1919. *La reina de Rapa Nui,* novela corta, Santiago de Chile, 1914. *Los diez,* 1915. *Ensayos (sobre la Arquitectura y la Poesía),* 1916. *Alsino,* novela, 1921; 1928. *Selección de poemas en prosa,* aprec. de A. Castro Leal, México, 1923. *Un juez rural,* historias, Santiago de Chile, 1924. **Estudios:** ALONE [H. DÍAZ ARRIETA], *Panorama de la literatura chilena,* en GLit, 15 dic. 1930. R. A. ARRIETA, *Ariel corpóreo,* Buenos Aires, 1926. A. DONOSO, *La otra América,* Madrid, [1925]. A. FERNÁNDEZ GARCÍA, Sobre *Un juez rural,* en Sag, 1925, I, núm. 1, 81-84. J. GARCÍA GAMES, *Como los he visto yo,* Santiago de Chile, 1930. A. MELIÁN LAFINUR, *Literatura contemporánea,* Buenos Aires, 1918. E. D'ORS, *U-turn-it,* Madrid, 1923. E. SUÁREZ-CALIMANO, *21 ensayos,* Buenos Aires, 1926. (Véase además DONOSO, *NP,* p. 242.)

PALABRAS DEL RELATO DEL HERMANO ERRANTE

Amarás a Dios,
y huirás de imágenes de Dios.

No hay en el cielo cosa alguna,
las estrellas, el sol, la luna,
que puedan representarlo.

Y no hay en la tierra nada,
ni en el mar, ni en la montaña,
ni en la selva, ni en el alma humana.

Amarás a Dios,
sin encontrar jamás la justa oración;
sin poder balbucear una palabra
que sea luminosa de revelación.

Amarás a Dios,
y no tendrá un eco en tu corazón;
y no valdrá el fuego del éxtasis en tu amor,
para penetrar la sombra de Dios.

Amarás a Dios,
y el desborde de tu gran pasión
te llevará a los hombres
y a los tiernos animales del Señor.

Amarás a Dios,
rogarás todo el curso de la vida
por verlo y por oírlo;
y morirás. Cuando no vean ya tus ojos,
cuando tus oídos ya no oigan,
volverás a Él; volverás a Dios.

Muerta tu alegría y tu dolor;
muertas tus ansias; muerto tu amor,
entrarás, ignorando, silencioso, en la sombra de Dios.

MAX JARA

1886

Chileno. «Digno de admiración como poeta y como hombre» lo juzga su paisano Torres Ríoseco. Parece ser un hombre de vida solitaria, que está empleado en la Escuela de Ingeniería de Santiago. Después de varios tanteos románticos y modernistas llega a encontrar la mejor expresión de su íntima melancolía en una poesía muy sencilla, con dejos populares.

BIBLIOGRAFÍA.—**Poesía:** *Juventud,* Santiago de Chile, 1909. *¿Poesía?,* 1914. *Asonantes,* 1922. **Estudios:** ALONE [H. DÍAZ ARRIETA], Sobre *Asonantes,* en NacC, 1922; *Panorama de la literatura chilena,* en GLit, 15 en. 1931. A. DONOSO, *M. J.,* en Nos, marzo 1924. (Véase además DONOSO, *N P,* p. 283.)

OJITOS DE PENA...

Ojitos de pena,
carita de luna,
lloraba la niña
sin causa ninguna.

La madre cantaba,
meciendo la cuna:
«No llore sin pena,
carita de luna.»

Ojitos de pena,
carita de luna,
ya niña lloraba
amor sin fortuna.

«¡Qué llanto de niña!,
sin causa ninguna»,
pensaba la madre
como ante la cuna;
«¡Qué sabe de pena,
carita de luna!»

Ojitos de pena,
carita de luna,
ya es madre la niña
que amó sin fortuna;
y al hijo consuela
meciendo la cuna:

«No llore, mi niño,
sin causa ninguna;
no ve que me apena,
carita de luna.»

Ojitos de pena,
carita de luna,
abuela es la niña
que lloró en la cuna.
Muriéndose, llora
su muerte importuna.
«¿Por qué llora, abuela,
sin causa ninguna?»

Llorando las propias,
¿quién vió las ajenas?
Mas todas son penas,
carita de luna.

AGUA VIVA

No me canso de admirar
la fuga del agua viva.
Con ella va mi fortuna
por la noche sin orillas.

El agua mintiendo plata,
el aire fingiendo risa...
Promesas que no se cumplen...
¿Dónde está la vida mía?

Cantando va cada gota
ilusión y maravilla.
¿Qué será de mí mañana,
yerbas bravas de la orilla?

Sobre las arenas ásperas,
entre las rocas pulidas,
muriendo va cada gota
sin conocer la fatiga,

ni remanso en que se goce
cuerpo de mujer nacida,
donde al roce milagroso
quedan las aguas dormidas.

CARLOS MONDACA

1881-1928

Chileno, de Vicuña. Profesor de la Universidad de Chile. Débil y enfermizo. «Su alma seria — según Gabriela Mistral — se la hicieron dos cosas cardinales: la madre amabilísima y el catolicismo.» Mansa tristeza, sentimiento de la muerte, son las notas de su temperamento y de su poesía íntima, humilde, que busca deliberadamente la sencillez y el prosaísmo para expresar sus sentimientos hondos y sinceros.

BIBLIOGRAFÍA. — **Poesía:** *Por los caminos,* Santiago de Chile, 1910. *Recogimiento,* [1920]. *Poesías,* [1931]. **Estudios:** A. C., *C. M.,* en Letras, nov. y dic. 1928. A. DONOSO, *Los nuevos (La joven literatura chilena),* Valencia, [1912]. J. ISAZA, *C. M.,* en Universi, 5 enero 1929. G. MISTRAL, *Gente chilena: C. M.,* en RepAm, 18 mayo 1929. OMER EMETH, *C. R. M.,* en Merc, set. 1910, marzo 1921. E. RODRÍGUEZ MENDOZA, *C. R. M.,* en Merc, nov. 1910. (Véase además DONOSO, *NP,* p. 253.

CUANDO EL SEÑOR ME LLAME

Cuando se fué del mundo mi madre, amigos fieles
me consolaron en los minutos más crueles.
Mi padre y yo velamos junto a su cabecera,
y nuestro corazón era como la cera
del Cristo agonizante que recibió su adiós.
Y para que el recuerdo fuera inmortal, nevó...

Puede ser que yo viva, como ella, setenta años.
Mi Hijo habrá saboreado ya muchos desengaños.
Tal vez ya seré abuelo. Mi Mujer será vieja.
Su belleza pretérita, junto a su gracia añeja,
nos hará sonreír. Cuando nos traiga flores
la Nuera, leeremos esos versos de amores
que le escribí, sus cartas, que eran mi poesía,
e invadidos de una dulce melancolía,
nos miraremos mudos un largo rato, y luego
nos daremos las trémulas manos, como dos ciegos.

Una mañana clara de Abril — habrá llovido —
no me levantaré. Se acercarán sin ruido
las gentes de mi casa para observar si duermo,
y por sus ojos tristes sabré que estoy enfermo.
El temblor de sus lágrimas será la estrella que
me diga que es preciso partir y no volver;
y como para entonces estaré tan cansado,
no haré siquiera un gesto de espera. Resignado,
no pediré otra cosa que entreabran la ventana
para mirar el cielo; y hasta mi frente cana
descenderá piadosa y azul la caridad
de la mañana a darme la postrer claridad.

Estaré con los ojos cerrados, como inerte,
saboreando la última tregua de la muerte.
De vez en vez, sus manos, santas y dolorosas,
mi Mujer pondrá en mí con suavidad de rosas.
Mi Hijo me mirará callada y largamente
— los labios de su Madre se han posado en mi frente —
y como teme que me turben sus sollozos,
se abrazará a mi Nuera. Con sus ojos curiosos
— que lloran y no saben — pregunta el Nieto.

                                          Cae
la tarde lentamente. Rumor de otoño trae
la brisa, quejas de árboles, y la melancolía
de lejanas campanas vesperales. El día
se irá junto conmigo.

                    Ya estaré confesado;
y me habré despedido de todos mis pecados
con lágrimas, porque le dieron tal sabor
a la vida y al bien, tal virtud al amor,
que sin ellos, no hubiera sabido qué es vivir.
Me doleré de todos los dolores que di,
de los sueños que nunca conseguí realizar,
y de los egoísmos de mi carne mortal...

Entre el clamor de las lágrimas silenciosas
poco a poco iré viendo alejarse las cosas.
Entonces en el último resplandor de la vida,
daré a los que me amaron y amé, la despedida.
Y diré a mi Mujer:

      ¡Gracias, mi santa Compañera!
¡Por el amor que puse en ti,
por las heridas que te hiciera
y la alegría que te di!

      ¡Y gracias, porque fuiste bella!
Cierro los ojos y te miro:
¡Me deslumbras como una estrella
y me enterneces como un lirio!

      Tendré mi carne perfumada
de amor, Amor, hasta en la nada;

estoy gozando en tu mirada
como una gloria anticipada.

Sola entre todas las mujeres,
fuiste la única en saber
la tristeza de mis placeres
y el goce de mi padecer.

La que llevé por el camino,
en el cáliz de mi pasión
como la hostia del destino,
encerrada en mi corazón.

¡Gracias, mi santa Compañera,
porque tuviste, espiritual,
las locuras de la quimera,
y una conciencia en la bondad!

¡Y sobre todo, gracias, madre,
por la infinita majestad
de un hombre que, al decirme padre,
me haga vivir la eternidad!

Y luego diré al Hijo: «¡Se magnánimo y fuerte,
vencedor de la vida y esposo de la muerte.
Y haz todas esas cosas, buenas, grandes y hermosas
con que yo soñé tanto, sin lograrlas hacer!»

Después, y ya en la última conciencia de la vida,
me encerraré en el fondo de mi alma adormecida.
Cerraré mis oídos para todo rumor
del mundo, y en mis ojos, que sellará el amor,
alboreará la aurora del Señor.   Y me iré
perdiendo en un ensueño crepuscular del que
nadie de entre los vivos me podrá despertar.
Me llamará la tierra con ansias maternales;
y como yo he querido, sobre todos mis males,
ser fiel hasta la muerte, ser obediente y bueno,
me dormiré por fin, como un niño, en su seno.

Recogimiento, 1920.

CANSANCIO

Quién pudiera dormirse como se duerme un niño,
sonreír entre sueños al sueño del dolor,
y soñar con amigos y soñar el cariño,
y hundirse poco a poco en un sueño mayor.

Y cruzar por la vida sonambulescamente,
los ojos muy abiertos sobre un mundo interior,
con los labios sellados, mudos eternamente,
atento sólo al ritmo del propio corazón...

Y pasar por la vida sin dejar una huella...
Ser el pobre arroyuelo que se evapora al sol...
Y perderse una noche como muere una estrella
que ardió millares de años y que nadie la vió...

JOSÉ GÁLVEZ

1886

Peruano. Poeta soñador y sentimental, que canta con sordina
las emociones lunares de su jardín cerrado. Esta poesía, que
tiene alguna semejanza con la juvenil de Juan Ramón Jiménez,
significó en el Perú una reacción contra la poesía de Santos
Chocano y por lo tanto el principio de la nueva poesía peruana,
aunque luego haya seguido ésta rumbos diversos. Hay una parte
de la poesía de Gálvez, aquella en que quiere ser poeta civil y
exterior, que tiene un valor inferior.

BIBLIOGRAFÍA. — **Poesía:** *Bajo la luna,* pról. de J. de la Riva Agüero,
París, 1910. *Jardín cerrado,* pról. de V. García Calderón, 1912.   **Otras
obras:** *Posibilidad de una genuina literatura nacional,* Lima, 1915.
Estudios:
    F. MOSTAJO, *Don J. G.,* en MP, 1920, año III, t. IV, 334-
353; 433-446.

SONATINA

Dulzura y paz.
                En la calma
de la aldea va la luna,
suave y tranquila como una
consoladora del alma.

Todo reposa y se duerme;
el mar con su mansedumbre,
me va dando la costumbre
de soñar y entristecerme.

Ni un árbol, la tierra triste
no da flores, ni hay la fuente
murmuradora y doliente
que de ensueño nos reviste.

Todo es gris.
                En el camino
la huella del caminante;
va dejando el vacilante
recuerdo de mi destino.

Tierra sin savia y sin rosas
donde el dolor se regala,
tierra gris donde resbala
la tristeza de las cosas.

Dulzura y paz.
                Raro encanto
de cosas muertas, tranquila
dulcedumbre que destila
en nuestros ojos el llanto.

Tierra para la añoranza,
para el sueño y la pereza,
donde vence la tristeza
y se pierde la esperanza.

Donde miro resignado
mis amarguras traidoras,
donde el viaje de las horas
es más lento y alargado...

A veces en lo lejano
con son amargo la quena
me hace recordar con pena
la aristocracia de un piano.

En medio de estos abrojos
pienso en perfumes y flores;
los luceros brilladores
me recuerdan unos ojos...

1907.   *Bajo la luna,* 1910.

RAFAEL ALBERTO ARRIETA

1889

Argentino. Estudió en la Universidad de la Plata. Ha vivido
siempre en Buenos Aires, donde ha colaborado en *La Prensa*
y en revistas literarias, de una de las cuales, *Atenea,* fué director. Es uno de los poetas de primer orden posteriores al modernismo. Desde el principio su personalidad es definida y su
obra perfecta; ya el título de su primer libro, *Alma y momento,*
define su poesía con dos palabras. El alma del momento y el
momento del alma se identifican en ella con armonía perfecta
y equilibrio sereno. Lo más fugaz de la realidad se fija y lo más
turbio se aclara en la obra de este poeta «silencioso y transparente». Con pocas palabras, las menos posibles; sin alardes de
forma, prefiriendo los metros tradicionales; sin exaltación de
sentimientos ni elevación de temas, más bien con freno interior
y predilección por lo humilde y cotidiano, los breves poemas
de Arrieta son obras de arte de rara elevación, elegancia, delicadeza, precisión y complejidad. Su mesura y serenidad dan a
su obra un tono clásico, pero, a pesar de sus formas tradicionales, debe más a la poesía inglesa que a la clásica española, y

por debajo de su impasibilidad corre una vena sentimental, «breve herida — como ha dicho Gabriela Mistral — que es la inmensa herida humana.»

BIBLIOGRAFÍA.—**Poesía:** *Alma y momento*, Buenos Aires, 1910. *El espejo de la fuente*, 1912 [trad. ital. por F. Testena, Buenos Aires, 1919]. *Las noches de oro*, 1917. *Canciones y poemas*, 1917. *Selección lírica*, Ed. Selectas América, 1920. *Fugacidad*, 1921. *Sus mejores poemas*, 1923. *Estío serrano*, 1926; 1927. **Otras obras:** *Las hermanas tutelares*, Buenos Aires, 1923 [trad. ital. por F. Testena, 1925]. *El encantamiento de las sombras*, 1926. *Ariel corpóreo; letras extranjeras*, 1926. *Dickens y Sarmiento*, 1928. **Estudios:** F. CONTRERAS, *R. A. A.*, en MF, 1 marzo 1924; Nos, marzo 1924. N. CORONADO, *R. A. A.*, en Nos, marzo 1917. E. DÍEZ-CANEDO, Sobre *Sus mejores poemas*, en Esp, 29 dic. 1923; *R. A. A.*, en Nos, enero 1924. M. GAHISTO, Sobre *El encantamiento de las sombras*, en RAmL, 1928, XV, 360-361. M. GÁLVEZ, *La vida múltiple*, Buenos Aires, 1916. R. F. GIUSTI, *Nuestros poetas jóvenes*, Buenos Aires, 1911. *Homenaje a R. A. A.*, en Babel, abril 1927. J. N., Sobre *Las hermanas tutelares*, en Nos, 1923, XLV, 230. A. MELIÁN LAFINUR, *Literatura contemporánea* [sobre *El espejo de la fuente*], Buenos Aires, 1918. J. A. ORÍA, Sobre *El encantamiento de las sombras*, en Nos, 1927, LV, 111-112. P. PILLEPICH, *Poesía y poetas argentinos*, en Nos, 1930, LXVII, 418-421. *R. A. A. y su libro «Estío serrano»* [apreciaciones tomadas del homenaje que *Babel*, de Buenos Aires, le hizo en abril de 1927] en RepAm, 18 agosto 1928.

... IBA EL PEREGRINO

... iba el peregrino,
tendidas las alas de su pensamiento:
dábale el camino su alma del momento
y él daba el momento de su alma al camino...

Alma y momento, 1910.

LA VOZ AUSENTE

¡Ah, mi lejano país!
Cielo azul, río de nácar,
tierra en que dejé mi esfuerzo
y, con el esfuerzo, mi alma!

(¡Feliz tú que la verás!)

¡Ah, los árboles amigos!
¡Sombra y música! ¡alabada
sombra que supo envolverme!
¡cancioncilla de las ramas!

(¡Feliz tú que la verás!)

¡Ah, mi hogar, nido deshecho
del que ya no queda nada!
Dícenme que sus cimientos
sirvieron para otra casa...

(¡Feliz tú que la verás!)

¡Ah, rinconcito del valle
donde mis padres descansan!
La cruz de palo, me dicen,
ya fué convertida en llamas...

(¡Feliz tú que la verás!)

¡Ah, mi amor, mi dulce amor,
la que mi regreso aguarda!
Dícenme que el sufrimiento
su cabeza blanqueó en canas...

Feliz tú que la verás,
romero, y tú no la amas!
Feliz tú que la verás...
¡y no es a ti a quien aguarda!

El espejo de la fuente, 1912.

LIED

Éramos tres hermanas. Dijo una:
«Vendrá el amor con la primera estrella...»
Vino la muerte y nos dejó sin ella.

Éramos dos hermanas. Me decía:
«Vendrá la muerte y quedarás tú sola...»
Pero el amor llevóla.

Yo clamaba, yo clamo: «¡Amor o muerte!
¡Amor o muerte quiero!»
Y todavía espero...

Las noches de oro, 1917.

EL SUEÑO

Tres cabezas de oro y una
donde ha nevado la luna.

— Otro cuento más, abuela,
que mañana no hay escuela.

— Pues señor, este era el caso...

(Las tres cabezas hermanas
cayeron como manzanas
maduras, en el regazo.)

Las noches de oro, 1917.

LA CASA

Al despedirnos dejamos
con la lámpara apagada
el corazón desgarrado
en las oscuras estancias.

Ya lejos de nuestra casa
decíamos sollozando:
«Con la lámpara apagada
queda todo lo que amamos.»

¡Cuántos años han pasado!
Camino de nuestra casa
dijimos ilusionados:
«Encenderemos la lámpara...»

¡Pero al llegar encontramos
la ventana iluminada!

Las noches de oro, 1917.

LA MEDALLA

Grabar quiero esta hora nocturna en la medalla
flotante, que recorta la pantalla
sobre el papel inerte bajo la pluma activa.
Mi lámpara semeja cosa viva.
Un ramo de violetas sahuma el aire. Siento
fluír, casi sonoro, el pensamiento.
Fuera, la calle sola, nostálgica de luna,
no espera a nadie... Es dulce mi soledad como una
mujer que en la acuarela del muro mira y calla
mientras grabo la hora fugaz en mi medalla.

Fugacidad, 1921.

ÁLAMOS DE CÓRDOBA

¡Álamos de Córdoba!,
pastores de acequias,
sonoros y fúlgidos
al viento y al sol,
fieles atalayas
de nubes y estrellas,
columnas de plata
de los plenilunios,
¡acoged el nido
de mi corazón!

Estío serrano, 1926.

NOCHE DE ENERO...

Noche de enero, quieta y luminosa,
junto al río, entre piedras, y a tu lado,

mi corazón maduro
para la maravilla y el milagro.

Si una estrella cayese
tendería mi mano...

Estío serrano, 1926.

LLUVIA

Fina lluvia teje
diáfanos tapices
minuciosamente.

No altera colores,
no mezcla ni esfuma
las formas inmóviles.

No canta, no gime;
silenciosamente
trabaja en su urdimbre.

Sin mover las hojas,
enfila en los bordes
traslúcidas gotas.

Su aguja no rasga
los humos que sueñan
sobre las cabañas.

Y todo el paisaje —
la sierra boscosa
y el felpado valle —

cautiva en sus hilos
con delicadeza
de lago dormido...

Estío serrano, 1926.

CANCIÓN INFANTIL

En la noche ciega, un monstruo
abre su ojo de colores.

— No es un ojo: es el fuego
de los pastores.

¡Protege, noche, esa llama!
¡No es pira de leñadores!
¡Es hogar de fantasmas
y soñadores!

(El viento, en la noche hueca,
agiganta los rumores.)

— Viento de las serranías,
pastor de imaginerías
y de fulgores:
¡cuéntame el cuento contado
junto a la lumbre
de los pastores!

Estío serrano, 1926.

EVAR MÉNDEZ

1888

Argentino. Periodista; crítico teatral. Ha sido uno de los directores de *Martín Fierro*, revista de avance literario. Su poesía original no es tan avanzada; pertenece al subjetivismo ideológico y sentimental que sigue al modernismo.

BIBLIOGRAFÍA.—**Poesía:** *Palacios de ensueño*, pról. de R. Rojas, Buenos Aires, 1910. *Canción de la vida en vano*, 1916. *El jardín secreto*, poemas en prosa, 1923. *Las horas alucinadas*, 1924.

LA INQUIETUD

Todo nuestro dolor nace de la inquietud;
es el mal incurable como es nuestra salud;
fuente de todo vicio y de toda virtud.

Inquietud, ¡oh fatal dolor de toda hora
para el tendido espíritu, sin oriente, que implora
la calma azul y rosa de la soñada aurora!

Inquietud, mal constante del último minuto,
avizor ojo en vela, de donde nace el fruto
único, y del que surge el anhelo impoluto.

Inquietud, de ti viene el deseo que aterra
las horas en que luchan materia y alma en guerra;
y se abren las rosas más rojas de la tierra.

Inquietud, blanco ídolo viviente a nuestra vera,
por cuyo influjo beato el alma siempre espera
y sin cerrar los ojos da en soñar la quimera.

Fuente de todo vicio y de toda virtud,
mal incurable, bálsamo de perpetua salud,
eres la flor más pura de nuestra alma, inquietud.

Las horas alucinadas, 1924.

FERNÁN FÉLIX DE AMADOR

1889

Argentino. Su verdadero nombre es Domingo Fernández
Bested (o Beschtedt), hijo. En su juventud estuvo en Europa;
profesor después en la Universidad de la Plata; crítico de arte
y profesor de la Escuela Nacional de Arte de Buenos Aires. Su
poesía, a menudo floja y sin valor, es en sus mejores momentos un fruto rezagado del postmodernismo, que ha durado más
y tenido más valor en la Argentina que en ninguna otra parte.

BIBLIOGRAFÍA.—**Poesía:** *El libro de horas,* París, 1910. *Las lámparas
de arcilla,* 1912. *Vita abscondita,* Buenos Aires, 1916. *El ópalo escondido: estancias y canciones,* 1921. *La copa de David,* 1923. **Estudios:**
A. LAGORIO, *F. F. A.,* en Nos, 1921, XXXIX, 494-506. P. PILLEPICH,
Poesía y poetas argentinos, en Nos, 1930, LXVII, 413-416.

EL RÍO

¿Por qué buscar un vano deleite que no existe,
si en el fondo de todo se encuentra el viejo hastío?
Seamos fuertes y huraños ya que la vida es triste,
y dejemos que corra a nuestros pies el río.

Yo he sido en otro tiempo ingenuo e impetuoso,
cada piedra de arroyo me pareció un diamante,
y en un esfuerzo inútil sin placer ni reposo,
marchando en mi redor pensé que iba adelante.

Hoy he visto las cosas de manera más cierta
— mis ilusiones eran siete viejas descalzas —,
volví pues a mi casa, y cerrando la puerta,
eché por las ventanas todas mis piedras falsas.

Vita abscondita, 1916.

BALADA DE LA MALA REPUTACIÓN

A manera de aquel pobre Lelián,
que dijo en la Francia suprema,
entre un dolor y un afán,
el más eterno poema;
quiero decir mi canción,
hecha con sangre y con vida,
una balada sufrida:
la mala reputación.

Dicen las gentes que fuí
un vagabundo perverso,
y que se encuentra en mi verso
lo que no se encuentra en mí.
Por ser franco, por ser bueno,
por ser todo corazón,
fuí digno de un gran veneno:
la mala reputación.

Porque anduve mi camino
llevando sinceramente
un espíritu hecho trino
y una altivez hecha frente;
porque en más de una ocasión
era rico siendo pobre,
me afrentaron con un cobre:
la mala reputación.

Sin escrúpulos miré
la vida que fué la mía,
poniendo en ella mi fe,
mi esperanza y mi poesía;
y si a veces en un vaso
quise buscar mi ilusión,
no ha de ser el sueño caso
de mala reputación.

ENVÍO

Hermanos en vida y suerte,
Villón, Verlaine y Darío,
vosotros que allá en la muerte,
libres de envidia y de frío,
sois tan solo una canción,
sonreíd en la ocurrencia
de otra efímera sentencia
de mala reputación.

Vita abscondita, 1916.

ALBERTO URETA
1887

Peruano. No tengo datos biográficos: debe de estar en la
cuarentena. Su poesía, de máxima sencillez, es uno de los ejemplos superiores de esta tendencia a la concentración del sentimiento lírico y la mesura de la expresión.

BIBLIOGRAFÍA.—**Poesía:** *Rumor de almas,* Lima, 1911. *El dolor pensativo,* 1917. *Florilegio,* sel. de R. Brenes Mesén, San José de Costa
Rica, 1920. **Otras obras:** *Carlos Augusto Salaverry,* Lima, 1918.

HOY HE TENIDO LA VISIÓN...

Hoy he tenido la visión
de mi niñez.
Tú tenías un corazón
blanco de ensueño y candidez.

Al encontrarnos otra vez,
hoy he tenido la visión
de mi niñez.

Después de tantos años, hoy
te he vuelto a ver.
Tú eres la misma, y yo soy
una ironía de mi ayer.
En mí yo siento un otro ser.
Después de tantos años, hoy
te he vuelto a ver.

Entonces era el porvenir
encantador.
Los dos queríamos vivir,
porque la vida era el amor.
Y aunque entrevimos el dolor,
entonces era el porvenir
encantador.

Por un momento nada más
tengamos fe.
¿Por qué no han de volver jamás
aquellos días en que amé?
Hablemos de lo que se fué.
Por un momento nada más
tengamos fe.

Hoy he tenido la visión
de mi niñez.
Tú tenías un corazón
blanco de ensueño y candidez.
Al encontrarnos otra vez,
hoy he tenido la visión
de mi niñez.

Rumor de almas, 1911.

SE QUEMA EL TIEMPO...

Se quema el tiempo sin cesar. Las horas
caen hechas ceniza
y ruedan al abismo de la nada
las dichas y las penas confundidas.
Cada hora que se quema es una lágrima,
alguna vez — muy rara — una sonrisa,
y siempre una amenaza que nos sigue
y nos acecha al borde de la vida.

Si es que sufres más tarde,
si el Destino de una ilusión te priva,
piensa — el poeta te lo dice — piensa
que al volar de los días,
cuando el pasado sea ante tus ojos
como una flor marchita,
han de quedar tan sólo
de todos tus dolores y alegrías
un recuerdo muy tenue que se esfuma
y un puñado de tiempo hecho ceniza.

El dolor pensativo, 1917.

CARLOS PRÉNDEZ SALDÍAS

1892

Chileno. Su poesía es sencilla, sincera, fácil; fluye en ella,
con gracia melancólica, cierto sentimiento de la naturaleza, a
menudo diluído y sin profundidad. Su encanto y su debilidad
radican en la espontaneidad.

BIBLIOGRAFÍA. — **Poesía:** *Misal rojo,* Santiago de Chile, 1914. *Paisajes de mi corazón,* 1915. *El alma de los cristales,* 1922. *Amaneció nevando,* [1924]. *Devocionario romántico,* 1926. *Luna nueva de enero,* 1927. *Peregrino del ansia,* 1930. *Cielo extranjero (abril-noviembre 1929),* [1930]. *Las mejores poesías de C. P. S.,* Barcelona, 1929. **Estudios:** ALONE [H. DÍAZ ARRIETA], *Panorama de la literatura chilena,* en GLit,

15 en. 1931. G. Díaz Plaja, *Tres poetas americanos,* en GLit, 1 nov. 1930. A. Falgairolle, Sobre *Luna nueva de enero,* en RAmL, 1928, XV, 465. J. García Games, *Como los he visto yo,* Santiago de Chile, 1930. F. García Oldini, *Doce escritores,* Santiago de Chile, 1929. E. Morales, *C. P. S.,* en FM, 1922.

LA CANCIÓN DEL RÍO

El río se viene cantando, cantando,
como un hechicero de la soledad.
Árboles y riscos se quedan vibrando
cuando pasa el río, camino del mar.

El río se viene cantando, cantando,
y es una alegría sentirlo pasar.

Tendido en la hierba, si el agua me toca
las manos morenas quemándose al sol,
y el viento sureño me llena la boca,
yo siento que el río, la tierra y la roca
laten con la sangre de mi corazón.

Tendido en la hierba, si el agua me toca,
bendigo la fuga del río cantor.

La canción del río se pierde en el llano;
los hombres del valle no tienen canción.
Un murmullo apenas refresca el verano
de este silencioso pueblo labrador.

La canción del río se pierde en el llano
como si del agua se fuera el amor.

El río venía cantando, cantando,
desde la montaña que nieve le dió.
Las piedras sonoras quedaron sonando
y en el valle el río su canción perdió.

El río venía cantando, cantando,
desde muy arriba cantando bajó.
Por el valle estrecho se aleja llorando,
y ninguno sabe que el río cantó.

NIÑA DE CARA MORENA

Niña de cara morena
que estás lavando en el río,
¿por qué das al río pena,
echando tu llanto al río,
niña de cara morena?

Los hombres del caserío,
con la azada y con el canto,
bajan a beber al río.
Si todos beben tu llanto,
niña de moreno encanto,
¿qué será del caserío?

Niña de cara morena,
la amargura de tu pena
no la llores en el río.
Déjale el agua serena,
sin tu llanto, sin tu pena,
a la sed del caserío.

Amaneció nevando, 1924.

JUAN GUZMÁN CRUCHAGA

1896

Chileno, de Santiago. Su poesía se caracteriza por la finura, la suavidad y la elegancia con que expresa, precisa y correctamente, la vaguedad melancólica, juanramoniana, de su sentimiento.

BIBLIOGRAFÍA. — **Poesía :** *Junto al brasero,* Santiago de Chile, 1914. *La mirada inmóvil,* 1919. *Chopin,* poema, 1919. *La princesa que no tenía corazón,* poema, 1920 [trad. ital. por E. de Zuani, Milán]. *Lejana,* 1921. *El maleficio de la luna,* 1922. *La fiesta del corazón,* 1922. *Agua de cielo,* s. a. **Otras obras :** *La sombra,* drama, 1918. **Estudios :** ALONE [H. DÍAZ ARRIETA], *Panorama de la literatura chilena,* en GLit, 15 enero 1931. A. DONOSO, *J. G. C.,* en Merc, 1919.

CANCIÓN

Alma, no me digas nada
que para tu voz dormida
ya está mi puerta cerrada.

Una lámpara encendida
esperó toda la vida
tu llegada.
Hoy la hallarás extinguida.

Los fríos de la otoñada
penetraron por la herida
de la ventana entornada.
Mi lámpara estremecida
dió una inmensa llamarada.

Hoy la hallarás extinguida.

Alma, no me digas nada
que para tu voz dormida
ya está mi puerta cerrada.

Agua de cielo.

AGUSTÍN ACOSTA

1887

Cubano, de Matanzas. Abogado. Empezó a escribir bajo la influencia de Rubén Darío. Poeta de excelentes dotes, fué la figura principal de la renovación poética que incorporó al movimiento modernista a Cuba, que, después de haber tenido los grandes precursores Martí y Casal, quedó rezagada en la época del modernismo triunfante, coincidente con la crisis de la independencia nacional. Pero la poesía de Acosta no se quedó aquí: ha evolucionado después en el sentido de las varias reacciones posteriores contra el modernismo, buscando mayor sencillez y profundidad. Últimamente se ha acercado a los problemas políticos y sociales de su patria.

BIBLIOGRAFÍA — **Poesía**: *Ala*, Habana, 1915. *Hermanita*, 1923. *La Zafra*, 1926. **Estudios**: *A. A. y el «vanguardismo»: una carta* [de A. A. a Jorge Mañach], en RAv, 1927, II, 122-125. A. LAMAR SCHWEYER, *Los contemporáneos*, Habana, 1921. A. NÚÑEZ DE OLANO, *A. A.*, en Fi, julio 1923. F. ORTIZ, *El poema de la Zafra*, en RBC, XXII, 5-22. Sobre *La Zafra*, en CuC, 1927, XLIII, 369-370.

ABANDONADA A SU DOLOR...

Abandonada a su dolor, un día
en que la sombra la envolvió en su velo,
me dijo el corazón que ella vendría
en el milagro espiritual de un vuelo.

Abrí los pabellones solitarios;
iluminé los vastos corredores;
quemé la mirra de los incensarios,
y el frío mármol alfombré de flores...

Llegó, cansada de volar... Yo dije:
— Alma, mujer inspiradora, rige
mi vida entera para siempre. Arde
como la mirra el corazón que inmolo...
¡Amor no llega demasiado tarde
a quien se siente demasiado solo!...

EL HOMBRE DORMIDO

El hombre duerme sobre el banco...
El hombre gris, el hombre negro, el hombre blanco.
La luna poetiza la figura dormida
y alarga la esquelética geometría del banco
que apresa el sueño del hombre en la vida:
del hombre gris, del hombre blanco...

LA VOLUNTAD

Yo estaba, sin saberlo, en la pendiente...
(La voluntad... ¡Oh, la voluntad!...)
Tenía sed, y vi una fuente
allá abajo, en la oscuridad.

No me moví, pero una fuerza
incógnita me hizo rodar
hasta allá abajo...
Y alguien dijo:
— Qué voluntad... ¡Oh, qué voluntad!...

CASTIGO

Llegué al final del negro muro. Solo,
en lo más alto y ríspido, moría
un arbusto, sin luz y sin cuidado.
Yo no pude escalar el alto muro,
yo no pude dar luz al pobre tronco;
pero elevé con humildad al Cielo
una dulce oración: «¡Dios, Tú, que puedes,
derrumba el paredón que la luz roba
al pobre arbusto moribundo!»
Luego,
después de siglos, nuevamente un día
pasé por el lugar de mis andanzas
y el árbol era gigantesco brote
de cuya rama superior pendía
el cuerpo de un ahorcado...

LA PARÁBOLA DEL DOLOR QUE SE ALEJA

Se le vió, tras la sombra, alejarse un momento:
nadie lo quiso detener...
Se dijera que iba cabalgando en el viento:
nadie lo quiso detener.

Pero soltó la brida del viento hacia nosotros,
rugió en la noche su poder:
opusimos la valla del alma, pero nadie,
nadie lo pudo detener...

LA AMARGA LABOR

Con la cabeza muerta sobre el pecho cerrado,
inicio mi amarga labor.
La verdad es hermana de la muerte — me dicen.
Y sigo mi amarga labor.

¡La verdad es hermana de la muerte! No busques
una, porque la otra está a su alrededor.
Con la cabeza muerta sobre el pecho cerrado,
prosigo mi amarga labor...

Cuando venga el espanto me verá todavía
con la amarga labor.
La verdad es hermana de la muerte — me dicen.
¡Mas no es inútil mi labor...!

LA DANZA DE LOS MILLONES

Eran mares de oro. Los billetes de banco
cubrían la avaricia de los cheques en blanco.
Eran mares de cifras, de letras, de dinero...
(Y nadie recordó que el mar es traicionero.)

Improvisamos bellos palacios encantados...
No previmos el áspero tiempo de la ubre seca:
y firmamos leoninos contratos argollados,
y se vistió de Hada Madrina la Hipoteca...

Y así, por este puente legal, débil y estrecho
— estribo en que descansan codicias y patrañas —,
por la virtud fatal y ambigua del Derecho,
pasaron nuestras tierras a las manos extrañas...

Fué el tiempo de las sedas... de las piedras preciosas...
del champaña triunfante... del placer mercenario...
El rosal de la patria marchitaba sus rosas...
Y sólo había un héroe genuino: ¡el millonario...!

Se olvidaba el camino de la Santa Teresa:
el apache medraba... y al amor de la Cruz
sonreían los raros ojos de la Apachesa
con su amor de misterio sin eclipse y sin luz...

Cornucopias inmensas derramaban su oro...
Los zíngaros del mundo elevaban la voz...
Ya Dirce estaba atada a los cuernos del toro,
mas la fuente se hizo por la gracia del dios...

Tiranía de entonces... Cotización extraña...
El contrato abarcaba codiciados terrenos:
apresó a la libélula la falaz telaraña...
¡Y ahora somos esclavos de tesoros ajenos...!

¡Cordialidad política...! ¡Embajada reciente...!
Y Wall Street, con sus banqueros usurarios,
impidiendo a la patria el empuje solvente
que instituya y que rija los auxilios agrarios...

Ofrecimiento magno de millones... Promesas
de tratados... Estériles visitas diplomáticas...
Al molino detienen invisibles represas...
Las ideas se ajustan a imposibles gramáticas...

¡Y mientras la amenaza del central poderoso,
bajo el cielo de Cuba se solaza y se engríe,
sus rapaces tentáculos destornilla el coloso,
y Licurgo, en Esparta, guiña un ojo y sonríe...!

La Zafra, 1926.

PEDRO MIGUEL OBLIGADO

Argentino, de Buenos Aires. Su primer libro, que lleva en el
título el color de su poesía, *Gris,* se publicó en 1918; su segundo libro, también con título que le define, *El ala de sombra,*
obtuvo el primer premio de poesía concedido anualmente por
la ciudad de Buenos Aires. Después han seguido otros en verso
y en prosa, sin diferencia ni progreso esencial en los primeros.

Su poesía, sencilla y monocorde, huye de todo énfasis de expresión y lleva en su propia calidad de sinceridad sentimental el germen de la limitación y la repetición. Este poeta, como los demás que siguen en esta sección, todos argentinos, representa una de las modalidades poéticas típicamente argentinas, debida quizá a condiciones peculiares de aquel medio social: una modalidad de carácter conservador y tímido sentimentalismo, que evita por buen gusto y delicadeza todo lo ostentoso y llamativo, que teme menos parecer vulgar al quedarse rezagada que caer en la otra vulgaridad de seguir las últimas innovaciones, y que ha producido un número de poetas menores de corto aliento y valor limitado, pero con personalidad definida y simpática.

BIBLIOGRAFÍA. — **Poesía:** *Gris,* Buenos Aires, 1918; 1922. *El ala de sombra,* 1921; 1923. *El hilo de oro,* 1924. *Horizontes,* [1930]. *La isla de los cantos,* 1931. **Otras obras:** *El canto perdido,* poemas en prosa, Buenos Aires, 1925. *La tristeza de Sancho,* ensayos, 1927. **Estudios:** GONZÁLEZ CARBALHO, *Un ensayista argentino,* en Nos, 1928, LX, 90-93. J. B. G., Sobre *La tristeza de Sancho,* en Nos, 1928, LIX, 107-109. L. LUGONES, *P. M. O.,* en Nac, 17 mayo 1925. H. MALDONADO, *P. M. O.,* en Nos, abril 1921. J. NOÉ, *Nuestra literatura,* 1.ª serie, Buenos Aires, 1923, p. 97-102. R. A. O., *«El canto perdido»* de *P. M. O.,* en In, 1926, II, 227-228.

LA LLUVIA NO DICE NADA

Mientras muere el día,
llueve.
Es una agonía
breve.
La ciudad se queda abrumada,
con la tristeza de la hora.
La lluvia no dice nada,
y llora.

Ciérranse puertas y vidrieras,
huye la gente
como de un mal por las aceras;
y un hombre mira, indiferente.

La lluvia parece cansada
cual un rosal que se desflora;
no dice nada, nada, nada,
y llora...

Viene mandada por el río,
soltando besos de frescura,
deshace en gotas el envío,
para que alcance su ternura.
Pero al sentirse rechazada,
se vuelve un poco más sonora :
Va a hablar..., y al fin, no dice nada,
y llora...

La lluvia tiene algo de loca :
gime un recuerdo de canción;
toda la irrita, en todo choca
su vagorosa obstinación.
Ve la ciudad atormentada,
y la campiña verde añora;
no dice nada,
y llora...

¿Mira en el pueblo tanta pena,
que no hace más que lagrimear?
¿O forma un lienzo, de tan buena,
porque nos quiere consolar?
¿Es que se sabe desdeñada,
y que su inútil fin deplora?
No dice nada, nada, nada,
y llora...

Sobre el muerto día,
llueve
una melodía
leve.
La ciudad se queda encantada
bajo una luz que se evapora...
La lluvia no dice nada,
y llora...

El hilo de oro, 1924.

GONZÁLEZ CARBALHO

1900

Argentino, de Buenos Aires. Aunque empezó a escribir en 1922 y no faltan en su obra nuevos modos de expresión, su poesía pertenece por completo al postmodernismo, del cual es un retoño valioso y fuerte. Esto no se dice como un demérito, sino como una definición. González Carbalho es un poeta subjetivo y sentimental, cuyo lirismo logra expresar, con serena y grave desnudez, las emociones de un espíritu sincera y hondamente religioso.

BIBLIOGRAFÍA. — **Poesia:** *Campanas de la tarde,* Buenos Aires, 1922. *Casa de oración,* 1924. *Palabras de retorno,* 1926. *La ciudad del alba,* 1928. *Día de canciones,* 1930. **Otras obras:** *El libro de Ángel Luis,* Buenos Aires, 1925. *Historia de niños,* 1931. **Estudios:** A. R., Sobre *La ciudad del alba,* en GLit, 15 feb. 1929. R. A. ORTELLI, *Elogio de G. C.,* en Nos, 1926, LIV, 252-256. S. A. PADAELLI, Sobre *Día de canciones,* en Meg, 1931, II, 29-31. P. ROJAS PAZ, Sobre *La ciudad del alba,* en Sin, 1928, VII, 99-102 V. M. WULLICH, Sobre *Día de canciones,* en Nos, 1931, LXXII, 197-199. A. ZUM FELDE, Sobre *La ciudad del alba.* en Nos, 1929, LXIII, 150-152.

EL HOMBRE QUE AMABA

I

El hombre amaba y quiso trabajar la madera
y elaborar paciente los muebles de su hogar;
y serían de roble porque también él era
como el roble de fuerte para creer y amar.

Y trabajaba el hombre durante la semana,
pero el séptimo día lo dedicaba a Dios,
y anónimo, en el coro de una iglesia cristiana,
en salmos amorosos elevaba la voz.

Como José, este noble varón fué carpintero,
cepilló las maderas y manejó el compás.
Cual sueños las virutas surgían del acero
y el sudor era fuerza que asomaba a su faz.

Y la mujer amada, también como María,
la faena miraba con mirada de amor,
y al cansarse sus brazos ella le sonreía
y el esposo alentado seguía su labor.

II

Al transcurrir los años, el hombre, sin reposo,
trabajó su fortuna como antes la madera,
y al darle la abundancia su alfolí milagroso,
se le fué de los brazos, muerta, la compañera.

Y clamó al quedar solo : «¡Por qué luché, Dios mío,
si efímera es la vida de las cosas creadas!»
Y cual sombra vagaron por el hogar vacío
los tristes canes mansos de sus muertas miradas.

III

Dice la gente : «El hombre santificó su casa;
tras el luchar descansa, ya cumplido su afán...»
¡Oh, no descansa, hermanos! El vencedor fracasa
y envidia la dulzura de vuestro duro pan.

Sabed que al acogerlo la sombra en su regazo,
reza al cielo pidiendo retornar a ese día
en que haciendo los muebles se le cansaba el brazo,
porque al faltarle fuerzas ella le sonreía.

Y que a veces, cansado, cuando la noche austera
cierra sus tristes ojos, se le oye sollozar :
«El hombre amaba y quiso trabajar la madera
y elaborar paciente los muebles de su hogar...»

Palabras de retorno, 1926.

CÓRDOVA ITURBURU

1899

Argentino, de Buenos Aires. Su primer libro, publicado en 1923, le dió a conocer como sencillo poeta de íntima y suave sentimentalidad: «yo digo mi canción naturalmente, como el árbol, el pájaro y la fuente.» Después, en su segundo libro, ha intentado hacer traición a su innato y discreto romanticismo ensayando sin éxito jugar irónicamente con los sentimientos románticos.

Bibliografía.—**Poesía:** *El árbol, el pájaro y la fuente,* Buenos Aires, 1923; 1925. *La danza de la luna,* 1926. **Estudios:** A. Gullo, Sobre *La danza de la luna,* en MarF, 28 marzo 1927.

INFANCIA

Mi niñez es la historia de una larga inocencia
y una sonrisa ilusa, tímida y silenciosa.
Yo he sido un niño grave que adivinó la ciencia
de preferir los sueños a cualquier otra cosa.

Y de mi fantasía por los países vagos
anduve caminando con mis pasos pequeños.
Me aferré a la ilusión de los tres reyes magos
y mi mejor juguete me lo dieron los sueños.

Mis manos, torpemente, su espada fabricaron,
yo poblé de florestas un patio de ciudad,
jugué con los juguetes que nunca me llegaron
y tuve ojos de ciego para la realidad.

Mi infancia es un silencio de esperanzas dorado,
es un libro de estampas sin palabra ninguna
donde hay un niño grave que en silencio obstinado
atentamente juega en un patio con luna.

Amé hasta la ternura del llanto y la tristeza
una caja de lápices de distintos colores
y un lápiz extraviado me hirió con la certeza
de la fragilidad de todos los amores.

La belleza del mundo dilató mis pupilas
con sus maravillantes paisajes misteriosos
y un afán de llorar en las noches tranquilas :
mi infancia fué un asombro latente de sollozos.

Para todos los juegos tuve manos inútiles;
en vano quise alzar mis cometas al cielo,
porque lo mismo que hoy para las cosas útiles
en fracasos brutales se fatigó mi anhelo.

Pero a pesar de todo fué dichoso aquel niño
y dulce y bueno bajo su casco de papel;
por eso de la mano lo lleva mi cariño
y lo mejor que tengo me lo ha dejado él.

Él me dejó la ciencia de no ver lo que existe,
su sonrisa, el consuelo infantil de llorar
y la sabiduría profunda de estar triste
acariciando sueños en un largo callar.

El árbol, el pájaro y la fuente, 1923.

FRANCISCO LÓPEZ MERINO

1904-1928

Argentino, de La Plata. Todos le querían, y él, dulce y bueno,
prefirió morir para hallar ese silencio divino que buscó y no
encontró en la vida. Un anticipo de él, en cierta manera, son
los versos juveniles que dejó. Por amor al silencio, por timidez
y pudor artísticos, recata su originalidad lírica en las formas
ya tradicionales y pasadas del simbolismo. Poesía la suya de
ensueño, de crepúsculo, en tono menor, llena de reminiscencias sentimentales y literarias, suena con un tono distinto y
nuevo de voz conocida que apenas si se oye, fina, pura y lejana, cuando se va.

BIBLIOGRAFÍA.—**Poesía:** *Tono menor*, Buenos Aires, 1923. *Las tardes,* 1925; 1927. *Obra completa,* 1931.   **Estudios:** E. CORONADO, Sobre *Las tardes,* en Babel, marzo 1928. *F. L. M.,* en Arch, 1928, I, 5; *Noticia necrológica,* en Arch, 1928, I, 80-81. M. M. GRECCO, *F. L. M.,* en LitAr, 1929, núm. 15, 82. *Honrando la memoria del poeta F. L. M.,* en RepAm, 1930, núm. 6. *Las tardes, de F. L. M.,* en In, 1926, II, núm. 9, 243-244. E. MÉNDEZ, *Letras hispano-americanas* [sobre *Las tardes*], en RepAm, 4 enero 1926. H. PERDRIEL, *Homenaje a L. M.,* en DSS, enero 1929.

EL ALMA SE ME LLENA DE ESTRELLAS

El alma se me llena de estrellas cuando pienso
que moriré. Imagino espirales de incienso
decorando la caja mortuoria; luego el canto
triste de las campanas. (Igual que en viernes santo
llorarán las campanas porque yo fuí creyente,
porque yo hablé de Cristo melancólicamente.)
Después, ese silencio divino que buscaba
día a día en la vida, pero que no encontraba.
Después la paz profunda.
                Y al poco tiempo, acaso,
se esfumarán mis ojos en el pálido ocaso
del recuerdo... Y entonces el compañero amado
dirá que fuí una llama de luz que se ha apagado.
Y la amiga lejana de mis días adversos
abrirá el cofrecillo lírico de los versos
y volcará las hojas pálidas de las rosas
que yo gusté ofrendarle en las tardes hermosas.
Mientras tanto la muerte no llega...
                      Pienso en ella
y en mi alma florece de emoción una estrella.

Tono menor, 1923.

MIS PRIMAS, LOS DOMINGOS...

Mis primas, los domingos, vienen a cortar rosas
y a pedirme algún libro de versos en francés.
Caminan sobre el césped del jardín, cortan flores
y se van de la mano de Musset o Samain.

Aman las frases bellas y las mañanas claras.
Una estatua impasible las puede conmover.
Esperan la llegada de las tardes de otoño
porque tras los cristales todo de oro se ve...

Y vienen los domingos a cortar rosas... Saben
que el eco de sus voces para mí grato es.
Entre las hojas quedan sus risas armoniosas;
ellas seguramente se ríen sin saber.

Mis primas, cuando llueve, no vienen. Dulcemente
aparto los capullos que el viento hará caer;
hago un ramo con ellos y pongo bajo el ramo
un volumen de versos de Musset o Samain...

Las tardes, 1925.

2

REACCIÓN HACIA LA TRADICIÓN CLÁSICA

ENRIQUE DE MESA

1879-1929

Español, de Madrid. Periodista, crítico teatral, secretario del Ateneo y presidente de su sección de Literatura. Hombre liberal y moderno, fué, sin embargo, tradicionalista en su vida y en su literatura, y lo mismo que cubría su cuerpo con la olvidada capa, envolvía su sensibilidad moderna en los metros clásicos y en las rancias palabras de la tradición literaria y popular. Hombre de la ciudad, cortesano cumplido, fué el enamorado de la aledaña sierra del Guadarrama, el cantor de la naturaleza y la vida campesinas, el restaurador de la tradición clásica de la poesía rústica, la tradición que tiene sus hitos en Juan Ruiz, Juan de la Encina, Lope de Vega. Gran conocedor de estos y de otros clásicos, cuya obra está en la poesía de Mesa no sólo como influencia sino como tema mismo de su obra original, ésta no es una reconstrucción artificial a imitación de esos modelos clásicos, sino creación de una nueva visión del campo castellano, en la que se identifican el sentimiento de la realidad y el de la tradición literaria. Por este doble, y por lo tanto poético, sentido — el histórico y el real — de Castilla, que fué uno de temas dominantes del modernismo — Unamuno, Antonio Machado, Azorín —, se enlaza la poesía de Mesa con él; pero se separa y adquiere sentido propio y nuevo, postmodernista, porque en ella esa visión de Castilla deja de ser problema y tragedia subjetivos para resolverse en descanso y serenidad. Tampoco es el suyo el castellanismo de su antecesor Gabriel y Galán, satisfecho en su limitado regionalismo actual. Equidistante de ambos, la poesía de Mesa, tradicional y moderna, pictórica y subjetiva, representa una definida emoción muy española por el espíritu y por la visión concreta de realidades hechas de tierra parda y cielo claro, de dulzura y de aspereza, de dureza y de elegancia.

BIBLIOGRAFÍA. — **Poesía** : *Flor pagana*, Madrid, 1905. *Tierra y alma*, 1906. *Andanzas serranas*, 1910. *Cancionero castellano*, 1911; 2.ª ed., con un ensayo de R. Pérez de Ayala, [1917]. *El silencio de la Cartuja*, 1918.

La posada y el camino, [1928]. **Otras obras:** *Flor pagana*, Madrid, 1905. *El retrato de Don Quijote*, 1905. *Tragicomedia*, 1910. *Apostillas a la escena*, 1929. **Estudios:** ANDRENIO [E. GÓMEZ DE BAQUERO], *Pen Club*, I: *Los poetas*, Madrid, [1929], p. 69-73; *El cancionero de «La posada y el camino»*, en Sol, 21 julio 1928; *Un poeta y un hombre*, en RepAm, 20 julio 1929. AZORÍN, *E. de M.*, en PrBA, 13 enero 1929. R. CANSINOS-ASSÉNS, *Poetas y prosistas del novecientos*, Madrid, 1919; *La nueva literatura*, t. III, Madrid, 1927. E. DÍEZ-CANEDO, *E. de M., poeta español*, en Sol, 12 julio 1928; *Una sensible pérdida*, en Sol, 28 mayo 1929; RepAm, 20 julio 1929; *Muerte de un gran poeta español: E. de M.* (biografía y bibliografía) en EspSLI, 18 julio 1929. A. ESPINA, Sobre *La posada y el camino*, en ROcc, 1928, XXI, 383-385. M. FERNÁNDEZ ALMAGRO, *Muerte de un escritor: E. de M.*, en Voz, 28 mayo 1929. M. GARDNER, *E. de M.*, en HispCal, 1930, XIII, 311-314. E. GIMÉNEZ CABALLERO, *Los versos conservadores de un poeta liberal*, en GLit, 15 julio 1928. R. PÉREZ DE AYALA, *Juglaría y clerecía*, en Imp, 16 abril 1917. L. A. WARREN, *Modern Spanish literature*, London, 1929, t. II, p. 464-467.

SIN CABALLERO

Un molino
perezoso a par del viento.
Un son triste de campana.
Un camino
que se pierde polvoriento,
surco estéril de la tierra castellana.

Ni un rebaño
por las tierras. Ni una fuente
que dé alivio al caminante.
Como antaño,
torna al pueblo, lentamente,
triste y flaco sucesor de Rocinante.

Una venta:
Un villano gordo y sucio,
de miserias galeote...
Soñolienta
la andadura de su rucio,
no aparece en la llanada Don Quijote.

Terruñero
de la faz noblota y ancha,

descendiente del labriego castellano :
Escudero;
ya no tienes caballero;
ya no templas con prudencia de villano
las locuras del hidalgo de la Mancha.

1905. *Cancionero castellano*, 1911.

AUTOSEMBLANZA

Al amanecer sería...
Abrí del alma la puerta
y a la luz del alba incierta
vi la tierra y dije: ¡Es mía!

Señora, la sinrazón;
Rocinante, Clavileño;
aguda lanza, el ensueño,
y la adarga, el corazón.

Y a correr tras la quimera.
Y a luchar y a ser vencido,
y las mozas del partido...
¡Oh mi doña Molinera!

La ruta tediosa y larga
y la lanza que se embota
al primer encuentro, y rota,
teñida en sangre, la adarga.

¿Adónde va el caballero
sangrando del corazón?
— Habla siempre la razón
por boca del escudero.

... Luego, la melancolía.
Como al manchego de antaño,
cordura triste al engaño
de la razón me volvía.

Y andar a suerte y ventura
con la nieve y con el hielo;
sobre mi cabeza, el cielo;
bajo mis pies, la llanura.

Al reposar del camino
en la venta castellana,
los ojos de una serrana
con un vaso de *bon vino*...

¡En el solar noble y viejo
a solas con mi amargura!...
¿Y qué tristeza perdura
con un trago de lo añejo?

Lucía el sol en el llano,
el vivo sol de la raza;
el que rió en la coraza
del viejo Cid castellano.

Di al duro viento la cara
y en mi pena sonreía.
¡Pinos, los de Navafría!
¡Cumbres, las de Peñalara!

Y mi espíritu disperso
en malandanzas de amor,
fundido por el dolor,
halló su troquel: el verso.

Y fué mi canción sencilla.
Moneda de mi terruño,
honró su metal el cuño
de la gloriosa Castilla.

Y pensé: ¿mi alma de amianto
rearderá en lumbrada roja?
¿Acudirá la congoja
sentimental con su llanto?

Acaso la flor que quiero,
la bella y fragante flor
nacida para mi amor,
¿no aromará mi sendero?...

Y el corazón que llamea,
dice en roja llamarada:
«Confía. No fué segada
de tu campo Dulcinea.»

Ya conocéis mi destino:
soy poeta y español,
y no quiero más que sol
y mujer en mi camino.

1908.   *Cancionero castellano,* 1911.

VOZ DEL AGUA

MADRIGAL

Era pura nieve,
y los soles me hicieron cristal.
Bebe, niña, bebe
la clara pureza de mi manantial.

Canté entre los pinos
al bajar desde el blanco nevero;
crucé los caminos,
di armonía y frescura al sendero.

No temas que, aleve,
finja engaños mi voz de cristal.
Bebe, niña, bebe
la clara pureza de mi manantial.

Allá, cuando el frío,
mi blancura las cumbres entoca:
luego, en el estío,
voy cantando a morir en tu boca.

Tan sólo soy nieve,
no me enturbian ponzoña ni mal.
Bebe, niña, bebe
la clara pureza de mi manantial.

1907.   *Cancionero castellano,* 1911.

AGOSTO

Quema el sol. Y los ojos
sólo ven la llanada
infinita, surcada
de amarillos rastrojos.

Primavera con lluvia,
junio libre de piedra.
¡Cómo se colma y medra,
la troje de mies rubia!

Envuelto en la calina
por la recia solana,
a la aldea cercana,
lento, un carro camina.

Y gigante en la gleba
del llano amarillento,
su majestad eleva
un molino de viento.

1909.   *Cancionero castellano,* 1911.

LA HORA DULCE

¡Oh crepúsculos divinos
del dulce sol otoñal
en las claras de los pinos,
linderos del roquedal!
Esplende el cielo azulado
con viva lumbre carmín.
Suena lejos, apagado,
ronco, el ladrar de un mastín.
Una franja luminosa,
allá en el crestón frontero,
baña en suave tinta rosa
la blancura del nevero.
Cruza la trocha un regato,
todo espumas y rumor;

gobierna un zagal el hato
— sucia nieve en el verdor —,
y al eco de su silbido,
sube desde la quebrada
el quejumbroso balido
de una oveja desmandada.
El creciente de la luna
es de nácar en el cielo.
Sobre la muerta laguna
alza un águila su vuelo.
Y dos cuervos, que del llano
retornan hacia sus nidos,
al cruzar el altozano
lanzan discordes graznidos.

El silencio de la Cartuja, 1916.

EL POEMA DEL HIJO

Cae la tarde dorada
tras de los verdes pinos.
Hay en las altas cumbres
un resplandor rojizo,
y el perfil de los montes
se recorta en un nimbo
de luz verdosa, azul, aurirrosada.
En el añil el humo está dormido.

Quieta la tarde y dulce.
— Ven al campo, hijo mío:
comeremos majuelas,
iremos al endrino,
te alcanzaré las bayas de los robles,
y, en aquel regatillo
de los helechos, cogerás las piedras
y cortarás los lirios.

Entre mi mano, suave,
su manecita oprimo,
y avanzamos parejos
por el albo camino.

Los cuencos y colodras
del viejo cabrerizo,
llenando va la ordeña
con blanco chorro, mantecoso y tibio.
Y la leche, aromada
de menta y de tomillo,
sus fragancias esparce
por el verdor ya seco del aprisco.

—¿Tienes hambre? Si vemos
al pastor de los chivos,
al que en las «Maribuenas»
la otra tarde te dijo:
«Vaya un zagal con los ojuelos guapos»,
llámale, y le pedimos
una cuerna de leche
y el cantero de pan que te ha ofrecido.

Es tarde. Los trucheros
se recogen del río;
cubren con sucias ropas
los cuerpos renegridos,
y, entre la malla de la red, platea
la pesca que rebosa del cestillo.

De su pinar se tornan los hacheros;
aire lento y cansino;
en los hombros, las hachas,
y en sus gastados filos,
un reflejo fugaz, que a ratos hiere
los semblantes cetrinos.

Se acercan. —Buenas tardes.
— Vaya con Dios, amigo...
— ¿Pero no los conoces?
El de la aijada es Lino,
el que la otra mañana
trajo al Paular el nido,
el que baja en el carro de sus bueyes
los troncos de los pinos...

— ¿Te fatiga la cuesta?
Descansaremos, hijo.
Aquí, no; más arriba,
que ya se siente la humedad del río.

La espesura del roble
va cerrando el camino;
se oye el graznar de un cuervo
y un lejano silbido.

— ¿Por qué te paras?... ¿Tiemblas?...
¿Acaso sientes frío?...
¡Ah, ya..., Caperucita!...
No temas: vas conmigo
El lobo vive lejos
y es generoso y noble con los niños.

Finge un céfiro blando
misterioso suspiro;
el pipiar de las aves
ha cesado en los nidos.

— ¿Que te lleve en mis brazos?
¡Siempre acabas lo mismo!
Agárrate a mi cuello;
no sueltes y te caigas, hijo mío.

No siento la materia:
es aire y luz mi pensamiento limpio.
De la carne desnudo,
llevo al viento el espíritu.

— ¿Vas bien?... No me responde.
Como el humo en el aire, se ha dormido.
¡Ay, deleitosa carga,
de mi cansancio alivio!

La posada y el camino, 1928.

DULZAMARA

I

Campos de Medinaceli;
ruta de la heroica gesta,
terrón duro, blasonado
por el casco de Babieca;

donde, en la llana albariza,
muelles labranzas rojean
y con barbas de pajones
se enrubian las rastrojeras.

De las aradas y eriazos
se alzan parduscas terreras;
en los añojales crecen
matojos entre las piedras.

Bajo la parda anguarina
transflorando el alma seca,
cruzan pastores ceñudos
tras esmirriadas ovejas.

Van trajinantes y arrieros,
tras de sus cansinas bestias,
caminando, embrutecidos
con el vino de las ventas.

Ni un cantar. Sólo se escuchan,
en lejanas tolvaneras,
los sonidos graves, lentos,
de las zumbas de las recuas.

¡Pobre terruñero, «exido»
de tu chozo y de tu hacienda!
¿Dónde tu clara mañana?
¿Cúya la «gentil Castiella»?

Ya tu pecho no trasvina
caldo de la antigua cepa;
hoy tan sólo hieles mana,
podredumbres y miseria.

¿Tendrás el corazón pardo
como tu capa de yesca,
y el alma gris, sin verdores,
como tu llanura muerta?

Viejo Cid, ¿acaso nunca
resurgirás de la huesa,
a un empujón de tus hombros
despelmazando la tierra?

Mira del tosco villano
las cortesanas zalemas,
al señor, sin señorío,
y alcorzada la realeza.

Blande tu lanza buída
de polvo y sangre orinienta;
húndela en los pobres cuerpos
amarillos de materia.

Sangre de la sangre ardida
con que empapaste las glebas
suba a los nuevos racimos
desde tu cárcava vieja.

Que a un rojo sol de justicia
los verdes frutos enveran,
y ha de fermentar su mosto
dentro de las odres nuevas...

En el camino, señero,
por la llana polvorienta,
mi corazón castellano
ama, duda, sufre y sueña.

V

Tras la yunta, que gobierna
mi mano de labrador,
solitario allá en mi serna
sembré los surcos de amor.

Con llanto le di tempero,
claro sol lo hizo brotar;
hoy, ya vencido el enero,
debo su mayo segar.

De la simienza lograba
áurea espiga, grácil, sola.
Junto a su pie rojeaba
la sangre de una amapola.

¡Yo que, soñando, veía,
·como premio a tanto afán,
que mi troje aromaría
la fragancia de su pan!
. . . .

De aquella espiga divina,
dorada en su granazón,
va moliendo amarga harina
la muela del corazón.

VI

El campo, sediento;
la nube, de paso;
un cielo azul, desesperante y limpio,
y un rojo sol en el ocaso.

Llegará la noche,
lucirá la estrella...
Y el campo seco velará, soñando:
¿dónde la nube aquélla?

La posada y el camino, 1928.

MONTE ABAJO

Era un incendio el sol: los viejos pinos
se encandecían con la luz poniente;
cantaba el agua en los caminos
al alejarse de la fuente;
con los arroyos cristalinos
rimaba el prado verdeciente,
y había dulzura de trinos
sobre los sueños de mi frente.

Ciega inquietud del caminante,
que en la posa del manantial,
sin la conciencia del instante,
anhela seguir adelante
por la aspereza del canchal.
Conqueridor de lo distante,
acaso te sueñas diamante
y eres sólo polvo mortal.

Tejerá tu planta andariega
la certidumbre del destino
con la alegría que no llega
y la pesadumbre que vino.
La triste andanza cañariega
con hambre y llanto amasará tu sino.

El hijo que alegra tu vida
de su «mañana hará un ayer»;
su madurez empodrecida,
tierra, a la tierra ha de volver.
Logrado el fruto, lo que fué se olvida,
mantillo de otro renacer.

Agua que ríe en la cacera,
diamante vivo con la luz solar;
claro rumor que en la nevera
se alumbra, siervo del lejano mar:
la renovada primavera
tu amargo fin no ha de endulzar.

Desasosiego del que espera
lo que no ha de alcanzar;
rueda que gira en la rodera
sin nuevo rumbo que explorar;
hoy agua en flor, mañana, en la ribera,
vida que da en la muerte sin parar...
¡Dulzor perdido en la salmuera
del mar!

La posada y el camino, 1928.

ERNESTO A. GUZMÁN

1877

Chileno. Profesor. En el clásico endecasílabo blanco, algo a la manera de Unamuno, expresa por medio de imágenes simbólicas su pasión intelectual.

Bibliografía. — **Poesía:** *En pos,* Santiago de Chile, 1906. *Vida interna,* 1909. *Los poemas de la serenidad,* 1914; Buenos Aires, 1921. *El árbol ilusionado,* poemas, pról. de M. de Unamuno, Santiago de Chile, 1916. *La fiesta del camino,* aprec. de Rodó, R. A. Arrieta, Folco Testena, 1921. **Estudios:** N. Coronado, *E. A. G.,* en Nos, 1921. A. Donoso, *Los nuevos (La joven literatura chilena),* Valencia, 1912. G. Estrada, *E. A. G.,* en Merc, 1921. D. Melfi, *E. G.,* en Nos, 1920, XXXV, 370-373. A. Melián Lafinur, *Literatura contemporánea,* Buenos Aires, 1918. (Véase además Donoso, *NP,* p. 196.)

AGUA DE RIEGO

¡Agua de manos blandas y livianas,
agua maravillada, agua de riego!...

Como frase de niño que refresca
los áridos pensares del abuelo
y le ablanda durezas del espíritu,
así vas penetrando en el sembrado
y haces tuya la tierra: te agradece
el terrón, y los brotes te hacen sombra

con ingenua insistencia, porque no halles
tan caluroso el sol; y te saludan
con temor infantil aquellos tallos
todavía distantes... y tú sabes
que gravita en el aire un regocijo
y una inmensa ternura; y nada dices
que son los hijos tuyos!
                    Agua, corre
y fecunda este valle, y pon tus labios
en todas las raíces: tú refrescas
el corazón del campesino; agrandas
sus ocultos monólogos, y abrigas
de santidad su aspiración. Son hondos
tus rumores para él, pues que le saben
a encantos de arboledas, a cercanas
desenvolturas de hojas, a visiones
de creceres continuos, y le envuelven
en un sonar de espigas el espíritu.
Vienes a ser impulso en su latido;
verdura y claridad, en su esperanza;
acelerada sangre, en el abrazo;
calor de besos y arrullar de cunas.

Algún grano de trigo saldrá un día
de estos endebles tallos que hoy empapas
a contar en las hostias el milagro
continuo de tus dedos fervorosos.

Los poemas de la serenidad, 1914.

ENRIQUE BANCHS

1888

Argentino. Es el primero de los grandes poetas argentinos
que surgen después de Lugones. Desde que publicó, a los diez
y nueve años, su primer libro en 1907, se señaló como un poeta
original que abría nuevos rumbos. Su actividad literaria fué
intensa hasta 1911, y muy escasa después, a pesar del éxito e

influencia que lograron sus primeras obras. Fiel a su ideal literario de sencillez, recogimiento, selección y aristocracia se ha mantenido, aparte tanto del modernismo que le precedió como de las nuevas escuelas que han surgido después, sin que haya en ello intención de formar escuela o levantar bandera en contra de nadie. La virtud de la poesía de Banchs radica precisamente en la ausencia de pretensiones, en la ingenuidad con que se entrega a la imitación, en la humildad de su tradicionalismo, en ser tan moderna y original sin aparentarlo ni proponérselo. Su inspiración en romances y canciones antiguas no es popular, sino culta y aristocrática; no nace de sentimiento histórico, sino de su tendencia a expresar su lirismo subjetivo en formas sencillas, balbucientes, de fresca infantilidad. Estas notas de su temperamento poético, juntas con las al parecer opuestas de elegancia, contención y profundidad, prestan a su poesía su alta calidad.

BIBLIOGRAFÍA. — **Poesía:** *Las barcas,* Buenos Aires, 1907. *El libro de los elogios,* 1908. *El cascabel del halcón,* 1909. *La urna,* sonetos, 1911. *Poemas selectos,* pról. y sel. de F Monterde García Icazbalceta, México, 1921. **Estudios:** E. ACEVEDO DÍAZ, *Los nuestros,* Buenos Aires, 1910. A. E. CARONNO, *Un poeta que calla: E. B.,* en Nac, 6 enero 1924. F. CONTRERAS, *Les écrivains contemporains de l'Amérique espagnole,* París, [1920]. E. DÍEZ-CANEDO, Sobre *El cascabel del halcón,* en L, 1910, año X, t. II, 46-48. R. F. GIUSTI, *Nuestros poetas jóvenes,* Buenos Aires, 1911. J. MAS Y PI, *E. B.,* en Nos, nov. y dic. 1908. [D. PEÑA], *E. B.,* en Atl, 1912, VI, 158-159. F. SUAITER MARTÍNEZ, *Ayer*, *de E. B.,* en Nos, 1930, LXVIII, 253-256.

ELOGIO DE UNA LLUVIA

Tres doncellas eran, tres
doncellas de bel mirar,
las tres en labor de aguja
en la cámara real.

La menor de todas tres
Delgadina era nombrada.
La del mirar de gacela
Delgadina se llamaba.

¡Ay!, diga por qué está triste;
¡ay!, diga por qué suspira.
Y el rey entraba en gran saña
y lloraba Delgadina.

— Señor, sobre el oro fino
estoy tejiendo este mote:
«Doña Venus, doña Venus,
me tiene preso en sus torres.»

En más saña el rey entraba,
más lloraba la infantina.
— En la torre de las hiedras
encierren la mala hija.

En la torre de las hiedras
tienen a la niña blanca.
¡Ay!, llegaba una paloma
y el arquero la mataba.

— Arquero, arquero del rey,
que vales más que un castillo,
dame una poca de agua
que tengo el cuerpo rendido.

— Doncella, si agua te diera,
si agua te diera, infantina,
la cabeza del arquero
la darán a la jauría.

— Hermanitas, madre mía,
que estáis junto al lago, dadme
agua...; pero no la oyeron
las hermanas ni la madre.

Y entonces vino una lluvia,
vino una lluvia del cielo,
lluvia que se parte en ruido
de copla de romancero.

La niña que está en la torre
tendía la mano al cielo...
De agua se llenó su mano
y la aljaba del arquero.

El libro de los elogios, 1908.

ROMANCE DE CAUTIVO

Mujer, la adorada
que está en el solar,
tus mejillas suaves
ya no veré más.

Hijos, los que quise,
mi mejor laurel:
mis hijos dormidos
nunca más veré.

Estrella de tarde
que encendida vi
sobre mi molino,
se apagó por fin.

Buenos compañeros
los que en el mesón
conmigo bebieron,
todo pereció.

Me cogieron moros
en el mar azul;
lloro en morería
la mi juventud.

* * *

— Me dirás, cristiano,
trovas de solaz;
me dirás, amigo,
por tu pro será.

— Trovas de mi tierra
yo te las diré,
princesa de moros
que me quieres bien.

«Hada, con tus brazos
quiérasme ceñir;
mis otros quereres
finarán allí.»

— Te daré mis brazos,
mi cuerpo y su flor;
entra en el alcázar
de mi corazón.

(¡Ay, la tierra linda
donde está la cruz,
no he de ver ya nunca
tu horizonte azul!)

El cascabel del halcón, 1909.

EN LA TARDE

Mientras van las muchachas por el agua a la fuente,
con la herrada en los hombros, cogiendo de camino
vellones que han quedado presos en el espino
por la mañana, al paso del rebaño indolente;

desbrotando en sus manos una vara de pino
medita los misterios que tiene la simiente
el escoliasta. Dentro del templo de su frente
se mueven las ideas. No como remolino

de hojas secas que el viento lleva al pie de los muros,
sino como una pálida teoría de estrellas
de viaje imperceptible por círculos obscuros.

Y ve que la simiente, como la luz de oriente,
es buena. Y en su alma se alegra. Las doncellas
con la herrada en los hombros van por agua a la fuente.

El cascabel del halcón, 1909.

CANCIONCILLA

> Porque de llorar
> et de sospirar
> ya non cesaré.
>
> Luna.

No quería amarte,
ramo de azahar;
no debía amarte:
te tengo que amar.

Tan manso vivía...,
rosa de rosal,
tan quieto vivía:
me has herido mal.

¿No éramos amigos?
Vara de alelí,
si éramos amigos,
¿por qué herirme así?

Cuidé no te amara,
paloma torcaz.
¿Quién que no te amara?
Ya no puedo más.

Tanto sufrimiento,
zorzal de jardín,
duro sufrimiento
me ha doblado al fin.

Suspiros, sollozos,
pájaro del mar;
sollozos, suspiros,
me quieren matar.

El cascabel del halcón, 1909.

ROMANCE DE LA BELLA

¡Oh, bella malmaridada!,
la que está torciendo lino,
la que en este mediodía
tuerce lino junto al río;

bella del tobillo blanco
como caracol de lirio:
cuando torne de la villa
te daré un puñal bellido.

Con el puñal que te diera,
con el puñal que te digo,
en esta noche de enero
matarás a tu marido.

Le abrazarás con tus brazos,
le llamarás buen amigo,
y cuando cure que huelga
le hundirás el fierro fino.

¡Oh, bella malmaridada!,
bella del blanco tobillo:
sobre mi caballo moro,
sobre mi alazán morisco,

nos iremos desta tierra
donde medra el malnacido...
Yo te cantaré una copla
para alegrar el camino.

De tierras de dulce Francia
tomaremos el camino,
allá donde es la Narbona,
ese pueblo bien guarnido.

Verás cuánta linda dama,
cuánto cortejo tan rico...
Esta noche a media luna
te aguardo al pie del molino.

— Pase, pase el aviltado;
pase, pase el fementido;
al borde de la ribera
déjeme torcer mi lino.

El cascabel del halcón, 1909.

BALBUCEO

Triste está la casa nuestra,
triste, desde que te has ido.
Todavía queda un poco
de tu calor en el nido.

Yo también estoy un poco
triste desde que te has ido;
pero sé que alguna tarde
llegarás de nuevo al nido.

¡Si supieras cuánto, cuánto
la casa y yo te queremos!
Algún día cuando vuelvas
verás cuánto te queremos.

Nunca podría decirte
todo lo que te queremos:
es como un montón de estrellas
todo lo que te queremos.

Si tú no volvieras nunca,
más vale que yo me muera...;
pero siento que no quieres,
no quieres que yo me muera.

Bien querida que te fuiste,
¿no es cierto que volverás?;
para que no estemos tristes,
¿no es cierto que volverás?

El cascabel del halcón, 1909.

EL VOTO

¿Cuál conjunción de estrellas me ha tornado coplero?...
Mi planta para el carro de Harmonía es muy breve,
y ante tu templo, ¡oh Musa!, yo soy como un romero
que al ara, toda lumbre y lino y plata y nieve,
lleno de miedos santos a llegar no se atreve...
. . . .

Lejano es ese día. Fuí a la carpintería,
y turbando el chirrido de las sierras, entonce
clamé al roble, al escoplo y a la cerrajería,
al cepillo que canta y a la tuerca de bronce,
a las ensambladuras y al hueco para el gonce.

Y dije: olor de pino, sabor de selva y río,
rizo de la viruta, nitidez del formón,
tornillo, gusanito tenaz lleno de brío,
glóbulo saltarín del nivel, precisión
de escuadra, de compás, de plomo en suspensión.

Bienvenida a este nuevo trabajador de robles,
porque él hará hemistiquios, ya sobre el pino esprús,
ya en el nogal, que es digno de cuajar gestos nobles,
o el sándalo oloroso o el ébano, que en luz
brilla por negro y brilla porque él hace la cruz.

Bienvenida a este nuevo trabajador del pino,
que moverá el martillo cual rima de canción,
al hacer la mortaja, la cuna o el divino
talle de los violines o el recio mascarón
que habla con los delfines desde la embarcación;

la puerta que se abre cuando un amigo llega;
la mesa en que partimos el pan con los hermanos,
y el ropero, el ropero familiar que doblega
los anchos anaqueles bajo rimeros vanos
de lienzos que de tanto blancor están lozanos...

¿Cuál conjunción de estrellas me ha tornado coplero?

El cascabel del halcón, 1909.

CANCIONCILLA

El pino dice agorerías
en el silencio vesperal.
— Pino albar, ¿cuántos son mis días?;
la cuenta siempre fina mal...

— Pino que rezas en voz baja,
pino agorero, pino albar,
de pino albar será la caja
en que me han de amortajar.

Caja de pino con retoño,
para enterrar a un rimador.
¡Ah!; que lo entierren en otoño...
Pongan también alguna flor.

El pino dice agorerías
junto al molino rumiador;
arriba están las tres Marías
como tres hojas de una flor.

El pino dice agorerías
sobre el silencio vesperal;
los pobres pasan como días
y el pino reza en su misal.

El cascabel del halcón, 1909.

CARRETERO

Oloroso está el heno, carretero,
oloroso está el heno;
huele a trébol del valle, a vellón nuevo
y al patio viejo del mesón del pueblo.

Oloroso está el heno en la carreta,
el heno de la húmeda pradera
sembrada de corderas...
¡Oh, pradera que está en la primavera!

— Oloroso está el heno, buen amigo,
que vas por el camino...
Un camino, una tarde, un buen amigo...
Oloroso está el heno con rocío.

— Lo cortamos cuando era luna nueva,
— ¿Sonaba una vihuela?
— Sí, una vihuela de baladas llena
a la luz de la luna, luna nueva.

Tus manos siempre tocan el rocío,
y el heno y la tierruca del camino,
y por eso parecen dos racimos
de sembrado con sueño matutino.

Y tienen un gajito de pereza,
de esa pereza, de esa
pereza que dormita en la carreta
quejosa a la tornada de la era:

Quién sabe si es tristura
la que empaña la breve felpa oscura
del ojo de los bueyes, de la yunta
de mansedumbre grave y de dulzura.

Carreta y carretero
se humedecen en ese raso viejo
del ojo de los bueyes, y por eso
están tus manos tristes, carretero.

Tus manos grandes, óseas, morenicas,
como sarmientos de las viejas viñas,
sobre el heno oloroso están dormidas,
carretero que vas para la villa.

El cascabel del halcón, 1909.

IMAGEN

Porque mi corazón es trashumante
y desasido está de casa y pena,
y sube a mi pupila y cual diamante
que brilla a una luz suave la serena;

y porque ama vagar desde el menguante
hasta el creciente, y porque tiene cena
de rocío, de aire y del fragante
ritmo que en los caminos baila y suena:

yo me parezco al perro vagabundo
que hace su siesta al sol bueno y fecundo,
y al despertar, enorme de ilusión,

mira el manso paisaje largamente
para que la quietud que tiene al frente
se le vaya enredando al corazón.

El cascabel del halcón, 1909.

COMO ES DE AMANTES NECESARIA USANZA

Como es de amantes necesaria usanza
huir la compañía y el ruido,
vagaba en sitio solo y escondido
como en floresta umbría un ciervo herido.

Y a fe, que aunque cansado de esperanza,
pedía al bosquecillo remembranza
y en cada cosa suya semejanza
con el ser que me olvida y que no olvido.

Cantar a alegres pájaros oía
y en el canto su voz no conocía;
miré al cielo de un suave azul y perla

y no encontré la triste y doble estrella
de sus ojos... y entonces para verla
cerré los míos y me hallé con ella.

La urna, 1911.

«CORNELIO HISPANO»

(Ismael López.)

1880

Colombiano. Nació en Buga, ciudad del valle caucano, de fuerte carácter tradicional. También «Cornelio Hispano» es un poeta cuyos temas pertenecen al pasado. Empieza cultivando el helenismo modernista, de él pasa al mundo cristiano primitivo, no a la manera de Valencia, sino con el sentimiento del prosaísmo histórico, de la visión del pasado remoto y legendario en sus circunstancias cotidianas; por fin se acoge a su tradición más próxima e inmediata, a las leyendas de su propio valle caucano. Su obra poética está limitada a pocos libros y pocos años; su labor literaria posterior ha sido consagrada a la historia de su país; sobre todo, a la biografía de Bolívar.

Bibliografía. — **Poesía:** *El centauro*, poema antiguo, Bogotá, 1906. *El jardín de las Hespérides*, 1910. *Leyenda de oro*, Caracas, 1911. *Elegías caucanas*, París, 1912. **Otras obras:** *Régimen internacional de los ríos navegables*, Bogotá, 1905. *De París al Amazonas: Las fieras del Putumayo*, viajes e impresiones, París, [1914]. *Colombia en la guerra de la Independencia: la cuestión venezolana*, 1914. *Bolívar*, 1917. *La quinta de Bolívar*, 1919. *Cesarismo teocrático*, San José de Costa Rica, 1922. *Bolívar y la posteridad*, Bogotá, 1922. *Historia secreta de Bolívar*, París, [1924]. *El libro de oro de Bolívar*, 1925. *El país de los dioses*, [1928]. *Los cantores de Bolívar*, 1930. **Estudios:** L. Baudin, Sobre *Los cantores de Bolívar*, en RAmL, 1931, XXI, 306. E. Díez-Canedo, Sobre *El jardín de las Hespérides*, en L, 1910, año X, t. III, 449-451. B. Sanín-Cano, *El último libro de C. H.* [sobre *El país de los dioses*], en RepAm, 17 marzo 1928.

ROMA

Por los años de gracia de trescientos cuarenta,
o sea el siglo cuarto de la era vulgar,
vió este fuerte Patriarca la clara luz solar.
Hieronymus Eusebius, la leyenda nos cuenta,
era un varón recóndito, demacrado, tremente;
cabello prieto y raso, manos nerviosas, pálidas,

y semblante atezado por los soles de Oriente.
Vestía un sayón pardo bajo la griega túnica;
como el león, husmaba las soledades cálidas;
cuando, desde su antro, sus órbitas escuálidas
fijas fosforecían, su mirada era única;
sus dichos y gracejos melados, semejaban
como los que de boca de Gregorio manaban:
suspenso de sus labios quedóse el rostro inmoto
de aquellos que lo oyeron en silencio devoto,
cual si gustado hubiesen la maga flor del loto;
su rigidez austera tocaba en el delirio;
este santo ermitaño, de cuerpo amarillento,
consumíase ardiendo, cual se consume un cirio.
Era la lucha a muerte, sin cuartel, su elemento,
y, al retar y enfrentarse, terrible sacudía
la melena, avanzaba riente, y esgrimía
dos armas limpias, ágiles, aceros sin clemencia:
una fría y morosa y aguda: la ironía;
otra tajante, rápida, sonora: la elocuencia.
Nacido en Estridón, entre pueblos agrestes,
bebió allí el humor ázimo de las nómades huestes,
mas al tiempo una savia terrígena, robusta,
que perduró en sus venas en su vejez augusta.
Más oportunamente nadie ha venido al mundo:
descendían los bárbaros, una era intermedia
entre un ideal nuevo y un rito moribundo:
la antigüedad radiante, la tétrica edad media.
Él fué como un gran río en país sitibundo.
El cristianismo avanza, intenso y sin ruído,
entre las clases bajas de libertos y esclavos,
cuya piedad demente lanzó como un rugido
la floración sangrienta de los mártires bravos.
Él vió desde los bancos de su escuela de Roma
florecer el Imperio dorado de Juliano,
y cubrirse de herrumbre los altares de Jano;
con sangre de las víctimas vió enrojecerse el Tibre,
huir despavorida la mística paloma,
danzar los pueblos ebrios en torno de las Diosas,
la Humanidad erguirse, retornar a ser libre,
y sobre las bermejas murallas victoriosas

oyó mugir los toros, festonados de rosas,
y en medio, ya del júbilo, del llanto o del terror,
oyó el infausto grito: «¡Murió el Emperador!»

Leyenda de oro, 1911.

EL BORRIQUITO BLANCO

LEYENDA SAGRADA DEL «CHARCO DEL BURRO»

El agreste río
de Guadalajara (1)
bajo el bosque umbrío,
una historia rara
cuenta al caserío.

Éste era un antiguo sábado de Ramos;
Jesús aguardaba su manso jumento
para entrar al pueblo, bajo alegres ramos,
mas en todo el pueblo no había un jumento.

Sólo un asno hermoso de un rico hacendado,
pastando, cruzaba la fértil comarca,
pero ese opulento y adusto hacendado
era el más avaro de aquella comarca.

Ya, a la tarde, todos volvían al pueblo
tristes, pues no hallaban más que aquel borrico,
cuando vieron, antes de entrar en el pueblo,
salir, rebuznando, del río un borrico.

¡Era el borriquito más manso y más blanco!
Cogido, lleváronlo en triunfo a la aldea,
y, sobre el burrito más manso y más blanco,
entró al otro día Jesús en la aldea.

----

(1) Antiguo nombre dado por los españoles a la ciudad de
Buga. Hoy sólo lo conserva el río.

¡Hosanna!, a su paso, clamaban las gentes,
¡alegráos, hijas de Salem! ¡Hosanna!
Y, bajo las palmas de rústicas gentes,
iba el borriquito con Jesús. ¡Hosanna!

Y he aquí que al bajarse Jesús del pollino,
en el templo lleno de mirra y de flores,
hacia el río, al trote, marchóse el pollino,
libre ya de ricos arneses y flores.

Y aquí acaba el cuento del borrico blanco
que salió del río de Guadalajara:
fué aquél el burrito más manso y más blanco
que vieron las gentes en Guadalajara.

Y el agreste río
de Guadalajara,
bajo el bosque umbrío,
aun la historia rara
cuenta al caserío.

1911. *Elegías caucanas*, 1912.

ARTURO MARASSO

1890

Argentino, de Chilecito, en la Rioja. Profesor y crítico. Su calidad de hombre de libros se aprecia no sólo en sus estudios y ensayos, sino en sus poesías; pero éstas demuestran que la cultura clásica antigua y española, que posee en alto grado, vive en él identificada con el propio temperamento. Por eso su poesía no es retórica imitación de los modelos clásicos patentes en ella, sino expresión de genuinas emociones.

BIBLIOGRAFÍA.—**Poesía:** *Bajo los astros,* Buenos Aires, 1911. *La canción olvidada,* 1915. *Presentimientos,* 1918. *Paisajes y elegías,* 1921. *Poemas y coloquios,* 1924; 1928. *Retorno,* 1927. *Melampo,* 1931. **Otras obras:** *El doctor Joaquín V. González,* Buenos Aires, 1915. *Estudios literarios,* 1920. *El verso alejandrino,* 1923. *He-*

síodo én la literatura castellana, 1926. *El coloquio de los centauros* [de Rubén Darío], 1927. *Don Luis de Góngora,* 1927. *La creación poética y otros ensayos,* 1927. **Estudios:** H. R. ALBERDI, *A. M.,* en Nos, marzo 1922. N. CORONADO, *A. M.,* en Nos, enero 1919. A. CORTINA, Sobre *Melampo,* en Nos, 1931, LXXIII, 341-343. R. DE DIEGO, *A. M.,* en Nos, abril, 1922. J. IRAZUSTA, *A. M.,* en Nos, octubre 1920. F. SUAITER MARTÍNEZ, *Apostillas marginales* [sobre *Tamboriles*], en Nos, 1930, LXVIII, 253-260. A. VÁZQUEZ CEY, Sobre *Poemas y coloquios,* en Sag, 1925, I, 79-81.

DICHA

Dichoso aquel que vive en mansión heredada,
oye cantar los tordos que escuchó cuando niño;
ve llegar los inviernos entre lluvia y nevada
y siente el mismo acento de familiar cariño.

En la noche, en sosiego, a media luz, en torno
de la mesa o la lumbre, se conversa, en voz tierna,
de un viaje, de un recuerdo, de una ida sin retorno
— hace ya veintiocho años — a la mansión eterna.

Triste lágrima asómase y ocúltase medrosa,
recuérdase la historia de la aldea, el pasado
tiempo de la familia, la niñez bulliciosa,
y se ve lo futuro al ayer arraigado.

Se lee el viejo libro con reposo, alguna hoja
anotaciones lleva del padre o del abuelo;
a veces una lágrima casual el texto moja
y se encuentra en las dulces páginas el consuelo.

El antiguo reloj de la pared aun suena;
vienen los largos días de estío, o el invierno,
son las noches oscuras o ya de luna llena;
aunque los años vuelen todo parece eterno.

Feliz aquel que vive en mansión heredada
con fontanares y árboles al pie de una colina,
y del otoño lánguido en la tarde nublada
ve rodar por los campos la lluvia y la neblina.

Paisajes y elegías, 1921.

LUIS DE TAPIA

1871 - 1937

Español. Poeta actual, que desde hace muchos años escribe a diario en la Prensa el comentario al hecho concreto del momento. Su comentario es satírico, agresivo, chistoso, callejero; debajo de él suele haber una tendencia política, de carácter liberal. Esta poesía espontánea y popular de hoy, hecha con frases de la lengua vulgar madrileña, es de abolengo español y conserva las formas y mucho del espíritu de la poesía satírica clásica.

BIBLIOGRAFÍA. — **Poesía:** *Salmos,* Madrid, 1903. *Bombones y caramelos,* 1911. *Coplas,* 1914. *Coplas del año,* 1917-1920. *Cincuenta coplas* (Homenaje al poeta del pueblo), 1932.

EL NUEVO DON JUAN

Para D. Santiago Alba.

No pende pluma llorona
de su gorra en el costado...
Usa un «flexible» achulado
que plebeya estirpe abona.

Faca lleva por tizona;
por gola, inglesa corbata,
y en vez de capa escarlata
ciñe exótico gabán...
¡Así es el nuevo Don Juan!

Su lengua, exenta de mimos
y de hidalga cortesía
requiebra con grosería,
y piropea con «timos»...

Dice «gachís», «pipis», «primos»,
y «naturaca» y «claroco»...

Las hembras le importan poco,
que es afrentarlas su afán...
¡Así es el nuevo Don Juan!

Busca en todo galanteo
tener los huesos seguros,
y a escalar claustrales muros
prefiere andar de «parcheo»...

En la iglesia, en el paseo,
donde la gente se estruja,
es Cid de la tentaruja,
y en el empujón, Roldán...
¡Así es el nuevo Don Juan!

Lances no tuvo en Sevilla
ni riñó en Italia y Flandes;
sus aventuras más grandes
no pasan de la «Bombilla»...

Su ingenio tan sólo brilla
en pornográficos chistes...
Cuatro señoritos tristes
son corte de este rufián...
¡Así es el nuevo Don Juan!

En la barca de Carón
no se podrá sostener
como aquel que Baudelaire
pinta, erguido en el timón.

Porque el caballero hampón
no morirá de estocada,
sino de alguna «tajada»...
cogida con mostagán...
¡Así es el nuevo Don Juan!

Justo es, pues, que a este fullero
de picaresca calaña,
Alba, ministro de España,
le obligue a ser caballero...

Y si resístese, fiero,
llévenle al punto a la trena,
y con la misma cadena
que sujetó a Escarramán,
vaya a presidio Don Juan.

. . . .

(Las damas lo aplaudirán.)

JULIO VICUÑA CIFUENTES

1865 - 1936

Chileno. Profesor, periodista y crítico. Su principal labor ha sido como folklorista: ha recogido los romances que se conservan en la tradición oral chilena y ha estudiado la lengua y las creencias populares. Ha hecho estudios sobre métrica castellana y ha traducido poesías clásicas y modernas. Su poesía original es, como él la llama, «cosecha de otoño», fruto tardío en su vida, más moderno que los del modernismo, escuela a la que debía pertenecer por su edad y de la que le separa su gusto por lo popular y su temperamento sano, preciso y vital.

Bibliografía. — Poesia: *La cosecha de otoño*, Santiago de Chile, 1920; Madrid, 1932.   Otras obras: *La muerte de Lautaro*, cuadro trágico en un acto y en verso, 1898. *Contribución a la historia de la Imprenta en Chile*, 1903. *Instrucciones para recoger de la tradición oral romances populares*, 1909. *Coa: jerga de los delincuentes chilenos*, 1910. *Estudios de folklore chileno: mitos y supersticiones recogidos de la tradición oral*, 1910; 1915. *Romances populares y vulgares recogidos de la tradición oral chilena*, 1912. *Homenaje a Cervantes*, discurso, 1916. *La poesía popular chilena*, discurso, 1916. *La forma literaria*, discurso, 1918. *Sobre un verso imaginario*, 1918. *Versificación castellana: tres breves disertaciones*, 1918. *Versificación castellana: sobre el imaginario verso yámbico de trece sílabas*, 1918. *Las narraciones en prosa en la literatura popular chilena*, discurso, 1919. *He dicho*, 1926. *Estudios de métrica española*, 1929. Estudios: J. García Games, *Como los he visto yo*, Santiago de Chile, 1930. A. Gómez Restrepo, *Un poeta humanista: Don J. V. C.*, en RevChil, 1921, XII, 23-27. M. Latorre, *J. V. C.*, en Inf, 1927, XII, núm. 108, 214-215.

EL ASNO

En la dehesa sátiro, en el corral asceta,
paciente como Job, como Falstaff deforme,
con gravedad de apóstol, sobre la frente quieta,
lleva los dos apéndices de su cabeza enorme.

Ni la hartura le halaga, ni el ayuno le aprieta,
con su destino vive, si no feliz, conforme,
y prolonga su efigie de contrahecho atleta
en una innumerable generación biforme.

Vivió noches amargas, tuvo días lozanos;
le cabalgaron númenes, le afligieron villanos;
unas veces la jáquima, otras veces el freno.

Honores y trabajos tiempo ha los dió al olvido,
pero siempre recuerda su pellejo curtido
la presión inefable del dulce Nazareno.

La cosecha de otoño, 1920.

LA DAMA Y EL CABALLERO

— Lo maté por desmandado,
por celos no lo maté,
lo maté por alevoso,
no por amor de mujer;
que en hembra malmaridada
nunca puse el interés,
ni placieron a mis ojos
las tocas de la viudez.
Hombre mozo en tierra llana
contento no puede haber:
doncella el tálamo pide,
doncella con doncellez;
barragana no la busco,
porque no la he menester.
Si otra cosa se os ofrece,
mandar, señora, podéis —.

Esto dijo el caballero,
puesto en el estribo el pie,
y con destempladas voces
— ¡Menguado, la lengua ten! —
gritó la dama, cogiendo
por las riendas el corcel.
— Malas manos envenenen
el agua que has de beber,
y cuando vayas de caza
te desconozca el lebrel.
Malos sueños te visiten
cuando yazgas con mujer,
y la hembra con quien cases
por dinero sea infiel.
Por traidores a tus hijos
a la horca mande el rey,
y a tus hijas arrebaten
villanos la doncellez.
— Aunque así fuere, señora,
dijo el apuesto doncel,
mejor será lo que dices
que lo que osaste ofrecer.

La cosecha de otoño, 1920.

ALFONSO REYES

1889 - 1959

Mejicano, de Monterrey, Nuevo León. El más alto ejemplo que quizá existe hoy del americano europeo, universal. Sin embargo, cuando salió de Méjico, muy joven, estaba ya definitivamente formado y había dado muestra de su capacidad en las múltiples actividades intelectuales que ha desarrollado después como ensayista, poeta, crítico y erudito. De Méjico pasó a España, donde se incorporó al Centro de Estudios Históricos, a la Prensa y a todos los círculos de la vida intelectual y social, ni más ni menos que si fuera un español. Representaciones diplomáticas de su país le han llevado después a París,

Buenos Aires y Río de Janeiro, mostrando en todas partes la misma capacidad de adaptación al medio circundante y de conservación de sus cualidades nativas e individuales. Rico y armónico espíritu, todo lo que en él entra atraído por su curiosidad y simpatía inagotables se unifica y ata en el hilo central de su emoción subjetiva y su aspiración de arte noble y sereno. Por eso tiene razón Pedro Henríquez Ureña al decir que es, ante todo, poeta, aunque la poesía forma una parte mínima de su producción. La mayor parte de ella son ensayos, en los que con gran libertad personal toca los más diversos problemas del espíritu. Lo antiguo y lo moderno, lo español y lo extranjero, lo mejicano siempre, se encuentran en el mismo plano para su atención e interés. Igualmente su poesía — varia en temas y forma — se halla equidistante del clasicismo tradicional y el ultramodernismo innovador: la tradición y la modernidad fundidas e indivisas constituyen su esencia.

BIBLIOGRAFÍA.—**Poesía:** *Huellas,* México, 1922. *Ifigenia cruel,* poema dramático, 1924. *Pausa,* París, 1926. *5 casi sonetos,* 1931. **Otras obras:** *El paisaje en la poesía mexicana del siglo XIX,* México, 1911. *Cuestiones estéticas,* París, 1911. *Un tema de «La vida es sueño»: el hombre y la naturaleza en el monólogo de Segismundo,* Madrid, 1917. *Cartones de Madrid, 1914-1917,* México, 1917. *El suicida,* ensayos, Madrid, 1917. *Visión de Anáhuac, 1519,* San José de Costa Rica, 1917; Madrid, 1923 [trad. franc. por J. Guérandel, introd. de Valery Larbaud, París, 1927.] *Retratos reales e imaginarios,* México, 1920. *El plano oblicuo,* cuentos y diálogos, Madrid, 1920. *El cazador,* ensayos y divagaciones, [1921]. *Simpatías y diferencias,* cinco series, 1921-1926. *Calendario,* 1924. *Cuestiones gongorinas,* 1927. *Fuga de Navidad,* Buenos Aires, 1929. *El testimonio de Juan Peña,* Río de Janeiro, 1930. *La saeta,* 1931. *Discurso por Virgilio,* México, 1931. *A vuelta de correo,* Río de Janeiro, 1932. *Atenea política,* 1932. *En el día americano,* 1932. *Horas de Burgos,* 1932. *Tren de ondas,* 1932. **Estudios:** E. ABREU GÓMEZ, *A. R. íntimo,* en NMex, 1932, I, 58. ANDRENIO [E. GÓMEZ DE BAQUERO], *Pen Club,* I: *Los poetas,* Madrid, [1929], p. 285-293. J. ARAMBURU, *A. R.,* en Nos, 1927, LVI, 357-363. *Au banquet A. R.* [artíc. de M. E. Martinenche, G. Zaldumbide, etc.], en RAmL, 1925, IX, 385-403. M. AUCLAIR, *A. R.,* en SagM, 1927, núm. 12-13. J. CASSOU, *A. R:,* en RAmL, 1924, VII, 328-330; *Portraits d'écrivains étrangers: A. R.,* en RPLit, 1926, LXIV, 423-424. M. F. CESTERO, *Ensayos críticos: A. R.,* en CuC, 1922, XXVIII, 115-128. J. M. CHACÓN Y CALVO, *A. R. y su impulso rítmico,* en RR, XIII, núm. 657, 39-40. E. DÍEZ-CANEDO, *Las «Huellas» de A. R.,* en Esp, 10 marzo 1923. *Digesto sobre A. R.* [est. de d'Ors, Cosío Villegas, Villaurrutia, Chacón, G. Jiménez, etc.], en PEN, 31 mayo 1924. A. Espina, Sobre *Visión de Anáhuac,* en Esp, núm. 385. E. Fernández Ledesma, *El pensamiento y el arte de A. R.,* en SagM, 1927, núm. 7. P. Henríquez Ureña, *A. R.,* en Nac, 3 julio 1927; RepAm, 10 dic. 1927. J. L. B., Sobre *Reloj de sol,* en Sin, 1927, I, 110-114. R. Lida, Sobre *5 casi sonetos,* en Meg, 1931, II, 129-130. R. López, *A. R.,* en MuI, 27 julio 1913. G. Mistral, Sobre *Reloj de sol,* en RepAm, 1927, XIV, 265-267; Universi, 1927, IV, 7-12. F. Monterde, *Notas sobre A. R.,* en RepAm, 4 marzo 1933. *Nuestra demostración a A. R.,* en Nos, 1927, LVIII, 106-121. L. Pacheco, *El espíritu europeo de A. R.,* en RepAm, 4 marzo 1933. A. Salazar, Sobre *Los dos caminos,* en ROcc, 1924, V, núm. 13; LyP, oct.-dic. 1924. R. Silva Castro, *Notas sobre A. R.,* en RepAm, 21 oct. 1933. Suárez Calimano, Sobre *Los dos caminos,* en Nos, mayo 1924; *21 ensayos,* Buenos Aires, 1926. G. de Torre, Sobre *Cuestiones gongorinas,* en GLit, 15 julio 1927. L. G. Urbina, *Madrid se despide de A. R.,* en Universal, 11 mayo 1924. X. Villaurrutia, *Los caminos de A. R.,* en Proa, 1925, II, núm. 10, 3-9.

LA AMENAZA DE LA FLOR

Flor de las adormideras:
engáñame y no me quieras.

¡Cuánto el aroma exageras,
cuánto extremas tu arrebol,
flor que te pintas ojeras
y exhalas el alma al sol!

Flor de las adormideras.

Una se te parecía
en el rubor con que engañas,
y también porque tenía,
como tú, negras pestañas.

Flor de las adormideras.

Una se te parecía...

(Y tiemblo sólo de ver
tu mano puesta en la mía:
¡Tiemblo, no amanezca un día
en que te vuelvas mujer!)

Pausa, 1926.

GLOSA DE MI TIERRA

Amapolita morada
del valle donde nací:
si no estás enamorada,
enamórate de mí.

I

Aduerma el rojo clavel,
o el blanco jazmín, las sienes:
que el cardo sólo desdenes,
sólo furia da el laurel.
Dé el monacillo su miel,
y la naranja rugada,
y la sedienta granada,
zumo y sangre — oro y rubí —:
que yo te prefiero a ti,
amapolita morada.

II

Al pie de la higuera hojosa
tiende el manto la alfombrilla;
crecen la anacua sencilla
y la cortesana rosa;
donde no la mariposa,
tornasola el colibrí.
Pero te prefiero a ti,
de quien la mano se aleja;
vaso en que duerme la queja
del valle donde nací.

III

Cuando al renacer el día
y al despertar de la siesta,
hacen las urracas fiesta

y salvas de gritería,
¿por qué, amapola, tan fría,
o tan pura, o tan callada?
¿Por qué, sin decirme nada,
me infundes un ansia incierta
— copa exhausta, mano abierta —,
si no estás enamorada?

IV

¿Nacerán estrellas de oro
de tu cáliz tremulento
— norma para el pensamiento
o bujeta para el lloro?
¡No vale un canto sonoro
el silencio que te oí!
Apurando estoy en ti
cuánto la música yerra.
Amapola de mi tierra:
enamórate de mí.

Pausa, 1926.

LA TONADA DE LA SIERVA ENEMIGA

Cancioncita sorda, triste,
desafinada canción;
canción trinada en sordina
y a hurtos de la labor,
a espaldas de la señora;
a paciencia del señor;
cancioncita sorda, triste,
canción de esclava, canción
de esclava niña que siente
que el recuerdo le es traidor;
canción de limar cadenas
debajo de su rumor;
canción de los desahogos
ahogados en temor;
canción de esclava que sabe

a fruto de prohibición
— toda te me representas
en dos ojos y una voz.

Entre dientes, mal se oyen
palabras de rebelión:
«¡Guerra a la ventura ajena,
guerra al ajeno dolor!
Bárreles la casa, viento,
que no he de barrerla yo.
Hílales el copo, araña,
que no he de hilarlo yo.
San Telmo encienda las velas,
San Pascual cuide el fogón,
que hoy me ha pinchado la aguja
y el huso se me rompió;
y es tanta la tiranía
de esta disimulación,
que aunque de raros anhelos
se me hincha el corazón,
tengo miradas de reto
y voz de resignación.»

Fieros tenía los ojos
y ronca y mansa la voz;
finas imaginaciones
y plebeyo corazón.
Su madre, como sencilla,
no la supo casar, no.
Testigo de ajenas vidas,
el ánimo le es traidor.
Cancioncita ronca, triste,
canción de esclava, canción
— toda te me representas
en dos ojos y una voz.

Pausa, 1926.

SALVADOR DE MADARIAGA

1886

Español. Oriundo de Galicia, hizo sus estudios en Francia, llegando a hablar el francés como su propia lengua. Profesor más tarde en Oxford, ha llegado a hablar y escribir el inglés con rara perfección. Como al mismo tiempo ha conservado su españolismo nativo, depurado e intensificado por su contraste con lo extranjero profundamente asimilado, ha llegado a ser el principal exponente de nuestra cultura fuera de España y la más saliente figura internacional de nuestra política y literatura. Su labor en la Liga de las Naciones y en la Embajada de la República Española en París es paralela a su labor de publicista, que ha consistido principalmente en interpretar el presente y pasado de España desde fuera y desde lejos en vista de públicos no españoles. De ahí su valor y originalidad para los españoles mismos. La poesía de Madariaga, leve partecilla de su obra total, nos da una vislumbre de su intimidad sentimental, de su españolismo radical y profundo que se acoge en última instancia al timbre y ritmo puros de los romances, de las canciones infantiles y las reminiscencias clásicas.

Bibliografía.—**Poesía:** *Manojo de poesías inglesas puestas en verso castellano,* Cardiff, 1919. *Romances de ciego,* Madrid, 1922. *La fuente serena,* cantos, romances líricos y sonetos a la española, Barcelona, 1928. **Otras obras:** *La guerra desde Londres,* pról. de L. Araquistáin, Tortosa, 1918. *Shelley and Calderón, and other essays on English and Spanish poetry,* London, 1920. *Spanish folk songs,* sel. and transl. with an introd., 1922. *Ensayos anglo-españoles,* Madrid, 1923. *The genius of Spain, and other essays on Spanish contemporary literature,* Oxford, 1923. *Semblanzas literarias contemporáneas,* Barcelona, 1923. *The Sacred Giraffe,* being the second volume of posthumous works of Julio Arceval, London, 1925. *La jirafa sagrada,* Madrid, [1925]. *Arceval y los ingleses,* [1926]. *Guía del lector del «Quijote»,* 1926. *Englishmen, Frenchmen, Spaniards,* London, 1928. *Ingleses, franceses y españoles,* Madrid, 1929. *Anglais, Français, Espagnols,* [Paris, 1930]. *Disarmament,* New York, 1929. *Spain,* 1930, [trad. alemana por A. Dombrowsky, Stuttgart, 1930; trad. italiana por A. Schiavi, Bari, 1932. *España,* Madrid, 1931. *I Americans,* 1931. **Estudios:** A. Aita, *Un espíritu europeo: S. de M.,* en Nos, 1933, LXXX, 62-69. Andrenio [E. Gómez de Baquero], *Pen*

Club, I: *Los poetas*, Madrid, [1929], p. 165-170. AR, Sobre *La fuente serena*, en GLit, 1 mayo 1928. C. BARJA, Sobre *Semblanzas literarias contemporáneas*, en MLJ, 1926, IX, 451-452. H. BURIOT-DARSILES, Sobre *Englishmen, Frenchmen, Spaniards*, en RELV, 1930, XLVII, 117-118. M. CARAYON, Sobre *Semblanzas literarias*, en BHi, 1924, XXVI, 292-295. E. DÍEZ-CANEDO, Sobre *Romances de ciego*, Sol, 25 abril 1923; *Vida y muerte de Julio Arceval* [sobre *Arceval y los ingleses*], en Sol, 12 feb. 1926. F. R. DULLES, Sobre *Spain*, en TB, 1930, LXXII, 91-92. W. J. ENWISTLE, Sobre *Spain*, en BSS, 1931, VIII, 42-44. L. FEBVRE, Sobre *Englishmen, Frenchmen, Spaniards*, en RCHL, 1930, LXIV, 176-177. G. DE R., Sobre *Englishmen, Frenchmen, Spaniards*, en Cr, 1929, XXVII, 3.ª serie, número 3, 199-202. F. L. KLUCKHOHN, *Interpreting Spain of today* [Sobre *Spain*], en NYT, 29 junio 1930. H. PETRICONI, *Methodische Probleme der Kulturkunde (Zu den Werken S. de Madariagas)*, en NSpr, 1932, XL, 257-263. C. PITOLLET, Sobre *Semblanzas literarias*, en ROB, 1924, IX, 602-604; Sobre *Anglais, Français, Espagnols*, en RLR, 1932, LXVI, 152-157. R. PITROU, Sobre *Anglais, Français, Espagnols*, en BHi, 1931, XXXIII, 173-178. R. S. ROSE, Sobre *Spain*, en YR, 1931, XX, 633-635. *Studies in National Psychology* [sobre *Englishmen, Frenchmen, Spaniards*], en NYT, 30 dic. 1928. R. F. WARNER, Sobre *I Americans*, en For, 1931, LXXXV, núm. 4, p. XX.

ROMANCE DE CIEGO

Van y vienen caminantes
a lo largo del camino.
Van y vienen, van y vienen
a do les lleva su sino.
En el lejano horizonte
los inquietos ojos fijos,
en pos de su corazón
huído,
van y vienen sin descanso
a lo largo del camino
los míseros caminantes
esclavos de su destino.
¡Ah!, ¡quién tuviera una venta
en el borde del camino,
para estar como el ventero,
sonriente y pensativo,
viendo pasar a la gente
tan tranquilo, tan tranquilo!

— ¡Ventero, tengo una sed...!
Dame un vaso de buen vino.
— Yo mismo lo iré a buscar,
que lo tengo de lo fino.
El vino que yo te diere
te hará ligero el camino.
Toma, bebe, caminante,
bebe y bendice tu sino,
que te ha encendido una sed
que se apaga con tal vino.

— Guarda tu vino, ventero,
ventero, guarda tu vino,
que los ojos de tu hija
en el alma me han metido
la sed que ardía en mi cuerpo,
y no he de seguir camino
hasta beber en sus labios
mejor vino que tu vino.
— Sigue, sigue, caminante,
sigue, sigue tu camino,
que la rosa de mi huerto
para mi placer se hizo.

Ya se aleja el caminante
a do le lleva su sino.
Prendida en el corazón
lleva la flor que ha cogido;
que flor que nace en un huerto
lindero con el camino
tarde o temprano la coge
un caminante atrevido.

— Ventero, cierra tu venta.
Ventero, tira tu vino.
Ventero, siembra de sal
ese tu huerto maldito.
Ventero, coge una alforja.
Ventero, ponte en camino.
Nunca más ante tu puerta,

sonriente y pensativo,
verás pasar a la gente
tan tranquilo.

Ya se va, se va el ventero
a do le lleva su sino,
en pos de su corazón
huído,
como tantos caminantes
esclavos de su destino,
que van y vienen y van
a lo largo del camino.

Romances de ciego, 1922.

CANTO A DOS VOCES

Alegría,
noche y día,
por el sol,
por la luna
y por el cielo estrellado.
— Desdichado, desdichado —.
Alegría,
noche y día.
Luz y bruma,
fruto y flor,
por el alba luminosa
que es la niñez ruborosa,
y por la mañana hermosa
que es la juventud del día,
por el subido esplendor
del mediodía — alegría —
que es su madurez gloriosa,
y el dorado atardecer
— desdichado, desdichado —
que es su largo fenecer.
Alegría,
por la gentil primavera,
sonrisa del tierno prado
— desdichado, desdichado —.

Por el verano potente
que gana el pan del invierno
con el sudor de su frente,
y el otoño resignado
que con plácida agonía
va muriendo
— desdichado, desdichado —
blandamente reclinado
sobre el suave collado;
y el invierno turbulento
y cruento,
con sus puñales de hielo
y sus sudarios de nieve
 - alegría, alegría,
por la nieve pura y fría —
y el interminable llanto
de su lluvia, y con el planto
ululante de su viento
en la noche prolongado
— desdichado, desdichado —
lamento de lejanía
como el que en tu alma dormía...

        Alegría,
          noche y día,
          luz y bruma,
          fruto y flor.

Por el niño balbuciente
que va por agua a la fuente,
por el mozo decidor,
saltador,
alegría,
por su sangre y su vigor,
por el hombre reposado
— desdichado, desdichado —
y el anciano sonriente,
con sus canas relucientes,
como nieve bajo el sol...
— Alegría, alegría,
por la nieve pura y fría —.

Y el anciano sonriente,
que se alegra de estar vivo,
aunque ya un pie en el estribo,
preparado
— desdichado, desdichado —
para la hora sombría.

Alegría, alegría,
por los goces de este mundo,
oro, seda y pedrería,
el perfume y el color,
por la alegre algarabía
que bulle en el buen humor.
Alegría,
por la mujer ardorosa
que tu corazón ansía,
por la fama y nombradía,
las riquezas y el honor,
por el deseo alcanzado
— desdichado, desdichado —
que tu alma perseguía.
Alegría, alegría,
por la gloria más radiosa
que es la gloria del amor;
que es el placer inefable,
que es el gozo inacabable
de estrechar el cuerpo amado
y el alma que se ha entregado
en abrazo perdurable
— desdichado, desdichado —.
Canta, canta tu alegría
— alegría,
flor de un día —.
Canta, canta tu alegría
que solloza por la noche
y se ríe por el día.
Canta, canta, desdichado,
alegría...

La fuente serena, 1927.

SONETOS A LA ESPAÑOLA

ABANDONO

Razón de la sinrazón
que en mi ser vas penetrando,
me doblego ante tu mando
con íntima desazón.

Rompiste la trabazón
del porqué, del cómo y cuándo,
y así te fuí abandonando
alma, juicio y corazón.

Te entregué hasta mis laureles...
Y no queda en los vergeles
de lo que fué mi albedrío

otra cosa que cederte
que el ciprés recto y sombrío
de la idea de la muerte.

La fuente serena, 1927.

3

REACCIÓN HACIA EL ROMANTICISMO

MIGUEL ÁNGEL OSORIO
1883 - 1942

Colombiano. Nació y se crió en la región antioqueña; según él, es, como Jorge Isaacs, de raza judaica. Romántico en su vida, como en su obra, ha vagado errante por varios países americanos — Costa Rica, Cuba, Guatemala, Méjico, Honduras, El Salvador —, en todos los cuales ha brillado un momento, se ha hecho admirar y querer, pero no ha logrado echar raíces. En Méjico, con cuya vida se identificó más, residió más tiempo y desenvolvió su personalidad exaltada, atormentada y libérrima; pero fué expulsado del país. Su estancia en Guatemala dió motivo — dice él mismo — a la novela de Arévalo Martínez, *El hombre que parecía un caballo,* y aunque él rechaza la exactitud psicológica del retrato — que creemos hecho con amor — no difiere mucho en sus rasgos de los que él mismo se asigna cuando dice «yo pomposo, yo romántico, yo engreído, yo delirante, yo prestidigitador». Además de todo eso hay en él y en su poesía otros rasgos que tienen más valor de humanidad: el sentimiento del dolor, el ansia de libertad, el afán de elevación, la insatisfacción y la tragedia. Sus poesías andaban perdidas por los periódicos, por negarse el autor a reunirlas en un volumen; pero ahora mismo acaba de publicarlas en esta forma Arévalo Martínez, en Guatemala. Yo he preferido mantener la lección de las versiones publicadas antes sueltas, porque en general me parece mejor. Aparece este volumen bajo el nombre de Porfirio Barba-Jacob, porque — romántico en esto como en todo — ha cambiado el poeta su propio nombre en cada etapa de su vida, identificando su personalidad con sus creaciones literarias o su idea de sí mismo. Así, se ha llamado Miguel Ángel Osorio, Maín Ximénez, Ricardo Arenales y Porfirio Barba-Jacob. Su poesía nace del modernismo y nunca se ha liberado por completo de la influencia de Rubén Darío; pero sigue únicamente su lado romántico, y a la vez que retrocede hacia Poe y hacia los clásicos españoles, avanza en un sentido romántico nuevo hacia la afirmación única, límpida y amarga de la desesperación y la nada individual. Por eso Carricarte dudaba en Cuba si Arenales «pertenecía al presente o era ya del pasado».

BIBLIOGRAFÍA. — **Poesía**: *Rosas negras*, Guatemala, 1933 [con prólogo del autor y apéndice de R. Arévalo Martínez].   **Estudios**: R. ARÉVALO MARTÍNEZ, *Porfirio Barba-Jacob: El poeta y su obra*, en BBNGuat, 1933, I, 100-105.

ELEGÍA DE SAYULA

> *¡Hasta que llovió en Sayula!*
> FOLKLORE MEXICÁNO.

I

Por campos de Jalisco, por predios de Sayula
— ¡donde llovía a cántaros! — ensueños fuí a espigar.
Cantaban unos jóvenes, y sus bellas canciones
las muchachas del pueblo salían a escuchar...
Busco una vida simple — y, a espaldas de la Muerte,
no triunfar, no fulgir, oscuro trabajar;
pensamientos humildes y sencillas acciones,
hasta el día en que al fin habré de reposar...

         — ¡Imaginaciones!
         ¡Imaginaciones!

II

Esta tierra es muy suave, muy tibia, nada infértil,
y la fecundan largos ríos de dolor.
Arando, arando iban, cantando unas canciones,
y yo pensé en Romelia y en su inconfeso amor.
Aquí la luz es tan radial, tan tónica, tan clara,
como eres tú, Romelia : como Guadalajara.
¡Qué maravilla! Huertos que enflora la astromelia
en musical silencio perfuman los salones...
... Vivir aquí, labrando un predio de Sayula,
porque me diese un día, regado de sudor
— ya extinta mi inquietud, calladas mis canciones —
¡paz! ¡paz en mis entrañas! ¡silencio en mi redor!

         — ¡Imaginaciones!
         ¡Imaginaciones!

III

Ala del tiempo...
Ala del tiempo...
Ha mil años, ya un pueblo formaría
con polvo de hombres una ruin alfarería...
Romelia dulce, cantan de nuevo las trémulas tonadas,
y en mi frente — un incendio de florestas —
fluye tu cabellera perfumada...
Sayula está de fiesta
porque llovió; la luna sublima los magueyes,
me dan vino, y... ¡México es tierra de elección! —
«Mi padre — cuenta un joven — tiene cinco yuntas de
[bueyes...»
Cruzan la honda noche ráfagas de maizales,
y un júbilo de júbilos nos llena el corazón.
Silencio por las montañas...
Luces en las cabañas...
Un lecho de espadañas que abrasará el estío,
y tú, fantasma bruno, que siempre me acompañas...
¡Dadme vino y llenemos de gritos las montañas!

— ¡Imaginaciones!
¡Imaginaciones!

IV

... Bajo el portal caduco vine a buscar sosiego.
Rendidos de cansancio, en la tierra desnuda
duermen una mujer, un niño, un labriego.

Se mira arder la noche
cuajada de cocuyos.

Sin ningún pensamiento, sin dolor exaltado
— ¡nada más la fatiga de un día! ¡nada más! —
sobre la tierra dura, desnuda, estoy echado.
El niño, friolento, comienza a sollozar...
¡Oh, pobre india estúpida: tu hijo está llorando:
arrúllalo en tus brazos y dale de mamar!

México, 1922.

CANCIÓN SIN NOMBRE

Decid cuando yo muera... ¡y el día esté lejano! :
— Soberbio y desolado, lúbrico y turbulento,
de mortales deliquios en tiniebla insaciado,
era una llama al viento.

Vagó, sensual y libre, por las islas de América.
En los pinos de Honduras vigorizó el aliento.
En México hubo impulsos de ardor y rebeldía
y libertad y fuerza... Era una llama al viento.

De simas no sondadas subía a las estrellas.
Un gran dolor humano vibraba por su acento.
Fué sabio en su delirio, y humilde, humilde, humilde,
porque no es nada una llamita al viento.

Y supo cosas lúgubres, tan hondas y letales
que nunca humana lira jamás esclareció,
y nadie aún ha medido su afán y su lamento.
Era una llama al viento y el viento la apagó.

LAMENTACIÓN DE OCTUBRE

Yo no sabía que el azul mañana
es vago espectro del brumoso ayer;
que agitado por soplos de centurias
el corazón anhela arder, arder.
Siento su impulso y su latencia, y cuando
quiere sus luminarias encender;
        pero la vida está llamando
        y ya no es hora de aprender.

Yo no sabía que tu sol, ternura,
da al cielo de los niños rosicler,
y que bajo el laurel el héroe rudo
algo de niño tiene que tener.
¡Oh, quién pudiera, de niñez temblando,
a un alba de inocencia renacer!
        Pero la vida está pasando,
        y ya no es hora de aprender.

Yo no sabía que la paz profunda
del afecto, los lirios del placer,
la magnolia de luz de la energía,
lleva en su blando seno la mujer.
Mi sien rendida en ese seno blando,
un hombre de verdad quisiera ser;
pero la vida está acabando,
y ya no es hora de aprender...

RICARDO ROJAS

1882

Argentino, de Tucumán. Ha sido periodista, profesor de literatura castellana en la Universidad de la Plata, el primer profesor de literatura argentina desde 1912 en la Universidad de Buenos Aires, decano de la Facultad de Filosofía y Letras y Rector de esta Universidad, director de colecciones de obras literarias y de estudios históricos, propulsor de investigaciones argentinas, historiador de la literatura de su país, creador de la interpretación del pasado nacional y de los ideales de su porvenir, orador, maestro de la juventud. Aunque la de hoy se rebela contra él y discute el valor de sus ideas y de sus métodos científicos y literarios, no hay duda de que Rojas, como un solo hombre, representa una época activa y creadora de la historia intelectual de la República Argentina. Su vasta obra abarca los más diversos géneros literarios. En ella la poesía, aunque cultivada a través de toda su vida, ocupa un lugar secundario. Nacido a la vida literaria en las postrimerías del modernismo, le rinde tributo inevitable, pero se aparta de él siempre que puede guiado por su cultura clásica de historiador de la literatura y por sus preocupaciones de pensador e ideólogo. Su poesía es por lo mismo vacilante y varia; acomete problemas graves y trascendentales sin lograr encontrar siempre su expresión original, que se siente sobre todo en los momentos en que late en ellos una nota de intimidad.

BIBLIOGRAFÍA.—**Poesía:** *La victoria del hombre*, poema, Buenos Aires, 1903. *Los lises del blasón*, 1911. *Canciones*, 1920. *Poesías* [ed. completa y definitiva], 1923. **Otras obras:** *El país de la selva*, París, 1907;

Buenos Aires, 1925. *El alma española*, Valencia, 1908. *Cosmópolis,* París, 1908. *Cartas de Europa*, 2.ª ed., [Buenos Aires], 1908. *La restauración nacionalista*, informe sobre educación, 1909; 1923. *Blasón de Plata*, 1912; 1922. *La piedra muerta*, 1912. *La literatura argentina*, 1913. *La Universidad de Tucumán*, 1915. *Los símbolos universitarios*, discurso, La Plata, 1915. *La argentinidad*, Buenos Aires, 1916; 1922. *La literatura argentina*, 1917-1922, 4 vols.; 2.ª ed., 1924-1925, 8 vols. *Belgrano*, conferencia, 1920. *Los arquetipos*, 1922. *Un dramaturgo olvidado: D. Francisco Fernández y sus «Obras dramáticas»*, 1923. *La guerra de las naciones*, [1924]. *Eurindia*, ensayo de estética, 1924. *Discursos*, 1924. *Las provincias*, Madrid, 1927. *El Cristo invisible*, tres diálogos, Buenos Aires, 1927; 1928 [trad. ingl. por W. E. Browning, New York, 1930]. *Elelín*, drama en verso, 1929. *La historia en las escuelas* [segunda parte de *La restauración nacionalista*], Madrid, 1930. *Silabario de la decoración americana*, Buenos Aires, 1930. *Obras*, 1922-1930, 19 vols. *El radicalismo de mañana*, 1932.   **Estudios :** J. ÁLVAREZ, *A propósito de «Eurindia»*, en RepAm, 25 feb. 1928. J. G. ANTUÑA, *Vers l'expression américaine: le sens de l'histoire et le nationalisme dans l'oeuvre de R. R.*, en RAmL, 1928, XVI, 481-490. R. CARDONA, *Orientaciones del pensamiento argentino: R. R.*, en RepAm, 1927, XIV, 321-323. Crítica de *Historia de la literatura argentina*, 2.ª ed., Buenos Aires, 1925. R. DARÍO, *Cabezas*, Madrid, 1929. P. FARIÑA-NÚÑEZ, *R. R.: su vida, su obra*, en PCor, 20 sept. 1929; *«Elelín», drama histórico de R. R.*, en PCor, 20 junio 1929. J. R. FERNÁNDEZ, *«Las provincias» de R. R.: A propósito del capítulo sobre San Juan*, en Nos, 1928, LXII, 210-216. J. M. FURT, *Lo gauchesco en «La literatura argentina» de R. R.*, Buenos Aires, 1929. J. V. GONZÁLEZ, Sobre *El Cristo invisible*, en Sag, 1927, II, 374-378. A. HAAS, *R. R.*, en Ph, 1928, XIV, 236-249. *Homenaje a R. R.*, en Nos, 1923, XLV, 349-368. *La obra de Rojas: Veinticinco años de labor literaria*, Buenos Aires, 1928. E. MARTINENCHE, *R. R. et son histoire de la littérature argentine*, en RAmL, 1928, XV, 385-388. A. MELIÁN LAFINUR, *Literatura contemporánea*, Buenos Aires, 1918. A. MOLÁS TERÁN, *Paralogismos de R. R.*, Buenos Aires, 1930. *«Poesías» de R. R.: comentario*, en RFo, 1923, II, núm. 20, 7. P. PILLEPICH, *R. R., teorico ed educatore della nazione argentina*, en RIt, junio 1932. J. M. PONCE DE LEÓN, *«El Cristo invisible», de R. R.*, 2.ª ed., Buenos Aires, 1928; *R. R. y la nueva generación*, en In, 1923, I, 40-50. R. RONZE, Sobre *El Cristo invisible*, en RAmL, 1928, XV, 354-356; *R. R., Le professeur, l'écrivain*, en RAmL, 1928, XV, 389-394. J. M. SALAVERRÍA, *El buen americano* [*R. R.*], en ABC, 27 mayo 1928; *Una interpretación cristiana* [sobre *El Cristo invisible*], en Nac, 15 enero 1928. *El indianismo en la Argentina*, en Nos, 1931, LXXIII, 310-314 [sobre *Silabario de la decoración americana*]. [J. B. TERÁN], *Homenaje al Doctor R. R.*, en BUNT, 1928, núm. 33, 1-4. E. VACCARO, Sobre *El Cristo invisible*, en Sin, 1927, II,

395-398. L. Vallenilla Lanz, *Refutación a un libro argentino* [crítica de *La argentinidad*], Caracas, 1917. J. Zorrilla de San Martín, *Detalles de la historia ríoplatense*, Montevideo, 1917.

INVOCACIÓN A LOS MANES

Para D. Ramón del Valle-Inclán.

Valle-Inclán, el hidalgo de la fabla trovera
que a las nuevas Españas tornas en el bajel,
donde el hermano férreo de antaño nos trajera
para el indio su lengua, su cruz y su corcel.

Aún el corcel galopa la pampa, en su carrera,
como ala de Pegaso, la ráfaga va en él;
y aún esa cruz ampara la paz de esta ribera;
y aún esa lengua rima los cánticos de Ariel.

De tal dintel de América, tras el luengo camino,
rima de ave y de loa salude al peregrino
que dió a esa lengua nuestra dulzura de rabel;

rima del voto que alzo, frente al patrio destino,
porque esa lengua eternamente en labio argentino,
tenga timbre tan fino como en tu labio fiel.

Poesías, 1923.

ROMANCE DE AUSENCIAS

Arbolitos de mi tierra,
crespos de vainas doradas,
a cuya plácida sombra
pasó cantando mi infancia...

He visto árboles gloriosos
en otras tierras lejanas,
pero ninguno tan bello
como esos de mi montaña.
Cantando fuí, peregrino,
por exóticas comarcas,

y ni en los pinos de Roma
ni en las encinas de Francia
hallé ese dulce misterio
que sazona la nostalgia.

Algarrobal de mi tierra,
crespo de vainas doradas,
a cuya plácida sombra
pasó cantando mi infancia...

Mística unción del recuerdo
que me estremeces el alma,
trayéndome desde lejos,
como en sutil brisa alada,
un arrullar de palomas
cuando el crepúsculo avanza;
un aromar de poleos,
cuando el viento se levanta;
y en el silencio nocturno
un triste son de vidalas.

Algarrobal de mi tierra,
crespo de vainas doradas,
a cuya plácida sombra
pasó cantando mi infancia...

¡Ay, cuándo volveré a verte,
rústico hogar de mi patria!
Ser quiero yo tu hijo pródigo
que torna a la vieja estancia,
por merendar las colmenas
en tu quebracho enjambradas.
¡Ya en los manjares del mundo
probé las heces amargas!
¡Ya en la orgullosa melena
me van pintando las canas!

Arbolitos de mi tierra,
crespos de vainas doradas,
a cuya plácida sombra
pasó cantando mi infancia...

Poesías, 1923.

ORACIÓN

Tiempo que vas pasando como un río
junto al árbol tenaz de la ribera,
linfa constante de agua pasajera :
yo soy un árbol de tu cauce umbrío.

Caen las hojas secas en las aguas,
y al dejar el nostálgico ramaje,
se van para un quimérico viaje
con el lento bogar de las piraguas.

Y al promediar la noche taciturna,
baja una estrella en medio de la fronda,
a esconder sus tesoros en la onda,
como una blanca náyade nocturna.

Pasa la vida lenta, hora tras hora,
y en la noche de invierno sólo queda
un fantasma callado en la arboleda,
y en el agua una estrella tembladora.

Yo te daré todo el follaje mío,
guárdame tú hasta la hora del invierno
la fiel estrella del amor eterno,
tiempo que vas pasando como un río...

Poesías, 1923.

VÍCTOR DOMINGO SILVA

1882

Chileno, de la provincia de Coquimbo. Periodista, agitador
social, autor dramático y director de una compañía teatral chilena que actuó en Buenos Aires en 1922. Antes, en 1911, fué a
la República Argentina como corresponsal de *El Mercurio,* de
Santiago de Chile; en 1928 fué a España como cónsul y corresponsal de *La Nación,* de Santiago. Su poesía abundante, fácil,

pictórica, sentimental, hueca a menudo, significa una vuelta al
tono declamatorio y a los lugares comunes del siglo XIX, y por
eso mismo goza de gran popularidad. Como todo poeta espon-
táneo y fácil, es desigual y tiene aciertos momentáneos o par-
ciales.

BIBLIOGRAFÍA.—**Poesía:** *Hacia allá*, poemas, Santiago de Chile, 1905.
El derrotero, poema, Valparaíso, 1908.   *La selva florida*, Buenos Aires,
1911.   *El romancero naval*, 1912.   *Odas y arengas*, 1913.   *Poesías*, Iqui-
que, 1914.   *Las mejores poesías*, Santiago de Chile, 1918.   *Sus mejores
poemas*, 1923.   **Otras obras:** *El pago de una deuda*, comedia, Santiago
de Chile, 1908.   *Como la ráfaga*, comedia, 1909.   *Golondrina de invierno*,
novela, 1911; 1917; 1923; 1929.   *Los cuervos*, drama, 1912.   *Nuestras víctimas*, drama, 1912.   *La vorágine*, teatro, 1916.   *El hombre de la casa*,
teatro, [1919].   *Viento negro*, teatro, 1919.   *Las aguas muertas*, teatro,
[1921].   *La divina farándula*, teatro, 1921.   *Más allá del honor*, teatro,
1923.   *Palomilla brava*, novela, 1923.· *Lucesitas en la sombra*, teatro,
1926.   *Toque de Diana: el alma de Chile en la lira de sus bardos*, antología patriótica, 1928.   **Estudios:** A. DONOSO, *Los nuevos (La joven literatura chilena)*, Valencia, [1912].   *Figuras de América: V. D. S.* (algunos datos bio-bibliográficos), en EyA, 1929, III, 37-38.   [DAVID PEÑA],
V. D. S., en Atl, 1911, III, 476-478. (Véase además DONOSO, *NP*, p. 206.)

EL REGRESO

Me acosté llorando por mi hogar desierto,
por mi infancia ida, por mi padre muerto...
Días, meses, años, han pasado ya,
y· en la casa en ruinas, desde los cimientos
hasta las cornisas de los aposentos,
¡todo qué distinto, qué cambiado está!

Me acosté llorando por las viejas horas...
(mañanas alegres, tardes soñadoras,
perezosas siestas). Me dormí y soñé
que «él» había vuelto de un viaje lejano,
curvas las espaldas y el cabello cano...
¡también muy distinto de cuando se fué!

Aguardando siempre, ¡siempre!, su regreso,
no nos sorprendimos. Sentimos su beso
sobre nuestras frentes, tibio y familiar.

Mi madre suspira. Los viejos sirvientes
tienen a su vista gestos reverentes
y el can favorito se pone a brincar.

¡Qué viaje tan largo, tan largo, Dios mío!
Durante su ausencia, qué rachas de hastío,
qué sombras de pena, qué nieblas de horror!
El calla. Parece que lee en nosotros;
la tristeza en unos, el cansancio en otros,
y en todos un mundo de ensueño y dolor.

¡Qué viaje tan largo, tan largo, Dios mío!
Ante las cenizas del hogar ya frío,
rodeado de todos, nos pregunta: — «Y bien:
¿muy viejo me encuentran? Hablen sin cuidado...»
«—Sí, padre (decimos) estás muy cambiado.»
Y él: — «¡Pobres muchachos, ustedes también!»

ROBERTO BRENES MESÉN

1874 - 1947

Costarriqueño. Desde su juventud se dedicó a la enseñanza
y a la literatura. En 1897 fué a Chile, donde estudió durante
tres años filología, educación y literatura. Maestro en su país
desde 1893, continuó siéndolo hasta que en 1909 fué nombrado
Subsecretario de Instrucción Pública y Secretario en 1913.
En 1914 fué Ministro de Costa Rica en Washington, y en 1917
volvió a ser Ministro de Instrucción Pública, hasta que poco
después, alejado de su país por dificultades políticas, fué a los
Estados Unidos, donde se dedica desde entonces a la enseñanza
universitaria. Es autor de obras pedagógicas y científicas, y de
algunos ensayos filosófico-literarios inspirados en las más modernas tendencias, sobre todo en el terreno religioso y estético. Buena muestra de este espíritu nuevo, que es en él una
armonía entre el afán exquisito de arte puro y una mística
religiosidad, son sus poesías, que arrancan de los últimos extremos del modernismo de Lugones y Herrera y Reissig para
desembocar en la desnudez del puro y profundo anhelo religioso.

Bibliografía. — **Poesía**: *En el silencio*, San José de Costa Rica, 1907. *Hacia nuevos umbrales*, 1913. *Voces del Ángelus*, 1916. *Pastorales y jacintos*, 1917. *Los dioses vuelven*, 1928. **Otras obras**: *Gramática histórica y lógica de la lengua castellana*, 1905. *La voluntad en los microorganismos*, contribución a la psicología comparada, 1905. *Proyecto de programas de instrucción primaria*, [en colab. con J. García Monge], 1908. *El canto de las horas*, ensayo de estética, 1911. *Metafísica de la materia*, 1917. *El misticismo como instrumento de investigación de la verdad*, 1921. *Las categorías literarias*, 1923. **Estudios**: L. Castro, Sobre *Los dioses vuelven*, en VL, 12 julio 1929. *Perfil autobiográfico*, en Arch, 1929, I, 182. M. Vincenzi, *Principios de crítica: R. B. M. y sus obras*, San José de Costa Rica, 1918.

EL PASTOR

Va el Silencio detrás de su rebaño
de ovejas coronadas de verbena
hacia una blanca Noche de azucena
que lo esperó durante todo un año.

Y por el campo de intangible estaño,
fragante de orozús y yerbabuena,
detrás de los corderos va la Pena
junto al Pastor, como un mastín huraño.

Por en medio de un bosque de lentisco
les arrumba el Silencio hacia el aprisco
de una vida de paz ultraterrena.

Y a fin de que no escapen el sendero
les acosa el Silencio con su austero
negro mastín sin compasión, la Pena.

Pastorales y jacintos, 1917.

EL ESTÍO

Se viste con su bata de luz la Madrugada
como una dama joven, y va por entre dalias
y rosas imprimiendo sus húmedas sandalias
hacia el helado río que corre en la hondonada.

Y se muere en el baño. La Siesta del Estío
enciende sus hachones en los ardientes pinos
y olor a trebentina se siente en los caminos
que van desde los bosques hasta el cercano río.

En los lomos del Silencio cabalgando va la Tarde
hacia el sol ya moribundo que descansa sobre el monte;
todo el oro de los cielos como un río rueda y arde

y parece una bandera que se arrastra al horizonte.
Mientras tanto, de los valles, en los hombros del encanto,
la Noche se levanta, y Aldebarán le abrocha el manto.

Pastorales y jacintos, 1917.

CÁLMAME, SEÑOR

Cálmame, Señor,
esta mi sed de amor
que pone lágrimas en mi alma,
que funde las palabras de mi lengua
y las hace de miel y de fragancia
para mí, mientras las siento
perfumar mi pensamiento
en ausencia de los que amo.

¡Cálmame, Señor,
esta mi sed de amor!
Porque, en presencia de los que amo, siento
que el ambiente del mundo
congela mi palabra
y no fluye al querer del pensamiento

Hice de corazón un mandamiento,
como se hacen de sol
los trigos de los campos,
y amé a todas las gentes,
amé a todas las cosas,
pero sólo las cosas comprendieron.
Los hombres me buscaron el motivo
y desconfiaron del amor de otro hombre.

Mi corazón destila,
callado, dulce llanto
sintiendo el llamamiento
urgente del amor.
Mi voluntad le impone
silencio doloroso:
yo vivo el mandamiento
en mi mundo interior.

Cálmame, Señor,
esta mi sed de amor
que funde las palabras en mi lengua
y las hace de miel y de fragancia.

¡Cálmame, Señor!
Como un panal su miel
bajo el fulgor del sol,
mi corazón destila
dulce llanto de amor.
Úngeme con el ungüento
de tu paz y de tu luz,
¡y cálmame, Señor!

Los dioses vuelven, 1928.

LUIS LLORÉNS TORRES
1878 - 1944

Portorriqueño. Estudió en España Derecho y Filosofía y Letras en Barcelona y Granada. Allí publicó sus primeras obras. Al volver a su isla la encontró bajo la dominación de los Estados Unidos. Se dedicó a la abogacía y a la política, figurando entre los principales y más constantes defensores del ideal de independencia de su patria y del cultivo de su lengua y cultura hispanoamericanas. En 1913 fundó la *Revista de las Antillas* y reanudó su actividad literaria. En torno a esta revista y a él se desarrolló tardíamente el modernismo en Puerto Rico. Pero si Lloréns está todavía bajo la influencia del Rubén Darío de la última época, otras influencias, entre ellas las de Walt Whit-

man y Chocano, y sobre todo su temperamento original, le llevan hacia una poesía nueva en la que grandilocuencia y prosaísmo, fantasía y realismo, idealidad e ironía se casan y con-
trarrestan para producir un tono poético muy personal. Desde
sus largos poemas *Velas épicas* y *La canción de las Antillas* hasta
sus poemitas jíbaros en los que se acoge a lo más íntimo del
alma de su pueblo, hay una evolución poética que en su totalidad representa la poesía nacional de Puerto Rico con una
amplia significación hispánica.

BIBLIOGRAFÍA. — **Poesía**: *Al pie de la Alhambra,* Granada, 1899. *Sonetos sinfónicos,* San Juan de Puerto Rico, [1914]. *La canción de las
Antillas y otros poemas,* 1929.   **Otras obras**: *América: estudios históricos y filológicos,* Madrid, 1898.   **Estudios**: L. CRUZ MONCLOVA, *Con
el iniciador del modernismo,* en PRI, 31 mayo 1919. A. S. PEDREIRA y
C. MELÉNDEZ, *L. Ll. T.,* *el poeta de Puerto Rico,* en RBC, mayo-junio
1933; RABA, 1933, XLVII, núm. 115, 83-107.

BOLÍVAR

Político, militar, héroe, orador y poeta.
Y en todo, grande. Como las tierras libertadas por él.
Por él, que no nació hijo de patria alguna,
sino que muchas patrias nacieron hijas dél.

Tenía la valentía del que lleva una espada.
Tenía la cortesía del que lleva una flor.
Y entrando en los salones arrojaba la espada.
Y entrando en los combates arrojaba la flor.

Los picos del Ande no eran más, a sus ojos,
que signos admirativos de sus arrojos.

Fué un soldado poeta. Un poeta soldado.
Y cada pueblo libertado
era una hazaña del poeta y era un poema del soldado.

Y fué crucificado...

                                        Sonetos sinfónicos, 1914.

ARTURO CAPDEVILA

1889

Argentino, de Córdoba. Ejerció la abogacía y el profesorado en su ciudad natal hasta que se trasladó a Buenos Aires en 1922, donde ha sido profesor de literatura argentina en la Universidad de la Plata. Córdoba, arcaica y espiritual, vive en su obra, y también los pueblos adonde le han llevado sus viajes y sus lecturas. Su obra literaria es de gran aliento y amplitud: abarca en prosa el ensayo, el teatro, la novela, el cuento, la historia; en cuanto a temas, la lengua y la tradición argentinas, los Estados Unidos, Rusia, los gitanos, el Oriente y el Occidente, la realidad y los sueños. Abarca demasiado y su indudable fuerza de escritor — que es la que da unidad y valor a tantos libros — pierde con la dispersión lo que ganaría con una mayor selección y concentración. Pero tiene que ser necesariamente así, porque Capdevila, quiera o no, está hecho para el impulso romántico hacia lo grande y lo inabarcable. Por eso el tema dominante de su poesía es el dolor, la fatalidad y la tragedia; pero — como él mismo dice — «no el dolor miserable de la pequeña pena por el pequeño desastre de todos los días», sino la «inquietud profunda ante el destino; amargura ante la maldad humana; tristeza ante el derrumbe de las cosas esenciales». Así le juzga Gabriela Mistral: «Capdevila es un gran poeta porque aborda lo fatal.»

BIBLIOGRAFÍA.—**Poesía:** *Jardines solos,* Córdoba, 1911; Buenos Aires, 1924. *Melpómene,* Córdoba, 1912; Buenos Aires, 1928. *El poema de Nenúfar,* 1915; 1923; 4.ª ed., 1931. *El libro de la noche,* 1917. *La fiesta del mundo,* 1922; 1925. *El tiempo que se fué,* 1926. *Simbad,* canciones, 1929.   **Otras obras:** *Tambo nuevo,* leyenda sobre un episodio de la revolución de mayo, Buenos Aires, 1910. *Dharma: influencia del Oriente en el derecho de Roma,* Córdoba, 1914; 1917. *La Sulamita,* teatro, Buenos Aires, 1916; 1919. *La dulce patria,* ensayos, 1917. *El amor de Schahrazada,* 1918; 1928. *Las vísperas de Caseros,* 1922. *Córdoba del recuerdo,* ensayos, 1922. *Del libre albedrío,* ensayos, 1923. *Los hijos del sol,* 1923. *Tierras nobles: Viajes por España y Portugal,* 1925. *Los paraísos prometidos,* diálogos, 1925. *La casa de los fantasmas,* teatro, 1925. *La ciudad de los sueños,* cuentos, 1925. *América: nuestras nacio-*

nes ante los Estados Unidos, 1926. *Zincalí: poema dramático del misterio gitano*, 1927. *Babel y el castellano*, 1928; Madrid, 1931. *Del infinito amor*, ensayo, Buenos Aires, 1928. *El apocalipsis de San Lenín*, 1929. *Los románticos: espectros, fantasmas y muñecos del romanticismo*, 1929. *El gitano y su leyenda*, [1929]. *El divino marqués*, misterio dramático sobre el espantoso sino del Marqués de Sade, 1930. *Rivadavia y el españolismo liberal de la Revolución argentina*, 1931. *Loores platenses*, 1932. **Estudios:** J. G. ANTUÑA, *«La Sulamita», de C.*, en *Litterae*, París, 1926, p. 227-230; *Para los horizontes de América: El libro ae A. C.* [sobre *América*], en Nos, 1927, LV, 189-203. R. CANSINOS-ASSÉNS, *La nueva literatura*, t. III, Madrid, 1927; *A. C.*, en Nos, 1929, LXIV, 393-396. N. CORONADO, *A. C.*, en Nos, marzo 1918. R. DE DIEGO, *A. C.*, en Nos, agosto 1922. ENRIQUE ESPINOZA [S. GLUSBERG], Sobre *Simbad*, en VL, junio 1929. M. GAHISTO, Sobre *Zincalí*, en RAmL, 1928, XV, 356-359. M. GÁLVEZ, *La vida múltiple*, Buenos Aires, 1916. A. GARCÍA MELLID, *La poesía de A. C.*, en Nos, 1932, LXXV, 37-45. R. GUTIÉRREZ DE LA CÁRCOVA, *Leyendo «Melpómene» de A. C.*, en LitAr, ab. 1929. J. N., *Comentario sobre «Córdoba del recuerdo»*, en Nos, 1923, XLV, 229. M. LÓPEZ PALMERO, Sobre *Simbad*, en Nos, 1929, LXV, 374-376. L. LUGONES, *El poeta y su poesía: A. C.*, en RepAm, 2 julio 1927. R. MARQUINA, *La literatura argentina: el poeta A. C.*, en Esp, 15 marzo 1924. R. MAZZI, *Il sentimento tragico della vita in un poeta argentino*, en A. Giannini, *Alcuni aspetti e tendenze della politica degli stati dell'America latina*, Roma, 1928, p. 7-25. P. PILLEPICH, *Poesía y poetas argentinos*, en Nos, 1930, LXVII, 421-424. E. ROMERO, *A. C.*, en Sierra, 1929, III, núm. 29, 23. J. TILD, *Romantisme et romantiques d'après M. A. C.*, en RAmL, 1930, XIX, 159-161. J. TORRENDELL, *El año literario*, Buenos Aires, 1918. S. WAPNIR, *Crítica positiva*, Buenos Aires, 1926.

¡SANTIFICADO SEA!...

I

Y ahora, hermanas, viertan los pobres ojos nuestros
sus lágrimas. Murmuren los labios padrenuestros
inconsolables... Cierto. Ya no tenemos nada.
Recogí de mi padre la postrimer mirada
— una mirada limpia que fué casi lo mismo,
por lo tranquila y buena, que un agua de bautismo —;
una mirada... — hermanas, ¿cómo os diré? — más vaga
que la luz de una estrella lejana que se apaga...
algo impalpable... aroma que a cualquier soplo cede...

¡crepúsculo que quiere brillar y que no puede!...
Yo recogí en mis ojos su postrimer mirada,
y es cierto, hermanas mías, ya no tenemos nada!

Lloremos. Yo debiera consolaros, hermanas;
pero ya veis, no entiendo de esas palabras vanas.
Os digo:—Sed más fuertes. Pensad que así es la vida—.
Pero mi voz se quiebra, se rompe al fin vencida,
y lloro... Perdonadme que llore. Sólo escucho
el fragor de un derrumbe colosal. ¡Sufro mucho!
Más que nunca! No puedo... Las fuerzas me abandonan...
Todas las altiveces de ayer se desmoronan...
Soy débil. Y esta vida me carga demasiado!...
—¡Explicadme! ¡Explicadme, por Dios, lo que ha pasado!

II

Teníamos el alma rosada de esperanza...
La muerte ya se iba. Dijimos la alabanza
del Señor... de la tierra... de los astros... Dijimos
que la vida era un huerto cargado de racimos
de bendición. Pensamos que la senda era grata;
bueno el sol; y tañimos las campanas de plata
de la ilusión. Dijimos... ¡Dijimos tantas cosas!
Los búcaros volvieron a rebosar de rosas.
El piano, el piano mismo, se estremeció de acordes.
Escancié vino en cada cristal hasta los bordes.
Y retornaron todos los pájaros ilusos
de la fe.
          — De improviso, los rumores confusos
de fúnebres lamentos invaden las ventanas
de la casa. Las puertas se abren y cierran. Vanas
sombras nos oscurecen el ambiente... ¡De lejos
y de cerca, tinieblas no más! En los espejos
han puesto unos crespones que dan terror. Hay ruidos
que no he escuchado nunca. Se llena de gemidos
todo el aire... Unos hombres espantosos, que vienen
no sé de dónde ¡oh Cristo! de pronto se detienen
en mis umbrales. Traen unos largos blandones

y un ataúd. Sus pasos, con apagados sones,
van subiendo las anchas gradas de la escalera...
¿Por qué nadie les dice que se vayan, siquiera
por compasión? ¡Dios mío, casi no sé qué pasa
aquí entre las paredes malditas de la casa!

III

¡Ah! Con razón os dije:
— Perded toda esperanza.
Ayer, mirando al cielo, yo he visto en lontananza
señales agoreras; horóscopos malignos...
Y dijo el hierofante: ¡Se cumplirán los signos!

¡Los signos se cumplieron! ¡Oh, sabed la indecible
palabra, la siniestra palabra, la terrible
palabra, hermanas mías! Nuestro padre agoniza...
Y llorasteis. Lloramos. Una fría ceniza
de realidad deforme, nubló las resolanas
de la ilusión. Tocaron a muerto las campanas.
¡Y fué la hora vacía, crepuscular, horrible
de su muerte! Y fué el vuelo silencioso, intangible
de su espíritu enorme, santo... ¡Infinitamente
santo, puro y enorme! ¡Y fué que, frente a frente
del misterio, quedamos desolados, heridos,
cogidos·de la mano como niños perdidos
en un bosque, de noche, cuando todas las cosas
dan miedo en las profundas tinieblas clamorosas!

IV

Y fué el horror helado de perderlo; y el grito
desgarrador que apenas cabe en el infinito;
y el tomarse la frente con las manos febriles;
y el sentir cómo el alma se envejece, por miles
de siglos, en un solo minuto que apresura
no sé qué tenebrosas ráfagas de locura.
Y fueron las palabras supremas; los alzados
brazos implorativos; los cabellos crispados,

y el horror de andar solo, perdido en un desierto,
donde todo está triste, donde todo está muerto,
donde en medio de grandes escombros y destrozos,
como canes hambrientos me saltan los sollozos
y me muerden!...
         No, nada fué más cruel en la senda
ni lo será! No, nada! Ninguna cosa horrenda!
Nada! Ni andar errante!... Ni mendigar... ¡No, nada!
No podrá sombra alguna cegarme la mirada,
con tanta bruma y tanta lágrima y tantas penas;
ya nada en este mundo me rasgará las venas
como ese frío y ese dolor... y ese gran frío
de la muerte!... O más frío que la muerte!
                     ¡Ah!, mi río
de lágrimas, mi río de lágrimas amargas,
es ese que ha corrido por esas noches largas
y lentas; que ha corrido, con sus salobres olas,
por esas noches mías, enormemente solas!

V

    Y quién os dice ahora, con sollozante acento,
que al fin partimos todos en acompañamiento?
Ni quién os cuenta ahora de la esfinge callada
que en vano interrogamos, porque no sabe nada?
Ni quién os habla ahora de la suprema duda,
del sí... del no... del miedo a la verdad desnuda?
Y luego, ¿quién ha dicho que en ultratumba crezca
siquiera un débil árbol que dé sombra y florezca?
Quién dijo: Yo mi huerto regué bajo las losas?
Quién dijo: Yo he regado mi huerto y me dió rosas?
Y aquel que dijo: Amigos, Dios es un mito, y todo
no es más que la inconsciente transformación del lodo,
¿miró de extremo a extremo la esfera ilimitada,
y vió que Dios no existe, y vió que allí no hay nada?

    Mintieron los que hablaron.
                   La tarde, en un ocaso
infinito caía. Íbamos, paso a paso,
con la pesada caja funeral. Y en la calma

del cementerio, toda la soledad del alma
se me pobló de negras alas inexplicables,
lechuzas cenicientas y cuervos miserables...

Amigo: tú que diste la amarga despedida,
alzando tu sincera palabra entristecida,
tú sabes cómo entonces se mutiló en pedazos
toda mi vida... ¡toda mi vida entre tus brazos!

VI

¿Por qué, Señor y Padre, fatal Señor adusto,
tronchaste aquella vida, que era un árbol augusto,
verde en hojas y rico de fruta, cuya larga
sombra fué siempre buena sobre la senda amarga;
bajo cuya apacible caridad de hoja amiga
el pájaro cantaba:
                    — ¡Árbol, tu fronda abriga
más que el sol!
                    Tú llegaste, leñador, con el hacha
entre las duras manos. Una funesta racha
se complicó en la aleve comisión del intento;
y tronco y ramas y hojas desbarató su aliento,
desparramando en polvo la que hasta ayer fué larga
caridad de hojas verdes sobre la senda amarga.

¡Debiste, Dios y Padre, pensar por tus adentros,
que allá quién sabe dónde, por quién sabe qué encuentros
de eternidad, por pactos con Satanás, pudiera
ser que viniese el día de decirte una fiera
blasfemia, alguna fiera blasfemia oscura y rara,
gritada a pulmón lleno, mi Dios, y cara a cara!

VII

En ese instante, hermanas, vino el gurú de Oriente
y con austera mano me acarició la frente.
¡Creí que era mi propio padre que aparecía!
Alcé la vista: El noble gurú me sonreía...

Al fin habló:
             —No llores; no llores más —me dijo.
El padre ausente quiere que lo consuele al hijo.
Felices los que sufren la zarza del sendero:
¡suyas serán las almas que llegarán primero!
Dichosos los que sirven con su dolor de ejemplo:
porque en verdad pasaron el pórtico del templo.
Felices los que en sangre del corazón se lavan:
¡ésos arrojan siembra donde los otros cavan!
Felices los que buscan la claridad de Oriente:
¡el sol les da un mensaje de luz sobre la frente!
Dichoso tú que sufres, porque el dolor siniestro
te pone ante los ojos el libro del Maestro.

Y el libro dice: — Rompe tu corazón. Quebranta
tu selva para que oigas el pájaro que canta.
La vida es infinita y eterna. Tú eres viejo
como Dios. Mira hondo: Tú mismo eres tu espejo.
Tú eres copa de siglos; vaso de siglos; urna
de siglos. ¡Ilumina tu soledad nocturna!
Mil veces has venido de viaje por la tierra.
Piénsalo bien; que en esto tu realidad se encierra!
Mil veces fuiste el hijo del padre por quien lloras.
No sufras más, y espera la vuelta de las horas.
Feliz el alma abierta que en mi enseñanza crea.
Tu padre la creía: Santificado sea...
Tu surco era profundo. Sembré sabiduría.

Y se pobló de estrellas mi oscuridad vacía.

VIII

Y ahora, hermanas mías, santificado sea:
por el plácido viento que en las noches orea
las rosas;
             por la gota nocturna del rocío;
por la hierba del campo; por la espuma del río;
por la ilusión que expande; por la ilusión que alivia;
por la sonrisa que arde sobre una boca tibia;
por el ave que trina bajo la selva espesa;

por el amor que canta; por el amor que besa;
por la apacible brisa que jugueteando mueve
las frondas, en que hay suave sombra en la rama y leve
rumor entre las hojas;
                por la canción serena
que las monjas teresas cantan en Nochebuena;
por el buen sol que alegra la marcha por las rutas;
por el olor a flores; por el olor a frutas;
por todo huerto;
             en toda noche de primavera;
en toda mies dorada que ondula en la pradera;
en toda fuente clara, que es júbilo en los lares;
entre los nidos nuevos y entre los palomares.

¡Y así, séale blanda la enmarañada selva,
cuando por fin renazca y a acariciarnos vuelva!

Melpómene, 1912.

ASÍ

Por qué he escuchado tu filosofía!
Tú dijiste: Tus rosas son tempranas
y la rosa es mejor cuando es tardía.

Así, escuchando tu filosofía,
yo arranqué mi rosal de mis ventanas,
el buen rosal que en mi ventana ardía.

Hoy he visto, al pasar, rosas tempranas
en tu balcón donde hasta ayer no había.

Ve lo que valen tus palabras vanas,
ve en lo que para tu filosofía!

El poema de Nenúfar, 1915.

FIESTA MARINA

En esta noche hay fiesta a bordo,
fiesta en la nave y en el mar.
Sobre el mar cruza un rumor sordo,
tiempo tal vez del verbo amar.

Y asperja perlas en las brumas
finas la luna especular,
y entre las pálidas espumas
que son magnolias que abre el mar.

El capitán color de fresa,
que es un gentil lobo de mar,
empezó ya la polonesa
con donoso aire militar.

Síguenle todos en comparsa
dando una risa familiar.
Nada más raro que esta farsa
entre el son trágico del mar.

Alguna pena, sin motivo
mayor me viene a acompañar,
y hasta me pongo pensativo
viendo noctílucas del mar.

Pero es feliz la mascarada,
mientras en blando navegar
toda la nave bien amada
vuela banderas hacia el mar.

El poema de Nenúfar, 1915.

EL QUE QUIERA LA PAZ

El que quiera la paz en la muerte,
que la halle en la vida.
Sólo rige en la ley de la suerte
la propia medida.

El que quiera silencio en la tumba,
llévelo ganado.
En la muerte se alarga y retumba
lo que ya ha sonado.

El que quiera encender el abismo,
borrar el pecado,
ilumínese y sea lo mismo
que cielo estrellado.

El que quiera la gloria en el cielo,
hallar al Señor,
viva y muera vibrando de anhelo,
ardiendo en su amor.

El libro de la noche, 1917.

ME ACERQUÉ A LA FIESTA

Me acerqué a la fiesta del mundo. Me puse
mi traje de fiesta.
Cuando yo llegaba,
estaban cerrando las puertas.

Apagaban las últimas luces:
ya no había fiesta.
Un olor de perfumes gastados
flotaba en la noche desierta.

Me fuí por la vida. Y andando,
he oído palabras dispersas.
Quién decía justicia; quién gloria;
quién nombraba muy bien las estrellas.

Quién decía palabras muy altas;
quién decía palabras muy cuerdas.
He oído palabras... Las cosas
no supe lo que eran.

Había unos libros en donde
estaba sepulta la ciencia.
Hojeando cien libros estuve
mil noches eternas.

Menos luz en los ojos; las manos
un poco más viejas;
¡eso es todo!... Y el alma en el fondo
acaso más triste, más sola y más buena.

Me contaron del ave que habla:
nadie pudo encontrarla jamás.
Me contaron del árbol que canta :
ya no canta más.

Me acerqué a la fiesta del mundo. Las luces
apagaban ya.
Lo que he visto cuento. Mentira mi labio
no dice jamás.

La fiesta del mundo, 1922.

PLAYA

¡Ay, el que más se precia de conocer ensaya!
¿Qué velas son aquellas que vienen y que van?
Apenas conocemos un palmo de la playa...
Y hubo quien dijo: Hay naves que nunca volverán.

Un caracol apenas soy junto al mar profundo;
que mar profundo — cierto — la muerte inmensa es.
En mi humildad recojo la música del mundo...
Una ola al mar inmenso me llevará después.

La fiesta del mundo, 1922.

SERRANILLA

Había en las sierras
un eco sagrado.
Brillaba el lucero
del agua del alba mojado.

Se pintó una línea
en el horizonte.
Andaban ovejas y cabras
camino del monte.

En el cielo de oro
se teñía un lampo.
Llenaba los aires
frescura de hierbas del campo.

Borrosa en el alba
la húmeda senda subía.
Por sierras de Córdoba,
mañana de gloria se abría.

El tiempo que se fué, 1926.

LA MADRE

— Madre, la rosa de mi amor se ha roto.
¡Mira la rosa de mi amor herida!

No se lo digo, pero bien alcanza
la buena madre mi ilusión perdida.

Comprende. Calla. Pasa... Pero yo oigo
no sé cómo su voz enmudecida.

Su tristeza que dice: — Hijo del alma,
nadie compone rosas en la vida.

El tiempo que se fué, 1926.

ANTONIO REY SOTO

1879

Español, de Galicia. Aunque consagrado al sacerdocio, su labor literaria no tiene finalidad religiosa sino puramente artística. Hombre noble y abierto, vehemente y apasionado, ha expresado con énfasis romántico su sentimiento trágico de la vida, del dolor y de la muerte. Lo ha hecho en prosa y en verso. Sus poesías, aunque no ignoran el modernismo, significan una regresión al siglo XIX romántico con toques de clasicismo.

BIBLIOGRAFÍA. — **Poesía:** *Nido de áspides,* Madrid, 1911.　*El crisol del alquimista,* 1931.　**Otras obras:** *Amor que vence al amor,* poema dramático, Madrid, 1917.　*La loba,* novela, 1918.　*Cuento del lar,* tragedia rústica, 1918.　*La copa de cuasia (Ensayo de un libro del dolor),* Guatemala, 1928.　**Estudios:** R. CANSINOS-ASSÉNS, *Poetas y prosistas del noveciontos,* Madrid, 1919; *La nueva literatura,* t. III, Madrid, 1927. A. VALERO DE BERNABÉ y L. FERNÁNDEZ CANCELA, *El poeta de Galicia: A. R. S.,* Madrid, 1919.

MIS LEBRELES

Mis lebreles son membrudos,
aulladores, sanguinarios y coléricos.
Jamás duermen: incansables
van y vienen por su encierro,
los ijares siempre hundidos
y los ojos siempre torvos y sangrientos.

Su pelaje, que se eriza
si ventean una presa, es como el ébano,
y en el fondo de sus fauces encendidas
arden brasas del infierno.

Por debajo de sus labios replegados
se atarazan sus colmillos carniceros,
y sus húmedos hocicos
se dilatan humeantes y famélicos.

¡Cómo saltan, cómo aúllan
y retuércense, epilépticos,
agitando, vanamente, sus cadenas
en el antro temeroso, cuando llego!

Vibro el látigo, que silba,
e implacable los flagelo,
y ellos brincan, rugen, muerden
y encabrítanse, quiméricos,
con la llama de la lengua entre las fauces
y los ojos inflamados y siniestros;
y yo, impávido, sonrío,
y que soy el soberano entonces pienso,

y mi látigo silbante, como sierpe,
continúa retorciéndose en el viento,
hasta verlos humillados,
los hocicos jadeantes contra el suelo,
y las patas temblorosas,
y las colas extendidas bajo el pecho.

Mis lebreles no me aman,
y yo a ellos, los detesto;
y a pesar de nuestros odios, no los mato;
lo he intentado, mas... ¡no puedo!

Hombres fuertes, sonreíos,
porque voy a revelaros mi secreto:
¡Con pedazos de mi carne, palpitantes,
a esos canes monstruosos alimento!

Nido de áspides, 1911.

LUIS FERNÁNDEZ ARDAVÍN

1892

Español, de Madrid. Se dió a conocer en 1914 con su primer
libro de poesías *Meditaciones.* Aunque ha publicado después
otros dos libros de poesía, su actividad literaria principal
desde 1917 ha sido el teatro. Era natural que derivase hacia él,
porque sus poesías, aun las más subjetivas, tienen carácter
descriptivo y dramático. Su tema dominante es Castilla, el gran
tema del 98 español, que en Ardavín reaparece en forma afir-
mativa como sentimiento ascético de la vida y dramática se-
quedad de expresión. Poesía intensa, pero monótona y convencional, armoniza el siglo XIX con el modernismo rubendariano.

BIBLIOGRAFÍA.—**Poesía:** *Meditaciones,* Madrid, 1913. *Láminas de folletín y de misal,* 1920. *La eterna inquietud,* pról. de M. de Unamuno,
1922. *Fiestas galantes: Romanzas sin palabras* [de Verlaine, trad.], 1921.
Otras obras: *El señor Pandolfo,* farsa lírica [en colab. con P. Pérez Fer-

nández], Madrid, 1917. *La campana*, drama, 1919. *El hijo*, cuentos, 1921. *La dama del armiño*, drama, 1922. *El doncel romántico*, folletín escénico, [1922]. *Rosa de Francia*, juego de comedia [en colab. con E. Marquina], 1923. *Doña Diabla: Lupe, la mal casada*, 1925. *La estrella de Justina, La carta y la rosa, Lances de amor y fortuna*, [1925]. *La vidriera milagrosa*, [1925]. *Rosa de Madrid, La nave sin timón*, [1925]. *La hija de la Dolores, Cuentos de abate*, [1927]. *La cantaora del puerto*, [1927]. *Flores y Blancaflor*, comedia, [1927]. *Via crucis*, drama, 1928. *La maja*, comedia, 1928. *La parranda*, 1928. **Estudios:** J. ALSINA, Sobre *El doncel romántico*, en Sol, 19 nov. 1922. M. BACARISSE, *La tristeza, la tierra y la poesía* [sobre *Láminas de folletín y de misal*], en Esp, 31 julio 1920. E. DÍEZ-CANEDO, Sobre *La nave sin timón*, en Sol, 21 nov. 1925; Sobre *Rosa de Madrid*, en Sol, 4 marzo 1926; Sobre *La hija de la Dolores*, en Sol, 4 marzo 1927; Sobre *La cantaora del puerto*, en Sol, 26 marzo 1927; Sobre *La maja*, en Sol, 7 oct. 1928. M. FERNÁNDEZ ALMAGRO, Sobre *La cantaora del puerto*, en Voz, 26 marzo 1927; Sobre *La parranda*, en Voz, 27 abril 1928. E. DE MESA, Sobre *La vidriera milagrosa*, en Nac, 1924. A. RODRÍGUEZ DE LEÓN, Sobre *Via crucis*, en Sol, 8 enero 1928.

ÁRIDA

Porque tengo la sed de la tierra amarilla,
y es mi alma un sonoro caracol que está hueco...
Porque tengo el espíritu, como el surco en Castilla,
¡seco!

Porque vivo una loca juventud por afuera,
y aunque nada me dice del pasado el espejo,
soy por mi solitaria, dolorida cansera,
¡viejo!

Porque pasa la vida torturante y de prisa,
e igual en el podrido corazón que en el santo,
florece de las cálidas cenizas de la risa
¡llanto!

Porque pasan los siglos y la vida es lo mismo,
y aunqué son diferentes, son iguales las cosas...
Y en la angustia renacen, sangrando misticismo,
¡rosas!

Porque sé que el amor nunca es la vida entera,
y la desesperanza sobre el amor persiste...
Porque el alma está siempre, bajo la eterna espera,
¡triste!

Porque vi la pobreza del rico que ha matado
el corazón en una farsa hueca y sonora...
Porque vi la riqueza del pobre que, olvidado,
¡llora!

Porque voy implorando como un ciego mendigo
y dicen que estoy loco porque por ellos ruego...
¡Oh, soledad hermana, mira tu pobre amigo
¡ciego!

Porque quiero vestir el sayal de eremita
y tocar a maitines y humillarme al cilicio...
Porque soy bajo el yugo de la carne maldita
¡vicio!

Porque nada me espanta, ni me contenta nada...
Ni el placer me seduce, ni el tormento me aterra...
Porque sé que es la carne de la mujer amada
¡tierra!

Porque tengo la sed de la tierra amarilla,
y es mi alma un sonoro caracol que está hueco...
Porque tengo el espíritu, como el surco en Castilla,
¡seco!

Y porque sé que todos, bajo el mismo destino,
seguiremos iguales por el mismo camino,
¡esta aridez me arredra!
Que es hoy mi corazón, por gracia de mi sino,
¡piedra!...

Meditaciones y otros poemas, 1913.

EL ESCORIAL

A D. José Ortega y Gasset.

¡Escorial! ¡Escorial!... Severamente,
sobre la brava sierra,
alzas tu aristocracia frente a frente
de la pelada tierra...
¡Y estás meditabundo
y solitario y grave sobre el mundo!

¡Escorial! ¡Escorial!... Quiero llevarte
como norma perpetua de mi vida
y de mi arte...
¡Noble severidad, estáme unida!...
Severamente,
haz que esté altiva, como tú, mi frente...

¡Bojes de tu jardín! ¡Cúbicos bojes!...
¡Estanques, claustros, patios, galerías!...
¡Campanas en que lloran los relojes!...
¡Piedras frías!...
¡Como vosotros, quiero
ser tan firme, y tan puro y tan severo!...

¡Monjes del Escorial!... ¡Oh, patriarcas
que bajo vuestras celdas silenciosas
enterráis los monarcas
como la más sencilla de las cosas,
y abrís las gusaneras
para las coronadas calaveras!...

¡Monjes del Escorial!... ¡Oh, pensativas
frentes que soñáis tanto!...
¡Yo, con mis llagas vivas,
y con mis manos, de dolor temblantes,
quiero ser santo
enterrador de reyes y de infantes...!

¡Escorial! ¡Escorial!... Tardes de invierno
en que vienen las gentes
a pasear, con ese tedio eterno
que es la melancolía,
bajo la galería
de los Convalecientes,
y un sol tímido y sin
calor, dora los bojes del jardín...

¡Escorial! ¡Escorial!... ¡Oh, tarde fría
hecha para hilvanar meditación
sobre filosofía
o sobre religión!...
¡Solitario jardín del Monasterio
que lleva el corazón hacia el misterio!...

El ave blanca — que es el alma —, inquieta,
bate las alas, y tendiendo el vuelo,
posada en la veleta,
pasa del polvo de la tierra al cielo...

¡Escorial!... Por un hondo misticismo,
en ti me vi volar sobre mí mismo!...

¡Lonja explanada donde el paso suena,
rechinando la arena
sobre las grises losas!...
Por la que al ronco son de la campana
pasan, en la mañana,
las enlutadas misteriosas!...

¡Lonja explanada!... Fieros nubarrones,
rotos por las veletas en jirones,
te dan un tinte cárdeno y oscuro...
¡Lonja explanada donde el frío viento,
bajo la sombra del gigante muro,
limpia el alma de todo pensamiento impuro!...

Hileras de ventanas enrejadas,
sin damas y sin dueñas...
¡Torres empizarradas
que desgarran las nubes velazqueñas!...

¡Fondo de serranía
de robles y peñotas,
y ventisca bravía
que en remolino fiero
las haldas ciñe al hueso a las devotas
y deshace el embozo al caballero!...

   Esto es El Escorial: Un monasterio,
museo, tumba, iglesia y maravilla...
¡Hay enterrado en él todo un imperio!...
Y una luz amarilla
que le baña por fuera,
le da una aristocracia más several...
¡Ésta es la obra de don Juan de Herrera!...
¡Don Felipe Segundo
la dejó este silencio tan profundo!...

ENVÍO

   Maestro: Vos que habéis, en esas tardes frías,
paseado a la sombra del Monasterio, hilando
como hilillos de plata vuestras filosofías,
permitid que, temblando,
os ofrezca estos versos, que son, porque son míos,
también un poco fríos,
pero que tiemblan como el ave inquieta
que vi posada un día en la veleta central
de nuestra maravilla, El Escorial...

El Escorial, 20 diciembre de 1914.

La eterna inquietud, 1922.

JUAN JOSÉ LLOVET

1895

Español. En un momento (1913) gozó este poeta casi adolescente de súbita y pasajera popularidad. Era el momento en que, agotado el modernismo, aún no habían empezado en España los intentos decididos de superación. Este momento de

debilidad y confusión fué aprovechado por el público vulgar
— cuya mayor parte nunca llegó a aceptar la literatura modernista por defectos de ésta quizá tanto como de él — para dar
su voto y su aplauso a los autores mejores o peores en los que
creía ver resucitar el pasado acorde con su gusto y su costumbre. Así fué como por entonces fueron glorificados con el aplauso público algunos dramas, novelas y poesías — cuyos autores
eran en rigor corifeos del modernismo — que tenían el empaque exterior y el tono convencional de la literatura seudo-
clásica del siglo XIX.

BIBLIOGRAFÍA.—**Poesía:** *El rosal de la leyenda,* Segovia, 1913. *Pegaso
encadenado,* Madrid, 1914. **Estudios:** L. A. WARREN, *Modern Spanish
Literature,* London, 1929, t. II, p. 468-469.

CANTO A CASTILLA

¡Castilla, madre Castilla,
a los extraños extraña;
enorme rosa amarilla
abierta en medio de España!

¡Caserón de mis mayores,
flor de sol y de contienda,
retablo de mis amores
y solar de la leyenda!

¡Tierra de las verdes lomas
y las montañas audaces,
de las cándidas palomas
y las águilas rapaces!

¡Jardín de rosas añejas
que aromas de amor exhalas,
dando báculo a las viejas
y júbilo a las zagalas!

¡Matriz pujante y piadosa
de guerreros y de ascetas,
que abriste en tu suelo fosa
al cuerpo de los poetas!

— Tambores del Romancero,
esquilas de Garcilaso:
¡sobre un peñascal grajero
la dulzura de un ocaso! —

¡Castilla, madre Castilla,
la del pan dulce y moreno,
y el alma pura y sencilla,
y el cielo puro y sereno!

Hoy que llego a tu reposo
tan doliente y mal herido,
igual que un perro rabioso,
acosado y perseguido;

hoy que sé lo que tú vales
por lo que sé de esas tierras,
que no tienen recentales
ni pastores en sus sierras,

quiero lamentar tu ocaso
y enaltecer tu destino,
alzando por ti mi vaso
de «bon vino».

¡Castilla, qué grande fuiste
en un tiempo ya pasado;
sobre todo lo que existe
flotaba el pendón morado!

¡Amaba el Sol la bravía
color de tu piel morena,
y hecho trigo te envolvía
como en un manto de reina!

¡Era entonces cuando un loco
llenaba con su locura
todo lo mucho y lo poco
y el hueco de una armadura!

¡Era en el tiempo divino
en que todo galeote
en medio de su camino
se encontraba a Don Quijote!

¡Y era en la edad dorada
de los nobles caballeros,
que, desciñendo la espada,
cenaban con los cabreros!

¡Era entonces cuando había
amor en los corazones;
en las almas, hidalguía,
y fuego, en las ilusiones!

¡Y sobre los mares anchos
carabelas legendarias,
y gobernadores Sanchos
en ínsulas Baratarias!

¡Pero hoy es negra tu historia;
está tu pendón caído,
y el águila de tu gloria
se pudre sobre su nido!

¿Dónde están tus alazanes
y los roncos gritos fieros
de tus bravos capitanes
y tus rudos mesnaderos?

¡En qué poco te has quedado!
¡Se fueron tus poderíos
a los mares del pasado
con las aguas de tus ríos!

Todo porque en Barcelona
vencieron al caballero
que recogió en su tizona
las luces del mundo entero;

y aquel loco omnipotente,
que hizo tu gloria más ancha,
murió cuerda y vulgarmente
«en un lugar de la Mancha».

Mas tu renacer empieza;
serás Castilla otra vez,
y tornará tu grandeza
cuando Sancho sea juez.

¡Volverán días lejanos
cuando cualquier galeote
tome en sus callosas manos
la lanza de Don Quijote,

y desciñendo la espada
retornen los caballeros
a llegarse a la majada
por cenar con los cabreros!

¡Retoñará tu pasado!
¡Serás la misma que fuiste!
¡¡Flotará el pendón morado
sobre todo lo que existe!!

Pegaso encadenado, 1914.

JORGE HUBNER BEZANILLA

1892

Chileno. No ha publicado ningún libro. Es, sin embargo, uno de los mejores poetas de aquella generación chilena que produjo una poesía personal y sincera, estremecida por el dolor y el misterio.

PRÓLOGO

Como Dios en sus hostias, yo me puse en mi verso:
tenga ensueños la virgen que en su seno me hospede
y a los que me reciban dentro de un pecho adverso
en las lenguas un agrio gusto a sangre les quede.

Hacia el monte en que todo se hace calma belleza
con mis grandes dolores yo quise abrir caminos:
el espíritu es lámpara que enciende la tristeza:
los grandes tristes son guías de peregrinos.

Sentí bajo mi barca apresurarse el río
del tiempo que me lleva; terminé el verso mío
y vi que no tenía sino sinceridad...

Y como el agua hierve con un rumor de alerta,
lo doy sin hermosearlo, de miedo a abrir la puerta
que nadie abrió dos veces desde la eternidad...

LA LUZ

La luz tendió en la tarde ligeros gobelinos,
se hizo pronto una hoguera en que el mundo iba a arder,
cayó después en lluvia de azul por los caminos:
¡yo la he visto variar como alma de mujer!

Vi al arroyo anegarse en la luz del oriente,
en pupilas de niño sorprendí su claror,
entró a la pieza triste de una convalesciente:
¡la luz se ha dado a todos como nuestro Señor!

La luz con unas nubes hizo encendidas fraguas,
disfrazó a los torreones con un amplio albornoz,
alzó náyades diáfanas de la paz de las aguas:
¡la luz formó de nada sus mundos como Dios!

Por la luz unas flores me enseñaron dulzuras
y una tarde violeta me dijo que soñara
y los astros flotantes formaron frases puras:
¡sin la luz toda cosa su misterio guardara!

¡Mensaje que de lo hondo del misterio camina
y dilata los pechos como rosas abiertas!
¡Y que deja temblando una estrella divina
en la inmovilidad de las pupilas muertas!

PLEGARIA

Me dió, olvidando mi pasión funesta,
una ficción de albergue maternal;
vistió el amor su espíritu de fiesta
y apagué en un abrazo su protesta:
¡Líbrala tú, Señor, de todo mal!

Por la lenta amargura de su vida,
por dejarla desnuda ante la suerte,
porque la herí para beber su herida,
hazle gracia, Señor, de tu venida
ahora y en la hora de la muerte.

Ella pecó para que la quisiera,
la desnudó el amor de la moral,
fueron sus brazos leños de mi hoguera,
mientras yo la vendé porque no viera:
¡Líbrala tú, Señor, de todo mal!

¡Acógela, recógela! La he visto
pálida de fatiga. ¡Ha de quererte!
¡Sin saber... dice frases tuyas, Cristo!...
Algo que yo vi, sé que ha entrevisto
para ahora y la hora de mi muerte.

Hallaría la paz en tu constancia
la fatigada del amor sensual,
la soledad purificó su estancia:
si tú la miras, volverá a la infancia...
¡Líbrala tú, Señor, de todo mal!

¡Que no pierda aquella rosa llena
de evocación para el altar del bien!
Acuérdate, Señor, de la azucena
que brotó del dolor de Magdalena
y líbrala de todo mal, amén.

ÁNGEL CRUCHAGA SANTA MARÍA

1893

Chileno. Romántico por la identificación de su dolor personal con la esencia del mundo, es ultramodernista por la novedad de su expresión, retorcida y barroca. Su aspiración a lo
eterno, su amor al dolor, dan a sus poemas, de largo y moroso
aliento, una calidad lírica religiosa, intensa y sincera, más pró-

xima a la oscura queja bíblica que al límpido consuelo cristiano: turbia y compleja religiosidad primitiva, cuajada en simbolismos bajo los que late la desesperación moderna.

BIBLIOGRAFÍA. — **Poesía:** *Las manos juntas,* Santiago de Chile, 1915. *La selva prometida,* París, 1920. *Job,* poema, Santiago de Chile, 1922. *La ciudad invisible,* [1929]. **Otras obras:** *Los mástiles de oro,* Santiago de Chile, 1923. *Los poetas de vanguardia de Chile,* [1930]. **Estudios:** F. Donoso, *C. S. M.,* en RCChile, 1922. F. García Oldini, *Doce escritores,* Santiago de Chile, 1929. A. Torres Rioseco, *C. S. M.,* en RepAm, 1921.

EL AMOR JUNTO AL MAR

En mi silencio azul lleno de barcos
sólo tu rostro vive.
En el mar de la tarde el día duerme.
Eres más bella cuando estoy más triste.

Tiembla mi amor como una voz antigua
sobre la calma verde.
El sol cantando como los pastores
te dió su melodía hasta la muerte.

¡Oh, tus cabellos en la tarde de ámbar!
Cerca de tu pureza soy más blanco.
Sé que jamás tu corazón sencillo
latirá en la tristeza de mis manos.

Eres más bella cuando estoy más triste.
En mi desgracia largamente vivo.
Soy en el desamor tan desolado
como los continentes sumergidos.

Tu áurea cabeza brilla
en la tarde sutil y sedosa.
¡Pobre mi corazón que está llorando
y hasta su Dios se va como una ola!

Más allá de la vida,
triste como una selva abandonada
miro irse las horas
en las lunas, los pájaros y el agua.

Tu corazón sonríe
sin mirar mi fatiga.
Te arrancaron los ojos
en qué calle siniestra de la vida?

Yo me iba al futuro
con los brazos abiertos en la luz,
como se van las almas de los muertos...
¡Voy al futuro caminando aún!...

Como a un infante solo
te llevé de la mano
por mis sendas dormidas
en un claro perfume de alicanto.

En haces de centellas
fulgió mi corazón. ¡No lo miraste!
Más allá de la vida está llorando
como un niño en el seno de su madre.

La selva prometida, 1920.

LA APARICIÓN

En un monte apacible de ramajes oscuros,
como aquellos del hondo Huerto de los Olivos,
apareció el Maestro de los momentos puros
llamado por el turbio tormento de los vivos.

Bajo un sol quieto y fuerte, amarillo de asombro,
el mundo lo esperaba, laxo de sufrimiento.
Para morir quería apoyarse en su hombro
como un infante rubio en la seda de un cuento.

El soplo de los siglos monótonos y rudos
no había desgarrado su claridad de lino;
mas allá de su carne chocaban como escudos
las olas de los mares en un rapto divino.

Por sus venas azules deslizaban los ríos
sus aguas transparentes con un rumor de rosas
que deshojara el labio de gloriosos estíos.
En sus ojos estaban abismadas las cosas.

Desde el monte miró los limites del mundo,
los terrenos floridos, las ciudades enormes.
Ascendía del suelo un sollozo iracundo
que estremecía los campanarios deformes.

Jesús pensó en la dulce tierra de Palestina:
armoniosa en David; potente en Salomón.
Y recordó su muerte en la áspera colina
dando pétalo a pétalo todo su corazón.

Job, 1922

LOS HIJOS DE JOB

Somos hijos de las llagas
retoños del desaliento;
llevamos la cruz del Cristo
en lo íntimo de los huesos.
Nuestro canto es un puñal
que va a clavarse en los cielos.
Nacimos crucificados
como los largos senderos.

Nuestro canto es un abismo
que puede tragar el orbe.
Pasamos como los cuervos
por el cristal de la noche.
Estamos junto a la muerte.
Hemos llegado a los bordes
de este mundo y la esperanza
ha huído quién sabe a dónde.

¡Para qué luchar en vano
si nada ya nos consuela
y en nuestra túnica tosca
muerden todas las estrellas
como en un fruto maduro
donde la muerte se hospeda!
¡Para qué luchar en vano
si está maldita la tierra
y Luzbel tiende sus alas
de media luna siniestra!

Señor, espejo de oro
donde se miran los niños.
Somos los hijos de Job;
llevamos en el cilicio
una rosa del infierno
y un jazmín del Paraíso.
Pasamos como murciélagos
obscureciendo el camino.

Danos tu muerte, sabemos
que el júbilo nos olvida
y que hay ponzoña siniestra
en todas nuestras semillas.
¡Danos la muerte, Señor!
¡Rómpenos como una lira!
Entre tus dedos azules
se irá sonriendo la vida.

Avienta en el horizonte
todo el mal que nos doblega
y sopla tus huracanes,
porque podría la tierra
podrirse con el solemne
poder de nuestra miseria.
¡Que disuelva nuestras vidas
el viento de las estrellas!

Job, 1922.

EL CANTO DE LOS MARES SOLOS

Somos la remembranza de la tierra vencida.
Necesitaba Dios nuestro vaivén profundo
que era ritmo en sus venas y en su carne florida,
la invencible y eterna melodía del mundo.

Nuestro vigor es fuerza de estrellas y raíces.
Los árboles nos dieron sus moribundos bríos.
Soñamos en las claras y enormes cicatrices
que abrían las soberbias quillas de los navíos.

Como un collar perdido de piedras fabulosas
las estrellas nos hieren en nuestro sueño esquivo.
Somos la sangre turbia de las difuntas cosas;
el grito gutural del hombre primitivo.

En nuestra rebelión de temblores y nervios
el eco de la tierra que se murió podrida.
¡Oh mástiles sonoros, oh navíos soberbios
llevados por los vientos primeros de la vida!

¡Qué nuevos argonautas verán el vellocino!
En un dolor horrendo tiemblan nuestros ciclones
queriendo revivir el difunto destino
que fué sangriento y hosco como un tropel de leones.

Sabemos donde estaban las estrellas, sus rastros
quedaron en nosotros. Con dulzura de abuelo
iremos sobre el agua colocando los astros
que desprendió Jesús con su mano del cielo.

Seremos un vigor enorme y tenebroso.
En nuestras olas vibran inmortales tormentos,
la voz del Cristo rueda semejando un sollozo
lanzado de la cruz hacia los cuatro vientos.

Job, 1922.

CARLOS SABAT ERCASTY

1887

Uruguayo. «Fuerte, alto, de mirada azulada, con una sonrisa dibujada en los labios.» Así le describe su paisano Pereda Valdés, añadiendo que su figura es popular en Montevideo. Su poesía se caracteriza por la fuerza y la abundancia, por la valentía con que ataca los grandes temas humanos: el hombre, el tiempo, el mar, la vida. En forma libre, que tiene algo del versillo bíblico y del verso de Walt Whitman, canta a toda voz su exuberante optimismo vital y cósmico.

BIBLIOGRAFÍA. — **Poesía :** *Pantheos,* Montevideo, 1917. *Poemas del hombre: Libro de la Voluntad, Libro del Corazón, Libro del Tiempo,* 1921. *Poemas del hombre: Libro del mar,* 1922. *Églogas y poemas marinos,.* 1922. *Vidas,* 1923. *El vuelo de la noche,* 1925. *Los adioses,* 1929. *Poemas del hombre: Libro del amor,* 1930.   **Otras obras:** *Los juegos de la frente,* ensayos, Montevideo, 1929.   **Estudios:** B. CARRIÓN, *Mapa de América,* Madrid, 1930.   A. ZUM FELDE, *Proceso intelectual del Uruguay,* t. III, Montevideo, 1930, p. 164-170.

ALEGRÍA DEL MAR

Alegría del mar! Alegría del mar! Alegría del mar!
Los vientos resalados danzan, corren, asaltan!
Los vientos anchos muerden las grandes aguas locas!
Ruedan ebrias las olas,
blancas hileras de espuma señalan
los peñascos negros bajo las olas verdes!

Alegría del mar! Alegría del mar! Alegría del mar!
Las bocinas del viento
hinchan los caracoles de las islas duras
con largos cantos ágiles!
Ah, el furor de la música, la salvaje potencia,
los anhelantes gritos, los acordes crispados
de las olas violentas de vientos y de sales!
Alegría del mar! Alegría del mar! Alegría del mar!
Es ésta la hora cósmica,
la hora desenfrenada del Océano!
El negro pulmón
sopla los huracanes de colores oscuros.
El sol abre en las nubes grandes puertas azules
con sus manos de fuego.
El viento retuerce los mástiles
y hace gritar las quillas y las proas
con voces resinosas y calientes.
Alegría del mar! Alegría del mar! Alegría del mar!
Entre todo el tumulto palpitante del agua,
entre las olas ebrias, entre los vientos ásperos,
frente a las rocas agrias y las islas amargas,
baila mi corazón sobre la nave,
danza en la inmensa música con sus pasiones libres!

Alegría del mar! Alegría del mar! Alegría del mar!
La ola golpea contra el límite!
El viento se rompe contra el límite!
El huracán y el mar combaten contra el límite!
Ah,
ebriedad, locura, fiebre, crispación, rabia, delirio!
Las rocas se rajan y saltan!
Los peñascos se doblan rugiendo!
Las islas gritan con su pecho negro!
Los faros silban con su brazo enhiesto
salpicado de sal!

Alegría del mar! Alegría del mar! Alegría del mar!
Mis ojos van a estallar de júbilo!
Todo empapado y agrio de espumas y de sales,
yo voy sobre la proa profunda de peligros!
Los vientos se castigan ágiles y furiosos,
las olas se levantan enloquecidas, ebrias
rugen en el océano las entrañas amargas.

Ah, libertad,
maravillosa libertad,
palpitante, delirante, febriciente, trágica,
infinita alegría de la fuerza libre!
Mi corazón! Mira!
La ola golpea contra el límite!
El viento golpea contra el límite!
El mar entero y vasto golpea contra el límite!
Corazón mío, danza sobre la nave,
llora y grita, ríe y canta!
Yo aguardo el instante del prodigioso escollo
donde se estrellarán las viejas tablas
ah,
cuando mi cuerpo blanco, extenso y luminoso
vaya en las grandes olas a la orilla divina
hacia lo inesperado de un destino más alto!

La ola golpea contra el límite!
Alegría del mar!
Alegría del mar!
Alegría del mar!

Poemas del hombre: Libro del mar, 1922.

50

LOS ADIOSES

VIII

Sueño que estoy soñando y soy dueño del sueño,
igual que si una flauta escuchase su canto
adentro del encanto de su alma. Y levanto
mis sueños por la gracia de sentirme su dueño.

Sueño que estoy soñando! Veo el lago risueño
y los vastos reflejos, y hasta me creo tanto
como lo que ha llenado mi espejo. El desencanto
vendrá. Se irán los sueños. Seré otra vez pequeño.

¡Juegos de la ilusión!... La lanzadera interna
teje los grandes lienzos de la sustancia eterna
mientras decora adentro los más bellos tapices.

Yo estoy como a la orilla de un río de quimeras
maravilladas de armonías y matices
que no me dejan ver las cosas verdaderas.

XVII

Estar en mí las horas enteras y los días
apretando mi yo y sabiéndome mío.
Ser el lago de la corriente que era el río,
y no irme hacia afuera ni por las cuencas mías.

Sólo tener mis concentradas melodías,
el fuego de mi fuerza y el metal de mi frío.
Y sin abrirme al mundo vencer el largo hastío,
y perseguirme siempre con tenaces porfías.

Tapiar las cinco puertas que me llevan al mundo.
Hundirme en un océano cada vez más profundo
entre las soledades de la íntima jornada.

Obstinarme un deseo todavía más hondo,
para encontrar, acaso, escondido en el fondo,
ese extraño vacío donde empieza la nada.

XXX

Ceniza del más vehemente encendimiento,
perfección del guijarro en la muerte del río,
pompa de Dios, orgullo hostil, hoy suave hastío
tan dulce y melancólico que ni vencerlo intento.

Viejo barco pirata que nunca más el viento
arrancará del muelle... Es triste, pero río
de pensarlo y sentirlo, mientras disfruto el frío
cínico y el perverso,deleite del tormento.

Ni el clarín, ni el penacho, ni el pensamiento en alto,
ni la esperanza. Nada! De un raro gris esmalto
las auroras de fuego y la más firme estrella.

¿Para qué el grito ávido sobre la luz herida?
Tan fina y tan perfecta fluye sin luz la vida,
que a medida que mato mi ser, la hago más bella.

Los adioses, 1929.

RAFAEL HELIODORO VALLE

1891

Hondureño. Estudió en la Escuela Normal de México, donde
se graduó en 1911. En su país fué Subsecretario de Educación
Pública y Catedrático; de 1918 a 1921, Secretario de la Misión
especial de Honduras en Washington. Desde 1921 reside en
México, incorporado a la vida intelectual y universitaria de
dicho país, que le considera como suyo. Su poesía, de filiación
modernista, es sentimiento idealizado de la infancia, de la naturaleza, de la leyenda, con toques de ironía y prosaísmo.

Bibliografía.—**Poesía:** *El rosal del ermitaño,* México, 1910; San José
de Costa Rica, 1920. *Como la luz del día,* Tegucigalpa, 1913. *El perfume de la tierra natal,* 1914; [1917]. *Anfora sedienta,* México, 1922.
Otras obras: *Cómo era Itúrbide,* estudio biográfico, México, 1922. *La
anexación de Centro América a México* (documentos y escritos de 1821),

pref. y compil. de R. H. V., México, 1924-27. *El convento de Tepotzotlán,* México, 1924. **Estudios:** R. Brenes Mesén, Sobre *Ánfora sedienta,* en NAm, 1923, VII, 177-187. A. Dotor, *Poetas de América: R. H. V.,* en EyACVL, 1927, I, 30-31. F. González, Sobre *Ánfora sedienta,* en Esp, 3 feb. 1923.

LA ESCUELA DE LA NIÑA LOLA

Para José Vasconcelos.

Éste es el día, la canción es ésta.
La casa familiar
está de fiesta,
el aire se deslíe en miel solar
y al corazón locuelo le dan ganas
de entreabir las ventanas
y cantar.

Éste es el día claro del Maestro,
en que todas las cosas
luminosas
están;
el día claro, el día cristalino
— se alzan las manos y las gracias dan —,
el día de la flor en el camino,
grato en el vino
y trémulo en el pan.

Las gracias dan
la estrella diamantina
y la palabra oscura en la neblina,
y también la palabra luminosa,
y se aparta la espina
y se enciende la rosa...

Y se asoma al balcón de este momento
el día — el niño de la crencha rubia —
risa en el viento
y lágrima en la lluvia...
Y su contento
es pompa que se irisa

y el llanto se matiza
de ilusión
y el día es en los ojos la sonrisa
y en los labios azules la canción.
(Un día claro es la mejor lección.)

Ya me acuerdo: era un patio con fragancia
de azaharecidos pétalos: mi infancia
y el naranjo floreaban a la vez.
Y el cielo era un azul lo más suave...
El alma mía
se sentía
un ave
entre la incertidumbre del «quién sabe»
y la ciega dulzura del «tal vez».

Aquel recuerdo aún me tornasola.
El alma mía
azul amanecía
desesperadamente en su corola...
La niña Lola
en mis jardines era
a la manera
de la Primavera.
Su recuerdo se asoma
de repente
más floreciente
cuanto más lejana,
y se espanta a manera de paloma
— a la de armiño,
seda de cariño —
enfrente
a la ventana
en que se asoma
el niño.

Es mariposa
bulliciosa
y vuela
y huye y regresa y en mi amor reposa,

mi amor, que por el patio de la escuela,
corre infantil, tras esa mariposa...

Amanecía
azul el alma mía.
Todo en el aire estaba floreciente.
Dos cosas claras en la escuela había:
mi corazón y el agua de la fuente.
El agua sonriente
era un altar
lleno de luz solar
que aún me deslumbra:
los pájaros llegaban del oriente
a beber y a cantar
como en un nido
lleno de azul, de risa y de penumbra.
¡Y el sol era un muchacho consentido!

Y su recuerdo aún me tornasola.
La niña Lola
estaba sonrosada y sonreída
como la vida
y como la ilusión.
Yo aprendí esta lección
para mi vida:
¡la música del agua va escondida
y tiene un ritmo como el corazón!

¡Qué cosas!
Mis recuerdos como rosas
se me van deshojando en el sendero.
Tarde de escuela bajo el aguacero:
¡rosal
de rosas de cristal,
yo quiero
ver tus rosas, punzarme en tus espinas,
y caídas y pálidas las alzo!
¡Yo soy aquel que bajo el aguacero
cantando su canción, iba descalzo!

¡Ah, mis ciudades vagas en la arena
del patio en que el naranjo se efundía
áureo de miel
y loco de alegría!
¡Ah, mi puerto distante!
Yo fuí el
«as» de «ases» entre los aviadores,
y almirante entre los descubridores,
pues seguían mis barcos de papel
la huella de mis globos de colores...
Y la tarde en mi frente se adormía
(no se sabía
cuál de las dos era la más serena).
Y yo estudiaba así mi Geografía
en mis ciudades vagas de la arena.

Yo tenía
una sed de transparencia,
de monte azul y trémolo de río.
(No distinguía
bien la diferencia
entre el tuyo y el mío.)
Yo vivía
temblando en una gota de rocío.

La gota de rocío fué mi horario,
su libro abierto fué mi abecedario
y en su cristal un símbolo ondulaba
— cristal de roca en que la frente mía
como en un relicario se encerraba —:
¡mi sonrisa fugaz lo estremecía
y mi lágrima dulce lo enturbiaba!

Sopla mi boca
ese cristal de roca...
La brisa está en la pompa que se irisa
y que azulina cambia de figura
y es en el huracán dorada y pura,
efímera canción que me depara
desesperadamente mi ternura
y en mi recuerdo límpido se aclara.

Mi lágrima es lucero diamantino,
fino diamante en la pupila hermosa,
luz deliciosa
en el oriente fino.
¡Anakreón me regaló una rosa
y me enseñó Pitágoras un trino!
(Y hallé una flor en medio del camino.)

¡Y el trino vuela,
en mi temblor se posa
como un perfume en medio de la rosa
que es de la niña Lola y de su escuela!
Y soy un niño en la canción que sueña
con un lampo de sol entre la greña:
un niño azul, un niño cristalino,
y a la vez una lágrima en un trino...
Y la luz de esa lágrima me alumbra
la oscuridad de la primer congoja:
¡mi canción se desmaya en la penumbra
y mi rosa en el viento se deshoja!

*(Poema leído en la ceremonia de la Secretaría de
Educación Pública «El Día del Maestro», 15 de
mayo de 1922.)*

Ánfora sedienta, 1922.

EL ÁNFORA SEDIENTA

Creo en la idea todopoderosa
que da el laurel a la melena endrina
y que en la Tierra Santa de la Espina
eleva su Jerusalén la Rosa.

Y en la diadema crisoelefantina
que en la cabeza lúgubre reposa,
y en el viento, que es de la golondrina,
y en el jardín, que es de la mariposa.

Creo que la neblina en la tormenta
arde en el ritmo puro y lo ilumina.
La noche es como un ánfora sedienta

en que fulguran gemas silenciosas...
Creo en la noche y creo en la neblina.
¿Mi corazón? Lo que yo tengo es rosas.

Ánfora sedienta, 1922.

MEDARDO ÁNGEL SILVA

1902-1920

Ecuatoriano. Aquejada de pesimismo congénito, que él acha-caba al hecho de ser mulato, pero cuya raíz estaba en la debi-lidad de su salud, acabó su pobre y sombría vida con el suici-dio. Su esfuerzo literario fué, sin embargo, el más notable que su país ofrece en la época modernista. Conoció a los poetas románticos alemanes e ingleses, y a los místicos españoles, y logró expresar en sus pocas poesías el sentimiento único de su derrota.

BIBLIOGRAFÍA. — **Poesía:** *El árbol del bien y del mal*, Guayaquil, 1920. *Poemas*, pról. de G. Zaldumbide, París, 1926. **Estudios:** A. FALGAI-ROLLE, Sobre *Poemas*, en RAmL, 1927, XIII, 466-467. A. GONZÁLEZ CASTRO, *Un poeta tropical: M. A. S.,* en Nac, 1924.

OFRENDA A LA MUERTE

Muda nodriza, llave de nuestros cautiverios,
oh, tú que a nuestro lado vas con paso de sombra,
emperatriz maldita de los negros imperios,
¿cuál es la talismánica palabra que te nombra?

Puerta sellada, muro donde expiran sin eco
de la humillada tribu las interrogaciones,
así como no turba la tos de un pecho hueco
la perenne armonía de las constelaciones...

Yo cantaré en mis odas tu rostro de mentira,
tu cuerpo melodioso como un brazo de lira,
tu planta que han hollado Erebos y Letheos,

y la serena gracia de tu mirar florido
que ahoga nuestras almas, exentas de deseos,
en un mar de silencio, de quietud y de olvido.

El árbol del bien y del mal, 1920.

INTER UMBRA

¡Cómo estás en tu negro calabozo de arcilla
en vigilia perenne sepulta, ¡oh alma mía!,
en el fango del mundo hincada la rodilla
tú que eres toda luz y gracia y armonía!

¡Gota azul de la sangre divina de los astros
que el Destino vertió en una ánfora pobre!
¡Arquitectura eximia de oros y alabastros
hundida para siempre bajo la mar salobre!...

En el confín, rosada, ya se anuncia la hora...
Gabriel mueve sus alas en el campo celeste...
¡Vuelve desde tu noche a la límpida aurora
y que sepan los astros el color de tu veste!...

El árbol del bien y del mal, 1920..

4

REACCIÓN HACIA EL PROSAÍSMO SENTIMENTAL

a) *Poetas del mar y viajes.* b) *Poetas de la ciudad y los suburbios.* c) *Poetas de la naturaleza y la vida campesina.*

a) *Poetas del mar y viajes.*

TOMÁS MORALES

1885 - 1922

Español. Nació en un pueblecito costero de la Gran Canaria;
empezó sus estudios en Las Palmas; hizo en Cádiz y en Madrid
la carrera de Medicina, que ejerció en su isla natal. Ésta le dió
los temas diversos de su poesía, la más rica, amplia y brillante
de la fase postmodernista en España; tanto, que su obra no cabe
en una de las secciones en que la hemos dividido. Si le coloca-
mos en ésta es porque creemos que la parte de su obra en que
su originalidad se ha logrado de modo más intenso y acabado,
es aquella que tiene como tema las emociones del mar y del
puerto en sus aspectos vulgares y cotidianos. Otros poemas del
mar, de más altos vuelos, como su *Oda al Atlántico,* son fragmentos de una visión poética y mitológica del mar, en la que
brillan sus grandes cualidades retóricas de filiación más directamente modernista. Otro de sus temas, el que más ha prendido en la poesía canaria, es el de las emociones íntimas y los
recuerdos infantiles.

BIBLIOGRAFÍA.—**Poesía** : *Poemas de la gloria, del amor y del mar,* Madrid, 1908. *Las rosas de Hércules,* Libro segundo, 1919; [Libro primero,
pról. de E. Díez-Canedo], 1922. **Estudios :** E. Díez-Canedo, Sobre
Poemas de la gloria, del amor y del mar, en L, 1908, año VIII, t. II, 315-
318, *T. M.,* en Pl, 1922, III, 31; *Voces de Atlántida : los líricos de Canarias,* en Nac, 1923. F. González, *T. M., íntimo,* en Esp, 23 dic. 1922.

VACACIONES SENTIMENTALES

> De toda la memoria sólo vale
> el don preclaro de evocar los sueños.
> ANTONIO MACHADO.

I

Cortijo de Pedrales, en lo alto de la sierra,
con sus paredes blancas y sus rojos tejados;

con el sol del otoño y el buen olor a tierra
húmeda, en el silencio de los campos regados.

Bajo la dirección tenaz de los mayores
se fomentó la hacienda y se plantó la viña;
y más tarde, sus hijos, que fueron labradores,
regaron con su egregio sudor esta campiña.

Todo está como ellos lo dejaron : la entrada
con su parral umbroso y el portalón de encina;
aún la vieja escopeta de chispa, abandonada,
herrumbroso trofeo decora la cocina.

Allí los imagino, con ademán sereno,
bajo las negras vigas del recio artesonado,
al presidir la mesa, partiendo el pan moreno
sus diestras, que supieron conducir el arado;

o en la quietud benigna del campo bien oliente,
mientras el agua clara corre por los bancales,
de codos sobre el mango de la azada luciente
e inclinadas a tierra las testas ancestrales...

¡Oh el perfume de aquellas existencias hurañas,
que ignoraron, en medio de estos profusos montes,
si tras estas montañas habría otras montañas
y nuevos horizontes tras estos horizontes!

La casa blanca al borde de las espigas rubias,
la conciencia serena y el hambre satisfecha,
los ojos en las nubes que han de traer las lluvias
y el alma en la esperanza de la buena cosecha...

Y así fueron felices... De toda su memoria
sólo quedó esta página inocente y tranquila :
¡Vivieron largamente, sin ambición ni gloria;
su vida fué una égloga dulce como un esquila!

V

Por fin se terminaron aquellas vacaciones.
Otra vez el colegio con su péndulo lento,
los empolvados mapas de los largos salones
y los eternos días llenos de aburrimiento...

A últimos de septiembre, una mañana fría,
nos recogió el vetusto coche de la pensión.
¡El primero de octubre! Poco piadoso día
que era tan detestado por nuestro corazón!...

Entre besos y lágrimas nos hemos despedido...
Una tenue llovizna que empaña los cristales,
desciende finamente sobre el campo aterido,
empapando las hojas de los cañaverales...

Vamos cruzando el pueblo que duerme sosegado;
algunas puertas se abren; algunos labradores
que van al campo, pasan fumando a nuestro lado,
y al saltar de las ruedas sobre el tosco empedrado,
despiertan los primeros gallos madrugadores.

Llegamos a la plaza. De la fragua al abrigo,
miramos, inundados de un profundo pesar,
al hijo del herrero, nuestro mejor amigo,
que en el umbral asoma para vernos marchar.

Y al llegar al colegio vemos sin alegría
nuestro uniforme y nuestra gorra galoneada,
que el alma, entonces niña, con gusto trocaría
por el trajín sonoro de la vieja herrería
y la carilla sucia de nuestro camarada...

Poemas de la gloria, del amor y del mar, 1908.

POEMAS DEL MAR

I

Puerto de Gran Canaria sobre el sonoro Atlántico,
con sus faroles rojos en la noche calina,
y el disco de la luna bajo el azul romántico
rielando en la movible serenidad marina...

Silencio de los muelles en la paz bochornosa,
lento compás de remos en el confín perdido,
y el leve chapoteo del agua verdinosa
lamiendo los sillares del malecón dormido;

fingen en la penumbra fosfóricos trenzados
las mortecinas luces de los barcos anclados,
brillando entre las ondas muertas de la bahía...

y de pronto, rasgando la calma, sosegado,
un cantar marinero, monótono y cansado,
vierte en la noche el dejo de su melancolía...

II

La taberna del muelle tiene mis atracciones,
en esta silenciosa hora crepuscular.
Yo amo los juramentos de las conversaciones,
y el humo de las pipas de los hombres de mar.

Es tarde de domingo; esta sencilla gente
la fiesta del descanso tradicional celebra;
son viejos marineros que apuran lentamente,
pensativos y graves, sus copas de ginebra.

Uno muy viejo cuenta su historia: de grumete
hizo su primer viaje el año treinta y siete,
en un patache blanco, fletado en Singapoore...

y contemplando el humo, relata conmovido
un cuento de piratas, de fijo sucedido
en las lejanas costas de América del Sur...

III

Y volvieron de nuevo las febricientes horas,
el sol vertió su lumbre sobre la pleamar,
y resonó el aullido de las locomotoras
y el adiós de los buques dispuestos a zarpar.

Jadean chirriantes en el trajín creciente
las poderosas grúas..., y a remolque, tardías,
las disformes barcazas andan pesadamente
con sus hinchados vientres llenos de mercancías;

nos saluda a lo lejos el blancor de una vela,
las hélices revuelven su luminosa estela...
Y entre el sol de la tarde y el humo del carbón

la graciosa silueta de un bergantín latino
se aleja lentamente por el confín marino,
como una nube blanca sobre el azul plafón...

V

Llegaron invadiendo las horas vespertinas,
el humo denso y negro manchó el azul del mar;
y el agrio resoplido de sus roncas bocinas
resonó en el silencio de la puesta solar.

Hombres de ojos de ópalo y de fuerzas titánicas,
que arriban de países donde no luce el sol:
acaso de las nieblas de las Islas Británicas,
o de las cenicientas radas de Nueva York.

Esta tarde, borrachos, con caminar incierto,
en desmañados grupos se dirigen al puerto,
entonando el *God save* con ritmo desigual...

Y en un ¡*hurra!* prorrumpen con voz estentorosa
al ver sobre los mástiles ondear victoriosa
la púrpura violenta del pabellón Royal...

VIII

Esta vieja fragata tiene sobre el sollado
un fanal primoroso con una imagen linda;
y en la popa, en barrocos caracteres grabado,
sobre el LISBOA clásico, un dulce nombre: OLINDA...

Como es de mucho porte y es cara la estadía,
alija el cargamento con profusión liviana:
llegó anteayer de Porto, filando el mediodía,
y hacia el Cabo de Hornos ha de salir mañana...

¡Con qué desenvoltura ceñía la ribera!
Y era tan femenina, y era tan marinera,
entrando, a todo trapo, bajo el sol cenital,

que se creyera al verla, velívola y sonora,
una nao almirante que torna vencedora
de la insigne epopeya de un combate naval...

FINAL

Yo fuí el bravo piloto de mi bajel de ensueño,
argonauta ilusorio de un país presentido,
de alguna isla dorada de quimera o de sueño
oculta entre las sombras de lo desconocido...

Acaso un cargamento magnífico encerraba
en su cala mi barco, ni pregunté siquiera;
absorta mi pupila las tinieblas sondaba,
y hasta hube de olvidarme de clavar mi bandera.

Y llegó el viento Norte, desapacible y rudo;
el poderoso esfuerzo de mi brazo desnudo
logró tener un punto la fuerza del turbión;

para lograr el triunfo luché desesperado,
y cuando ya mi cuerpo desfalleció cansado
una mano en la noche me arrebató el timón...

Poemas de la gloria, del amor y del mar, 1908.

ODA AL ATLÁNTICO

IV

Es una inmensa concha de vívidos fulgores;
cuajó el marismo en ella la esencia de sus sales,
y en sus vidriadas minas quebraron sus colores
las siete iridiscentes lumbreras espectrales.
Incrustan sus costados marinos atributos
— nautilos y medusas de nacaradas venas —
y uncidos a su lanza, cuatro piafantes brutos
con alas de pegasos y colas de sirenas.
Vedlos : ¡cómo engallardan las cabezas cornígeras!
Ensartadas de perlas vuelan las recias crines,
y entre sus finas patas, para el galope alígeras,
funambulescamente, rebotan los delfines...
El agua que inundara los flancos andarines
chorrea en cataratas por el pelo luciente.
¡Oh, cuán abiertamente

se encabritan y emprenden la car.era, fogosos,
los ijares enjutos, los belfos espumosos,
al sentir en las ancas las puntas del tridente!...

V

Y en medio, el Dios. Sereno,
en su arrogante senectud longeva,
respira a pulmón pleno
la salada ambrosía que su vigor renueva.
Mira su vasto imperio, su olímpico legado
— sin sendas, sin fronteras, sin límites caducos.—;
y el viento que a su marcha despierta inusitado,
le arrebata en sus vuelos el manto constelado,
la cabellera de algas y la barba de fucos...
Tiende sobre las ondas su cetro soberano;
con apretada mano,
su pulso duro rige la cuadriga tonante
que despide en su rapto fugaces aureolas
o se envuelve en rizadas espumas de diamante...

¡Así miró el Océano sus primitivas olas!

XV

¡La Nave!... Concreción de olímpica sonrisa;
vaso maravilloso de tablazón sonora,
pájaro de alas blancas para vencer la brisa:
amor de las estrellas y orgullo de la aurora...
El sol iluminaba las jarcias distendidas;
el coro dió sus hombros a las bandas pulidas;
y al deslizarse grave por la arena salada
— galardón infinito de la empeñada guerra —
de aplausos coreada,
en inverso prodigio, iba hacia el Mar la Tierra...

XVI

¡Honor para el que apresta los flotantes maderos,
para los calafates, para los carpinteros

de ribera, nutridos de las rachas eternas
de la playa sonora!...
¡Y para aquel, más hábil, que trazó las cuadernas,
la caricia del aura de la fama armadora:
las condiciones náuticas del casco celebrado
nacen de su acertado
promedio entre la manga, el puntal y la eslora!

XVII

¡Honor para vosotros, y gloria a los primeros
que arriesgaron la vida sobre los lomos fieros
del salvaje elemento
de la mar dilatada:
nautas sin otro amparo que la merced del viento
y sin más brujulario para la ruta incierta
que la carta marina de la noche estrellada,
sobre sus temerarias ambiciones, abierta!...

Las rosas de Hércules, libro II, 1919.

ALEGORÍA DEL OTOÑO

Por honrar mis vendimias, el otoño ha enviado
un gentil mensajero de olímpico atributo.
Hoy, al bajar al huerto, me lo encontré apoyado
en un peral que hogaño rindió su primer fruto.

Desnudo bajo el húmedo verdor de la espesura
la rubia sien corona con detonantes flores,
y un sarmiento flexible que arrolla su cintura
deja caer un pámpano que cubre sus pudores.

Un encendido bozo sobre su labio ufano
anuncia una jocunda nubilidad precoz;
una naranja es gala de su siniestra mano;
su diestra empuña un gladio curvo como un hoz.

A mi saludo amigo ambas prendas me ofrece.
—Toda su savia joven me transmitió con ellas—.
Sobre la tierra blanda, donde el peral florece,
los blancos pies descalzos han impreso sus huellas.

Y al marchar a mi lado floreciente y desnudo,
por descubrir su esencia se afana mi lirismo,
y, atento a las sagradas metamorfosis, dudo
si es sólo su emisario o es el Otoño mismo...

Su cinturón rosado
desciñe la mañana.
El día ha despertado
flechando en la solana.

El gallo el hato anima
con su clarín de alerta,
y se apresta a la opima
recolección la huerta.

El padre Sol retoza,
robusto semental;
la granja se alboroza,
y se entrega gozosa de su victoria anual...

El huésped, a mi vera, recorre los maizales,
inquiere las colmenas, revisa los graneros,
palpa las prietas ubres de las vacas lechales
y los frutos exóticos de los invernaderos.

Con reposado tono todas las cosas nombra
y, complaciente, elogia dirección y trabajo;
mientras los servidores, bajo el parral en sombra,
diligentes, disponen un rústico agasajo.

Sobre la fresca hierba tienden un lienzo fino
tan aplanchado y blanco como mantel de altar,
que hechura recibiera de nuestro propio lino
y en nuestra propia casa carda, rueca y telar.

En canastas de mimbres y anchas hojas de higuera
todos mis frutos muestran sus gayas carnaciones;
desde el ámbar lustroso de la uva sanjuanera
a la pelusa mate de los melocotones...

En profusión joyante de colores amigos
se agrietan y acarician las pulpas tentadoras,
y se mezcla el rezumo lechoso de los higos
con la sangre virgínea de las profusas moras.

Y exultan las manzanas de carrillos rientes,
las granadas que enseñan su encarnado tesoro,
los limones que fingen senos adolescentes,
y los plátanos, regios, como falos de oro...

Y el misterioso amigo la colación festeja
y huélgase gustoso con nuestra compañía,
bajo la fronda amable que por sus mallas deja
filtrar la ignipotente fertilidad del día...

>   *Suenan las campanillas*
>   *jubilantes e inquietas;*
>   *cargadas de gavillas*
>   *retornan las carretas.*

>   *Y lucen sus corolas,*
>   *entre las astas finas,*
>   *guirnaldas de amapolas*
>   *las testuces bovinas.*

>   *Y pregonan la entrada*
>   *del reino cereal,*
>   *la avena perfumada,*
>   *la cebada perlada,*
>   *la mazorca dorada y la espiga candeal...*

Amigo — dice el huésped —: Por pacto de esta cita
daré a un deseo tuyo realidad concreta;
será como una tierna señal de mi visita.
Pídeme cuanto quieras, buen amigo, poeta...

El pecho va a romperse de la emoción; el fuego
de un insensato orgullo mi voluntad aloca.
La lengua, temblorosa, va a formular su ruego
y el alma mía entera se escapa por mi boca.

Quiero que en este punto feliz mi vida quede,
cual rueda de fortuna clemente, detenida,
y en este propio ritmo perennemente ruede
— prolongación eterna de este instante — mi vida.

Quiero que en mis sembrados, con brillantez de es-
la milagrosa espiga no cese de granar,   [malte,
y una continua vena de mis toneles salte
mientras un mosto nuevo se pisa en el lagar...

Que siendo el pensamiento ligero como el humo,
cabal ponderamiento del pensamiento sea;
que sin fatiga brote, cual de la fruta el zumo,
de la ardua consonancia, la sangre de la idea.

Y tienda sobre el verso con gesto soberano
la armónica medida su igualador nivel,
y la ilusión lo llene como a la vaina el grano
y a la celdilla exágona del buen panal la miel...

«— ¿Pides para tu arte?... — ¡Es mi arte el que im-
Bajo su escudo pongo la gloria de mis días...   [ploral
Sólo que Amor guiaba mi súplica de ahora,
y el amor gustó siempre de las alegorías...»

> *El Sol se ha deslizado*
> *por la celeste vía;*
> *el véspero ha brillado.*
> *¡Qué pronto se fué el día!*

> *Aun quedan en la granja*
> *sus últimos puñales.*
> *Su irradiación naranja*
> *rebota en los cristales.*

> *El celestial sendero*
> *se empieza a iluminar,*
> *y aparece, el primero,*
> *como propicio agüero,*
> *el sideral Boyero con su arado estelar...*

El huésped, pesaroso, me toma de la mano,
y, al hablarme, su acento se torna dolorido,
como aquel que dispone su oferta de antemano
y mira que no puede cumplir lo prometido.

«— ¡Amigo : es incurable el mal que te compunge!
Con ambición tan grande, no encontrarás sosiego;
la perfección que buscas ni aun a los dioses unge,
pues que Vulcano es cojo, y el mismo Amor es ciego...

Mas a tu lado tienes los más ciertos oráculos :
cual rosa de los vientos desgrana tus sentidos,
y atiende a los variados y eternos espectáculos
con claridad de ojos y claridad de oídos...

Y salga tu palabra, tras de molienda dura,
por el tamiz más fino, cribada de impureza;
y siendo trino y uno con tu interior hechura
sé, a la par, uno y trino con la Naturaleza...»

El mancebo se aleja con pasos cadenciosos;
sus flancos se arrebolan a los astros fulgentes;
entre sus bucles áureos apuntan impetuosos,
como dos bayas jóvenes, dos pitones nacientes...

Las rosas de Hércules, libro II, 1919.

CANTO A LA CIUDAD COMERCIAL

El pleno Oceano,
sobre el arrecife de coral cambiante
que el mito de Atlante
nutriera de símbolos y de antigüedad;
donde el sol erige su solio pagano
y Céfiro cuenta,
perenne, la hazaña de Alcides, se asienta
la ciudad que hoy canto : ¡mi clara ciudad!

Sobre la ensenada
que extensa culmina,
su coloreada
comba de basalto tiende la colina.
A su abrigo hicieron cavar, previsores,
sus hondos cimientos los progenitores,
y en una alborada de luz matinal
perfiló la urbe su limpio diseño

al surgir del llano solar ribereño,
siguiendo la blanda curva litoral...

   Reciente está el día
del prodigio : hería
Helios tus fronteras con rayos paternos,
cuando en armonía
pactaron tu sino los dioses eternos.
Y como rehenes
de propincuos bienes,
rindieron concordes ante tus destinos
Apis, vigoroso, su frontal armado;
Deméter, su arado,
y el timón y el ancla, los genios marinos.
Miraban tus hijos los emblemas ciertos;
abiertas las almas tenaces, abiertos
los sentidos todos al feliz augurio,
cuando, milagroso, confirmó el momento,
azotando el viento
con sus voladoras talares, Mercurio...

   ¡Era tu epinicio!
El áureo solsticio
de junio en su máxima cumbre fulminaba,
y el coro de islas yacentes soñaba.
Era el horizonte todo lejanía
bajo la efusiva radiación solar;
quemaban tus torres y tus miradores
y a tus pies rendía,
vibrando de amores,
la oblación ardiente de su aflujo, el mar...

   ¡Es la Plaza, el triunfo, la contienda diaria!
Es la puesta en marcha de esta maquinaria
de ruedas audaces y ejes avizores,
que el cálculo impulsa y el oro gobierna.
¡Cólquida moderna
de los agiotistas y especuladores!

   Es la Plaza. Gente,
·que detrás del medro corre diligente

y a tu seno el brillo de tu bolsa atrajo;
mas este tumulto que afluye y rebosa
no es el que despierta concurrencia ociosa,
sino el combativo rumor del trabajo.
Es trajín, premura,
ideal de letras, números y cuentas;
es la oportunista labor que asegura
el lucro : locura
de compras y ventas...
Son tus anchas calles y tus malecones,
en los que se agolpa y hace transacciones
esa atareada muchedumbre varia;
por donde, atestados de feraces dones,
carromatos tardos y ágiles camiones
transportan al puerto tu riqueza agraria :
¡plátanos, tomates, naranjas! Tributos
de tu ardiente clima, caro al extranjero.
Ágapes mundiales revierten tus frutos
en inagotable raudal de dinero.
Por el gran camino que tu costa envuelve
se van a europeos, lejanos confines :
¡el mar se los lleva y el mar te los vuelve
trocados en libras, marcos o florines!

Sucinta es tu historia :
— todo en vanagloria
de tu puerto, entonces puerto natural —.
Un barco que arriba con una avería
y halla en la bahía
refugio seguro contra el temporal.
Después, tu incremento;
un inusitado desenvolvimiento,
un infatigable sueño de grandeza
y el advenimiento
de esa soberana que llaman Riqueza.
Y a su sombra, el auge; con sus mercadarias.
cauciones que afianzan el negocio osado;
casas armadoras y consignatarias
y la progresiva mina del Mercado
por el poderoso Capital creado...

Hoy, el apogeo.
¡Nunca en sus delirios concibió el deseo
esta tu opulenta, sagital, carrera
que al más ambicioso cálculo supera!
Tráfago, fragores,
ruido de motores;
hélices que mueven gigantes aletas,
y rodar de carros y de vagonetas.
Palacios flotantes que llegan directos
cargados de efectos
o en busca de víveres, aguada y carbón;
que en las oceánicas derrotas situada
fuiste recalada,
escala obligada,
de las grandes líneas de navegación...

¿Mañana? ¡Mañana...!
En tu meridiana
brilla el caduceo del dios tutelar...
¡Él dijo tus vastos destinos futuros;
lo oyeron tus muelles de sólidos muros,
que son como abiertos caminos al mar!

¡Solar populoso!
Sobre tu industrioso
fervor de fecundos fastos materiales
se informa mi cántico.
Ciudad de los nuevos ritos comerciales,
abierta a los cuatro puntos cardinales...
¡sobre el Mar Atlántico!

Las rosas de Hércules, libro II, 1919.

JOSÉ DEL RÍO SÁINZ

Español, de Santander. Hombre de mar alguna vez. Periodista. Sin la complejidad ni el arte de Morales, con sencillez no exenta de retórica, ha escrito poesías del puerto y de la travesía, que han logrado éxito precisamente porque expresan sentimientos elementales y vulgares con énfasis aparatoso y romántico, pero pobre y sincero.

BIBLIOGRAFÍA.—**Poesía:** *Versos del mar y de los viajes,* Santander, 1912, *La belleza y el dolor de la guerra,* Valladolid, 1922. *Hampa,* Madrid, 1923. *Versos del mar y otros poemas,* Santander, 1925. *La amazona de Estella y otros poemas,* 1927. **Estudios:** L. ASTRANA MARÍN, *Todavía versos,* en Imp 15 noviembre 1925. R. CANSINOS ASSÉNS, *Versos del mar y otros poemas por J. del R. S.,* en Lib, 7 junio 1925. A. CASANUEVA, *Desde Santander: Libros raros,* en Lib, 7 octubre 1923. G. DIEGO, *Poetas del Norte,* en ROcc, 1923, II, 128-132. E. DÍEZ-CANEDO, Sobre *Versos del mar y otros poemas,* en Sol, 1 julio 1925. J. FRANCÉS, *Letras españolas,* en RAm, 1913, núm. 10, 328-329. *Los poetas: J. del R. S.,* en CBibl, 1925, I, 37-42. R. SÁNCHEZ MAZAS, *Los instantes y las figuras: J. del R., poeta,* en PV, diciembre 1921.

EL MAR DE LAS ANTILLAS

Alto el velamen, con el viento en-popa,
vamos corriendo por las mismas aguas
en que Colón, embajador de Europa,
vió las primeras índicas piraguas...

En este claro mar de las Antillas,
aun conservan los líquidos cristales
la huella abierta por las bravas quillas
·de nuestras carabelas inmortales.

Sentimos el orgullo soberano
·de ostentar el escudo castellano,
quemado por el fuego de cien soles...

Y los pañuelos, que la brisa agita,
mojamos en el mar. ¡Agua bendita
para los que nacimos españoles!

Versos del mar y de los viajes, 1912.

EL VINO DE ESPAÑA

I

La Noche Buena en Inglaterra era
silenciosa y nevada. En los hogares
se congregaba la familia entera,
·en torno de los *puddings* seculares.

Mientras, nosotros en el buque estábamos,
junto a la estufa, para huír del frío,
y a un tiempo todos, sin querer, pensábamos
en un lejano y blanco caserío...

Rompió el silencio el capitán anciano,
en náuticas empresas veterano,
y dijo con voz agria al mayordomo:

— ¡Venga vino de España, y fuera penas!
... Y al beberlo temblamos todos, como
si bebiésemos sangre de las venas!

II

¡Vino de España! Ingrato y displicente,
el español tus méritos desdeña:
sólo lejos de España es cuando siente
lo que vale una copa malagueña.

En medio de la mar o en tierra extraña
una botella el corazón anima.
¡En su fondo se encierra toda España,
y se conserva el fuego de su clima!

Bebimos una copa y otra copa...
Luego armamos un baile sobre popa.
Y desde el muelle triste, unos britanos

nos miraban, ¡sin ver que en el marino
festín, lo que elevaban nuestras manos
en la copa era un símbolo hecho vino!

Versos del mar y de los viajes, 1912.-

LAS TRES HIJAS DEL CAPITÁN

Era muy viejo el capitán, y viudo,
y tres hijas guapísimàs tenía;
tres silbatos, a modo de saludo,
les mandaba el vapor, cuando salía.

Desde el balcón que sobre el muelle daba
trazaban sus pañuelos mil adioses,
y el viejo capitán disimulaba
su emoción entre gritos y entre toses.

El capitán murió... Tierra extranjera
cayó sobre su carne aventurera,
festín de las voraces sabandijas...

Y yo sentí un amargo desconsuelo
al pensar que ya nunca las tres hijas
nos dirían adiós con el pañuelo...

Versos del mar y otros poemas, 1925.

HÉCTOR PEDRO BLÓMBERG

1890

Argentino, de Buenos Aires. Ha viajado por América y Europa. Periodista. Autor de cuentos. Su poesía del puerto de
Buenos Aires se asemeja mucho a la de los españoles: todos
usan de preferencia el soneto, y su emoción es una mezcla de
naturalismo y romanticismo. Sin embargo, dentro de este margen monótono del cosmopolitismo de los puertos y del exotismo
de los viajes, son diferentes entre sí. Blómberg se distingue por
el predominio de lo dramático.

BIBLIOGRAFÍA. — **Poesía:** *La canción lejana*, Barcelona, 1912. *A la
deriva*, Buenos Aires, 1920. *Gaviotas perdidas*, 1921. *Bajo la cruz del
Sur*, 1922. *Las islas de la inquietud*, 1924. *El pastor de estrellas*, 1929.
Otras obras: *Las puertas de Babel*, cuentos, pról. de M. Gálvez, Buenos
Aires, 1920. *Pancha Garmendia*, tragedia poética, 1921. *La sangre
de los errantes*, trilogía novelesca, 1922. *Los habitantes del horizonte*,
novelas cortas, 1923. *Los peregrinos de la espuma*, novelas cortas, 1924.
Los soñadores del bajo fondo, novelas cortas, 1924. *La otra pasión*, novela, 1925. *Los pájaros que lloran*, cuentos, 1926. *Naves (Las veladas
del Bar Garibaldi)*, narraciones, 1927. *La pulpera de Santa Lucía y
otras novelas históricas*, 1929. *La mulata del restaurador*, novela histórica, 1932. **Estudios:** A. GERCHUNOFF, *H. P. B.*, en Nac, dic. 1921.

A. Melián Lafinur, *H. P. B.*, en Nac, nov. 1921. C. Muzio Sáenz-Peña, *H. P. B.*, en Nos, 1920, XXXVI, 366-371; agosto 1921. Magister Prunum, *H. P. B.*, en Nac, 1924. L. Ostrov, «*El pastor de estrellas*», *por H. P. B.*, en Sin, nov. 1929.

LA BRUJA

Era una bruja extraña y familiar. Bebía
más que dos fogoneros en las sucias tabernas
del puerto. Se arrastraba con sus trémulas piernas
hacia los muelles cuando algún barco volvía.

En las noches inquietas del «water-side» porteño
hablaba sollozando, ebria, en cualquier café,
de su belleza muerta, su país brasileño,
su juventud lejana y el hombre que se fué.

El hombre se había ido hacía cuarenta años,
y ella acechaba siempre los semblantes extraños
cada vez que los barcos regresaban del mar;

y entre dos borracheras, un día y otro día,
en su ilusión terrible, soñaba todavía
hallarlo, aquella bruja trágica y familiar.

A la deriva, 1920.

LA CALANDRIA EN EL BAR

¡Pobre calandria gaucha! ¿Quién te arrancó a tu monte
y te encerró en la jaula brumosa de este bar?
Otras calandrias cantan en tu perdida selva,
mas tú, calandria mía, ya no cantarás más...

¿Para qué, si estos hombres de habla extraña y voz
que cantan misteriosas canciones de la mar,   [ronca,
baladas de países de nieves y de brumas,
no entenderían nunca tu cántico natal?

¡Pobre calandria gaucha del bar de marineros!
Cuando una madrugada se alejen los veleros
y de estos hombres rubios no se oiga la canción,

te robaré en el alba, te llevaré conmigo,
y nos iremos juntos, bajo el lucero amigo,
camino de tu selva, tú, yo y mi corazón...

A la deriva, 1920.

EL ÍDOLO DE MARFIL

Era un dios diminuto. En sus cuencas vacías
hubo dos esmeraldas que arrancó un samuray,
me contó el chino viejo a quien di seis rupías
por el ídolo, en una calleja de Bombay.

Quince días más tarde, en medio del oceano,
mi buque se incendiaba del timón al bauprés,
y se hundía en las aguas. Con el dios en la mano
floté en las aguas negras, y nos salvamos tres.

Después le mandé el ídolo a mi dulce María,
y seis meses más tarde su madre me escribía
la muerte de mi novia, y la carta, al llegar,

me trajo el dios, y un rizo rubio de mi amor muerto...
¡Oh el ídolo maldito! Al salir de aquel puerto
lo amortajé en el rizo y lo arrojé en el mar.

Bajo la cruz del Sur, 1922.

EL MORIBUNDO

«Se muere de escorbuto», dijo en el lazareto,
encogiéndose de hombros, el cirujano inglés.
Abrió sus tristes ojos el pálido esqueleto;
un ave de los trópicos cantó sobre el bauprés.

El enfermero negro lo contempló un instante,
y fué a tocar su banjo, o a embriagarse de ron;
con los ojos abiertos, el pobre agonizante
oía del Caribe la trémula canción.

Un suspiro de tierras calientes y fatales,
de extrañas añoranzas, de nostalgias mortales,
vino de la bahía, bajo la ardiente luz.

... Cuando las viejas Pléyades temblaron en la altura,
el hombre estaba frío, solo en la cueva obscura,
con los ojos abiertos y los brazos en cruz.

Bajo la cruz del Sur, 1922.

VIEJA PULPERÍA

Oh ruinosa pulpería solitaria, a cuya reja
sólo viene hoy a embriagarse un anciano domador;
en la sombra del palenque cabecea una pareja
de alazanes su cansancio, su vejez y su dolor.

El pulpero murió ha tiempo. Una negra ya muy vieja
aun despacha las ginebras tras el sucio mostrador;
junto al pozo un ovejero melancólico se queja,
y un buey viejo y ciego aun anda arrastrándose en redor.

Siempre se halla solitaria la ruinosa pulpería
que escuchó bajo sus sauces, en la gloria de otro día,
a los muertos y famosos payadores, y detrás

de su puerta vió los duelos legendarios de la daga...
Hoy tan sólo aquel añoso domador viene y se embriaga
y suspira por los días que ya no han de volver más.

Bajo la cruz del Sur, 1922.

FEDERICO DE IBARZÁBAL

1894

Cubano, de la Habana. Periodista. Poeta del puerto — a la
manera de Morales — y de la ciudad, en sus aspectos viejos y
coloniales, tiene un valor propio y distinto también.

52

Bibliografía.—**Poesía**: *Huerto lírico,* Habana, 1913. *El balcón de Julieta,* sonetos, 1916. *Gente del Heraldo,* 1916. *Gesta de héroes,* 1918. *Una ciudad del trópico,* 1919. **Estudios:** A. Lamar Schweyer, *Los contemporáneos,* Habana, 1921. A. A. Roselló, *F. de I.,* en CuC, 1922, XXIX, 257-274.

LIENZOS MARINOS

III

Esta gris alameda, abandonada y sola,
tiene la gracia antigua y el sabor colonial;
una reminiscencia de la vida española,
junto a los edificios de corte conventual.

¡Alameda de Paula! Blando rumor de ola,
brisas entre los álamos, dulzura espiritual,
sordo ruido de carros que, en la calleja, viola
el solemne silencio de la tarde glacial.

Junto al muelle desierto, pacífico y mojado,
la Alameda de Paula duerme en un sosegado
sueño su vieja vida de perpetua inacción.

Como esas viejecitas que tuvieron amores,
y que hilan sus recuerdos desde los corredores
sin un deslumbramiento, sin una sensación.

IV

Éste es un barco viejo que zarpó justamente
una turbia mañana perezosa, y el mar
lo maltrató tan dura y continuamente,
que ningún tripulante esperó regresar.

Pero ha llegado al puerto la marinera gente,
y teniendo permiso para desembarcar,
en las mesas que adornan la taberna de enfrente
con los viejos amigos se han puesto a conversar.

Y relatan los riesgos que corriera el navío
bajo la furia loca del huracán bravío
que en el golfo de Méjico le destrozó el bauprés.

Es un barco muy viejo, pero muy marinero,
y las sólidas planchas de su casco de acero
son el timbre de orgullo de un constructor inglés.

El balcón de Julieta, 1916.

ESTA CIUDAD PICANTE Y LOCA...

Esta ciudad picante y loca
que está engarzada en una roca
como un diamante colosal,
llena de luz mi poesía.
¡Alucinante pedrería!
¡Extraordinario pedernal!

Amo tus horas vespertinas,
tus elegancias femeninas,
tu cielo azul, tu malecón,
superficial y pizpireta
vives tu vida de coqueta,
del albayalde al bermellón.

Vives en una carcajada..
Una perenne mascarada
te hace reír, siempre reír.
Ríen tus lumias, tus beodos,
altos y bajos, porque todos
juegan dinero al porvenir.

Eres equívoca y absurda,
aristocrática y palurda;
algo moderno y algo cruel.
Bajo tu cielo yo he soñado,
paseando solo y encantado,
tus avenidas de laurel...

Una ciudad del trópico, 1919.

b) *Poetas de la ciudad y los suburbios.*

EVARISTO CARRIEGO

1883-1912

Argentino. Nació en la provincia de Entrerríos; pero de muy niño fué a Buenos Aires, donde llevó una vida bohemia, llena de ilusiones y de fracasos y exenta de artificio. «Hombre infinitamente bueno», dice un argentino, despertó en los demás el cariño y la piedad que él sintió por las vulgares desgracias de los humildes y que constituyen el valor humano mayor de sus poesías. Empezó siendo modernista; pero muy pronto reaccionó hacia una poesía extremadamente sencilla, como hablada, modesta y humilde como la pobreza y la desgracia oscura del suburbio, música de organillo urbano monótono y sentimental. Esas pocas poesías — que en rigor no son más que una —, tan pobres y, al parecer, tan reñidas con todo arte elevado, son también y por eso mismo obras de arte puro universal.

BIBLIOGRAFÍA. — **Poesía:** *Misas herejes,* Buenos Aires, 1908. *Poesías* (póstumas): *Misas herejes, La canción del barrio, Poemas póstumos,* Barcelona, 1913. *Misas herejes, La canción del barrio,* Buenos Aires, 1917; 2.ª ed., [poesías completas, pról. de A. Melián Lafinur], 1926.   **Otras obras:** *Los que pasan,* drama, Buenos Aires, 1918. *Flor de arrabal,* cuentos, 1927.   **Estudios:** J. L. BORGES, *E. C.,* Buenos Aires, 1930. R. CARABAJAL, *E. C.,* Buenos Aires, 1927. J. GABRIEL, *E. C.* Buenos Aires, 1921. R. F. GIUSTI, *Nuestros poetas jóvenes,* Buenos Aires, 1911. J. MAS Y PI, *El poeta E. C.,* en Ren, mayo y junio 1913. A. MELIÁN LAFINUR, *Literatura contemporánea,* Buenos Aires, 1918. P. PILLEPICH, *Poesía y poetas argentinos,* en Nos, 1930, LXVII, 416-418.

RATOS BUENOS

Está lloviendo paz. ¡Qué temas viejos
reviven en las noches de verano!...
Se queja una guitarra allá a lo lejos,
y mi vecina hace reír el piano.

Escucho, fumo y bebo mientra el fino
teclado da otra vez su sinfonía:
El cigarro, la música y el vino
familiar, generosa trilogía...

... ¡Tengo unas ganas de vivir la riente
vida de placidez que me rodea!
Y por eso quizás, inútilmente,
en el cerebro un cisne me aletea...

¡Qué bien se está, cuando el ensueño en una
tranquila plenitud se ve tan vago!...
¡Oh, quién pudiera diluír la Luna
y beberla en la copa, trago a trago!

Todo viene apacible del olvido
en una caridad de cosas bellas,
así como si Dios, arrepentido,
se hubiese puesto a regalar estrellas.

¡Qué agradable quietud! ¡Y qué sereno
el ambiente, al que empiezo a acostumbrarme,
sin un solo recuerdo, malo o bueno,
que, importuno, se acerque a conturbarme!

Y me siento feliz, porque hoy tampoco
ha soñado imposibles mi cabeza:
En el fondo del vaso, poco a poco
se ha dormido, borracha, la tristeza...

Misas herejes, 1908.

EL CAMINO DE NUESTRA CASA

Nos eres familiar como una cosa
que fuese nuestra, solamente nuestra;
familiar en las calles, en los árboles
que bordean la acera,
en la alegría bulliciosa y loca
de los muchachos, en las caras
de los viejos amigos,

en las historias íntimas que andan
de boca en boca por el barrio
y en la monotonía dolorida
del quejoso organillo
que tanto gusta oír nuestra vecina,
la de los ojos tristes...
Te queremos
con un cariño antiguo y silencioso,
¡caminito de nuestra casa! ¡Vieras
con qué cariño te queremos!
¡Todo
lo que nos haces recordar!
Tus piedras
parece que guardasen en secreto
el rumor de los pasos familiares
que se apagaron hace tiempo... Aquellos
que ya no escucharemos a la hora
habitual del regreso.
Caminito
de nuestra casa, eres
como un rostro querido
que hubiéramos besado muchas veces:
¡tanto te conocemos!

Todas las tardes, por la misma calle,
miramos con mirar sereno,
la misma escena alegre o melancólica,
la misma gente... ¡Y siempre la muchacha
modesta y pensativa que hemos visto
envejecer sin novio... resignada!
De cuando en cuando, caras nuevas,
desconocidas, serias o sonrientes,
que nos miran pasar desde la puerta.
Y aquellas otras que desaparecen
poco a poco, en silencio,
las que se van del barrio o de la vida,
sin despedirse.
¡Oh, los vecinos
que no nos darán más los buenos días!
Pensar que alguna vez nosotros

también por nuestro lado nos iremos,
quién sabe dónde, silenciosamente
como se fueron ellos...

Poesías, 1913.

COMO AQUELLA OTRA

Sí, vecina: te puedes dar la mano,
esa mano que un día fuera hermosa,
con aquella otra eterna silenciosa
«que se cansara de aguardar en vano».

Tú también, como ella, acaso fuiste
la bondadosa amante, la primera,
de un estudiante pobre, aquel que era
un poco chacotón y un poco triste.

O no faltó el muchacho periodista
que allá en tus buenos tiempos de modista
en ocios melancólicos te amó

y que una fría noche ya lejana
te dijo, como siempre: «Hasta mañana...»
Pero que no volvió.

Poesías, 1913.

OTRO CHISME

¿Ahora el otro?... Bueno, a ese paso
se han de contagiar todos, entonces. ¡Vaya
con la manía! Porque es el caso
que no transcurre un solo día sin que haya
sus novedades...
Nadie ha sabido
sacarle las palabras... ¡Es ocurrencia:
servir de burla a cuanto mal entendido
hay en Palermo!... ¡Si da impaciencia
verlo! La causa, de cualquier modo,
no ha de ser para tanto:
pasarse horas enteras..., y, sobre todo,
¡siempre con esa cara de Viernes Santo!...

Pues, ¡lo que son las cosas!, precisamente,
desde que aquella moza, que se reía
de su facha, muriera tan de repente
anda así el hombre. ¡Bien lo decía
uno de sus amigos!
Medio enterado
de tal asunto, existe quien asegura
que noche a noche vuelve *tomado*.
No tiene compostura...
¡Pobre! Ni loco
que estuviese... Por algo ya no se puede
aconsejarle que cambie un poco...
¡Es indudable que lo hace adrede!
De ninguna manera piensa enmendarse:
no quiere escuchar nada...
Y, aunque era de esperarse,
como con su conducta desarreglada
está hecho un perdido
a quien poco le importa del que dirán...
a fin de cuentas, ha conseguido
que lo echen del trabajo por haragán.

                              Poesías, 1913.

LA COSTURERITA QUE DIÓ AQUEL MAL PASO

LA COSTURERITA QUE DIÓ AQUEL MAL PASO...

La costurerita que dió aquel mal paso...
— y lo peor de todo, sin necesidad —
con el sinvergüenza que no la hizo caso
después... — según dicen en la vecindad —

se fué hace dos días. Ya no era posible
fingir por más tiempo. Daba compasión
verla aguantar esa maldad insufrible
de las compañeras ¡tan sin corazón!

Aunque a nada llevan las conversaciones,
en el barrio corren mil suposiciones
y hasta en algo grave se llega a creer.

¡Qué cara tenía la costurerita,
qué ojos más extraños, esa tardecita
que dejó la casa para no volver!...

AQUELLA VEZ QUE VINO TU RECUERDO

La mesa estaba alegre como nunca.
Bebíamos el te: mamá reía
recordando, entre otros,
no sé qué antiguo chisme de familia;
una de nuestras primas comentaba
— recordando con gracia los modales,
de un testigo irritado — el incidente
que presenció en la calle;
los niños se empeñaban, chacoteando,
en continuar el juego interrumpido,
y los demás hablábamos de todas
las cosas de que se habla con cariño.
Estábamos así, contentos, cuando
alguno te nombró, y el doloroso
silencio que de pronto ahogó las risas,
con pesadez de plomo,
persistió largo rato. Lo recuerdo
como si fuera ahora: nos quedamos
mudos, fríos. Pasaban los minutos,
pasaban y seguíamos callados.
Nadie decía nada pero todos
pensábamos lo mismo. Como siempre
que la conmueve una emoción penosa,
mamá disimulaba ingenuamente
queriendo aparecer tranquila. ¡Pobre!
¡Bien que la conocemos!... Las muchachas
fingían ocuparse del vestido
que una dè ellas llevaba;
los niños, asombrados de un silencio
tan extraño, salían de la pieza.
Y los demás seguíamos callados
sin mirarnos siquiera.

LA INQUIETUD

Les tiene preocupados y tristes la tardanza
de la hermana. Los niños no juegan con el gato,
ni recuerdan ahora lo de la adivinanza
que propusiera alguno, para pasar el rato.

De vez en cuando, el padre mira el reloj. Parecen
más largos los minutos. Una palabra dura
no acaba. Las muchachas, que cosen, permanecen
calladas, con los ojos fijos en la costura.

Las diez, y aun no vuelve. Ya ninguno desecha,
como al principio, aquella dolorosa sospecha...
El padre, que ha olvidado la lectura empezada,

enciende otro cigarro... Cansados de esperar
los niños se levantan, y sin preguntar nada
dicen las buenas noches y se van a acostar.

LA VUELTA DE CAPERUCITA

Entra sin miedo, hermana: no te diremos nada.
¡Qué cambiado está todo, qué cambiado! ¿No es cierto?'
¡Si supieras la vida que llevamos pasada!
Mamá ha caído enferma y el pobre viejo ha muerto...

Los menores te extrañan todavía, y los otros
verán en ti la hermana perdida que regresa:
puedes quedarte, siempre tendrás entre nosotros,
con el cariño de antes, un lugar en la mesa.

Quédate con nosotros. Sufres y vienes pobre.
Ni un reproche te haremos: ni una palabra sobre
el oculto motivo de tu distanciamiento;

ya demasiado sabes cuánto te hemos querido:
aquel día, ¿recuerdas?, tuve un presentimiento...
¡Si no te hubieras ido! ..

Poesías, 1913..

EMILIO CARRERE

1880 - 1947

Español, de Madrid. Su figura, popular en Madrid, tiene una aureola de leyenda bohemia, que no sé si es justificada. A juzgar por la cantidad de libros que ha publicado, debe ser más bien hombre ordenado y metódico, con inclinaciones burguesas. Traductor de Verlaine, seguidor de Rubén Darío, ha popularizado los aspectos decadentes y morbosos del modernismo mediante un retroceso hacia el romanticismo. Su tema, siempre repetido, es la podredumbre ciudadana, la mujer caída, justificada poéticamente por el amor sensual, la piedad, el dolor, la fatalidad, el misterio y la muerte.

BIBLIOGRAFÍA.—**Poesía:** *Románticas,* Madrid, 1902; 1921. *El caballero de la muerte,* 1909; 1921. *Nocturnos de otoño,* s. a. *Del amor, del dolor y del misterio,* 1915. *Dietario sentimental,* 1916. *Los jardines de la noche,* s. a. *La copa de Verlaine,* 1919. *Los ojos de los fantasmas,* [1920]. *Panderetas de España,* s. a. *La canción de las horas,* [1923]. *Antología poética,* 1929. *Obras completas,* verso y prosa, Madrid, Mundo Latino, 1921; Madrid, Renacimiento, 1925. *Poesía (La canción de la calle y otros poemas),* Barcelona, [1931]. *Poemas saturninos, Canciones para ella* [de Verlaine, trad.], Madrid, 1921. **Otras obras:** *El encanto de la bohemia,* 1911. *La canción de la farándula,* comedia, 1912. *La tristeza del burdel,* novela, 1913. *Los ojos de la diablesa,* leyenda madrileña, 1913. *Elvira, la espiritual,* 1916; 1931. *Rosas de meretricio,* s. a. *La bohemia galante y trágica,* [1920]. *Retablillo grotesco y sentimental,* [1920]. *El espectro de la rosa,* 1921. *El dolor de la literatura,* [1922]. *La cofradía de la pirueta,* novelas, [1922]. *Las ventanas del misterio,* [1922]. **Estudios:** ANDRENIO [E. GÓMEZ DE BAQUERO], *Pen Club, I: Los poetas,* Madrid, [1929], pp. 171-176. C. CABAL, *El libro de cómo se hacen todas las cosas,* Madrid, 1919. R. CANSINOS-ASSÉNS, *La nueva literatura,* t. I, Madrid, s. a.; t. III, Madrid, 1927. E. DÍEZ-CANEDO, Sobre *El caballero de la muerte,* en L, 1909, año IX, t. II, 297-299.

LA MUSA DEL ARROYO

I

Cruzábamos tristemente
las calles llenas de luna,

y el hambre bailaba una
zarabanda en nuestra mente.

Al verla triste y dolida
yo la besaba en la boca.
«¿Por qué aborreces la vida,
        Risa Loca?
No llores, rosa carnal,
que yo robaré el tesoro
de la tiara papal
para tus cabellos de oro.»

Y un espíritu burlón
que entre las sombras había,
al escuchar mi canción
        se reía, se reía.

II

De la vieja fuente grata
en el sonoro cristal,
la Luna brillaba igual
que una moneda de plata.

Temblaba su mano breve
de blanca y sedeña piel.
«¡Qué bonita cae la nieve
        y qué cruel!»

«No tiembles, yo haré un corpiño
para tus senos triunfales,
con la pompa del armiño
de los mantos imperiales.»

Y un espíritu burlón
que entre las frondas había,
al escuchar mi canción
        se reía, se reía...

III

Noche de desolaciones,
eterna, que llamé en vano
con la temblorosa mano
en los cerrados mesones.

Lloraba un violín distante
con tanta melancolía
como nuestra vida errante.
«¡Reina mía!
Da tu dolor al olvido:
yo te contaré la historia
de una princesa ilusoria
de un reino que no ha existido.»

Y un espíritu burlón
y cruel que en la calle había,
al escuchar mi canción
se reía, se reía...

IV

¡Triste voluntad rendida
al dolor de la pobreza!
«¡Oh, la infinita tristeza
de la amada mal vestida!»

Palabra de amor que esconde
la llaga que va sangrando
y andar, siempre andar. ¿Adónde?
¿Y hasta cuándo?
«Ya apunta la claridad...
Ya verás como se muestra
propicia y mágica nuestra
madre, la Casualidad.»

Y en la encrucijada umbría
de la suerte impenetrable,
la Miseria, la implacable,
se reía, se reía.

El caballero de la muerte, 1909..

EMILIO FRUGONI

1881

Uruguayo. Abogado. Estudió en la Universidad de Salamanca. Orador político y jefe del partido socialista. Se diferencia
de los anteriores en que nunca fué modernista; su poesía montevideana es sana, vigorosa, optimista, porque cree en el dinamismo moderno y en la redención social. Tiene parentesco con
la poesía de Verhaeren. Pertenece de lleno a esta época por
su atención a la vida cotidiana y por la expresión deliberadamente prosaica.

Bibliografía. — Poesía: *Bajo tu ventana*, poema, Montevideo, 1902.
De lo más hondo, pról. de J. E. Rodó, 1904. *El eterno cantar*, 1907. *Los
himnos*, 1916. *Poemas montevideanos*, 1923. *Bichitos de luz*, 1925. *La
epopeya de la ciudad (Nuevos poemas montevideanos)*, 1927. **Otras obras:**
Los impuestos desde el punto de vista sociológico, 1914. *Los nuevos fundamentos*, discursos, 1919. *El socialismo*, 1924. *La lección de México*,
1928. *Jubilaciones obreras*, 1928. *Socialismo, batllismo y nacionalismo*,
1928. *La sensibilidad americana*, 1929. **Estudios:** H. Maldonado,
Socialismo y poesía, en Sol, 9 junio 1926. R. Montero Bustamante, *El
parnaso oriental*, Montevideo, 1905. A. Rondán, *E. F., poeta*, en LitAr,
junio 1929. C. Roxlo, *Historia crítica de la literatura uruguaya*, Montevideo, 1916, t. VII, pp. 115-149 A. Zum Felde, *Proceso intelectual del
Uruguay*, t. III, pp. 158-164, Montevideo, 1930.

LA CALLE EN LA MAÑANA

En esta azul mañana todo nos es amigo:
el sol, la nube, el viento, el extraño que pasa.
La calle está esperándome a la puerta de casa
ante el umbral tendida, al sol, como un mendigo.

Salto más que desciendo la escalera, y abajo
me detengo en la puerta titubeando un instante.
Al encuentro me viene la mañana insinuante;
pero también me aguarda perentorio el trabajo...

La calle me recibe con muestras de alegría,
con la polifonía de sus múltiples voces,
con el agrio rezongo de los autos veloces
y con el campaneo pueril de los tranvías.

Los canillitas pasan con su vivacidad
de pájaros de un ala tan sólo, blanca y negra...
y cuyo grito osado a la inquietud se integra
del alma de la calle con familiaridad.

Ahí viene el verdulero tambaleante en su carro
de dos ruedas que tira un famélico rucio
con las patas muy cortas y torcidas, muy sucio
el pobre, y no tan sólo de suciedad de barro...

Lo detiene en mitad de la cuadra y expide
su pregón familiar que atrae a los umbrales
un revuelo de manos, gritos y delantales
que él como con imperio de dictador preside.

Dispensa con sus manos legumbres y hortalizas
y hasta acaramelados piropos con su boca,
y a veces como haciéndose el descuidado toca
la floridez de algunas parroquianas rollizas...

«Es un fruto rosado la mañana — me digo —
que desdeñar no es lógico cuando nos tienta fresco...»
Un instante indeciso e inmóvil permanezco,
mas la calle me grita: «Ven a pasear conmigo.»

Y allá voy. Sonriente saludo a las vecinas,
compro un diario y lo doblo sin mirarlo siquiera,
acaricio a un chiquillo que corre por la acera
y miro a todos lados en todas las esquinas...

Me prometo un paseo fecundo en impresiones
por la ciudad alegre que el gayo sol corona,
como cuando era niño y hacía la rabona
dándome veinticuatro horas de vacaciones.

Ante mí se prolongan dos hileras iguales
de plátanos copudos que fresca sombra extienden
sobre la acera, en tanto que a los balcones tienden
temblorosas y abiertas sus manos vegetales.

Allá abajo en el término de una calle apacible
se ve la línea intensa y azul del mar en calma
y su visión me pone muy adentro en el alma
el anhelo de un vuelo, o de un viaje imposible...

Sin recelo le muestran al curioso que pasa
las puertas y ventanas de las casas de bajo,
el corazón doméstico, latiendo en el trabajo
cotidiano y monótono de acomodar la casa...

Van pasando los chicos, camino de la escuela,
con un aire que tiene algo de circunspecto,
y me dan tentaciones de traicionar mi aspecto
correcto y proponerles jugar a la *rayuela*.

Poemas montevideanos, 1923.

EL BAÑO

Hoy he vuelto del baño
con las carnes tostadas por el aire y el sol;
con los cabellos polvoreados de arena.
A mis oídos traigo pegado un caracol
donde la mar resuena
con su perenne arrastre de zumbidos.
Traigo toda la mar en los oídos...

Al salir a la playa,
obstinada la mar me perseguía
con el blanco mordisco de su espuma.
De su seno emergía
desnudándome de agua y arrastrando
detrás de mí jirones de la fría
túnica de sus ondas. Cuando
un nuevo paso hacia la orilla daba,
parecía que tras de mí tiraba
de todo el mar que me siguió bramando.

Se desprendía de mis carnes, roto
en gotas que bañaban las arenas

y evaporaba el sol con el castigo
de sus irradiaciones,
inyecciones de vértigo en mis venas;
pero el hecho es que el mar salió conmigo
y aquí lo traigo en las palpitaciones
de mis carnes morenas.

Siento en mis labios el sabor salobre
de sus besos, y sobre
mi piel velluda el enconado diente
del sol; y además siento
rozar la tibia comba de mi frente
el aletazo rítmico del viento.

El mar me ha perseguido con su aliento.
Lo siento a mis cabellos adherido;
de todo el mar se penetró mi vida;
por mi epidermis su contacto pasa,
y siento a ese contacto renacida
mi fuerza espiritual, como una brasa.
Su clamor, su clamor muerde mi oído...
Es que el mar me ha seguido
como un perro fantástico hasta casa.

Poemas montevideanos, 1923.

c) *Poetas de la Naturaleza y la vida campesina.*

ERNESTO MARIO BARREDA

1883

Argentino, de Buenos Aires. Modernista rezagado, ha seguido
tendencias muy diversas con varia fortuna, pero siempre con
noble y sincero empeño. La parte mejor de su obra, creemos,
es aquella en que nos da su visión de la tierra y del trabajo
agrícola teñida de elevado simbolismo.

BIBLIOGRAFÍA.—**Poesía:** *Prismas líricos*, Buenos Aires, 1902. *Hacia
el oriente*, 1905. *Talismanes*, Madrid, 1908. *La canción de un hombre*

que pasa, Buenos Aires, 1911. *Un camino en la selva,* 1916. *Lucha de alas,* comedieta lírica, 1920. *El himno de mi trabajo,* 1921. *Los braza-letes (Selección poética, 1908-1925),* 1926. **Otras obras:** *Las rosas del mantón (Andanzas y emociones por tierras de España),* Buenos Aires, 1917. *Desnudos y máscaras,* cuentos, 1920. *Una mujer,* novela, 1924. *Baba del diablo,* novelas y cuentos, 1924. **Estudios:** F. Contreras, *Les écrivains contemporains de l'Amérique espagnole,* Paris, [1920]. F. García Godoy, *E. M. B.,* en Nos, junio 1922. R. F. Giusti, *Nuestros poetas jóvenes,* Buenos Aires, 1911; *E. M. B.,* en Nos, dic. 1916; *Crítica y polémica,* Buenos Aires, 1917. Zahón, *Escritores modernos,* en EyACVL, 1927, I, núm. 6, pp. 61-62.

EL MALÓN

Por la enorme y desierta planicie del paisaje
los pájaros de presa prorrumpen su graznido
y entre las humaredas del pajonal ardido,
se descubre a lo lejos el horror del pillaje.

Empuñada la lanza, sobre el potro, un salvaje
medio desnudo, cruza lanzando su alarido:
y blanquean los dientes del bronceado bandido,
bajo la dura máscara de su feroz tatuaje!

Sobre la misteriosa llanura dilatada,
dando al viento la negra cabellera crinada,
ululante y veloz, se aleja como un dardo.

Le fulguran los ojos en avidez lasciva:
y aprieta el cuerpo blanco de la mujer cautiva
su áspera y terrible caricia de leopardo!

Talismanes, 1908.

MAL AÑO

Con aridez hostil y gestos espectrales,
se mueven los resecos tallos de los cardales
en el viento que baja de la pelada sierra,
alborotando grandes polvaredas de tierra.
No llueve... El cielo siempre azul, blanca la ruta.
Las lomas tienen sed, la cañada está enjuta.
Cada día se doblan más sin color las hojas.

Las tardes aparecen trágicamente rojas.
Es como un gran dolor que definirse quiere
en lo que arriba sangra y en lo que abajo muere.
El monte ya perdió casi toda su fronda,
no hay agua en muchas leguas a la redonda,
por eso los ganados baguales en tropel
se acercan, husmeando frescuras de jagüel...
Sobre los surcos vaga la visión del truncado
anhelo, cada vez más descorazonado.
Para tanta labor cosechar un dolor
tan grande, dice el alma honda del sembrador,
mirando convertirse sus riquezas futuras
en unos tallos secos y en unas tierras duras.
Medio día... A lo lejos se oye un chirriar de ruedas.
De algún incendio brotan las negras humaredas.
La tierra bajo el sol sufre como una llaga.
Un galope que cesa y un rumor que se apaga...
¡Solo turban la angustia de la pampa desierta
los caranchos, que vuelan sobre una vaca muerta!

Un camino en la selva, 1916.

CUADRO DE SALUD

Brillaba el arado. Los bueyes, enormes y lentos,
iban abriendo el surco sobre la tierra buena.

Un vuelo de pájaros, cual una corona de alas,
oreaba la noble frente del sembrador.

El viento cantaba tañendo la lira del bosque
y bajo la arboleda flotaba una luz verde.

La nube que iba cual una piragua de espuma,
bogaba por un cielo de alegría y de sol.

Venía el aliento de la gleba, recién removida,
poniendo entre los labios como un sabor de leche.

Y el cándido aprisco balaba, mezclando a lo lejos,
blancura de vellones y tintinear de esquilas...

En la rústica mesa partimos la frugal vianda
de cordial amistad como de pan moreno.

Y bajo el alero, sombreado por viejos parrales,
se tendían los perros, pululaban gallinas.

Del brocal, florecido de musgos y helechos,
me llegaban sedantes frescuras de cisterna.

La hija del buen labrador tenía en sus pupilas
una humedad de luz al ofrecerme el agua.

Yo quisiera ser como el árbol — les dije — de fuerte,
y tener la virtud de la nube que pasa,

y dar a la obra, que voy arrojando en el surco,
la naturalidad de un grano que germina...

El padre, robusto y velludo como un dios silvestre,
mirábame con ojos color de tierra fértil.

Sonreía la madre a la prole, gárrula y numerosa,
con que naturaleza le bendijo su vientre.

Mi pecho latía con ritmo ligero y parlante
y nos daba la acequia su fugaz glogloteo.

Y en la boca roja y en el crespo cabello dorado
de la hija, cantaba toda la primavera!...

Un camino en la selva, 1916.

ALFREDO R. BUFANO

1895 - 1950

Argentino. Poeta delicado, que a través de toda su obra, clara, serena y sencilla, muestra un sentimiento de la naturaleza
hecho de gracia y religiosidad.

BIBLIOGRAFÍA.—**Poesía:** *El viajero indeciso,* Buenos Aires, 1917. *Canciones de mi casa,* 1919. *Misa de requiem,* 1920. *Poemas de provincia,*
1922. *El huerto de los olivos,* 1923. *Poemas de Cuyo,* Río de Janeiro,
1925. *Tierra de Huarpes,* Buenos Aires, 1927. *El reino alucinante,*

1929. *Poemas de la nieve*, 1929. *Valle de soledad*, 1930. **Otras obras:** *Aconcagua*, novela, Buenos Aires, 1926. **Estudios:** R. DE DIEGO, *A. R. B.*, en Nos, agosto 1922; dic. 1923. J. INSÚA, *A. R. B.*, en Nos, feb. 1920. J. TORRENDELL, *El año literario*, Buenos Aires, 1918. Sobre *Poemas de Cuyo*, en RAmL, 1927, XIII, 79. Sobre *Tierra de Huarpes*, en PrBA, 19 junio 1927.

PRIMAVERA DE LA MONTAÑA

Brillan las moreras y los carolinos,
se hinchan los sarmientos de las viñas prietas,
y hay en los caminos
y en las ríspidas sierras violetas
una oculta alegría pagana
que es oro en la tarde y oro en la mañana.

Cantan los senderos, cantan los pinares,
cantan los chañares y albaricoqueros,
y los durazneros y los olivares
y los azahares de los limoneros.

De limpios verdores se cubren las parras
del huerto querido. La siesta
ya afina su orquesta
de agudos zorzales y roncas chicharras.

Mi verso se viste de pámpano y pino;
se lleva a los labios su flauta de rama de higuera,
y se va por el pardo camino
danzando la danza de la primavera.

Poemas de Cuyo, 1925.

JOSÉ EUSTASIO RIVERA
1889 - 1928

Colombiano, de Neiva. Abogado y político. Murió en Nueva York en la plenitud de su vida y de su fama, basada esta última en la novela *La vorágine*, vigorosa pintura, a la vez realista y romántica, de la selva tropical. Los sonetos de su único libro de poesías tienen el mismo tema en forma más perfecta gracias a su mayor concentración.

BIBLIOGRAFÍA. — **Poesía :** *Tierra de promisión,* Bogotá, 1921; 4.ª ed., 1926. **Otras obras:** *La vorágine,* novela, Bogotá, [1925]; 5.ª ed., 1928; Buenos Aires, 1931; Madrid, 1932. **Estudios:** A. DE FALGAIROLLE, *Sur l'écrivain colombien J. E. R.,* en RAmL, 1929, XVII, 354-357. M. GRILLO, *Letras americanas: «La vorágine»,* en Nac, 16 agosto 1925. *J. E. R., poeta y novelista,* en RFLCHabana , 1928, XXXVIII, 401-403. E. K. JAMES, *«La vorágine» makes a South American sensation,* en NYHT, 23 enero 1927; *J. E. R.,* en REstH, 1929, II, 69-73, M. LATORRE, Sobre *La vorágine,* en Inf, 1927, XII, número 108, pp. 215-218. R. MAYA, *J. E. R.,* discurso, en EspSLI, 10 enero 1929. C. MELÉNDEZ, *Tres novelas de la naturaleza americana,* en RBC, 1931, XXVIII, 82-93. L. E. NIETO CABALLERO, Sobre *Tierra de promisión,* en *Libros colombianos,* 2.ª serie, Bogotá, 1928; Sobre *La vorágine,* en *Libros colombianos,* Bogotá, 1925. G. PARIS, *J. E. R., poeta colombiano,* en CuC, 1920, XXIV, 373-386. G. PILLEMENT, *Le roman hispano-americain,* en RAmL, 1926, XII, 363-368. H. I. PRIESTLEY, Sobre *La vorágine,* en SRL, V, 302. H. QUIROGA, *El poeta de la selva: J. E. R.,* en RepAm, 20 julio 1929. R. E., *J. E. R.,* en RepAm, 13 octubre 1924. R. SÁNCHEZ RAMÍREZ, *J. E. R.,* en RevChil, 1927, XI, núms. 90-91, pp. 1-12. A. SOLANO, *J. E. R.,* en Universi, 7 dic. 1928. E. SUÁREZ CALIMANO, *Muertos de Hispanoamérica,* en Nos, 1929, LXIII, 268. R. VÁSQUEZ, *J. E. R.,* en Universi, 7 dic. 1928. S. VILLEGAS, *J. E. R.,* discurso, en EspSLI, 10 enero 1929.

TIERRA DE PROMISIÓN

PRÓLOGO

Soy un grávido río, y a la luz meridiana
ruedo bajo los ámbitos reflejando el paisaje;
y en el hondo murmullo de mi audaz oleaje
se oye la voz solemne de la selva lejana.

Flota el sol entre el nimbo de mi espuma liviana;
y peinando en los vientos el sonoro plumaje,
en las tardes un águila triunfadora y salvaje
vuela sobre mis tumbos encendidos en grana.

Turbio de pesadumbre y anchuroso y profundo,
al pasar ante el monte que en las nubes descuella
con mi trueno espumante sus contornos inundo;

y después, remansado bajo plácidas frondas,
purifico mis aguas esperando una estrella
que vendrá de los cielos a bogar en mis ondas.

PRIMERA PARTE

IV

La selva de anchas cúpulas, al sinfónico giro
de los vientos, preludia sus grandiosos maitines;
y al gemir de dos ramas como finos violines
lanza la móvil fronda su profundo suspiro.

Mansas voces se arrullan en oculto retiro;
los cañales conciertan moribundos flautines,
y al mecerse del cámbulo florecido en carmines
entra por las marañas una luz de zafiro.

Curvada en el espasmo musical, la palmera
vibra sus abanicos en el aura ligera;
mas de pronto un gran trémolo de orquestados concen-
                                          [tos
rompe las vainilleras...; y con grave arrogancia,
el follaje, embriagado con su propia fragancia,
como un león, revuelve la melena en los vientos.

VII

Por saciar los ardores de mi sangre liviana
y alegrar la penumbra del vetusto caney,
un indio malicioso me ha traído una indiana
de senos florecidos, que se llama Riguey.

Sueltan sus desnudeces ondas de mejorana;
siempre el rostro me oculta por atávica ley,
y al sentir mis caricias apremiantes, se afana
por clavarme las uñas de rosado carey.

Hace luna. La fuente habla del himeneo.
La indiecita solloza, presa de mi deseo,
y los hombros me muerde con salvaje crueldad.

Pobre... ¡Ya me agasaja! Es mi lecho un andamio,
mas la brisa y la noche cantan mi epitalamio
y la montaña púber huele a virginidad.

SEGUNDA PARTE

VIII

Destacada en un cielo de turbia lontananza,
con taciturno porte, sobre el peñón sombrío,
un águila perínclita se envilece de hastío,
enamorada ilusa de un sol que no se alcanza.

Ella que ayer mantuvo con los vientos su alianza,
sabe que todo vuelo sólo encuentra el vacío;
y enferma de horizontes, triste de poderío,
busca en la paz el último sueño de venturanza.

Ante el astro que muere nublando el hemisferio,
siente el heroico impulso de rescatar su imperio;
mas otra vez con grave cansancio de grandeza

el ala perezosa sobre la garra estira,
e irremediablemente desconsolada, mira
que en el azul tedioso la oscuridad bosteza.

TERCERA PARTE

V

Lóbrego, en alta noche, a paso lento
regresa un toro por la pampa umbría;
y, husmeando el mustio pajonal, confía
vagos mugidos al miedoso viento.

Torvo, bajo el moriche corpulento
afilando las astas, extravía;
y al fin, en la estrellada lejanía,
surge como borroso monumento.

Absorto en las ilímites sabanas,
mira radiar las pléyades cercanas
sobre las sienes del palmar suspenso...

¡Después, hondo bramido de amargura,
brusco silencio en la majada oscura,
temblor de estrellas en el orbe inmenso!

XXI

Sintiendo que en mi espíritu doliente
la ternura romántica germina,
voy a besar la estrella vespertina
sobre el agua ilusoria de la fuente.

Mas cuando hacia el fulgor cerulescente
mi labio melancólico se inclina,
oigo como una voz ultradivina
de alguien que me celara en el ambiente.

Y al pensar que tu espíritu me asiste,
torno los ojos a la pampa triste;
¡nadie!... Sólo el crepúsculo de rosa.

Mas, ¡ay!, que entre la tímida vislumbre,
inclinada hacia mí, con pesadumbre,
suspira una palmera temblorosa.

Tierra de promisión, 1921.

FELIPE PICHARDO MOYA

1892

Cubano, de Camagüey. Abogado. Se distingue de los tres poetas anteriores por la nota humorística y la modernidad de sus inquietudes políticas, sociales y literarias. Por muchas de sus poesías, le correspondería estar clasificado en el grupo siguiente.

BIBLIOGRAFÍA. — **Poesía:** *La ciudad de los espejos,* Camagüey, 1925. **Otras obras:** *Alas que nacen,* farsa, en CuC, 1923, XXXII, 50-65.

LA AMIGA MUERTA

Aquí, bajo esta losa, está su cuerpo. Breve
fué su vida, a manera de una vida de rosa.
Murió tranquilamente una noche lluviosa:
veintiocho de agosto del novecientos nueve.

Me acuerdo de ella cuando constantemente llueve,
y de su noche última, tan larga y angustiosa:
una fiebre que sube... Un sudor... Una cosa...
El cura... ¡Y una vida que se deshoja leve!

Así murió a mediados de una larga semana,
y la enterramos un viernes por la mañana.
Aún llovía. Era un húmedo tiempo de luna nueva.

Dijimos todos: «¡Nunca, nunca la olvidaremos!
¡Tan buena como era...!» Y para que hoy pensemos
en su vida y su muerte, es preciso que llueva.

La ciudad de los espejos, 1925.

EL POEMA DE LOS CAÑAVERALES

I

¡Oh rubia cabellera de los cañaverales
que llenáis de esperanzas la desnuda extensión;
desde mi ciudad, loca por las fiebres actuales,
os traigo mi canción!

II

Si fueron los insurrectos
invasores de maniguas
en las edades antiguas,
buscando tiempos más rectos,
ahora, en otros aspectos,
y tras penosas campañas,
sois invasores de extrañas

tierras vírgenes de amor:
¡Y vibra el himno invasor
en el vaivén de las cañas!

III

Cañaverales: vuestras mareas de esperanzas
inundan las maniguas y la loma y el llano,
y poco a poco alzáis al cielo vuestras lanzas
desde el pueblo naciente hasta el confín lejano.

Mientras corren los trenes ciegamente veloces,
llena todo el paisaje vuestro mar de esmeralda.
¡Cañas viejas, crecidas; cañas nuevas, precoces;
cañas hacia los lados y al frente y a la espalda!

IV

Como tropel de lanzas
ante la vista absorta,
toda extensión es corta
para vuestras andanzas,
y tras penosas crianzas
inunda vuestro coro
la sabana, y sonoro
viento os mece y complace,
y, amable, el Sol os hace
un océano de oro.

V

La India os vió nacer. Sus arrozales
fueron vuestros hermanos. Mucho antes
de venir a estas tierras tropicales,
tras vosotros pasaron los rumiantes
y velaron, quizás, los tigres reales,
e iban los rebaños de elefantes
paciendo sobre los cañaverales
en las penosas siestas asfixiantes.

Mas, dejando la Patria, vuestras lanzas
conquistaron las islas que los mares
circundan con sus grandes esperanzas:

Por Chipre, por Sicilia y por Madera
vinisteis a buscar nuestros palmares
para adornos de vuestra cabellera...

VI

¡Sangre de África! ¡Sangre acaso
de venas reales! ¡Terror
del *kral,* donde la tribu,
abandonada de su Dios,
fué capturada en una razzia
del portugués o el español!...
¡Cadena viva que a la costa
se arrastra desde el interior,
atravesando los boscajes
y los desiertos bajo el Sol;
caravana de los esclavos,
negro rosario de dolor,
riqueza viva del negrero
camino de la exportación!
¡Ganado humano amontonado
en las bodegas y el pañol
y travesía inacabable,
vivos y muertos en montón!...
¡Sangre acaso de venas nobles,
voces que mandaron! ¡Terror
junto a los cortes de las cañas
desde que el alba floreció!
Carne nostálgica de algo
que allá en la Patria se quedó:
Rezos misteriosos y rezos
contra la cólera de Dios.
Vida acabada a latigazos
bajo la crueldad del Sol:
¡Mancha de sangre, patrimonio
de una y otra generación!

¡Sangre acaso de negros reyes!
¡Cabezas veneradas! Terror
en los trapiches de madera,
debajo del látigo feroz...
Quejas en lenguas primitivas,
ruegos, quizás, que nadie oyó...
¡Agonía de la molienda,
hecha de sangre y de sudor!
¡Todo eso lo sabéis vosotros,
cañaverales! Bajo el Sol
oisteis cantar a los esclavos
extraños cantos de dolor,
cuentos de la tierra lejana,
donde la madre se quedó,
en una lengua misteriosa
que el blanco nunca conoció.
Todo eso lo sabéis vosotras,
¡oh, cañas dulces! Y así por
eso tenéis manchas de sangre
algunas veces, y así son
vuestros murmullos a la brisa,
¡rezos que ruegan el perdón!

VII

Desde remotos tiempos sobre nuestra sabana
veláis tal como una severa infantería.
El Sol os ve al nacer, y en la heredad lejana
ve también vuestras lanzas cuando se muere el día.

Visteis el alba rosa de la epopeya antigua
de aquellos cabecillas de cotoral donaire...
Os invadió en diez años de guerra la manigua
y temblasteis de gozo por el grito de Baire.

Y mil veces, de adentro de vuestro campo erecto,
al desfilar sonoro de la tropa española,
surgiera el inquietante tiroteo insurrecto,
y entre ambos campos, luego pusierais ígnea ola.

¡Por la Patria irredenta ofrendasteis la vida!
¡Vuestras llamas ardientes una noche, quizás,
salpicaron de sangre la silueta fornida
del invasor, y el fuego la agigantaba más!

¡Vuestras grises cenizas anunciaron de lejos
la triunfante llegada de la heroica invasión;
de tus vivos incendios, temiendo los reflejos,
en las viejas ciudades se acorraló el león!

Yo os amo. Os respeto. Vuestras líricas lanzas
se elevan hacia el cielo velando por nosotros...
¡Sois como un mar profundo, océano de esperanzas,
y por la Patria nuestra padecisteis vosotros!

VIII

¡Mar de esmeraldas, verde mar,
creciendo siempre más y más;
siembras veladas con afán
y con celo paternal!
¡Os extendisteis en la paz
por la sabana y más allá,
en donde estuvo el manigual,
en donde se llegó a afirmar
que no habría siembras jamás!
¡Así crecisteis en la paz,
mar de esmeraldas, verde mar!

IX

Máquinas. Trapiches que vienen del Norte.
Los nombres antiguos sepulta el olvido.
Rubios ingenieros de atlético porte
y raras palabras dañando el oído...

El fiero machete que brilló en la guerra
en farsas políticas su acero corroe,
y en tanto, acechando la inexperta tierra,
¡afila sus garras de acero Monroe!

X

¡Cañaverales, vuestra marea de esperanza
inunde de esperanzas todas las noches nuestras:
Campos llenos de cañas y campos de labranza,
alejen los peligros de anexiones siniestras!

XI

Si la inexperiencia incuba
gérmenes anexionistas,
precursores de conquistas,
¡velad vosotros por Cuba!

Ambiciones pesimistas,
mercaderes de esperanzas,
profetas de malandanzas
nos velan... ¡Cañaverales,
a la invasión de los males
oponedle vuestras lanzas!

XII

¡Oh rubia cabellera de los cañaverales
que tembláis a la brisa como al influjo de una amorosa
[declaración!
¡Desde mi ciudad, loca por las fiebres actuales,
os traigo esta canción!

¡Desde el pueblo dormido hasta el batey lejano,
donde tiemblan las máquinas como nerviosas de in-
[dignación,
sois la muestra viviente del prodigio cubano,
que tras de cada guerra
pone sobre la tierra
la nueva floración!
¡Que sea cual vosotras la Patria! ¡Que florezca
su rosal de esperanzas en cada nueva aurora,
y que ante sus tropiezos su juventud se crezca
y hacia nuevos empeños encamine la prora!

En los tiempos actuales y en nuestros campos rudos,
derramáis el encanto de las vides antiguas,
y acaso si extrañáis los Términos barbudos
que os marcaron el límite de heredades contiguas...

¡Sobre los cortes vuestros pacientes bueyes pacen,
y siempre bien dispuestos para todo ideal,
puras llamas de fuego vuestros campos se hacen,
tan sólo con el beso del buen sol tropical!

Yo os amo. ¡Y porque alzáis al cielo vuestras lanzas,
porque sois verdes, porque habláis en español,
os dedico este canto de vida y esperanzas,
a pesar de Monroe, bajo mi claro Sol!

¡Ya que vuestra riqueza nos atrae miradas
ambiciosas, que vele tal riqueza por nos!
¡Cañaverales! ¡Lanzas sobre Cuba clavadas:
Velad, y en vuestra brisa rogad por ella a Dios!

La ciudad de los espejos, 1925.

5

REACCIÓN HACIA LA IRONÍA SENTIMENTAL

LUIS CARLOS LÓPEZ
1881 - 1951

Colombiano, de Cartagena de Indias, donde, según parece, ha pasado casi toda su vida. Entiendo que ahora es cónsul en Munich. Leyendo sus obras no le imaginamos más que en Cartagena, en el medio provinciano, fosilizado y dormido donde él y su poesía debieron ser la única estridencia. «El tuerto López», como familiarmente se le llama allí, ha tardado en ser reconocido como uno de los poetas más originales y valiosos de América en su género, y en su momento, el primero. El elogio de Unamuno, certero descubridor de valores americanos; de Díez Canedo, y del más autorizado crítico de Colombia, Sanín Cano, han salvado definitivamente a López de la regocijada popularidad que disfrutaba entre los que sólo veían en sus obras una sátira grosera y audaz. Su actitud poética, así como la de los demás poetas de esta sección, es la más propia y típicamente post-modernista, porque es el modernismo visto del revés, el modernismo que se burla de sí mismo, que se perfecciona al deshacerse en la ironía; actitud correspondiente a la de los post-románticos respecto del romanticismo. En ellos se ha pretendido encontrar la fuente de la poesía de López, siendo así que la sentimentalidad oculta bajo su sarcasmo y las formas difíciles que le place ver quebrarse de puro sutiles, no son otras que las del modernismo esencial de su ser en el que ya no cree.

BIBLIOGRAFÍA. — **Poesía:** *De mi villorrio,* pról. de M. Cervera, Madrid, 1908. *Posturas difíciles,* 1909. *Varios a varios* [en colab. con M. Cervera y A. Z. López Penha], 1910. *Por el atajo,* Cartagena, Colombia, s. a. **Estudios:** F. GARCÍA GODOY, *La literatura americana de nuestros días,* Madrid, [1915], pp. 167-174. A. LLORENTE ARROYO, *L. C. L.,* en HispCal, 1924, VII, 377-386. B. SANÍN CANO, *El espíritu de los tiempos,* en RepAm, 4 agosto 1928. R. VINYES, *L. C. L.,* en RepAm, 20 marzo 1922.

AÑORANZA

Íbamos en la tarde que caía
rápidamente sobre los caminos.
Su belleza, algo exótica, ponía
aspavientos en ojos campesinos.

—Gozaremos el libro—me decía—
de tus epigramáticos y finos
versos—. En el crepúsculo moría
un desfile de pájaros marinos...

Debajo de nosotros, la espesura
aprisionaba en forma de herradura
la población. Y de un charco amarillo

surgió la luna de color de argento,
y a lo lejos, con un recogimiento
sentimental, lloraba un caramillo...

De mi villorrio, 1908.

CROMO

En el recogimiento campesino,
que viola el sollozar de las campanas,
giran, como sin ganas,
las enormes antenas de un molino.

Amanece. Por el confín cetrino
atisba el sol de invierno. Se oye un trino
que semeja peinar ternuras canas,
y se escucha el dialecto de las ranas...

La campiña, de un pálido aceituna,
tiene hipocondria, una
dulce hipocondria que parece mía.

Y el viejo Osiris sobre el lienzo plomo
saca el paisaje lentamente, como
quien va sacando una calcomanía...

De mi villorrio, 1908.

UNA VIÑETA

Tarde sucia de invierno. El caserío,
como si fuera un croquis al creyón,
se hunde en la noche. El humo de un bohío,
que sube en forma de tirabuzón,

mancha el paisaje que produce frío,
y debajo de la genuflexión
de la arboleda, somormuja el río
su canción, su somnífera canción.

Los labradores, camellón abajo,
retornan fatigosos del trabajo,
como un problema sin definición.

Y el dueño del terruño, indiferente,
rápidamente, muy rápidamente,
baja en su coche por el camellón.

De mi villorrio, 1908.

TOQUE DE ORACIÓN

Un pedazo de luna que no brilla
sino con timidez. Canta un marino,
y su triste canción, tosca y sencilla,
tartamudea con sabor de vino...

El mar, que el biceps de la playa humilla,
tiene sinuosidades de felino,
y se deja caer sobre la orilla
con la cadencia de un alejandrino.

Pienso en ti, pienso que te quiero mucho
porque me encuentro triste, porqu'escucho
la esquila del pequeño campanario

que se queja con un sollozo tierno,
mientras los sapos cantan el invierno
con una letra del abecedario...

De mi villorrio, 1908.

VERSOS PARA TI

Y, sin embargo, sé que te quejas.
BÉCQUER.

...Te quiero mucho. — Anoche parado en una esquina,
te vi llegar... Y como si fuese un colegial,

temblé cual si me dieran sabrosa golosina...
— Yo estaba junto a un viejo farol municipal.

Recuerdo los detalles, cualquier simple detalle
de aquel minuto: como grotesco chimpancé,
la sombra de un mendigo bailaba por la calle,
gimió una puerta, un chico dió a un gato un puntapié ..

Y tú pasaste... Y viendo que tú ni a mí volviste
la luz de tu mirada jarifa como un sol,
me puse más que triste, tan hondamente triste,
que allí me dieron ganas de ahorcarme del farol...

MEDIO AMBIENTE

> — «Papá, ¿quién es el rey?
> — Cállate, niño, que me comprometes.»
>
> SWIFT.

Mi buen amigo el noble Juan de Dios, compañero
de mis alegres años de juventud, ayer
no más era un artista genial, aventurero...
—Hoy vive en un poblacho con hijos y mujer.

... Y es hoy panzudo y calvo. Se quita ya el sombrero
delante de un don Sabas, de un don Lucas... ¿Qué hacer?
La cuestión es asunto de catre y de puchero,
sin empeñar la «Singer» que ayuda a mal comer.

Quimeras moceriles — mitad sueño y locura —;
quimeras y quimeras de anhelos infinitos,
y que hoy — como las piedras tiradas en el mar —

se han ido a pique oyendo las pláticas del cura,
junto con la consorte, la suegra y los niñitos...
¡Qué diablo! Si estas cosas dan ganas de llorar.

A MI CIUDAD NATIVA

«Ciudad triste, ayer
reina de la mar...»
J. M. DE HEREDIA.

Noble rincón de mis abuelos: nada
como evocar, cruzando callejuelas,
los tiempos de la cruz y de la espada,
del ahumado candil y las pajuelas...

Pues ya pasó, ciudad amurallada,
tu edad de folletín... Las carabelas
se fueron para siempre de tu rada...
—¡Ya no viene el aceite en botijuelas!...

Fuiste heroica en los años coloniales,
cuando tus hijos, águilas caudales,
no eran una caterva de vencejos.

Mas hoy, con tu tristeza y desaliño,
bien puedes inspirar ese cariño
que uno le tiene a sus zapatos viejos...

ÉGLOGA TROPICAL

«¡Qué descansada vida!»
FRAY LUIS DE LEÓN.

¡Oh, sí, qué vida sana
la tuya en este rústico retiro,
donde hay huevos de iguana,
bollo, arepa y suspiro,
y en donde nadie se ha pegado un tiro!

De la ciudad podrida
no llega un tufo a tu corral... ¡Qué gratas
las horas de tu vida,
pues andas en dos patas
como un orangután con alpargatas!

No en vano cabeceas
después de un buen ajiaco, en el olvido
   total de tus ideas,
   si estás desaborido
bajo un cielo que hoy tiene sarpullido.

   Feliz en tu cabaña
madrugas con el gallo... ¡Oh, maravillas
   que oculta esta montaña
   de loros y de ardillas,
que tú a veces contemplas en cuclillas!

   Duermes en tosco lecho
de palitroques sin colchón de lana,
   y así, tan satisfecho,
   despiertas sin galbana,
refocilado con tu barragana.

   Atisbas el renuevo
de la congestionada clavellina,
   mientras te anuncia un huevo
   la voz de una gallina,
que salta de un jolón de la cocina.

   ¡Quién pudiera en un rato
de solaz, a la sombra de un caimito,
   ser junto a ti un pazguato
   panzudamente ahíto,
para jugar con tierra y un palito!

   ¡Oh, sí, con un jumento,
dos vacas, un lechón y una cazuela
   — y esto parece un cuento
   del nieto de tu abuela —,
siempre te sabe dulce la panela!

   Y aún más: de mañanita
gozas en el ordeño, entre la bruma,
   de una leche exquisita
   que hace espuma, y la espuma
retoza murmurando en la totuma.

¡Oh, no, nunca te vayas
de aquí, lejos de aquí, donde te digo,
viniendo de otras playas,
que sólo en este abrigo
podrás, como un fakir, verte el ombligo!

Y ¡adiós!... Que te diviertas
como un piteco cimarrón... ¡Quién sabe
si torne yo a tus puertas
— lo cual cabe y no cabe —
a pedirte una torta de cazabe!

Puesto que voy sin rumbo,
cual un desorientado peregrino,
que va de tumbo en tumbo
buscando en el camino
cosas que a ti te importan un comino...

NOCHE SEÑERA

La luna es un medio mamey: asoma
detrás de la perilla
de un mirador. Y el faro
con brusquedad insólita hace guiños.

La silueta de un perro,
fugitiva y elástica, en un muro
da ódicamente un salto...
Y esto asombra en la calle a un policía.

Y en la noche señera, en el silencio
de la ciudad levítica, obsesiona
y pide una pedrada
la impertinencia erótica de un gato.

RAFAEL ARÉVALO MARTÍNEZ

Guatemalteco. Aunque Cejador le da por muerto en 1920, es
actualmente director de la Biblioteca Nacional de Guatemala.
Pero ciertamente su vida, como su obra, se desliza entre este

mundo y otros que no son éste. En sus novelas cortas es el
mundo subconsciente, las profundidades psicológicas, el misterio. En sus poesías es más bien el otro mundo de la fe católica,
que arde a través de su cuerpo transparente, débil y pecador.

BIBLIOGRAFÍA. — **Poesía:** *Maya,* pról. de J. Santos Chocano, Guatemala, 1911. *Los atormentados,* 1914. *El hombre que parecía un caballo
y Las rosas de Engaddi* [*Las rosas de Engaddi,* poesía], 1927. **Otras
obras:** *Una vida,* Guatemala, s. a. *El hombre que parecía un caballo* y
El trovador colombiano, próls. de R. Arenales y A. Reyes, San José de
Costa Rica, 1918. [*L' homme qui ressemblait à un cheval,* trad. franc.,
en RAmL, 1932, XXIII, 142-152.] *El hombre que parecía un caballo* y
El ángel, Guatemala, 1920. *El hombre que parecía un caballo,* Madrid,
1931. *El señor Monitot,* 1922. *Manuel Aldano (La lucha por la vida),*
1922. *La oficina de paz de Orolandia,* novela de imperialismo yanqui,
1925. *Las noches en el palacio de la Nunciatura,* 1927. **Estudios:**
F. DE ONÍS, *Resurrección de A. M.,* en REstH, 1928, I, 290-295; RepAm,
15 sept. 1928.

LOS ATORMENTADOS

EL BEODO

Vivo una vida miserable, completamente artificial.
Manda en mis actos no el cerebro sino la médula espinal.
Mi cuerpo se ha hecho transparente como una copa de
[cristal
y transparenta un alma loca, sin la noción de bien ni
[mal,
en la que ha muerto ha tiempo el hombre y sobrevive
[el animal.

EL AMANTE

Una vez la miré, sin otra ropa
que la tela de vidrio de una fuente.
Mi amor para alcanzarla fué impotente
y mi alma de cristal, que era una copa,
se llenó de tristeza eternamente.

EL DEMENTE

Sombra es enfermedad. Las almas sanas
son luminosas como las ventanas.

La dicha es la bondad. Las almas buenas
son sin dolor como las azucenas.
Todas las almas blancas son serenas.

En mí existieron floraciones malas;
hubo en mi corazón cortezas duras;
y un día en mi razón sentí unas alas,
unas alas oscuras,
que se llevaron todas las escalas
y me dejaron todas las locuras.

Mis brazos abrí en cruz, como un arbusto
seco, sin una queja ni un reproche.
Porque hay pecado en mí, yo sé que es justo
que en mí aniden las aves de la noche.

EL TRISTE

Mi alma de cristal es transparente;
pero es como el cristal de la ventana
que recibe las luces del Poniente.
Deja pasar la rubia
procesión de la luz de la mañana
y oye tocar la lluvia eternamente.
Porque nada hay más triste que la lluvia
cuando llama al cristal de una ventana.

EL POETA

De todas esas almas de cristales
recogí los dolores inmortales.
Nada más doloroso que yo existe.
Yo soy amante, beodo, loco y triste.

Los atormentados, 1914.

LOS HOMBRES-LOBOS

Primero dije «hermanos», y les tendí las manos;
después en mis corderos hicieron mal sus robos;
y entonces en mi alma murió la voz de hermanos
y me acerqué a mirarlos: ¡y todos eran lobos!

¿Qué sucedía en mi alma que así marchaba a ciegas,
en mi alma pobre y triste que sueña y se encariña?
¿Cómo no vi en sus trancos las bestias andariegas?
¿Cómo no vi en sus ojos instintos de rapiña?

Después yo, también lobo, dejé el sendero sano;
después yo, también lobo, caí no sé en qué lodos;
y entonces en cada uno de ellos tuve un hermano
y me acerqué a mirarlos: ¡y eran hombres todos!

Los atormentados, 1914.

ANANKÉ

Cuando llegué a la parte en que el camino
se dividía en dos, la sombra vino
a doblar el horror de mi agonía.
¡Hora de los destinos! Cuando llegas
es inútil luchar. Y yo sentía
que me solicitaban fuerzas ciegas.

Desde la cumbre en que disforme lava
escondía la frente de granito,
mi vida como un péndulo oscilaba
con la fatalidad de un «está escrito».

Un paso nada más y definía
para mí la existencia o la agonía,
para mí la razón o el desatino...
Yo di aquel paso y se cumplió un destino...

Los atormentados, 1914.

EL SEÑOR QUE LO VEÍA...

Porque en dura travesía
era un flaco peregrino,
el Señor que lo veía
hizo llano mi camino.

Porque agonizaba el día
y era cobarde el viajero,
el Señor que lo veía
hizo corto mi sendero.

Porque la melancolía
sólo marchaba a mi vera,
el Señor que lo veía
me mandó una compañera.

Y porque era la alma mía
la alma de las mariposas,
el Señor que lo veía
a mi paso sembró rosas.

Y es que sus manos sedeñas
hacen las cuentas cabales
y no mandan grandes males
para las almas pequeñas.

Los atormentados, 1914.-

RETRATO DE MUJER

Ella es una muchacha muy gorda y muy fea;
pero con un gran contento interior.
Su vida es buena, como la de las vacas de su aldea,
y de mí posee mi mejor amor.

Es llena de vida como la mañana;
sus actividades no encuentran reposo;
es gorda, es buena, es alegre y es sana;
yo la amo por flaco, por malo, por triste y por ocioso.

En mi bohemia, cuando verde copa
se derramaba, demasiado henchida,
ella cosió botones a mi ropa
y solidaridades a mi vida.

Ella es de esas mujeres madres de todos
los que nacieron tristes o viven beodos;

de todos los que arrastran penosamente,
pisando sobre abrojos, su vida trunca.
Ella sustituyó a la hermana ausente
y a la esposa que no he tenido nunca.

Cuando se pone en jarras, parece un asa
de tinajo cada brazo suyo; es tan buena ama de casa
que cuando mi existencia vió manchada y helada y des-
                                    [truída
la lavó, la aplanchó, y luego, paciente,
la cosió por dos lados a la vida
y la ha tendido al sol piadosamente.

Los atormentados, 1914.

ROPA LIMPIA

Le besé la mano y olía a jabón;
yo llevé la mía contra el corazón.

Le besé la mano breve y delicada
y la boca mía quedó perfumada.

Muchachita limpia, quien a ti se atreva,
que como tus manos huela a ropa nueva.

Besé sus cabellos de crencha ondulada;
¡si también olían a ropa lavada!

¿A qué linfa llevas tu cuerpo y tu ropa?
¿En qué fuente pura te lavas la cara?
Muchachita limpia, si eres una copa
llena de agua clara.

Las rosas de Engaddi, 1927.

ORACIÓN AL SEÑOR

Ha sido tal vez mi suerte
ser una rama encendida
que se apaga consumida
por su deseo de verte.

La cosa que arde, Señor,
es tal vez cosa que ama;
tal vez, Señor, una llama
no sea más que un amor.

La llama de este dolor
que siento que me consume
y en que es mi verso el perfume
de alguna mirra interior.

Y quién sabe si el dolor
no sea más que una llama
que arde tan dentro en la rama
que no se mira el fulgor.

Tal vez, Señor, el perfume
de la cándida azucena
no sea más que la pena
de un fuego que la consume,

que va tan bajo y profundo
que no sentimos calor;
tal vez, Señor, este mundo
no sea más que tu amor.

Y tal vez nos disgregamos
del fuego de interno hogar
y el mismo amor con que amamos
después nos vuelve a integrar.

Y son tal vez muerte y vida
proceso del mismo amor
de una lámpara encendida
en el fuego del Creador.

Las rosas de Engaddi, 1927.

ORACIÓN

Tengo miedo, miedo a no sé qué, el miedo de una
[visión confusa.
Un miedo que desconocen los buenos.
Señor, mi miedo mismo de mi crimen me acusa:
si no fuera tan vil te amaría más y te temería menos.

Señor, perdón; no te he amado, pero te he temido;
no pude acogerme a tu misericordia, pero a tu justicia
           [me he acogido.

Señor, para mi amor al arte, perdón.
Perdona que en este mismo instante rime mi petición.
Perdón para mi vanidad;
perdón porque no soy puro ni sencillo,
Señor, pero me humillo
y reconozco mi maldad.

Las rosas de Engaddi, 1927.

FERNÁNDEZ MORENO
1886 - 1951

Argentino, de Buenos Aires. Su primer nombre, que no usa,
es Baldomero. Sus padres eran españoles. En una aldea de
Santander, que lleva en su alma, como el chirrido penetrante
de sus carros, pasó su infancia hasta que volvió a Buenos Aires
a los trece años. Estudió y ha ejercido la carrera de Medicina.
Su obra poética, muy abundante, aunque trata de diversidad de
asuntos (la ciudad, el campo, la provincia, la vida familiar, la
intimidad sentimental), tiene gran unidad; consiste ésta en la
simplicidad de elementos, en la aprehensión de los pormenores
tenues del momento fugaz, en la sinceridad desnuda, tierna y
un tanto despegada; en una leve y simpática ironía, que es su
mayor encanto y originalidad, todo lo cual junto hace de él uno
de los mejores poetas de este tiempo.

BIBLIOGRAFÍA. — **Poesía:** *Las iniciales del Misal*, Buenos Aires, 1915.
Intermedio provinciano, 1916. *Ciudad*, 1917. *Por el amor y por ella*,
1918. *Antología, 1915-1918*, 1918. *Campo argentino*, 1919. *Versos de
Negrita*, 1920. *Nuevos poemas*, 1921. *Canto de amor, de luz, de agua*,
1922. *Mil novecientos veintidós*, 1922. *El hogar en el campo*, 1924.
Aldea española, 1925. *El hijo*, 1926. *Poesía*, 1928. *Décimas*, 1928.
Último cofre de Negrita, 1929. *Sonetos*, 1929. *Córdoba y sus sierras:
Mar del Plata y Montevideo*, 1931.   **Estudios:** N. CORONADO, *F. M.*,
en Nos, sept. 1918. R. DE DIEGO, *F. M.*, en Nos, abril 1923. E. DÍEZ-
CANEDO, *F. M.*, en ROcc, 1924, IV, 241-247; Esp, núm. 129. A. GER-
CHUNOFF, *«Poesía» de F. M.*, en VL, julio 1928. J. GUERRERO, *Un gran
poeta argentino: F. M.*, en Verdad, marzo 1924. R. F. GIUSTI, *Crítica y*

polémica, Buenos Aires, 1917. J. LE PERA, *Tre poeti argentini,* en Colombo, 1930, XXII, 37-45. M. LÓPEZ PALMERO, Sobre *Décimas,* en Nos, 1929, LXIII, 275-277. L. LUGONES, *F. M.,* en Nac, 28 dic. 1916. E. MÉNDEZ CALZADA, *La obra poética de F. M.,* en Nos, 1926, LIII, 289-310. E. PALACIO, Sobre *Décimas,* en CritBA, 9 mayo 1929. P. ROJAS PAZ, Sobre *Décimas,* en Sin, 1929, VII, 357-359. J. TORRENDELL, *El año literario,* Buenos Aires, 1918; *F. M.,* en Atl, 27 mayo 1920.

INICIAL DE ORO

Nací, hermanos, en esta dulce tierra argentina,
pero el primer recuerdo nítido de mi infancia
es éste: una mañana de oro y de neblina,
un camino muy blanco y una calesa rancia.

Luego un portal oscuro de caduca arrogancia
y una abuelita toda temblona y pueblerina,
que me deja en la cara una agreste fragancia
y me dice: ¡El mi nieto, qué caruca más fina!

Y me llenó las manos de castañas y nueces,
y el alma de leyendas, y el corazón de preces,
y los labios de un viejo y divino parlar...

Un parlar montañés de viejecita bruja
que narra una conseja mientras mueve la aguja.
¡El mismo que ennoblece ahora mi cantar!

Las iniciales del Misal, 1915.

HABLA LA MADRE CASTELLANA

Estos hijos, dice ella,
la madre dulce y santa,
estos hijitos tan desobedientes
que a lo mejor contestan una mala palabra...

En el regazo tiene
un montón de tiernísimas chauchas
que va quebrando lentamente
y echando en una cacerola con agua.

—Cómo os acordaréis
cuando yo esté enterrada.

Tenemos en los ojos
y la ocultamos una lágrima.

Silencio.
Al quebrarse las chauchas
hacen entre sus dedos pálidos
una detonación menudita y simpática.

Las iniciales del Misal, 1915.

GENEALOGÍA

En la sala que adornan cosas de antiguo fausto
y horribles bibelotes de la miseria actual,
ante los despintados óleos de los abuelos,
cuando estoy solo en casa me gusta meditar.

Este abuelo materno del enérgico rostro,
del rugado entrecejo y la barba fluvial,
hubiera sido en tiempos del César Carlos Quinto,
en el brumoso Flandes, brillante capitán.

A lomos de su mula se recorrió su España;
en la faja chillona, sevillano puñal;
salpicada de besos la luenga barba rubia,
y en los labios bermejos un sonoro cantar.

En todas las posadas y ventas del camino,
donde se detenía a dormir o yantar,
tocaba la guitarra y buscaba pendencias,
y se bebía el vino y no pagaba un real.

Harto de su azarosa vida de aventurero,
en una vela blanca cruzó la verde mar,
y ya en tierras de América sentó por fin el juicio,
redimido en enormes ansias de trabajar.

¡Oh, la abuela materna de sonrisa enigmática,
de largo cuello fino y de mano ducal!
Tiene en la falda un libro que puede ser de versos
de Espronceda, o si no del cantor de Don Juan.

Romántica la abuela, diz que se desmayaba
en un artificioso momento teatral,
ante una hermosa puesta de sol de la Moncloa,
ante una rosa blanca dormida en su rosal.

Murió joven; he visto por algunos cajones
unas trenzas pesadas, un anillo nupcial,
sedas descoloridas, abanicos bordados
y un libro de memorias que no sé qué dirá.

El padre de mi padre tiene la faz cuadrada,
un bigote en cepillo, un severo mirar...
Fué soldado; peleó por Cristina,
regando en las montañas su sangre liberal.

Lleno de reumatismos y honrosas cicatrices,
recogido en un manto viril de austeridad,
limpiando su uniforme y bruñendo su espada,
vivió infinitos años clavado en su heredad.

¡Oh, la abuelita Ignacia, insigne rezadora,
docta en todos los chismes menudos del lugar...
Siempre en sus telas pardas; pardos los pañolones,
pardas las sayas limpias y pardo el delantal!

¡Oh, manos sarmentosas de la abuelita Ignacia,
solas para tejer, solas para amasar!
¡Qué medias más calientes las que ella me tejía!,
y la borona de oro, ¡qué riquísimo pan!

Y nieto de un soldado y de un contrabandista,
de una aldeana recia, de una mujer ideal,
cuatro rosas de sangre circulan en mis venas
y cada una tiene distinto perfumar;
cuatro rumbos se abren delante de mis ojos...
¡y no sé cuál tomar!

Las iniciales del Misal, 1915.

ELEGÍA A LOS FUNERALES DE UN BREVE AMOR

Era la sombra del amor,
la sombra del amor, ¡no pudo ser!
Ya pasó por mi vida otro dolor,
ya pasó otra mujer.

No era su pecho mi cabezal,
no eran sus manos las guiadoras
por el camino triste y fatal...
No era el consuelo para mis horas,
no era la lumbre para quemarme,
no era la fuente para beber,
ni el tronco firme donde enredarme,
dar unas flores y envejecer...

Era la sombra del amor,
la sombra del amor, ¡no pudo ser!
Ya pasó por mi vida otro dolor,
ya pasó otra mujer.

Las iniciales del Misal, 1915.

INVITACIÓN AL HOGAR

Estoy solo en mi casa,
bien lo sabes, y triste como siempre.
Me canso de leer y de escribir
y necesito verte...

Ayer pasaste con tus hermanitas
por mi casa, con tu traje celeste.
Irías a comprar alguna cosa...
Ganas tenía yo de detenerte,
tomarte muy despacio de la mano
y decirte después muy suavemente:
—Sube las escaleras de mi casa,
de una vez, para siempre...
Arriba hay fuego en el hogar;

adereza la cena; tiende,
sobre la vieja mesa abandonada,
el lino familiar de los manteles,
y cenemos...

La noche está muy fría, corre un viento inclemente,
sube las escaleras de mi casa
y quédate conmigo para siempre.

Y quédate conmigo, simplemente,
compañeros, desde hoy, en la jornada.
Llegó la hora de formar el nido,
voy a buscar las plumas y las pajas...

Tendremos un hogar, dulce y sereno,
con flores en el patio y las ventanas;
bien cerrado a los ruidos de la calle
para que no interrumpan nuestras almas...
Tendrás un cuarto para tus labores,
¡oh, la tijera y el dedal de plata!
Tendré un cuartito para mi costumbre
inofensiva de hilvanar palabras.

Y así, al atardecer, cuando te encuentre,
sobre un bordado, la cabeza baja,
me llegaré hasta ti sin hacer ruido,
me sentaré a tus plantas,
te leeré mis versos, bien seguro,
de arrancarte una lágrima,
y tal vez jueguen con mi cabellera
tus bondadosas manecitas blancas.

En tanto pone el sol sus luces últimas
en tu tijera y tu dedal de plata.

Intermedio provinciano, 1916.

PROPÓSITO

Desde hoy en adelante voy a ser reservado,
pasaré por la vida taciturno y callado.

Y en cuanto escucho media palabra bondadosa
se abre mi corazón como una blanda rosa.

Así soy como una casita de oro y seda,
con todo su moblaje al sol, en la vereda.

Ciudad, 1917.

ENERGÍA DE UNA DE LA MAÑANA

Yo conozco muy bien esta energía...
Sé cómo viene y sé cómo se marcha.

La taza de café,
la cerveza alemana,
el arpa de oro
que tañe esa mujer toda de plata.

Yo conozco muy bien esta energía
de una de la mañana...
Dentro de unos instantes
no habrá nada.

Se va como el aroma
del fondo de la taza;
se deshace lo mismo
que una burbuja de cerveza vana;
se pierde como nota
postrimera de arpa;
se desvanece como en la profunda noche
la cola del vestido de la mujer de plata...

Ciudad, 1917.

EN LA VIEJA SALA

V

A veces, en la vieja sala,
por los espejos y los cortinones,
como una rosa mustia el silencio resbala
y se deshoja en nuestros corazones.

— ¿En qué piensas? — entonces me preguntas.
Y yo, santificado de emoción,
respondo : — En nada; miro tus manitas juntas,
y cómo sube y baja tu pecho en la respiración...

Por el amor y por ella, 1918.

DOLOR

Tira la pluma y déjalo. Otro día
dirás de esto que sufres. Haz un esfuerzo. Vive,
y espera que tu dolor se haga melancolía...
Esta noche se llora y no se escribe.

Por el amor y por ella, 1918.

AUTO

Por el camino llano,
alegre de canciones iba el auto veloz.
¡Alegría de músculos estirados y conciencia tranquila!
¡Alegría del mundo! ¡Alegría de Dios!

En el camino llano
se ha detenido el Ford.

Todos mis compañeros se han arrojado al suelo,
quién revisa las ruedas, quién revisa el motor;
éste aprieta un tornillo, aquél toca un resorte;
todos se preocupan de algo... menos yo.

Sobre el inútil coche comprobé una vez más
lo flaco de mis manos para cualquier acción.
Veinte veces se ha roto una rueda en mi senda,
¡nunca supe qué hacer con la tal rueda yo!
Me tiñó la vergüenza de rojo las mejillas,
y me apelotoné del auto en un rincón.

Pero luego pensé que era tal vez el único
que, en mitad de los campos, tenía la visión
completa de la patria, de su mucha grandeza,
de su heroico pasado, del futuro esplendor;

que era tal vez el único que sediento bebía,
con la boca entreabierta, con el ojo avizor,
patria, en trigos nacientes; patria, en glaucas avenas;
patria, en aire aromado; patria, en cielo con sol...

Se me fué el vergonzoso rosicler de la cara,
y un insensato orgullo hinchóme el corazón.

Campo argentino, 1919.

ÁRBOLES DE LA AVENIDA

Árboles de la Avenida,
¡cómo va pasando el tiempo!

Yo conocí vuestros troncos
lisos, delgados, esbeltos.

Y ahora estáis llenos de costras,
de verrugas, de tubérculos.

Entonces era yo un niño
melancólico y contento.

El primero de una escuela
de la calle de Comercio.

Me ponía colorado
si me llamaban gallego.

Que iba para diplomático,
dijo el Director muy serio.

Y me he quedado en poeta,
yo, que empecé siendo médico.

Delante de una mujer
temblaba todo de miedo.

Pasaba las vacaciones
iluminando guerreros

que tuvieran muchas cruces
y medallas en el pecho.

O leyendo novelones
que me prestaba el portero...

Árboles de la Avenida,
nos vamos poniendo viejos.

Poesía, 1928.

COLGANDO EN CASA UN RETRATO DE RUBÉN DARÍO

I

Aquí nos tienes, Darío,
reunidos a todos; mira:
ésta es mi mujer, Dalmira,
morena como un estío.
Éste el hijo en quien confío
que dilate mi memoria,
y ésta mi niña y mi gloria
tan pequeña y delicada,
que de ella no digo nada...
Cuatro meses es su historia.

II

El momento de yantar
desde hoy has de presidir,
y hasta el llorar y el reír
y la hora de trabajar.
Desde ahí contempla el hogar
que no gozaste en el mundo,
mientras yo, meditabundo,
cuando mire tu retrato
te envidiaré largo rato
triste, genial y errabundo.

Décimas, 1928.

VAGABUNDO

Si me echara a caminar
por el mundo desde hoy,
olvidado de quién soy
y de mi caliente hogar...

¿A dónde iría a parar
todo de andrajos cubierto?
¿A qué país, a qué puerto?
¿De qué ladrón o mendigo
sería tal vez amigo?
¿Dónde me hallarían muerto?

Décimas, 1928.

ALDEA ESPAÑOLA

I

Recuerdo de una semana
de anginas y calenturas,
de hisopazos y de unturas
delante de una ventana.
La enorme casa aldeana,
la conversación secreta,
el médico, la receta,
y en el reseco verano,
interminable y lejano,
el chirriar de una carreta.

II

Chirriar que tengo metido
como apretada espiral,
¡era el eje de nogal!,
en la cueva del oído.
Lo oigo si estoy dormido,
lo oigo si estoy despierto,
si me aburro o me divierto,
lo oiré de viejo temblante
y enfermo y agonizante,
y bajo la tierra, muerto.

Décimas, 1928.

AL SEÑOR MARQUÉS DE SANTILLANA, QUE LLEVABA EN LA CELADA UN MOTE QUE DECÍA «DIOS E VOS»

Aquí, para entre los dos,
averigüemos qué es,
¡oh magnífico marqués!,
aquello de «Dios e Vos».
Está claro eso de «Dios»,
mas lo de «Vos», ¿qué sería?
Que era la Virgen María
afirman, graves, los sabios...
Plegaba el marqués los labios,
el marqués se sonreía.

Décimas, 1928.

A LEOPOLDO LUGONES

Cuando empezó a cantar el alma mía
bastaba sólo murmurar Lugones,
para ver levantarse dos torreones
de piedra y hierro al corazón del día.

Quise ver al señor de poesía,
de su castillo alcé los aldabones,
y me asustaron como tres leones
su fuerza, su salud y su alegría.

Pero hoy dimos en una encrucijada,
venía el hombre de jugar la espada
y era todo calor, rima, denuedo,

chispas el ojo, juventud el talle.
Hoy caminamos juntos por la calle,
¡hoy le he perdido para siempre el miedo!

Sonetos, 1929.

«ALONSO QUESADA»

(Rafael Romero.)

Español. Canario. Débil y enfermizo, murió joven. Su poesía
melancólica, de niño triste, canta en voz muy baja lo cotidiano
y familiar con un dejo de resignada ironía.

Bibliografía.—**Poesía:** *El lino de los sueños,* pról. de M. de Unamuno;
Madrid, 1915.   **Otras obras:** *Crónicas de la ciudad y de la noche,* 1919.
La umbría, poema dramático, 1923.

A LA HORA DEL ÁNGELUS

En San Telmo ha sonado la oración.
¡Mi alma no se renueva!
El cielo está cubierto y la memoria
todo lo olvida por estarse quieta.
      ¡La memoria en silencio!
Es el instante de las cosas ciertas...

Todo el amor, todo el dolor, ¡oh amada!,
detener un minuto en su carrera,
y oír cómo este toque de oraciones
vibra perdido dentro el alma hueca...

El lino de los sueños, 1915.

EL BALANCE

Estos cuarenta ingleses esta noche se juntan
para hacer un balance porque termina el año.
El trabajo nocturno, si es trabajo de números,
tiene para estos hombres un voluptuoso encanto.
Van llegando puntuales. Sobre las altas mesas
van uniformemente los libros colocando;
luego sacan sus pipas; reposados encienden,
y antes de dar comienzo beben un whisky agrio.

La oficina está plena de luz, y yo he venido,
como todos los días, con bastante retraso...
Ellos, que no toleran la indiferencia mía,
en su lengua, a mis modos, ponen un comentario...
Y el más viejo de todos, el tenedor primero
— ¡jaranero divino! —, a mi entrada alza el vaso
y con una postura de orador de Hyde-Park
grita : «¡Brindo, señores, por el amigo Byron».

Los demás se sonríen — una burla británica —.
Yo sigo a mi pupitre y empiezo mi trabajo...

El lino de los sueños, 1915.

BENJAMÍN TABORGA

1889-1918

Argentino, aunque nacido en España, en la provincia de Santander, de donde emigró a los veintiún años. Después de una vida dura en el Ecuador y Chile, encontró en Buenos Aires la posibilidad de cultivar su vocación filosófica y poética, cortada por la muerte temprana apenas había dado sus primeros frutos. Éstos, que reflejaron, sin duda, una calidad de hombre superior, fueron reunidos en un volumen después de su muerte por los amigos argentinos que le amaron y respetaron. Sus poesías fueron publicadas antes bajo el seudónimo de Teófilo de Sais; expresan con amarga serenidad y elegancia las emociones de un espíritu meditador que ha abierto sus ojos sobre los problemas del mundo y del hombre.

BIBLIOGRAFÍA.— **Poesía:** *La otra Arcadia* [publ. bajo el seudónimo de Teófilo de Sais], Buenos Aires, 1917. *Obra completa,* ed. de J. Gabriel, Buenos Aires, 1924 [vol. I: *El novísimo órgano,* prosa; vol. II: *La otra Arcadia,* verso]. **Estudios:** N. CORONADO, *Necrología y discurso,* en Nos, 1918, XXXI, 628-631. E. D'ORS, *B. T.,* en Nos, dic. 1918. J. GABRIEL, *Devoción de B. T.,* en Nos, 1928, LXII, 285-293. J. NOÉ, *Nuestra literatura,* I.ª serie, Buenos Aires, 1923, pp. 109-114.

SAN PABLO EN ATENAS

Decepcionado y triste se halla Pablo en Atenas,
donde a predicar vino la gloria del Mesías;
bajo el sol de estos cielos, en la luz de estos días,
no ha triunfado el apóstol de encrespadas melenas.

Las gentes que le oyeron, demasiado serenas,
ante su verbo ardiente permanecieron frías;
en un helado soplo de suaves ironías
se apagó el fuego sirio que corre por sus venas.

Esta ciudad pagana, que armonía rebosa,
rinde culto a Minerva : la equilibrada diosa
de vestiduras áureas y refulgente casco.

Y esta ciudad—¡oh apóstol decepcionado y triste!—
no comprenderá nunca la visión que tuviste
en una noche oscura, camino de Damasco.

La otra Arcadia, 1924.

FIESTAS PATRIÓTICAS

Fiestas patrióticas : sonar de clarines —
trapos de colores tendidos al viento —
huecos paladines
presenciando el paso de algún regimiento —
turbas turbulentas
que en rápidos giros de tromba se agitan —
gentes desatentas
que corren y gritan —
tiesos uniformes, jinetes gallardos —
plenitud de orgía — sudor de suplicio —
bombas y petardos —
fuegos de artificio —
solemnes discursos que no dicen nada —
roncos alaridos que lo dicen todo —
el ¡ay, que me asfixio!, de una embarazada,

y el ¡viva mi pueblo! que lanza un beodo —
soldados —, caballos —, gendarmes —, banderas —
se canta —, se goza —, se come —, se bebe —
himnos y te-deums, y vivas y mueras...
— Plebe, plebe, plebe.

La otra Arcadia, 1924.

PRÓDIGO

El hijo perdido
al medio olvidado pueblo de su cuna
vuelve arrepentido.
Aquí será bueno y emprenderá una
jornada de olvido.

Con el hijo pródigo el pasado vuelve,
siempre inseparables cadáver y caja.
La lucha es recóndita. Sin cesar trabaja,
con humildes ojos y cabeza baja,
por librarse de algo que, vivo, le envuelve
como una mortaja.

El hijo maldito del medio olvidado
pueblo de su cuna va huyendo escapado,
más que nunca impío, más que nunca infiel...
El negro pasado
siempre está a su lado:
siempre va con él.

La otra Arcadia, 1924.

ÍNTIMAS

IV

Ven, mírame a los ojos, diablillo impenitente,
mírame mucho, sin cesar.
A ver si un solo rayo de la luz de mi frente
logra en la tuya penetrar...

Digo, y herida entonces en su ingenua simpleza
me mira un rato, pensativa;
pero luego se aparta, moviendo la cabeza
con su sonrisa inexpresiva.

... Todo es inútil. Siempre seremos dos extraños.
Siempre, diablillo baladí.
Han de pasar mil días, han de pasar mil años
y no sabrás nada de mí.

VI

El pobre enfermito se muere... —
Y el buen doctor, que nunca quiere
dar a las frases que profiere
sello de juicio capital,
dice al papá con tono frío :
— Esto va mal, amigo mío,
esto va mal.

Sí: cuántas veces en mi lecho,
puesta la mano sobre el pecho,
después de auscultarle, digo
en diálogo confidencial
al enfermo que está conmigo :
— Esto va mal, mi pobre amigo,
esto va mal.

XIII

Hoy se fué. Yo la amaba. No era buena.
— Bien — pensé neciamente —. Que la hiena
se vuelva para siempre a su zahurda.
Ahora venga la paz, la paz serena... —
Pero lo que ha venido es una pena
desoladoramente absurda.

La otra Arcadia, 1924.

PEDRO SIENNA

1893

Chileno. Actor. Ha expresado con maestría y elegancia su soñadora desilusión.

BIBLIOGRAFÍA. — **Poesía:** *Muecas en la sombra,* Santiago de Chile, 1917. *El tinglado de la farsa,* 1923. **Otras obras:** *La caverna de los murciélagos,* novela. *La vida pintoresca de Arturo Bührle.* **Estudios:** J. GARCÍA GAMES, *Como los he visto yo,* Santiago de Chile, 1930.

ESTA VIEJA HERIDA...

Esta vieja herida que me duele tanto,
me fatiga el alma de un largo ensoñar;
florece en el vicio, solloza en mi canto,
grita en las ciudades, aúlla en el mar.

Siempre va conmigo poniendo un quebranto
de noble desdicha sobre mi vagar.
Cuanto más antigua tiene más encanto...
¡Dios quiera que nunca deje de sangrar!...

Y como presiento que puede algún día
secarse esta fuente de melancolía
y que a mi pasado recuerde sin llanto,

por no ser lo mismo que toda la gente,
yo voy defendiendo, románticamente,
esta vieja herida... ¡que me duele tanto!...

ASÍ SE PASA LA VIDA

Levantarse a la una de la tarde. Vestirse
con toda la pachorra de un millonario inglés.
Colocar una perla en la corbata. Irse
al ensayo, que empieza a las dos o a las tres.

Ensayar, chismorrear y fumar. Aburrirse
muy soberanamente hasta el final. Después
dar una vuelta en coche por el Parque. Sentirse
un poquito bohemio y otro poco burgués.

El *vermouth*, con amigos, piano, flauta y violines.
Hablar mal de la Empresa, del teatro y los cines.
Cenar luego a la carta. Y a las nueve ¡función!

Trasnochar hasta el alba. Creer en la promesa
de una boca pintada que muerde cuando besa.
... Y entre tanto, ¿qué ha sido de ti, mi corazón?...

JOSÉ Z. TALLET

1893

Cubano, de Matanzas. «Hombre raro, silencioso y fuerte. El
más fuerte y original de los nuevos poetas» de Cuba, dice de él
Lino Novás Calvo. Estudió para cura y luego se hizo radical.
Periodista. Domina la literatura de lengua inglesa. Sus poesías,
no reunidas en libro, esconden bajo su prosa irónica un alma
grande, buena y sentimental.

ELEGÍA DIFERENTE

A Carlos Riera, en la eternidad.

Carlos, mi amigo Carlos,
hoy hace varios años que te has muerto.
(Mi corazón se encoge
ante la persistencia tenaz de tu recuerdo.)

Tú no has muerto del tifus ni de la meningitis,
como dicen los médicos;
tú te has muerto de asco, de imposible o de tedio.

¡Qué bien te conocía, Carlos Riera!
¿Ves cómo confirmaste mi sospecha
de que harías algo de mucha trascendencia?

Algo, en verdad, que no era el libro árido
de aparentes verdades que sé que preparabas
para endilgarnos
dentro de veinte o veinticinco años.
(¿Pretenderás, ¡oh Muerte!, que te demos las gracias,
porque de su lectura nos libramos?)

Ya tanto fantaseabas
sobre cosas abstrusas
y mirabas tan poco hacia afuera,
que, descuidado, asiéndote la Intrusa,
te arrastró, compasiva, con ella
para calmar tu sed y tu impaciencia.

Ya estarás satisfecho,
pues sabes lo que ignoran tus maestros.

Ya no serás el ciego
que, de noche, en el bosque, perdiera
su bastón y su perro.

Pero, ¿con qué derecho
te marchaste llevándote mi hacienda?
De ser cierto el refrán «Un amigo
es un tesoro», casi me quedo en la miseria.
Y eso no está bien hecho, Carlos Riera...
El día de tu muerte — ¡bien me acuerdo! —
me cogió la noticia de sorpresa,
a pesar de que el aciago telegrama
era amarillo y negro.

Te lloré con las lágrimas con que llora el niño,
lágrimas que mojan, verdaderas...
— ¡y tanto que creía que su fuente
se había, en mí, secado para siempre! —
(Más tarde, ¡cuántas veces te he llorado
con invisibles lágrimas internas!)

¡Qué extraño era tu rostro entre las cuatro velas!
verdoso, patilludo, y apuntaba en tus labios
una semisonrisa de desprecio o de triunfo.

¡Qué trabajo
me costaba creer que ya nunca
volverías a hablarnos
de intrincados problemas abstractos!

Mas, mi pobre Carlos,
ya lo creo que estabas bien muerto,
como hoy, sin duda, ya estarás podrido;
solamente me queda tu recuerdo,
que se irá conmigo.

Sin embargo, te finjo
en el plácido alcázar de los muertos,
clásicamente revestido
de una inconsútil toga
que dignifica tu asombrada sombra...
Te habrás apresurado hacia el departamento
de los filósofos que fueron
— espíritus afines o maestros —.
El viejo Spencer,
a quien tanto leíste y comentaste,
al verte, satisfecho,
mesará sus diáfanas patillas astrales;
y todos
protectoramente golpearán tu hombro
con aire de maestros,
aunque tú sabrás tanto como ellos.

¿Quién me asegura que una carcajada
de las que, con frecuencia, aquí se te escapaban,
no se te irá al recuerdo
de tu admirado magíster, don José Ingenieros?
¿No sientes lástima por los que nos quedamos,
tú, que ahora conoces el Misterio?

Carlos, si te paseas en las sombras
de los buenos filósofos de ayer,
dale muchos recuerdos a Spinoza;
besa, con respeto, la mano de Darwin,
y abraza fuertemente de mi parte
a mi gran amigo Federico Amiel...

MI CORAZA

Yo era bueno, tan bueno que parecía bobo,
mas mi fragua penaba por devorarlo todo.

Porque no se extinguiera
alimenté su llama con ideas ajenas,
que produjeron chispas de ensueño
y el humo denso del pensamiento.

Las chispas
brillan un momento, ¡al cabo chispas!,
pero el humo denso
llenó de hollín la chimenea de mi cerebro.

Cayó la lluvia de la vida
arrastrando el hollín hasta mi pecho,
y el hollín y la lluvia se volvieron cieno
—y ya no fuí tan bobo que pareciese bueno—

Después sopló la brisa de la experiencia
que, endureciendo aquel cieno,
rodeó mi corazón de una corteza
más dura que el cemento.

Y así fué como
ya no soy tan bueno que parezca bobo.

EZEQUIEL MARTÍNEZ ESTRADA

1895

Argentino, de San José de la Esquina, en la provincia de
Santa Fe. Profesor del Colegio Nacional de La Plata. Poeta y
prosista de emociones intelectuales, que envuelve su sinceridad
en el esfuerzo barroco de la expresión, de modo muy personal
y muy rico de realidad y de cultura.

BIBLIOGRAFÍA. — **Poesía**: *Oro y piedra*, Buenos Aires, 1918. *Nefelibal*, 1922. *Motivos del cielo*, 1924. *Argentina*, 1927. *Humoresca*, 1929. *Títeres de pies ligeros*, 1929. **Estudios**: J. FINGERIT, *La poesía de M. E.*, en Babel, marzo 1928. E. ESPINOZA [S. GLUSBERG], Sobre *Títeres de pies ligeros*, en VL, nov. 1929. F. LÓPEZ MERINO, Sobre *Argentina*, en Sin 1927, núm. 7, pp. 114-115. E. MORENO, *E. M. E.*, en DSS, enero 1929. R. ROJAS, *Una carta abierta a M. E.*, en Babel, marzo 1928. E. URIBE, Sobre *Humoresca*, en VL, 1 julio 1930.

BIENVENIDA A LOS REYES MAGOS

Los Reyes Inmortales, tres tenues visionarios
en ronda blanca contra la eternidad azur,
pasarán esta noche, sobre sus dromedarios,
de Oriente hacia Occidente y de Norte hacia Sur.
Y en ciudades enormes y en pueblos solitarios,
en todos los lugares de sus itinerarios,
las cornucopias de oro verterán al albur.

A la hora nocturna — día en la Epifanía —
les verán las estrellas en peregrinación,
como estampas vitales de ensueño y fantasía
que dejaran las láminas de una decoración.
Vendrá Melchor de Persia que el regio curso guía,
luego Gaspar de Arabia que un astro azul vió un día,
y Baltasar, de tierras de Amenhotpú Memnón.

Que la tierra se aduerma, como en sopor de luna,
bajo la maravilla de un fulgor estelar;
que no turbe los cielos pacíficos ninguna
nube; que ningún viento les sorprenda, al pasar;
que se aplane y florezca la montaña y la puna;
que el silencio les guarde, y el mar sea como una
laguna, por si tienen que atravesar el mar.

Oro y piedra, 1918.

HUMO

Mientras fumo
filosofo, o armonizo, o diseño.
Todo se puede hacer con humo,
o con menos, con sueño.

El humo es alfabeto de mágico grimorio
en que está escrito el mundo; abarca
lo exacto y lo perpetua, como siendo ilusorio.
La vida es sueño, dice. Y luego marca
la fórmula invertida (nexo conciliatorio
entre don Pedro Calderón de la Barca
y don Ramón de Campoamor y Camposorio).
Pero este humo de antimonio y grafito
es, a lo más, sencillamente,
el puente
que une mi hastío con el infinito.

Motivos del cielo, 1924.

EL MATE

De ti a mí, mano a mano,
el mate viene y va.

El mate es como un diálogo
con pausas que llenar.
(Darío lo ha llamado
calumet de la paz.)
Niño que se ha dormido
cansado de llorar
y aun suspira, la lluvia
cae sobre la ciudad.
El brasero sus brasas
aviva fraternal
y como en la charada
llena todo el hogar.

De ti a mí, mano a mano,
el mate viene y va.

Nos quedamos callados
mirando sin mirar
un cuadro, un libro abierto,
un reflejo fugaz.
Tenemos una pena

como de soledad;
nos falta un hijo y algo
que no tendremos ya.
El reloj da la hora
de la serenidad
y grano a grano cuenta
arenas en el mar.
La lluvia se diría
que licúa el cristal.
El brasero calienta
el frío del hogar.

De ti a mí, mano a mano,
el mate viene y va.

Hace poco perdimos
un amigo ejemplar,
perdimos un hermano
de exquisita bondad.
Se le acabó la vida
antes de comenzar.
Presente en el silencio
sabemos bien que está,
pero callamos porque
no podemos hablar.
Tú principiaste un cuadro,
yo, un libro; y ahí están
sin terminar las manos,
la estrofa sin final.

De ti a mí, mano a mano,
el mate viene y va.

Llevamos siete años
de vida conyugal
y nuestro amor reclina
su frente en la amistad.
De los viejos proyectos
casi no hablamos más;
hay algo que nos dice
de un fracaso brutal.

Nos miramos con pena
durmiendo sin soñar;
nos ha engañado el sueño,
ya no soñamos más.

De ti a mí, mano a mano,
el mate viene y va;
viene a mí fervoroso,
casi frío a ti va.

No hay más luz que las brasas
ni más calor, quizás.
Mi cigarrillo quema
substancia sideral
y como se ve poco
no nos vemos llorar.

Argentina, 1927.

SAN JOSÉ DE LA ESQUINA

Apenas te distingo, fragmentario
de tan lejano y tan pequeño.
Un poco de memoria y otro poco de sueño
te van reconstruyendo en un plano arbitrario.

La casa amplia tenía
rejas en las ventanas y la luna tras ellas.
Después la galería
y un tapial erizado con vidrios de botellas.

Una tarde llovió con sol. ¡Qué vieja y nueva
esa lluvia de oro, y con cuánta alegría
cantaba yo : «que llueva, la vieja está en la cueva»!
Así sigue lloviendo en mi alma todavía.

Fuera del pueblo, en casa de una vieja. Una pala
de sacar pan. Un horno. Otro chico. Algún juego.
La vieja que pitaba un cigarro de chala.
Recuerdo bien la mano, el cigarro y el fuego.

¿Y algo más? Una fiesta junto a un río. La gente
alegre, el viento a toda orquesta.
Debió ser una fiesta muy triste aquella fiesta
pues mi madre se puso a llorar de repente.

(Un pañuelo de seda cuadriculado, el río,
mucha tierra en el aire y un sol amarillento.
Coches. Gente cantando. Y nada más, Dios mío,
y nada más que el sol, las lágrimas y el viento.)

¡Ah, para siempre inmóviles recuerdos tan remotos
que no sé si son míos, si ciertos o de fiebre!
Tengo miedo al tocarlos, porque están casi rotos,
que éste se me deforme y el otro se me quiebre.

Argentina, 1927.

ENRIQUE MÉNDEZ CALZADA

1898 - 1940

Argentino. Hizo en España la instrucción primaria y el Bachillerato, y en Buenos Aires la carrera de Derecho. Profesor.
Director del suplemento literario de *La Nación*. Sus obras en
prosa le han dado el primer lugar entre los humoristas argentinos. Aunque en menor grado, ha cultivado, con el mismo carácter, la poesía.

BIBLIOGRAFÍA. — **Poesía:** *Devociones de Nuestra Señora la Poesía*, Buenos Aires, 1921. *Nuevas devociones*, 1924. **Otras obras:** *Jesús en
Buenos Aires*, Buenos Aires, 1922. *El jardín de Perogrullo*, glosas y
ensayos filosófico-humorísticos, 1925. *Y volvió Jesús a Buenos Aires*,
1926. *Las tentaciones de Don Antonio*, cuentos, 1927. *El hombre que
silba y aplaude*, crónicas teatrales, 1927. *El tonel de Diógenes*, 1929.
Abdicación de Jehová y otras patrañas, 1929. *Pro y contra*, 1930. **Estudios:** R. DE DIEGO, *E. M. C.*, en Nos, mayo 1921. E. GIRÁLDEZ, Sobre
Pro y contra, en VL, en. 1931. E. PALACIO, *Crítica literaria* [sobre *El
tonel de Diógenes*], en CritBA, 4 julio 1929. M. PUCCINI, *Un humorista
argentino*, en Nos, 1932, LXXIV, 103-106.

FRENTE AL ESPECTÁCULO

Mi vida es una eterna vacilación. Mi vida
oscila entre los polos de la risa y el llanto.
Ya oprime mi alma el peso del cósmico quebranto,
ya en ella el duende alegre de las burlas anida.

El mundo, ¿es una vasta tragedia dolorida,
digna de que el poeta la enaltezca en su canto,
o es, como me susurra la voz del desencanto,
una farsa vulgar, grotesca y aburrida?

¡Oh, el complejo espectáculo de la vida!... Me inquieta
saber si he de cantarlo con alma de poeta
o he de mofarme de él lo mismo que un juglar.

Y ante el arduo dilema, reflexiono, vacilo;
entre el llanto y la risa como un péndulo oscilo,
¡y no sé qué es mejor: si reír o llorar!

Devociones de Nuestra Señora la Poesía, 1921.

EL MAR EN NOCHE DE LUNA

I

El mar, que ni el soplo más leve conmueve,
me evoca una estampa siglo diez y nueve.
(¡Oh, estampas, pueriles de tan candorosas,
que a nuestras abuelas hicieron dichosas!)
Para que la evoque de plena manera,
le falta el detalle de la batelera.
(Tienen estas cosas una poesía
que sola la expresa la litografía.)
Si escucho los sones de una barcarola,
juro que esto es una zarzuela española.
Esta luna — huelga decir que es de plata —,
es de bambalina de ópera barata.
Ni un solo celaje discreto y prudente
decora esta bóveda de azul transparente.

Un cielo tan límpido, tan artificial,
lo hizo un escenógrafo que pinta muy mal.
(Si le hubiera puesto tal cual nubecilla,
fuera el describirlo cosa más sencilla.)
En el horizonte, ni un jirón de bruma...
En el mar en calma, ni un copo de espuma...
Cada onda argentada simula un espejo
en el que la luna se quiso mirar :
múltiples facetas de un solo reflejo...
(¡Qué tropos gastados! ¡Qué cuadro tan viejo!
El mar y la luna... La luna y el mar...)

                              II

Da el romanticismo tregua a mi humorismo
y en el mar me abismo de mi misticismo.
Y sin duda que este sereno reposo
tiene indiscutible sabor religioso.
Un cielo estrellado con tal profusión,
sólo se halla en libros de edificación,
y el que lo decore precisa la vista
minuciosa y sabia de un miniaturista.
Estos cuadros, llenos de encanto inocente,
en los primitivos son cosa frecuente :
en un fresco antiguo, junto a algún altar,
hace mucho tiempo vi este mismo mar.
¿No era igual el lago de la Tierra Santa
por sobre el que Cristo deslizó su planta?
Tanto, que mi loca fe de visionario
— fe de iluminado, fe de soñador —,
desde la prosaica rambla de un balneario
ve agitarse, al fondo del vasto escenario,
la túnica blanca de Nuestro Señor.

Nuevas devociones, 1924.

6

POESÍA FEMENINA

MARÍA ENRIQUETA

1875

Mejicana, de Coatepec, Veracruz. Su nombre completo es María Enriqueta Camarillo de Pereyra, y es esposa del notable historiador Carlos Pereyra. Vivió en la ciudad de Méjico, donde empezó a escribir; ha viajado mucho por Europa y reside hace años en Madrid. Muy señora y mujer de su casa. Tiene un lugar aparte y distinto entre las poetisas de esta época. Muy sincera y femenina, huye su poesía tanto de los artificios modernistas como de los románticos; es pura, recatada, sencilla y sentimental. El dolor se hace dulce y manso en su voz mejicana, que prefiere los métodos y las expresiones populares y tradicionales, no por afán de clasicismo, sino por el pudor de no pertenecer a ninguna escuela.

BIBLIOGRAFÍA. — **Poesía:** *Las consecuencias de un sueño*, poema, México, 1902. *Rumores de mi huerto*, 1908. *Rumores de mi huerto: Rincones románticos*, Madrid, 1922. *Álbum sentimental*, 1926. **Otras obras:** *Rosas de la infancia*, lectura escolar, Paris, 1914; México, 1931. *Mirlitón*, novela, Madrid, 1917. *Los cantores de la Naturaleza*, 1919. *Jirón de mundo*, novela, [1919]. *Sorpresas de la vida*, novelas cortas, 1921. *El secreto*, novela, 1922 [trad. franc. por A. Valery et M. Pomès, Paris, 1927]. *Enigma y símbolo*, cuentos, Madrid, 1926. *El misterio de su muerte*, Madrid, 1926. *Lo irremediable*, novelas cortas, [1927]. *El arca de colores*, novelas cortas, 1929. *Cuentecillos de cristal*, Barcelona, 1929. *Brujas, Lisboa, Madrid*, Madrid, [1930]. *Del tapiz de mi vida*, novelas, 1931. **Estudios:** F. CABEZA, *L'oeuvre de M. E.*, en RAmL 1926, XII, 64-66. [M. CARPIO] JUAN DE LINZA, *M. E.*, en Crónica, 1907, I, núm. 10. E. DÍEZ-CANEDO, *Letras de América: Poetisas*, en Esp., 13 enero 1923. *M. E.*, en Sol, 23 enero 1927. A. DOTOR, *M. E. y su «Álbum sentimental»*, en CBibl, 1927, IV, 244-247; *M. E.*, en *El mirador*, Madrid, 1929. C. GONZÁLEZ PEÑA, *Nuestras poetisas: M. E.*, en AyL, 22 oct. 1911. J. J. J., *Libros nuevos* [sobre *Rumores de mi huerto*], en MuI, 20 sept. 1908. J. L., Sobre *El arca de colores*, en Sol, 31 jul. 1929. G. MISTRAL, *M. E. et son dernier livre*, en RAml, 1923, V, 264-268 [sobre *Rumores de mi huerto*]. M. DE OLIVEIRA LIMA, *Una escritora mexicana: M. E.*, en PrBA, 7 nov. 1926; CBibl, 1926, III, 403-407. C. PAYA, *M. E.*, en RRaza, 1928,

núms. 153-154, 42-43. L. Rubio Siliceo, *M. E.,* México, 1929. R. J. Sender, Sobre *Álbum poético,* en Sol, 20 mayo 1927. Sousa Costa, *Al
margen de «El secreto», novela de M. E.,* en PrBA, 19 jun. 1927.

SOLEDAD

Mientras cuido la marmita
y el gato blanco dormita,
la lluvia afuera gotea,
y el viento en la chimenea
se revuelve airado y grita...

Sobre los rojos tizones
hierve el agua a borbotones,
y si se mueve la tapa
de la marmita, se escapa
suave olor de requesones...

Miro en los brillantes leños
cómo se forman los sueños:
se encienden, brillan, se apagan,
y entre cenizas naufragan...
¡oh engañadores ensueños!

Yo también tejí los míos
en estos tristes bohíos
de aquesta lumbre al amor...
... Secóse la planta en flor
cuando vinieron los fríos...

Mientras plañe y grita el viento,
en paz y quietud me siento
junto al fogón calcinado...
¡cómo se oye en el tejado
el gotear suave y lento!

Despierta el gato y suspira,
bajo del fogón se estira,
el lomo alarga y arquea,
viene hacia mí, ronronea,
y luego mis ojos mira...

¿Su mirada indiferente
pregunta por el ausente...?
No sé; mas va a la ventana
y ve la extensión lejana
tristemente, tristemente...

Y yo también el camino
con ansiedad examino...
Nadie viene..., nadie va...,
el viento moviendo está
las ramas de aquel sabino...

Tras ver el confín lejano,
tomo la aguja en la mano,
y una tras otra puntada
queda la tela cerrada...,
después, el lino devano.

Y concluída la faena,
abro la vieja alacena,
y en ella guardo el cestillo
con la aguja y el ovillo...
Después, preparo la cena.

Ya la bruma se ennegrece...,
flotante crespón parece
que se enreda en el sabino...,
ya el solitario camino
se borra y desaparece...

La luz, confusa e incierta
cual una esperanza muerta,
se refugia en lontananza...
«Adiós, adiós, esperanza»,
le digo, y cierro mi puerta.

Sola quedo en mi bohío;
tiritando estoy de frío...,
mas prendo luego el velón
y a la lumbre del fogón
voy a calentar mi hastío...

También el gato tirita,
y ansioso ve la marmita
que borbota y cuchichea,
y en mirándola que humea,
se pone grave y medita...

Tiempo es de saborear
el cotidiano manjar
que aderezo en los tizones
con harina, requesones
y miel de mi colmenar.

A tender la mesa voy.
... ¡Qué sola, qué sola estoy!
Fué nada más para mí
la mesa que ayer tendí :
¿mañana será cual hoy?...

... Mas alguien llama al postigo...
«¡Voy al punto, al punto!», digo,
y me lanzo en un momento
a abrir la puerta..., ¡es el viento!,
¡el viento!, mi único amigo...

Y viendo una luz incierta
que en la llanura desierta
alguien lleva en lontananza :
«Adiós, adiós, esperanza»,
le digo..., y cierro mi puerta.

Rumores de mi huerto, 1908.

VANA INVITACIÓN

— Hallarás en el bosque mansa fuente
que, al apagar tu sed, copie tu frente.

Dijo, y le respondí : — No tengo antojos
de ver más fuente que tus dulces ojos;

sacian ellos mi sed; son un espejo
donde recojo luz y el alma dejo...

— Escucharás entonces los latidos
del gran bosque en los troncos retorcidos;

o el rumor de la brisa vagarosa
que huye y vuela cual tarda mariposa...

— Bástame oír tu voz; tiene su acento
gritos de mar y susurrar de viento.

— Hay allí flores, como el sol, doradas,
y otras níveas cual puras alboradas.

— En tu mejilla rosa está el poniente,
y la blanca alborada está en tu frente.

— Hay allí noches profundas y tranquilas...
— Esas noches están en tus pupilas.

— Hay sombra en la maleza enmarañada...
— Hay sombra en tu cabeza alborotada...

— Lo que se siente allí, no lo has sentido.
A tu lado el amor he presentido.

— ¡Ven! Ese bosque misterioso y quieto
va a decirte al oído su secreto...

— ¡Es en vano el afán con que me llamas!
¡Si tú ya me dijiste que me amas!...

— Hay un árbol inmenso, majestuoso,
de altísimo follaje rumoroso;

en él, como serpiente, está enredada
una gigante yedra enamorada...

— Tú eres ese árbol majestuoso y fuerte;
¡deja que en ti me apoye hasta la muerte!...

Rumores de mi huerto, 1922.

MI CARTA

... Y la cierro, y en el sobre,
tras guardarla sonriendo,
escribo estas dulces frases :
«En su país, a mi dueño.»
Y después, enternecida,
la miro, le doy un beso,
la pongo en mi corazón
¡y se la doy al cartero!
— ¡Llévala al punto! — le digo —.
Llévala con todo empeño,
y cuida por las veredas
que no se la lleve el viento...
Si está serena la tarde
cruza, veloz, los senderos;
no pases al ventorrillo
para pedir vino añejo,
que pueden correr las horas
charlando con el ventero.
¡Hazte cargo de mi angustia!
¡Ve de prisa, te lo ruego!
Pasa sin temor los vados,
sube las cuestas ligero,
no descanses a la orilla
de los claros arroyuelos;
y si al cruzar por el bosque
te sorprende el aguacero,
entonces... bajo los árboles,
aguarda un solo momento.
Cuida que el agua no llegue
hasta ese sobre pequeño,
que basta una sola gota
para borrar el letrero...
Y después, por las veredas
del bosque, sigue de nuevo,
sin descansar un instante,
sin detenerte un momento.
Y cuando baje la noche

con su solemne silencio,
no temas al asesino
que se oculta tras los setos;
continúa la jornada,
ve entre la sombra sin miedo :
dicen que un ángel piadoso
acompaña a los viajeros...
¿Oyes?... Pues bien : ¡a llevarla!,
¡a llevarla con empeño!
¿Adiós dices?... No, de prisa
márchate y vuelve... *¡Hasta luego!*
¡Oh, mi carta! Vuela errante
por ignorados desiertos...
Allá va... cruzando montes
y sendas y vericuetos...
Allá van por los caminos,
errantes, mis pensamientos...
Vuelan hacia extrañas tierras,
hacia otros climas... ¡Muy lejos!...
Y mientras huyen, veloces,
yo, pensativa, me quedo...
¿Se habrá llevado mi carta
la corriente de un riachuelo?
¿Olvidada en una piedra
la habrá dejado el cartero?
¡Oh, quién sabe!... En las posadas
acaso la habrán abierto...
Acaso en estos instantes
alguien la estará leyendo,
y acaso... ¡acaso la estrujen
y la arrojen hacia el suelo!...
¡Ah!, tal vez el remolino
entre el polvo la haya envuelto...
¡O tal vez, hecha pedazos,
los desiguales fragmentos
como rotas alas giren
arrastrados por el viento!...
Y... ¡quién sabe!, acaso... acaso
rendido ya, sin alientos,
al cruzar entre las breñas

haya caído el cartero...
Y acaso... de sed y hambre
esté allí tendido y muerto...
¡Oh!, ¡cuántas dudas funestas
se albergan en mi cerebro!
¡Cuántos temores me asaltan
después que mi carta entrego!
Tras ella se va mi mente
cuando de vista la pierdo;
y pienso en ella en el día,
y por la noche... la sueño,
errante... por los caminos...
entre los bosques espesos,
por carreteras torcidas...
por sendas y vericuetos...

Rumores de mi huerto, 1922.

MARÍA EUGENIA VAZ FERREIRA
1875 - 1924

Uruguaya. La primera en aparecer del grupo brillante de poetisas hispanoamericanas postmodernistas. Su vida, como su poesía, es una tragedia: la de la soledad. Soledad exaltada, seca, fría, inhumana y heroica. Soledad del amor que no hizo sentir, ni sintió nunca más que como una necesidad y un vacío. Un orgullo patológico la llevó a repeler todas las cosas por imperfectas y a encastillarse en su castidad virginal sin paz ni consuelo. Llevaba dentro de sí una contradicción: su educación tradicional y católica, contra la que nunca se rebeló por dignidad orgullosa más que por conformidad, era una traba para sus ambiciones literarias de mujer moderna; su temperamento enérgico y varonil la hacía incapaz, sin ser fea, para la sumisión femenina al amor. Rara siempre, acabó por perder la razón. Su vida fué un fracaso como mujer y como escritora. Sus cualidades extraordinarias se salvan en unas cuantas poesías, en las que expresó de modo muy intenso y original la elevación y grandeza de su fracaso y su desesperación.

BIBLIOGRAFÍA. — **Estudios:** J. G. ANTUÑA, *Una gran poetisa de América: M. E. V. F.,* en *Litterae,* París, 1926, pp. 97-125. R. A. ARRIETA,

Ariel corpóreo, Buenos Aires, 1926. P. L. IPUCHE, «*La isla de los cánticos*» *de M. E. V. F.,* en Proa, 1925, II, núm. 9, pp. 3-8. S. JULIO, *Ideas e combates,* Río de Janeiro, 1927. LAUXAR, *Motivos de crítica,* Montevideo, 1929. *M. E. V. F.* [artíc. de Monacorda, Telmo, Lauxar, etc.], en Peg, 1924, VIII, 247-331. P. M. OBLIGADO, *La tristeza de Sancho y otros ensayos,* Buenos Aires, 1927, cap. VIII. E. ORIBE, *M. E. V. F.,* en Cartel, 1930, II, núm. 6. V. A. SALAVERRI, *Recordando a M. E. V. F.,* en Nos, 1924, XLVII, 193. E. SUÁREZ CALIMANO, *El narcisismo en la poesía femenina de Hispano-América,* en Nos, 1931, LXXII, 27-55. A. ZUM FELDE, *Contemporary Uruguayan Poetry,* en Int.Am, 1925, IX, núm. 1, pp. 61-84; *Las poetisas de América: M. E. V. F.,* en RepAm, 12 enero 1929; *Proceso intelectual del Uruguay,* t. II, Montevideo, 1930, pp. 236-258.

FANTASÍA DEL DESVELO

Alma mía, ¿qué velas
en la nocturna hora, como los centinelas,
con los ojos abiertos para mejor velar,
si no tienes ningún tesoro que guardar?
¿Qué velas, alma mía,
mientras que, asordinados en su funda sombría,
redoblan sin cesar
tambores misteriosos su trémula elegía?

Que guardar ni esperar tienes ningún tesoro,
sobre el oleaje inquieto,
no el birreme de oro
llega para la cita,
no te revelarán la Esfinge su secreto
ni las esferas cósmicas su música inaudita.

¿Por qué guardas, celoso, como un soldado alerta,
mientras reposa todo, tu solitaria puerta,
si no tienes ningún tesoro que escoltar,
ninguno que esperar?

Es en vano, alma mía,
es en vano que veles,
la noche pasa sobre sus fúnebres corceles,
y el sol del nuevo día,
con la irisada pompa de todos sus caireles,
se quebrará en el fondo de tu urna vacía.

DESDE LA CELDA

¡Ay de aquel que fuera un día
novio de la soledad!...
¿Después de este amor supremo,
a quién amará?

¿Quién sin dar nada se entrega
y estrecha sin abrazar?
¿Quién de un vacío tesoro
hace que se pida «más»?

¿Qué araña invisible y muda
carcelera singular
teje sus rejas abiertas
y el cautivo no se va?...

Los aldabones golpean
con rumor de eternidad,
y el corazón, solitario,
le responde «más allá...».

Sí, más allá de sí mismo,
más allá del propio mal,
amorosamente solo
con su mal de soledad.

Afuera ríen los soles
sus vitrinas de cristal,
racimos de perlas vivas
al pasajero le dan.

Por los caminos del mundo
cruza la marcha triunfal.
Evohé... siga la fiesta...

Ay de aquel que fuera un día
novio de la soledad...

EL REGRESO

He de volver a ti, propicia tierra,
como una vez surgí de tus entrañas,
con un sacro dolor de carne viva
y la pasividad de las estatuas.
He de volver a ti gloriosamente,
triste de orgullos arduos e infecundos,
con la ofrenda vital inmaculada.

Tú me brotaste fantásticamente,
con la quietud de la serena sombra
y el trágico fulgor de las borrascas...
Tú me brotaste caprichosamente,
alguna vez en que se confundieron
tus potencias en una sola ráfaga...

Y no tengo camino;
mis pasos van por la salvaje selva
en un perpetuo afán contradictorio.
La voluntad incierta se deshace
para tornasolar la fantasía;
con luz y sombra, con silencio y canto
el miraje interior dora sus prismas.

Mientras que siento desgranarse fuera,
con llanto musical, los surtidores,
siento crujir los extendidos brazos
que hacia el materno tronco se repliegan;
temor, fatiga, solitaria angustia,
y en un perpetuo afán contradictorio
mis pasos van por la salvaje selva.

Ah, si pudiera desatar un día
la unidad integral que me aprisiona,
tirar los ojos con los astros quietos
de un lago azul en la nocturna onda;
tirar la boca muda entre los cálices
cuyo ferviente aroma, sin destino,

disipa el viento en sus alas flotantes;
darle el último adiós
al insondable enigma del deseo;
cerrar el pensamiento atormentado
y dejarlo dormir un largo sueño
sin clave y sin fulgor de redenciones...

Alguna vez me llamarás de nuevo,
y he de volver a ti, tierra propicia,
con la ofrenda vital inmaculada,
en su sayal mortuorio toda envuelta
como en una bandera libertaria.

ÚNICO POEMA

Mar sin nombre y sin orillas
soñé con un mar inmenso,
que era infinito y arcano
como el espacio y los tiempos.

Daba máquina a sus olas,
vieja madre de la vida,
la muerte, y ellas cesaban
a la vez que renacían.
Cuánto nacer y morir
dentro la muerte inmortal..
Jugando a cunas y tumbas
estaba la soledad.

De pronto un pájaro errante
cruzó la extensión marina :
«Chojé!... Chojé!...», repitiendo
su quejosa mancha iba.

Se perdió en la lejanía
goteando : «Chojé!... Chojé!...»

Desperté, y sobre las olas
me eché a volar otra vez.

DELMIRA AGUSTINI

1886 - 1914

Uruguaya. Un abuelo suyo era francés; el otro, alemán; las abuelas, del Río de la Plata. Sus padres tenían buena posición y se educó como una señorita de Montevideo. La pasión que tuvo por la música y la poesía desde niña, nació de su vocación y su genio. Era rubia y hermosa. Se casó con un hombre corriente, al parecer sano y normal, para separarse a los pocos días. Algún tiempo después aparecieron muertos los dos en una casa donde se veían como amantes ilegítimos. El marido, en situación tan extraña, la mató y se mató. Zum Felde dice que tenía entonces treinta años, de modo que, según su cuenta, debía haber nacido en 1884; pero otros críticos dicen que publicó su primer libro en 1907, a los veinte o veintiún años, según lo cual la fecha de su nacimiento sería 1887 o 1886. Sea como quiera, es sabido que empezó a escribir desde muy joven; tanto, que Carlos Vaz Ferreira, el más alto pensador uruguayo y quizás americano, dijo de sus versos que era incomprensible, no que los escribiese, sino que los comprendiese. Porque el tema, la obsesión diríamos, de su primer libro, como de toda su obra, es el amor, del cual no parece haber tenido ninguna experiencia hasta la trágica y misteriosa de su matrimonio. Más bien que el amor es el ansia frenética del amor, que en sus versos es una sensualidad mística, trascendental y sobrehumana, una sensación del mundo a través de la carne y el anhelo sexual. Esto es lo que llamaba Rubén Darío «su alma sin velos y su corazón de flor», y por eso se la ha señalado como la primera mujer que en América, venciendo el pudor, ha expresado con sinceridad el sentimiento femenino del amor. No hay duda de que Delmira Agustini ha expresado con extraña intensidad y exaltación su sentimiento del amor, y que ha mostrado las profundidades de su alma apasionada y anormal con la sinceridad del delirio o trance inconsciente en que, según parece, estaba mientras escribía. No sabríamos decir qué es lo femenino en ese sentimiento; pero sí diremos que, aunque su obra está llena de reflejos y reminiscencias de la poesía modernista que había leído, esta mujer no se ha limitado a imitar ni a contar secretos impúdicos, sino que ha convertido en arte verdadero las oscuridades de su profunda vida instintiva y subconsciente, y ha ejercido un influjo particular y distinto en las poetisas hispanoamericanas de esta época, aun en aquellas que tienen una originalidad muy distinta de la suya.

BIBLIOGRAFÍA.— **Poesía:** *El libro blanco,* Montevideo, 1907. *Cantos de la mañana,* 1910. *Los cálices vacíos,* 1913. *Obras completas,* Montevideo, 1924 [vol. I: *El rosario de Eros;* vol. II: *Los astros del abismo*]. *Los astros del abismo,* Buenos Aires, 1929. *Las mejores poesías,* Barcelona, Edit. Cervantes, s. a. **Estudios:** C. DEAMBROSIS MARTINS, *Eugenio Labarca en la Sorbona* [disertó sobre D. A.], en RHACLA, 1932, núm. 111, pp. 212-215. *D. A.: su vida y su obra,* en CuC, 1924, XXXVI, 126-131· E. DÍEZ-CANEDO, *Letras de América : Poetisas,* II, en Esp, 27 enero 1923. J. M. FILARTIGAS, *Artistas del Uruguay,* Montevideo, [1923]. *Homenaje a D. A.* [discursos de J. de Ibarbourou y A. Zum Felde], en RepAm, 2 marzo 1929. S. JULIO, *Ideas e combates,* Río de Janeiro, 1927. O. RAMÍREZ, *D. A.,* en Nac, 25 sept. 1927. L. RIUDAVETS DE MONTES, *Poesías de mujer, I: D. A.,* en GLit, 1 julio 1931. V. A. SALAVERRI, *Una figura excepcional: D. A. y su poesía,* en Nac, sept., 1924; RepAm, 1925, IX, 281-284. E. SUÁREZ CALIMANO *El narcisismo en la poesía femenina de Hispano-América,* en Nos, 1931, LXXII, 27-55. A. ZUM FELDE, *Contemporary Uruguayan Poetry,* en IntAm, 1925, IX, núm. 1, pp. 61-84; *Crítica de la literatura uruguaya,* Montevideo, 1921; *Proceso intelectual del Uruguay,* t. II, Montevideo, 1930, pp. 215-236.

EL ROSARIO DE EROS

CUENTAS DE MÁRMOL

Yo, la estatua de mármol con cabeza de fuego,
apagando mis sienes en frío y blanco ruego...

Engarzad en un gesto de palmera o de astro
vuestro cuerpo, esa hipnótica alhaja de alabastro
tallada a besos puros y bruñida en la edad,
sereno, tal habiendo la luna por coraza;
blanco, más que si fuerais la espuma de la Raza,
y desde el tabernáculo de vuestra castidad,
elevad a mí los lises hondos de vuestra alma;
mi sombra besará vuestro manto de calma,

que creciendo, creciendo, me envolverá con Vos;
luego será mi carne en la vuestra perdida...
luego será mi alma en la vuestra diluída...
luego será la gloria... y seremos un dios.

—Amor de blanco y frío,
amor de estatuas, lirios, astros, dioses...
¡Tú me lo des, Dios mío!

CUENTAS DE SOMBRA

Los lechos negros logran la más fuerte
rosa de amor; arraigan en la muerte.

Grandes lechos tendidos de tristeza,
tallados a puñal y doselados
de insomnio; las abiertas
cortinas dicen cabelleras muertas;
buenas como cabezas
hermanas son las hondas almohadas:
plintos del Sueño y del Misterio gradas.

Si así en un lecho como flor de muerte
damos llorando, como un fruto fuerte
maduro de pasión, en carnes y almas,
serán especies desoladas, bellas,
que besen el perfil de las estrellas
pisando los cabellos de las palmas.

— Gloria al amor sombrío,
como la Muerte pudre y ennoblece.
¡Tú me lo des, Dios mío!

CUENTAS DE FUEGO

Cerrar la puerta cómplice con rumor de caricia,.
deshojar hacia el mal el lirio de una veste...
—La seda es un pecado, el desnudo es celeste;
y es un cuerpo mullido un diván de delicia —.

Abrir brazos...; así todo ser es alado,
o una cálida lira dulcemente rendida
de canto y de silencio... más tarde, en el helado
más allá de un espejo como un lago inclinado,
ver la olímpica bestia que elabora la vida...

Amor rojo, amor mío;
sangre de mundos y rubor de cielos...
¡Tú me lo des, Dios mío!

CUENTAS DE LUZ

Lejos, como en la muerte,
siento arder una vida vuelta siempre hacia mí;
fuego lento hecho de ojos insomnes, más que fuerte
si de su allá insondable dora todo mi aquí.
Sobre tierras y mares su horizonte es mi ceño;
como un cisne sonámbulo duerme sobre mi sueño
y es su paso velado de distancia y reproche
el seguimiento dulce de los perros sin dueño
que han roído ya el hambre, la tristeza y la noche
y arrastran su cadena de misterio y ensueño.

Amor, de luz, un río
que es el camino de cristal del Bien.
¡Tú me lo des, Dios mío!

CUENTAS FALSAS

Los cuervos negros sufren hambre de carne rosa;
en engañosa luna mi escultura reflejo;
ellos rompen sus picos, martillando el espejo,
y al alejarme irónica, intocada y gloriosa,
los cuervos negros vuelan hartos de carne rosa.

Amor de burla y frío,
mármol que el tedio barnizó de fuego
o lirio que el rubor vistió de rosa,
siempre lo dé, Dios mío...

O rosario fecundo,
collar vivo que encierra
la garganta del mundo.

Cadena de la tierra,
constelación caída.

O rosario imantado de serpientes,
glisa hasta el fin entre mis dedos sabios,
que en tu sonrisa de cincuenta dientes
con un gran beso se prendió mi vida:
una rosa de labios.

Obras completas, 1924.

MIS AMORES

Hoy han vuelto.
Por todos los senderos de la noche han venido
a llorar en mi lecho.
¡Fueron tantos, son tantos!
Yo no sé cuáles viven, yo no sé cuál ha muerto.
Me lloraré yo misma para llorarlos todos:
la noche bebe el llanto como un pañuelo negro.

Hay cabezas doradas al sol, como maduras...
Hay cabezas tocadas de sombra y de misterio,
cabezas coronadas de una espina invisible,
cabezas que sonrosa la rosa del ensueño,
cabezas que se doblan a cojines de abismo,
cabezas que quisieran descansar en el cielo,
algunas que no alcanzan a oler a primavera,
y muchas que trascienden a las flores de invierno.

Todas esas cabezas me duelen como llagas...
Me duelen como muertos...
¡Ah!... y los ojos... los ojos me duelen más: ¡son do-
                                            [bles!...
Indefinidos, verdes, grises, azules, negros,
abrasan si fulguran;
son caricia, dolor, constelación, infierno.
Sobre toda su luz, sobre todas sus llamas,

se iluminó mi alma y se templó mi cuerpo.
Ellos me dieron sed de todas esas bocas...
De todas esas bocas que florecen mi lecho:
vasos rojos o pálidos de miel o de amargura,
con lises de armonía o rosas de silencio
de todos estos vasos donde bebí la vida,
de todos estos vasos donde la muerte bebo...
El jardín de sus bocas venenoso, embriagante,
en donde respiraba sus almas y sus cuerpos,
humedecido en lágrimas
ha cercado mi lecho...

Y las manos, las manos colmadas de destinos
secretos y alhajadas de anillos de misterio...
Hay manos que nacieron con guantes de caricia,
manos que están colmadas de la flor del deseo,
manos en que se siente un puñal nunca visto,
manos en que se ve un intangible cetro;
pálidas o morenas, voluptuosas o fuertes,
en todas, todas ellas pude engarzar un sueño.

Con tristeza de almas,
se doblegan los cuerpos,
sin velos, santamente
vestidos de deseo.

Imanes de mis brazos, panales de mi entraña,
como a invisible abismo se inclinan a mi lecho...

¡Ah, entre todas las manos yo he buscado tus manos!
Tu boca entre las bocas, tu cuerpo entre los cuerpos,
de todas las cabezas yo quiero tu cabeza,
de todos esos ojos, tus ojos solos quiero.
Tú eres el más triste, por ser el más querido,
tú has llegado el primero por venir de más lejos...

¡Ah, la cabeza oscura que no he tocado nunca
y las pupilas claras que miré tanto tiempo!
Las ojeras que ahondamos la tarde y yo inconscientes,
la palidez extraña que doblé sin saberlo,
ven a mí: mente a mente;
ven a mí: cuerpo a cuerpo.

Tú me dirás qué has hecho de mi primer suspiro,
tú me dirás qué has hecho del sueño de aquel beso...
Me dirás si lloraste cuando te dejé solo...
              ¡Y me dirás si has muerto!...

Si has muerto,
mi pena enlutará la alcoba lentamente,
y estrecharé tu sombra hasta apagar mi cuerpo.
Y en el silencio ahondado de tiniebla,
y en la tiniebla ahondada de silencio,
nos velará llorando, llorando hasta morirse,
nuestro hijo: el recuerdo.

Obras completas, 1924.

TU AMOR...

Tu amor, esclavo, es como un sol muy fuerte:
jardinero de oro de la vida,
jardinero de fuego de la muerte,
en el carmen fecundo de mi vida.

Pico de cuervo con olor de rosas,
aguijón enmelado de delicias
tu lengua es. Tus manos misteriosas
son garras enguantadas de caricias.

Tus ojos son mis medianoches crueles,
panales negros de malditas mieles
que se desangran en mi acerbidad;

crisálida de un vuelo del futuro
es tu abrazo magnífico y oscuro
torre embrujada de mi soledad.

Obras completas, 1924.

EL ARROYO

¿Te acuerdas?... El arroyo fué la serpiente buena...
Fluía triste y triste como un llanto de ciego,
cuando en las piedras grises donde arraiga la pena
como un inmenso lirio se levantó tu ruego.

Mi corazón, la piedra más gris y más serena,
despertó en la caricia de la corriente, y luego
sintió cómo la tarde, con manos de. agarena,
prendía sobre él una rosa de fuego.

Y mientras la serpiente del arroyo blandía
el veneno divino de la melancolía,
tocada de crepúsculo me abrumó tu cabeza,

la coroné de un beso fatal; en la corriente
vi pasar un cadáver de fuego... Y locamente
me derrumbó en tu abrazo profundo la tristeza.

Obras completas, 1924.

MI PLINTO

Es creciente, diríase
que tiene una infinita raíz ultraterrena...
    Lábranlo muchas manos
    retorcidas y negras
    con muchas piedras vivas...
    Muchas oscuras piedras
    crecientes como larvas.

Como al impulso de una omnipotente araña
las piedras crecen, crecen;
las manos labran, labran.

    —Labrad, labrad, ¡oh manos!
    Creced, creced, ¡oh piedras!
    Ya me embriaga un glorioso
    aliento de palmeras.

Ocultas en el pliegue más negro de la noche,
debajo del rosal más florido del alba,
tras el bucle más rubio de la tarde,
    las tenebrosas larvas
    de piedra crecen, crecen.

      Las manos labran, labran,
      como capullos negros
      de infernales arañas.

—Labrad, labrad, ¡oh manos!
Creced, creced, ¡oh piedras!
Ya me abrazan los brazos
de viento de la sierra.

Van entrando los soles en la alcoba nocturna,
van abriendo las lunas el carmín de nácar...

Tenaces como ebrias
de un veneno de araña,
las piedras crecen, crecen;
las manos labran, labran.

—Labrad, labrad, ¡oh manos!
Creced, creced, ¡oh piedras!
¡Ya siento una celeste
serenidad de estrella!

Obras completas, 1924.

TU BOCA

Yo hacía una divina labor sobre la roca
creciente del Orgullo. De la vida lejana
algún pétalo vívido me voló en la mañana,
algún beso en la noche. Tenaz como una loca

seguía mi divina labor sobre la roca
cuando tu voz, que funde como sacra campana
en la nota celeste la vibración humana,
tendió su lazo de oro al borde de tu boca;

— maravilloso nido del vértigo tu boca!
Dos pétalos de rosa abrochando un abismo... —
Labor, labor de gloria, dolorosa y liviana;

¡tela donde mi espíritu se fué tramando él mismo!
Tú quedas en la testa soberbia de la roca,
y yo caigo, sin fin, en el sangriento abismo.

Obras completas, 1924.

NOCTURNO

Engarzado en la noche el lago de tu alma,
diríase una tela de cristal y de calma
tramada por las grandes arañas del desvelo.

Nata de agua lustral en vaso de alabastros;
espejo de pureza que abrillantas los astros
y reflejas la sima de la Vida en un cielo...

Yo soy el cisne errante de los sangrientos rastros,
voy manchando los lagos y remontando el vuelo.

Obras completas, 1924.·

LA BARCA MILAGROSA

Preparadme una barca como un gran pensamiento...
La llamarán «La Sombra» unos; otros, «La Estrella».
No ha de estar al capricho de una mano o de un viento;
yo la quiero consciente, indomable y bella!

La moverá el gran ritmo de un corazón sangriento
de vida sobrehumana; he de sentirme en ella
fuerte como en los brazos de Dios! En todo viento,
en todo mar templadme su prora de centella!

La cargaré de toda mi tristeza, y, sin rumbo,
iré como la rota corola de un nelumbo,
por sobre el horizonte líquido de la mar...

Barca, alma hermana: ¿hacia qué tierras nunca vistas,
de hondas revelaciones, de cosas imprevistas
iremos?... Yo ya muero de vivir y soñar...

Obras completas, 1924.

LO INEFABLE

Yo muero extrañamente... No me mata la Vida,
no me mata la Muerte, no me mata el Amor;
muero de un pensamiento mudo como una herida...
¿No habéis sentido nunca el extraño dolor

de un pensamiento inmenso que se arraiga en la vida
devorando alma y carne, y no alcanza a dar flor?
¿Nunca llevasteis dentro una estrella dormida
que os abrasaba enteros y no daba un fulgor?...

¡Cumbre de los Martirios!... ¡Llevar eternamente,
desgarradora y árida, la trágica simiente
clavada en las entrañas como un diente feroz!

¡Pero arrancarla un día en una flor que abriera
milagrosa, inviolable!... ¡Ah, más grande no fuera
tener entre las manos la cabeza de Dios!

Obras completas, 1924.

LAS ALAS

Yo tenía...

dos alas!...
Dos alas
que del Azur vivían como dos siderales
raíces...
Dos alas,
con todos los milagros de la vida, la muerte
y la ilusión. Dos alas,
fulmíneas
como el velamen de una estrella en fuga;
dos alas,
como dos firmamentos
con tormentas, con calmas y con astros...

¿Te acuerdas de la gloria de mis alas?...
El áureo campaneo
del ritmo, el inefable
matiz atesorando
el Iris todo, mas un Iris nuevo
ofuscante y divino,
que adorarán las plenas pupilas del Futuro
(¡las pupilas maduras a toda luz!)... el vuelo...

El vuelo ardiente, devorante y único,
que largo tiempo atormentó los cielos,
despertó soles, bólidos, tormentas,

abrillantó los rayos y los astros;
y la amplitud: tenían
calor y sombra para todo el Mundo,
y hasta incubar un *más allá* pudieron.

Un día, raramente
desmayada a la tierra,
yo me adormí en las felpas profundas de este bosque...
Soñé divinas cosas!...
Una sonrisa tuya me despertó, paréceme...
Y no siento mis alas!...
¿Mis alas?...

— Yo las *vi* deshacerse entre mis brazos...
¡Era como un deshielo!

Obras completas, 1924.

LOS RELICARIOS DULCES

Hace tiempo, algún alma ya borrada fué mía...
Se nutrió de mi sombra... Siempre que yo quería
el abanico de oro de su risa se abría,

o su llanto sangraba una corriente más;

alma que yo ondulaba tal una cabellera
derramada en mis manos... Flor del fuego y la cera...
Murió de una tristeza mía... Tan dúctil era,

tan fiel, que a veces dudo si pudo ser jamás...

Obras completas, 1924.

LA SED

Tengo sed, sed ardiente! — dije a la maga, y ella
me ofreció de sus néctares. — ¡Eso no: me empalaga!—
Luego, una rara fruta, con sus dedos de maga
exprimió en una copa, clara como una estrella;

y un brillo de rubíes hubo en la copa bella.
Yo probé. —Es dulce, dulce. Hay días que me halaga
tanta miel, pero hoy me repugna, me estraga.—
Vi pasar por los ojos del hada una centella.

Y por un verde valle perfumado y brillante,
llevóme hasta una clara corriente de diamante.
— ¡Bebe! — dijo. — Yo ardía; mi pecho era una fragua.

Bebí, bebí, bebí la linfa cristalina...
¡Oh, frescura! ¡oh, pureza! ¡oh, sensación divina!
— Gracias, maga; y bendita la limpidez del agua.

Obras completas, 1924.

EL INTRUSO

Amor, la noche estaba trágica y sollozante
cuando tu llave de oro cantó en mi cerradura;
luego, la puerta abierta sobre la sombra helante,
tu forma fué una mancha de luz y de blancura.

Todo aquí lo alumbraron tus ojos de diamante;
bebieron en mi copa tus labios de frescura,
y descansó en mi almohada tu cabeza fragante;
me encantó tu descaro y adoré tu locura.

Y hoy río si tú ríes, y canto si tú cantas;
y si tú duermes, duermo como un perro a tus plantas.
Hoy llevo hasta en mi sombra tu olor de primavera;

y tiemblo si tu mano toca la cerradura,
y bendigo la noche sollozante y oscura
que floreció en mi vida tu boca tempranera!

Obras completas, 1924.

DESDE LEJOS

En el silencio siento pasar hora tras hora,
como un cortejo lento, acompasado y frío...
¡Ah! Cuando tú estás lejos, mi vida toda llora,
y al rumor de tus pasos hasta en sueños sonrío.

Yo sé que volverás, que brillará otra aurora
en mi horizonte, grave como un ceño sombrío;
revivirá en mis bosques tu gran risa sonora
que los cruzaba alegre como el cristal de un río.

Un día, al encontrarnos tristes en el camino,
yo puse entre tus manos pálidas mi destino·
¡y nada de más grande jamás han de ofrecerte!

Mi alma es frente a tu alma como el mar frente al
[cielo:
pasarán entre ellas, tal la sombra de un vuelo,
¡la Tormenta y el Tiempo y la Vida y la Muerte!

Obras completas, 1924.

GABRIELA MISTRAL

1889

Chilena, de Vicuña. Su verdadero nombre es *Lucila Godoy Alcayaga.* Maestra en su país, enseñó en escuelas rurales y en la capital. En 1915, se dió a conocer como escritora; unas pocas poesías, reproducidas por periódicos de España y de América, bastaron para darle fama sólida en los dos continentes. En 1922 los maestros de las escuelas de Nueva York acordaron reunir su obra en un volumen que publicó el Instituto de las Españas. En ese mismo año fué invitada por José Vasconcelos para colaborar con él en la obra educativa que estaba llevando a cabo en Méjico. Después ha residido en Europa con cargos en los Institutos de cooperación intelectual de la Liga de las Naciones; ha dado cursos en los Estados Unidos, y ha visitado varios países americanos. Reside en España como cónsul honorario de Chile en Madrid. En todo lo que hace muestra una natural superioridad, y en todo lo que toca deja profunda huella. Avanza con un aire de reposo y serenidad milenarios; su voz suena quejumbrosa, igual y distante, con matices de dureza y de dulzura difíciles de imaginar; la contracción dolorosa de su boca se deshace en una sonrisa de infinita suavidad. Alma tremendamente apasionada, grande en todo, después de vaciar en unas cuantas poesías el dolor de su desolación íntima, ha llenado ese vacío con sus preocupaciones por la educación de los niños, la redención de los humildes y el destino de los pueblos hispánicos. Todo esto en ella no son más que otros modos de expresión del sentimiento cardinal de su poesía; su ansia insatisfecha de maternidad, que es a la vez instinto femenino y anhelo religioso de eternidad. Las fuentes de su arte literario, demasiado próximas y visibles, son indiferentes ante la magnitud e intensidad de su pasión, que encuentra siempre, a través de no se sabe qué esfuerzos recónditos, la justeza de la expresión en las palabras de sabor más íntimo y universal de la lengua castellana.

BIBLIOGRAFÍA. — **Poesía:** *Desolación,* Nueva York, 1922; Santiago de Chile, 1923; 1926. *Ternura,* canciones de niños, Montevideo, 1925 [*Diez rondas y canciones de cuna,* con acomp. de piano, por A. Miceli, Buenos Aires, 1926. *Cinco canciones infantiles,* música de A. Miceli, 1929]. *Las mejores poesías,* Barcelona, Edit. Cervantes, s. a. *Poèmes,* trad. franc. por F. de Miomandre, en EcrN, 1922, IX, núm. 10, pp. 51-52. *Poèmes,* trad. franc. de G. Pillement, en RAmL, 1922, III, 241-243. **Estudios:** ANDRENIO [E. GÓMEZ DE BAQUERO], *Pen Club,* I: *Los poetas,* Madrid, [1929], pp. 259-263. L. ARAQUISTÁIN, *Una maestra,* en RepAm, 23 marzo 1925. E. BARRIOS, *Ante el libro de G. M.* [sobre *Desolación*], en Merc, 1923. R. BRENES MESÉN, *G. M.,* en Nos, 1929, LXVI, 5-22. A. CASTRO LEAL, *G. M.,* en Merc, 25 junio 1922. P. N. CRUZ, *Dos poetas,* en RCChile, 1924, XLVII, 610-618. E. DÍEZ-CANEDO, *G. M.,* en Esp, 1921; Esp, 26 mayo 1923; Sol, 2 agosto 1924; Sol, 8 dic. 1924. A. DONOSO, *Poesía chilena moderna,* en Nos, marzo 1924; *La otra América,* Madrid, 1925, pp. 37-65. R. ESTENGER, *G. M., virgen y madre,* en CuC, 1927, XLIV, 219-224. *G. M. pasó por Montevideo,* en RepAm, 16 marzo 1925. F. GARCÍA OLDINI, *Doce escritores,* Santiago de Chile, 1929. C. GARCÍA PRADA, *G. M.,* en RevChil, 1928, XII, 377-397. A. GERCHUNOFF, *G. M.,* en Nac, abril 1925. A. INSÚA, *G. M.: una imitadora de Cristo,* en RepAm, 2 feb. 1925. R. A. LATCHAM, *G. M.,* en RCChile, 1923, XLIV, 932-940. L. LUISI, *Two South American poets: G. M. and Juana de Ibarbourou,* en BPAU, junio 1930. J. MARINELLO, *G. M. y José Martí,* en RepAm, 30 enero 1932. O. MÁRQUEZ, *Charlas literarias con don Pedro Prado* [sobre G. M.], en RepAm, 8 set. 1928. C. MELÉNDEZ, *El magisterio de G. M.,* en IndPR, 1931, II, núms. 25-26, pp. 14-15. J. MERCADO, *G. M.,* en CuC, 1923, XXXII, 154-161; *G. M., the Chilean poet of the hour,* en IntAm, 1923, VI, 357-360. R. MEZA FUENTES, Sobre *Desolación,* en NAm, 1923, VII, 366-372. E. MONTENEGRO, *G. M.,* en CuC, 1922; *On the tip of fame in Latin America,* en NYT, 18 feb. 1923. L. E. NIETO CABALLERO, *Colinas inspiradas,* Bogotá, 1929;

G. M., en RepAm, 11 enero 1930. A. ORTIZ VARGAS, *G. M.,* en HAHR, feb. 1931. C. PEREYRA, *G. M.,* en RevChil, 1920, ẌI, 292-297; Esp, 21 agosto 1920. C. PITOLLET, Sobre *Las mejores poesías líricas,* en ROB, 1924, IX, 604-606. A. QUIRÓS, *G. M.,* en RepAm, 8 sept. 1928. *Repertorio americano,* 21 agosto 1922 [varios artículos sobre G. M.]. B. DE LOS RÍOS LAMPÉREZ, *G. M , entre nosotros,* en REsp, 1924, VI, 47-58. C. SABAT ERCASTY, *Retratos de fuego: G. M.,* en Cartel, julio 1930. J. M. SALAVERRÍA, *Palabras de G. M.,* en Nac, 1925. R. SILVA CASTRO, *Algunos aspectos de la poesía de G. M.,* en ND, setp., 1923; CuC, 1924, XXXVI, 309-315. E. SUÁREZ-CALIMANO, *21 ensayos,* Buenos Aires, 1926. A. TORRES-RIOSECO, *G. M.,* en Cosmópolis, 1920, núm. 15, pp. 373-377; Nos, feb.-marzo, 1928. E. VAISSE [OMER EMETH], *G. M.,* en Merc, 11 jun. 1923. R. H. VALLE, *Aquella tarde con G. M.,* en RepAm, 16 abril 1923. F. VARGAS, *Los poetas chilenos contemporáneos: G. M.,* en EyA, 1923, LXXX, 120-123. A. ZEGRÍ, *Con G. M. en Nueva York,* en RepAm, 2 mayo 1931. A. ZUM FELDE, *Poetisas de América: G. M.,* en Sierra, 1928, II, número 15, pp. 3-5.

EL PENSADOR DE RODÍN

Con el mentón caído sobre la mano ruda,
el Pensador se acuerda que es carne de la huesa,
carne fatal, delante del destino desnuda,
carne que odia la muerte, y tembló de belleza.

Y tembló de amor, toda su primavera ardiente,
y ahora, al otoño, anégase de verdad y tristeza.
El «de morir tenemos» pasa sobre su frente,
en todo agudo bronce, cuando la noche empieza.

Y en la angustia, sus músculos se hienden, sufridores.
Cada surco en la carne se llena de terrores.
Se hiende, como la hoja de otoño, al Señor fuerte,

que le llama en los bronces .. Y no hay árbol torcido
de sol en la llanura, ni león de flanco herido,
crispados como este hombre que medita en la muerte..

Desolación, 1922.

RUTH

Ruth moabita a espigar va a las eras,
aunque no tiene ni un campo mezquino.
Piensa que es Dios dueño de las praderas
y que ella espiga en los predios divinos.

El sol caldeo su espalda acuchilla,
baña terrible su dorso inclinado;
arde de fiebre su leve mejilla,
y la fatiga le rinde el costado.

Booz se ha sentado en la parva abundosa.
El trigal es una onda infinita,
desde la sierra hasta donde él reposa,

que la abundancia ha cegado el camino...
Y en la onda de oro la Ruth moabita
viene, espigando, a encontrar su destino!

Booz miró a Ruth, y a los recolectores
dijo: «Dejad que recoja confiada...»
Y sonrieron los espigadores,
viendo del viejo la absorta mirada...

Eran sus barbas dos sendas de flores,
su ojo dulzura, reposo el semblante;
su voz pasaba de alcor en alcores,
pero podía dormir a un infante...

Ruth lo miró de la planta a la frente,
y fué sus ojos saciados bajando,
como el que bebe en inmensa corriente...

Al regresar a la aldea, los mozos
que ella encontró la miraron temblando.
Pero en su sueño Booz fué su esposo...

Y aquella noche el patriarca en la era
viendo los astros que laten de anhelo,
recordó aquello que a Abraham prometiera
Jehová: más hijos que estrellas dió al cielo.

Y suspiró por su lecho baldío,
rezó llorando, e hizo sitio en la almohada
para la que, como baja el rocío,
hacia él vendría en la noche callada.

Ruth vió en los astros los ojos con llanto
de Booz llamándola, y estremecida,
dejó su lecho, y se fué por el campo...

Dormía el justo, hecho paz y belleza.
Ruth, más callada que espiga vencida,
puso en el pecho de Booz su cabeza.

Desolación, 1922.

EL NIÑO SOLO

Como escuchase un llanto, me paré en el repecho
y me acerqué a la puerta del rancho del camino.
Un niño de ojos dulces me miró desde el lecho
¡y una ternura inmensa me embriagó como un vino!

La madre se tardó, curvada en el barbecho;
el niño, al despertar, buscó el pezón de rosa
y rompió en llanto... Yo lo estreché contra el pecho,
y una canción de cuna me subió, temblorosa...

Por la ventana abierta la luna nos miraba.
El niño ya dormía, y la canción bañaba,
como otro resplandor, mi pecho enriquecido...

Y cuando la mujer, trémula abrió la puerta,
me vería en el rostro tanta ventura cierta
¡que me dejó el infante en los brazos dormido!

Desolación, 1922.

IN MEMORIAM

Amado Nervo, suave perfil, labio sonriente;
Amado Nervo, estrofa y corazón en paz:
mientras te escribo, tienes losa sobre la frente,
baja en la nieve tu mortaja inmensamente
y la tremenda albura cayó sobre tu faz.

Me escribías: «Soy triste como los solitarios,
pero he vestido de sosiego mi temblor,
mi atroz angustia de la mortaja y el osario
y el ansia viva de Jesucristo, mi Señor!»

Pensar que no hay colmena que entregue tu dulzura;
que entre las lenguas de odio eras lengua de paz;
que se va el canto mecedor de la amargura,
que habrá tribulación y no responderás!

De donde tú cantabas se me levantó el día.
Cien noches con tu verso yo me he dormido en paz.
Aún era heroica y fuerte, porque aún te tenía;
sobre la confusión tu resplandor caía.
Y ahora tú callas, y tienes polvo, y no eres más.

No te vi nunca. No te veré. Mi Dios lo ha hecho.
¿Quién te juntó las manos? ¿Quién dió, rota la voz,
la oración de los muertos al borde de tu lecho?
¿Quién te alcanzó en los ojos el estupor de Dios?

Aún me quedan jornadas bajo los soles. ¿Cuándo
verte, dónde encontrarte y darte mi aflicción,
sobre la Cruz del Sur que me mira temblando,
o más allá, donde los vientos van callando,
y, por impuro, no alcanzará mi corazón?

Acuérdate de mí — lodo y ceniza triste —
cuando estés en tu reino de extasiado zafir.
A la sombra de Dios, grita lo que supiste:
que somos huérfanos, que vamos solos, que tú nos viste,
¡que toda carne con angustia pide morir!

Desolación, 1922.

A JOSELÍN ROBLES

En el aniversario de su muerte.

¡Pobre amigo!, yo nunca supe
de tu semblante ni tu voz;
sólo tus versos me contaron
que en tu lírico corazón

la paloma de los veinte años
¡tenía cuello gemidor!

(Algunos versos eran diáfanos
y daban timbre de cristal;
otros tenían como un modo
apacible de sollozar.)

¿Y ahora? Ahora en todo viento,
sobre el llano o sobre la mar,
bajo el malva de los crepúsculos
o la luna llena estival,
hinchas el dócil caramillo
— mucho más leve y musical —,
sin el temblor incontenible
que yo tengo al balbucear
la invariable pregunta lívida
¡con que araño la oscuridad!

Tú, que ya sabes, tienes mansas
de Dios el habla y la canción;
yo muerdo un verso de locura
en cada tarde, muerto el sol.

Dulce poeta, que en las nubes
que ahora se rizan hacia el sur,
Dios me dibuje tu semblante
en dos sobrios toques de luz.

Y yo te escuche los acentos
en la espuma del surtidor,
para que sepa por el gesto
y te conozca por la voz,
¡si las lunas llenas no miran
escarlata tu corazón!

Desolación, 1922.

LA MAESTRA RURAL

La Maestra era pura. «Los suaves hortelanos»,
decía, «de este predio que es predio de Jesús,

han de conservar puros los ojos y las manos,
guardar claros sus óleos, para dar clara luz.»

La Maestra era pobre. Su reino no es humano.
(Así en el doloroso sembrador de Israel.)
Vestía sayas pardas, no enjoyaba su mano.
Y era todo su espíritu un inmenso joyel!

La Maestra era alegre. ¡Pobre mujer herida!
Su sonrisa fué un modo de llorar con bondad.
Por sobre la sandalia rota y enrojecida,
tal sonrisa, la insigne flor de su santidad.

¡Dulce ser! En su río de mieles, caudaloso,
largamente abrevaba sus tigres el dolor!
Los hierros que le abrieron el pecho generoso
¡más anchas le dejaron las cuencas del amor!

¡Oh, labriego, cuyo hijo de su labio aprendía
el himno y la plegaria, nunca viste el fulgor
del lucero cautivo que en sus carnes ardía:
pasaste sin besar su corazón en flor!

Campesina, ¿recuerdas que alguna vez prendiste
su nombre a un comentario brutal o baladí?
Cien veces la miraste, ninguna vez la viste.
¡Y en el solar de tu hijo, de ella hay más que de ti!

Pasó por él su fina, su delicada esteva,
abriendo surcos donde alojar perfección.
La albada de virtudes de que lento se nieva
es suya. Campesina, ¿no le pides perdón?

Daba sombra por una selva su encina hendida
el día en que la muerte la convidó a partir.
Pensando en que su madre la esperaba dormida,
a La de Ojos Profundos se dió sin resistir.

Y en su Dios se ha dormido, como en cojín de luna;
almohada de sus sienes, una constelación.
Canta el Padre para ella sus canciones de cuna
¡y la paz llueve largo sobre su corazón!

Como un henchido vaso, traía el alma hecha
para volcar aljófares sobre la humanidad;
y era su vida humana la dilatada brecha
que suele abrirse el Padre para echar claridad.

Por eso aún el polvo de sus huesos sustenta
púrpura de rosales de violento llamear.
¡Y el cuidador de tumbas, cómo aroma, me cuenta,
las plantas del que huella sus huesos, al pasar!

Desolación, 1922.

LOS SONETOS DE LA MUERTE

I

Del nicho helado en que los hombres te pusieron,
te bajaré a la tierra humilde y soleada.
Que he de dormirme en ella los hombres no supieron,
y que hemos de soñar sobre la misma almohada.

Te acostaré en la tierra soleada, con una
dulcedumbre de madre para el hijo dormido,
y la tierra ha de hacerse suavidades de cuna
al recibir tu cuerpo de niño dolorido.

Luego iré espolvoreando tierra y polvo de rosas,
y en la azulada y leve polvareda de luna,
los despojos livianos irán quedando presos.

Me alejaré cantando mis venganzas hermosas,
¡porque a ese hondor recóndito la mano de ninguna
bajará a disputarme tu puñado de huesos!

II

Este largo cansancio se hará mayor un día,
y el alma dirá al cuerpo que no quiere seguir
arrastrando su masa por la rosada vía,
por donde van los hombres, contentos de vivir.

Sentirás que a tu lado cavan briosamente,
que otra dormida llega a la quieta ciudad.
Esperaré que me hayan cubierto totalmente...
¡y después hablaremos por una eternidad!

Sólo entonces sabrás el porqué, no madura
para las hondas huesas tu carne todavía,
tuviste que bajar, sin fatiga, a dormir.

Se hará luz en la zona de los sinos, oscura;
sabrás que en nuestra alianza signo de astros había
y, roto el pacto enorme, tenías que morir...

III

Malas manos tomaron tu vida, desde el día
en que, a una señal de astros, dejara su plantel
nevado de azucenas. En gozo florecía.
Malas manos entraron trágicamente en él...

Y yo dije al Señor: «Por las sendas mortales
le llevan. ¡Sombra amada que no saben guiar!
Arráncalo, Señor, a esas manos fatales
o le hundes en el largo sueño que sabes dar!

¡No le puedo gritar, no le puedo seguir!
Su barca empuja un negro viento de tempestad.
Retórnalo a mis brazos o le siegas en flor.»

Se detuvo la barca rosa de su vivir...
¿Que no sé del amor, que no tuve piedad?
Tú, que vas a juzgarme, lo comprendes, Señor!

Desolación, 1922.

EL RUEGO

Señor, tú sabes cómo, con encendido brío,
por los seres extraños mi palabra te invoca.
Vengo ahora a pedirte por uno que era mío,
mi vaso de frescura, el panal de mi boca,

cal de mis huesos, dulce razón de la jornada,
gorjeo de mi oído, ceñidor de mi veste.
Me cuido hasta de aquellos en que no puse nada.
¡No tengas ojo torvo si te pido por éste!

Te digo que era bueno, te digo que tenía
el corazón entero a flor de pecho, que era
suave de índole, franco como la luz del día,
henchido de milagro como la primavera.

Me replicas, severo, que es de plegaria indigno
el que no untó de preces sus dos labios febriles,
y se fué aquella tarde sin esperar tu signo,
trizándose las sienes como vasos sutiles.

Pero yo, mi Señor, te arguyo que he tocado,
de la misma manera que el nardo de su frente,
todo su corazón dulce y atormentado
¡y tenía la seda del capullo naciente!

¿Que fué cruel? Olvidas, Señor, que le quería,
y que él sabía suya la entraña que llagaba.
¿Que enturbió para siempre mis linfas de alegría?
¡No importa! Tú comprende: ¡yo le amaba, le amaba!

Y amar (bien sabes de eso) es amargo ejercicio;
un mantener los párpados de lágrimas mojados,
un refrescar de besos las trenzas del cilicio
conservando, bajo ellas, los ojos extasiados.

El hierro que taladra tiene un gustoso frío,
cuando abre, cual gavillas, las carnes amorosas.
Y la cruz (Tú te acuerdas ¡oh Rey de los judíos!)
se lleva con blandura, como un gajo de rosas.

Aquí me estoy, Señor, con la cara caída
sobre el polvo, parlándote un crepúsculo entero,
o todos los crepúsculos a que alcance la vida,
si tardas en decirme la palabra que espero.

Fatigaré tu oído de preces y sollozos,
lamiendo, lebrel tímido, los bordes de tu manto,
y ni pueden huírme tus ojos amorosos
ni esquivar tu pie el riego caliente de mi llanto.

¡Di el perdón, dilo al fin! Va a esparcir en el viento
la palabra el perfume de cien pomos de olores
al vaciarse; toda agua será deslumbramiento;
el yermo echará flor y el guijarro esplendores.

Se mojarán los ojos oscuros de las fieras,
y, comprendiendo, el monte que de piedra forjaste
llorará por los párpados blancos de sus neveras:
¡Toda la tierra tuya sabrá que perdonaste!

Desolación, 1922.

GOTAS DE HIEL

No cantes: siempre queda
a tu lengua apegado
un canto: el que debió ser entregado.

No beses: siempre queda,
por maldición extraña,
el beso al que no alcanzan las entrañas.

Reza, reza que es dulce; pero sabe
que no acierta a decir tu lengua avara
el solo Padre Nuestro que salvara.

Y no llames la muerte por clemente,
pues en las carnes de blancura inmensa,
un jirón vivo quedará que siente
la piedra que te ahoga
y el gusano voraz que te destrenza.

Desolación, 1926.

MECIENDO

El mar sus millares de olas
mece divino.
Oyendo a los mares amantes
mezo a mi niño.

El viento errabundo en la noche
mece los trigos.
Oyendo a los vientos amantes
mezo a mi niño.

Dios Padre sus miles de mundos
mece sin ruido.
Sintiendo su mano en la sombra
mezo a mi niño.

Desolación, 1926.

ALFONSINA STORNI

1892 - 1938

Argentina. Nació en la Suiza italiana, pero se crió y creció
en las provincias argentinas de San Juan y Santa Fe. Más tarde
en Buenos Aires, desde muy joven, tuvo que luchar duramente
para ganar su vida y la de su familia. Se dedicó a trabajos comerciales hasta que se hizo maestra, que ha seguido siendo su
profesión juntamente con sus trabajos periodísticos y su labor
poética iniciada en 1916 y continuada con más regularidad y
constancia que la de las otras poetisas contemporáneas. De su
fisonomía dice ella misma: «una nariz que salta violentamente
contra el cielo, dos ojos oblicuos azul pizarra, una nubecilla
rubia ceniza por cabellos.» Según Gabriela Mistral, tiene algo
de infantil, desmentido por su conversación — encantadora —
de mujer madura. Es un producto típico de Buenos Aires, mujer de ciudad populosa y moderna, y su poesía tiene igualmente a la gran ciudad como fondo de las inquietudes, aspiraciones e insatisfacciones de su espíritu de mujer moderna. Es la
más feminista de las poetisas mayores de esta época: todas
ellas, como mujeres, expresan inevitablemente, cada una a su
modo, sentimientos femeninos; pero la Storni ve además su
feminidad como problema no sólo individual, sino social. Aunque el amor y el anhelo sexual constituyen uno de los temas
de su poesía y están expresados en ella con audacia y libertad,
sus sentimientos son normales; sus pasiones, débiles; su emo-
tividad, escasa. Es en cambio la más intelectual de todas, la

más abierta a todo género de emociones, la más rica en variedad de tonos y matices.

Bibliografía. — **Poesía:** *La inquietud del rosal,* Buenos Aires, 1916. *El dulce daño,* 1918; 1920. *Irremediablemente,* 1919. *Languidez,* 1920. *Las mejores poesías,* Barcelona, [1925]. *Ocre,* Buenos Aires, 1925; 3.ª ed., 1927. **Otras obras:** *Poemas de amor,* 1926 [trad. franc. de M. Daireaux, en RAmL 1926, XI, 45-48.] *Dos farsas pirotécnicas,* Buenos Aires, 1931. **Estudios:** G. Bassa de Llorenç, *Dues poetesses americanes,* en Ressor, oct. 1929. A. Bonazzola, *«Languidez»,* poesías de *A. S.,* en Reno, enero 1923. N. Coronado, *A. S.,* en Nos, mayo 1919. R. de Diego, Sobre *Ocre,* en Nos, 1925, LI, 70-77. E. Díez-Canedo, *Más poetisas,* en Esp, 31 agosto 1923; *A. S., poetisa argentina,* en GLit, 15 feb. 1930; RepAm, 7 junio 1930. J. García Games, *A. S.,* en Amer, 1927, III, 10-12; *Tres biografías sintéticas,* en Ya, 1932, I, 18. R. F. Giusti, *A. S.,* en Nos, agosto 1918. C. González-Ruano, *Poetisas modernas,* Madrid, 1924. L. M. Jordán, *A. S.,* en Nos, 1919, XIII, núm. 121, pp. 37-41. M. López Palmero, Sobre *Poemas de amor,* en Nos, 1927, LVI, 103-105. M. L. Morales, *¡Bien venida, Poesía!,* en RepAm, 1 marzo 1930. J. H. Moreno, *Una poetisa argentina,* en Esp, 31 enero 1920. A. Storni, *Autodemolición,* en RepAm, 7 junio 1930. S. Wapnir, *Crítica positiva,* Buenos Aires, 1926.

CUADRADOS Y ÁNGULOS

Casas enfiladas, casas enfiladas,
casas enfiladas.
Cuadrados, cuadrados, cuadrados.
Casas enfiladas.
Las gentes ya tienen el alma cuadrada,
ideas en fila
y ángulo en la espalda.
Yo misma he vertido ayer una lágrima,
Dios mío, cuadrada.

El dulce daño, 1918.

PESO ANCESTRAL

Tú me dijiste: no lloró mi padre;
tú me dijiste: no lloró mi abuelo;
no han llorado los hombres de mi raza,
eran de acero.

Así diciendo te brotó una lágrima
y me cayó en la boca...; más veneno
yo no he bebido nunca en otro vaso
así pequeño.

Débil mujer, pobre mujer que entiende,
dolor de siglos conocí al beberlo:
Oh, el alma mía soportar no puede
todo su peso.

Irremediablemente, 1919.

MODERNA

Y danzaré en alfombra de verdura,
ten pronto el vino en el cristal sonoro,
nos beberemos el licor de oro
celebrando la noche y su frescura.

Yo danzaré como la tierra pura,
como la tierra yo seré un tesoro,
y en darme pura no hallaré desdoro,
que darse es una forma de la Altura.

Yo danzaré para que todo olvides,
yo habré de darte la embriaguez que pides
hasta que Venus pase por los cielos.

Mas algo acaso te será escondido,
que pagana de un siglo empobrecido
no dejaré caer todos los velos.

Irremediablemente, 1919.

HOMBRE PEQUEÑITO...

Hombre pequeñito, hombre pequeñito,
suelta a tu canario que quiere volar...
yo soy el canario, hombre pequeñito,
déjame saltar.

Estuve en tu jaula, hombre pequeñito,
hombre pequeñito que jaula me das.
Digo pequeñito porque no me entiendes,
ni me entenderás.

Tampoco te entiendo, pero mientras tanto
ábreme la jaula, que quiero escapar;
hombre pequeñito, te amé media hora,
no me pidas más.

Irremediablemente, 1919.

VEINTE SIGLOS

Para decirte, amor, que te deseo,
sin los rubores falsos del instinto,
estuve atada como Prometeo,
pero una tarde me salí del cinto.

Son veinte siglos que movió mi mano
para poder decirte sin rubores:
«Que la luz edifique mis amores.»
Son veinte siglos los que alzó mi mano!

Pasan las flechas sobre mis cabellos,
pasan las flechas, aguzados dardos...
Son veinte siglos de terribles fardos!
Sentí su peso al libertarme de ellos.

Y no creas que tenga el brazo fuerte,
mi brazo tiembla debilucho y magro,
pero he llegado entera hasta el milagro:
estoy acompañada por la muerte.

Irremediablemente, 1919.

BIEN PUDIERA SER...

Pudiera ser que todo lo que aquí he recogido
no fuera más que aquello que nunca pudo ser,
no fuera más que algo vedado y reprimido
de familia en familia, de mujer en mujer.

Dicen que en los solares de mi gente, medido
estaba todo aquello que se debía hacer...
Dicen que silenciosas las mujeres han sido
de mi casa materna... Ah, bien pudiera ser...

A veces, en mi madre apuntaron antojos
de liberarse, pero se le subió a los ojos
una honda amargura, y en la sombra lloró.

· Y todo eso mordiente, vencido, mutilado,
todo eso que se hallaba en su alma encerrado,
pienso que sin quererlo lo he libertado yo.

Irremediablemente, 1919.

MI HERMANA

Son las diez de la noche; en el cuarto en penumbra
mi hermana está dormida, las manos sobre el pecho;
es muy blanca su cara y es muy blanco su lecho.
Como si comprendiera la luz casi no alumbra.

En el lecho se hunde a modo de los frutos
rosados, en un hondo colchón de suave pasto.
Entra el aire a su pecho y levántalo casto
con su ritmo midiendo los fugaces minutos.

La arropo dulcemente con las blancas cubiertas
y protejo del aire sus dos manos divinas;
caminando en puntillas cierro todas las puertas,
entorno los postigos y corro las cortinas.

Hay mucho ruido afuera, ahoga tanto ruido.
Los hombres se querellan, murmuran las mujeres,
suben palabras de odio, gritos de mercaderes.
Oh, voces, deteneos. No entréis hasta su nido.

Mi hermana está tejiendo como un hábil gusano
su capullo de seda: su capullo es un sueño.
Ella con hilo de oro teje el copo sedeño:
primavera es su vida. Yo ya soy el verano.

Cuenta sólo con quince octubres en los ojos,
y por eso los ojos son tan limpios y claros;
cree que las cigüeñas, desde países raros,
bajan con rubios niños de piececitos rojos.

¿Quién quiere entrar ahora? Oh, ¿eres tú, buen viento?
¿Quieres mirarla? Pasa. Pero antes, en mi frente
entíbiate un instante; no vayas de repente
a enfriar el manso sueño que en la suya presiento.

Como tú, bien quisieron entrar ellos y estarse
mirando esa blancura, esas pulcras mejillas,
esas finas ojeras, esas líneas sencillas.
Tú los verías, viento, llorar y arrodillarse.

Ah, si la amáis un día, sed buenos, porque huye
de la luz si la hiere. Cuidad vuestra palabra,
y la intención. Su alma, como cera se labra,
pero como a la cera el roce la destruye.

Haced como esa estrella que de noche la mira
filtrando el ojo de oro por cristalino velo:
esa estrella le roza las pestañas y gira,
para no despertarla, silenciosa en el cielo.

Volad si os es posible por su nevado huerto:
¡Piedad para su alma! Ella es inmaculada.
¡Piedad para su alma! Yo lo sé todo, es cierto,
pero ella es como el cielo: ella no sabe nada.

Languidez, 1920.

EN UNA PRIMAVERA

¿Dónde estará el amigo que me dijo,
acariciando su nevada barba:
— Pequeña de ojos claros, ten cuidado,
tu corazón ampara.

— Las primaveras al marcharse dejan
las lloviznas de otoño preparadas...
Pequeña, vé despacio, mucho juicio,
no te quemen tus llamas.

Estaba yo a sus pies humildemente,
humildemente y toda yo temblaba.
— Cómo cantan los pájaros—le dije—,
cómo es de fresca el agua!

Sobre mi frente, espejo de tormentas,
se detuvieron sus dos manos mansas;
se inclinó sobre mí con un susurro:
— Pobrecita muchacha...

Languidez, 1920.

EL RUEGO

Señor, Señor, hace ya tiempo, un día
soñé un amor como jamás pudiera
soñarlo nadie, algún amor que fuera
la vida toda, toda la poesía.

Y pasaba el invierno y no venía,
y pasaba también la primavera,
y el verano de nuevo persistía,
y el otoño me hallaba con mi espera.

Señor, Señor: mi espalda está desnuda.
¡Haz restallar allí, con mano ruda,
el látigo que sangra a los perversos!

Que está la tarde ya sobre mi vida,
y esta pasión ardiente y desmedida
la he perdido, Señor, haciendo versos!

Languidez, 1920.

LA QUE COMPRENDE...

Con la cabeza negra caída haci adelante
está la mujer bella, la de mediana edad,
postrada de rodillas, y un Cristo agonizante
desde su duro leño la mira con piedad.

En los ojos la carga de una enorme tristeza,
en el seno la carga del hijo por nacer,
al pie del blanco Cristo que está sangrando reza:
— Señor: el hijo mío que no nazca mujer!

Languidez, 1920.

EL ENGAÑO

Soy tuya, Dios lo sabe por qué, ya que comprendo
que habrás de abandonarme, fríamente, mañana,
y que, bajo el encanto de mis ojos, te gana
otro encanto el deseo, pero no me defiendo.

Espero que esto un día cualquiera se concluya,
pues intuyo, al instante, lo que piensas o quieres.
Con voz indiferente te hablo de otras mujeres
y hasta ensayo el elogio de alguna que fué tuya.

Pero tú sabes menos que yo, y algo orgulloso
de que te pertenezca, en tu juego engañoso
persistes, con un aire de actor del papel dueño.

Yo te miro callada con mi dulce sonrisa,
y cuando te entusiasmas, pienso: no te des prisa,
no eres tú el que me engaña; quien me engaña es mi
[sueño.

Ocre, 1925.

UNA VOZ

Voz escuchada a mis espaldas,
en algún viaje a las afueras,
mientras caía de mis faldas
el diario abierto, ¿de quién eras?

Sonabas cálida y segura
como de alguno que domina
del hombre oscuro el alma oscura,
la clara carne femenina.

No me dí vuelta a ver el hombre
en el deseo que me fuera
su rostro anónimo, y pudiera
su voz ser música sin nombre.

¡Oh simpatía de la vida!
¡Oh comunión que me ha valido,
por el encanto de un sonido
ser, sin quererlo, poseída!

Ocre, 1925.

TÚ QUE NUNCA SERÁS...

Sábado fué y capricho el beso dado,
capricho de varón, audaz y fino,
más fué dulce el capricho masculino
a este mi corazón, lobezno alado.

No es que crea, no creo; si inclinado
sobre mis manos te sentí divino
y me embriagué, comprendo que este vino
no es para mí, mas juego y rueda el dado...

Yo soy ya la mujer que vive alerta,
tú el tremendo varón que se despierta
y es un torrente que se ensancha en río

y más se encrespa mientras corre y poda.
Ah, me resisto, mas me tienes toda,
tú, que nunca serás del todo mío.

Ocre, 1925.

SOY

Soy suave y triste si idolatro, puedo
bajar el cielo hasta mi mano cuando
el alma de otro al alma mía enredo.
Plumón alguno no hallarás más blando:

Ninguna como yo las manos besa,
ni se acurruca tanto en un ensueño,
ni cupo en otro cuerpo, así pequeño,
un alma humana de mayor terneza.

Muero sobre los ojos, si los siento
como pájaros vivos, un momento,
aletear bajo mis dedos blancos.

Sé la frase que encanta y que comprende,
y sé callar cuando la luna asciende
enorme y roja sobre los barrancos.

Ocre, 1925.

JUANA DE IBARBOUROU

1895

Uruguaya, de Melo, ciudad aldeana, que vive en su recuerdo
y en el sentimiento agreste de su poesía, aunque desde que se
casó, a los diez y ocho años — después de haberse educado en
un convento —, reside con su esposo e hijo en Montevideo. Es
de ascendencia española; el nombre vasco que lleva es el de
su marido; su nombre de soltera era Juanita Fernández; el nombre con que la consagró en 1929 la admiración por su obra
poética es Juana de América. Morena, de tez mate, buena esposa y madre, sin más biografía que la literaria. También ésta
es sencilla : su primer libro nos da ya su originalidad plena,
expresada en seguida en otro libro en prosa y repetida en otro
libro en verso, publicados todos en un período de cinco años,
entre los veintitrés y los veintisiete de la autora; ocho años
después, otro libro de verso, en el que se nota un esfuerzo por
renovarse y entrar en los nuevos rumbos de la poesía, cuando
en rigor lo que hace es continuar, aislándolos y depurándolos,
los elementos ultramodernistas que había en su propia poesía
anterior. Juana de Ibarbourou, como Delmira Agustini y Gabriela Mistral, es como es y no puede ser de otra manera, porque la fuente única de su originalidad poética — a pesar de las
analogías literarias que se le han señalado con otros autores,
sobre todo con la Condesa de Noailles — es el instinto irracio-
nal, certero e inmutable. Absolutamente distintas las tres, tienen de común esa capacidad femenina y poética de vivir la pura
sensación, de identificar el universo con sus reacciones fisioló-
gicas y sus pasiones elementales. La nota peculiar de la Ibarbourou, la que la distingue de todas las demás, es el goce, la

alegría de vivir, la salud, la satisfacción de la mujer plenamente lograda. El amor y la naturaleza son sus dos sentimientos casi exclusivos, y ambos están expresados en su poesía a través de una sensualidad que Unamuno, muy acertadamente, calificó como «castísima desnudez espiritual».

BIBLIOGRAFÍA. — **Poesía:** *Las lenguas de diamante,* Montevideo, 1918; Buenos Aires, 1926. *Raíz salvaje,* Montevideo, 1922; 1924. *Las mejores poesías,* Barcelona, 1924; 1929. *Sus mejores poemas,* pról. de R. Blanco-Fombona, Madrid, 1930. *Sus mejores poemas,* sel. y pról. de H. Díaz Casanueva, Santiago de Chile, 1930. *La rosa de los vientos,* Montevideo, 1930. *Poèmes,* trad. franc. de F. de Miomandre, en RAmL, 1923, IV, 241-242. *Deux «romances»* [inéditos], trad. franc. de M. Pomès, en RAmL, 1931, XXI, 448-450. **Otras obras:** *El cántaro fresco,* Montevideo, 1920; 1931. **Estudios:** A. ANDRADE COELLO, *J. de I.,* en CuC, 1921, XXVI, 229-244. BALLESTEROS DE MARTOS, *Poesías líricas por J. de I.,* en Sol, 14 feb. 1923. E. BARRIOS, *¿J. de I. se entristece?,* en Nac, 24 junio 1923. G. BASSA DE LLORENÇ, *Dues poetesses americanes,* en Ressor, oct. 1929. C. BENVENUTO, Sobre *Raíz salvaje,* en Reno, marzo 1923. R. BRENES MESÉN, *Los dioses vuelven: J. de I.,* en Nos, 1925, L, 172-183. A. S. CLULOW, Sobre *Las lenguas de diamante,* en NAm, 1923, VII, 364-366. N. D'ARGENT, *Comentario al margen* [de *Las lenguas de diamante*], en RepAm, 11 mayo 1929. E. DÍEZ-CANEDO, *Letras de América: poetisas, II,* en Esp, 27 enero 1923. *El homenaje a a J. de I.* [discursos de J. de I. y A. Reyes], en EspSLI, 17 oct. 1929. J. M. FILARTIGAS, *Artistas del Uruguay,* Montevideo, [1923]. C. GONZÁLEZ-RUANO, *Poetisas modernas,* Madrid, 1924. S. JULIO, *J. de I.,* en RBC, 1927, XXII, 872-887; *Ideas e combates,* Río de Janeiro, 1927. F. P. KEYES, *Silver Seas and Golden Cities* New York 1931, p. 122-124. A. LAGORIO, Sobre *Las lenguas de diamante,* en Nos, 1919, XIII, XXXIII, 271-275. A. LAMAR SCHWEYER, *Las rutas paralelas,* Habana, 1922. L. LUISI, *Two South American poets: Gabriela Mistral and J. de I.,* en BPAU un. 1930. M. DE LUNA, *¿Feminismo o feminilidad? La poetisa J. de I. confiesa sus sentimientos,* en MU, 1927, IX, núm. 447, 4. L. E. NIETO CABALLERO, *J. de I.,* en RepAm, 17 nov. 1928; *Colinas inspiradas,* Bogotá, 1929; Sobre *La rosa de los vientos,* en RepAm, 18 abril 1931. P. PILLEPICH, *Poetesse dell'America latina: J. de I.,* en Colombo, 1930, V, 387-392. O. RAMÍREZ, *Una semblanza de J. de I.,* en Nac, 1924. V. A. SALAVERRI, *La poetisa I.,* en Nos, 1919, XIII, núm. 117, 187-196; *J. de I., the poet of «Las lenguas de diamante»,* en IntAm, 1921, V, 5, 106-107. R. SOTELA, Sobre *Raíz salvaje,* en NAm, 1923, VII, 87-93. E. SUÁREZ CALIMANO, *21 ensayos,* Buenos Aires, 1926. G. DE TORRE, *J. de I.,* en GLit, 1 feb. 1927. M. DE UNAMUNO, *Carta a J. de I.,* Salamanca, 18 set. 1919. S. WAPNIR, *El ensueño y la poesía en J. de I.,* en SNac, 15 dic. 1929. J. A. ZUBILLAGA, *Estudios y opiniones,* t. II, Montevideo, 1931, pp. 77-83. A. ZUM FELDE, *Contemporary Uruguayan poetry,* en IntAm, 1925, IX, núm. 1, 61-84; *Crítica de la literatura uruguaya,* Montevideo, 1921; *Proceso intelectual del Uruguay,* t. III, Montevideo, 1930.

LA HORA

Tómame ahora que aún es temprano
y que llevo dalias nuevas en la mano.

Tómame ahora que aún es sombría
esta taciturna cabellera mía.

Ahora que tengo la carne olorosa,
y los ojos limpios y la piel de rosa.

Ahora que calza mi planta ligera
la sandalia viva de la primavera.

Ahora que en mis labios repica la risa
como una campana sacudida aprisa.

Después..., ¡ah, yo sé
que ya nada de eso más tarde tendré!

Que entonces inútil será tu deseo,
como ofrenda puesta sobre un mausoleo.

¡Tómame ahora que aún es temprano
y que tengo rica de nardos la mano!

Hoy, y no más tarde. Antes que anochezca
y se vuelva mustia la corola fresca.

Hoy, y no mañana. Oh amante, ¿no ves
que la enredadera crecerá ciprés?

Lenguas de diamante, 1918.

EL FUERTE LAZO

Crecí
para ti.
Tálame. Mi acacia
implora a tus manos el golpe de gracia.

Florí
para ti.
Córtame. Mi lirio
al nacer dudaba ser flor o ser cirio.

Fluí
para ti.
Bébeme. El cristal
envidia lo claro de mi manantial.

Alas di
por ti.
Cázame. Falena,
rodeo tu llama de impaciencia llena.

Por ti sufriré.
¡Bendito sea el daño que tu amor me dé!
¡Bendita sea el hacha, bendita la red,
y loadas sean tijeras y sed!

Sangre del costado
manaré, mi amado.
¿Qué broche más bello, qué joya más grata,
que por ti una llaga color escarlata?

En vez de abalorios para mis cabellos,
siete espinas largas hundiré entre ellos.
Y en vez de zarcillos pondré en mis orejas,
como dos rubíes dos ascuas bermejas.

Me verás reír
viéndome sufrir.

Y tú llorarás,
y entonces... ¡más mío que nunca serás!

Lenguas de diamante, 1918.

VIDA-GARFIO

Amante, no me lleves, si muero, al camposanto.
A flor de tierra abre mi fosa, junto al riente
alboroto divino de alguna pajarera,
o junto a la encantada charla de alguna fuente.

A flor de tierra, amante. Casi sobre la tierra,
donde el sol me caliente los huesos, y mis ojos,
alargados en tallos, suban a ver de nuevo
la lámpara salvaje de los ocasos rojos.

A flor de tierra, amante. Que el tránsito así sea
más breve. Yo presiento
la lucha de mi carne por volver hacia arriba,
por sentir en sus átomos la frescura del viento.

Yo sé que acaso nunca allá abajo mis manos
podrán estarse quietas,
que siempre, como topos, arañarán la tierra
en medio de las sombras estrujadas y prietas.

Arrójame semillas. Yo quiero que se enraícen
en la greda amarilla de mis huesos menguados.
¡Por la parda escalera de las raíces vivas
yo subiré a mirarte en los lirios morados!

Lenguas de diamante, 1918.

LA CITA

Me he ceñido toda con un manto negro.
Estoy toda pálida, la mirada extática.
Y en los ojos tengo partida una estrella.
¡Dos triángulos rojos en mi faz hierática!

Ya ves que no luzco siquiera una joya,
ni un lazo rosado ni un ramo de dalias.
Y hasta me he quitado las hebillas ricas
de las correhuelas de mis dos sandalias.

Mas soy esta noche, sin oros ni sedas,
esbelta y morena como un lirio vivo.
Y estoy toda ungida de esencias de nardos.
Y soy toda suave bajo el manto esquivo.

Y en mi boca pálida florece ya el trémulo
clavel de mi beso que aguarda tu boca.
Y a mis manos largas se enrosca el deseo
como una invisible serpentina loca.

¡Descíñeme, amante! ¡Descíñeme, amante!
Bajo tu mirada surgiré como una
estatua vibrante sobre un plinto negro,
hasta el que se arrastra, como un can, la luna.

Lenguas de diamante, 1918.

LA INQUIETUD FUGAZ

He mordido manzanas y he besado tus labios.
Me he abrazado a los pinos olorosos y negros.
Hundí, inquieta, mis manos en el agua que corre.
He huroneado en la selva milenaria de cedros
que cruza la pradera como una sierpe grave,
y he corrido por todos los pedrosos caminos
que ciñen como fajas la ventruda montaña.

¡Oh amado, no te irrites por mi inquietud sin tregua!
¡Oh amado, no me riñas porque cante y me ría!
Ha de llegar un día en que he de estarme quieta,
¡ay, por siempre, por siempre!,
con las manos cruzadas y apagados los ojos,
con los oídos sordos y con la boca muda,
y los pies andariegos en reposo perpetuo
sobre la tierra negra.
Y estará roto el vaso de cristal de mi risa
en la grieta obstinada de mis labios cerrados.

Entonces, aunque digas: —¡Anda!, ya no andaré.
Y aunque me digas: —¡Canta!, no volveré a cantar.
Me iré desmenuzando en quietud y en silencio
bajo la tierra negra,
mientras encima mío se oirá zumbar la vida
como una abeja ebria.

¡Oh, déjame que guste el dulzor del momento
fugitivo e inquieto!

¡Oh, deja que la rosa desnuda de mi boca
se te oprima a los labios!

Después será cenizas bajo la tierra negra.

Lenguas de diamante, 1918.

ANGUSTIA

Hemorragia de luna sobre el parque plateado.
Todo duerme, hasta el loco surtidor de la fuente.
El mastín, taciturno, nos contempla callado,
y una brisa de encanto posa el ala en mi frente.

Al andar, nuestros pasos no rechinan la arena.
¿Llevamos las sandalias de gamuza del sueño?
Nuestra sombra se alarga, majestuosa y serena,
como un manto de corte junto al muro costeño.

¿Esto es limbo, o estamos sobre el haz de la tierra?
¿Somos sombras y un círculo de Plutón nos encierra?
El silencio me oprime, como un aro, las sienes.

¡Abre el grifo a la fuente, al mastín azucemos,
bésame, y al misterio con lascivia ahuyentemos!
¡Si parece de muerte la blancura que tienes!

Lenguas de diamante, 1918.

SOMBRA

Estrellas recién lavadas
motean el cielo negro.
Con la nochecita baja
la nostalgia, de los cerros.

Causa inquietud el silencio
del lugar solo y sombrío.
La pena aquí se hace aguda
como un puñal de dos filos.

En este campo no hay árboles,
no hay agua, no pastan bestias,
tan sólo los vientos danzan
sobre la pelada tierra.

Y cuando el día se duerme
por las ventanas ululan,
con un fragor erizante
que hace pensar en las brujas.

Estoy con fiebre. Me duele
el deseo del retorno.
Para acercar lo lejano
cierro, obstinada, los ojos.

Lenguas de diamante, 1918.

COMO LA PRIMAVERA

Como un ala negra tendí mis cabellos
sobre tus rodillas.
Cerrando los ojos su olor aspiraste
diciéndome luego:
— ¿Duermes sobre piedras cubiertas de musgos?
¿Con ramas de sauces te atas las trenzas?
¿Tu almohada es de trébol? ¿Las tienes tan negras
porque acaso en ellas exprimiste un zumo
retinto y espeso de moras silvestres?
¡Qué fresca y extraña fragancia te envuelve!
Hueles a arroyuelos, a tierra y a selvas.
¿Qué perfume usas? Y riendo, te dije:
— ¡Ninguno, ninguno!
Te amo y soy joven, huelo a primavera.
Este olor que sientes es de carne firme
de mejillas claras y de sangre nueva.
¡Te quiero y soy joven, por eso es que tengo
las mismas fragancias de la primavera!

Raíz salvaje, 1922.

ESTÍO

Cantar del agua del río.
Cantar continuo y sonoro,
arriba bosque sombrío
y abajo arenas de oro.

Cantar...
de alondra escondida
entre el oscuro pinar.

Cantar...
del viento en las ramas
floridas del retamar.

Cantar...
de abejas ante el repleto
tesoro del colmenar.

Cantar...
de la joven tahonera
que al río viene a lavar.

Y cantar, cantar, cantar
de mi alma embriagada y loca
bajo la lumbre solar.

Raíz salvaje, 1922.

LA TARDE

He bebido del chorro cándido de la fuente.
Traigo los labios frescos y la cara mojada.
Mi boca hoy tiene toda la estupenda dulzura
de una rosa jugosa, nueva y recién cortada.

El cielo ostenta una limpidez de diamante.
Estoy ebria de tarde, de viento y primavera.
¿No sientes en mis trenzas olor a trigo ondeante?
¿No me hallas hoy flexible como una enredadera?

Elástica de gozo cual un gamo he corrido
por todos los ceñudos senderos de la sierra.
Y el galgo cazador que me guía, rendido,
se ha acostado a mis pies, largo a largo, en la tierra.

¡Ah, qué inmensa fatiga me derriba a la grama
y abate en tus rodillas mi cabeza morena,
mientras que de una iglesia campesina y lejana
nos llega un lento y grave llamado de novena!

Raíz salvaje, 1922.

MAÑANA DE FALSA PRIMAVERA

Alguien ha sacudido un plumero en el aire
y ha pasado una esponja al sol de esta mañana;
alguien, entre las sombras, limpió hoy los badajos
locos y relucientes de las viejas campanas
que despiertan la iglesia;
alguien, al sacristán
le ha inyectado inquietud en las venas del puño
que tira de la cuerda sucia que va a la torre:
alguien, al caballito manco de mi lechero
le ha avivado el golpe reverencioso; alguien
me ha despertado alegre, con ansias de empolvarme
y de subir a ese «número 38»
que corre hacia la playa. ¡Oh mañana de agosto,
de mediados de agosto,
absurdamente tibia, absurdamente limpia,
que se ha disfrazado con las cosas bonitas
de un alba de noviembre!

Raíz salvaje, 1922.

DÍA DE FELICIDAD SIN CAUSA

En la piragua roja del mediodía
he arribado a las islas de la Alegría sin Causa.
El pan tiene un sabor de pitangas y han mezclado miel
a la frescura desconocida del agua.

Luego, ¡oh sol!, remero indio,
me llevarás por los ríos en declive de la tarde
hasta la costa donde la noche
abre el ramaje de sus sauces finos.

Traspasa una de tus flechas en mi puño.
Yo la llevaré en alto como un brazalete flamígero
cuando veloz atraviese los bosques nocturnos.

En mi corazón se hará clarín de bronce resonante
un grito de triunfo y de plenitud.

Y llegaré a las colinas de la mañana nueva,
con la sensación maravillada de haber dormido
apoyando la cabeza en las rodillas de la luz.

La rosa de los vientos, 1930.

MARÍA VILLAR BUCETA

1898

Cubana, de Matanzas. Entre las poetisas hispanoamericanas
y españolas más jóvenes de positivo pero aun no bien definido
valor escogemos a ésta, porque su personalidad parece definitivamente formada dentro de la tendencia postmodernista que
denominábamos reacción hacia la ironía sentimental. Como la
mujer, según demuestran las páginas anteriores, no parece
tener el sentido del humorismo, que sólo en Alfonsina Storni
asoma un poco con gesto agrio y forzado, tiene valor excepcional la poesía de esta escritora — «ejemplar de una especie
asexual, inclasificable», según definición propia — que ha llegado por otros caminos que los del amor a encontrar su ingenua y compleja originalidad.

BIBLIOGRAFÍA. — **Poesía :** *Unanimismo,* Habana, 1927. **Estudios :**
Auto-retrato, en RepAm, 1930, XII, núm. 13. C. GONZÁLEZ RUANO, *Poeti-
sas modernas,* Madrid, 1924. S. MÉNDEZ CAPOTE, *M. V. B.,* en RepAm,
1930, XII, núm. 13. E. ROIG DE LEUCHSENRING, *Poetisas cubanas,* en
Social, mayo 1921. J. SIGÜENZA, *Una nueva poetisa americana : M. del V.
B.,* en Nos, 1926, LIV, 95-98; RBC, 1927, XXII, 63-67.

PAZ

Un filósofo ha dicho que la mujer no es más
que el reflejo del hombre que encuentra en su camino.
¡He aquí una profunda exégesis!...
                                        Jamás
descubriste, ¡oh mi dulce corazón femenino!,
al Hombre entre los hombres..., y es por eso que estás
como un niño dormido en la paz de un camino.

¿.....?

Su vida estaba «en gris mayor»; tenía
una uniformidad desesperante.
Un vago tinte de melancolía
y de tedio velaba su semblante.

Por vanidad o por filosofía
era enigmática y desconcertante,
y, aunque indudablemente la ironía
fué su modalidad predominante,
para definir su psicología
nadie la ha conocido bastante...

Algunos la recuerdan todavía;
mucho se hizo admirar; pero, no obstante,
por triste y áspera se mantenía
del cariño y del odio equidistante...

LO VULGAR

Lo habréis observado; en mis cantos
faltan los acentos del mar,
cuya sinfonía monstruosa,
por asociación singular,
trae a mi memoria unos versos,
leídos largo tiempo atrás,
que comenzaban de este modo:
«Rosa, ¿no has visto nunca el mar?»

Y es que también a mí me hacía
soñar el mar
cuando vivía tierra adentro,
sueños de artista en general...

Ahora lo veo diariamente
sin emoción... Ya veis, ¡el mar!

HERMETISMO

¡En casa todos vamos a morir de silencio!
Yo señalo el fenómeno; pero me diferencio
apenas del conjunto... ¡Tengo que ser lo mismo!

Dijérase que estamos enfermos de idiotismo
o que constituímos una familia muda...,
de tal suerte en sí propio cada uno se escuda.

Como de nuestros oros nos sentimos avaros,
de nosotros las gentes piensan: «Son entes raros,
o egoístas, o sabe Dios qué...»
                                    ¡Tal vez dirán
que sólo nos preocupa la conquista del pan!

¡Y yo en medio de todos, Señor, con mi lirismo!...
¡Cuán se agobia mi espíritu de vivir en sí mismo
y ver siempre estos rostros pensativos y huraños!
¡Y así pasan los días, los meses y los años!

VI

ULTRAMODERNISMO

1914-1932

1

TRANSICIÓN DEL MODERNISMO AL ULTRAÍSMO

a) *Poetas americanos.* b) *Poetas españoles.*

a) *Poetas americanos.*

JOSÉ MARÍA EGUREN

1882 - 1942

Peruano. Hombre retraído, su vida ha pasado inadvertida para sus mismos compatriotas y contemporáneos. Parece, por lo que éstos saben, que pasó su infancia en una hacienda de su familia cercana a Lima, y que la base primera de su formación literaria fué la lectura de los clásicos españoles. Perteneciente a una familia tradicional, ha debido tener los medios y el ocio para dedicarse sin apremios al cultivo desinteresado y esmerado de su espíritu. Antes de escribir se dedicó a la pintura. Debió leer también literaturas extranjeras, pues su obra muestra el conocimiento directo de los simbolistas franceses e influencias germánicas. Estos datos sirven para explicar la poesía de Eguren, que, como dice Mariátegui, es la prolongación de su infancia y conserva la visión ingenua y original de las cosas. El sentimiento del paisaje, el gusto por lo maravilloso, el humor son otras notas de su poesía, mundo de creaciones interiores, en el que la imagen es a menudo la única realidad. Romántico por el sentimiento latente, simbolista por la vaguedad y delicadeza de los matices pictóricos, clásico por el lenguaje, es también un precursor aislado e incomprendido de los procedimientos propios del creacionismo.

BIBLIOGRAFÍA. — **Poesía:** *Simbólicas,* Lima, 1911. *La canción de las figuras,* 1916. *Sombra,* 1920. *Poesías: Simbólicas, La canción de las figuras, Sombra, Rondinelas,* 1929. **Estudios:** *Ama* ᵗ ⁱ. 1929, núm. 21, 11-44 [artículos de varios autores sobre J. M. E.] J.BASADRE:, *Elogio y elegía de J. M. E.,* en *Equivocaciones,* Lima, 1928, pp. 14-30. I. GOLDBERG, *Studies in Spanish American Literature,* New York, 1920. E. NÚÑEZ, *La poesía de E.,* Lima, 1932.

LA DAMA i

La dama i, vagarosa
en la niebla del lago,
canta las finas trovas.

Va en su góndola encantada,
de papel, a la misa
verde de la mañana.

Y en su ruta va cogiendo
las dormidas umbelas
y los papiros muertos.

Los sueños rubios de aroma
despierta blandamente
su sardana en las hojas.

Y parte dulce, adormida,
a la borrosa iglesia
de la luz amarilla.

Simbólicas, 1911.

LAS TORRES

Brunas lejanías...
batallan las torres
presentando
siluetas enormes.

Áureas lejanías...
las torres monarcas
se confunden
en sus iras llamas.

Rojas lejanías...
se hieren las torres;
purpurados
se oyen sus clamores.

Negras lejanías...
horas cenicientas
se oscurecen,
¡ay!, las torres muertas.

Simbólicas, 1911.

EL DUQUE

Hoy se casa el duque Nuez;
viene el chantre, viene el juez
y con pendones escarlata
florida cabalgata;
a la una, a las dos, a las diez;
que se casa el duque Primor
con la hija de Clavo de Olor.
Allí están, con pieles de bisonte,
los caballos de Lobo del Monte,
y con ceño triunfante,
Galo cetrino, Rodolfo montante.
Y en la capilla está la bella,
mas no ha venido el Duque tras ella;
los magnates postradores,
aduladores,
al suelo el penacho inclinan;
los corvados, los bisiestos
dan sus gestos, sus gestos, sus gestos;
y la turba melenuda
estornuda, estornuda, estornuda.
Y a los pórticos y a los espacios
mira la novia con ardor...;
son sus ojos dos topacios
de brillor.
Y hacen fieros ademanes,
nobles, rojos como alacranes;
concentrando sus resuellos,
grita el más hercúleo de ellos:
«¿Quién al gran Duque entretiene?»
¡Ya el gran cortejo se irrita!...
Pero el Duque no viene...,
se lo ha comido Paquita.

Simbólicas, 1911.

LA NIÑA DE LA LÁMPARA AZUL

En el pasadizo nebuloso,
cual mágico sueño de Estambul,

su perfil presenta destelloso
la niña de la lámpara azul.

Agil y risueña se insinúa
y su llama seductora brilla,
tiembla en su cabello la garúa
de la playa de la maravilla.

Con voz infantil y melodiosa
con fresco aroma de abedul,
habla de una vida milagrosa
la niña de la lámpara azul.

Con cálidos ojos de dulzura
y besos de amor matutino,
me ofrece la bella criatura
un mágico y celeste camino.

De encantación en un derroche,
hiende leda vaporoso tul;
y me guía a través de la noche
la niña de la lámpara azul.

La canción de las figuras, 1916.

PEREGRÍN CAZADOR DE FIGURAS

En el mirador de la fantasía,
al brillar del perfume
tembloroso de armonía;
en la noche que llamas consume;
cuando duerme el ánade implume,
los oríficos insectos se abruman
y luciérnagas fuman;
cuando lucen los silfos galones, entorcho
y vuelan mariposas de corcho
o los rubios vampiros cecean,
o las firmes jorobas campean,
por la noche de los matices,
de ojos muertos y largas narices;

en el mirador distante,
por las llanuras;
Peregrín cazador de figuras,
con ojos de diamante
mira desde las ciegas alturas.

La canción de las figuras, 1916.

REGINO E. BOTI

1878

Cubano. Educado en España. Abogado. Fué, con Acosta y Poveda, iniciador de la nueva poesía cubana, que significó la incorporación al modernismo hispanoamericano después del lapso yermo que va desde la muerte de Casal y Martí hasta 1913. Este atraso hizo que al entrar en Cuba el modernismo en su última fase llevase dentro de sí el fermento de su descomposición y que por eso sean estos autores quienes al mismo tiempo que lo inician lo destruyen superándolo. Boti, crítico y retórico, artista consciente, consumado conocedor de la poesía francesa e inglesa, es el cerebro de esa doble revolución y el artífice de la nueva técnica. Después ha seguido siempre en la vanguardia de los nuevos movimientos literarios hasta los más recientes.

BIBLIOGRAFÍA. — **Poesía :** *Arabescos mentales,* Barcelona, 1913. *El mar y la montaña,* Habana, 1921. *Kodak-Ensueño,* 1929. *Kindergarten,* 1930. **Otras obras:** *Tres temas sobre la nueva poesía,* Habana, 1928. **Estudios:** F. Contreras, *Les écrivains contemporains de l'Amérique espagnole,* París, 1920, A. Ferrand Latoison, Sobre *Kindergarten,* en Orto, 1930, XIX, núm. 5, 164-165. J. Jerez Villarreal, Sobre *Kodak-Ensueño,* en RdO, 1929, II, núm. 12, 7-8. H. Poveda, *Los momentos estéticos de R. E. B.,* en Orto, 1929, núms. 6-7, 5-16; «*Kindergarten*», *último libro de R. E. B.,* en RdO, 1930, II, núms. 20-21, 13-14.

AGUAZA

Hiende el berilo una gaviota
con reverberación de plata,
y sobre el mar vibra la nota
de un foque gris que se desata.

La ventolera ruda azota,
el horizonte se dilata,
un penacho de humo brota
y la baliza es una oblata.

En la imbricada superficie
no hay color viril que oficie
ante el altar de Helios fulgente.

Que su cinábrica rodela
en el marino nácar riela
cinematográficamente...

Arabescos mentales, 1913.

ÁNGELUS

Rayas sombrías y luminosas.
Verticales: los postes. Horizontales: la playa,
los raíles y los regatos. El día
preagoniza. El crepúsculo palia
con sus rosas los grises. En la salina
el molino de viento que, en el negror, es dalia
gigante y giratoria.

Y en el *Ángelus* hay ruido
como el de las alas de la Victoria.

El mar y la montaña, 1921.

RICARDO GÜIRALDES

1886-1927

Argentino. De familia pudiente, le fué posible llevar una
vida que ofrece dos caras: la del estanciero tradicional de la
Pampa y la del trasplantado al mundo europeo parisiense. El
equilibrio entre estas dos vidas prestó a cada una de ellas una
intensidad máxima. El mismo equilibrio se encuentra realizado
en su obra, la más europea y la más argentina, la más moderna

y la más tradicional, y al mismo tiempo la de mayor originalidad y trascendencia que se ha producido en América en este
siglo. Aunque su actividad literaria se inició con un libro de
poesías —en prosa y verso — y éstas significan un avance hacia
las nuevas escuelas poéticas, las grandes realizaciones de Güiraldes están en la prosa de sus cuentos y novelas. Pero si en
el verso no es más que un precursor, la influencia de sus novelas y el contacto personal con los escritores jóvenes hacen
de él — que no creía en las escuelas — el maestro de la nueva
generación argentina.

BIBLIOGRAFÍA. — **Poesía :** *El cencerro de cristal,* Buenos Aires, 1915.
Poemas místicos, 1928. *Poemas solitarios,* poemas en prosa, 1928 [trad.
franc. por Valery Larbaud, en ComP, 1928, XV, 89-107.] **Otras
obras :** *Cuentos de muerte y de sangre,* Buenos Aires, 1915. *Rosaura,* novela, 1917. *Raucho,* novela, 1917; Madrid, 1932. *Xaimaca,* novela, Buenos Aires, 1923; Madrid, 1931. *Don Segundo Sombra,* Buenos Aires,
1926; 1927; 1928; 1930 [trad. franc. M. Auclair, París, 1932.] *Obras inéditas,* 1928. *Seis relatos,* 1929. **Estudios :** M. AUCLAIR, *La traducción
francesa de «Don Segundo Sombra»,* en Sin, 1929, III, tomo X, 171-180.
BRANDÁN CARAFFA, *G. inédito,* en Sin, 1928, V, 272-274. CORPUS BAR-
GA, *G. y su «Sombra»,* en Sol, 16 oct. 1927. J. L. BORGES, *El lado de la
muerte en G.,* en Sin, 1928, V, núm. 13, 63-66. F. CONTRERAS, *R. G. y
la literatura de vanguardia,* en MF, 15 abril 1927. E. DÍEZ-CANEDO,
Entre la Pampa y París, en Sol, 17 abril 1932. C. FOURNIER, Sobre
Don Segundo Sombra, en RAmL, 1927, XIV, 365. R. F. GIUSTI, *Crítica
y polémica,* 3.ª serie, Buenos Aires, 1927 [sobre *Don Segundo Sombra*].
R. GÓMEZ DE LA SERNA, *Réquiem por G.,* en ROcc, 1927, XVIII, 103-105;
RepAm, 3 dic. 1927. A. GUILLOT MUÑOZ, *El solitario de San Antonio de
Areco,* en GLit, 15 abril 1931. H. H. HIPWELL, Sobre *Don Segundo
Sombra,* en SRL, 1928, V, 433. I. B. A., *R. G.,* en CritBA, 10 oct. 1929.
V. LARBAUD, *R. G.,* en Nos, ag. 1925; NRFr, 1928, XXX, 132-137;
L'oeuvre et la situation de R. G., en RE, 1925, V, 22-27. M. LATORRE,
Sobre *Don Segundo Sombra,* en Inf, 1927, XII, 42-43. F. LIZASO, *La
lección de G.,* en RAv, 1928, III, núm. 22, 118-120, 135; RepAm, 21
julio 1928. R. DE MAEZTU, Sobre *Don Segundo Sombra,* en Sol, 12 dic.
1926; *Los mitos literarios : sobre «Don Segundo Sombra» y algo sobre
«Don Juan»,* en PrBA, 26 junio 1927. C. MELÉNDEZ, *Tres novelas de la
naturaleza americana,* en RBC, 1931, XXVIII, 82-93. A. MELIÁN LAFI-
NUR, *Discurso en memoria de R. G.,* en RepAm, 30 nov. 1929. M. S. NOEL,
Las últimas páginas de G., en Sin, 1927, II, 301-304. *Notas : R. G.,* en
Sin, 1927, I, 383-384. *Notas : El homenaje a R. G.,* en Sin, 1927, III, 96-97.
F. ORTIZ ECHAGÜE, *R. G.,* en RAmL, 1927, XIV, 504-505. E. PALACIO,
La poesía cristalina de R. G., en Nac, 27 mayo 1928. *R. G.,* en Nos, 1927,

LVIII, 142-143. A. del Río, Sobre *Don Segundo Sombra*, en REstH, 1928, I, 72-74. P. Rojas Paz, *R. G.*, en Sin, 1927, II, 369-381; Nac, 13 noviembre 1927. E. Villaseñor, «*Xaimaca*», «*Don Segundo Sombra*»: *¿De qué se trata?*, en SagM, 1927, núm. 10.

AL HOMBRE QUE PASÓ

Símbolo pampeano y hombre verdadero,
generoso guerrero,
amor, coraje,
¡salvaje!

Gaucho, por decir mejor.
Ropaje suelto de viento,
protagonista de un cuento
vencedor.

Corazón
de afirmación.
Voluntad
de lealtad.
Cuerpo «morrudo» de hombría,
peregrina correría
que va tranqueando los llanos,
con la vida entre las manos
potentes de valentía.
Vagabunda rebeldía.
Carne de orgullo y destreza,
alma que tiene corteza,
pues no hay viento
ni lamento
que penetre en su rudeza,
ni doble, de su cabeza,
la arremangada fiereza.

En su melena asoleada
que va de luz revolcada
a la oración,
flotando está una intención.
Quiso libertad, la tuvo;

y en su batallar, no hubo
quién le impusiera derrota.
Su sangre, gota por gota,
demostró que era ilusoria
para otros la victoria,
y escribió roja su historia.

Pero hoy el gaucho, vencido,
galopando hacia el olvido,
se perdió.
Su triste ánima en pena
se fué, una noche serena,
y en la cruz del Sur, clavado,
como despojo sagrado,
lo he yo.

El cencerro de cristal, 1915.

RAMÓN LÓPEZ VELARDE

1888-1921

Mejicano, de Jerez (Zacatecas). Periodista y profesor. El
tema de su poesía es local, regional: la provincia, que a veces
se extiende hasta abarcar la patria mejicana; la emoción es
vernacular, tradicional, católica; el arte es innovador y universal. Su breve obra, cortada por la muerte temprana, revela
una gran originalidad poética que no rehuye ser continuadora
de la poesía anterior — Díaz Mirón, Herrera y Reissig, ironía y
prosaísmo postmodernistas — ni se detiene ante las innovaciones más audaces, necesarias para lograr la propia expresión.
López Velarde avanza en la creación de un nuevo barroquismo, que en formas diversas vino a ser carácter general de la
poesía posterior y que en la suya es una personal y feliz combinación de sentimentalismo romántico, naturalismo irónico,
imaginismo puro y culteranismo rebuscado, que hacen de él
probablemente el más original y valioso poeta de Méjico posterior al modernismo.

BIBLIOGRAFÍA. — **Poesía** : *La sangre devota*, México, 1916. *Zozobra,*
1919. *El minutero*, 1924. *El son del corazón*, 1932. **Estudios:** C. GON-
ZÁLEZ PEÑA, *Cómo ve y cómo siente la provincia el poeta L. V.*, en VM,

1 marzo 1916. *Los funerales del poeta R. L. V.*, en BUNMex, 1921, II, 259-282. B. Ortiz de Montellano, *Esquema de la literatura mexicana moderna*, en Con, 1931, X, 195-210. G. Pillement, *L. V.*, en RAmL, 1931, XXI, 216. *R. L. V.* [oración fúnebre, por A. Cravioto, y artic. de E. González Martínez y otros], MM, 1921, I, 249-303. J. J. Tarlada, *Un nuevo poeta*, en MuI, 7 junio 1914. A. Zelaya, *R. L. V.*, en DCR, 13 marzo 1924.

A SARA

A mi paso, y al azar, te desprendiste
como el fruto más profano
que pudiera concederme la benévola
actitud de este verano.

Blonda Sara, uva en sazón: mi leal apego
a tu persona, hoy me incita
a burlarme de mi ayer, por la inaudita
buena fe con que creí mi sospechosa
vocación la de un levita.

Sara, Sara, eres flexible cual la honda
de David, y contundente
como el lírico guijarro del mancebo;
y das, paralelamente,
una tortura de hielo y una combustión de pira;
y si en vértigo de abismo tu pelo se desmadeja,
todavía, con brazo heroico
y en caída acelerada, sostienes a su pareja.

Sara, Sara, golosina de horas muelles;
racimo copioso y magno de promisión que fatigas
el dorso de dos hebreos:
siempre te sean amigas
la llamarada del sol y del clavel: si tu brava
arquitectura se rompe como un hilo inconsistente,
que bajo la tierra lóbrega
esté incólume tu frente;
y que refulja tu blonda melena, como un tesoro
escondido; y que se guarden indemnes, como real sello,
tus brazos y la columna
de tu cuello.   *La sangre devota,* 1916.

MI CORAZÓN SE AMERITA...

Mi corazón, leal, se amerita en la sombra.
Yo lo sacara al día, como lengua de fuego
que se saca de un ínfimo purgatorio a la luz;
y al oírlo batir su cárcel, yo me anego
y me hundo en la ternura remordida de un padre
que siente, entre sus brazos, latir un hijo ciego.

Mi corazón, leal, se amerita en la sombra.
Placer, amor, dolor..., todo le es ultraje
y estimula su cruel carrera logarítmica,
sus ávidas mareas y su eterno oleaje.

Mi corazón, leal, se amerita en la sombra.
Es la mitra y la válvula... Yo me lo arrancaría
para llevarlo en triunfo a conocer el día,
la estola de violetas en los hombros del Alba,
el cíngulo morado de los atardeceres,
los astros y el perímetro jovial de las mujeres.

Mi corazón, leal, se amerita en la sombra.
Desde una cumbre enhiesta yo lo he de lanzar
como sangriento disco a la hoguera solar.
Así extirparé el cáncer de mi fatiga dura,
seré impasible por el Este y el Oeste,
asistiré con una sonrisa depravada
a las ineptitudes de la inepta cultura,
y habrá en mi corazón la llama que le preste
el incendio sinfónico de la esfera celeste.

Zozobra, 1919.

LA SUAVE PATRIA

PROEMIO

Yo que sólo canté de la exquisita
partitura del íntimo decoro,
alzo hoy la voz a la mitad del foro,
a la manera del tenor que imita

la gutural modulación del bajo,
para cortar a la epopeya un gajo.

Navegaré por las olas civiles
con remos que no pesan, porque van
como los brazos del correo chuan
que remaba la Mancha con fusiles.

Diré con una épica sordina:
la Patria es impecable y diamantina.

Suave Patria: permite que te envuelva
en la más honda música de selva
con que me modelaste por entero
al golpe cadencioso de las hachas,
entre risas y gritos de muchachas
y pájaros de oficio carpintero.

PRIMER ACTO

Patria: tu superficie es el maíz,
tus minas el palacio del Rey de Oros,
y tu cielo las garzas en desliz
y el relámpago verde de los loros.

El Niño Dios te escrituró un establo
y los veneros de petróleo el diablo.

Sobre tu capital, cada hora vuela
ojerosa y pintada, en carretela;
y en tu provincia, del reloj en vela
que rondan los palomos colipavos,
las campanadas caen como centavos.

Patria: tu mutilado territorio
se viste de percal y de abalorio.

Suave Patria: tu casa todavía
es tan grande, que el tren va por la vía
como aguinaldo de juguetería.

Y en el barullo de las estaciones,
con tu mirada de mestiza, pones
la inmensidad sobre los corazones.

¿Quién en la noche que asusta a la rana,
no miró, antes de saber del vicio,
del brazo de su novia, la galana
pólvora de los fuegos de artificio?

Suave Patria: en tu tórrido festín
luces policromías de delfín,
y con tu pelo rubio se desposa
el alma, equilibrista chuparrosa,
y a tus dos trenzas de tabaco sabe
ofrendar aguamiel toda mi briosa
raza de bailadores de jarabe.

Tu barro suena a plata, y en tu puño
su sonora miseria es alcancía;
y por las madrugadas del terruño,
en calles como espejos, se vacía
el santo olor de la panadería.

Cuando nacemos, nos regalas notas;
después, un paraíso de compotas,
y luego te regalas toda entera,
suave Patria, alacena y pajarera.

Al triste y al feliz dices que sí
que en tu lengua de amor prueben de ti
la picadura del ajonjolí.

¡Y tu cielo nupcial, que cuando truena
de deleites frenéticos nos llena!
Trueno de nuestras nubes, que nos baña
de locura, enloquece a la montaña,
requiebra a la mujer, sana al lunático,
incorpora a los muertos, pide el Viático,
y al fin derrumba las madererías
de Dios, sobre las tierras labrantías.
Trueno del temporal: oigo en tus quejas

crujir los esqueletos en parejas,
oigo lo que se fué, lo que aún no toco
y la hora actual con su vientre de coco,
y oigo en el brinco de tu ida y venida,
¡oh, trueno!, la ruleta de mi vida.

INTERMEDIO

(Cuauhtémoc.)

Joven abuelo: escúchame loarte,
único héroe a la altura del arte.

Anacrónicamente, absurdamente,
a tu nopal inclínase el rosal;
al idioma del blanco, tú lo imantas
y es surtidor de católica fuente
que de responsos llena el victorial
zócalo de ceniza de tus plantas.

No como a César el rubor patricio
te cubre el rostro en medio del suplicio:
tu cabeza desnuda se nos queda,
hemisféricamente, de moneda.

Moneda espiritual en que se fragua
todo lo que sufriste: la piragua
prisionera, el azoro de tus crías,
el sollozar de tus mitologías,
la Malinche, los ídolos a nado,
y por encima, haberte desatado
del pecho curvo de la emperatriz
como del pecho de una codorniz.

SEGUNDO ACTO

Suave Patria: tú vales por el río
de las virtudes de tu mujerío;
tus hijas atraviesan como hadas,
o destilando un invisible alcohol,
vestidas con las redes de tu sol,
cruzan como botellas alambradas.

Suave Patria: te amo no cual mito,
sino por tu verdad de pan bendito,
como a niña que asoma por la reja
con la blusa corrida hasta la oreja
y la falda bajada hasta el huesito.

Inaccesible al deshonor, floreces;
creeré en ti mientras una mexicana
en su tápalo lleve los dobleces
de la tienda, a las seis de la mañana,
y al estrenar su lujo, quede lleno
el país, del aroma del estreno.

Como la sota moza, Patria mía,
en piso de metal, vives al día,
de milagro, como la lotería.

Tu imagen, el Palacio Nacional,
con tu misma grandeza y con tu igual
estatura de niño y de dedal.

Te dará, frente al hambre y al obús,
un higo San Felipe de Jesús.

Suave Patria, vendedora de chía:
quiero raptarte en la cuaresma opaca,
sobre un garañón, y con matraca,
y entre los tiros de la policía.

Tus entrañas no niegan un asilo
para el ave que el párvulo sepulta
en una caja de carretes de hilo,
y nuestra juventud, llorando, oculta
dentro de ti, el cadáver hecho poma
de aves que hablan nuestro mismo idioma.

Si me ahogo en tus julios, a mí baja
desde el vergel de tu peinado denso
frescura de rebozo y de tinaja,
y si tirito, dejas que me arrope
en tu respiración azul de incienso
y en tus carnosos labios de rompope.

Por tu balcón de palmas bendecidas
el Domingo de Ramos, yo desfilo
lleno de sombra, porque tú trepidas.

Quieren morir tu ánima y tu estilo,
cual muriéndose van las cantadoras
que en las ferias, con el bravío pecho
empitonando la camisa, han hecho
la lujuria y el ritmo de las horas.

Patria, te doy de tu dicha la clave:
sé siempre igual, fiel a tu espejo diario;
cincuenta veces es igual el ave
taladrada en el hilo del rosario,
y es más feliz que tú, Patria suave.

Sé igual y fiel; pupilas de abandono;
sedienta voz, la trigarante faja
en tus pechugas al vapor; y un trono
a la intemperie, cual una sonaja:
la carreta alegórica de paja.

FERNÁN SILVA VALDÉS

1887

Uruguayo, de Montevideo. Hombre de ciudad, que, según
parece, desde pequeño tuvo ocasiones diversas de conocer la
vida campesina del interior que tanto ama y que es la materia
de su poesía «nativista» o criolla. Según Pereda Valdés, sus
primeros versos, escritos a los diez y seis años, eran décimas
gauchas. Esto es importante, porque los primeros libros de
Silva Valdés son totalmente modernistas y muestran que nació
a la literatura bajo la influencia de Rubén Darío y Herrera
Reissig. Si el decadentismo, practicado no sólo en la poesía,
sino en la bohemia literaria de su juventud montevideana, fué
causa de la neurastenia que le llevó al campo y dió, según se
dice, origen a la inspiración gauchesca de sus libros posteriores, podemos decir que esta rectificación no fué una conver-

sión a algo nuevo, sino una vuelta a sí mismo. En rigor, su nueva
poesía nativa está tan lejos, o tan cerca, del modernismo como
del gauchismo anteriores; participa de ambos y en ella los dos,
al fecundarse mutuamente, resultan superados. Su técnica literaria — el uso de la imagen, la novedad en la adjetivación, el
descoyuntamiento de la versificación, la objetividad de la emoción — es culta y de carácter ultramodernista. Su gauchismo
— temas tradicionales, cosas, palabras, paisajes — no es realismo costumbrista ni imitación externa, sino reducción de un
pasado real y poético a sus elementos esenciales y permanentes. Otro tema nacional de Silva Valdés es, como lo fué en
Florencio Sánchez, el «acriollamiento del gringo».

BIBLIOGRAFÍA. — **Poesía:** *Ánforas de barro,* Montevideo, 1913. *Humo
de incienso,* 1917. *Agua del tiempo,* poemas nativos, 1921; 1922; 1924;
1925; 1930. *Poemas nativos,* 1925; 1929; 1930. *Poesías y leyendas para
los niños,* 1930. *Intemperie,* 1930. **Estudios:** J. L. BORGES, *Interpretación de S.V.,* en *Inquisiciones,* Buenos Aires, 1925, pp. 61-64. N. A. FRON-
TINI, *Los poemas nativos de F. S. V.,* en Peg, marzo 1924; *Poesía sil-
valdesiana : ubicación racional de la metáfora,* en In, 1925, II, núm. 8,
135-146. J. DE IBARBOUROU, *La poesía nativa y F. S. V.,* en Sin, 1928,
II, 165-177. R. MONTERO BUSTAMANTE, *Dos poetas hermanos,* en PrBA,
29 marzo 1927. B. ORTIZ DE MONTELLANO, Sobre *Intemperie,* en Con,
1930, III, 270. I. PEREDA VALDÉS, *Dos poetas de mi tierra,* en Sin, 1928,
IV, núm. 12, 107-110. E. SUÁREZ CALIMANO, Sobre *Intemperie,* en Nos,
1930, XXIV, núm. 256, 300-306. A. ZUM FELDE, *Proceso intelectual del
Uruguay,* t. III, Montevideo, 1930.

EL RANCHO

Retobado de barro y paja brava,
insociable, huyendo del camino,
no se eleva, se agacha sobre la loma
como un pájaro grande con las alas caídas.

Gozando de estar solo,
y atado a la tranquera a ras de tierra
por el tiento torcido de un sendero,
se defiende del viento con el filo del techo;
su amigo es el chingolo;
su centinela gaucho el terutero.

Por la boca pequeña de una ventana
apura el mediodía en un solo bostezo.
De mañana despierta con el canto de un gallo
y de noche se duerme con el llanto de un niño.

Es creyente a la vez que fatalista;
a supersticioso nadie le iguala:
se persigna al chistido de la lechuza
o se tapa los ojos por no ver «la luz mala».
Y se encorva de miedo cuando aúllan los perros
— con las cerdas del lomo despeinadas —
porque pasa la muerte, chúcara e invisible,
montada en pelo
en la yegua sin freno de la leyenda.

Es torvo como el gaucho hasta en su mansedumbre;
como aspira tan poco nunca sale de pobre:
y guarda con orgullo, como único tesoro
— expuestas en un marco con alardes artísticos —,
la estampa de un caudillo
y una divisa bordada en oro.

Ni altivo, ni bizarro: humilde, nada más;
ignorante a la gracia y al donaire,
adorna su mal gesto curtido de intemperie,
un nido de hornero y un clavel del aire.

Es viejo ya, sus quinchas han visto tres patriadas:
agringarse los criollos, acriollarse los gringos;
si no le salen canas, le nacen cicatrices,
y aceptando el destino de concluir en tapera,
mira pasar los años y crecer los gurises
echado boca abajo y con el lomo al sol.

En los atardeceres en que se pone triste
revisa sus recuerdos de un vistazo hacia adentro
y encuentra cuatro fechas que lo hicieron vibrar:
cuatro fechas que son
los puntos cardinales de su emoción:
una boda, un velorio, un nacimiento
y una revolución.

Cuando se quede solo, sin poder con el viento,
y caiga de rodillas, será tan poca cosa...
Su historia, tan vulgar: un placer, una cuita,
que cabrá en las seis cuerdas de una guitarra
y en los seis suspiros de una vidalita.

Agua del tiempo, 1921.

LA FLAUTA

Esta caña
que he encontrado en el campo
me la llevo a mi casa,
ha de servir para algo.
En los tiempos heroicos
de mis antepasados,
una caña como ésta
solamente servía para hacer una lanza.
Pero yo ¿para qué quiero lanzas
no siendo hombre de guerra?
Yo con ella me voy a hacer una picana,
y si sobra un pedazo...
y si sobra un pedazo, he de hacerme una flauta.

Agua del tiempo, 1921.

CACHARROS

Me levanté con noche a preparar el barro
para mis cacharros.

Yo soy un poco indio guaraní por mi cara,
y soy indio del todo al hacer mis cacharros.

Va a amanecer, el alba
es como un friso pálido
chispeado de estrellas;
va a amanecer, el alba
es como un friso rosa
chispeado de pájaros.

Me levanté con noche a preparar el barro
para mis cacharros.

Está aclarando el día, los pájaros del alba
entre trinos y vuelos
se han comido toditas
las estrellas del cielo.

Está aclarando el día; yo trabajo cantando,
tengo la voz mojada y la tonada fácil,
(me levanté esta mañana
con la garganta tan fresca
como si hubiera dormido
con una estrella en la boca).

Y así, mientras trabajo
cantando a media voz,
lejos, en el paisaje,
se oye salir el sol.

Poemas nativos, 1925.

TEMA DE ROMANCE

En el camino hay un rancho,
en el rancho una ventana
por donde se asoma el alba
de una lucecita blanca.

Dentro el rancho una pareja;
afuera un caballo negro;
el caballo atado a un árbol
por dos vueltas del cabestro,
y la moza con el mozo
abrochados en un beso.

La media noche amanece
en el pico de los gallos;
silba en lo oscuro un chingolo,
un chingolito romántico,
de esos que entrada la noche
prenden la chispa de un canto.

Siguen pasando las horas,
el cielo se va aclarando,
y el alba grande del día
apaga el alba del rancho.

Intemperie, 1930.

JOSÉ MANUEL POVEDA

1888 - 1926

Cubano, de Santiago. Abogado. Puede aplicársele lo dicho antes acerca de Regino Boti respecto a su posición histórica en la lírica cubana. Difieren en cuanto a la personalidad: Poveda, poeta quizá más hondo pero menos flexible, realizó de modo más perfecto la asimilación de las formas últimas del simbolismo francés que fueron para él un fin y no el principio de la poesía futura, de la que se sentía precursor.

BIBLIOGRAFÍA. — **Poesía:** *Versos precursores,* Manzanillo, 1917; 2.ª ed., 1927.

TAMBORIL PARA BROMIO

Bromio: no hemos hallado el parche griego
y desollamos una cabra actual;
ha de servirnos para el rito y luego
para las danzas del bien y del mal.

Prendimos las fogatas de tu fuego;
brilla en la noche su fulgor feral:
sobre del ara está herido el borrego,
para las danzas del bien y del mal.

Has de regir la nueva orgía, Omestes;
desgarrarás, Dionysos, nuevas vestes;
propagarás fiebre y malignidad:

ajusta, Bromio, el tamboril reciente
a tu diapasón; quítale el doliente
tono tétrico de modernidad.

Versos precursores, 2.ª ed., 1927.

EL GRITO ABUELO

La ancestral tajona
propaga el pánico,
verbo que detona,
tambor vesánico;

alza la tocata de siniestro encanto,
y al golpear rabioso de la pedicabra,
grita un monorritmo de fiebre y de espanto:
su única palabra.

Verbo del tumulto,
lóbrega diatriba,
del remoto insulto
sílaba exclusiva.

De los tiempos vino y a los tiempos vuela;
de puños salvajes a manos espurias,
carcajada en hipos, risa que se hiela,
cánticos de injurias.

La tajona inulta
propaga el pánico;
voz de turbamulta
clamor vesánico.

Canto de la sombra, grito de la tierra,
que provoca el vértigo de la sobredanza,
redobla, convoca, transtorna y aterra,
subrepticio signo, ¡hél que nos alcanza

distante e ignoto,
y de entonces yerra y aterra y soterra
seco, solo, mudo, vano, negro, roto,
grito de la tierra,
lóbrega diatriba,
del dolor remoto
sílaba exclusiva.

Versos precursores, 2.ª ed., 1927.

JULIO J. CASAL

1889

Uruguayo. Residió en España desde 1909 hasta 1925 como cónsul en La Coruña. Allí, después de haber escrito varios libros de tímido carácter postmodernista, se afilió al ultraísmo incipiente y combativo y publicó uno de sus órganos de más larga vida, la revista *Alfar*, que continuó publicando a su vuelta a Montevideo. Aun después de adoptar la nueva técnica poética, el valor principal de su poesía radica en la sencillez lírica y el sentimiento contenido.

BIBLIOGRAFÍA.—**Poesía:** *Regrets*, Madrid, 1910. *Allá lejos*, 1912. *Cielos y llanuras*, 1914. *Nuevos horizontes*, 1916. *Huerto maternal*, 1919, *Humildad*, 1920. *Cincuenta y seis poemas*, 1921. *Árbol*, Coruña, 1925. **Estudios:** *Agasajo al poeta uruguayo J. J. C.*, en Sol, 13 dic. 1923. E. S. C., Sobre *Árbol*, en Nos, 1927, núms. 222 y 223, 332-333. J. IBARRA, Sobre *Árbol*, en SagM, 1 en. 1927.

EL ÁLAMO BLANCO

Has madurado al sol, a la lluvia y al viento.

Y por ser sabio, tienes en las sienes ceniza.
Tanto has leído el libro de la naturaleza,
que hoy eres una página, nada más en el libro.

Eres como una página musical,
al alcance
de todas las miradas que nutres con tu jugo.

Tan sin complicaciones,
que te interpretan
sin tropiezo alguno,
los pajaritos nuevos
que aún están en la clase
de solfeo.

Árbol, 1925.

EMILIO ORIBE

1893

Uruguayo, de Melo — como Juana de Ibarbourou —, que ha dejado en él, como en ella, un fondo agreste y nativo, a pesar de que la poesía de Oribe es abstracta e intelectual. Ha sido médico y tiene una cultura científica. Ha expuesto sus teorías estéticas y se ha ejercitado en la traducción de poetas franceses desde los parnasianos hasta los mejores de hoy, incluso Paul Valery, con quien tiene alguna semejanza y grandes diferencias. Su poesía ha evolucionado desde el modernismo con tendencia parnasiana hasta el vanguardismo. Hay, sin embargo, en ella unidad en el subjetivismo intelectual, la sencillez arquitectónica, el misticismo panteísta, el americanismo ideal, la identificación entre la idea y la emoción, que constituyen las notas de su temperamento poético.

BIBLIOGRAFÍA. — **Poesía:** *Alucinaciones de belleza*, Montevideo, 1912. *Las letanías extrañas*, 1915; 2.ª ed. revis.: *El nardo del ánfora*, 1926. *El castillo interior*, 1917; 1926. *El halconero astral y otros cantos*, 1919; 1925. *El nunca usado mar*, 1922. *La colina del pájaro rojo*, 1925. *La transfiguración del cuerpo*, 1930. *El cementerio marino*, de Paul Valery, [traducción], 1932. **Otras obras:** *Poética y plástica*, ensayos, 1930. **Estudios:** S. JULIO, *Ideas e combates*, Río de Janeiro, 1927. A. LAGORIO, *E. O.*, en Nos, nov. 1917. E. M. NÚÑEZ, *E. O.*, en Ama, 1928, número 12, 41. E. SUÁREZ CALIMANO, *E. O.*, en Nos, 1931, LXXI. 292-303. S. WAPNIR, *E. O.*, en Sin, 1929, III, núm. 27, 386-389. J. A. ZUBILLAGA, *Estudios y opiniones*, t. II, Montevideo, 1931, pp. 125-133. A. ZUM FELDE, *Proceso intelectual del Uruguay*, t. III, Montevideo, 1930.

EL HONDERO

Era aindiado y calmoso. Se dió todo al pampero
con su tórax desnudo en atlética ofrenda.
Yo admiraba sus músculos, relámpagos de acero,
y su historia de héroe con desgracia y leyenda.

Recuerdo que de niño fuí amigo del hondero.
Esgrimía su arma con precisión tremenda:
— ¡Mírame! — y arrojábale guijarros del sendero
al sol, en simulacros de odio y de contienda.

Hoy pienso, entre mis luchas, en el hondero aquél.
Un brazo me asegura como una honda fiel;
su salud primitiva es sostén de mi barro.

Yo bien sé que al faltarme esa atracción divina,
me hundiré en la tiniebla que en la noche germina,
perdido en la pradera azul, como un guijarro.

El nardo del ánfora, 1926.

LA MÚSICA

I

¡Silencio! ¡Silencio!
Inclinadas
hacia el navío,
las grandes aves blancas, las del alto volar,
en la noche del trópico
se ponen a cantar.

Asomadas,
en la cárcel brillante de las aguas
hacia la claridad lunar,
en el camino nuestro, las sirenas
se ponen a cantar.

Acodados
sobre la popa del navío,
unos hombres oscuros en ruta de emigrar,
oyen llenos de júbilo esas voces,
pero sólo saben callar.

II

¡Silencio! ¡Silencio!
Ahora, las estrellas,
desde las doce casas del zodíaco,

se asoman a las puertas abiertas sobre el mar,
y elevando una luz entre las manos,
antes de darse al delicioso sueño
se ponen a cantar.

Y temblando,
al borde mismo de los labios,
nuestros corazones,
suspensos en las notas del concierto estelar
— también oscuras formas en ruta de emigrar! —
oyen toda la música del mundo.

Pero sólo saben callar.

El nunca usado mar, 1922.

PERFECCIÓN DE LAS PAMPAS

Cuando se está solo
en medio de las pampas,
uno es el centro
de una circunferencia cuyo límite
se halla en el horizonte.

¡Perfección de pensar!
En ese instante,
si uno mira hacia el fondo de sí mismo,
lleno de soledad, puede notar,
que su alma es el centro
de una circunferencia cuyo límite
se encuentra en un umbral de alba y sombra.

También, en esa forma, si es de noche
en medio de las pampas,
¡oh, curioso espejismo!,
se ven brillar estrellas,
que, en realidad, aún no han asomado
por encima
del remoto horizonte...

— ¡Ah!, pero si entonces,
uno mira hacia el fondo de sí mismo,
se ven brillar estrellas allá adentro...

¡Y qué estrellas tan puras!,
que, en realidad,
están ocultas en la densa sombra...
¡Más allá del umbral en donde el alma asoma!

El halconero astral y otros cantos, 1919.

EL PÁJARO ROJO

Pájaro tropical,
tenue como una llamita frágil,
que ebrio de la luz estival,
cantas — ¿una canción? — y ágil
huyes hacia el oscuro matorral.

Tú, que cortas mi viaje,
con qué alegría súbita conversas,
en la fiesta del sol y en el paisaje
como un montón de chispas te dispersas!

¿Me recuerdas?
¿No viste este modo
de asombro, este andar por los desiertos,
con la honda en los brazos bien abiertos,
allá en la estancia de los padres muertos?
¡Pobres! ¡Qué lejos todo!

¡Oh, tiempos transcurridos...
Y cuántos seres idos...
Hoy, bello, ardiente, audaz, te he vuelto a ver.
— ¡Qué grande la sequía!
Los ganados
buscaban agua. Tú ibas a encender
con tu cuerpo de llamas los sembrados,
las parvas,
grité: — ¿Qué vas a hacer?
¡La cosecha,
pájaro mío, no la harás arder!

Desde un junco viste
que se acercaba a ti un muchacho triste.
— Me dejaste acercar,

y escuché tu parlar:
— Oye, y acaso llores — me dijiste — ,
no eres extranjero,
ni la sombra de aquel divino hondero.

Y me quedé llorando
mientras tu canto oía.
Te ibas. Regresaste, cantando. Volando...
Estabas despertando
en mí la americana poesía.

¡Oh!, pájaro de fuego:
a mi mano has venido.
Pronto has entrado en mí, por el oído...
Resquicio de un tejado solariego.
Te llevaré al hogar,
y han de decirme allí al vernos llegar:
— Traes la roja amapola que ha aprendido
a volar
y a cantar.

¡Bendito seas!
Por hacerme bien,
huiste del conjuro de la hembra
y también de las albas de la siembra.
Las albas, que te vieron
mil veces balanceándote tranquilo
en un junco delgado como un hilo.

¡Gracias!
Vámonos. Te acojo
con mano tierna.
Y en mi hogar te alojo.
Mi corazón de doy, que es luz, agua de río,
trigal de oro, rocío...

Desde ahora, balanceándose irá tu cuerpo rojo
en el verso mío.

La colina del pájaro rojo, 1925.

MARIANO BRULL

1891

Cubano, de Camagüey. Como diplomático ha residido en Wáshington, Lima, Bruselas y París. Hay gran distancia entre su primer libro, de refrenado lirismo postmodernista, y su segundo libro, francamente ultramodernista. Mejor poeta ahora, de más amplia cultura literaria francesa e inglesa, tiene siempre buen gusto, delicadeza y dignidad.

BIBLIOGRAFÍA. — **Poesía** : *La casa del silencio*, introd. de P. Henríquez Ureña, Madrid, 1916. *Poemas en menguante,* París, 1928. *Poèmes,* trad. franc. de M. Pomès, en RAmL, 1929, XVII, 53-55; 1931, XXI, 52-53; *Dos poemas,* París [1932]. **Estudios** : B. JARNÉS, *Revista literaria americana,* en RdE, 1928, III, núm. 26, 515-518 [sobre *Poemas en menguante*]. F. LIZASO, Sobre *La casa del silencio,* en Fi, abril, 1917.

IN MEMORIAM

(Francisco José Castellanos.)

El que nació para amar,
el que vivió por amor,
tuvo estación de azahar
y manzanitas de olor.

Y era todo para él,
todo cuanto el cielo cubre;
y las campanas de miel
que florecen en octubre.

Tuvo su vida azorada,
como un pájaro en un pino;
alta el ala y alto el trino,
y alta, en lo azul, la mirada.

Y tuvo mar, tuvo bruma
como trémula aureola,
y su corazón fué espuma
cabalgando en una ola.

Miró adonde nadie alcanza;
fincó la planta en el suelo,
y fatigó la esperanza
con la altura de su vuelo.

La casa del silencio, 1916.

VERDEHALAGO

Por el verde, verde
verdería de verde mar
Rr con Rr.

Viernes, vírgula, virgen
enano verde
verdularia cantárida
Rr con Rr.

Verdor y verdín
verdumbre y verdura
verde, doble verde
de col y lechuga.

Rr con Rr
en mi verde limón
pájara verde.

Por el verde, verde
verdehalago húmedo
extiéndome. — Extiéndete.

Vengo de Mundodolido
y en Verdehalago me estoy.

Poemas en menguante, 1928.

LUIS L. FRANCO

1898

Argentino, de Belén (Catamarca). Uno de los poetas mejores de América por ser plenamente lo que es. Fuera de toda escuela, sin más antecedente literario que el Lugones artificioso

de los poemas aldeanos y quizá alguna influencia de Pascoli y
Carducci, ha escrito, con naturalidad y frescura, con seguridad
y justeza de expresión, con novedad de imágenes y plenitud
vital, una poesía sobre temas campesinos•humildes y elementales, que se aleja de todo lo local y subjetivo para identificar-
se, como las poesías primitivas, con la naturaleza y la humanidad eternas. Esta fuerza y gracia antiguas es lo que aparta la
poesía de Franco de la poesía postmodernista, de donde procede y cuyas formas conserva.

BIBLIOGRAFÍA. — **Poesía:** *La flauta de caña*, Buenos Aires, 1920. *Libro
del gay vivir*, 1923. *Coplas de pueblo (1920-1926)*, 1927. *Nuevo mundo*,
1927. *Los trabajos y los días*, 1928; 1929. *América
inicial*, [1931]. *Nocturnos*, 1932. **Otras obras:** *Los hijos del Llastay*,
fábula o relatos de animales, Buenos Aires, 1925. **Estudios:** *Babel*,
1929, IX, núm. 29 [dedicado a L. L. F.]. J. B. GONZÁLEZ, Sobre *Los
hijos del Llastay*, en Nos, 1927, LV, 116-117. M. JUÁREZ, *L. F.*, en VL,
mayo, 1929; *Un poeta alciónico*, en RepAm, 3 ag. 1929. J. LE PERA,
Tre poeti argentini, en Colombo, 1930, XXII, 37-45. L. LUGONES, *Un
poeta pagano*, en RepAm, 3 dic. 1923. F. SUAITER MARTÍNEZ, Sobre *Alabanza*, en Nos, 1930, XXIV, 259.

FIGULINA

Linda como una manzana
la hija de la lavandera.

De mañana cuando viene
se pone alegre la senda,
y es de ver cómo los ojos
se vuelven sólo por verla:
la tinajuela del agua
coronando su cabeza,
bata blanca lunareada
de rojo, pollera negra,
mostrando un poquito a veces
la blanca enagua parlera,
descalza para más gloria
de las muy garridas piernas...

Linda como una manzana
la hija de la lavandera.

Libro del gay vivir, 1923.

HILARITAS

Necessitá, comme l'urto
del pié nella danza tu eri!

G. D'A. LAUDí.

La mañana
es fresca como la hoja del membrillo.

Oler, oír, tocar, gustar,
ver... ¡Avidez genuina de los cinco sentidos!

Y este contentamiento
de pájaro, melódico, alado, cristalino;

sentirse fuerte, y ágil
como si se tuviera pies de chivo;

danzar la danza más ligera
para embriagarse de aire matutino,

mientras en vago anhelo de ser flautas
suenan las cañas llenas de misterios antiguos.

La vida es simple, simple
como el gusto del agua, como el olor del lirio.

Libro del gay vivir, 1923.

APRISCO

En el aprisco cálido y oliente
balan tímidamente las cabrillas;
irguiéndose en dos patas de repente,
los chivatos dirimen su rencilla;
las cabras, llena la ubre a no poder
ya más, rumian hincadas de rodillas:

sus ojos claros de inocencia impúdica
soslayan con miradas de mujer
al viejo chivo de la barba talmúdica.

Libro del gay vivir, 1923.

RECOGIMIENTO

Se atarea en su alma, la frente doblegada
con la humildad sagrada de la espiga cargada.

«Como un perro que busca un hueso en la basura,
apaciente mi verso en el motivo humilde.
A la oscura *i* de ese álamo, ¿no es el lucero un tilde?
La enciendes con basura, pero la llama es pura.»

Dice: «Me sea siempre el corazón amigo.
Para darlo en el ritmo o el ademán fraterno,
esté en mi mano como un puñado de trigo.
Sea mi corazón un brasero en invierno.»

Dice: «¿Y por qué mis odios han de herrumbrar mi
[canto?
¿Por qué colgar mis penas a los demás? La vida,
salada como gota de sudor o de llanto,
es tan alegre a ratos, y siempre tan querida.»

«Debe vestirse un alma que haga en las otras crédito.
Verdad, por dentro llevo la corona de espinas
— suda sangre mi frente bajo dudas divinas —,
mas quede en lo más hondo mi torcedor inédito.»

«La alegría del pájaro se repita en mi voz;
sea mi verso honrado como surco de arado;
pluma, tu acero sea limpio como el de una hoz...
Bueno.» Y prende de nuevo su cigarro apagado.

                    Los trabajos y los días, 1928.

EL BUEY

Tu grandura se aploma con sencillez de monte.
Tu paso es remansado, profundo, fértil como
un río en la llanura. La paz del horizonte
del campo se echa en tu ojo. Manso como una encina,
a los pájaros cedes, para rama, tu lomo.

Lames tu mansedumbre, suave como la malva.
Tu morro humea al alba, igual que una cocina.
Y oyes como una misa los rumores del alba...

Rumiando, de rodillas sobre las hierbas o entre
los pastos, quizá rezas tu amor sacerdotal:
Ave, tierra, llena eres de gracia virginal
y maternal. Benditos los frutos de tu vientre.

Por tu rastro que tiene forma de corazón; ˙
por tus cuernos, par de hoces a tu testa amarrado
en seña; por el yugo; la cruz de tu pasión
fecunda; por el santo madero del arado;
por la reja que brilla sin mancha en su faena,
y por la harina blanca y la gleba morena,
y por el pan del rico y el pan del indigente,
¡oh, esposo de la tierra!, por lo puro de toda
labor con la que honramos y nos honramos, mi oda
te corone de espigas y de olivo la frente.

Los trabajos y los días, 1928.

MI AMIGO EL ALBAÑIL, HOMBRE ALEGRE

Hombre afanoso y grave, tu risa es cosa buena.
Cierto que la nuez suena, mas de meollo llena.

Ríes, hombre, y me digo: No hay más hermosa cosa
que una cara que ríe sencilla y amistosa.

Los trabajos y los días, 1928.

EL MAESTRO RAMÓN

Maestro, le decimos, y esto es simple de ver:
de la destreza honrada este hombre hizo mujer.
Siembra o poda como otros rezan a Dios. Su viña
es como su hija. Dice: «La viña es una niña.»
Es, con sus manos rudas, carpintero cumplido.
Entre talabarteros no es mal talabartero.

Trabaja el hierro y dice: «Bah, yo no soy herrero.»
Y hace una casa como un hornero su nido.
Se ayuda y ayuda a otros, y su pecho se aclara.
«Lava una mano la otra: las dos lavan la cara.»
Sobrio, bebe su vino, sonriendo a algún muchacho:
«El vino es para todos menos para el borracho.»

Sobrio es también su sueño. Silba de mañanita
en su trabajo, alegre según manda la ley.
No va a misa, no reza, mas la dulzura habita
en su corazón como en el ojo del buey.

Más que en ninguna me hallo en tu amistad. Venga,
[hermano,
a mi mano que se alza sólo en el arte fútil
(aún vibra del último verso escrito), esa mano
sucia, callosa y fértil en toda labor útil.

Los trabajos y los días, 1928.

OLIVERIO GIRONDO

1891

Argentino, de Buenos Aires. Se le ha llamado el poeta de la
greguería. Su arte tiene, en efecto, un parentesco con el de
Ramón Gómez de la Serna o el de Paul Morand. Últimamente
ha escrito en prosa, de la cual estaba muy cerca su verso; hay,
sin embargo, en su ironía caricaturesca y nihilista una vena
oculta, lírica y sentimental.

BIBLIOGRAFÍA. — **Poesía**: *Veinte poemas para ser leídos en el tranvía,*
Buenos Aires, 1922. *Calcomanías,* Madrid, 1925. *Espantapájaros,* Buenos Aires, 1932 [prosa y verso]. **Estudios**: E. DíezCanedo, *Letras
de América* [sobre *Veinte poemas para ser leídos en el tranvía*], en
Esp, 8 set. 1923; Comentario, en Nos, 1923, XVII, núm. 174, 386-388.
G. C., Sobre *Calcomanías,* en Sol, 10 abril 1925. R. Gómez de la Serna, *O. G.,* en Sol, 4 mayo 1923. E. Méndez, *Doce poetas nuevos,* en Sin,
1927, I, núm. 4, 30-33. *O. G.,* en Nos, dic. 1924. G. de Torre, *O. G.,*
en Proa, 1925, II, núm. 12, 18-27.

TOLEDO

Forjada en la «Fábrica de Armas y Municiones»,
la ciudad
muerde con sus almenas
un pedazo de cielo,
mientras el Tajo,
alfanje que se funde en un molde de piedra,
atraviesa los puentes y la vega,
pintada por algún primitivo castellano
de esos que conservaron
una influencia flamenca.

Ya al subir en dirección a la ciudad,
apriétase en las llaves
la empuñadura de una espada,
en tanto que un vientecillo
nos va enmoheciendo el espinazo
para insuflarnos el empaque
que los aduaneros exigen al entrar.

¡Silencio!
¡Silencio que nos extravía las pupilas
y nos diafaniza la nariz!
¡Silencio!

Perros que se pasean de golilla
con los ojos pintados por el Greco.
Posadas donde se hospedan todavía
los protagonistas del «Lazarillo» y del «Buscón».
Puertas que gruñen y se cierran
con las llaves que se le extraviaron a San Pedro.

¡Para cruzar sobre las murallas y el Alcázar
las nubes ensillan con arneses y paramentos medioeva-
[les!

Hidalgos que se alimentan de piedras y de orgullo,
tienen la carne idéntica a la cera de los exvotos
y un tufo a herrumbre y a ratón.

Hidalgos que se detienen para escupir
con la jactancia con que sus abuelos
tiraban su escarcela a los leprosos.

Los pies ensangrentados por los guijarros,
se gulusmea en las cocinas
un olorcillo a inquisición,
y cuando las sombras se descuelgan de los tejados,
se oye la gesta
que las paredes nos cuentan al pasar,
a cuyo influjo una pelambre
nos va cubriendo las tetillas.

¡Noches en que los pasos suenan
como malas palabras!
¡Noches, con gélido aliento de fantasma,
en que las piedras que circundan la población
celebran aquelarres goyescos!

¡Juro,
por el mismísimo Cristo de la Vega,
que a pesar del cansancio que nos purifica
y nos despoja de toda vanidad,
a veces, al atravesar una calleja,
uno se cree Don Juan!

Abril, 1923.   *Calcomanías*, 1925.

JAIME TORRES BODET

1902

Mejicano. Colaboró en la obra educativa de la revolución
mejicana como director de la Biblioteca Nacional. Más tarde
salió de su país para desempeñar cargos diplomáticos en España y Francia. Muy conocedor de la literatura francesa y la
española, aunque como buen mejicano tiene la mesura y el
buen gusto de no correr tras las novedades; su espíritu culto
y moderno ha estado abierto a las influencias de la literatura
europea de su tiempo. La serie ininterrumpida de sus libros

muestra la variedad de la evolución de la literatura contemporánea — tanto en prosa como en verso —, que es al mismo tiempo la evolución de su propia personalidad. De la sencillez lírica de sus *Canciones* y la intimidad sentimental de *Los días,* va llegando de modo natural y gradual a través de sus otras obras al superrealismo de *Destierro* y de sus novelas. ¿Cuándo es más él? Sin duda hay una superioridad en sus obras últimas sobre sus obras de juventud; pero toda su obra está caracterizada por la perfección, la consciencia de su arte y la dignidad literaria.

BIBLIOGRAFÍA. — **Poesía:** *Fervor*, México, 1918. *El corazón delirante,* pról. de A. Torres Rioseco, 1922. *Canciones,* 1922. *La casa,* poema, 1923. *Nuevas canciones,* Madrid, 1923. *Los días,* México, 1923. *Poemas,* 1924. *Biombo,* 1925. *Poesías* [sel. de las obras anteriores], Madrid, 1926. *Destierro,* 1930. *Poèmes,* trad. franc. de J. Cassou, en RAmL, 1926, XII, 48-50. *Poèmes,* trad. franc. por M. Pomès, en RAmL, 1930, XIX, 108-110. **Otras obras:** *Margarita de niebla,* novela, México, 1927. *Contemporáneos,* notas de crítica, 1928. *La educación sentimental,* Madrid, [1929]. *Proserpina rescatada,* 1931. **Estudios:** F. AYALA, Sobre *Margarita de niebla,* en ROcc, 1927, XVIII, 133-137. R. BRENES MESÉN, Sobre *Poemas,* en RepAm, 17 agosto 1925. F. CARMONA NENCLARES, Sobre *Proserpina rescatada,* en RdE, 1931, VI, 358-359. J. CARRERA ANDRADE, *Filiación poética de J. T. B.,* en GLit, 15 jun. 1931; RepAm, 8 ag. 1931, B. CARRIÓN, *Mapa de América,* Madrid, 1930. E. DÍEZ-CANEDO, *Letras de América,* en Esp, 13 oct. 1923. A. DOTOR, *El poeta mexicano J. T. B.,* en EyACVL, 1927, I, 6-7; *Los poetas: J. T. B.,* en CBibl, 1927, IV, 53-59. E. GÓMEZ DE BAQUERO, *Un poeta de México,* en Sol, 3 abril 1926; *Pen Club,* I: *Los poetas,* Madrid, [1929], pp. 265-271. M. P. GONZÁLEZ, *J. T. B.,* en Nos, 1930, LXVIII, 281; *En torno a los nuevos,* en HispCal, 1930, XIII, 95-104. A. GULLO, *Destierro,* en VL, jul. 1931. J., Sobre *Margarita de niebla,* en GLit, 15 sept. 1927. J. JIMÉNEZ RUEDA, *La novela de un poeta: «Margarita de niebla»,* en RepAm, 1927, XV, 185. MARTÍ CASANOVAS, *Noticia de libros* [sobre *Margarita de niebla*], en RepAm, 28 abril 1928. A. MIRANDA JUNCO. Sobre *Proserpina rescatada,* en ROcc, 1911, XXXIII, 246-248. W. PABST, *Der Weg des Dichters J. T. B.,* en Liter, 1931-1932, XXXIV, 431-432. M. PÉREZ FERRERO, *Viajes de la Poesía, Destierro en tierra amiga,* en HM, 18 dic. 1930. P. PILLEPICH, *J. T. B. y lo subconsciente en la poesía contemporánea,* en GLit, 1 mayo 1932. A. DEL RÍO, Sobre *Contemporáneos,* en REstH, 1929, II, 85. E. SALAZAR Y CHAPELA, Sobre *Margarita de niebla,* en Sol, 1 oct. 1927.

MÉXICO CANTA EN LA RONDA
DE MIS CANCIONES DE AMOR

México está en mis canciones,
México dulce y cruel,
que acendra los corazones
en finas gotas de miel.

Lo tuve siempre presente
cuando hacía esta canción;
¡su cielo estaba en mi frente;
su tierra, en mi corazón!

México canta en la ronda
de mis canciones de amor,
y en guirnalda con la ronda
la tarde trenza su flor.

Lo conoceréis un día,
amigos de otro país:
¡tiene un color de alegría
y un acre sabor de anís!

¡Es tan fecundo, que huele
como vainilla en sazón
y es sutil! Para que vuele
basta un soplo de oración...

Lo habréis comprendido entero
cuando podáis repetir
¿Quién sabe? con el mañero
proverbio de mi país...

¿Quién sabe? ¡Dolor, fortuna!
¿Quién sabe? ¡Fortuna, amor!
¿Quién sabe?, dirá la cuna,
¿Quién sabe?, el enterrador...

En la duda arcana y terca,
México quiere inquirir:
un disco de horror lo cerca...
¿Cómo será el porvenir?

¡El porvenir! ¡No lo espera!
Prefiere, mientras, cantar,
que toda la vida entera
es una gota en el mar;

una gota pequeñita
que cabe en el corazón:
Dios la pone, Dios la quita...
¡Cantemos nuestra canción!

Nuevas canciones, 1923.

MEDIODÍA

Tener, al mediodía, abiertas las ventanas
del patio iluminado que mira al comedor.
Oler un olor tibio de sol y de manzanas.
Decir cosas sencillas: las que inspiren amor...

Beber un agua pura, y en el vaso profundo
ver coincidir los ángulos de la estancia cordial.
Palpar, en un durazno, la redondez del mundo.
Saber que todo cambia y que todo es igual.

Sentirse, ¡al fin!, maduro, para ver, en las cosas,
nada más que las cosas: el pan, el sol, la miel...
Ser nada más el hombre que deshoja unas rosas,
y graba, con la uña, un nombre en el mantel...

Los días, 1923.

PAZ

No nos diremos nada. Cerraremos las puertas.
Deshojaremos rosas sobre el lecho vacío
y besaré, en el hueco de tus manos abiertas,
la dulzura del mundo, que se va, como un río...

Los días, 1923.

RUPTURA

Nos hemos bruscamente desprendido
y nos hemos quedado
con las manos vacías, como si una guirnalda
se nos hubiese ido de las manos;
con los ojos al suelo,
como viendo un cristal hecho pedazos:
el cristal de la copa en que bebimos
un vino tierno y pálido...

Como si nos hubiéramos perdido,
nuestros brazos
se buscan en la sombra... ¡Sin embargo,
ya no nos encontramos!

En la alcoba profunda
podríamos andar meses y años,
en pos uno del otro,
sin hallarnos...

Poemas, 1924.

MÚSICA

Amanecía tu voz
tan perezosa, tan blanda,
como si el día anterior
hubiera
llovido sobre tu alma...

Era, primero, un temblor
confuso del corazón,
una duda de poner
sobre los hielos del agua
el pie
desnudo de la palabra.

Después,
iba quedando la flor
de la emoción, enredada

a los hilos de tu voz
con esos garfios de escarcha
que el sol
desfleca en cintillos de agua.

Y se apagaba y se iba
poniendo blanca,
hasta dejar traslucir,
como la luna del alba
la luz
tierna de la madrugada.

Y se apagaba y se iba,
¡ay!, haciendo tan delgada
como la espuma de plata
de la playa,
como la espuma de plata
que deja ver, en la arena,
la forma de una pisada.

Biombo, 1925.

FRASES HECHAS

Mucho ruido por nada.

El oído, en la sombra,
anticipa a los ojos dormidos la alborada.

Un arcángel te nombra.
Es el tuyo. La ira
tornasola su espada...

Cada vez que respira
se marchita una rosa de lino en la almohada
y la huella de un niño se dibuja en la alfombra.

¿De qué llanto de lira
amaneces dorada?

Obras son amores,
murmuran al secarte las palmeras
de los ventiladores.

Ilusiones. Esperas.

Un cartero vendó el buzón herido
con una carta llena de preguntas.

¡Que funcione el olvido!

Y nuestras manos se durmieron juntas,
fuera de nuestro cuerpo interrumpido.

Destierro, 1930.

DANZA

Llama
que por morir más pronto se levanta,
flotas entre las brasas de la danza.

Y te arranca de ti,
al principiar, un salto tan esbelto
que el sitio en que bailabas
se queda sin atmósfera.

Así el pedazo negro de la noche
en que pasó un lucero.

Pero de pronto vuelves
del torbellino de las formas
a la inmovilidad que te acechaba
y ocupas,
como un vestido exacto,
el hueco
de tu propia figura.

Pareces una cosa
caída en el espejo de un recuerdo:
te bisela
el declive del tiempo.

Un minuto después, estás desnuda...

La brisa
te peina el ondulado movimiento
y a cada nueva línea

que las flautas dibujan en la música
obedece una línea de tu cuerpo.

No resonéis ahora,
címbalos, que la danza es como el sueño.

Destierro, 1930.

ARTURO TORRES RIOSECO
1897

Chileno. Trasplantado a los Estados Unidos desde hace catorce años, no ha perdido su carácter nativo ni su interés en
los problemas hispanoamericanos, más bien se han depurado e
intensificado hasta alcanzar amplitud y universalidad hispánicas. Es profesor en la Universidad de California como antes lo
fué en las de Minnesota y Texas. Hombre a la vez sereno y
batallador, ha escrito en la prensa sobre cuestiones literarias y
políticas, y ha publicado libros de crítica de la literatura de las
dos Américas. En su primer libro de poesías es claramente un
postmodernista y en el último no acaba de ser un ultramodernista. Su poesía es moderna y conservadora: hay en ella una
contradicción interna. Oscila entre la sencillez y el retorci-
miento, el clasicismo y el romanticismo, la exaltacion vital y
un crudo e irónico pesimismo. Es una poesía de ideas y pasión, con timbre personal.

BIBLIOGRAFÍA. — **Poesía:** *En el encantamiento,* pról. de R. Brenes Mesén, San José de Costa Rica, 1921. *Ausencia,* Santiago, 1932.   **Otras
obras:** *Poetas norteamerinos,* I: *Walt Whitman,* San José de Costa Rica,
1922. *Precursores del modernismo,* Madrid, 1925.   **Estudios:** F. Aguilera, *Literatura sudamericana: A. T. R.,* en CuC, 1921, XXVII, 246-252.
Alone, *De un poeta chileno y de un libro* [sobre *Ausencia*], en RepAm,
28 en. 1933.   R. Meza Fuentes, Sobre *Ausencia,* en RepAm, 28 en. 1933.
F. de Onís, *A. T. R.,* en BIE, 1933, III, núm. 9, 9-11; RepAm, 3 feb.
1934.

MUJER MEXICANA

Mujer mexicana,   •
pupila de brasa, lengua de campana.
Eres dulce y brava,
cáliz encendido de luna y de lava.

Con tus ojos atas, con tu boca matas.
Elasticidades ardientes de gatas
tienen las promesas de tus movimientos,
y tienen fierezas de olas y de vientos.
Mujer mexicana:
tu parla parece tejido de lana.
Hay en tu ademán
la tibieza lenta del vaho
que sale del horno dorde se hace el pan.
Al irme, mi lira
— corazón sangrante - - se hincha y suspira.
Hay una saudade que invade,
hay una tristeza que empieza,
y un loco pavor de futuro.
Mujer mexicana,
con un canto fuerte bajo un verso duro
ya disfrazaremos nostalgia y tristeza.
Mujer mexicana:
pupila de brasa, lengua de campana.

AUSENCIA

Ausencia de catorce años,
silencio, mar y distancia,
tienes dormidos los ojos
en lejanías de nácar,
azucenas de tus pies,
asomando en hojarasca,
mástil roto de bajeles
en la arena de la playa.

¡Qué dulces ojos me pones,
qué suaves manos, oh, patria!

Marinero de ilusiones,
capitán en una barca
teñida de plata y rosa,
teñida de rosa y plata.
Pescador que tiró redes

de sirenas en Montmartre,
y en desiertos que no son
guió locas caravanas.

¡Qué dulces ojos me pones,
qué suaves manos, oh, patria!

No quiero ver mi destierro,
ausencia que te haces grata,
pluma sobre mi sendero,
bajo mi nariz fragancia;
deslumbramiento en los ojos,
en mis orejas campana,
hormigas que se alimentan
de la inquietud de mis plantas.

¡Qué dulces ojos me pones,
qué suaves manos, oh, patria!

Ahora vuelvo y no soy;
se me fatigaba el alma,
ceniza de muchos fuegos
me da color de mortaja,
sombras de muchas pasiones
las tengo ya sepultadas,
no sabré decir si puedo
volver a gozar tus aguas.

¡Qué dulces ojos me pones,
qué suaves manos, oh, patria!

Porque te quise de lejos,
me apretaron las entrañas
acontecimientos que
tu nitidez empañaban,
y mis frases en tu cuerpo
agudos filos de espada,
y en tu corazón desnudo
la flor azul de mis ansias.

¡Qué dulces ojos me pones,
qué suaves manos, oh, patria!

Por el costado sangriento
se asoman lenguas moradas,
ogros y carabineros
te tenían secuestrada,
volaban bajo tu cielo
gavilanes de uñas largas,
las palomas del recuerdo
llegaban aliquebradas...

¡Qué dulces ojos me pones,
qué suaves manos, oh, patria!

Pueden enjugar mis manos
las resinas de tus llagas,
en mis colmenares traigo
mieles para tus desgracias,
la abeja que me las hizo
no era abeja, sino infanta
por artes de una hechicera
catorce años encantada.

¡Qué dulces ojos me pones,
qué suaves manos, oh, patria!

Se me deshace la ausencia
entre el ayer y el mañana,
designios de mi futuro
en las patas de una araña,
que teje telas azules,
que teje flores delgadas,
para abrigarte los pechos
y el jazmín de las espaldas.

¡Qué dulces ojos me pones,
qué suaves manos, oh, patria!

Recíbeme en tus sonrisas,
arco iris de tus albas,
recógeme en tus ensueños,
limpideces de tus aguas,
que quiero volver a ser

cabrero de tus montañas,
sobre tus senos dormirme
con el candor de una guagua.

¡Qué dulces ojos me pones,
qué suaves manos, oh, patria!

Ausencia de catorce años,
marinero en tierra extraña,
por acordarme de ti
tengo las sienes de plata,
si quieres guardarme el vuelo,
acaríciame las alas,
¡qué dulces ojos me pones,
qué suaves manos, oh, patria!

Ausencia, 1932.

FRANCISCO LUIS BERNÁRDEZ

1900

Argentino, de Buenos Aires. De familia gallega, ha manteni-do su conexión con España, donde ha vivido algún tiempo. Escribe al principio bajo la influencia de Valle-Inclán; después, de Gómez de la Serna. A través de éstos y de otros modelos llega a encontrar la difícil sencillez con que expresa en su últi-ma obra una suave religiosidad en imágenes frías y desnudas.

Bibliografía. — **Poesía**: *Orto,* Madrid, 1922. *Bazar,* pról. de R. Gó-mez de la Serna, 1922. *Kindergarten,* poemas ingenuos, 1924. *Alcán-dara,* imágenes, Buenos Aires, 1925. **Estudios**: F. Contreras, *F. L. B.,* en MF, 15 julio 1924. E. Méndez, *Doce poetas nuevos,* en Sin, 1927, II, 21-22. M. F. S., Sobre *Bazar,* en Esp, 3 feb. 1923.

RETORNO

Pobreza aleccionadora
de la montaña, que enseña
a vestirme de estameña
mis pensamientos de ahora...

(Estameña lugareña,
perfumada de aldeanía
como el sayal de estameña
de San Francisco de Umbría.)

Por fin, en la sed ajena
sea mi música franca
la taza de leche blanca
y la taza de agua buena.

Cada metáfora sea
una metáfora noble,
como este Cristo de roble
de la capilla de aldea,

cuyo iluminado leño
categorizado ha visto,
en metáfora de Cristo,
su cuerpo de árbol pequeño.

Las hojas de mi sencillo
libro, así, dignas serán
de cortar con el cuchillo
con que cortamos el pan.

Alcándara, 1925.

CONRADO NALÉ ROXLO

1898

Argentino, de Buenos Aires. La publicación de su primero
y hasta ahora único libro fué un gran éxito; obtuvo el premio
de la Municipalidad de Buenos Aires y fué elogiado sin reservas por Lugones. Caso típico el suyo de un excelente poeta
que se mantiene voluntariamente dentro de los límites de una
restringida modernidad.

Bibliografía. — **Poesía:** *El grillo,* Buenos Aires, [1923]; 1925.   **Estudios:** L. Lugones, *C. N. R.,* en Nac, 18 nov. 1923.

LOS GALLOS

Los gallos rojos en la noche azul
anuncian clarineando la llegada del sol.
Las estrellas, cansadas de mirar,
y brillar
y parpadear,
se hunden en la onda
del cielo prematinal —
como un puñado dorado
de monedas, arrojado
en el mar.
Y ya se siente palpitar
bajo el vestido de la noche azul,
los rubios senos de la luz.
Más brilla aún
pálido y desvanecido,
sobre el vestido
de la noche azul,
el crucifijo de la Cruz del Sur.
Crucifijo astral de América
en que hace siglos fué crucificada
el alma heroica de su raza muerta.
Ya los desencarnados
espíritus que fueron al país de los sueños
por divinos caminos regresan a los cuerpos
que yacían
momentáneamente muertos.
El barco de la noche
partió con rumbo a Europa.
Ya se perdió la curva de su popa
en la línea lejana de Occidente;
y viniendo de Oriente,
constelado de oro el caballo del día galopa.
Los gallos rojos cantan en la mañana azul,
la araña del sol teje la tela de sus rayos
y se cumplió la profecía de los gallos :
ha nacido la luz.

El grillo, 1923.

DRAMA NOCTURNO

El niño duerme y en su frente pura
son los bucles del humo vagoroso y dorado,
y en la mano de rosas asegura
el sonajero de reír cansado.
En la alcoba infantil, como en un nido,
cubierta con el ala la pensativa frente,
el Ángel de la Guarda se ha dormido;
mas la luz de sus ojos dulcemente
atraviesa los párpados y el ala.

Como un río de seda el silencio resbala.
En la estancia contigua,
como sabe que nadie puede oírlo,
el cucú del reloj canta la antigua
canción que en Nurenberg cantaba un mirlo.

De pronto salta un duende por la abierta ventana
y trota hacia el espejo con trote de ratón,
tiene los pies de lana
y en la mano un pedazo de carbón.
Adopta una postura lo más ceremoniosa
ante el espejo, luego se hace un guiño
y ríe con su risa feliz de anciano niño
que le llena de hoyuelos las mejillas de rosa.
Después en la pared más ancha de la alcoba
con el trazo infantil de su carbón dibuja
una imponente bruja
cabalgando en su escoba.
Una bruja que tiene feas patas de cabra
y un mochuelo posado sobre el hombro;
y ríe locamente pensando en el asombro
que va a tener el niño cuando los ojos abra.

Mas ya despertó el Ángel y en vuelo de paloma
ha llegado hasta el duende que asustado lo mira;
con sus dedos de plata por el cuello lo toma
y sobre el césped del jardín lo tira...

Y sonríen sus labios con sonrisa indulgente,
mirando huir al duende con la mano en la gorra...
Entorna la ventana, suspira dulcemente,
y con el ala blanca la bruja negra borra.

El grillo, 1923.

LIED

Cuando mis dolores eran
niños, a un árbol subían
y desde el árbol hacían
señas para que los vieran.

Hoy que la copa más alta
pueden sus manos tocar,
silencio y sombra les falta
para ocultarse y llorar.

El grillo, 1923.

SINCERIDAD

Claramente se me alcanza
mi condición de payaso,
lo ridículo del paso
de mi danza.

Cuando busco la quietud
fría y noble de la estatua,
logro sólo una actitud
necia y fatua.

Mas no lloremos, grotesca
estatuilla de humo y lodo,
vendrá la muerte que todo
lo ennoblezca.

El grillo, 1923.

LO IMPREVISTO

Señor, nunca me des lo que te pida.
Me encanta lo imprevisto, lo que baja
de tus rubias estrellas; que la vida
me presente de golpe la baraja

contra que he de jugar. Quiero el asombro
de ir silencioso por mi calle oscura,
sentir que me golpean en el hombro,
volverme, y ver la faz de la aventura.

Quiero ignorar en dónde y de qué modo
encontraré la muerte. Sorprendida,
sepa el alma a la vuelta de un recodo,
que un paso atrás se le quedó la vida.

El grillo, 1923.

RAFAEL ESTRADA

Costarricense. Poeta sensitivo, religioso, sencillo. Formado
en el modernismo, huye de él hacia una poesía más sintética y
menos retórica bajo la influencia de Juan Ramón Jiménez y de
los clásicos.

BIBLIOGRAFÍA.—**Poesía:** *Huellas,* San José de Costa Rica, 1923. *Viajes sentimentales* (primera serie), 1924. *Canciones y ensayos,* 1929. **Estudios:** M. JIMÉNEZ, *«Canciones y ensayos» de R. E.,* en RepAm, 2 feb. 1929. E. URIBE, *«Canciones y ensayos» de R. E.,* en VL, octubre 1929.

ATARDECER

Bajo la vidriera polícroma del cielo,
pasa en su lento volar
una garza, más serena que la tarde.
Señalando hacia arriba,
alguien dice: «Allá, bajo aquella nube.»
El ave de paz remonta hacia el norte
su vuelo, en línea recta;
parece que vuela sobre un lago pulido;
mientras yo me quedo absorto, viéndola,
ella vuela, vuela, vuela,
como si remara sobre un lago de rosas;
ya lejos, se adelgaza, se perfila,
son dos líneas flexibles que se pierden;

descienden lentamente: el ave de paz
remonta su vuelo hacia el norte;
descienden más: las líneas oscuras
son dos rayitas blancas en el azul de las colinas;
descienden más y más: las dos rayitas blancas
son un punto blanco que aletea
sobre los ramajes de los árboles lejanos.

Pasaron por la ciudad tranquila,
una tarde serena, y una garza,
más serena que la tarde.

Viajes sentimentales, 1924.

CANCIÓN

Tanta era el ansia,
tanta era el ansia de volar,
que sólo nos pedían nuestras almas
callar!

Era un silencio! — ¡Se deseaba
callar!
¡Era toda nuestra esperanza
esperar!

Y esperamos. El alma,
sin par!
Una rebelión muy amplia
serenada
(el mar!)

Y luego? Luego, nada...
Marchar!...
Marchar por la misma senda,
con las mismas ansias de llorar!

Canciones y ensayos, 1929.

RAFAEL MAYA
1897

Colombiano. Es considerado como el más alto valor en la poesía colombiana de hoy. Dice de él Sanín Cano: «Vivir en la forma pasajera» y «querer perpetuar la gracia en un solo gesto», son dos preceptos en los cuales se podría concentrar toda la retórica de Rafael Maya. La nota dominante en sus versos es una de melancólica incertidumbre.» En su última y mejor obra brillan sus cualidades — excesivas — de fuerza caudalosa y de ímpetu hacia la altura desde las honduras de lo subconsciente, vertidas en amplio verso libre, enumerativo a menudo como el de Walt Whitman, y en repetidas imágenes y palabras evocadoras.

BIBLIOGRAFÍA. — **Poesía :** *La vida en la sombra*, Bogotá, 1925. *Domus aurea*, s. a. *Coros del mediodía*, 1928. **Estudios :** R. AZULA BARRERA, *R. M.,* en Universi, 1929, núm. 149. C. A. CAPARROSO, *R. M.,* en Universi, 1 nov. 1928. B. GRANADOS, Sobre *Coros del mediodía,* en Universi, 14 julio 1928. L. E. NIETO CABALLERO, Sobre *Coros del mediodía,* en Universi, 9 junio 1928. G. PILLEMENT, Sobre *Coros del mediodía,* en RAmL, 1928, XVI, 169. E. RESTREPO, *R. M.,* en Universi, 19 mayo 1928. B. SANÍN CANO, *R. M.,* en Universi, 12 mayo 1928; RepAm, 11 agosto 1928. A. SOLANO, Sobre *Coros del mediodía,* en RepAm, 11 agosto 1928. A. VALLEJO, *La sombra, la luz, el fuego, el mar... en el libro de R. M.* [sobre *Coros del mediodía*], en Universi, 4 agosto 1928.

CAPITÁN DE VEINTE AÑOS

Capitán de veinte años
recién salido del gimnasio
donde la línea de las barras y de las cuerdas
impone sobre el alboroto de los árboles
su limpia geometría al aire libre.
Capitán de veinte años
virgen como el acero,
y ágil como el viento que mide el campo
pisando sobre los tallos donde se columpia la luz.
Llévame en tu nave ligera,

en la menuda armazón de lienzo y de mimbres
que posa sobre la tierra dando saltos
como las garzas cuando huyen a lo largo del río.

Llévame en tu nave ligera,
¡oh!, Capitán.

Vástago de una raza nacida
de las cenizas del mundo, y del cadáver
de todos los dioses sacrificados por el hombre.
Tu alma florece en la pulpa de tus labios
roja y carnal como el sexo de la nueva alegría.
Tu conciencia es un tejido orgánico
labrado con tu sangre como el pétalo de las flores.
Tienes la fe en el músculo,
y transportas las montañas con un solo grito salvaje.

Capitán de veinte años,
llévame en tu nave ligera.

Imberbe Noé de la edad de hierro,
fabricaste tu barca no con maderas incorruptibles
sino con un poco de aire y de fuego,
y la echaste al espacio confiado
en el equilibrio de todas las fuerzas sagradas.
Y he aquí que tu nave se mece
del mismo hilo que sostiene los astros.

Desnudo estás de tus vestiduras mortales,
¡oh!, Capitán.

Cubre tu cuerpo el ártico ropaje
que destila aceite como la piel de las bestias marinas
y — símbolo de tu fidelidad a las alturas —
del sordo casquete que te oprime la cabeza
se desprenden dos orejas de galgo.

Capitán de veinte años,
llévame en tu nave ligera.

Como se remontan los pájaros
con el solo equipaje de sus plumas, y llevando una hoja
de la última rama en que se posaron,

así vas a las rutas aéreas
con tu cuerpo alargado en el ímpetu del arranque
y un último reflejo del verdor terrestre
en tus ojos estrangulados ya por la furia del viento
que te arrebata en su torbellino como a los dioses.
¡Oh!, Capitán.

Ni el flanco de las naves
pintadas con los colores de la esperanza o de la ira
por los alegres obreros del agua;
ni las caderas de una mujer ejercitada en el salto
mejor que en las lides del amor antiguo;
ni los ijares de los felinos en celo;
ni la curva de los horizontes celestes,
nada iguala a tu divina máquina provista
de su múltiple corazón resonante,
ávido de la gloria del cielo
y conquistador impetuoso de las zonas azules.

Capitán de veinte años,
llévame en tu nave ligera.

Volaremos por la mañana
como las primeras voces de los hombres.
Mi corazón prisionero de la tierra
igual que las raíces de los árboles,
batirá sobre mi vida con más fragor que tu hélice,
¡oh!, Capitán,
recibiendo las convulsiones metálicas de tu nave flotante
como recibió las primeras palabras de amor, en la no-
                                        [che extinta,
bajo la vibración de los luceros románticos
o en la bermeja alegría de los soles que maduran la
                                        [hierba.

Sí, volaremos por la mañana
purificados en la luz que renueva la conciencia del
                                        [mundo,
y sólo una nubecilla del mísero polvo originario
dará testimonio de nuestro rapto celeste

ante los caminos de la tierra
y ante las montañas distantes.
Y habremos entrado en la vorágine azul, en el éter
que nos .traspasará como la luz a las nubes.

Y ya no habrá ni tiempo ni límite
para nuestra alegría, y todas las cosas
serán conocidas en su unidad desde el reino del sol.
Y tal vez... (¡oh!, Capitán, sólo mi madre, sólo ella,
pudo entrever esta esperanza bajo la fidelidad de la
                                                  [lumbre
que aclaraba conjuntamente sus manos y mi sueño)
tal vez caigamos en el mar como la luz de todas las
                                                  [tardes,
roto el último cielo que alcanzó la hélice divina,
conocido el último espacio adonde penetró la audacia
                                                  [del fuego
violado con el ruido de las alas mecánicas
el cósmico silencio en que se mueven las formas
que son puras, bienaventuradas y eternas.

Capitán de veinte años,
llévame en tu nave ligera.

Coros del mediodía, 1928.

JUAN MARINELLO

1899

Cubano, de Santa Clara, donde se educó en el colegio de los Padres Pasionistas hasta que a los once años fué llevado a España, donde pasó dos años en Villafranca del Panadés. Después de terminar en Cuba la carrera de Derecho, volvió a España con una beca y estudió un año en la Universidad de Madrid. Fué catedrático de la Universidad de la Habana hasta que en 1930 fué destituído a causa de su oposición al gobierno tiránico del general Machado. Con este motivo sufrió persecuciones, prisión y destierro que no lograron más que levantar y purificar su ánimo, ya de sí levantado y puro. «Sus mismos enemigos le aman — dice Novás Calvo —. Hay algo que irradia

bondad y sencillez en este hombre, por otro lado, difícil.» Fué
director, con Mañach, Lizaso e Ichaso, de la *Revista de Avance,*
fundada en 1927 como órgano de la novísima literatura cubana.
Ha escrito ensayos en los que ha expuesto su ideología, en la
que lo estético, lo político y lo social están estrechamente en-
lazados. La poesía de su único libro está todavía en la transición del modernismo al ultramodernismo; poemas publicados
sueltos posteriormente significan una liberación más completa.
Su lirismo es hondo y delicado, resignado estremecimiento
ante los problemas eternos del humano destino, del amor y de
la muerte.

Bibliografía. — **Poesía** : *Liberación,* Madrid, 1927. **Otras obras :**
Notas de sociología, Habana, 1922. *Juventud y vejez,* conferencia, [1928].
Sobre la inquietud cubana, 1930. *Americanismo y cubanismo literarios,*
1932. **Estudios:** R. E. Boti, *La nueva poesía en Cuba* [sobre *Libera-
ción*], en CuC, 1927, XLIV, 55-71. E. J. Entralgo, Sobre *Liberación,*
en CuC, 1927, XLIII, 371. M. P. González, *J. M.,* en Nos, 1930,
LXVIII, 284; *En torno a los nuevos,* en HispCal, 1930, XIII, 95-104
J. B., Sobre *Liberación,* en RBC, 1927, XXII, 313. R. Ledesma Ramos,
Sobre *Juventud y vejez,* en GLit, 1 agosto 1928. C. Meléndez, *La ju-
ventud en J. M.,* en IndPR, 1931, I, 349-350. A. Sánchez Veloso,
J. M. V., en Cer, 1932, VII, núm. 5, 13-25.

YA NO SENTÍA LA TARDE

Ya no sentía la tarde
ni el alma.
        Viniste tú,
y hubo un espanto de soles
en los viejos corredores
traspasados de tu luz.

Marcho en la tarde dorada,
y el campo todo pregunta :
¿Cómo ilumina el sendero
éste, que fué sombra y duelo
eternos?
        Hay un asombro
en la pupila del río
(y soy un dulce rubor
al duro sol del estío).

Me voy fundiendo en la llama
de la nueva quemadura:
tengo un gigante clamor
que empavorece la altura
de los montes, y un rumor
estelar entre las sienes.

No ven los miopes senderos
en el pecho amanecido:
solo me ven en la tarde,
y voy marchando contigo.
El alma ya no sabía
de auroras.
   Llegaste tú,
y hubo un espanto de soles
en los viejos corredores
traspasados de tu luz.

Liberación, 1926.

YO SÉ QUE HA DE LLEGAR UN DÍA

Yo sé que ha de llegar un día
claro como ninguno,
y que la antigua alegría
vivirá de nuevo a su conjuro.

Yo sé que ha de llegar un día.

Yo sé que esta tristeza,
sin causa y sin objeto
— que es como un don divino —,
se alejará en secreto,
igualmente que vino.

Yo sé que en una tarde
que tendrá una tristeza insuperable,
se hará el milagro, y al llegar el día,
renacerá mi claridad interna,
¡la claridad tan mía!

Yo sé que será tarde
para amar y reír.
Yo sé que el corazón, al deslumbrarse
con la nueva alegría,
añorará su antigua tristeza inexpresable.

Yo sé que será tarde,
mas espero ese día.

Liberación, 1926.

Y ESTA ETERNA NOSTALGIA

Y esta eterna nostalgia de las alturas, y este
atalayar eterno de cumbres intocadas
e inaccesibles, ¿cuándo
morirán en el alma?

¿Por qué, si no podemos volar, sueñan un vuelo
las alas ideales que se aferran al suelo
sangrando el vencimiento? Si humana podredumbre
somos, ¿por qué se irisan los ojos con la lumbre
celeste? Si en el viento
ha de perderse el verso como inútil lamento,
¿por qué nace en nosotros el verso? ¿Por qué ansiamos
esta chispa divina que nos prende el ocaso,
si ha de ser en las sombras de la noche que llega
la cineraria flama de su propio fracaso?

Alma loca que olvidas que la vida es yantar,
¡olvídate a ti misma y cierra las ventanas
que dan al sol y al mar!

Liberación, 1926.

Y SIN EMBARGO...

Lo he dejado todo:
amores que sólo
eran un reflejo
del Amor,
mirajes
que eran un trasunto débil del paisaje
interior.

Todo se ha quedado detrás: la gloriola
del elogio fácil (dulce vanidad),
las manos que estrechan, las manos que dañan,
el beso que enciende y el beso que calma
la ansiedad.

Todo se vislumbra lejos; pero asciende
de las tibias ascuas — hogueras de ayer —
un humo en que flotan ansias insepultas
y maravillosas formas de mujer.

Todo lo he dejado;
pero todo alienta dentro de mi ser.

Liberación, 1926.

LUIS PALÉS MATOS

Portorriqueño. No ha publicado ningún libro. Las escasas
poesías suyas que han visto la luz muestran que es un poeta
de verdadero valor. Es un producto del postmodernismo amargo e irónico, que últimaménte ha encontrado un camino nuevo
en la interpretación, amarga e irónica también, del lado negro
del alma antillana.

BIBLIOGRAFÍA. — **Estudios:** T. BLANCO, *A Porto Rican Poet: L. P. M.,*
en AmM, 1930, XXI, 72-75. V. FERRER GUTIÉRREZ, *L. P. M., gran
poeta antillano,* en RdO, abril 1930.

EL POZO

Mi alma es como un pozo de agua sorda y profunda
en cuya paz solemne e imperturbable ruedan
los días, apagando sus rumores mundanos
en la quietud que cuajan las oquedades muertas.

Abajo el agua pone su claror de agonía:
irisación morbosa que en las sombras fermenta,
linfas que se coagulan en largos limos negros
y exhalan esta exangüe y azul fosforescencia.

Mi alma es como un pozo; el paisaje dormido,
turbiamente en el agua se forma y se dispersa,
y abajo, en lo más hondo, hace tal vez mil años,
una rana misántropa y agazapada sueña.

A veces al influjo lejano de la luna
el pozo adquiere un vago prestigio de leyenda:
se oye el cro-cro profundo de la rana en el agua
y un remoto sentido de eternidad lo llena.

CANCIÓN FESTIVA PARA SER LLORADA

Cuba, ñáñigo y bachata.
Haití — vodú y calabaza.
Puerto Rico — burundanga.

Martinica y Guadalupe
me van poniendo la casa.
Martinica en la cocina
y Guadalupe en la sala.
Martinica hace la sopa
y Guadalupe la cama...
Buen calalú, Martinica,
que Guadalupe me aguarda.

¿En qué lorito aprendiste
ese patuá de melaza,
Guadalupe de mis trópicos,
mi suculenta tinaja?
A la francesa, resbalo
sobre tu carne mulata;
que a falta de pan, tu torta
es prieta gloria antillana.
He de traerte de Haití
un cónsul de aristocracia:
Conde del Aro en la Oreja,
Duque de la Mermelada.

Para cuidarme el jardín
con Santo Domingo basta.

Su perenne do de pecho
pone intrusos a distancia.
Su agrio gesto de primate
en lira azul azucarera,
cuando borda madrigales
con dedos de butifarra.

Cuba, ñáñigo y bachata.
Haití — vodú y calabaza.
Puerto Rico — burundanga.

Las antillitas menores,
titís inocentes, bailan,
sobre el ovillo de un viento
que el ancho golfo huracana.

Aquí está San Kitts el nene,
el bobo de la comarca.
Pescando tiernos ciclones
entretiene su ignorancia.
Los purga con sal de fruta,
los ceba con cocos de agua,
y adultos ya, los remite,
C. O. D., a sus hermanas,
para que se desayunen
con tormenta rebozada.

Aquí está Santo Tomé,
de malagueta y malanga
cargado el burro, que el cielo
de Su Santidad demanda.
(Su Santidad: Babbitt Máximo.
Con sello y marca de fábrica).
De su suma Teología
Lutero hizo una fogata,
y alrededor, Biblia en mano,
los negros tórtolos bailan
cantando salmos oscuros
a Bombo, mongo de África.

¡Hola, viejo Curazao!
Ya yo te he visto la cara.

Tu bravo puño de hierro
me ha quemado la garganta.
Por el mundo, embotellado,
vas del brazo de Jamaica,
soltando tu áspero tufo
de azúcares fermentadas.

Cuba — ñáñigo y bachata.
Haití — vodú y calabaza.
Puerto Rico — burundanga.

Mira que te coge el ñáñigo,
niña, no salgas de casa.
Mira que te coge el ñáñigo
del jueguito de la Habana.
Con tu carne hará compota,
con tu seso mermelada...
Ñáñigo carabalí
de la manigua cubana.
— Me voy al titiringó
de la calle de la Prángana.
Ya verás el huele-huele
que enciende tras de mi saya,
cuando resude canela
sobre la rumba de llamas.
¡Que a mí no me arredra el ñáñigo
del jueguito de la Habana!

Macandal bate su gongo
en la torva noche haitiana,
dentaduras de marfil
en la tiniebla resaltan.
Por los árboles se cuelan
ariscas formas extrañas,
y Haití, fiero y enigmático,
hierve como una amenaza.
Es el vodú. La tremenda
hora del zombí y la rana.
Sobre los cañaverales
los espíritus trabajan.

Ogoun Badagrí en la sombra
afila su negra daga...
— Mañana tendrá el amito
la mejor de las corbatas.

Dessalines grita: ¡Sangre!
L'Overture ruge: ¡Venganza!
Mientras remoto, escondido,
por la profunda maraña,
Macandal bate su gongo
en la torva noche haitiana.

SÍNTESIS

Antilla — vaho pastoso,
de templa recién cuajada,
trajín de ingenio cañero;
baño turco de melaza.
Aristocracia de dril,
donde la vida resbala
sobre frases de natilla
y suculentas metáforas.
Estilización de costa
a cargo de entecas palmas,
idioma blando y chorreoso
— mamey, cacao, guanábana — .
En negrito y cocotero
Babbitt turista te atrapa;
Tartarín sensual te sueña
en tu loro y tu mulata;
sólo a veces Don Quijote,
por chiflado y musaraña,
de tu maritornería
construye una dulcineada.

Cuba — ñáñigo y bachata.
Haití — vodú y calabaza.
Puerto Rico — burundanga.

Junio de 1929.

NICOLÁS GUILLÉN

Cubano. Mulato él mismo, ha escrito los que él llama «poemas mulatos». En ellos, a la manera de Palés, pero con un mayor desarrollo folklórico, ha expresado el mestizaje espiritual que, como dice Novás Calvo, existe «en Cuba y otros países de fundación española donde no sólo se han mezclado las sangres, sino, y en mayor amplitud, los espíritus». Esta poesía de tan intenso carácter racial, inspirada en los ritmos de los *sones* y en el alma primitiva y misteriosa de los negros, tiene, sin embargo, una estrecha relación con la poesía española inspirada en el folklore, como la de García Lorca, y una gran semejanza con los bailes y poesías de negros de nuestro teatro clásico. Por otra parte, es la forma peculiar antillana de la moderna poesía «nativista» de otros países de América.

BIBLIOGRAFÍA. — **Poesía:** *Sóngoro cosongo,* poemas mulatos, Habana, 1931.   **Estudios:** R. E. BOTI, *La poesía cubana de N. G.,* en RBC, 1932, XXIX, 243-253.   L. NOVÁS CALVO, *Sóngoro cosongo,* en GLit, 15 dic. 1931. V. DE LA SERNA, *Harlem Jesús María,* en Sol, 16 abril 1932.

SECUESTRO DE LA MUJER DE ANTONIO

Te voy a beber de un trago,
como una copa de ron;
te voy a echar en la copa
de un *son,*
prieta, quemada en ti misma,
cintura de mi canción.

Záfate tu chal de espuma
para que torees la rumba,
y si Antonio se disgusta
que se corra por ahí:
la mujer de Antonio
tiene que bailar aquí.

Desamárrate, Gabriela.
Muerde
la cáscara verde,
pero no apagues la vela;
tranca
la pájara blanca,
y vengan de dos en dos,
que el bongó
se calentó.

De aquí no te irás, mulata,
ni al mercado, ni a tu casa;
aquí molerán tus ancas
la zafra de tu sudor:
repique, pique, repique,
repique, repique, pique,
pique, repique, repique,
pó!

Semillas las de tus ojos
darán sus frutos espesos;
y si viene Antonio luego
que ni en jarana pregunte
cómo es que tú estás aquí...
Mulata, mora, morena,
que ni el más toro se mueva,
porque el que más toro sea
saldrá caminando así;
el mismo Antonio, si llega,
saldrá caminando así;
todo el que no esté conforme
saldrá caminando así...

Repique, repique, pique,
repique, repique, pó!
Prieta, quemada en ti misma,
cintura de mi canción...

Sóngoro cosongo, 1931.

b) *Poetas españoles.*

JOSÉ MORENO VILLA

1887

Nació en Málaga. Estudió con los jesuítas. Estuvo en Alemania de 1904 a 1908 con el propósito de dedicarse a la carrera comercial. En 1910, en Madrid, cambió de rumbo: estudió Historia, se dedicó al estudio del arte en el Centro de Estudios Históricos, y empezó a escribir. Su profesión desde 1921 es la de bibliotecario. Vive en la Residencia de estudiantes. Redacta la revista *Arquitectura.* Ha hecho estudios sobre arte y ediciones de clásicos. Desde 1924 cultiva la pintura además de la literatura. Está soltero. Es fino, reconcentrado, serio, como buen malagueño. Su poesía tiene un fondo andaluz también: la sobriedad precisa de ademán y dejos de copla popular. Sobre este fondo está su cultura literaria y artística: alemana, un poco la francesa, un mucho la española. El último Darío, Unamuno, los Machados y Juan Ramón Jiménez influyen en su desarrollo poético. Pero desde su primer libro su poesía llevaba en sí un valor de originalidad que, a pesar de toda su deuda con él, le hace alejarse definitivamente del modernismo. Su evolución posterior, en verso y prosa, ha sido variada y compleja, y aunque ha tenido relaciones con la evolución general de la literatura, su obra se ha mantenido siempre — fría y austera — un poco aparte de la de los demás.

BIBLIOGRAFÍA. — **Poesía:** *Garba,* Madrid, 1913. *El pasajero,* con un ensayo de J. Ortega y Gasset, 1914. *Luchas de «Pena» y «Alegría» y su transfiguración,* alegoría, 1915. *Evoluciones,* prosa y verso, 1918. · *Florilegio,* prosa y verso, sel. y pról. de P. Henríquez Ureña, San José de Costa Rica, 1920. *Colección,* Madrid, 1924. *Jacinta, la Pelirroja,* Málaga, 1929. *Carambas,* 1.ª, 2.ª y 3.ª series, Madrid, 1931. **Otras obras:** *Velázquez,* Madrid, 1920. *Patrañas,* cuentos, 1921. *La comedia de un tímido,* teatro, 1924. *Dibujos del Instituto de Gijón: Catálogo,* 1926. *Pruebas de Nueva York,* Málaga, 1927. **Estudios:** AZORÍN, *Los poetas: Jacinta,* en ABC, 11 dic. 1929. L. BELLO, Sobre *Pruebas de Nueva York: Un libro de M. V.,* en Sol, en. 1928. L. CERNUDA, *J. M. V., o los*

andaluces en España, en Sol, 18 en. 1931. E. Díez-Canedo, *Poetas nue-*
vos de España: J. M. V., en Nac, 1927. P. Henríquez Ureña, *J. M. V.*
[pról. a *Florilegio*], en RepAm, 1 junio 1920. J. R. Jiménez, *J. M. V.,*
en *Unidad,* 1925. A. Machado, *El libro «Colección» del poeta andaluz*
J. M. V., en ROcc, 1925, VIII, 359-377. J. Moreno Villa, *Autocrítica,*
en ROcc, 1924, VI, 435-440.

RECONOCIMIENTO

El amor, lo más viejo del mundo,
prefiere las palabras añejas.
Yo veo que las frases sutiles
no emocionan a mi amada nena.

El viejo azul de la Andalucía
guarda siempre su misma belleza;
la muerte del sol repetida
todos los días se goza con pena.

La tarde dorada nos mece.
— ¡Mira qué blandas y limpias las eras!

Yo la he cogido del brazo y la digo,
pausadamente, palabras tan viejas,
que de puro rancias
parecen ingenuas.
¡Los siglos que lleva este arroyo
cantarino cruzando la sierra...!

Garba, 1913.

GALERAS DE PLATA

Galeras de plata por el río azul...
¿Dónde vais, afanes de mi juventud?

Abiertas las velas y los estandartes,
reís en las febles entrañas del aire.

Galeras de plata por el río azul,
que sois los ensueños de mi juventud.

¿No habrá un banco donde las proas encallen!
¡Ay, la irresistencia del agua y del aire!

Galeras de plata por el río azul.
¿Se irá la ufanía de mi juventud?

Los ojos del puente son chicos... Si caben...
— ¿Pasaron?
         — Palomas pasaron suaves...

Sobre una de ellas, por el río azul,
¡Emperatriz blanca, te alejabas tú!

Garba, 1913.

LAS SUGESTIONES DEL MAR

I

EL EQUILIBRIO

Equilibrio
en los movimientos:
he aquí una faceta
del secreto.

Con todo el brío
que tiene la mar,
no rebasa el borde
de su heredad...

Móvil de acción
cuanto más bizarro,
que en las intenciones
hay que ser largo.

Pero al llegar
a las realidades,
tascarás un freno
fuerte y suave...

Nervio motor
con alma de titán,
pero da la mano
con suavidad.

Que equilibrio
en los movimientos
pide el hada, madre
del secreto.

Garba, 1913.

EN LA SELVA FERVOROSA

(Fragmento.)

X

Rocío, llanto virgen de no sé qué pupilas,
restañador nocturno de mis acres heridas;

las mariposas llevan un polvillo de oro,
tú guardas igualmente un elixir glorioso

que me hace amar la vida.
Llanto, ¿dónde estarán los ojos que te envían?

Rocío, tú no eres el de ayer, eres otro.
El rocío no cura los hachazos tan hondos.

¿Qué has puesto en mis heridas?
Has puesto, sí, el cariño de tus dueñas pupilas.

Ése es todo el misterio, ¡oh llanto milagroso!,
y por mi corazón fluye un río sonoro

y mi alma se irisa
y el anhelo llamea de nuevo en las heridas.

Pero este anhelo tiene un sabor más humano,
con picor de claveles y dulzuras de nardo.

¡Oh, endecha de la carne! ¡Oh, clamores en coro!
¡Oh, cuerna melancólica de la selva! Los potros

siempre sumisos rompen las tiránicas bridas.
Decidme: ¿de qué rama pende la fruta viva?

XI

Un arpegio doloroso,
un desgarrón armonioso;
en la carne viva, sal.
La selva me martiriza;
pero es grande y se matiza
como el arco celestial.

¡Oh, fuego, divino fuego!
Caudal donde yo me anego,
sinfónico sueño vago
donde el alma se eterniza;
me has de ver hecho ceniza
en la muerta faz de un lago.

Ceniza casi impalpable.
El residuo inestimable
del cuerpo que se consume
voluntaria, vanamente,
enarbolando en la frente
su fervoroso perfume.

XII

Toda la fronda se aquieta.
Todas mis ansias se yerguen.
¿Dónde vives tú, bendita
entre todas las mujeres?

Toda la fronda se aquieta:
yo diría que no crece.
Suspensa está de sus labios
que callan impenitentes.

Toda la fronda se aquieta.
Mas suenan lejos sus canciones leves...
yo sé que ha entrado en la selva,
y no sé de dónde viene.

XIV

¡Mujer!, mariposa, en la puerta azul de la vida
tocaste y, abriéndose, estás en regiones soñadas.
¡Mujer!, entorna tus ojos a luz engañosa,
rasga a la vez los tupidos telones del alma.
Sedientas las carnes están de tu espíritu rosa;
tú bosarás como fuente colmada en verano;
yo seco tronco de selva cerril y bravía
seré la esponja que empape tu hiel o tu bálsamo.
Tundir, flagelar quiero muslos de nacar y raso;
muslos cálidos, propios de entraña divina;
con el asta más fuerte que tiene mi tronco cenceño
descargaré tu tesoro, porque eres un árbol de olivas.
¡Así! Ven a mí como ciega palpante y medrosa.
¿Te sorprende que tenga corteza selvática el cuerpo?
¿Te sorprende que lleve en el alma la fibra roqueña?
Ven a mí, soy el hombre y el árbol, los dos com-
                                 [plementos.
Mi canción has oído en tu fondo sellado de virgen;
te sedujo mi voz y mi gesto en los mudos espacios;
yo tendré para ti las ternuras del novio islamita,
por lo mismo que estoy de rudezas y fiebre pasado.

El pasajero, 1914.

LUCHAS DE «PENA» Y «ALEGRÍA» Y SU TRANSFIGURACIÓN

(Fragmento.)

X

Pena remueve la lumbre
y pone el mantel de nieve;
ha mudado sus vestidos

y peinado su rodete,
dejando al aire la nuca
fresca, suave y transparente.

Cuando pasa por mi lado,
deja en el aire que mueve
una estela de limpieza
que mi sentido estremece.

Pena es solícita y fiel,
Pena sin duda me quiere.
— ¡Ven, *Pena*, deja las cosas
y bésame hasta la muerte!

XXIII

Palacio blanco
donde *Alegría* se mece en cánticos,
soy yo, ¿no sabes?
Soy el romero de aquella tarde...
¡Ábreme paso!
Por el camino me apuñalaron.
Soy yo, ¿no sabes?
Soy el romero de aquella tarde
de primavera,
que, en homenaje, besó tu puerta.
¡Déjame paso,
que por la senda me apuñalaron!

Luchas de «Pena» y «Alegría» y su
transfiguración, 1915.

EPITAFIOS

ERA OSADO

Abrió puertas encerrojadas,
pisó sobre claves deshechas,
cruzó la mar sobre un hilo
y entró en el cielo sin boleta

porque en la entrada dijo: «Pase»,
sin mirar a Pedro siquiera.

ERA...

Era el júbilo del alba:
voz sencilla, frente clara;
nunca perdió la sonrisa,
nunca ganó la esperanza.

ERA LA ENVIDIA

Si da con el punto de apoyo
y con la palanca arquimédea,
él, deja al hombre en el vacío,
quitándole de los pies la Tierra.

NO ERA DE AQUÍ NI DE ALLÁ

Como el corcho, para el cielo grave
y para la tierra ligero,
él no pudo subir un palmo
ni ahondar una cuarta en el suelo.

ERA CÁNDIDO

Alguien le dijo y él le oyó embobado:
«La vida es sólo una estación de tránsito.»
Y el infeliz sentóse, pidió copas,
lió un pitillo y esperó la hora.

Evoluciones, 1918.

RITMO ROTO

He perdido el ritmo
y sólo veo fealdad:
deshechas las arquitecturas;
los colores sin separar;
las palabras, vasos
rotos, que cortan la verdad.

He perdido el ritmo
y sólo veo mi maldad.
No entiendo mis palabras viejas
ni tampoco lo que es suspirar.
El bien se quebró en mi alma
y no lo pegaré jamás.

¿Son los años?, ¡dime!
Yo sólo supe meditar;
y acaso, acaso se deforme
el mundo con el pensar.
¡Dime! ¡Dime! ¿Dónde hallo el ritmo
de dulce y hondo compás?

¿En el mundo de las personas?
¿En la selva montaraz?
¿En el río, en el cielo? ¿En dónde?

Dios me pudiera mandar
un afinador, de su cielo,
para este armonio que anda mal:
que decae, disuena y chilla,
y es la avellana de mi mal.

Evoluciones, 1918.

A DESTIEMPO

Ya es tarde:
Son de oro los picos de los árboles;
acuden los vencejos; el silencio se expande;
vienen los luceritos a ver al sol en balde.

Ya es tarde:
Se han perdido un ocaso admirable.
¡Pobres! Pobres luceros si acaso, acaso saben
que están predestinados a llegar siempre tarde.

Ya es tarde:
Sí, querida; cien posibilidades
han quedado por siempre jamás sin desflorarse.
Yo he buscado..., yo tuve..., ¿a qué voy a contarte?

Es una historia gris, una fábula mate.
Una explosión de afecto lanzada un día al aire,
a la que el eco dijo :
                «Ya es tarde.»

Evoluciones, 1918.

IMPULSO

De prisa, de prisa :
lo que se cayó no lo cojas.
Tenemos más, tenemos más;
tenemos de sobra.

¡De prisa! ¡De prisa!
Lo que nos robaron, no importa.
Tenemos más, tenemos más;
tenemos de sobra.

¡Derechos, derechos!...
No te pares : coge la rosa
y a la mendiga del camino
dale la bolsa;
porque, amigo, tenemos más;
tenemos de sobra.

Colección, 1924.

CUADRO CUBISTA

Aquí te pongo, guitarra,
en el fondo de las aguas
marinas, cerca de un ancla.
¿Qué más da
si aquí no vas a sonar?
Y vas a ser compañera
de mi reloj de pulsera
que tampoco ha de marcar
si es hora de despertar.
Vas a existir para siempre
con la cabra sumergida,
la paloma que no vuela
y el bigote del suicida.

Tiéndete bien, entra enferma,
sostén tu amarillo pálido
y tu severa caoba;
conserva bien las distancias
o busca la transparencia.
Lo demás no me hace falta.

Jacinta la Pelirroja, 1929.

CARAMBAS

85

He descubierto en la simetría
la raíz de mucha iniquidad.

Pero están sordos los serenos
y a las dos de la noche es honda la grieta del mundo.

¿A quién acudir?

En este pueblo no hay murciélagos
ni bebedores de limonada

Por eso los palacios siguen incólumes
y en lo alto de la columna
se abanica la desvergüenza.

Carambas, 2.ª serie, 1931.

JUAN JOSÉ DOMENCHINA
1898

Español. Reside en Madrid, pero ignoro si éste es su lugar
de nacimiento. Su poesía tiene carácter castellano. Desde la
publicación de su primer libro, en 1917, se señaló como uno de
los mejores poetas de hoy, y su valor ha ido creciendo en sus
obras sucesivas. Pérez de Ayala — a quien se asemeja en la
inclinación intelectual de su poesía — prologó dicho libro.
Díez-Canedo definió su arte con una frase que ha usado después el autor como título de uno de sus libros: «Corporeidad

de lo abstracto.» Esto es, en efecto, lo que encontramos en la
perfección barroca de la poesía de Domenchina: la creación
de un mundo de realidades que tienen la exactitud de una
idea y la plasticidad de un cuerpo físico; ideas que adquieren
consistencia física y cuerpos que se desnudan de la materia
para adquirir la fijeza transparente y fría de los conceptos. Esta
actitud, tan difícil y esencialmente poética, requiere la creación de nuevos valores en el lenguaje, y esto es lo que Domenchina ha logrado realizar con seguridad y riqueza sorprendentes.

BIBLIOGRAFÍA. — **Poesía** : *Del poema eterno,* Madrid, 1917; 1922. *Las
interrogaciones del silencio,* poema, 1918; 1922. *Poesías escogidas,* 1922.
La corporeidad de lo abstracto, 1929. *El tacto fervoroso,* 1930. **Otras
obras** : *La túnica de Neso,* novela, Madrid, 1929. *Dédalo,* pról. J. R. Jiménez, 1932. **Estudios** : G. B.-U., Sobre *El tacto fervoroso,* en GLit, 1
agosto 1930. E. Díez-Canedo, *Poetas jóvenes de España,* en Nac, 31
julio 1927; *Domenchina y su «Dédalo»,* en Sol, 8 mayo 1932. G., Sobre
La túnica de Neso, en Sol, 19 junio 1929.

EL CRIMEN

El Alcoholismo y la Epilepsia
hubiéronle en rápido coito.
Enfermo nato, la dispepsia
es de sus males el introito.

Agrias la boca y la pupila,
cerrado el ceño y el perfil adusto.
Torvo, corvo y enclenque, le horripila
la sangre. Es blanco y débil, como el Susto.

Sin embargo, es enófilo, y el vino
arma de odio su brazo pusilánime,
que, al dar la muerte, ensáñase y, sin tino,
siembra metal en la materia exánime.

Mas ¿quién le juzga, si hace de su tesis
— el atavismo — plúmbeo parapeto,
y rezuma atrición — la diaforesis —
este hombre alcohólico y analfabeto?

Él masca eternidad, porque es un brote
de la Naturaleza; agrio motivo,
ubicua esencia, perennal azote...

Se le quiebra la tráquea en el garrote
y se descuelga al punto, redivivo...

La corporeidad de lo abstracto, 1929.

EL ENTUSIASMO

Es hombre de arranques frenéticos
que odia la asnina seriedad
de los letrados gravedosos, héticos,
reacios al brinco y a la hilaridad.

Cuando el júbilo inflama sus mejillas,
zurra a su coima — la Locuacidad — ,
trepa a los árboles, anda en cuclillas:
se descoyunta de fraternidad.

«Briareo, tus brazos necesito,
porque me los exige la amistad»,
clama. Y, en un salto inaudito,
se ase a los pechos de la Eternidad.

La corporeidad de lo abstracto, 1929.

AMOR

Afán cóncavo — atroz — del sexo; se estiliza
en garra: un ademán terrible, de codicia.
La especie — seriedad de seriedades — eco
sin fin — es la tensión, la fiebre del acecho.
¡Una pequeña muerte, de dicha — ¡tan fecunda,
tan vital! — ; una efímera ausencia de la lucha!
Sobre un seno de flor, la sien de amor caída.
La garra se hace mano de piedad: ya es caricia.

El tacto fervoroso, 1930.

VERSIÓN INEFABLE

¡Cuánta angustia soterrada!
Perennízase el coloquio
vital en un circunloquio
que no quiere decir nada.
De la huesa agusanada
el hipérbaton latino
surge, ecoico: desatino
que gongoriza verdad
y postula eternidad
de ceniza al ser divino.

El tacto fervoroso, 1930.

CURSO SOLAR

I

Montes de violeta, frío
silencio, barrancos hondos.
Es como un presentimiento
la realidad del contorno.
En los antípodas deben
de estar encendiendo un horno.
Por el horizonte suben
vahos calientes, de plomo,
que dejaron de ser negros
y no llegan a ser rojos.
Los árboles se presumen,
sobre las tinieblas, mondos.
Antes del albor, diríase
que es el reino de los troncos.
Sarmientos de enjuta escoba
barren con el viento escombros
de noche, inertes rezagos
de los imperios medrosos.
Un silbo de amanecida
dan en su Tebaida, a coro,

estos ascéticos monjes
de los mutilados torsos.
Y de improviso les nacen
pájaros y hojas, al soplo
de unas pavesas calientes
que son heraldos del orto.

2

El rito blande su lanza
de estupro. Un ¡ay! de color.
Entrañas de nube virgen
sienten la enjundia del sol.
¡Rosas de sangre en el orto!,
nuncios de ventura son.
Ya grávida de tormenta,
la nube gesta a su dios.
Lo dará en parto de lumbres
y en rugidos de león.
(Se ha visto a la amanecida
desnuda sobre un alcor,
arrebolada de gozo
y con ojeras de amor.)

3

Las estrellas sueñan ríos
de leche en las cumbres altas.
Quieren abrevarse, rubias,
y abandonar sus sandalias
luminosas en el blanco
manantial de las montañas.
Allí, allí, en las altas cumbres
surte el raudal de la audacia.
El mundo es talle de novia:
con un brazo se le abarca.
Sabe subir a las cumbres
aquel que, al bajarlas, canta.

4

La alacridad, mariposa
del revivir, herboriza.
Y unge sus plantas ingrávidas
con jugos de hierbas finas.
Recientes la hoja y el árbol,
reciente la amanecida,
chozpa como cabra errátil,
atónita de colinas.
Diáfana de agilidad,
¡qué diáfanamente trisca!
Sus pechos, al saltar, dejan
como un temblor de caricias.
En su red coge esta trémula
prodigalidad la brisa.
Manos toscas de cabreros
palpan transparentes dichas.

5

Las cosas que yo he tenido
ni me tienen ni me valen.
Tener cosas que nos tengan,
guardar cosas que nos guarden.
He pisado en el sendero
las angustias de mis tardes,
oleaginosas y acedas
como de aceite y vinagre.
Si yo no soy lo que soy,
parecerlo, ¿qué me vale?
Tenga un amor que me tenga;
lleve, lo que ha de llevarme.
Sepa yo toda la dicha
mutua del perfecto canje.

6

Alégrate con la novia
de tu mocedad, que es vientre
de tu verbo: manantial
de gracia y vida perennes.
Manzanas te corroboren
del árbol de sus deleites.
La sed que no te mitiga
su boca cuando la bebes,
te la colmará mañana
dándote a ti en tus rehenes.
Halla en sus muslos caminos
de vida para su vientre.
Vive, que es vida su amor;
nace, que ella está naciéndote.
... Brota en su dolor de madre
tu verbo encarnado en Siempre.

7

En los almendros precoces
un candoroso aleluya.
Los tomillos tienen flor
y olor de niña desnuda.
Sólo los chopos más verdes
huelen a verdes de luna.
Los vericuetos del monte
suben y quieren que suba.
Como las vides, mi agraz
siente promesas de azúcar.
Los tomillos tienen flor
y olor de niña desnuda.
Sólo los chopos más verdes
huelen a verdes de luna.

El tacto fervoroso, 1930.

DESDÉN

(Autorretrato.)

Círculo de mi desdén.
Mueca fofa. Comisuras
relajadas. Ver no ver.
Párpado oblicuo, de grima:
despectivamente oblicuo.
La linde de la sonrisa
se acusa lejanamente:
inmune, señera, nítida.
Iteración en las sombras
inertes de la mejilla.
Sin tensión, redondamente,
la grasa es lóbulo, giba.
(Redundantemente ronda
lo redondo: ronda fría.
Hay un agobio de siglos
sobre un alma en carne viva.)
Bajo las cejas, dos ojos,
casi hostiles, que no atisban.
Esquividad. Y una mota
de lumbre entre la ceniza.
Los cables del entusiasmo
rotos. ¿Vale algo la vida?
Hombre ajeno. ¡Ay hombre ajeno!
Hombre ajeno alguien lo haría.
Enajenado y difícil
cero de fisonomía.

El tacto fervoroso, 1930.

MAURICIO BACARISSE

1895-1931

Nació en Madrid, de padre francés. En sus primeras poesías
hay madrileñismo, y su cultura francesa se manifiesta en sus
traducciones de Verlaine y Mallarmé. Fué catedrático de filo-

sofía en los Institutos de Mahón, Ávila y Córdoba. Murió joven, al tiempo en que su novela *Los terribles amores de Agliberto y Celedonia* obtenía el premio nacional de literatura. Esta novela y su último libro de poesías muestran que estaba llegando a su plenitud uno de los temperamentos más finos y complejos de España. Su misma finura sentimental y agudeza intelectual — que trataba de armonizar en su obra— le mantuvieron tímido para la creación de su obra original y reservado para entregarse al fervor del ultraísmo, con el que tuvo contacto personal. Pertenecía al grupo de Pombo, y allí está en el cuadro de Solana; Ramón a su vez le pinta así: «Había sutilizado tanto la vida, le había dado timbre tan personal, tan hondo, que vivía en el filo de lo mortal.»

BIBLIOGRAFÍA. — Poesía: *El esfuerzo*, Madrid, 1917. *El paraíso desdeñado*, 1928. *Mitos*, 1929. *Antología*, 1932. **Otras obras:** *Las tinieblas floridas*, novela corta, Madrid, 1927. *Los terribles amores de Agliberto y Celedonia*, novela, 1931. **Estudios:** J. M. CAMACHO PADILLA, *M. B. C.*, en BRACord, 1931, XI, 57-62. R. CANSINOS-ASSÉNS, *Poetas y prosistas del novecientos*, Madrid, 1919; *La nueva literatura*, t. III, Madrid, 1927. E. DÍEZ-CANEDO, *Poetas jóvenes de España*, en Nac, 31 julio 1927; Sobre *Antología*, en Sol, 27 nov. 1932. M. FERNÁNDEZ ALMAGRO, *Notas: M. B.*, en ROcc, 1931, XXXI, 209-212. J., Sobre *El paraíso desdeñado*, en GLit, junio 1928. E. MONTES, Sobre *Los terribles amores de Agliberto y Celedonia*, en Sol, 19 feb. 1932. E. SALAZAR Y CHAPELA, Sobre *El paraíso desdeñado*, en Sol, 22 abril 1928; Sobre *Mitos*, en GLit, 15 feb. 1930.

LUNA DE MIEL

Colmena del alma mía,
colmena de atardecer;
tu luna, que era de cera,
por la mañana es de miel.

Ópalos. Añil.
Nácar en rebaños.
Alba. Abril.

Azulea ya la alcoba
de incienso de madrugada.
En la pantalla de china
hay doce abejas, grabadas.

La luna, lunera,
volvióse amarilla.
¡Ay, qué pena!...

Bruñe la luz de la lámpara
la caoba del lecho, rubia;
sueñan con el despertar
las dos cabecitas juntas.

Seis de la mañana,
peinado de nube,
viaje de alga.

Suena un rumor de colmena
o de aliento de ventura.
La abeja del corazón
saca su miel de la luna.

Despeina las nubes
otra vez, lunita,
rompe-azules.

Sólo el vuelo de un suspiro
en el silencio en flor, liba.
No hay amor como el primero
ni sueño como la vida.

¿Va a dar el reloj
o es ruido de besos?
No. ¡Por Dios!

La luna da más dulzura
que el oro de las aliagas,
luna del amanecer
de miel y cera sin llamas.

Mitos, 1930.

ANTONIO ESPINA

Madrileño. Además de la poesía, ha cultivado el ensayo, la
novela, la crítica, el periodismo, la biografía, con gran unidad
de estilo y carácter, bajo una aparente movilidad. En su poesía

llega el modernismo a su total descomposición, preparada por la vía postmodernista de la ironía sentimental. El arte originalísimo de Espina está más allá de ésta como de aquél: está en el punto muerto que hay entre el acabamiento definitivo y el nuevo comenzar. En este punto se mueve con máxima libertad: da piruetas en el vacío sin peso ni resistencia; juega como quiere con los elementos desarticulados e inertes de la realidad. Es un arte como el de Quevedo: nihilista, negativo, destructor; arte caricaturesco de muecas y contorsiones cómicas, muy serias y tristes en el fondo, expresión de la verdad eterna de nuestra nada vacía y desnuda bajo la faz del artificio y el capricho. La poesía de Espina no es todavía ultraísmo puro' aunque en la negación de lo anterior haya llegado tan lejos como él, porque el pasado — el romanticismo — está en ella de cuerpo presente en la parodia grotesca y el humorismo sarcástico con que intenta huir y evadirse de él.

BIBLIOGRAFÍA. — **Poesía**: *Umbrales,* Madrid, 1918. *Signario,* 1923. **Otras obras**: *Divagaciones, Desdén,* Madrid, 1919. *Pájaro pinto,* novela, 1927. *Lo cómico contemporáneo,* 1928. *Luna de copas,* novela, 1929. *Luis Candelas,* 1929. **Estudios**: AZORÍN, *Imágenes: Luis Candelas,* en ABC, 18 dic. 1929. L. BELLO, Sobre *Lo cómico contemporáneo,* en RepAm, 26 en. 1929; Sobre *Luna de copas,* en Sol, 29 junio 1929; Sobre *Luis Candelas,* en Sol, 15 dic. 1929. J. BERGAMÍN, *Figura de cera (El arte romántico de A. E.),* en VyP, 1927, año I, núm. 3. E. DÍEZ-CANEDO, *Poetas jóvenes de España,* en Nac, 31 julio 1927. M. FERNÁNDEZ ALMAGRO, *A. E. y A. E.,* en Esp, 1 dic. 1923. B. JARNÉS, *Los autores y las obras,* en SNac, 25 agosto 1929. G. OWEN, Sobre *Pájaro pinto,* en U, 1927, I, núm. 1, 26-27. E. SALAZAR Y CHAPELA, *Literatura plana y literatura del espacio,* en ROcc, 1927, XV, 280-286; Sobre *Luna de copas,* en ROcc, 1929, XXIV, 383-388. G. DE TORRE, *Perfil de A. E.,* en GLit, 15 feb. 1927.

RÉQUIEM

AL AMIGO X

En el féretro negro te vas. Creo que haces bien.
Mi íntimo fuiste, eres y probablemente *serás,*
que no es mucho ser. ¿Qué color tuvo nuestra amistad?
    Yo no lo sé.

Hubo en eso algo de juvenil buena fe,
el calor de la hora aburrida y el tedio conjunto,
la tiranía del rato, el naipe y el asunto,
        la taza de café.

Nos queríamos tan mal, que nos queríamos bien.
No pudiendo ser esclavo o amo, te quedaste en amigo,
que es el último grado dentro de lo afectivo.
        El paripé del corazón. ¡Psche!

Realmente fuimos tan distintos, que no sé,
que no me explico qué pudo forjar nuestra simpatía.
Debió ser el demonio de la misantropía
        o el no saber qué hacer.

Hoy has dimitido la vida; muy bien.
Procura ingresar en la oposición celeste.
Pero mejor te deseo el sueño de la Muerte.
        Adiós. Amén.

                              Umbrales, 1918.

EL DE DELANTE

    Va siempre delante.   Manos a la espalda,
indeterminado.   Viste de oscuro.
Avanzo, avanza.
Paro, para.

    Va siempre delante,
siluetado en mancha.
Va siempre delante.
(Es el de delante.)

    Nunca le adelanto.   Ni por esos campos.
Ni por estas calles.   Surge del asfalto.
De la lunería
de un escaparate.

    Le crucé en su duelo.   Se cruzó en mi duelo.
— Señor mío — dije.   — Señor mío — dijo,
Él no dijo nada   Yo no dije nada.

                              Signario, 1923.

POMPAS FÚNEBRES

I

¡Amarillo en luto resplandor de cirios!
Yace un difunto.
Ataúd.

(Serrín y gusano.)
Lamento, sollozo.
delirios y lirios y

(¡Oh!
Las mentirillas del novenario.)

Amarillo en luto resplandor de cirios.

II

Como un pajarito ⎫
murió,   ⎬ dice una vecina. ⎧ En
murió el pobrecito, ⎭   ⎨ el piso alto
                                       ⎩ suspendióse un baile.

Ciprés: un sobrino.
El gato no sale de bajo la cama.
(Aplazóse el baile.)

III

Ayer la tisana.   ⎫
Mañana el entierro.   ⎪
— Yo ¿qué he de decirla?   ⎪
  — Reflexión y calma.   ⎬ A la viuda insisten.
    — No la digo nada.   ⎪
      — No la digo nada.   ⎪
        — No la digo nada.   ⎭

Don Ramón, ⎫
Don César, ⎪ (Pasquines humanos
Don Abdón, ⎬   de
Don Luis,   ⎭   todas las ferias...)

¡No la dicen nada!

IV

Un
    etcétera de amigos
y de coches otro
            etcétera.

Teologal estruendo | Clero
de campanas broncas | †
        y campanas tiples. | Cruz alzada.

        ¡Tarde ilesa, triste tarde
        tinta en plata!

V

¡TIN-TAN!

Así acogen a las almas que del mundo en fuga van
en el serio
cementerio.

                (Cementiri en catalán.)
¡Din-clown! ¡Tin-tan!

VI

                        R. I. P.
                        Sic transit.

EPITAFIO

┌─────────────────────────────┐
│   ¡JAMÁS TE OLVIDARÉ   │
│   ESPOSO MÍO!   │
└─────────────────────────────┘

                ¡*Sic transit!*
                R. I. P.

VII

Pasaron dos días, | ¡De alivio, | Ríe la viuda.
pasaron tres meses, | Señores! | La mima don Luis.
y pasarán seis. | | Se relame el gato.

        Se relame el gato,
                pues ¡comió los confites
                del novenario!

VIII

        Testamento inútil
        del que pudre, muerto.
                        Y
                Nuevo epitafio.

IX

NUEVO EPITAFIO

No supe llevar mi vida
al son de mi ritmo interno. } Porque fuí romántico.

Ni oxigenar de alegría
la cárcel de mi cerebro,
placentero en cualquier tierra,
burlador de cualquier tiempo. } ¡Porque fuí romántico!

Y liquidé irremediable
mi vano historial, diciendo:
¡Qué necia vida hice fuera,
qué hermosa alma llevé dentro! } ¿Por qué fuí romántico?

Porque fuí romántico,
ahora sufro lo que veo
con mis ojos
de odio
muertos.

Signario, 1923.

CONCÉNTRICA II

El sol es perseguido de cerca por el horizonte.
Envíen Guardia civil.
Ya casi no queda tarde.

Signario, 1923.

CONCÉNTRICA VII

El aseo que se logra con la
esponja del egoísmo y el agua clara
del sufrimiento, es una moral.

Signario, 1923.

CONCÉNTRICA VIII

Entre el «Ven» de la voz de no sé cuál secreto
y el «Adiós» de un pañuelo que despide a lo lejos,
el Alma
lleva sus dudas próximas
rumbo a los días nuevos.

(Así avanzamos por la selva espesa,
con un poco — ¿poco? — de avidez por todo
y un mucho de dolor de inteligencia.)

Acaso es noble este destino nuestro.
Quizás es bello contemplarse hermético,
entre llamadas de ensoñados gritos
y adioses de banderas en el viento.

Signario, 1923.

MANOLA

Los tipos ejemplares.

I

Un hombre bonachón y tranquilo.
El gato se le sube al hombro. El can le hace zalemas.
[Un niño
se abraza a sus piernas. Una mujer iracunda — la suya —
increparle.   [parece
En jarras. Violenta.

II

Un hombre terrible.
El gato le huye. El perro le esquiva. El chiquito le mira
[asustado
desde la puerta. Una mujer — quizás la suya — se abraza
[a su cuello.
Dulce. Sumisa.

III

Haremos mal en generalizar.
Pero hay aquí, evidentemente, una postal popular.

Pájaro pinto, 1927.

FRANCISCO VIGHI

1890

Francisco Vighi Fernández nació en Palencia, de padre italiano y madre castellana. Ingeniero. Contertulio de Pombo. No parece haber tomado en serio su poesía — cuyo cultivo ha sido en él accidental — cuando no se ha decidido a publicarla en libro a pesar de la gran estimación de que goza entre pocos y la popularidad entre muchos. Aparecieron sus poesías en *España* y en las revistas ultraístas. Anduvo mezclado en el movimiento ultraísta que no tomó ni más ni menos en serio que otra cosa. Su corta obra poética tiene, en nuestra opinión, gran valor: no sólo es en ella el poeta español de mayor fuerza cómica de esta época — que ya es mucho decir —, sino que hay en el fondo de su risa sana, franca y extravagante delicadeza de sentimiento, originalidad de visión e intención de arte puro de la mejor calidad lírica.

BIBLIOGRAFÍA. — **Estudios :** E. GIMÉNEZ CABALLERO, *Manuel Azaña (Profecías españolas)*, Madrid, 1932. R. GÓMEZ DE LA SERNA, *Pombo,* Madrid, 1918.

TERTULIA

Este café tiene algo de talanquera
y de vagón de tercera.
No hay mucho tabaco y se hace mucho humo.
Yo — el noveno poeta español — presumo
delante de Alcaide de Zafra que enluta sus canas
(once piastras de tinta todas las semanas).
Ventilador. Portugueses.
Acento de Sevilla, ¡dorada ciudad!,
y de mi Bilbao fogonero.
¡Camarero!
Café con leche, mitad y mitad.
Grita Llovet. Calla Bacarisse.
Solana consagra.
Si habla Peñalver, parece que se abre una bisagra.

León-Felipe, ¡duelo!
No tiene
ni
patria
ni
silla
ni abuelo.
¡Duelo! ¡Duelo! ¡Duelo!
Yo le doy un consuelo,
un
pañuelo
y
otro
pañuelo.

Llega
monsieur Lasso de la Vega.
Il vient de diner à l'hôtel Ritz.
Il sait bien son rôle.
Et il porte sa fleur.
¡Parole
d'honneur!

En los rincones algunas parejas
de seguridad y de señoras amarillas.
Miran a Torre y se estremecen
los guardias y las viejas;
él las cita a banderillas
con las orejas.

Discusión sin fin
sobre si es ultraísta Valle-Inclán
que si patatín
que si patatán.
En el mostrador suena un timbre trin...
trin... trin... triiinn...
Unos pocos pagan y todos se van.
... Silencio, sombra, cucarachas bajo el diván.

AMANECIDA EN PEÑA-LABRA

Saluda el primer trino
a la última estrella.
La voz del nuevo día
ha llamado a la puerta.

Islas blancas y verdes
flotan sobre la niebla.
¡Cumbres de Sierras-Albas!
¡Cimas de Peña-Prieta!

Por Campóo es rosa y oro
el cielo.
   Hacia la Liébana
van huyendo las sombras.

De las nieves cimeras
bajan en caravanas
arroyos de aguas nuevas.

Ya el buen sol campurriano
al horizonte trepa;
ya limpia los cristales
del paisaje.
   Navega
nuestra mirada.
    Al fondo
el mar cántabro cuelga
sus cortinas.
   Al Sur
desenrollan su estera
amarilla los campos
de Castilla la Vieja.

Muge una vaca. Al valle
le ha nacido una aldea
perfumada de bruma
matinal, Piedrasluengas.

La mano del otoño
bendice las praderas
y las manos del viento
acarician la hierba.

PARADA

Gran parada
en el llano.
Soldaditos espigas,
batallón del sembrado.
Un cornetín, el grillo.
Un comandante, el asno.
El sol, la codiciada
placa de San Fernando.
— ¡Alineación! ¡De frente!
¡Firmes sobre los tallos!
¡Marchemos adelante!
— Pero, ¿dónde vamos?
. . . .
— Dínoslo tú, amapola,
banderín del campo.

LEÓN-FELIPE
1884

León-Felipe Camino, oriundo de Santander, nació en Seque-
ros (Salamanca). Su vida ha sido errabunda. Actor en Madrid,
farmacéutico en la Alcarria, empleado en Fernando Póo, profesor en los Estados Unidos y Méjico. Hombre sin voluntad y
sin arraigo, es a través de sus cambios el mismo, y va por
todas partes absorbido en su vida interior. De ella están hechos
sus versos que él llama también oraciones porque en ellos
habla con Dios. En esto y en otras cosas se parece a Unamuno
y a Antonio Machado; pero su religiosidad y sus meditaciones
y su poesía son muy suyas. Primero las expresaba en un bal-
buceo entrecortado y monótono, con humilde sinceridad; después, en sintética concentración, más pura y desnuda su mínima emoción de eternidad.

BIBLIOGRAFÍA.—**Poesía:** *Versos y oraciones de caminante,* Madrid, 1920. *Versos y oraciones de caminante,* Libro II, New York, 1930. **Otras obras:** *España (Oración).* **Estudios:** E. ABRÉU GÓMEZ, *L.-F.,* en RR, 9 nov. 1930. L. BELLO, *Los poetas: L.-F.* [sobre *Versos y oraciones de caminante,* Libro II], en Sol, 1 abril 1930. E. DÍEZ-CANEDO, *El libro de un nuevo poeta* [sobre *Versos y oraciones de caminante*], en Sol, 20 marzo 1920; *L.-F., el poeta trashumante,* en Nac, 25 mayo 1930; GLit, 15 agosto 1930. J. MAÑACH, *L.-F.,* en RAv, 1930. J. DEL RÍO SÁINZ, *Los hermanos Camino,* en Atalaya, 11 enero 1924. E. S[ALAZAR] Y CH[APELA], Sobre *Versos y oraciones de caminante,* Libro II, en GLit, 1 abril 1930.

NADIE FUÉ AYER...

Nadie fué ayer,
ni va hoy,
ni irá mañana
hacia Dios
por este mismo camino
que yo voy.
Para cada hombre guarda
un rayo nuevo de luz el sol...
y un camino virgen
Dios.

Versos y oraciones de caminante, 1920.

¡QUÉ LÁSTIMA!...

(Fragmento)

¡Qué
lástima
que yo no pueda cantar
a la usanza
de este tiempo
lo mismo que los poetas de hoy cantan!
¡Qué
lástima
que yo no pueda entonar
con una voz engolada
esas brillantes
romanzas

a las glorias
de la patria!...
¡Qué
lástima
que yo no tenga
una patria!
Me da igual
Francia
que
España
y
que Alemania
y
que Italia.
Sé que la historia es la misma,
la misma siempre que pasa
desde una tierra a otra tierra,
desde una raza a otra raza
como
pasan
esas tormentas de estío
desde esta a aquella comarca...
¡Qué
lástima
que yo no tenga
comarca
— patria chica,
tierra provinciana —!
Debí nacer
en la entraña
de la estepa
castellana
y fuí a nacer en un pueblo
del que no recuerdo nada;
pasé los días azules
de mi infancia
en
Salamanca
y mi juventud,
una juventud amarga,

en
«La Montaña»;
después...
ya no he vuelto a echar el ancla...
y ninguna de estas tierras
me levantan
y
me exaltan
para poder cantar siempre,
en la misma tonada,
al mismo río
que pasa
rodando
las mismas aguas,
al mismo cielo, al mismo campo
y en la misma casa...
¡Qué
lástima
que yo no tenga
una casa!
Una
casa
solariega
y blasonada,
una
casa
en que
guardara,
a más de otras cosas
raras,
un sillón viejó de cuero,
una mesa apolillada
y el retrato de mi abuelo
que ganara
una batalla...
¡Qué
lástima
que yo no tenga un abuelo
que ganara
una

batalla,
retratado
con una mano cruzada
en el pecho
y la otra mano en el puño de la espada!
¡Y qué
lástima
que yo no tenga siquiera
una espada!...
Porque... ¿qué voy a cantar
si no tengo ni una patria,
ni una tierra
provinciana,
ni una
casa
solariega
y blasonada,
ni el retrato de un mi abuelo
que ganara
una
batalla,
ni un sillón viejo de cuero,
ni una mesa, ni una espada?...
¿Qué voy a cantar
si soy un paria
que apenas
tiene una capa?...
. . . .

Versos y oraciones de caminante, 1920.

PIE PARA EL NIÑO DE VALLECAS DE VELÁZQUEZ

Bacía, yelmo, halo.
Éste es el orden, Sancho.

De aquí no se va nadie.

Mientras esta cabeza rota
del niño de Vallecas exista,
de aquí no se va nadie. Nadie.
Ni el místico, ni el suicida.

Antes hay que deshacer este entuerto,
antes hay que resolver este enigma.
Y hay que resolverlo entre todos,
y hay que resolverlo sin cobardías,
sin huir
con unas alas de percalina
o haciendo un agujero
en la tarima.
De aquí no se va nadie. Nadie.
Ni el místico, ni el suicida.

Y es inútil,
inútil toda huída
(ni por abajo
ni por arriba).
Se vuelve siempre. Siempre.
Hasta que un día (¡un buen día!)
el yelmo de Mambriño
— halo ya, no yelmo ni bacía —
se acomode a las sienes de Sancho
y a las tuyas y las mías
como pintiparado,
como hecho a la medida.
Entonces nos iremos todos
por las bambalinas:
tú y yo y Sancho y el niño de Vallecas
y el místico y el suicida.

Versos y oraciones de caminante, libro II, 1930.

RAMÓN DE BASTERRA

1888 - 1930

Vasco, de familia rica bilbaína. Su fuerte carácter vasconga-
do y español se acentuó por el contacto con lo extranjero
como estudiante en Alemania y como diplomático en Rumanía,
Roma y Venezuela. Busca lo español en todas partes: en Rumanía estudia la obra de Trajano; en Venezuela, la de la Compañía guipuzcoana de Caracas; en Roma, el sentido universal

de España en la Historia. Tímido e introspectivo, sentía el culto de la fuerza; obseso de la historia y la tradición, sentía el culto del presente; hombre de pasiones románticas, sentía el culto de la norma clásica. Murió loco. La emoción del paisaje y las tradiciones vascas y la del problema histórico de España — que le hacen hijo del 98 y le separan de la nueva generación — están juntas en su poesía con la emoción del dinamismo de la vida moderna y la fuerza física, de origen bilbaíno, que le enlazan, así como su barroquismo de expresión, con algunas tendencias de la poesía nueva.

BIBLIOGRAFÍA. — **Poesía :** *Las ubres luminosas,* Bilbao, 1923. *La sencillez de los seres,* Madrid, 1923. *Los labios del monte,* [1924]. *Vírulo :* primera parte : *Las mocedades,* 1924; segunda parte : *Mediodía,* 1927. **Otras obras :** *La obra de Trajano,* Madrid, 1921. *Una empresa del siglo XVIII: Los navíos de la ilustración,* Caracas, 1925. **Estudios :** G. DIEGO, *Poetas del Norte,* en ROcc, 1923, II, 128-132. E. DÍEZ-CANEDO, Sobre *Vírulo,* en Sol, 8 mayo 1925; *R. de B.,* en Nac, 20 feb. 1927; *La obra poética de R. de B.,* en Sol, 20 agosto 1928. C. PUERTAS DE RAEDO, *Siluetas vascongadas: R. de B.,* en GLit, 1 nov. 1930. E. SALAZAR Y CHAPELA, Sobre *Vírulo : Mediodía,* en Sol, 16 oct., 1927; Sobre *Vírulo,* en GLit, 1 feb. 1928. J. M. SALAVERRÍA, *Breve historia de poeta,* en Nac, 5 mayo 1929; *Nuevos retratos,* Madrid, 1930. G. DE TORRE, Sobre *Vírulo : Mediodía,* en Sin, 1927, I, 106-109. J. DE ZUGAZAGOITIA, *La muerte de un poeta: R. de B.,* en Sol, junio 1928.

EL VIZCAÍNO EN EL FORO ROMANO

Hierba es ruin cuanto fué mármol fiero,
botín de abejas son las imperiales vías,
olvido sobre el Arco de Septimio Severo
que cobijara los gloriosos días.

Cizañas, hojas viles,
manchan las aras, en penumbras hoscas,
roncan los abejorros inciviles,
violinean, ruralmente, las moscas.

— ¿Dónde estás, sueño ayer del mundo, el albo
varón que, perorando en la tribuna,
con la palabra te tuviste a salvo?
La hiedra escala el muro sin continencia alguna.

— ¿La Historia, es jirón de humo
que desvanece el soplo de la vida?
¿Dices esto, en el solar magno, cepa torcida,
con tus granos que se hinchen de claridad y zumo?

Las lagartijas prueban sus alarmas
zigzagueando en las piedras.

— La enemistad del caos que vigilaba en armas,
tuvo su sede en esta orgía de las yedras,
aquí, ¿para que se alfombre
de ignaro césped y se borren las rutas

por las que iban las tropas de las carnes enjutas,
conduciendo a las selvas, claridad, ley y nombre?

— ¡En los escombros, creo en el hombre!

Sale, clásico agüero,
del Arco de Septimio Severo
una paloma.

¡Alta, ejemplar y decaída Roma!

Cuando el Foro Romano fué armonía
aquí se irguió un alcázar, allá un templo
y, entre columnas, rotas hoy, movía
la ciudad, su alma de alto ejemplo,
en el remate de una vía
que de aquí salía, seguía, seguía, subía
y entraba en mi comarca montañera,
la sangre que aquí traigo, como aceite votivo,
fluía en la tiniebla de la noche primera.

— Entre escombros, hoy, bárbaro redento, vivo.

Las ubres luminosas, 1923.

LOS GRANDES RITMOS DEL PIRINEO

II

Centenarios vestigios huellan la cordillera.
En los bosques de viejas encinas, la madera
de cien siglos, desciende de las ramas de antaño,

que daban sombra y música de hojas al rebaño
del pastor primitivo, y cuando una tras una
punzaban las estrellas y surgía la luna,
como una cabra de oro por la falda del cielo,
entre los danzarines blancos del culto abuelo,
antes que a la pradera celeste se remonte,
tomando a la hembra nítida, desde lo alto de un monte,
por el pezón de la ubre, la ordeñaban su clara
leche de luz, en cuernos de oroc (sic) y reno para
recorrer la cadena de danzantes lunares.

Amó a la luna tanto, que hasta la erigió altares
el Pirineo. En bosques de celtas y eusqueldunas
se danzaba a la rubia plenitud de las lunas.

Los labios del monte, 1924.

VÍRULO ECUESTRE

A trechos, embozado en lluvia fina,
que es una polvareda de diamante,
centauro lleno de violencia equina,
a lomos de la vértebra ambulante
del corcel, por la anchura campesina,
Vírulo va, benigno y arrogante,
sobre la bestia de gentil braceo,
degustando el sabor del Pirineo.

Saboreaba el olor de las ermitas
viendo santos barrocos, entre el leño
de doradas columnas jesuítas
y en la luz que bajaba como un sueño
del ventanal de imágenes benditas,
miraba el cirio, lucerín pequeño,
y junto a él y a enlutadas suplicantas,
los geórgicos frutos, a sus plantas.

Allí las peras, lágrimas caídas
del ramo; allí mejillas de manzanas
las pelotas de sangre tan lucidas

de los tomates, con las virgilianas
sandías, claras lunas extinguidas.
Y las varias ofrendas aldeanas
de las higueras y los manzanares
se reposaban frente a los altares.

Gustaba la fragancia de los puertos
en que araban las quillas pescadoras
los que son de la mar salados huertos,
bajo las velas, yuntas voladoras.
A su trote se unían los conciertos
del mar y revivía aquellas horas
de los pastores, por montañas viejas,
los virreyes de cabras y de ovejas.

Bebía, en suma, en luengas caminatas
el sabor del agrario terciopelo,
como el del mar. Cuando eran escarlatas
las nubes y asomando entre su vuelo,
mueve la luna sus muy lentas patas,
tortuga de oro por el lento cielo,
Vírulo dice: «Tengo fe en mi estrella.
La vida es fuerte, pura, noble y bella.»

«Sobre cada paisaje hay un estilo.
El de este monte, la tensión violenta.
No hay ocio. Ni un tendón está tranquilo,
de los pies a los cuellos. ¿Hay quien sienta
ni el diamante del agua, ni el berilo
de la hierba? No hay ocio. Tú, acrecienta,
al ejemplo que aquí brinda cada cosa,
la alta tensión de tu alma laboriosa.»

Entonces arrojaba en el camino
vientre a tierra, al corcel, hacia el futuro,
bebiendo a bocanadas, así un vino
entre nauta y montés, el aire puro.
«Sitio a mi alma. ¡Ensanchad! ¡Viva mi sino!»
Y sonaba en el aire aquel conjuro,
con la voz augural que canta el gallo,
sobre los cuatro cascos del caballo.

Vírulo, 1924.

FERNANDO VILLALÓN

1881?-1930

Fernando Villalón Daoiz y Halcón, conde de Miraflores de los Ángeles, nació en Morón de la Frontera (Sevilla). Ganadero y agricultor, señorito andaluz, jinete y garrochista, vivió la vida de la tradición señorial y campesina de su Andalucía la baja, llenándose el alma de ella hasta que muy tarde un día lo que fué vida se hizo poesía: primero, poesía pintoresca y costumbrista; después, gracias a sus lecturas clásicas, difícil poesía de corte gongorino, como la del poema *La toriada;* en fin — por su contacto con los jóvenes, que le miraron como uno de ellos —, llegó a las cimas del superrealismo, que en él era algo así como innato y temperamental.

BIBLIOGRAFÍA. — **Poesía :** *Andalucía la baja,* Madrid, 1927. *La toriada,* Málaga, 1928. *Romances del 800,* 1929. **Estudios :** J. M. ALFARO, *F. V. y la gloria,* en GLit, 15 junio 1930. M. BACARISSE, *F. V.,* en GLit, 15 abril 1930. G. DIEGO, *Tres libros de poetas no profesionales* [sobre *Andalucía la baja*], en GLit, 15 mayo 1927. E. DÍEZ-CANEDO, *F. V., poeta andaluz,* en Sol, 11 marzo 1930; Cartel, 1930, II, 6. J. R. JIMÉNEZ, *F. V.,* en HM, 11 dic. 1930. A. R. DE L., Sobre *Andalucía la baja,* en Sol, 8 junio 1927; Sobre *La toriada,* en Sol. 7 nov. 1928. E. SALAZAR Y CHAPELA, Sobre *Andalucía la baja,* en Sol, 19 enero 1928. A. DEL VALLE, *Andalucía la baja,* en VyP, 1927, año I, núm. 8.

ROMANCES DEL 800

808

Con los estribos muy cortos
y las cinchas apretadas,
a todo el palo las picas
y las crines en la barba,
tres mil caballos tendidos
apenas la arena rayan.
Garrochistas de la Isla
los de las overas jacas,
yegüerizos de Xerez

los de las corvas navajas;
caballistas los de Utrera
los de la marisma llana.

Ni Bailén tiene campiña,
ni los Dragones corazas,
ni Doupont es general
ni Castaños tropas manda.
¡Viva Don Miguel Cherif
y Don José de Sanabria!
(Tres mil caballos tendidos
apenas la arena rayan.)

Pañuelos rojos al viento
y en los dientes la navaja.
Virgen de Consolación,
de los camperos la dama;
Virgen de la cara negra
con sol y sal amasada,
libre y sola en la llanura,
tú nunca serás esclava.

Romances del 800, 1927.

894

I

Giralda, madre de artistas,
molde de fundir toreros,
dile al giraldillo tuyo
que se vista un traje negro.

Malhaya sea «Perdigón»,
el torillo traicionero.

Negras gualdrapas llevaban
los ocho caballos negros;
negros son sus atalajes
y negros son sus plumeros.

De negro los mayorales
y en la fusta un lazo negro.

II

Mocitas las de la Alfalfa;
mocitos los pintureros;
negros pañuelos de talle
y una cinta en el sombrero.

Dos viudas con claveles
negros, en el negro pelo.

Negra faja y corbatín
negro, con un lazo negro,
sobre el oro de la manga,
la chupa de los toreros.

Ocho caballos llevaba
el coche del «Espartero».

Romances del 800, 1927.

JARDINERAS

I

Yo vi un nopal entre rosas
y una zarza entre jazmines,
y una encina que encerraba
el alma de los jardines.

Paloma, ¿qué haces ahí
montada en un pino verde?
Eso no te pega a ti.

Romances del 800, 1927.

GARROCHISTAS

II

Ya mis cabestros pasaron
por el puente de Triana,
seis toros negros en medio
y mi novia en la ventana.

¡Puente de Triana,
yo he visto un lucero muerto
que se lo llevaba el agua!

Romances del 800, 1927.

RECUERDO

Del siempre amanecer por las mañanas
hastiada nave del capricho a remos,
una rama de oliva en la su proa
su quilla enfila el olvidado afecto.
— Luminarias de fe sobre el trinquete,
velamen de ilusión que aupa el viento—.

Tu recuerdo con alas de vilano
— rapaz del alma y del letal sosiego —
riza el aire que aspiro en espirales
de blancas brumas y de gris anhelo;
perdido en la espesura de las horas
—rosales del jardín de mis recuerdos —.

Al timón tu memoria, timonera
de la nave perdida de tu cuerpo;
sin brújula, al pairo ante la Esfinge
¿qué le preguntas a mis ojos muertos?
Ni agua cala la ría de mi alma
ni sitio para ti quedó en mi puerto.

Romances del 800, 1927.

2

ULTRAÍSMO

a) *Poetas españoles.* b) *Poetas americanos.*

PEDRO SALINAS

1892 - 1951

Madrileño. Estudió en la Universidad de Madrid; fué lector de español, de 1914 a 1917, en la Universidad de París y catedrático de Lengua y Literatura españolas desde 1918 en la Universidad de Sevilla y más tarde en la de Murcia; ha dado conferencias en Universidades extranjeras, y reside en Madrid como profesor agregado a la Universidad y al Centro de Estudios Históricos. Su fondo nativo madrileño fué ensanchado en París, refinado en Sevilla y universalizado a través de sus viajes, lecturas y actividades internacionales. Su obra literaria —esencialmente lírica en prosa y verso— ha incorporado todos estos elementos en una madurez lenta que ha dado frutos de auténtica y acabada originalidad. Su poesía progresa seguramente en pureza y concentración; pero no cambia en lo esencial, porque desde el principio ha rechazado todo lo que es extraño a su más estricta intimidad psicológica y poética. De ahí la fisonomía propia que tiene toda su obra a pesar de su fidelidad filial a la poesía de Juan Ramón Jiménez y su semejanza fraternal con la de los otros poetas de la nueva generación; de ahí también el tono de confidencia humana, de honda lealtad, que hay en ella por debajo de su humorismo juguetón y su técnica desrealizadora. Porque aunque parezca y sea tan sencilla, transparente y espontánea, aunque su forma de verso libre a base octosilábica o endecasilábica dé la impresión de máxima naturalidad, aunque sus temas sean los más insignificantes episodios de la vida de cada día y rehuya todo alarde llamativo y fastuoso, la poesía de Salinas llega a su segura sencillez por un proceso de rigurosa selección y por modos de creación poética nuevos, sutiles y complejos.

BIBLIOGRAFÍA. — **Poesía:** *Presagios,* Madrid, 1923. *Seguro azar,* 1929. *Fábula y signo,* 1931. **Otras obras:** *Poema del Cid* (versión en romance moderno), Madrid, 1925. *Poesías de Meléndez Valdés,* ed. y pról., 1925. *Víspera del gozo,* 1926. **Estudios:** D. Alonso, *Un poeta y un libro,* [Sobre *Fábula y signo*], en ROcc, 1931, XXXIII, 239-246. Azorín, *El arte de P. S.,* en ABC, 9 julio 1924; *Poesía española,* en PrBA, 16 mayo 1926; *Poetas españoles,* en ABC, 16 feb. 1929; *Tres poetas,* en PrBA, 8 sept. 1929. Corpus Barga, *La originalidad y el valor* [sobre *Víspera del gozo*], en Sol, 1 oct. 1926. J. Bergamín, *Literatura y brújula,* en GLit, 1 feb. 1929. R. Cansinos-Asséns, Sobre *Víspera del gozo,* en Lib, oct. 1926. J. Cassou, *La jeune poésie espagnole,* en NL, 1 junio 1929. L. Cernuda, *P. S. y su poesía,* en ROcc, 1929, XXV, 251-254. J. Chabás, *P. S.,* en Lib, en. 1924. G. Diego, Sobre *Presagios,* en ROcc, 1924, V, 142-144; *La nueva arte poética española,* en Sin, 1929, II, 183-199. E. Díez-Canedo, *De Proust a Salinas,* en Sol, 16 junio 1926; *S. y el azar* [sobre *Seguro azar*], en Sol, 10 feb. 1929; RepAm, 6 abril 1929. O. H. Dondo, Sobre *Seguro azar,* en CritBA, 21 marzo 1929. M. Fernández Almagro, *Nuestra joven literatura,* en Época, 14 junio 1924. García Díaz, *Desde Berlín : S. en la Universidad,* en Sol, 28 mayo 1929. E. Gómez de Baquero, *Las prosas líricas de S.,* en Sol, 22 junio 1926. B. Jarnés, *Los autores y las obras* [sobre *Seguro azar*], en SNac, 14 abril 1929. J. R. Jiménez, *P. S.,* en Esp., 5 en. 1924. G. Mistral, *Página para P. S.,* en RepAm, 6 oct. 1928. J. G. Olmedilla, Sobre *Víspera del gozo,* en HM, 14 set. 1926. E. d'Ors, *Glosas,* en ABC, 17 feb. 1925. M. Rojas, Sobre *Seguro azar,* en Con, 1929, III, 185-186. L. G. de Valdeavellano, *Los nuevos valores literarios: P. S.,* en Época, 11 marzo 1929. M. Valdivieso, *La filosofía poética de P. S.* [sobre *Seguro azar*], en Liberal, 10 abril 1929.

> Agua en la noche, serpiente indecisa,
> silbo menor y rumbo ignorado;
> ¿qué día nieve, qué día mar? Dime.
> ¿Qué día nube, eco
> de ti y cauce seco?
> Dime.
> — No lo diré: entre tus labios me tienes,
> beso te doy pero no claridades.
> Que compasiones nocturnas te basten
> y lo demás a las sombras
> déjaselo, porque yo he sido hecha
> para la sed de los labios que nunca preguntan.

Presagios, 1923.

La balanza — bien lo veo —
está vencida hacia el lado
del platillo malo.
¿Quién me puso allí ese peso?
No fuí yo, pero allí está
puesto en mi daño,
y cargo con pesadumbres
que trajeron otras manos.
Señor, lo que yo no puse
¿por qué me es fuerza quitarlo?
¡Y hay muchas cosas queridas
en ese platillo malo!

Presagios, 1923.

Yo no te había visto,
amarillo limón escondido
entre el follaje bruñido del limonero,
yo no te había visto. Pero al niño
le brotó un fuego nuevo de codicia en los ojos
y tendió las dos manos. Donde ellas no llegaban
llegó su grito.
Ahora es de noche, y, como fruto cumplido del día,
te tengo en las manos,
limpio limón escondido,
limpio limón descubierto.
(El niño está ya dormido).

Presagios, 1923.

Murallas intactas
derrochan enhiestas
vigilias de piedra
enfrente de campos desiertos.
(¿Y los enemigos?)
De las atalayas
se ven los caminos
que acarrean lentos
ganados humildes.
(¿Y los enemigos?)
Puerta inexpugnable
de tránsito sirve

a recuas monótonas
— vino, aceite, trigo — .
(¿Y los enemigos?)
Plantadas en piedras
de destinos bélicos,
cigüeñas amantes
hacían sus paces
en lecho de vientos.
(¿Y los enemigos?)
Ciudad torreada,
buena veladora
de siglos y tierras,
¿y tus enemigos?

Presagios, 1923.

¡Cómo me duermes al niño,
enorme cuna del mundo,
cuna de noche de agosto!
El viento me lo acaricia
en las mejillas
y lo que canta en los árboles
tiene sonsón de nanita
para que se duerma pronto.
Suaves estrellas le guardan
de mucha luz y de mucha
tiniebla para los ojos.
Y parece que se siente
rodar la tierra muy lenta,
sin más vaivén que el preciso
para que se duerma el niño,
hijo mío e hijo suyo.

Presagios, 1923.

No te veo. Bien sé
que estás aquí, detrás
de una frágil pared
de ladrillos y cal, bien al alcance
de mi voz, si llamara.
Pero no llamaré.

Te llamaré mañana,
cuando al no verte ya,
me imagine que sigues
aquí cerca, a mi lado,
y que basta hoy la voz
que ayer no quise dar.
Mañana... cuando estés
allá detrás de una
frágil pared de vientos,
de cielos y de años.

Presagios, 1923.

PASAJERO APRESURADO

Ciudad, ¿te he visto o no?
La noche era una prisa
por salir de la noche.
Tú al paso me ofreciste
gracias vagas, en vano.
Aquella catedral
que disparaba piedras
a la niebla... No sé
qué agua turbia, raptora
de luces a los puentes.
Inaccesibles entre
su guardia de cristales
perla, flor o pintura,
corazón de las tiendas.
Y hubo una pantorrilla
tersa en la media fina,
cuando el asfalto ofrece
sucio azogue a las nubes.

Seguro azar, 1929.

SIN VOZ, DESNUDA

Sin armas. Ni las dulces
sonrisas, ni las llamas
rápidas de la ira.

Sin armas. Ni las aguas
de la bondad sin fondo,
ni la perfidia, corvo pico.
Nada. Sin armas. Sola.
Ceñida en tu silencio.
«Sí» y «no», «mañana» y «cuando»
quiebran agudas puntas
de inútiles saetas
en tu silencio liso
sin derrota ni gloria.
¡Cuidado!, que te mata
—fría, invencible, eterna—
eso, lo que te guarda,
eso, lo que te salva,
el filo del silencio que tú aguzas.

Seguro azar, 1929.

ORILLA

Si no fuera por la rosa
frágil, de espuma, blanquísima,
que él, a lo lejos se inventa,
¿quién me iba a decir a mí
que se le movía el pecho
de respirar, que está vivo,
que tiene un ímpetu dentro,
que quiere la tierra entera,
azul, quieto, mar de julio?

Seguro azar, 1929.

FAR WEST

¡Qué viento a ocho mil kilómetros!
¿No ves cómo vuela todo?
¿No ves los cabellos sueltos
de Mabel, la caballista
que entorna los ojos limpios
ella, viento, contra el viento?
¿No ves
la cortina estremecida,
ese papel revolado

y la soledad frustrada
entre ella y tú por el viento?

Sí, lo veo.
Y nada más que lo veo.
Ese viento
está al otro lado, está
en una tarde distante
de tierras que no pisé.
Agitando está unos ramos
sin dónde,
está besando unos labios
sin quién.
No es ya viento, es el retrato
de un viento que se murió
sin que yo le conociera,
y está enterrado en el ancho
cementerio de los aires
viejos, de los aires muertos.

Sí le veo, sin sentirle.
Está allí, en el mundo suyo,
viento de cine, ese viento.

Seguro azar, 1929.

DON DE LA MATERIA

Entre la tiniebla densa
el mundo era negro: nada.
Cuando de un brusco tirón
— forma recta, curva forma —
le saca a vivir la llama.
Cristal, roble, iluminados,
¡qué alegría de ser tienen,
en luz, en líneas, ser
en brillo y veta vivientes!
Cuando la llama se apaga,
fugitivas realidades,
esa forma, aquel color,
se escapan.

¿Viven aquí o en la duda?
Sube lenta una nostalgia
no de luna, no de amor,
no de infinito. Nostalgia
de un jarrón sobre una mesa.
¿Están?
Yo busco por donde estaban.
Desbrozadora de sombras
tantea la mano. A oscuras
vagas huellas sigue el ansia.
De pronto, como una llama
sube una alegría altísima
de lo negro: luz del tacto.
Llegó al mundo de lo cierto.
Toca el cristal, frío, duro,
toca la madera, áspera.
¡Están!
La sorda vida perfecta
sin color, se me confirma,
segura, sin luz, la siento:
realidad profunda, masa.

Seguro azar, 1929.

BUSCA, ENCUENTRO

Llevo los ojos abiertos.
No te veo,
estás dentro de la niebla.

Niebla:
con el mirar no la aclaro,
con la mano no la empujo,
con el querer no la mato.
Niebla.
La mirada ¿para qué?,
y la voluntad, inútil.

Llevo los ojos cerrados.
No te veo, ya te siento,

ya te tengo. Mía.
Estás, estoy, a tu lado:
estás dentro de la niebla.

Seguro azar, 1929.

LA ORILLA

Basta, no hay que pedir más,
luz, amor, treinta de abril.
Hay que fingir que ya tienes
bastante, que estás saciado,
que te sobra lo que queda
de abril
después del treinta de abril.
Dejarlo,
como si pudiera darte
más y tú no lo quisieras.
Porque así te irás, creído
que no se acababa nunca
lo que se estaba muriendo.
Te irás
sin sospechar que estuviste
allí al borde de lo último.
Porque aquello, fecha, beso
— cuando tú te despediste
te parecía lo eterno —,
era lo último.
Detrás
el fin sin remedio, el fondo
duro y seco de la nada.
Lo que hubieses visto tú
si llegas a pedir más
abril al treinta de abril.

Fábula y signo, 1931.

LA OTRA

Se murió porque ella quiso;
no la mató Dios
ni el Destino

Volvió una tarde a su casa
y dijo con voz eléctrica,
por teléfono, a su sombra:
«¡Quiero morirme,
pero sin estar en la cama,
ni que venga el médico,
ni nada! ¡Tú cállate!»

¡Qué silbidos de venenos
candidatos se sentían!
Las pistolas en bandadas
cruzaban sobre alas negras
por delante del balcón.
Daban miedo los collares
de tanto que se estrecharon.
Pero no. Morirse quería ella.
Se murió a las cuatro y media
del gran reloj de la sala,
a las cuatro y veinticinco
de su reloj de pulsera.
Nadie lo notó. Su traje
seguía lleno de ella,
en pie, sobre sus zapatos,
hasta las sonrisas frescas
arriba en los labios. Todos
la vieron ir y venir,
como siempre.
No se le mudó la voz,
hacía la misma vida
de siempre.
Cumplió diez y nueve años
en marzo siguiente: «Está
más hermosa cada día»,
dijeron en ediciones
especiales los periódicos.

La heredera sombra cómplice
prueba rosa, azul o negra,
en playas, nieves y alfombras
los engaños prolongaba.

Fábula y signo, 1931.

MUERTES

Primero te olvidé en tu voz.
Si ahora hablases aquí,
a mi lado,
preguntaría yo: «¿Quién es?»

Luego se me olvidó de ti tu paso.
Si una sombra se esquiva
entre el viento, de carne,
ya no sé si eres tú.
Te deshojaste toda lentamente,
delante de un invierno: la sonrisa,
la mirada, el color del traje, el número
de los zapatos.

Te deshojaste aún más:
se te cayó tu carne, tu cuerpo.
Y me quedó tu nombre, siete letras, de ti.
Y tú viviendo,
desesperadamente agonizante,
en ellas, con alma y cuerpo.
Tu esqueleto, sus trazos,
tu voz, tu risa, siete letras, ellas.
Y decirlas tu solo cuerpo ya.
Se me olvidó tu nombre.
Las siete letras andan desatadas;
no se conocen.
Pasan anuncios en tranvías; letras
se encienden en colores a la noche,
van en sobres diciendo
otros nombres.
Por allí andarás tú,
disuelta ya, deshecha e imposible.
Andarás tú, tu nombre, que eras tú
ascendido
hasta unos cielos tontos,
en una gloria abstracta de alfabeto.

Fábula y signo, 1931.

ESCORIAL

II

En vez de soñar, contar.

La fachada del oeste
tiene
seiscientas doce ventanas.

Por la primavera van
en su cielo, hacia el domingo
una, dos, tres, cuatro, cinco
nubes blancas.

Yo te quiero a ti, y a ti
y a ti.
A tres os quería yo.

A las doce el tiempo da
doce campanadas.

Y ya no podrá escapárseme
en las volandas del sueño
la mañana. Haré la raya
para ir sumando: seiscientas
doce, más cinco, más tres,
más doce.
¡Qué felicidad igual
a seiscientos treinta y dos!
En abril, al mediodía
cuenta clara.

Fábula y signo, 1931.

LUZ DE LA NOCHE

Estoy pensando, es de noche,
en el día que hará allí
donde esta noche es de día.
En las sombrillas alegres,

abiertas todas las flores,
contra ese sol, que es la luna
tenue que me alumbra a mí.
Aunque todo está tan quieto
tan en silencio en lo oscuro,
aquí alrededor,
veo a las gentes veloces
— prisa, trajes claros, risa —
consumiendo sin parar,
a pleno goce, esa luz
de ellos, la que va a ser mía
en cuanto alguien diga allí
«Ya es de noche».
La noche donde yo estoy
ahora,
donde tú estás junto a mí
tan dormida y tan sin sol
en esa
noche y luna de dormir,
que pienso en el otro lado
de tu sueño, donde hay luz
que yo no veo.
Donde es de día y paseas
— te sonríes al dormir —
con esa sonrisa abierta,
tan alegre, tan de flores,
que la noche y yo sentimos
que no puede ser de aquí.

Fábula y signo, 1931.

JORGE GUILLÉN

1893

De Valladolid, donde cursó el Bachillerato. Estuvo en un colegio en Suiza, donde aprendió desde muy joven el francés. Estudió Letras en Madrid, mientras vivía en la Residencia de Estudiantes. Fué lector de español en la Sorbona de 1916 a 1923 y catedrático de Literatura española de la Universidad de

Murcia desde 1925 y de la de Sevilla desde 1930. De 1929 a 1931
enseñó en Oxford. Su producción literaria, reducida a un solo
libro, puede parecer tardía y escasa; es, sin embargo, el empeño más tenaz, logrado y digno de consideración que ofrece la
poesía nueva. Muchas de sus poesías aparecieron en revistas
años antes, unas que no están incluídas en su libro, otras que
lo están con grandes transformaciones. Todo ello muestra el
lento y consciente proceso de creación de esta poesía, que
aspira al máximum de pureza mediante la eliminación de todo
lo que es pasajero y vital en la realidad y la emoción, y la
busca de su sustancia poética impasible. Queda reducida la
poesía entonces a sus estrictos límites de forma y expresión, y
la palabra—como el sonido en la música y el color en la pintura — adquiere el valor único de su significación poética. La
poesía de Guillén, que es la manifestación más alta en España
de la llamada poesía pura, tiene parentesco con la de Mallarmé
y Paul Valery en Francia y con la del Góngora redivivo de
nuestra época; pero no es la de ninguno de los tres, por otra
parte tan diferentes entre sí. También difiere de la de Juan
Ramón Jiménez—otro maestro inmediato—y de la de sus compañeros de renovación poética, en muchos de los cuales ha
influído. No la define ni la tendencia sobrerrealista, ni el clasicismo de las formas métricas, ni la insignificancia de los temas,
ni la ausencia de los soportes ideológicos, emocionales y reales—que todo esto es genérico o negativo—. La define precisamente el hecho de que sea indefinible su patente peculiari-
dad—como ocurre con el fondo último de toda poesía—a pesar
de caracterizarse por una precisa claridad, no fría e intelectual, como parece en la superficie, sino ardiente y apasionada.

BIBLIOGRAFÍA. — **Poesía:** *Cántico (1919-1928),* Madrid, 1928. *El cementerio marino,* [de Paul Valery, trad.], 1930. *Ardor,* Paris, 1931.
Estudios: A. ALONSO, *J. G., poeta esencial,* en SNac, 21 abril 1929. AN-
DRENIO [E. GÓMEZ DE BAQUERO], *Pen Club,* I: *Los poetas,* Madrid, [1929],
pp. 109-114. AZORÍN, *La lírica española: Época* [sobre *Cántico*], en ABC,
17 enero 1929; *Dos mundos: Poesía,* en ABC, 10 julio 1929; *Tres poetas,*
en PrBA, 8 sept. 1929. J. BERGAMÍN, *La poética de J. G.,* en GLit, 1 enero
1929. R. CANSINOS-ASSÉNS, *Sobre Cántico,* en Lib, enero 1929. J. CAS-
SOU, *La jeune poésie espagnole,* en NL, 1 junio 1929. G. DIEGO, *La nueva
arte poética española,* en Sin, 1929, VII, 183-199. E. DÍEZ-CANEDO, *Sobre
Cántico,* en Sol, 10 enero 1929. E. GÓMEZ DE BAQUERO, *La nueva poe-*

sía : *J. G.*, en Voz, 21 enero 1929. B. JARNÉS, *Los autores y las obras* [sobre *Cántico*], en SNac, 14 abril 1929. J. R. JIMÉNEZ, *J. G.*, en *Sucesión,* 2, Madrid, 1932. E. SALAZAR Y CHAPELA, *Poesía : Luis Cernuda :* *«Perfil del aire»*, en Sol, 18 mayo 1927; Sobre *Cántico,* en Sol, 24 feb. 1929; Sobre *Cántico,* en Ath, 1930, XLVI, 437-438. J. TORRES BODET, *Poetas nuevos de España : J. G.*, en Nos, 1929, LXIII, 247-250. L. G. DE VALDEAVELLANO, *La poesía de J. G.*, en Época, 26 enero 1929.

ADVENIMIENTO

¡Oh luna! ¡Cuánto abril!
¡Qué vasto y dulce el aire!
Todo lo que perdí
volverá con las aves.

Sí, con las avecillas
que en coro de alborada
pían y pían, pían
sin designio de gracia.

La luna está muy cerca,
quieta en el aire nuestro.
El que yo fuí me espera
bajo mis pensamientos.

Cantará el ruiseñor
en la cima del ansia.
¡Arrebol, arrebol
entre el cielo y las auras!

¿Y se perdió aquel tiempo
que yo perdí? La mano
dispone, dios ligero,
de esta luna sin año.

Cántico, 1928.

TORNASOL

Tras de las persianas
verdes, el verdor
de aquella enramada
toda tornasol

multiplica en pintas,
rubias del vaivén
de lumbre del día,
una vaga red

varia que, al trasluz
trémulo de estío,
hacia el sol azul
ondea los visos

informes de un mar
con ansia de lago
quieto, claridad
en un solo plano,

donde esté presente
como un firme sí
que responda siempre
total, el confín.

Cántico, 1928.

NIÑO

Claridad de corriente,
círculos de la rosa,
enigmas de la nieve:
aurora y playa en conchas.

Máquina turbulenta,
alegría de luna
con vigor de paciencia:
sal de la onda bruta.

Instante sin historia,
tercamente colmado
de mitos entre cosas:
mar sólo con sus pájaros.

Si rica tanta gracia,
tan sólo gracia, siempre
total en la mirada:
mar, unidad presente.

Poeta de los juegos
puros sin intervalos,
divino, sin ingenio:
¡el mar, el mar intacto!

Cántico, 1928.

LOS JARDINES

Tiempo en profundidad: está en jardines.
Mira cómo se posa. Ya se ahonda.
Ya es tuyo su interior. ¡Qué trasparencia
de muchas tardes, para siempre juntas!
Sí, tu niñez, ya fábula de fuentes.

Cántico, 1928.

NOCHE ENCENDIDA

Tiempo, ¿prefieres la noche encendida?
¡Qué lentitud, soledad, en tu colmo!
Bien, radiador, ruiseñor del invierno.
¿La claridad de la lámpara es breve?
Cerré las puertas; el mundo me ciñe.

Cántico, 1928.

PRIMAVERA DELGADA

Cuando el espacio, sin perfil, resume
con una nube

su vasta indecisión a la deriva...
¿dónde la orilla?

Mientras el río con el rumbo en curva
se perpetúa

buscando sesgo a sesgo, dibujante,
su desenlace.

Mientras el agua, duramente verde,
niega sus peces

bajo el profundo equívoco reflejo
　　de un aire trémulo...

Cuando conduce la mañana, lentas,
　　sus alamedas

gracias a las estelas vibradoras
　　entre las frondas,

a favor del avance sinuoso
　　que pone en coro

la ondulación suavísima del cielo
　　sobre su viento

con el curso tan ágil de las pompas,
　　que agudas bogan...

¡Primavera delgada entre los remos
　　de los barqueros!

Cántico, 1928.

HACIA EL SUEÑO, HASTA EL SUEÑO

　　Sienes soñolientas...
Un vaho.
Cabecea,
torpemente, la Suavidad.
Hombros soñolientos.
Un vaho lento, más lento, lento.

　　Intimidad visible
va ciñéndose al cuerpo.
El sillón se enternece todavía,
se ahonda.
Brazos, manos se rinden...
o serán ya los brazos del sillón ¡ah suavísimo!

　　¡Suavidad del mundo!

　　Se inclina un oleaje hacia una arena.
Dunas
con luces de perezas,
enternecidas dunas se derraman,

numerosas, difusas,
generales, suavísimas...
¡Cuántas rayas!
Paralelas acaso por la pared,
se rinden,
ceden ya, se relajan.
Una pululación amable de Invisibles
en el vaho se espesa.
Sucesiones de suertes profundizan espacios.
Niebla.
¿Hay grises de altitudes?
Barajas, nubes,
caos.

¿Caos de Dios?

Caos... Lo informe
se define; busca la pesadumbre.
¡Atestada cabeza! :
pesa.
Avanzan, se difunden
espesores.
Robustez envolvente, noche sólida :
apogeo de las cosas.
Y circundan, esperan, insisten, persuaden.
¡Oh dulce persuasión totalizadora!
Todo el cuerpo se sume,
con dulzura se sume entre las cosas.
¡No ser, estar; estar profundamente!
¡Perderse al fin!

¿Perderse?

En clausura, muy lejos,
se infunde, se refunde, se posa al fin, remoto,
intacto rostro;
¡nuevo, nuevo!
Intimidad visible,
¡oh pulsación, oh soplo!
resguarda todo el cuerpo.

Pulsación confidente,
¿para quién, para quién, tan lejos?

¿Hacia dónde,
recatos veladores,
hacia dónde se aleja
la mirada,
tan retraída y plena?
¿Hacia la seña
clara de otra verdad?

Cántico, 1928.

BEATO SILLÓN

¡Beato sillón! La casa
corrobora su presencia
con la vaga intermitencia
de su invocación en masa
a la memoria. No pasa
nada. Los ojos no ven:
saben. El mundo está bien
hecho; el instante lo exalta
a marea, de tan alta,
de tan alta, sin vaivén.

Cántico, 1928.

LA ROSA

Yo vi la rosa; clausura
primera de la armonía,
tranquilamente futura.
Su perfección sin porfía
serenaba al ruiseñor,
cruel en el esplendor
espiral del gorgorito.
Y al aire ciñó el espacio
con plenitud de palacio,
y fué ya imposible el grito.

Cántico, 1928.

DESNUDO

Blancos, rosas... Azules casi en veta,
retraídos, mentales.

Puntos de luz latente dan señales
de una sombra secreta.

Pero el color, infiel a la penumbra,
se consolida en masa.
Yacente en el verano de la casa,
una forma se alumbra.

Claridad aguzada entre perfiles,
de tan puros tranquilos
que cortan y aniquilan con sus filos
las confusiones viles.

Desnuda está la carne. Su evidencia
se resuelve en reposo.
Monotonía justa : prodigioso
colmo de la presencia.

¡Plenitud inmediata, sin ambiente,
del cuerpo femenino!
Ningún primor; ni voz ni flor. ¿Destino?
¡Oh absoluto Presente!

Cántico, 1928.

ARDOR

Ardor. Cornetines suenan
tercos, y en las sombras chispas
estallan. Huele a un metal
envolvente. Moles. Vibran
extramuros despoblados
en torno a casas henchidas
de reclusión y de siesta.
En sí la luz se encarniza.
¿Para quién el sol? Se juntan
los sueños de las avispas.
¿Quedará el ardor a solas
con la tarde? Paz vacía
cielo abandonado al cielo,
sin un testigo, sin línea...
Pero sobre un redondel
cae de repente y se fija,

redonda, compacta, muda,
la expectación; ni respira.
¡Qué despejado lo azul,
qué gravitación tranquila!
Y en el silencio se cierne
la unanimidad del día,
que ante el toro estupefacto
se reconcentra amarilla.
¡Ardor, reconcentración
de espíritus en sus dichas!
Bajo agosto van los seres
profundizándose en minas.
¡Calientes minas del ser,
calientes de ser! Se ahincan,
se obstinan profundamente
masas en bloques. ¡Canícula
de bloques iluminados,
plenarios, para más vida!
Todo en el ardor va a ser,
¡amor!, lo que más sería...
— ¡Ser más, ser lo más y ahora,
alzarme a la maravilla
tan mía, que está aquí ya,
que me rige; la luz guía!

Ardor, 1931.

GERARDO DIEGO

1896

De Santander. Estudió Letras en Deusto, Salamanca y Madrid. Catedrático de Literatura en los Institutos de Soria, Gijón y Santander. Competente aficionado a la música. Ha estado en Francia y en Suramérica. Su obra *Versos humanos* obtuvo el Premio Nacional de Literatura. Su carácter abierto, comprensivo y ecléctico le ha hecho servir en gran medida de lazo de unión entre las tendencias e individualidades un tanto cerradas y discordes de los años agitados que van desde que empezó a escribir en 1918. Es el único de los poetas españoles de esta sección que participó en el primitivo movimiento ultraísta y es el único que tiene una conexión directa con el creacionismo de Vicente Huidobro. Al mismo tiempo otros aspectos de su obra le relacionan con Antonio Machado, con los clásicos y con el neo-gongorismo. Talento múltiple y vario, viene a ser el poeta más representativo de la totalidad de esta época, de la cual ha sido además competente juzgador—como quien la conoce en su intimidad y desde dentro—en sus artículos de crítica y en su excelente antología de la poesía española contemporánea. En esta dualidad o variedad más bien de su obra original tiene que haber desigualdades; pero creemos que, aunque en ningún momento le falte la dignidad literaria, es en la parte ultraísta y creacionista de su producción donde realmente alcanza un valor propio dentro de la poesía de su tiempo.

BIBLIOGRAFÍA.—**Poesía:** *El romancero de la novia,* Madrid, 1920. *Imagen (1918-1921),* 1922. *Soria: galería de estampas y efusiones,* Valladolid, 1923. *Manual de espumas,* Madrid, 1924. *Versos humanos (1919-1924),* 1925. *Fábula de Equis y Zeda,* en Con, 1930, VI, 97-112. *Viacrucis (1924),* Santander, 1931. **Otras obras:** *Égloga en la muerte de doña Isabel de Urbina,* de Pedro de Medina Medinilla, ed. y pról., Santander, 1924. *Antología poética en honor de Góngora, desde Lope de Vega a Rubén Darío,* Madrid, 1927. *Poesía española: Antología: 1915-1931,* 1932. **Estudios:** ANDRENIO [E. GÓMEZ DE BAQUERO], *Los nuevos poetas: los versos de G. D.,* en Sol, 22 enero 1926; *Pen Club,* I: *Los poetas,* Madrid, [1929], pp. 75-81. R. CANSINOS-ASSÉNS, *La nueva literatura,* t. III, Madrid, 1927. E. DÍEZ-CANEDO, *G. D., inhumano y humano,* en SNac, 1926. M. FERNÁNDEZ ALMAGRO, *Un clásico renacido,* en Época, 14 sept. 1924; *Palabras hacia G. D.,* en Alf, 1925, núm. 48, 9-10. G. C., Sobre *Viacrucis,* en Azul, 1931, XI, 241-243. F. GARCÍA, *Crítica literaria de actualidad,* I: *G. D., gongorizante,* en RyC, 1928, I, 398-407. J. LÓPEZ PRUDENCIO, Sobre *Versos humanos,* en ABC, 18 junio 1926. E. MONTES, Sobre *Manual de espumas,* en ROcc, 1925, X, 125-127. A. OLIVER, *La nueva poesía española* [sobre *Versos humanos*], en RAv, 1929, III, t. IV, 304. M. DE LA PEÑA, *El ultraísmo en España,* Ávila, 1925.

ÁNGELUS

Sentado en el columpio
el ángelus dormita.

Enmudecen los astros y los frutos.

Y los hombres heridos
pasean sus surtidores
como delfines líricos.

        Otros más agobiados
        con los ríos al hombro
        peregrinan sin llamar en las po-
                         [sadas.
   La vida es un único verso interminable.

      Nadie llegó a su fin.
      Nadie sabe que el cielo es un jardín.

Olvido.
       El ángelus ha fallecido.

      Con la guadaña ensangrentada
   un segador cantando se alejaba.

                   Imagen, 1922.

MADRIGAL

Estabas en el agua,
          estabas que yo te vi.

Todas las ciudades
        lloraban por ti.

         Las ciudades desnudas
     balando como bestias en manada.
A tu paso,
      las palabras eran gestos
como estos que ahora te ofrezco.

Creían poseerte,
porque sabían teclear en tu abanico.
           Pero...
             No.
Tú
    no estabas allí.
    Estabas en el agua
       que yo te vi.

                   Imagen, 1922.

GUITARRA

Habrá un silencio verde
todo hecho de guitarras destrenzadas.

La guitarra es un pozo
con viento en vez de agua.

Imagen, 1922.

LOS TEJADOS DE SORIA

Los tejados de Soria,
tejados caprichosos e infantiles
como hechos al azar y de memoria
por manos de arbitrarios poetas albañiles.

Para soñar, qué bellos los tejados
peinados y rizados,
todas las chimeneas en actitud orante,
como humildes rebaños de la torre gigante.

Tejados aprendidos en un cuento,
como los de Belén niños y acurrucados;
tejados del hospicio, del burdel, del convento,
tejados de las casas con sobrados,
         tejados.

Soria, 1923.

PARAÍSO

Danzar.
         Cautivos del bar.

La vida es una torre
y el sol un palomar.
Lancemos las camisas tendidas a volar.

Por el piano arriba
subamos con los pies frescos de cada día.

Hay que dejar atrás
las estelas oxidadas
y el humo casi florecido.

Hay que llegar sin hacer ruido.
Bien saben los remeros
con sus alas de insecto que no pueden cantar
y que su proa no se atrevió a volar.

Ellos son los pacientes hilanderos de rías
fumadores tenaces de espumas y de días.

Danzar.
　　　　Cautivos del bar.

Porque las nubes cantan
aunque estén siempre abatidas las alas de la mar.

De un lado a otro del mundo
los arcoiris van y vienen
para vosotros todos
los que perdisteis los trenes.

Y también por vosotros
mi flauta hace girar los árboles,
y el crepúsculo alza
los pechos y los mármoles.

Las nubes son los pájaros
y el sol el palomar.

Hurra.
　　　　Cautivos del bar.

La vida es una torre,
que crece cada día sobre el nivel del mar.

　　　　　　　　Manual de espumas, 1924.

CANCIÓN DE CUNA

El viento de ida y vuelta,
y el abanico en calma.

El tren ha muerto en la estación de enfrente,
y mi pañuelo cuelga de la rama más alta.

Dejad que pasen los arroyos,
dejad que vuelen mis lágrimas.
No permitáis en cambio que se acerquen
las ventanas lejanas.

La noria seguirá
lavando los pañales,
y la playa acunando
los náufragos triviales.

Manual de espumas, 1924.

NOCTURNO

Están todas.

También las que se encienden en las noches de moda.

Nace del cielo tanto humo,
que ha oxidado mis ojos.

Son sensibles al tacto las estrellas.
No sé escribir a máquina sin ellas.

Ellas lo saben todo.

Graduar el mar febril
y refrescar mi sangre con su nieve infantil.

La noche ha abierto el piano,
y yo las digo adiós con la mano.

Manual de espumas, 1924.

EL CIPRÉS DE SILOS

Enhiesto surtidor de sombra y sueño
que acongojas el cielo con tu lanza.
Chorro que a las estrellas casi alcanza
devanado a sí mismo en loco empeño.

Mástil de soledad, prodigio isleño;
flecha de fe, saeta de esperanza.
Hoy llegó a ti, riberas del Arlanza,
peregrina al azar, mi alma sin dueño.

Cuando te vi, señero, dulce, firme,
qué ansiedades sentí de diluirme
y ascender com. tú, vuelto en cristales,

como tú, negra torre de arduos filos,
ejemplo de delirios verticales,
mudo ciprés en el fervor de Silos.

Versos humanos, 1925.

CANCIONES

27

Arquitectura plena.
Equilibrio ideal.
Las olas verticales
y el mar horizontal.

Tú, oblicua.

La verticalidad,
voluntad de ola y trigo.
Yo me tiendo en la playa
para soñar contigo.

Tú; oblicua.

Los puntos cardinales,
cabeza, pies y manos.
La rosa de los vientos,
de los vientos humanos.

Tú, oblicua.

Norte, Sur, Este, Oeste.
Cénit, Nadir. No sigo.
Es. imposible astucia
la de acertar contigo.

Versos humanos, 1925.

FEDERICO GARCÍA LORCA

1899 - 1936

Nació en Fuentevaqueros (Granada), de familia hacendada, muy de la tierra. Estudió Derecho en la Universidad de Granada y luego estuvo en Madrid en la Residencia de Estudiantes. Conoce bien a España, sobre todo los pueblos, llevado a ellos por su afición a la música popular, en cuyo conocimiento e interpretación personalísima dentro de la fidelidad a la esencia popular no le iguala nadie. Su preparación musical, tanto popular como culta, es uno de los fundamentos esenciales de su obra literaria. Pinta y dibuja también, y ha hecho ensayos cinematográficos. Dirige «La Barraca», compañía dramática de aficionados para la difusión del teatro clásico por los pueblos de España. Recita, da conferencias, se acompaña al piano las canciones populares, viniendo a ser, por sus múltiples habilidades, un moderno juglar. Es autor dramático de tragedias musicales, que responden modernamente al tipo de las comedias clásicas y los autos sacramentales, y de comedias grotescas inspiradas en los retablos populares. Artista completo, temperamento pródigo y generoso, marcha por todas partes defendido por su perpetua infantilidad genial, irresponsable y simpática: así ha estado en Nueva York y en Cuba en los años 1929 y 1930.

Empezó a escribir a los diecisiete años bajo influencias diversas y difusas modernistas, clásicas y románticas, entre las que se notan en la parte de su poesía juvenil recogida en su primer libro las de Salvador Rueda, Juan Ramón Jiménez y los Machados. Su poesía precoz es multiforme y llena de gérmenes diversos, destinados algunos a desarrollarse en sus obras posteriores. Se mantuvo aparte del movimiento ultraísta; pero en la formación de su poesía ha entrado lo más avanzado y difícil de la nueva estética, fundido siempre con elementos de honda raigambre tradicional. Por eso puede decirse que, siendo tan moderno y libre como el que más, es al mismo tiempo el más tradicional de los poetas contemporáneos. De ahí viene su éxito popular de la mejor ley. Su obra poética, publicada irregularmente, en parte inédita o no recogida aún en libro, ofrece una riqueza y variedad que no es fácil analizar aquí y que contiene desde una visión nueva del alma andaluza y el lirismo musical de sus canciones y dramático de sus romances hasta el hondo lirismo sobrerrealista y cubista de sus odas católicas, cosmopolitas, subconscientes y trascendentales; todo ello seguro, sereno, distanciado, clásico.

BIBLIOGRAFÍA. — **Poesía:** *Libro de poemas,* Madrid, 1921. *Canciones, 1921-1924,* Málaga, 1927; Madrid, 1929. *Primer romancero gitano, 1924-1927,* 1928; *Romancero gitano,* 1929. *Poema del cante jondo (1921),* 1931. **Otras obras:** *Impresiones y paisajes,* Granada, 1918. *Mariana Pineda,* romance popular en tres estampas, Madrid, 1928. **Estudios:** A. E., Sobre *Poema del cante jondo,* en GLit, 1 agosto 1931. ANDRENIO [E. GÓMEZ DE BAQUERO], *Pen Club,* 1: *Los poetas,* Madrid, [1929], pp. 89-97. R. BAEZA, *De una generación y su poeta,* en Sol, 24 agosto 1927; *Los «Romances gitanos» de F. G. L.,* en Sol, 29 julio 1928; RepAm, 22 sept. 1928; *Poesía y gitanismo,* en Sol, 3 agosto 1928. G. BENUMEYA, *Estampa de G. L.,* en GLit, 15 enero 1931. J. M. CHACÓN Y CALVO, *L., poeta tradicional,* en RAv, 1930, IV, núm. 45, 101-102. G. DÍAZ PLAJA, *Notas para una geografía lorquiana,* en ROcc, 1931, XXXIII, 352-357. G. DIEGO, Sobre *Canciones,* en ROcc, 1927, XVII, 380-384; *La nueva arte poética española,* en Sin, 1929, VII, 183-199. E. DÍEZ-CANEDO, *«Mariana Pineda», de F. G. L., en Fontalba,* en Sol, 13 oct. 1927; *La poesía y los poetas,* en Sol, 8 enero 1929; Sobre *La zapatera prodigiosa,* en Sol, 25 dic. 1930. M. FERNÁNDEZ ALMAGRO, *El mundo lírico de G. L.,* en Esp, 13 oct. 1923; Sobre *Mariana Pineda,* en Voz, 13 oct. 1927; Sobre *Romancero gitano,* en ROcc, 1928, XXI, 373-378; Sobre *La zapatera prodigiosa,* en Voz, 25 dic. 1930. FLORIDOR, Sobre *Mariana Pineda,* en ABC, 13 oct. 1927. J. D. FRÍAS, *Un poeta popular,* en Crisol, 1932, VIII, 52-54. E. GIMÉNEZ CABALLERO, *Itinerarios jóvenes de España: F. G. L.,* en GLit, 15 junio 1928. J. R. JIMÉNEZ, *Poetas de antro y dianche,* en GLit, 1930, IV, núm. 94. R. MEZA FUENTES, *Un gran poeta español: F. G. L.,* en A, 1928, II, 214-223; Sobre *Canciones,* en A, 1929, VI, 643-646. A. OLIVER, *La nueva poesía española* [sobre *Primer romancero gitano*], en RAv, 1929, IV, 303-304. B. ORTIZ DE MONTELLANO, Sobre *Romancero gitano,* en Con, 1928, II, 104-108. M. PÉREZ FERRERO, *Un libro de G. L.* [sobre *Primer romancero gitano*], en GLit, 15 agosto 1928. E. SALAZAR Y CHAPELA, Sobre *Canciones,* en Sol, 20 julio 1927. A. SERRANO PLAJA, *El andaluz y el gitano,* en Sol, 15 mayo 1932. G. DE TORRE, *F. G. L. (Boceto de un estudio crítico inconcluso),* en V y P, 1927, año I, núm. 3. J. B. TREND, *A poet of «Arabia»,* en *Alfonso the Sage,* London, 1926, pp. 155-161. V. DE LA S., *El poeta en Nueva York,* en Sol, 17 marzo 1932. L. G. DE VALDEAVELLANO, *Un romancero gitano,* en Época, 28 julio 1928.

VELETA

Viento del Sur.
Moreno ardiente,
llegas sobre mi carne
trayéndome semilla
de brillantes
miradas, empapado
de azahares.

Pones roja la luna
y sollozantes
los álamos cautivos, pero vienes
¡demasiado tarde!
¡Ya he enrollado la noche de mi cuento
en el estante!

Sin ningún viento,
¡hazme caso!
Gira, corazón;
gira, corazón.

Aire del Norte,
¡oso blanco del viento!,
llegas sobre mi carne
tembloroso de auroras
boreales,
con tu capa de espectros
capitanes,
y riyéndote a gritos
del Dante.
¡Oh pulidor de estrellas!
Pero vienes
demasiado tarde.
Mi almario está musgoso
y he perdido la llave.

Sin ningún viento,
¡hazme caso!
Gira, corazón;
gira, corazón.

Brisas, gnomos y vientos
de ninguna parte.
Mosquitos de la rosa
de pétalos pirámides.
Alisios destetados
entre los rudos árboles,
flautas en la tormenta,
¡dejadme!
Tiene recias cadenas
mi recuerdo,
y está cautiva el ave
qne dibuja con trinos
la tarde.

Las cosas que se van no vuelven nunca,
todo el mundo lo sabe,
y entre el claro gentío de los vientos
es inútil quejarse.
¿Verdad, chopo, maestro de la brisa?
¡Es inútil quejarse!

Sin ningún viento,
¡hazme caso!
Gira, corazón;
gira, corazón.

Julio, 1920.

Libro de poemas, **1921.**

IN MEMORIAM

Dulce chopo,
dulce chopo,
te has puesto de oro.
Ayer estabas verde,
un verde loco
de pájaros gloriosos.
Hoy estás abatido
bajo al cielo de agosto
como yo bajo al cielo
de mi espíritu rojo.

La fragancia cautiva
de tu tronco
vendrá a mi corazón
piadoso.
¡Rudo abuelo del prado!
Nosotros,
nos hemos puesto
de oro.

Agosto, 1920.

Libro de poemas, 1921.

CANCIÓN TONTA

Mamá,
yo quiero ser de plata.

Hijo,
tendrás mucho frío.

Mamá,
yo quiero ser de agua.

Hijo,
tendrás mucho frío.

Mamá,
bórdame en tu almohada.

¡Eso sí!
¡Ahora mismo!

Canciones, 1927.

CANCIÓN DE JINETE

Córdoba.
Lejana y sola.

Jaca negra, luna grande,
y aceitunas en mi alforja.
Aunque sepa los caminos
yo nunca llegaré a Córdoba.

70

Por el llano, por el viento,
jaca negra, luna roja,
la muerte me está mirando
desde las torres de Córdoba.

¡Ay qué camino tan largo!
¡Ay mi jaca valerosa!
¡Ay que la muerte me espera,
antes de llegar a Córdoba!

Córdoba.
Lejana y sola.

Canciones, 1927.

ES VERDAD

¡Ay qué trabajo me cuesta
quererte como te quiero!

Por tu amor me duele el aire,
el corazón
y el sombrero.

¿Quién me compraría a mí,
este cintillo que tengo
y esta tristeza de hilo
blanco, para hacer pañuelos?

¡Ay qué trabajo me cuesta
quererte como te quiero!

Canciones, 1927.

A IRENE GARCÍA

(Criada.)

En el soto,
los alamillos bailan
uno con otro.
Y el arbolé,
con sus cuatro hojitas
baila también.

¡Irene!
Luego vendrán las lluvias
y las nieves.
Baila sobre lo verde.

Sobre lo verde verde,
que te acompaño yo.

¡Ay cómo corre el agua!
¡Ay mi corazón!

En el soto,
los alamillos bailan
uno con otro.
Y el arbolé,
con sus cuatro hojitas
baila también.

Canciones, 1927.

ROMANCE SONÁMBULO

Verde que te quiero verde.
Verde viento. Verdes ramas.
El barco sobre la mar
y el caballo en la montaña.
Con la sombra en la cintura,
ella sueña en su baranda
verde carne, pelo verde,
con ojos de fría plata.
Verde que te quiero verde.
Bajo la luna gitana,
las cosas la están mirando
y ella no puede mirarlas.

Verde que te quiero verde.
Grandes estrellas de escarcha
vienen con el pez de sombra
que abre el camino del alba.
La higuera frota su viento
con la lija de sus ramas,
y el monte, gato garduño,
eriza sus pitas agrias.

¿Pero quién vendrá? ¿Y por dónde?
Ella sigue en su baranda
verde carne, pelo verde,
soñando en la mar amarga.

Compadre, quiero cambiar
mi caballo por su casa,
mi montura por su espejo,
mi cuchillo por su manta.
Compadre, vengo sangrando
desde los puertos de Cabra.
Si yo pudiera, mocito,
este trato se cerraba.
Pero yo ya no soy yo,
ni mi casa es ya mi casa.
Compadre, quiero morir
decentemente en mi cama.
De acero, si puede ser,
con las sábanas de holanda.
¿No ves la herida que tengo
desde el pecho a la garganta?
Trescientas rosas morenas
lleva tu pechera blanca.
Tu sangre rezuma y huele
alrededor de tu faja.
Pero yo ya no soy yo,
ni mi casa es ya mi casa.
Dejadme subir al menos
hasta las altas barandas,
¡dejadme subir!, dejadme
hasta las verdes barandas.
Barandales de la luna
por donde retumba el agua.

Ya suben los dos compadres
hacia las altas barandas.
Dejando un rastro de sangre.
Dejando un rastro de lágrimas.
Temblaban en los tejados
farolillos de hojalata.

Mil panderos de cristal,
herían la madrugada.

Verde que te quiero verde.
Verde viento. Verdes ramas.
Los dos compadres subieron.
El largo viento, dejaba
en la boca un raro gusto
de hiel, de menta y de albahaca.
¡Compadre! ¿Dónde está, dime?
¿Dónde está tu niña amarga?
¡Cuántas veces te esperó!
¡Cuántas veces te esperara
cara fresca, negro pelo,
en esta verde baranda!

Sobre el rostro del aljibe,
se mecía la gitana.
Verde carne, pelo verde,
con ojos de fría plata.
Un carámbano de luna,
la sostiene sobre el agua.
La noche se puso íntima
como una pequeña plaza.
Guardias civiles borrachos,
en la puerta golpeaban.
Verde que te quiero verde.
Verde viento. Verdes ramas.
El barco sobre la mar.
Y el caballo en la montaña.

Romancero gitano.

LA CASADA INFIEL

Y que yo me la llevé al río
creyendo que era mozuela,
pero tenía marido.
Fué la noche de Santiago
y casi por compromiso.
Se apagaron los faroles
y se encendieron los grillos.
En las últimas esquinas

toqué sus pechos dormidos,
y se me abrieron de pronto
como ramos de jacintos.
El almidón de su enagua
me sonaba en el oído,
como una pieza de seda
rasgada por diez cuchillos.
Sin luz de plata en sus copas
los árboles han crecido
y un horizonte de perros
ladra muy lejos del río.

Pasadas las zarzamoras,
los juncos y los espinos,
bajo su mata de pelo
hice un hoyo sobre el limo.
Yo me quité la corbata.
Ella se quitó el vestido.
Yo el cinturón con revólver.
Ella sus cuatro corpiños.
Ni nardos ni caracolas
tienen el cutis tan fino,
ni los cristales con luna
relumbran con ese brillo.
Sus muslos se me escapaban
como peces sorprendidos,
la mitad llenos de lumbre,
la mitad llenos de frío.
Aquella noche corrí
el mejor de los caminos,
montado en potra de nácar
sin bridas y sin estribos.
No quiero decir, por hombre,
las cosas que ella me dijo.
La luz del entendimiento
me hace ser muy comedido.
Sucia de besos y arena
yo me la llevé del río.
Con el aire se batían
las espadas de los lirios.

Me porté como quien soy.
Como un gitano legítimo.
La regalé un costurero
grande de raso pajizo,
y no quise enamorarme
porque teniendo marido
me dijo que era mozuela
cuando la llevaba al río.

Romancero gitano.

MARTIRIO DE SANTA OLALLA

I

PANORAMA DE MÉRIDA

Por la calle brinca y corre
caballo de larga cola,
mientras juegan o dormitan
viejos soldados de Roma.
Medio monte de Minervas
abre sus brazos sin hojas.
Agua en vilo redoraba
las aristas de las rocas.
Noche de torsos yacentes
y estrellas de nariz rota,
aguarda grietas del alba
para derrumbarse toda.
De cuando en cuando sonaban
blasfemias de cresta roja.
Al gemir la santa niña,
quiebra el cristal de las copas.
La rueda afila cuchillos
y garfios de aguda comba.
Brama el toro de los yunques,
y Mérida se corona
de nardos casi despiertos
y tallos de zarzamora.

II

EL MARTIRIO

Flora desnuda se sube
por escalerillas de agua.
El Cónsul pide bandeja
para los senos de Olalla.
Un chorro de venas verdes
le brota de la garganta.
Su seso tiembla enredado
como un pájaro en las zarzas.
Por el suelo, ya sin norma,
brincan sus manos cortadas
que aún pueden cruzarse en tenue
oración decapitada.
Por los rojos agujeros
donde sus pechos estaban
se ven cielos diminutos
y arroyos de leche blanca.
Mil arbolillos de sangre
le cubren toda la espalda
y oponen húmedos troncos
al bisturí de las llamas.
Centuriones amarillos
de carne gris, desvelada,
llegan al cielo sonando
sus armaduras de plata.
Y mientras vibra confusa
pasión de crines y espadas,
el Cónsul porta en bandeja
senos ahumados de Olalla.

III

INFIERNO Y GLORIA

Nieve ondulada reposa.
Olalla pende del árbol.
Su desnudo de carbón
tizna los aires helados.

Noche tirante reluce.
Olalla muerta en el árbol.
Tinteros de las ciudades
vuelcan la tinta despacio.
Negros maniquíes de sastre
cubren la nieve del campo
en largas filas que gimen
su silencio mutilado.
Nieve partida comienza.
Olalla blanca en el árbol.
Escuadras de níquel juntan
los picos en su costado.

Una Custodia reluce
sobre los cielos quemados,
entre gargantas de arroyo
y ruiseñores en ramos.
¡Saltan vidrios de colores!
Olalla blanca en lo blanco.
Ángeles y serafines
dicen: Santo, Santo, Santo.

Romancero gitano.

BALADILLA DE LOS TRES RÍOS

El río Guadalquivir
va entre naranjos y olivos.
Los dos ríos de Granada
bajan de la nieve al trigo.

*¡Ay, amor
que se fué y no vino!*

El río Guadalquivir
tiene las barbas granates.
Los dos ríos de Granada
uno llanto y otro sangre.

*¡Ay, amor
que se fué por el aire!*

Para los barcos de vela,
Sevilla tiene un camino;
por el agua de Granada
sólo reman los suspiros.

¡Ay, amor
que se fué y no vino!

Guadalquivir, alta torre
y viento en los naranjales.
Dauro y Genil, torrecillas
muertas sobre los estanques.

¡Ay, amor
que se fué por el aire!

¡Quién dirá que el agua lleva
un fuego fatuo de gritos!

¡Ay, amor
que se fué y no vino!

Lleva azahar, lleva olivas,
Andalucía, a tus mares.

¡Ay, amor
que se fué por el aire!

Poema del cante jondo, 1931.

GRÁFICO DE LA PETENERA

CAMPANA

Bordón.

En la torre
amarilla,
dobla una campana.

Sobre el viento
amarillo,
se abren las campanadas.

En la torre
amarilla,
cesa la campana.

El viento con el polvo,
hace proras de plata.

CAMINO

Cien jinetes enlutados,
¿dónde irán,
por el cielo yacente
del naranjal?
Ni a Córdoba ni a Sevilla
llegarán.
Ni a Granada la que suspira
por el mar.
Esos caballos soñolientos
los llevarán,
al laberinto de las cruces
donde tiembla el cantar.
Con siete ayes clavados,
¿dónde irán,
los cien jinetes andaluces
del naranjal?

LAS SEIS CUERDAS

La guitarra
hace llorar a los sueños.
El sollozo de las almas
perdidas,
se escapa por su boca
redonda.
Y como la tarántula
teje una gran estrella
para cazar suspiros,
que flotan en su negro
aljibe de madera.

DANZA

En el huerto de la Petenera.

En la noche del huerto,
seis gitanas,
vestidas de blanco
bailan.

En la noche del huerto,
coronadas
con rosas de papel
y biznagas.

En la noche del huerto,
sus dientes de nácar
escriben la sombra
quemada.

Y en la noche del huerto,
sus sombras se alargan,
y llegan hasta el cielo
moradas.

MUERTE DE LA PETENERA

En la casa blanca muere
la perdición de los hombres.

Cien jacas caracolean.
Sus jinetes están muertos.

Bajo las estremecidas
estrellas de los velones,
su falda de moaré tiembla
entre sus muslos de cobre.

Cien jacas caracolean.
Sus jinetes están muertos.

Largas sombras afiladas
vienen del turbio horizonte,

y el bordón de una guitarra
se rompe.

Cien jacas caracolean.
Sus jinetes están muertos.

FALSETA

¡Ay, petenera gitana!
¡Yayay petenera!
Tu entierro no tuvo niñas
buenas.
Niñas que le dan a Cristo muerto
sus guedejas,
y llevan blancas mantillas
en las ferias.
Tu entierro fué de gente
siniestra.
Gente con el corazón
en la cabeza,
que te siguió llorando
por las callejas.
¡Ay, petenera gitana!
¡Yayay petenera!

«DE PROFUNDIS»

Los cien enamorados
duermen para siempre
bajo la tierra seca.
Andalucía tiene
largos caminos rojos.
Córdoba, olivos verdes
donde poner cien cruces,
que los recuerden.
Los cien enamorados
duermen para siempre.

CLAMOR

En las torres
amarillas,
doblan las campanas.

Sobre los vientos
amarillos,
se abren las campanadas.

Por un camino va
la muerte, coronada
de azahares marchitos.
Canta y canta
una canción
en su vihuela blanca,
y canta y canta y canta.

En las torres amarillas,
cesan las campanas.

El viento con el polvo,
haced proras de plata.

Poema del cante jondo, 1931.

RAFAEL ALBERTI

1902

Nació en el Puerto de Santa María (Cádiz). Empezó a estudiar
el Bachillerato en el colegio de jesuítas; pero en 1917 lo abandonó al irse a Madrid para dedicarse a ser pintor cubista. Empezó a escribir en 1923. Su primer libro obtuvo el Premio Nacional de Literatura, y fué mirado como la revelación de un
poeta de dotes naturales sorprendentes. Tanto en ese libro
como en los dos siguientes domina una forma moderna, muy
bella y personal, de poesía popular y tono andaluz. Esto hizo
que inevitablemente se le comparase con Lorca y se le consi-
derase, con toda su originalidad indudable, como discípulo de
él. Con el mismo criterio Lorca lo sería de Juan Ramón Jiménez y los Machados—y de hecho lo son tanto él como Alberti—,
y todos ellos, de la poesía clásica de inspiración popular. Sin
embargo, tan originales y tan distintos entre sí son todos estos
poetas modernos como lo eran Gil Vicente, Lope de Vega o
Góngora. La poesía popular de Alberti difiere esencialmente de

la de Lorca en ser la fuente de aquélla la poesía recogida en las
imitaciones cultas y en las colecciones del Renacimiento — tradición restringida, pura y selecta —, mientras que la de Lorca
procede directamente de la tradición viva popular. Gil Vicente
ha sido también la fuente de inspiración de Alberti en el teatro. Pero después su obra ha seguido otros rumbos, siempre
con extraordinaria intensidad y acierto: ha sido el más acabado
gongorino, avanzado ultraísta, cantor de los temas de la vida
moderna, humorista cinematográfico, poeta puro y sobrerrealista de lo subconsciente, poeta proletario y comunista. Cada
libro suyo parece que viene a negar al anterior, afirmando al
mismo tiempo su enorme potencia retórica, su facundia — o labia, podíamos decir — inagotable en posibilidades para la expresión natural y espontánea de lo más vario y lo más difícil.
Y estas cualidades, que podrían interpretarse en sentido peyorativo, nacen en él seguramente de una capacidad poética auténtica, genial y peligrosa, que en lo mismo que tiene de juego,
movilidad y desarraigo, lleva el sello más característico de
nuestro tiempo.

BIBLIOGRAFÍA.—**Poesía:** *Marinero en tierra (1924)*, Madrid, 1925. *La
amante, canciones (1925)*, Málaga, 1926; ' dri ', 1929. *El alba del alhelí,*
Santander, 1927. *Cal y canto (1926-1927)*, Madrid, 1929. *Sobre los ángeles (1927-1928)*, 1929. *Dos oraciones a la Virgen,* [por Carlos Rodríguez
Pintos y Rafael Alberti], París, 1931. **Otras obras:** *El hombre deshabitado,* teatro, 1931. *Fermín Galán,* teatro, Madrid, 1931. **Estudios:**
AZORÍN, *Los ángeles: Poesía,* en ABC, 6 junio 1929; *Tres poetas,* en PrBA,
8 sept. 1929; *R. A.,* en ABC, 16 enero 1930. J. BERGAMÍN, *El canto y la
cal en la poesía de R. A.,* en GLit, 15 marzo 1929. G. DIEGO, *La nueva
arte poética española,* en Sin, 1929, VII, 183-199. E. DÍEZ-CANEDO, Sobre
Marinero en tierra, en Nac, 17 en. 1926; *Poetas jóvenes de España: R. A.,*
en SNac, 18 agosto 1929; Sobre *El hombre deshabitado,* en Sol, 27 feb.
1931. M. FERNÁNDEZ ALMAGRO, *Mar de A.,* en Verdad, 8 sept. 1926.
E. GIMÉNEZ CABALLERO, Sobre *La amante,* en GLit, 1 feb. 1927; *R. A.,*
en GLit, 1 enero 1929. J. R. JIMÉNEZ, *Poetas de antro y dianche,* en
GLit, 1930, IV, núm. 94. J. M. QUIROGA PLA, *Ulises adolescente,* en
ROcc, 1929, XXIII, 403-408. J. L. SALADO, *R. A., de niño quería ser
pintor,* en Cer, 1931, VII, núms. 3 y 4, 39-40. E. SALAZAR Y CHAPELA,
Sobre *Cal y canto,* en Sol, 22 mayo 1929; Sobre *Sobre los ángeles,* en Sol,
7 julio 1929. A. SERRANO Y PLAJA, *El andaluz y el gitano,* en Sol, 15
mayo 1932.

SOLA

La que ayer fué mi querida
va sola entre los cantuesos.
Tras ella, una mariposa
y un saltamonte guerrero.

Tres veredas:
mi querida, la del centro;
la mariposa, la izquierda;
y el saltamonte guerrero,
saltando, por la derecha.

Marinero en tierra, 1925.

MI CORZA

En Ávila, mis ojos...

Siglo xv

Mi corza, buen amigo,
mi corza blanca.

Los lobos la mataron
al pie del agua.

Los lobos, buen amigo,
que huyeron por el río.

Los lobos la mataron
dentro del agua.

Marinero en tierra, 1925.

EL AVIADOR

LA NIÑA

— Madre, ha muerto el caballero
del aire, que fué mi amor.

Y en el mar dicen que ha muerto
de teniente aviador.

¡En el mar!

¡Qué joven, madre, sin ser
todavía capitán!

Marinero en tierra, 1925.

CON ÉL

Si Garcilaso volviera,
yo sería su escudero;
que buen caballero era.

Mi traje de marinero
se trocaría en guerrera,
ante el brillar de su acero;
que buen caballero era.

¡Qué dulce oírle, guerrero
al borde de su estribera!
En la mano, mi sombrero;
que buen caballero era.

Marinero en tierra, 1925.

SUEÑO

¡A los remos, remadores!
Gil Vicente.

Noche.
Verde caracol, la luna.
Sobre todas las terrazas,
blancas doncellas desnudas.

¡Remadores, a remar!
De la tierra emerge el globo
que ha de morir en el mar.

Alba.
Dormíos, blancas doncellas,
hasta que el globo no caiga
en brazos de la marea.

¡Remadores, a remar;
hasta que el globo no duerma
entre los senos del mar!

Marinero en tierra, 1925.

PEÑARANDA DE DUERO

¿Por qué me miras tan serio,
carretero?

Tienes cuatro mulas tordas,
un caballo delantero,
un carro de ruedas verdes,
y la carretera toda
para ti, carretero.

¿Qué más quieres?

La amante, 1926.

SAETA

(Catedral.)

BURGOS

¡Ay, qué amargura de piedra,
por las calles encharcadas!

Nadie le ayuda un poquito.
Todos le empujan.
¡Que se desangra!

Ya se ha quedado sin hombros;
partido lleva el aliento,
las rodillas desgarradas.

Nadie le ayuda un poquito.
Todos le empujan.
¡Que se desangra!

Tan sólo las Tres Marías,
llorando, por las murallas.

La amante, 1926.

DE PASO

(Saludo.)

¡Arriba, arribita, arriba!
— ¡Buenas tardes, río Ebro!

¡Arriba, abajo, arribita!
— ¡Ten para ti, mi sombrero!

La amante, 1926.

BELORADO

(Montes de Oca.)

A la entrada, mi niña,
a la entrada del pueblo.

Me dijiste, mi niña,
¡buenas noches, mi rey!
con tu pañuelo.

Con tu pañuelo de espuma;
no, de luna;
no, de viento.

La amante, 1926.

PALCO

Gacela sin fanal, cruz sin faroles,
del toro a ti, una escala: los toreros,
los flébiles heridos girasoles,

la sincopada sangre, ya intranquila,
y confinando el mar de los sombreros,
la lluvia en las barandas de Manila.

Gacela sin farolas, sepultado
por siete bayonetas, no de flores,
el corazón sin pulso y resultado,

talles ciñendo y faralaes, barreras
rompe el carmín que da a los matadores
la espiral de las rojas reboleras.

Siete toros, amor, y siete espadas,
rayos rectos en curva, los tendidos
remontando y fijándose, clavadas,

en ti, centro del mundo, virgen sola,
que arrastrabas la noche en los vestidos
y la muerte en un pico de tu cola.

Desde el palco del cielo, la corrida,
asesinada flor de los balcones,
suspendiste en un hilo de tu vida,

calle de amargos clavos sin claveles,
amortajada en negros pañolones,
con rumbo a los morenos redondeles.

Sigues muerta, imperante desde el cielo,
y pendiente el escándalo del toro
de los picos sin sol de tu pañuelo,

flor de percal que, abierta en los corrales,
entre siete relámpagos de oro
moriste en las barandas celestiales.

Cal y canto, 1929.

TRES RECUERDOS DEL CIELO

Homenaje a Gustavo Adolfo Bécquer.

PRÓLOGO

No habían cumplido años ni la rosa ni el arcángel.
Todo, anterior al balido y al llanto.
Cuando la luz ignoraba todavía
si el mar nacería niño o niña.
Cuando el viento soñaba melenas que peinar
y claveles el fuego que encender y mejillas,
y el agua unos labios parados donde beber.
Todo, anterior al cuerpo, al nombre y al tiempo.

Entonces, yo recuerdo que, una vez, en el cielo...

PRIMER RECUERDO

... una azucena tronchada...

G. A. BÉCQUER.

Paseaba con un dejo de azucena que piensa,
casi de pájaro que sabe ha de nacer.
Mirándose sin verse a una luna que le hacía espejo el
[sueño,
y a un silencio de nieve, que le elevaba los pies.
A un silencio asomada.
Era anterior al arpa, a la lluvia y a las palabras.

No sabía.

Blanca alumna del aire,
temblaba con las estrellas, con la flor y los árboles.
Su tallo, su verde talle.

Con las estrellas mías
que ignorantes de todo,
por cavar dos lagunas en sus ojos
la ahogaron en dos mares.

Y recuerdo...

Nada más: muerta, alejarse.

SEGUNDO RECUERDO

... rumor de besos y batir de alas...

G. A. BÉCQUER.

También antes,
mucho antes de la rebelión de las sombras,
de que al mundo cayeran plumas incendiadas
y un pájaro pudiera ser muerto por un lirio.
Antes, antes que tú me preguntaras
el número y el sitio de mi cuerpo.
Mucho antes del cuerpo.
En la época del alma.
Cuando tú abriste en la frente sin corona, del cielo,
la primera dinastía del sueño.

Cuando tú, al mirarme en la nada,
inventaste la primera palabra.

Entonces nuestro encuentro.

> ... detrás del abanico
> de plumas y de oro...
>
> G. A. Bécquer.

Aún los valses del cielo no habían desposado al jazmín
[y la nieve,
ni los aires pensado en la posible música de tus cabe-
[llos,
ni decretado el rey que la violeta se enterrara en un li-
No.   [bro.
Era la era en que la golondrina viajaba
sin nuestras iniciales en el pico.
En que las campanillas y las enredaderas
morían sin balcones que escalar y estrellas.
La era
en que al hombro de un ave no había flor que apoyara
[la cabeza.
Entonces, detrás de tu abanico, nuestra luna primera.

Sobre los ángeles, 1929.

EL ALBA DENOMINADORA

A embestidas suaves y rosas, la madrugada te iba po-
[niendo nombres:
Sueño equivocado, ángel sin salida. Mentira de lluvia en
[bosque.
Al lindero de mi alma que recuerda los ríos,
indecisa, dudó, inmóvil:
¿Vertida estrella; confusa luz en llanto; cristal sin voces?

No.
Error de nieve en agua, tu nombre.

Sobre los ángeles, 1929.

b) *Poetas americanos.*

VICENTE HUIDOBRO
1893 - 1949

Chileno. De la antigua aristocracia del país. Se educó en el colegio de los jesuítas, y antes de salir de él, a los diecisiete años, publicó su primer libro, romántico y sentimental. Después de otros varios ensayos simbolistas más logrados, que muestran su conocimiento de la poesía francesa, empieza a buscar otros caminos nuevos en los versículos de *Las pagodas ocultas* y el verso libre de su poema filosófico *Adán,* hasta que en 1916 inicia en Buenos Aires la exposición teórica de una nueva concepción de la poesía. Cuando fué a España, desde París, en 1918, se apareció a los incipientes ultraístas como el fundador, con el poeta francés Reverdy, del creacionismo — «crear un poema como la naturaleza crea un árbol» —. «El tránsito de Huidobro por Madrid—dice Cansinos-Asséns, mentor del grupo ultraísta — fué el acontecimiento supremo del año... Con él pasaron por nuestro meridiano las últimas tendencias estéticas del extranjero»; pero añade: «el creacionismo de Huidobro halló en España una ingrata acogida». Y Gerardo Diego dice: «En sucesivos viajes a España traía a los neófitos las buenas nuevas de la hora europea... La influencia personal de Huidobro fué intensa en los primeros momentos del ultraísmo.» En uno de sus viajes, en 1921, dió una conferencia en el Ateneo sobre «Estética moderna». Publicó una revista titulada *Creacionismo.* En las revistas ultraístas *Grecia,* del 1 de septiembre de 1920, y *Ultra,* del 15 de diciembre de 1921, se niega a Huidobro la paternidad del creacionismo y hasta se llega a afirmar que el suyo «es considerado en Francia como un brote del ultraísmo castellano». Todo esto importa poco después del fracaso del ultraísmo castellano, como de todas las escuelas, o nombres de escuelas, que cada día surgían en Francia y en todas partes en los días de la postguerra, con la pretensión de ser cada una el principio de la literatura verdadera, cuando no era más que una modalidad o un síntoma de la crisis general de la literatura y de la época. Lo único que queda es el valor individual de cada poeta, y el creacionismo se salva tan sólo en algunas obras del mismo Huidobro y de los poetas españoles Juan Larrea y Gerardo Diego. Pero Huidobro, cuya obra muestra cualidades de gran poeta, ha comprometido el valor último y definitivo de ella por haber ido demasiado lejos en el lado negativo de su afán innovador, cortando todas las amarras con el pasado, incluso la de la lengua — muchas de sus obras están escritas en francés —, lo cual ha dado por resultado que ni los españoles le consideran suyo ni los americanos tampoco, aunque él precedió a los unos y a los otros en los caminos de la nueva poesía, que tanto en América como en España está, sin embargo, fuertemente ligada a la lengua, a la tierra y a la tradición.

BIBLIOGRAFÍA.—**Poesia:** *Ecos del alma,* Santiago de Chile, [1910]. *Canciones en la noche,* 1913. *La gruta del silencio,* 1914. *Adán,* poema, 1916. *El espejo de agua,* Buenos Aires, 1916. *Horizon carré* [en francés], Paris, 1917. *Ecuatorial,* poema, Madrid, 1918. *Poemas árticos,* 1918. *Hallali,* poema [en francés], 1918. *Tour Eiffel,* poema [en francés], 1918. *Saisons choisies* [en francés], Paris, 1921. *Automne regulier* [en francés], 1925. *Tout à coup* [en francés], 1925. *Temblor de cielo,* Madrid, 1931. *Altazor,* poema, 1931. **Otras obras:** *Pasando y pasando,* crónicas y comentarios, Madrid, 1914. *Las pagodas ocultas,* poemas en prosa, 1914. *Manifiesto a los poetas hispano-americanos,* 1914. *Candelabro de los siete brazos,* 1914. *El pobre Baby,* novela, s. a. *Manifestes,* Paris, 1925. *Vientos contrarios,* Santiago de Chile, 1926. *Mio Cid Campeador,* Madrid, 1929 [trad. ingl., New York, 1932]. *Gilles de Raiz,* pièce en 4 actes, Paris, 1932. **Estudios:** ALONE [H. DÍAZ ARRIETA]. *Panorama de la literatura chilena,* en GLit, 15 enero 1931. R. CANSINOS-ASSÉNS, *Poetas y prosis as del novecientos,* Madrid, 1919; *La nueva literatura,* Madrid, 1927. R. MEZA FUENTES, Sobre *Mio Ci l Campeador,* en A, 1930, VII, núm. 66, p. 120. G. DE TORRE, *Precedentes y justificativos teóricos de Huidobro,* en A, 1925, II, núm. 5, 569-572 [véase réplica de Huidobro en A, 1925, II, núm. 7, 217-244, y réplica de G. de Torre en A, 1926, III, núm. 1, 115-127].

ARTE POÉTICA

Que el verso sea como una llave
que abra mil puertas
Una hoja cae; algo pasa volando

cuanto miren los ojos creado sea
y el alma del oyente quede temblando

Inventa mundos nuevos y cuida tu palabra
el adjetivo, cuando no da vida, mata

Estamos en el cielo de los versos
El músculo cuelga
como recuerdo, en los museos
mas no por eso tenemos menos fuerza
el vigor verdadero
reside en la cabeza

¿Por qué cantáis la rosa oh, poetas
Hacedla florecer en el poema

Sólo para vosotros
viven todas las cosas bajo el sol

El poeta es un pequeño Dios

EL ESPEJO DE AGUA

Mi espejo corriente por las noches
se hace arroyo y se aleja de mi cuarto

Mi espejo más profundo que el orbe
donde todos los cisnes se ahogaron

Es un estanque verde en la muralla
y en medio duerme tu desnudez anclada

Sobre sus olas bajo cielos sonámbulos
mis ensueños se alejan como barcos

De pie en la popa siempre me veréis cantando
una rosa secreta se hincha en mi pecho
y un ruiseñor ebrio aletea en mi dedo

ECUATORIAL

(Fragmento.)

LOS HOMBRES

    ENTRE LA YERBA

        BUSCABAN LAS FRONTERAS

Sobre el campo banal
        el mundo muere
de las cabezas prematuras
          brotan alas ardientes
y en la trinchera ecuatorial
         trizada a trechos
bajo la sombra de aeroplanos vivos
los soldados cantaban en las tardes duras

Las ciudades de Europa
        se apagan una a una

Caminando al destierro
el último rey portaba al cuello
una cadena de lámparas extintas

    Las estrellas
        que caían
      eran luciérnagas del musgo

Y los afiches ahorcados
        pendían a lo largo de los muros

Una sombra rodó sobre la falda de los montes
donde el viejo organista hace cantar las selvas

    El viento mece los horizontes
    colgado de las jarcias y las velas

Sobre el arco-iris
      un pájaro cantaba
    abridme la montaña

Por todas partes en el suelo
he visto alas de golondrinas
y el Cristo que alzó el vuelo
dejó olvidada la corona de espinas

               Ecuatoria', 1918.

NOCHE

Sobre la nieve se oye resbalar la noche

La canción caía de los árboles
y tras la niebla daban voces

De una mirada encendí mi cigarro

Cada vez que abro los labios
inundo de nubes el vacío

           En el puerto
los mástiles están llenos de nidos

y el viento
        gime entre las alas de los pájaros

LAS OLAS MECEN EL NAVÍO MUERTO

Yo en la orilla silbando
     miro la estrella que humea entre mis dedos
                    Poemas árticos, 1918.

BALANDRO

Los recuerdos
        se han fatigado de seguirme

      LA SENDA ERA TAN LARGA

Este viento venía de unas alas
y los días pasan aullando al horizonte
        Como un balandro joven
        crucé muchas tormentas
        entre canciones marineras
Todas las gaviotas
         dejaron plumas en mis manos
Tras la última montaña
          los meses descendían
Un póstumo cantar nos cerró la salida
              Poemas árticos, 1918.

HIJO

Las ventanas cerradas
     y algunas decoraciones deshojadas

   La noche viene de los ojos ajenos

Al fondo de los años
un ruiseñor cantaba en vano

La luna viva
blanca de la nieve que caía

y sobre los recuerdos
     una luz que agoniza entre los dedos

MAÑANA PRIMAVERA

Silencio familiar
     Bajo las bujías florecidas
una canción
    asciende sobre el humo
y tú
   Hijo
     hermoso como un dios desnudo

Los arroyos que van lejos
todo lo han visto los arroyos huérfanos

    Un día tendrás recuerdos.

       Poemas árticos, 1918.

MARINO

Aquel pájaro que vuela por primera vez
se aleja del nido mirando hacia atrás

Con el dedo en los labios
     os he llamado

Yo inventé juegos de agua
en la cima de los árboles

Te hice la más bella de las mujeres
tan bella, que enrojecías en las tardes

    La luna se aleja de nosotros
    y arroja una corona sobre el polo

Hice correr ríos
    que nunca han existido

de un grito elevé una montaña
y en torno bailamos una nueva danza

    Corté todas las rosas
    de las nubes del Este

Y enseñé a cantar un pájaro de nieve

Marchemos sobre los meses desatados
soy el viejo marino
    que cose los horizontes cortados

Poemas árticos, 1918.

CAMPANARIO

A cada son de la campana
    un pájaro volaba
pájaros de ala inversa
    que mueren entre las tejas
donde ha caído la primera canción

Al fondo de la tarde
    las llamas vegetales

En cada hoja tiembla el corazón
y una estrella se enciende a cada paso

    Los ojos guardan algo
    que palpita en la voz

Sobre la lejanía
    un reloj se vacía

Poemas árticos, 1918.

CÉSAR VALLEJO
1894 - 1938

Peruano. En su primer libro es un poeta ostmodernista, de humor amargo y prosaísmo sentimental, co tendencias ultra-modernistas procedentes del último Rubén Darío y de Herrera y Reissig. Se anuncia en él un verdadero poeta independiente, cuyo dolor subjetivo se identifica con el de la raza indígena y se expresa con novedad y sintetismo. Estas cualidades individuales y nativas persisten cuando en 1922 su segundo libro rompe definitivamente con el modernismo y, por primera vez en la poesía peruana, entra de lleno en el ultraísmo. Ha roto Vallejo con la estética del pasado, pero no consigo mismo; por el contrario, el pasado de su alma, de su vida y de su raza sigue siendo, purificado y desrealizado ahora, el tema único de su poesía: la infancia, el hogar, el pueblo, reducidos a la desnuda y primitiva insinuación de las imágenes y las palabras.

BIBLIOGRAFÍA.—**Poesía:** *Los heraldos negros*, Lima, s. a. *Trilce*, 1922; 2.ª ed., Madrid, 1930. **Otras obras:** *El tungsteno*, novela, Madrid, 1931. **Estudios:** J. BASADRE, *Un poeta peruano*, en Sierra, 1928, II, núms. 13-14, 30-34. J. BERGAMÍN, pról. a *Trilce*, Madrid, 1930.

Hay golpes en la vida tan fuertes... ¡Yo no sé!
Golpes como del odio de Dios; como si ante ellos,
la resaca de todo lo sufrido
se empozara en el alma... ¡Yo no sé!

Son pocos; pero son... Abren zanjas oscuras
en el rostro más fiero y en el lomo más fuerte.
Serán tal vez los potros de bárbaros atilas;
o los heraldos negros que nos manda la Muerte.

Son las caídas hondas de los Cristos del alma,
de alguna fe adorable que Destino blasfema.
Esos golpes sangrientos son las crepitaciones
de algún pan que en la puerta del horno se nos quema.

Y el hombre... ¡Pobre... Pobre! Vuelve los ojos como
cuando por sobre el hombro nos llama una palmada,
vuelve los ojos locos, y todo lo vivido
se empoza, como un charco de culpa en la mirada.

Hay golpes en la vida tan fuertes... ¡Yo no sé!

Los heraldos negros. 1918

LAS PERSONAS MAYORES

Las personas mayores
     ¿a qué hora volverán?
Da las seis el ciego Santiago,
y ya está muy oscuro.

Madre dijo que no demoraría.

Aguedita, Nativa, Miguel,
cuidado con ir por ahí, por donde
acaban de pasar gangueando sus memorias
dobladoras penas,
hacia el silencioso corral, y por donde
las gallinas, que se están acostando todavía,
se han espantado tanto.

Mejor estemos aquí no más.
Madre dijo que no demoraría.

Ya no tengamos pena. Vamos viendo
los barcos, ¡el mío es más bonito de todos!,
con los cuales jugamos todo el santo día,
sin pelearnos, como debe de ser:
han quedado en el pozo de agua, listos,
fletados de dulces para mañana.

Aguardemos así, obedientes y sin más
remedio, la vuelta, el desagravio
de los mayores siempre delanteros,
dejándonos en casa a los pequeños,
como si también nosotros
                    no pudiésemos partir.

¿Aguedita, Nativa, Miguel?
Llamo, busco al tanteo en la oscuridad.
No me vayan a ver dejado solo,
y el único recluso sea yo.

                              Trilce, 2.ª ed., 1930.

CUAL MI EXPLICACIÓN

Cual mi explicación.
    Esto me lacera de tempranía.

Esa manera de caminar por los trapecios.

Esos corajosos brutos como postizos.

Esa goma que pega el azogue al adentro.

Esas posaderas sentadas para arriba.
Ese no puede ser, sido.

Absurdo.

Demencia.

Pero he venido de Trujillo a Lima.
Pero gano un sueldo de cinco soles.

Trilce, 2.ª ed., 1930.

SI LLOVIERA ESTA NOCHE...

Si lloviera esta noche, retiraríame
    de aquí a mil años.
Mejor a cien no más.
Como si nada hubiese ocurrido, haría
la cuenta de que vengo todavía.

  O sin madre, sin amada, sin porfía
de agacharme a aguaitar al fondo, a puro
pulso,
esta noche así, estaría escarmenando
la fibra védica,
la lana védica de mi fin final, hilo
del diantre, traza de haber tenido
por las narices
a dos badajos inaçordes de tiempo
    en una misma campana.

Haga la cuenta de mi vida
o haga la cuenta de no haber aún nacido,
no alcanzaré a librarme.

No será lo que aún no haya venido, sino
lo que ha llegado y ya se ha ido,
sino lo que ha llegado y ya se ha ido.

Trilce, 2ª ed., 1930.

CARLOS PELLICER

1899

Mejicano. El poeta mayor de la poesía mejicana actual. Se le clasifica como poeta objetivo, es decir, poeta del mundo exterior, paisajista. Dice Alfonso Reyes: «Ojos siempre tuvo. Se sospecha que también corazón.» Su corazón está en sus ojos, en la visión nueva de un mundo lleno de color. El color no es en su poesía materia pictórica que reproduce el de las cosas; es ritmo, armonía, movimiento, vida. Tampoco su colorido es impresionista, porque no es vago ni esfumado como la realidad, sino claro, preciso, lleno de goce interior y optimismo vital. El poeta — fuerte y seguro — fija en imágenes y palabras de color los momentos de la realidad movible y fugaz, identificada con su propia alma en el juego diestro de aprehenderla y salvarla. «Genuino mozo de América», le llama la Mistral, sintiendo que su destreza es de naturaleza mejicana y tropical.

Bibliografía. — **Poesía:** *Colores en el mar y otros poemas,* México, 1921. *Piedra de sacrificios, poema ibero-americano,* pról. de J. Vasconcelos, 1924. *Seis, siete poemas,* 1924. *Hora y 20,* Paris, 1927. *Camino,* Paris, 1929. *5 poemas,* México, Suplemento de Barandal, 1931. **Estudios:** G. Mistral, *Un poeta nuevo de América: C. P. C.,* en RepAm, 1927, XIV, 373. B. Ortiz de Montellano, *Un camino de poesía* [Sobre *Camino*], en Con, 1929, V, 150-152. J. Torres Bodet, *La poesía mexicana moderna,* en Sol, feb. 1928.

ESTUDIO

Jugaré con las casas de Curazao,
pondré el mar a la izquierda

y haré más puentes movedizos,
¡lo que diga el poeta!
Estamos en Holanda y en América
y es una isla de juguetería,
con decretos de Reina
y ventanas y puertas de alegría,
con las cuerdas de la lira
y los pañuelos del viaje,
haremos velas para los botes
que no van a ninguna parte.
La casa de Gobierno es demasiado pequeña
para una familia holandesa.
Por la tarde vendrá Claude Monet
a comer cosas azules y eléctricas.
Y por esa callejuela sospechosa
haremos pasar la Ronda de Rembrandt.
...¡pásame el puerto de Curazao!,
isla de juguetería,
con decretos de Reina
y ventanas y puertas de alegría.

Colores en el mar, 1921.

Curazao, 1920.

SUITE BRASILERA. POEMAS AÉREOS

PRIMERA VEZ

Desde el avión,
vi hacer piruetas a Río de Janeiro
arriesgando el porvenir de sus puestas de sol.
Se ponía de cabeza
sin derramar su bahía.
Y en la lotería de sus isletas
ganaba y perdía.
El cielo se llenaba de automóviles
y de sombra a las 12 del día.
El «pao de assucar» era un espantapájaros
soberbio, de lógica y fantasía.
Las palmeras desnudas
andaban de compras por la Rúa Ouvidor.

De pronto la ciudad
entró en espiral
junto con el avión,
lo mismo que 300 kilates de diamantes
en el embudo de un buen corazón.
Al bajar,
tenía yo los ojos azules
y agua de mar dentro del corazón.

Piedra de sacrificios. 1924.

SUITE BRASILERA. OTROS POEMAS

V

Canción de Olinda,
¡canción!
Canción de las palmeras sobre la colina,
y de la colina junto al corazón.
Canción de Olinda
cantada al son
de la cintilación del agua verde,
jardín de sol.
Olinda, la brasilera
blasonada y linda
que ató al penacho de su palmera
juegos de cintas,
y es la más linda.
Canción de Olinda,
canción
de la palmera sobre la colina,
y de la colina junto al corazón.

Piedra de sacrificios, 1924.

LA AURORA

Amaneció,
como en la jícara de Uruapan
y en el zarape de Oaxaca.
Yuridiapúndaro y Pátzcuaro,
Tzintzuntzan y Chapala.

¿Recordáis el venado azul
que vuestras miradas pintaron?
Traed, acercad la luz,
todas las sombras se olvidaron.
La ola verde que encalló
sobre el litoral vacío
perdió su cargamento de espuma
por culpa de vuestros lirios.
Adelgazad el gesto a vuestra mano,
izad el pañuelo en primicia de paz.
El ciprés ha venido de morado
y la palmera va a bailar.
¿Escucháis la marimba del agua?
Comitán y Tonalá.
Tras de los árboles la nube
que está aprendiendo a volar,
ha detenido su poema
para veros danzar.
Vuestra mirada jalisciense
salpica de oro la mañana
y estira en plata el amarillo
de luz revuelto con el agua.
¿Habéis olvidado a la luna
o es vuestra sombrilla blanca?
Ya estáis desnudas como un poco de agua.
Como un poco de agua que cayera
sobre las tímidas rodillas
desnudas de la primavera.
La desnudez os ilumina
como un poco de piano en la noche.
El agua entera se amotina
a vuestros pies hecha colores.
Y así vuestra sonrisa cae
como una cinta sobre el agua,
porque atará nuevos jacintos
para el tibor de la mañana.

Seis, siete poemas, 1924.

DESEOS

Trópico, para qué me diste
las manos llenas de color.
Todo lo que yo toque
se llenará de sol.
En las tardes sutiles de otras tierras
pasaré con mis ruidos de vidrio tornasol.
Déjame un solo instante
dejar de ser grito y color.
Déjame un solo instante
cambiar de clima el corazón,
beber la penumbra de una cosa desierta,
inclinarme en silencio sobre un remoto balcón,
ahondarme en el manto de pliegues finos,
dispersarme en la orilla de una suave devoción,
acariciar dulcemente las cabelleras lacias
y escribir con un lápiz muy fino mi meditación.
¡Oh, dejar de ser un solo instante
el Ayudante de Campo del sol!
Trópico, para qué me diste
las manos llenas de color.

Seis, siete poemas, 1924.

ESTUDIOS

I

Relojes descompuestos,
    voluntarios caminos
sobre la música del tiempo.
    Hora y veinte.
Gracias a vuestro
paso
lento,
llego a las citas mucho después
y así me doy todo a las máquinas
gigantescas y translúcidas del silencio.

II

Diez kilómetros sobre la vía
de un tren retrasado.
El paisaje crece
dividido de telegramas.
Las noticias van a tener tiempo
de cambiar de camisa.
La juventud se prolonga diez minutos,
el ojo caza tres sonrisas.
Kilo de panoramas
pagado con el tiempo
que se gana
perdiendo.

III

Las horas se adelgazan;
de una salen diez.
Es el Trópico,
prodigioso y funesto.
Nadie sabe qué hora es.
No hay tiempo para el tiempo.
La sed es labia cantadora
sobre ese oasis enorme,
deslumbrante y desierto.
Sueño. Desnudez. Aguas sensuales.
Las ceibas se estilizan. Nacen tres mil cedros.
Algo ocurre: que hay un árbol demasiado joven
para figurar en un paisaje
tan importante.
Tristeza.
Siempre grande, noble y nueva.
Los relojes se atrasan,
se perfecciona la pereza.
Las palmeras son primas de los sauces.
El caimán es un perro aplastado.
Las garzas inmovilizan el tiempo.
El sol madura entre los cuernos
del venado.

La serpiente
se suma veinte veces.
La tarde es un amanecer nuevo y más largo.
En una barca de caoba,
desnudo y negro,
baja por el río Quetzalcoatl.
Lleva su cuaderno de épocas.
Viene de Palemke.
Sus ojos verdes brillan; sus brazos son hermosos;
le sigue un astro, y se pierde.
Es el Trópico.
    La frente cae como un fruto
sobre la mano fina y estéril.
Y el alma vuela.
Y en una línea nueva de la garza,
renace el tiempo,
lento, fecundo, ocioso,
creado para soñar y ser perfecto.

Hora y 20, 1927.

A LA POESÍA

    Sabor de octubre en tus hombros,
de abril tu mano da olor.
Reflejo de cien espejos
      tu cuerpo.
Noche en las flautas mi voz.

    Tus pasos fueron caminos
de música. La danzó
la espiral envuelta en hojas
      de horas.
Desnuda liberación.

    La cifra de tu estatura,
la de la ola que alzó
tu peso de tiempo intacto.
      Mi brazo
sutilmente la ciñó.

En medio de las espigas
y a tu mirada estival,
afilé la hoz que alía
      al día
la cosecha sideral.

Trigo esbelto a fondo azul
cae al brillo de la hoz.
Grano de oro a fondo negro
      aviento
con un cósmico temblor.

Sembrar en el campo aéreo,
crecer alto a flor sutil.
Sudó la tierra y el paso
      a ocaso
del rojo cedía al gris.

Niveló su ancha caricia
la mano sobre el trigal.
Todas e idénticas: una!
      Desnuda
la voz libre dió a cantar.

Sabor de octubre en tus hombros,
de abril tu mano da olor.
Espejos de cien espejos
      mi cuerpo,
anochecerá en tu voz.

Siracusa, 1928.

Camino, 1929

CONCIERTO BREVE

(BRUJAS)

III

Hans Memling me pregunta:
—¿Cómo están mis discípulos de Pátzcuaro?

—Maestro: todos los detalles te saludan,
tus discípulos pintan...

(Venado azul de Pátzcuaro que corres bajo el sorbo
de agua que en la jornada me dió mano silvestre;
tu galope sediento sesgó a la tarde un soplo
que extingues junto al lago, sobre tus sorbos breves.

Por los belfos vibrantes que tu olfato amorata
pasa la humilde brisa que alzaste de la hierba,
petrificas el bosque de una sola ojeada
y quiebras, perseguido, la noche de las selvas.

Silba un reflejo en tu anca. Un escorzo y un paso.
Tu mirada aludió a cien recuerdos finos.
(Espacio de decir tu belleza, despacio!)

Ligó sílabas ágiles la evocación sedienta,
venado azul de Pátzcuaro que laqueo y preciso
bebiendo al ras la imagen, profunda, clara, lenta.)

Camino, 1929.

JOSÉ GOROSTIZA

1900

Mejicano. «Hombre humilde y silencioso» — según Torres
Ríoseco —, concentró en su poesía juvenil su ansia de perfección, lograda a fuerza de trabajo difícil, oculto bajo una apariencia modesta de sencillez, tersura y delicadeza. Con entera
independencia de los españoles Lorca y Alberti, coincide con
ellos en buscar su inspiración en la tradición popular de los
siglos XV y XVI, con una intención más culta y menos folkló-
rica que Alberti mismo y con un resultado de muy diferente
carácter.

BIBLIOGRAFÍA. — **Poesía:** *Canciones para cantar en las barcas,* México,
1925.   **Estudios:** J. TORRES BODET, *La poesía mexicana moderna,* en
Sol, feb. 1928.

CANCIONES PARA CANTAR EN LAS BARCAS

1. — ¿QUIÉN ME COMPRA UNA NARANJA?

¿Quién me compra una naranja
para mi consolación?
Una naranja madura
en forma de corazón.

La sal del mar en los labios,
¡ay de mí!,
la sal del mar en las venas
y en los labios recogí.

Nadie me diera los suyos
para besar.
La blanda espiga de un beso
yo no la puedo segar.

Nadie pidiera mi sangre
para beber.
Yo mismo no sé si corre
o si deja de correr.

Como se pierden las barcas,
¡ay de mí!,
como se pierden las nubes
y las barcas, me perdí.

Y pues nadie me lo pide,
ya no tengo corazón.
¿Quién me compra una naranja
para mi consolación?

2. — LA ORILLA DEL MAR

No es agua ni arena
la orilla del mar.

El agua sonora
de espuma sencilla,
el agua no puede
formarse la orilla.

Y porque descanse
en muelle lugar,
no es agua ni arena
la orilla del mar.

Las cosas discretas,
amables, sencillas;

las cosas se juntan
como las orillas.

Lo mismo los labios,
si quieren besar.
No es agua ni arena
la orilla del mar.

Yo solo me miro
por cosa de muerto;
solo, desolado,
como en un desierto.

A mí venga el lloro,
pues debo penar.
No es agua ni arena
la orilla del mar.

Y 3. — SE ALEGRA EL MAR

Iremos a buscar
hojas de plátano al platanar.

Se alegra el mar.

Iremos a buscarlas en el camino,
padre de las madejas de lino.

Se alegra el mar.

Porque la luna (cumple quince años a pena)
se pone blanca, azul, roja, morena.

Se alegra el mar.

Porque la luna aprende consejo del mar,
en perfume de nardo se quiere mudar.

Se alegra el mar.

Siete varas de nardo desprenderé
para mi novia de lindo pie.

Se alegra el mar.

Siete varas de nardo; sólo un aroma,
una sola blancura de pluma de paloma.

Se alegra el mar.

Vida — le digo —, blancas las desprendí, yo bien
para mi novia de lindo pie.   [lo sé.

Se alegra el mar.

Vida — le digo —, blancas las desprendí.
¡No se vuelvan oscuras por ser de mí!

Se alegra el mar.

Canciones para cantar en las barcas, 1925

OTOÑO

Un aire frío dispersó la gente,
ramaje de colores.
Mañana es el primer día de otoño.
Los senos quieren iniciar un viaje
de golondrinas en azoro,
y la mirada enfermará de ausencia.

¡Otoño,
todo desnudez de oro!

Pluma de garza contra el horizonte
es la niebla en el alba.
Lo borrará de pronto con un ala
lejana;
pero tendré la tarde aclarecida,
aérea, musical de tus preguntas
esas eternas blandas.

¡Otoño,
todo desnudez el oro!

Tu silencio es agudo como un mástil.
Haré de viento orífice.
Y al roce inmaterial de nuestras pausas,
en los atardeceres del otoño,

nunca sabremos si cantaba el mástil
o el viento mismo atardeció sonoro.

¡Otoño,
todo desnudez en oro!

Canciones para cantar en las barcas, 1925.

JORGE LUIS BORGES

1900

Argentino, de Buenos Aires, «de pura raigambre criolla».
Durante la guerra estuvo en Ginebra; en 1918 fué a España,
donde empezó a escribir, formando parte del grupo de los
ultraístas y colaborando en sus revistas. Regresó a Buenos
Aires en 1921 e introdujo allí el ultraísmo, fundando con otros
las revistas *Prisma* y *Proa*. A pesar de su juventud ejercía
autoridad en estos grupos literarios por su finura personal,
aguda inteligencia y sólida cultura, basada ésta última en el
dominio de las lenguas latina, alemana e inglesa y sus literaturas. Conoce muy a fondo también a los clásicos de su lengua,
españoles y argentinos, y los más de sus penetrantes ensayos
de crítica están consagrados a estudiarlos, sobre todo en el
aspecto de la lengua y el estilo, su preocupación fundamental.
«Siempre fué perseverancia de mi pluma usar de los vocablos,
según su proverbial acepción... Mi sensualidad verbal sólo
abarca determinado número de palabras, lacra imputable a
cuantos escritores conozco y cuya excepción única fué don
Francisco de Quevedo, que vivió en la cuantiosa plenitud y
millonaria entereza de nuestra lengua castellana.» Así define él
mismo su preocupación por el lenguaje en el prólogo de su
primer libro, como luego define su estética: «Siempre fuí no-
velero de metáforas; pero solicitando fuese notorio en ellas
antes lo eficaz que lo insólito. En este libro hay varias composiciones hechas por enfilamiento de imágenes, método que,
desde luego, no es el único.» Viene a ser así Borges extremadamente moderno y clásico a la vez, como también es argentino hasta la médula, con proyecciones universales. De ahí nace
la fuerza y la calidad de su pensamiento y de su poesía. En esta
última renacen a una vida poética nueva el viejo Buenos Aires

que se va, los gauchos y caudillos que se fueron, la intimidad
soterrada en el recuerdo — todo ello, como en Güiraldes, lejos
del realismo y del romanticismo, insinuado irónicamente, redu-
cido a expresión poética esencial.

Bibliografía. — **Poesía:** *Fervor de Buenos Aires,* Buenos Aires, 1923.
Luna de enfrente, 1925. *Cuaderno San Martín,* 1929. **Otras obras:**
Inquisiciones, Buenos Aires, 1925. *El idioma de los argentinos,* 1928.
Discusión, 1932. **Estudios:** F. L. Bernárdez, *J. L. B.,* en Nac, 13 dic.
1925. R. Cansinos-Asséns, *La nueva literatura,* t. III, Madrid, 1927.
R. de Diego, *J. L. B.,* en Nos, octubre 1923. E. Díez-Canedo, *Letras
de América* [Sobre *Fervor de Buenos Aires*], en Esp, 15 marzo 1924.
R. Gómez de la Serna, *J. L. B.,* en ROcc, 1924, IV, 123-127. M. A. Guerra, *Jeroglíficos: A propósito de una composición de J. L. B.* [Sobre *La noche que en el Sur lo velaron*], en EstBA, 1929, XXXVII, 242-245. R. Güiraldes, *Una carta inédita* [Sobre *Luna de enfrente*], en Sin, 1928, V, 155-
157. P. Henríquez Ureña, Sobre *Inquisiciones,* en RFE, 1926, XIII,
79-80; RepAm, 14 abril 1928. N. Lange, *J. L. B. pensando en algo que no
alcanza a ser poema,* en MarF, 28 abril 1927. M. López Palmero, Sobre
Cuaderno San Martín, en Nos, 1930, LXIX, 327-328. E. A. Mallea, *Un
libro de B. (apuntes al margen)* [Sobre *Luna de enfrente*], en Sag, 1926,
núm. 6. E. Méndez, *Doce poetas nuevos,* en Sin, 1927, II, 25-27. I. Pereda Valdés, *J. L. B., poeta de Buenos Aires,* en Nos, 1926, LII, 106-109.
E. Suárez-Calimano, *21 ensayos,* Buenos Aires, 1926.

UN PATIO

Con la tarde
se cansaron los dos o tres colores del patio.
La gran franqueza de la luna llena
ya no entusiasma su habitual firmamento.
Hoy que está crespo el cielo
dirá la agorería que ha muerto un angelito.
Patio, cielo encauzado.
El patio es la ventana
por donde Dios mira las almas.
El patio es el declive
por el cual se derrama el cielo en la casa.
Serena
la eternidad espera en la encrucijada de estrellas.
Lindo es vivir en la amistad oscura
de un zaguán, de un alero y de un aljibe.

Fervor de Buenos Aires, 1923.

ANTELACIÓN DE AMOR

Ni la intimidad de tu frente clara como una fiesta
ni la privanza de tu cuerpo, aún misterioso y tácito y
[de niña,
ni la sucesión de tu vida situándose en palabras o aca-
[llamiento
serán favor tan persuasivo de ideas
como el mirar tu sueño implicado
en la vigilia de mis ávidos brazos.
Virgen milagrosamente otra vez por la virtud absoluto-
[ria del sueño,
quieta y resplandeciente como una dicha en la selección
[del recuerdo,
me darás esa orilla de tu vida que tú misma no tienes.
Arrojado a quietud
divisaré esa playa última de tu ser
y te veré por vez primera quizás,
como Dios ha de verte,
desbaratada la ficción del Tiempo
sin el amor, sin mí.

Luna de enfrente, 1925.

EL GENERAL QUIROGA VA EN COCHE
AL MUERE

El madrejón desnudo ya sin una sé de agua
y la luna atorrando por el frío del alba
y el campo muerto de hambre, pobre como una araña.

El coche se hamacaba rezongando la altura:
un galerón enfático, enorme, funerario.
Cuatro tapaos con pinta de muerte en la negrura
tironeaban seis miedos y un valor desvelado.

Junto a los postillones jineteaba un moreno.
Ir en coche a la muerte, ¡qué cosa más oronda!
El general Quiroga quiso entrar al infierno
llevando seis o siete degollados de escolta.

Esa cordobesada bochinchera y ladina
(meditaba Quiroga), ¿qué ha de poder con mi alma?
Aquí estoy afianzado y metido en la vida
como la estaca pampa bien metida en la pampa.

Yo que he sobrevivido a millares de tardes
y cuyo nombre pone retemblor en las lanzas,
no he de soltar la vida por estos pedregales.
¿Muere acaso el pampero, se mueren las espadas?

Pero en llegando al sitio nombrao Barranca Yaco
sables a filo y punta menudiaron sobre él:
muerte de mala muerte se lo levó al riojano
y una de puñaladas lo mentó a Juan Manuel.

Luego (ya bien repuesto) penetró como un taita
en el infierno negro que Dios le hubo marcado,
y a sus órdenes iban, rotas y desangradas,
las ánimas en pena de fletes y cristianos.

Luna de enfrente, 1925.

DULCIA LINQUIMUS ARVA

Mi canción de criollo final,
por la noche agrandada de relámpagos-
en el **espreso** del Sur
que destona y pierde los campos.

Una amistad hicieron mis abuelos
con esta lejanía
y conquistaron la intimidad de la Pampa
y ligaron a su baquía
la tierra, el fuego, el aire, el agua.
Fueron soldados y estancieros
y apacentaron el corazón con mañanas,
y el horizonte igual que una bordona
sonó en la hondura de su austera jornada.
Su jornada fué clara como un río
y era fresca su tarde como el aljibe del patio
y en su vivir eran las cuatro estaciones
como los cuatro versos de una copla esperada.

Descifraron hurañas polvaredas
en carretas o en caballadas
y los alegró el resplandor
con que aviva el sereno la luz de la espadaña.
Uno peleó contra los godos,
otro en el Paraguay cansó su espada;
todos supieron del abrazo del mundo
y fué mujer sumisa a su querer la campaña.
Los otros corazones fueron serenos
como ventana que da al campo;
resplandecientes y altos eran sus días
hechos de cielo y llano.
Sabiduría de tierra adentro la suya,
de la lanzada que es comida
y de la estrella que es vereda
y de la guitarra encendida.
Sangre negra de coplas brotó bajo sus manos;
se sintieron confesos en el canto de un pájaro.
Soy un pueblero y ya no sé de esas cosas,
soy hombre de ciudad, de barrio, de calle;
los tranvías lejanos me ayudan la tristeza
con esa queja larga que sueltan en la tarde.

Luna de enfrente, 1925.

LA FUNDACIÓN MITOLÓGICA DE BUENOS AIRES

¿Y fué por este río de sueñera y de barro
que las proas vinieron a fundarme la patria?
Irían a los tumbos los barquitos pintados
entre los camalotes de la corriente zaina.

Pensando bien la cosa supondremos que el río
era azulejo entonces como oriundo del cielo,
con su estrellita roja para marcar el sitio
en que ayunó Juan Díaz y los indios comieron.

Lo cierto es que mil hombres y otros mil arribaron
por un mar que tenía cinco lunas de anchura,
y aun estaba repleto de sirenas y endriagos
y de piedras imanes que enloquecen la brújula.

73

Prendieron unos ranchos trémulos en la costa,
durmieron extrañados. Dicen que en el Riachuelo,
pero son embelecos fraguados en la Boca.
Fué una manzana entera y en mi barrio: en Palermo.

Una manzana entera, pero en mitá del campo,
presenciada de auroras y lluvias y suestadas.
La manzana pareja que persiste en mi barrio:
Guatemala, Serrano, Paraguay, Gurruchaga.

Un almacén rosado como revés de naipe
brilló y en la trastienda conversaron un truco;
el almacén rosado floreció en un compadre
ya patrón de la esquina, ya resentido y duro.

El primer organito salvaba el horizonte
con su achacoso porte, su habanera y su gringo.
El corralón seguro ya opinaba IRIGOYEN,
algún piano mandaba tangos de Saborido.

Una cigarrería sahumó como una rosa
la nochecita nueva, zalamera y agreste.
No faltaron zaguanes y novias besadoras.
Sólo faltó una cosa: la vereda de enfrente.

A mí se me hace cuento que empezó Buenos Aires:
la juzgo tan eterna como el agua y el aire.

Cuaderno San Martín, 1929.

PABLO NERUDA

1904

Chileno, de Temuco, en el Sur de Chile. Su verdadero nombre es Neftalí Reyes. Dejó los estudios que seguía en .· ...dad
natal por afán de viajar, y logró su deseo de vivir en países
lejanos, yendo a China como cónsul. Después ha estado, según
creo, en el Brasil. No tiene interés por Europa. Conoce la literatura francesa. Desde su segundo libro, *Crepusculario* (1923),
que está todavía muy dentro del postmodernismo, se reveló
como gran poeta. Después su poesía ha evolucionado rápida-

mente por los caminos nuevos, pero siempre con acento propio. «Tengo un concepto dramático de la vida, y romántico —dice él de sí mismo—; no me corresponde lo que no llega profundamente a mi sensibilidad.» Este sujetivismo extremo, esta exaltación romántica, esta sensibilidad patética, que persisten a través de todas las transformaciones de su poesía, no son incompatibles en él con su extrema modernidad. En ello muestra que es poeta americano, aunque no lo sea, como otros, por los temas. Un carácter fundamental de la literatura americana, frente a la europea, consiste precisamente en esta convivencia y superposición de épocas literarias que en Europa son sucesivas e incompatibles, fenómeno que se da ahora lo mismo que se dió en el modernismo.

BIBLIOGRAFÍA. — **Poesía:** *La canción de la fiesta,* Santiago de Chile, 1921. *Crepusculario,* 1923; 1926. *Veinte poemas de amor y una canción desesperada,* 1924; [1932]. *Tentativa del hombre infinito,* 1926. **Otras obras:** *Anillos,* Santiago de Chile, 1926. *El habitante y su esperanza,* 1926. **Estudios:** ALONE [H. DÍAZ ARRIETA], *Panorama de la literatura chilena,* en GLit, 15 enero 1931. A. BULNES, *Presentación de N.,* en A, 1932, IX, núm. 87. A. CONDON, Sobre *Anillos,* en GLit, 15 dic. 1927. F. GARCÍA OLDINI, *Doce escritores,* Santiago de Chile, 1929. O. MÁRQUEZ, *Charlas literarias con D. Pedro Prado: Charla peripatética sobre P. N.,* en Universi, 18 agosto 1928. M. PÉREZ FERRERO, *El habitante y su libro* [sobre *El habitante y su esperanza*], en GLit, 1 octubre 1927. E. SALAZAR Y CHAPELA, Sobre *El habitante y su esperanza,* en Sol, 25 sept. 1927.

FAREWELL

Desde el fondo de ti, y arrodillado,
un niño triste, como yo, nos mira.

Por esa vida que arderá en sus venas
tendrían que amarrarse nuestras vidas.

Por esas manos, hijas de tus manos,
tendrían que matar las manos mías.

Por sus ojos abiertos en la tierra
veré en los tuyos lágrimas un día.

2

Yo no lo quiero, Amada.

Para que nada nos amarre
que no nos una nada.

Ni la palabra que aromó tu boca,
ni lo que no dijeron las palabras.

Ni la fiesta de amor que no tuvimos,
ni tus sollozos junto a la ventana.

3

(Amo el amor de los marineros
que besan y se van.

Dejan una promesa.
No vuelven nunca más.

En cada puerto una mujer espera,
los marineros besan y se van.

Una noche se acuestan con la muerte
en el lecho del mar.)

4

Amo el amor que se reparte
en besos, lecho y pan.

Amor que puede ser eterno
y puede ser fugaz.

Amor que quiere libertarse
para volver amar.

Amor divinizado que se acerca.
Amor divinizado que se va.

5

Ya no se encantarán mis ojos en tus ojos,
ya no se endulzará junto a ti mi dolor.

Pero hacia donde vaya llevaré tu mirada
y hacia donde camines llevarás mi dolor.

Fuí tuyo, fuiste mía. ¿Qué más? Juntos hicimos
un recodo en la ruta donde el amor pasó.

Fuí tuyo. Fuiste mía. Tú serás del que te ame,
del que corte en tu huerto lo que he sembrado yo.

Yo me voy. Estoy triste, pero siempre estoy triste.
Vengo desde tus brazos. No sé hacia dónde voy.

... Desde tu corazón me dice adiós un niño.
Y yo le digo adiós.

Crepusculario, 1926.

PUENTES

Puentes—arcos de acero azul adonde vienen
a dar su despedida los que pasan,
—por arriba los trenes,
—por abajo las aguas,
enfermos de seguir un largo viaje
que principia, que sigue y nunca acaba.

Cielos—arriba—cielos,
y pájaros que pasan
sin detenerse, caminando como
los trenes y las aguas.
¿Qué maldición cayó sobre vosotros?
¿Qué esperáis en la noche densa y larga
con los brazos abiertos como un niño
que muere a la llegada de su hermana?

¿Qué voz de maldición pasiva y negra
sobre vosotros extendió sus alas,

para hacer que siguieran
el viaje que no acaba
los paisajes, la vida, el sol, la tierra,
los trenes y las aguas,
mientras la angustia inmóvil del acero
se hunde más en la tierra y más la clava?

Crepusculario, 1926.

Me gustas cuando callas, porque estás como ausente,
y me oyes desde lejos, y mi voz no te toca!
Parece que los ojos se te hubieran volado
y parece que un beso te cerrara la boca.

Como todas las cosas están llenas de mi alma,
emerges de las cosas, llena del alma mía.
Mariposa de ensueño, te pareces a mi alma,
y te pareces a la palabra melancolía.

Me gustas cuando callas y estás como distante
y estás como quejándote, mariposa en arrullo,
y me oyes desde lejos, y mi voz no te alcanza:
déjame que me calle en el silencio tuyo.

Déjame que te hable también con tu silencio
claro como una lámpara, simple como un anillo.
Eres como la noche, callada y constelada.
Tu silencio es de estrella, tan lejano y sencillo.

Me gustas cuando callas, porque estás como ausente
Distante y dolorosa como si hubieras muerto.
Una palabra entonces, una sonrisa bastan.
Y estoy alegre, alegre de que no sea cierto.

Veinte poemas de amor y una canción desesperada, 1924.

TENTATIVA DEL HOMBRE INFINITO

(Fragmento.)

no sé hacer el canto de los días
sin querer suelto el canto la alabanza de las noches

pasó el viento latigándome la espalda alegre saliendo
[de su huevo
descienden las estrellas a beber al océano
tuercen sus velas verdes grandes buques de brasa
para qué decir eso tan pequeño que escondes canta pe-
[queño
los planetas dan vuelta como husos entusiastas giran
el corazón del mundo se repliega y estira
con voluntad de columna y fría furia de plumas
oh los silencios campesinos claveteados de estrellas
recuerdo los ojos caían en ese pozo inverso
hacia donde ascendía la soledad de todo los ruidos es-
[pantados
el descuido de las bestias durmiendo sus duros lirios
preñé entonces la altura de mariposas negras mariposa
[medusa
aparecían estrépitos humedad nieblas
y vuelto a la pared escribí
oh noche huracán muerto resbala tu obscura lava
mis alegrías muerden tus tintas
mi alegre canto de hombre chupa tus duras mamas
mi corazón de hombre se trepa por tus alambres
exasperado contengo mi corazón que danza
danza en los vientos que limpian tu color
bailador asombrado en las grandes mareas que hacen
[surgir el alba.

Tentativa del hombre infinito, 1926.

JORGE CARRERA ANDRADE

1903

Ecuatoriano. Ha vivido en Francia y España. Conoce bien la
literatura francesa de hoy, y su técnica poética domina con naturalidad y perfección las varias tendencias modernas universales; pero su alma y el fondo original de su poesía son muy
antiguos y tienen profundas raíces en su raza india. Por eso le
ha llamado Gabriela Mistral poeta «indofuturista». Y lo es lo
mismo cuando su poesía se nutre de materia ecuatoriana que
cuando pinta paisajes de ciudades cosmopolitas. Porque su in-
digenismo no está en los asuntos sino en el latido interno de

su emoción y visión de las cosas que tiene gracia y frescura
primitivas y melancolía milenaria.

BIBLIOGRAFÍA. — **Poesía:** *El estanque inefable,* Quito, 1922.   *La guirnalda del silencio,* 1926.   *Boletines de mar y tierra,* pról. de G. Mistral,
Barcelona, 1930.   **Estudios:** G. DÍAZ PLAJA, *Tres poetas americanos,* en
GLit, 1 nov. 1930.   G. MISTRAL, *Un poco sobre el Ecuador,* en Arg, 14
sept. 1929.   B. ORTIZ DE MONTELLANO, Sobre *Boletines de mar y tierra,*
en Con, 1930, VIII, 270-271.   A. VALDÉS A., Sobre *Boletines de mar y
tierra,* en A, 1930, VII, 884-886.

SALUDO DE LOS PUERTOS

Hombre del Ecuador, arriero, agricultor
en la tierra pintada de dos climas,
conductor de ganado sobre la cordillera,
vendedor de mariscos y banano
en la costa listada de luces y de mástiles,
cultivador del árbol del caucho
y dueño de canoas en el río Amazonas,
yo te mando el saludo de los puertos
desde estos paisajes manufacturados.

Amsterdam de chocolate:
los zuecos de las barcas en el canal hortelano,
casitas peinadas y limpias
como sirvientas educadas
y un aire muy perito en la jardinería.
Hamburgo azucarado de nieve
con su pipa metida en la funda del Elba,
el lenguaje marítimo de las grúas chillonas
y la alegría naval
de los astilleros fundadores de colonias.

Marsella de barcas pintadas
con el color de los trajes de los hombres de color;
los vendedores de pescado
saben las canciones de las cinco partes del mundo
y se eriza en las mesas la piña del África
al lado del melón cosmopolita,
las aceitunas negras
y el fondo submarino
preparado en conserva.

Trenes equilibristas
sobre los puentes afilados de la noche.
El convoy atraviesa la cascada del alba.
He aquí hasta la mitad del cielo
París, el primer puerto de los hombres:
muelles del Sena con su pesca de libros;
Luxemburgo, paraíso de las nodrizas;
Torre Eiffel, la jirafa de las torres.

Mi salud canta oyendo los aviones
de la primavera internacional
aserrar la madera preciosa del cielo.
Estoy en la línea de trenes del Oeste
empleado en el Registro del Mundo,
anotando en mi ventanilla
nacimientos y defunciones de horizontes,
encendiendo en mi pipa las fronteras
ante la biblioteca de tejados de los pueblos
y amaestrando el circo de mi sangre
con el pulso cordial del universo.

Boletines de mar y tierra, 1930.

BIOGRAFÍA

La ventana nació de un deseo de cielo
y en la muralla negra se posó como un ángel.
Es amiga del hombre
y portera del aire.

Conversa con los charcos de la tierra,
con los espejos niños de las habitaciones
y con los tejados en huelga.

Desde su altura, las ventanas
orientan a las multitudes
con sus arengas diáfanas.

La ventana maestra
difunde sus luces en la noche.
Extrae la raíz cuadrada de un meteoro,
suma columnas de constelaciones.

La ventana es la borda del barco de la tierra:
la ciñe mansamente un oleaje de nubes.
El capitán Espíritu busca la isla de Dios
y los ojos se lavan en tormentas azules.

La ventana reparte entre todos los hombres
una cuarta de luz y un cubo de aire.
Ella es, arada de nubes,
la pequeña propiedad del cielo.

Boletines de mar y tierra, 1930.

NUEZ

Nuez: sabiduría comprimida,
diminuta tortuga vegetal,
cerebro de duende
paralizado por la eternidad.

Boletines de mar y tierra, 1930.

LO QUE ES EL CARACOL

Caracol:
mínima cinta métrica
con que mide el campo Dios.

Boletines de mar y tierra, 1930.

DOMINGO

Iglesia frutera
sentada en una esquina de la vida:
Naranjas de cristal de las ventanas,
órgano de cañas de azúcar.

Ángeles: polluelos
de la Madre María.

La campanilla de ojos azules
sale con los pies descalzos
a corretear por el campo.

Reloj de sol;
burro angelical con su sexo inocente;
viento buen mozo del domingo
que trae noticias del cerro;
indias con su carga de legumbres
abrazada a la frente.

El cielo pone los ojos en blanco
cuando sale corriendo de la iglesia
la campanilla de los pies descalzos.

Boletines de mar y tierra, 1930.

FIESTA DE SAN PEDRO

Alazán. Alazán.
Después de la cena ciruela
a carrera tendida hacia el pueblo
de sombreros de paja del páramo.

El montado lleva en el ala del poncho
un rollo de viento.

Carteles estremecidos de gritos
en los estancos del camino.

Redobla en las orejas el viento tambor.
Corren en fila india los árboles del cerro.
Echa su lazo de hielo un aullido
a la garganta del silencio.

Con su peineta de luminarias
la primera casa del pueblo.

Han venido los peones de Santa Prisca
con sus ponchos color de ciruela:
borrachos de fuegos artificiales
se arriman al hombro de las puertas.

¡LaRuedachillona! ¡LaRueda de luces! ¡LaRueda!

Muere acribillada de cohetes
la noche de ojos de aguardiente.

Boletines de mar y tierra, 1930.

CORTE DE CEBADA

En un cuerno vacío de toro
sopló el Juan el mensaje de la cebada lista.

En sus casas de barro
las siete familias
echaron un zumo de sol
en las morenas vasijas.

La loma estaba sentada en el campo
con su poncho a cuadros.

El colorado, el verde, el amarillo,
empezaron a subir por el camino.

Entre un motín de colores
se abatían sonando las cebadas de luz
diezmadas por las hoces.

La Tomasa pesaba la madurez del cielo
en la balanza de sus brazos tornasoles.

Le moldeaba sin prisa la cintura
el giro lento del campo.

Hombres y mujeres de las siete familias
sentados en lo tierno del oro meridiano,
bebieron un zumo de sol
en las vasijas de barro.

Boletines de mar y tierra, 1930.

LEVANTAMIENTO

I

Iban adelante nuestros padres
buscando el vado de la tarde crecida
con sus pies cargados de memoria.

Ochocientas voluntades. Ochocientas.
Para el ancho redoble de nuestras sandalias
era un tambor la tierra.

Tierra vestida a cuadros,
mordida por los cercos guardianes;
estás prisionera de cuatro hombres
hasta el último azul del horizonte.

Traíamos el pulso de la semilla libre,
tierra de pechos vegetales.
Flameaba el harapo de nuestro grito
en el palo más alto del aire.

Con su carrera de sangre los soldados
despertaron los verdes quietos del campo.

Avanzaban comidos de sombra,
y un estribillo de dientes afilados
mordía sus hebillas luminosas.

Con los tallos negros de sus fusiles
les vieron pasar
los ojos franciscanos de las sementeras.

Nosotros caminábamos escoltados de espigas,
con un poncho de luz sobre los hombros
y en la frente el mandato de la tierra.

II

Soldados. Soldados.
Ejercicios de puntería
sobre los colores humildes del campo.

Vagabunda muralla de humo:
trampa abierta en el día.
Nos matan desde el horizonte
dando a luz estrellas lívidas.

Compañeros:
los fusiles nos miran con sus ojos de muerto.

Golpea el mundo en nuestras sienes.
El miedo de morir grita en nuestra garganta.
Hay que salvar a la carrera
el silencio listado de mortales bengalas.

Ochocientos bajamos de los cerros,
contando nuestros padres, nuestras madres
y nuestros tiernos hijos.
A esta hora
casi todos descansan sobre la tierra grande.

Traíamos el pulso de la semilla libre,
tierra acorralada por los cercos guardianes.
A la orilla del viento acampó la canción.
El fusil desplumó nuestro mensaje.

Tumbados en la vecindad del cielo
nuestros muertos duermen
manando un cosmos dulce del costado
y con una corona de sudor en la frente.

Boletines de mar y tierra, 1930.

LEOPOLDO MARECHAL

1900

Argentino. Poeta brillante, de fondo romántico, con grandes
dotes de elocuencia y facundia, ha escrito poemas postmodernistas y ultraístas de gran riqueza imaginativa y verbal sobre
temas argentinos y universales. Su misma exuberancia le ha
impedido llegar todavía al equilibrio de sus cualidades poéticas.

BIBLIOGRAFÍA. — **Poesía:** *Los aguiluchos*, Buenos Aires, 1922. *Días como flechas*, 1926. *Odas para el hombre y la mujer*, 1929; 1930. **Estudios:** J., Sobre *Días como flechas*, en GLit, 15 marzo 1927. M. LÓPEZ PALMERO, Sobre *Días como flechas*, en Nos, 1927, LVI, 563-566. E. MÉNDEZ, *Doce poetas nuevos*, en Sin, 1927, II, 211-214.

SIESTA

Abejorros de sol se deslizaban
a tus caderas
desde la parra.

En los grifos chorreantes
un pájaro de agua
desovilló el menudo carretel de sus voces
para que se durmieran los patios infantiles.

¡Vientre de la tinaja,
donde los canalones recogieron el sol
que llovía en los techos!

¡Y los taladros
de la cigarra,
que abrían agujeros musicales
en un silencio de madera!

Con sombras de hoja verde se tatuaron tus muslos.
Gorriones, asoleados, las palabras,
no querían dejar el cedrón de tu boca;
tus ojos desmayaban en cojines de bruma;
y los cinco juguetes de tus dedos
se dormian sin cuerda, entre los míos...

¡Recuerdo ese gotear de adormideras
en tus pestañas curvas,
y aquella risa que segó en tus labios
un alfanje de sueño!

Nuestros párpados niños amasaban el cobre
de fuertes mediodías.
Los ojos se colgaron en el vuelo
de las cigüeñas,
que picoteaban uvas torrenciales de sol
en un azul de papagayo...
Entonces bajo el agua vertical de la sombra
dormían grandes rostros taciturnos
y en todos los caminos invisibles del aire
se deshojaba un árbol de mariposas rubias.
Y caían las voces
en el aljibe del silencio
y en el mate cordial se ahuecaron las manos
como en un seno virgen de muchacha...

Afuera los caballos olfateaban su sombra,
pacientes, bajo grandes cojinillos de sol.

Entonces era bueno recordar las historias
que dijo la nodriza con olor a pimienta:
Grandes islas colgadas en el hilo del trópico,
mujeres sudorosas y hombres color tabaco,
fraguas de luz, tucanes con los picos abiertos
en las hojas inmóviles...
Y la pasión de algún filibustero
que tenía dos naves y trescientos piratas!
En tus ojos de musgo
desfilaron hespérides antiguas
con un recelo de panteras curvas
y un zumbido
de grandes moscas atornasoladas.

¡Qué haré con tu recuerdo!
¡Qué haré de mi recuerdo sin música ni llanto!
Ahora desarticulan sus quijadas
en un bostezo de león los patios.
¡Ahora los grillos clavan sus agujas
en desgarrados ponchos de silencio!
Los aljibes acuñan
su moneda de cielo;
el sol inyecta en los racimos
una locura genital de hombre
y en las alcobas de mi soledad
se desnuda tu ausencia...

Días como flechas, 1926.

INTRODUCCIÓN A LA ODA

Varón callado y hembra silenciosa
me dieron la privanza de la tierra.
El último yo soy, y el — que — despunta.

2

Los hombres de mi raza cosecharon el mar,
pero no sustrajeron la canción, entre peces.
Junto al mar el silencio fué sudor de sus años,
estela de sus naves y aroma de sus muertes,

porque el silencio entonces era un gran corazón
que no debe partirse.
Él Primero y el Último es mi nombre:
el último callado y el primero que suena.

3

En el día sin lanzas amasé mi canción
con un barro durable.
Se habían pronunciado las palabras:
«Toda canción es flecha de destierro.»
Y en el día sin lanzas por encima del hombro
disparé mi canción.

4

Fructificaba el árbol con altura de árbol
y al sol el buey mugía con altura de buey.
Pero mi voz era más alta
que mi altura de hombre.

Y la muerte del árbol
estaba más distante que la muerte del buey.
Pero mi muerte ya era un fuego vivo,
y era mi canto el humo de mi muerte.

(Esta canción tiene los pies de niño
y el corazón de hombre:
Pie que gira en el baile de la hoguera,
corazón que redobla en el baile del humo.)

5

¡Qué bien pesaban en la tierra el árbol
y el hombre y sus pacientes animales!
La longitud era canción,
la latitud era canción,
y era canción la altura.
Tres canciones atadas componían el mundo,
y al hombre y sus pacientes animales.
¡Oh geometría en todo su verdor!
¡Oh fuertes ataduras en el día sin lanzas!

6

Pero mi voz crecía por sobre mi cabeza
y un nudo se soltaba en mi canción.

Odas para el hombre y la mujer, 1929.

DEL HOMBRE, SU COLOR, SU SONIDO Y SU MUERTE

Nuestros idiomas en guerra
son alabanza del día.
El día nuevo tiene la forma de un vaso:
pide colmarse de nuestra música.

Somos ligeros,
y en nuestro baile no se fatiga la tierra.
Vamos unidos alta mazorca de humos.

2

Aventamos palabras.
En los caminos de la mujer y del hombre:
arrecia la mujer igual que un viento.
«¡Puras conversan las armas al mediodía — dijimos —
nunca segaron del todo la mies!»

Y nuestra sangre al sol
es la rosa más roja...
Sonido de hombre, color de hombre,
¡arraiguemos este poder en el día!
El día nuevo tiene la forma de un vaso:
pide colmarse de nuestro color.

3

Pero decimos al fin:
«Color extranjero somos,
y el pie se ha demorado junto a la tierra y su baile.
Manos de segador alzaba el tiempo:
somos un humo que busca la patria del humo.»

4

Así cantamos al fin, y es alabanza del día.
El día nuevo tiene la forma de un vaso:
pide colmarse
de nuestra muerte.

Odas para el hombre y la mujer, 1929.

XAVIER VILLAURRUTIA

1903

Mejicano, de la capital. Entre los muchos jóvenes en formación que hay en Méjico — como en el resto de América y en
España — debe destacarse a éste, porque la poesía de su único
libro es perfecta desde su nacimiento, por ser su naturaleza y
aspiración única la exactitud. Su temperamento intelectual y
crítico, su agudeza de visión y su buen gusto frío y contenido
le han permitido dar plasticidad y exactitud poética a los estados de ánimo más sutiles, vagos e incoercibles.

Bibliografía.—**Poesía:** *Reflejos,* México, 1926. *Dos nocturnos,* suplemento de Barandal, 1931. **Otras obras:** *Dama de corazones,* novela,
México, 1928. **Estudios:** Andrenio [E. Gómez de Baquero], *Pen Club,*
I: *Los poetas,* Madrid, [1929], pp. 273-277. J. Cuesta, Sobre *Reflejos,* en
U, 1927, I, núm. 1, 28-29. E. González Rojo, Sobre *Dama de corazones,*
en Con, 1928, I, 319-321. R. Montenegro, *Máscaras mexicanas,* México,
1926. J. Torres Bodet, *La poesía mexicana moderna,* en Sol, feb. 1928.

CUADRO

Fuera del tiempo, sentada,
la mano en la sien,
¿qué miras, mujer,
desde tu ventana?

¿Qué callas mujer, pintada
entre dos nubes de mármol?

Será igual toda la vida
tu carne dura y frutada.

Sólo la edad te rodea
como una atmósfera blanda.

No respires, no.
De tal modo el aire
te quiere inundar,
que envejecerías,
¡ay!, con respirar.

No respires, no.

¡Muérete mejor
así como estás!

Reflejos, 1926.

PUEBLO

Aquel pueblo se quedó soltero,
conforme con su iglesia,
embozado en su silencio,
bajo la paja—oro, mediodía—
de su sombrero ancho,
sin nada más:
en las fichas del cementerio
los + son —.

Aquel pueblo cerró los ojos
para no ver la cinta de cielo
que se lleva el río,
y la carrera de los rieles
delante del tren.
El cielo y el agua,
la vía, la vía
— vidas paralelas —
piensan, ¡ay!, encontrarse
en la ciudad.

Se le fué la gente
con todo y ganado.

Se le fué la luna novia,
¡la noche le dice
que allá en la ciudad
se ha casado!
Le dejaron, vacías, las casas
¡a él que no sabe jugar
a los dados!

Reflejos, 1926.

SUITE DEL INSOMNIO

ECO

La noche juega con los ruidos
copiándolos en sus espejos
de sonidos.

SILBATOS

Lejanos, largos
—¿de qué trenes sonámbulos?—
se persiguen como serpientes,
ondulando.

TRANVÍAS

Casas que corren locas
de incendio, huyendo
de sí mismas,
entre los esqueletos de las otras
inmóviles, quemadas ya.

ESPEJO

Ya nos dará la luz,
mañana, como siempre,
un rincón que copiar
exacto, eterno.

CUADRO

Qué temor, qué dolor
de envidia,
hacer luz y encontrarte

—mujer despierta siempre—
ahora, que crees que no te veo,
dormida.

RELOJ

¿Qué corazón avaro
cuenta el metal
de los instantes?

AGUA

Tengo sed.
¿De qué agua?
¿Agua de sueño? No,
de amanecer.

ALBA

Lenta y morada
pone ojeras en los cristales
y en la mirada.

Reflejos, 1926.

ADICIONES

Durante la impresión de esta obra han ocurrido o llegado a nuestro conocimiento hechos biográficos y bibliográficos que completan o ponen al día la información que hemos dado al frente de las poesías de cada autor. Reunimos aquí estos datos siguiendo el orden que les corresponde conforme al plan de la Antología.

I.—TRANSICIÓN DEL ROMANTICISMO AL MODERNISMO

Manuel González Prada.—BIBLIOGRAFÍA.—**Poesía:** *Presbiterianas,* 2.ª ed., Lima, 1928. **Otras obras:** *Bajo el oprobio,* pról. de A. González Prada, París, 1933. *Trozos de vida,* París, 1933. **Estudios:** I. GOLDBERG, *A Peruvian iconoclast,* en AmM, nov. 1925. A. MELIÁN LAFINUR, *Figuras americanas,* París, [1926], p. 141-149. L. A. SÁNCHEZ, *Don Manuel,* trad. franc., París, 1931.

Manuel Gutiérrez Nájera.—**Poesía:** *Poesías escogidas,* pról. y sel. de L. G. Urbina, México, Cultura, 1918. *Sus mejores poesías,* México, 1933. **Otras obras:** *Prosa (Cuentos y crónicas),* San José de Costa Rica, 1912. **Estudios:** M. CÁNDANO, *M. G. N., precursor del modernismo en México,* en UM, 1931, II, núm. 12, 494-504; *M. G. N.,* en LyP, 1934, XII, 123-129. H. D. DISSELHOFF, *Die Landschaft in der mexikanischen Lyrik,* Halle, 1931, p. 56-63. I. GOLDBERG. *M. G. N.,* en *Studies in Spanish-American literature,* New York, 1920, p. 16-46. M. P. GONZÁLEZ, *El conflicto religioso en la vida y en la poesía de M. G. N.,* en A, 1932, XXII, 229-236. F. MONTERDE GARCÍA ICAZBALCETA, *M. G. N.,* México, 1925. J. DE J. NÚÑEZ Y DOMÍNGUEZ, *José Martí, y G. N.,* en RepAm, 22 abril 1933. G. PÉREZ TREJO, *Bibliografía de M. G. N.,* en LyP, 1934, XII, 129-136. M. PUGA Y ACAL, *Los poetas mexicanos contemporáneos,* México, 1888. L. G. URBINA, *Hombres y libros,* México, [1923]. A. DE VALBUENA, *Ripios ultramarinos,* Madrid, 1893, montón I, p. 223-235; 237-253.

Manuel Reina.—BIBLIOGRAFÍA.—**Estudios:** M. R. BLANCO-BELMONTE, *M. R.,* en IEyA, 1905, LXXIX, 299.

Manuel José Othón.—Bibliografía.—**Poesía:** *Poemas rústicos,* México, 1882. *Obras,* 2 vols., México, 1928. **Estudios:** H. D. Dissel-hoff, *Die Landschaft in der mexikanischen Lyrik,* Halle, 1931, p. 31-46. A. Jiménez Rueda, *Una bibliografía de M. J. C.,* en LyP, 1933, XI, 223-226. C. Meléndez, *El poeta M. J. C.,* en UM, 1932, IV, 151-159. A. Nervo, *«Poemas rústicos» de M. J. C.,* en RM, set. 1902. A. Reyes, sobre M. J. C., *Obras,* México, 1928, en Monterrey, 1931, núms. 6 y 7. R. B. Ruiz, *Del lírico vergel potosino : semblanzas y pergeños,* San Luis Potosí, 1919. L. G. Urbina, *La semana,* en MuI, 2 dic. 1906. *Hombres y libros,* México, [1923], p. 161-170. J. A. Vázquez, *La obra lírica de M. J. O.,* en LyP, 1931, IX, 219-223.

José Martí.—Bibliografía.—**Poesía:** *La edad de oro,* núms. 3 y 4, San José, C. R., 1921; col. completa, con introd. de E. Roig de Leuchsenring, Habana, 1932. *Obras completas,* ed. N. Carbonell, Habana, 1918 [tomo III: *Cauce poético*]. *Flores del destierro,* versos inéditos recopil. por G. de Quesada, en RBC, 1932, XXX, 326-342; XXXI, 12-27, 161-182. **Otras obras:** *La luz de la libertad,* loa en un acto, Reus, 1868. *La República Española ante la revolución cubana,* Madrid, 1873. *Obras completas,* ed. N. Carbonell, Habana, 1918 [tomo I: *Tribunicias*]. *Dos artículos de M.,* en CuC, 1918, XVIII, 125-239. *Madre América,* París, 1922. *Discursos,* Habana, 1923. *Vindicación de Cuba,* 1926. *Una carta,* en RBC, 1931, XXVII, 5-7. *Epistolario de J. M. y Máximo Gómez,* recopil., introd., notas y apéndice por G. de Quesada, Habana, 1933. *La clara voz de México,* compil., notas y una «explicación», por C. Carrancá y Trujillo, México, 1933, t. I. *Martí en México* [cf. J. Marinello, en LyP, 1933, XI, 183-186]. **Estudios:** A. Acebedo Escobedo, *Huellas de M. en México,* en RepAm, 20 mayo 1933. E. Aguilera Rojas, *Paralelo entre Aguilera, Céspedes y M.,* Manzanillo, 1917. J. de Armas, *M.,* en *Ensayos críticos de literatura inglesa y española,* Madrid, 1910, p. 207-214. B. Z. de Baralt, *J. M., caballero,* en RBC, 1931, XXVIII, 323-333. J. del Camino, *Releyendo el «Epistolario» de J. M.,* en RepAm, 20 mayo 1933. *A propósito de «La edad de oro», de J. M.,* en RepAm, 30 junio 1932. J. M. Carbonell, *Las ideas americanistas de M.,* en A, 1931, año VIII, núm. 79, 499-503. N. Carbonell, *M.: su vida y su obra,* Habana, 1913; *Discurso* [sobre M.], 1919; *Un trabajo de M., desconocido,* en AANALH, 1927, XI, 5-27; *M. y el Uruguay,* en AANALH, 1930, XV, 391-403; *J. M.: apóstol, héroe y mártir,* Buenos Aires, 1933 [cf. PrBA, 17 junio 1933]. E. Suárez, *Calimano,* en Nos, 1933, LXXX, 210]. C. Carrancá y Trujillo, *Las polémicas de J. M. en México,* México, 1931; *M., Castelar y la revolución de Cuba en 1875,* 1932; *M., traductor de Víctor Hugo,* 1933; *El americanismo de M.: Su actitud frente a Porfirio Díaz,* en RepAm, 20 mayo 1933; *La llegada de M. a México,* en Crisol, 1934, XI, 357-369; *La muerte de Ana Martí,* en Crisol, 1934, XI, 98-102; *Ana*

Martí: noticia de su muerte, México, 1934. A. DE CARRICARTE, *Iconografía martiniana*, en DM, 9 set. 1923; *M. en la Isla de los Pinos*, Habana, s. a. E. DÍEZ-CANEDO, *Heredia y M.*, en RBC, 1932, XXIX, 179-183. A. DOTOR, *Figuras de América: Bustamante y M.*, en NDC, 24 oct. 1933. F. EDELMANN Y PINTO, *Comment j'ai connu M.*, en RAmL, 1929, XVII, 23-26. J. A. FERNÁNDEZ DE CASTRO, *M. y los niños*, en Crisol, 1934, XI, 370-372. P. GIMENO, *Reminiscencias de J. M.*, en RBC, 1932, XXIX, 321-326. I. GOLDBERG, *J. M.*, en *Studies in Spanish-American literature*, New York, 1920, p. 46-52. J. GUALBERTO GÓMEZ, *M. y yo*, en RBC, 1933, XXXI, 5-11. A. GUERRA, *El sentimiento étnico de M.*, Habana, 1925. F. HENRÍQUEZ Y CARVAJAL, *M.: Páginas dominicanas de su vida íntima*, en RBC, 1932, XXIX, 5-12. P. HENRÍQUEZ UREÑA, *M.*, en RepAm, 18 julio 1931; Sur, 1931, núm. 2, 220-223; *Iconografía del apóstol M.*, 1925. A. IDUARTE, *J. M.*, en UM, 1932, IV, 160-177. B. JARNÉS, Sobre *Poesías*, ed. J. Marinello, en RdE, 1929, IV, 205-206. C. JINESTA, *J. M.*, en Costa Rica, San José, C. R., 1933; *La República del Uruguay y el prócer cubano J. M.*, Montevideo, 1917 [contiene cartas de M.]. F. LIZASO, *Tres notas martianas*, en RAv, 1929, IV, 313-314; *Los que conocieron a M.*, en RBC, 1931, XXVIII, 321-322; *Un poema desconocido de M.*, en RBC, 1932, XXIX, 332-342; *M. y los niños*, en Cer, 1932, VII, núm. 4, p. 17; RepAm, 4 junio 1932; *Homenaje a J. M. en el 38 aniversario de su muerte*, en RepAm, 20 mayo 1933; *M.*, en CUDA, 1933, núm. 21, 645-652; Crisol, 1933, IX, 341-348. J. DE LA LUZ LEÓN, *J. M.*, trad. franc. en RAmL, 1926, XII, 128-130; *Un sembrador de estrellas*, en RepAm, XIII, núm. 15, p. 225. J. MAÑACH, *Martí, el apóstol*, Madrid, 1933 [cf. J. M. CHACÓN Y CALVO, en ROcc, 1933, XL, 355-360]. J. A. MARTÍNEZ, en Oriente, 1933, II, núms. 11 y 12, 551-553; M. NAVARRO LUNA, en Orto, 1933, XXII, núms. 9-10, 89-93. X, en PrBA, 2 julio 1933]. J. MARINELLO, *Gabriela Mistral y J. M.*, en Sur, 1931, núm. 4, 156-163; RepAm, 30 enero 1932; *J. M., artista*, en RepAm, 20 mayo 1933; *M. en Venezuela*, Caracas, 1930. M. D. MARTÍNEZ RENDÓN, *En torno a la poesía de M.*, México, 1933. F. MERCADO, *Mis recuerdos de J. M.*, en RBC, 1932, XXIX, 161-167. G. MISTRAL, *El trópico y J. M.*, en ABC, 6 agosto 1932. J. DE J. NÚÑEZ Y DOMÍNGUEZ, *Los familiares de M. en México*, en RBC, 1933, XXXI, 28-33; *J. M. y Gutiérrez Nájera*, en RepAm, 22 abril 1933; *M. en México*, carta-pról. de J. M. Puig Casauranc, México, 1934 [cf. R. E. BOTI, en Crisol, 1934, XII, 59-60]. V. H. PALSITS, *J. M., maestro y caballero*, en RBC, 1932, XXX, 322-325. P. PILLEPICH, *L'ultimo liberatore d'America: J. M.*, Roma, 1929. H. PORTELL VILA, *M., diplomático*, en UH, 1934, núm. 3, 85-99. G. QUESADA, *M., periodista*, Habana, 1929. J. J. REMOS Y RUBIO, *J. M.* en *Resumen de historia de la literatura cubana*, Habana, 1930, p. 249-264. E. S. SANTOVENIA, *Bolívar y M.*, Habana, 1934; *Tarjeta bibliográfica de J. M. en el «Repertorio Americano»*, en RepAm, 20 mayo 1933. R. H. VAlle, *Bibliografía de M. en México,* en LyP, 1932, X, 28-31; *M. en México,* en ND, 1934, núm. 5, 13-14. E. J. Varona, *Mis recuerdos de M.,* en RBC, 1932, XXX, 5-8.

Ricardo Gil. — Bibliografía. — **Poesía:** *De los quince a los treinta,* Murcia, 1931. *La caja de música,* 1931.

Salvador Díaz Mirón. — Bibliografía. — **Poesía:** *Selección de poemas,* México, Edit. Orientaciones, 1932. **Estudios:** J. J. Argote, *S. D. M.,* en Ho, 1934, VII, núm. 87, 21-22. E. Colín, *Verbo selecto,* México, 1922. H.-D. Disselhoff, *Die Landschaft in der mexikanischen Lyrik.* Halle, 1931, p. 47-56. I. Goldberg, *S. D. M.,* en *Studies in Spanish American literature,* New York, 1920, p. 64-71. J. de J. Núñez y Domínguez, *D. M., poeta socialista,* México, 1929. Orosmán Rivas, *Mi última entrevista a D. M.,* en UnIl, 1923, VI, 21. A. Pérez y Soto, *D. M., poeta,* México, 1919. J. M. Puig Casauranc, *S. D. M.,* en *Mirando la vida,* México, 1933, p. 99-109. S. R. Viesca, *Ensayos críticos,* México, 1926.

Julián del Casal. — Bibliografía. — **Poesía:** *Selección de poesías,* introd. por J. J. Geada y Fernández, Habana, 1931. **Estudios:** R. Cansinos-Asséns, *La nueva literatura,* Madrid, 1925. J. M. Chacón y Calvo, *J. del C.,* en Fi, 1922, XXXIX, 516. J. J. Geada y Fernández, *J. del C., estudio crítico,* Habana, 1931. I. Goldberg, *J. del C.,* en *Studies in Spanish-American literature,* New York, 1920, p. 52-57. S. Salazar y Roig, *El dolor en la lírica cubana,* Habana, 1925. E. J. Varona, Sobre *Hojas al viento,* en RCu, 1890, XI; 1893, XXVIII.

José Asunción Silva. — Bibliografía. — **Poesía:** *Poesías,* Bogotá, 1886; 1909; Santiago de Chile, [1923]. *Los mejores poemas,* con comentario de M. Toussaint, México, Cultura, 1917. *El libro de versos, 1883-1896,* Bogotá, [1928]. *Los poemas inéditos,* Bogotá, 1928. **Otras obras :** *Prosas,* Bogotá, 1926. **Estudios:** G. Arciniegas, *Los primeros poemas de S.,* en Universi, 8 nov. 1928. A. Arguedas, *La muerte de J. A. S.,* en RepAm, 17 marzo 1934; A, 1934, XXVI, 188-198. S. Argüello, *J. A. S.,* en BBNGuat, 1934, I, 200-205, 243-248. R. Blanco-Fombona, *S. y Rubén,* en EspSLI, 31 mayo 1929; *La filosofía en la poesía de S.,* en EspSLI, 6 junio 1929; S., *Elvira y el poeta,* en EspSLI, 13 junio 1929. F. Botero, *Algo relativo a J. A. S.,* en Cromos, 24 nov. 1928. C. A. Caparroso, *S. y su obra,* en Cromos, 11 agosto 1928. E. Castillo, *Dos palabras acerca de S.,* en Cromos, 26 mayo 1917; *Un juicio sobre S.,* en Cromos, 1922, XIII, 374. G. Figueira, *J. A. S.,* en *La sombra de la estatua,* Buenos Aires, 1923, p. 39-45. I. Goldberg, *J. A. S.,* en *Studies in Spanish-American literature,* New York, 1920, p. 57-64. M. Grillo, *Alma dispersa,* París, Garnier, s. a., p. 175-179. R. Liévano, *J. A. S.,* en RevChil, 1922, XIV, 294-311; *S. y Darío,* en Cromos, 24 mayo 1924; *La muerte de J. A. S.,* en AL, enero 1931. R. MAYA, *De S., a Rivera,* Bogotá, 1929. A. MONTOYA CANAL, *El monumento a S.,* en Cromos, 23 mayo 1925. B. SANÍN CANO, *El origen del «Nocturno» de J A. S.,* en DCR, 16 enero 1923. E. SARMIENTO, *Un aspecto de la obra de S.,* en BHi, 1933, XXV, 287-293. A. SOLANO, *J. A. S.,* en Universi, 8 nov. 1928.

Salvador Rueda.—Murió en Málaga el 1 de abril de 1933.—BIBLIOGRAFÍA. — **Poesía:** *El poema del beso,* Madrid, 1932. **Otras obras:** *Renglones cortos* (Ensayos literarios), Madrid, 1880. *El salvaje,* novela poética, 1933. **Estudios:** L. ALAS, Sobre *El patio andaluz,* en *Nueva campaña,* Madrid, 1887, p. 255-261. N. ALONSO CORTÉS, *S. R. y la poesía de su tiempo,* en AUM, 1933, II, 71-92. M. CABALLERO, *S. R. en Puebla,* Puebla, 1917. E. DÍEZ-CANEDO, Sobre *Lenguas de fuego,* en L, 1908, año VIII, t. II, 62-64; *Muere un poeta español: S. R.,* en Sol, 30 abril 1933. J. J. DOMENCHINA, *S. R.,* en Sol, 16 abril 1933. J. R. JIMÉNEZ, *«Colorista» español,* en Sol, 9 abril 1933. J. L. PAGANO, *Al través de la España literaria,* 3.ª ed., Barcelona, s. a., t. II, p. 229-248. M. DE RUEDA, *S. R.: los primeros aplausos que escuchó el poeta,* en EyACVL, 1933, VII, número 78, p. 64, *S. R.* [nota necrológica], en Nos, 1933, LXXVIII, 358-359; *S. R. en Filipinas,* Manila, 1915. ZAHORÍ, *Un nuevo libro de S. R.: «El poema del beso»,* en EyACVL, 1932, VI, núm. 65, p. 54.

Francisco A. de Icaza.—BIBLIOGRAFÍA.—**Estudios:** E. ABRÉU GÓMEZ, *Notas para la bibliografía de don F. A. de I.,* en LyP, 1933, XI, 136-140. ANDRENIO [E. GÓMEZ DE BAQUERO], *Pen Club,* I: *Los poetas,* Madrid. [1929], p. 295-300. F. GÓMEZ DE OROZCO, *El último libro de don F. A, de I. y sus detractores,* en MuMex, 26 y 31 agosto 1923. A. REYES, *La última obra de don F. A. de I.,* en Universal, 18 julio 1923. L. G. URBINA, *Hombres y libros,* México, [1923], p. 187-196. A. DE VALBUENA, *Ripios ultramarinos,* Madrid, 1894, montón 2, p. 85-99. F. VALDÉS, *Erudito y poeta,* en *Letras,* Madrid, 1933, p. 47-58.

Leopoldo Díaz. — BIBLIOGRAFÍA. — **Poesía:** *Sonetos,* Buenos Aires, 1888. *Las ánforas y las urnas,* Cristianía, 1923.

Ismael Enrique Arciniegas. — BIBLIOGRAFÍA. — **Poesía:** *Antología poética,* Quito, 1932. **Estudios:** C. A. ARROYO, *La «Antología poética» de I. E. A.,* en LyP, 1933, XI, 107-109; RepAm, 8 abril 1933; EyACVL, 1933, VII, núm. 78, 63. M. VELASCO Y ARIAS, *I. E. A. (El gran poeta colombiano),* en LitAr, 1934, VI, 245-247. G. ZALDUMBIDE, *El poeta I. E. A.,* en RepAm, 23 enero 1932.

«Almafuerte» (Pedro B. Palacios).—BIBLIOGRAFÍA.—**Poesía:** *Poesías,* Buenos Aires, 1907. *Apóstrofe (autógrafo con las poesías inéditas*

«El alma de tu señor» y *«Mi alma»*, Buenos Aires, s. a.   *Obras completas,*
París, 1922.   *Poesías,* primera compil. hecha en presencia de textós originales, Buenos Aires, 1933.   **Otras obras:** *Discursos completos,* recopil., est. y notas de S. J. Bagú, Buenos Aires, [1933].   *Evangélicas completas, otros escritos literarios y cartas,* compil., y est. de su vida y su
obra por S. J. Bagú, [1933].   **Estudios:** *Claridad,* Buenos Aires, 1933,
XII, núm. 65 [homenaje a A.].   P. Groussac, *A.,* en BibBA, 1897, II, número 13.   T. Imondi, *A.,* en Sarm, marzo 1929, p. 22-23.   J. Llanos, *A.,*
en R, 24 feb. 1923.   C. Oyuela, *Antología poética hispanoamericana,*
tomo III, vol. 2, p. 1262.   A. Palcos, *El primer poema de A.* [«Olvídate
de mí»], en Nos, 1931, LXXIII, 315-324.

Fabio Fiallo.—Bibliografía.—**Poesía:** *Sus mejores poesías,* Barcelona, 1931.   **Estudios:** A. Arias, *El libro síntesis de F.* [Sobre *Sus mejores poesías*], en RepAm, 19 dic. 1931.

II.—RUBÉN DARÍO

Rubén Darío.—Bibliografía.—**Poesía:** *Canto épico a las glorias de
Chile,* en RevChil, 1927, XI; núms. 86-87, p. 129-143.   *Poetic and prose
selections,* ed., notes and vocab. by S. L. M. Rosenberg and M. López de
Lowther, critical introd. by F. de Onís; Boston, Heat, 1931.   *Sonetos,*
Madrid, [1929].   *Cantos de vida y esperanza. Los cisnes y otros poemas,*
pról. de A. Ghiraldo, Madrid, Espasa-Calpe, 1932 (obras completas, 1).
Obras poéticas completas, orden. y pról. de A. Ghiraldo, Madrid, Aguilar,
1932.   **Estudios:** G. Alemán Bolaños, *Recuerdos de R. D.,* en UnIl,
7 abril 1921.   G. Alomar, *Elegíaca,* en Imp, 5 nov. 1917.   J. G. Antuña,
R. D. y J. Herrera y Reissig, en *Litterae,* Paris, 1926, p. 243-247.
A. Ayón, *R. D.,* en *Escritos varios,* Managua, 1914, p. 418-426.   J. A. Balseiro, *El vigía,* I, Madrid, [1925], p. 135-142.   R. Barrios, *Las debilida-
des de R. D.,* en UnIl, 2 set. 1920, p. 14-15; *Una visita a D.,* en Fi, 25
julio 1915.   O. Bazil, *Vidas de iluminación: La huella de Martí en R. D.,
Cómo era R. D.,* Habana, 1932.   B. Castellano, *R. D.,* en Biblos, 1926,
III, 162-182.   A. Coester, *The influence of pronunciation on R. D.'s verse,* en HispCal, 1932, XV, 257-260.   F. Contreras, *R. D. et la critique,*
en MF, 1932, CCXXXIII, 481-482.   J. M. de Cossío, *El modelo estrófico de los «layes, decires y canciones» de R. D.,* en RFE, 1932, XIX,
283-287; *R. D. y Menéndez y Pelayo,* en BBMP, 1926, VIII, 316-319.
L. H. Debayle, *Homenaje a R. D.,* Managua, 1933.   M. Escalada,
R. D., en RUBA, 1931, VI, núm. 3, 491-509.   M. Flores, *Algo más sobre
R. D. en Costa Rica,* en RepAm, 28 abril 1934.   F. García Godoy, Sobre *Letras,* en *La literatura americana de nuestros días,* Madrid, 1915,
p. 31-44.   A. Ghiraldo, *La obra primigenia de D.* [sobre *Rimas y Abro-*

jos], en Sol, 17 marzo 1931. P. Henríquez Ureña, *El modelo estrófico de los «layes, decires y canciones» de R. D.*, en RFE, 1932, XIX, 421-422. Lauxar [O. Crispo Acosta], *R. D.*, en Peg, 1921, marzo, 97-110. V. Lillo Catalán, *Dos grandes sinfonistas opuestos: R. D. y Edgar Poe*, en RABA, 1934, XLIX, 39-43. R. de Maeztu, *Las letras y la vida de R. D.*, en PrTex, 20 feb. 1922. Magellan, *Sur. R. D. et Enrique Rodó*, en RAmL, 1930, XX, 190-191. E. K. Mapes, *Innovation and French influence in the metrics of R. D.*, en PMLA, 1934, XLIX, 130-326. A. Marasso, *R. D.*, en Nos, 1933, LXXX, 51-62; BAAL, 1933, I, 155-192. C. Meléndez, *Revisión de D.*, en HispCal, 1931, XIV, 443-448. A. Melián Lafinur, *Figuras americanas*, Paris, [1926], p. 167-191. T. Manacorda, *R. D.*, en Peg, 1922, marzo, p. 403-414. A Miranda, *Los poetas americanos: R. D.*, en MuMex, 25 oct. 1896; *Monumento a R. D.*, en BUPan, 1934, LXVIII, 356-364. S. Ossa Borne, *Un té de amigos*, en RevChil, 1917, I, 69-80; *La historia de la canción de oro: Recuerdos de R. D.*, en RevChil, 1917, II, 368-375. R. J. Payró, *Rubén*, en Nac, 7 feb. 1926; Verbum, 1931, XXV, 45-52. A. Prats, *Algunos recuerdos de don R. D.*, en RepAm, 13 mayo 1933. M. Rodríguez Mendoza, *Los «Abrojos» de R. D.*, en RevChil, 1917, I, 278-281. S. Rosales, *R. D., y la vergüenza póstuma*, en UnIl, 1923, VII, núm. 326, 32-64; *R. D.: Tributo de Cuba a su memoria*, Habana, 1920. J. Saavedra Molina, *El verso que no cultivó R. D.*, Santiago de Chile, 1933. R. Sáenz-Hayes, *En torno al epistolario de R. D.*, en PrBA, 18 julio 1926. M. Santa Cruz, *La mala memoria de R. D.*, en EyACVL, 1932, núm. 65, 49-50 [cf. S. Latino, *id.*, id., núm. 66, 61-62]; RepAm, 11 feb. 1933. R. D. Silva Uzcátegui, *Psicopatología del soñador*, Barcelona, 1931. A. Torres-Rioseco, *R. D.: casticismo y americanismo*, Cambridge, Mass., 1931 [cf. A. Acevedo Escobedo, en RepAm, 14 enero 1933. C. Barja, en Nos, 1932, LXXV, 96-100. A. Coester, en HispCal, 1932, XV, 85-88; A, 1932, XX, 95-100. M. P. González, en RBC, 1932, XXIX, 189-197. E. A. Peers, en BSS, 1932, XI, 135-137. G. W. Umphrey, en HR, 1933, I, 84-87]; *R. D. y la crítica*, en HispCal, 1931, XIV, 99-106; CVen, 1931, XLV, 24-33; *R. D., el prosista*, en MLForum, 1934, XIX, 27-31. L. G. Urbina, *Hombres y libros*, México, [1923]. A. de Valbuena, *Ripios ultramarinos*, Madrid, 1896, montón 3, p. 83-97, 99-115.

III. TRIUNFO DEL MODERNISMO

I. – Poetas españoles

Miguel de Unamuno. — El año 1934 ha traído dos hechos de magna importancia en su vida: la muerte de doña Concha Lizárraga, su esposa, y su jubilación como catedrático. El Gobierno español ha dispuesto la

creación de una cátedra especial para que pueda seguir enseñando con
máxima libertad. — BIBLIOGRAFÍA. — **Otras obras:** *Paz en la guerra,*
[trad. alem. por O. Buck, Berlín, [1929]. *Vida de Don Quijote y Sancho,*
[trad. alem., München, [1925]; trad. alem. por O. Buck, Leipzig, 1933].
Del sentimiento. trágico de la vida, [trad. alem. por O. Buck, Leipzig, 1933]. *El espejo de la muerte,* [trad. alem. por O. Buck, Leipzig, [1933]. *Niebla,* [trad. alem. por O. Buck, Leipzig, 1933]. *Abel Sánchez,* [trad. alem. por O. Buck, Leipzig, 1933]. *Tres novelas ejemplares,*
[«Nada menos que todo un hombre»: trad. ingl., en *The best continental
stories of 1924-25,* Boston, 1925, p. 425-494; trad. holand. por G. J. Geers,
Maatschappij, 1926; trad. checa por A. Synek, Praga, 1933. Escenifica-
ción dramática por J. de Hoyos, Madrid, 1925; trad. ital., Firenze, 1932].
La tía Tula, [trad. alem. por O. Buck, Leipzig, 1933]. *La agonía del
cristianismo,* Madrid, 1931 [trad. alem. por O. Buck, Leipzig, 1933].
Cómo se hace una novela, trad. franc. por J. Cassou, en MF, 1926,
CLXXXVIII, 13-39]. *El otro,* misterio en tres jornadas y un epílogo,
Madrid, 1932. *Perche esser cosi?,* trad. di G. Beccari, Roma, 1921. *La
sfinge,* introd. di F. Carlesi, trad. di G. Beccari, Lanciano, 1922. *Il se-
greto della vita,* trad. di G. Beccari, Firenze, 1924. *Vérités arbitraires*
(Espagne contre Europe), trad. de F. de Miomandre, Paris, s. a. *Kod,*
trad. de Garady Viktor, Budapest, s. a. *Avan et près la rèvolution,* trad.
por J. Cassou, Paris, 1933. **Estudios:** D. K. ARJONA, La voluntad *and*
abulia *in contemporary Spanish ideology,* en RHi, 1928, LXXIV, 373-672.
M: AZAÑA, *El león, Don Quijote y el leonero,* en *Plumas y palabras,* Madrid, 1930, p. 209-216. J. A. BALSEIRO, *M. de U., novelista y «nivolista»,*
en *El vigía,* t. II, Madrid, 1928, p. 25-122. J. L. BORGES, *Acerca de U.,
poeta,* en Inquisiciones, Buenos Aires, 1925, p. 100-108. E. BOYD, *Don
M. de U.,* en *Studies from ten literatures,* New York, 1925. E. BRENES,
The tragic sense of life in M. de U., Toulouse, 1931. J. CASSOU, *Por-
trait d'U.,* en MF, 1926, CLXXXVIII, 5-12. F. COSSÍO DEL POMAR,
Con los buscadores del camino, Madrid, [1932]. G. CHASE, *M. de U. y su
poesía,* en Cer, 1931, núm. 5-6, p. 14-15. H. DANIEL-ROPS, *Carte d'Euro-
pe,* Paris, 1928, p. 121-161. E. DÍEZ-CANEDO, *Retratos españoles; Don
M. de U.,* en Cer, 1932, VII, núm. 2, 16-17; RepAm, 7 mayo 1932; Sobre
El otro, en Sol, 15 dic. 1932. L. ECHÁVARRI, *U. y América,* en CVen,
1930, XLI, 239-252. [E. GÓMEZ DE BAQUERO] ANDRENIO, *U., poeta,* en *Pen
Club,* I: *Los poetas,* Madrid, [1929], p. 129-141. R. GÓMEZ DE ORTEGA,
Don M. de U. y su ensayo «El sepulcro de Don Quijote», en BSS, 1923,
I, 43-48. [J. GUILLÉN], VILLA-PEDRO, *La poesía española* en 1923, en Lib.,
16 en. 1924. E. HOLT, *Contemporari foreign writers,* en TBLondon.
1931, LXXX, 158-159. J. IZQUIERDO ORTEGA, *M. de U.,* Cuenca, 1932.
J. R. JIMÉNEZ, *Diario vital y estético,* de *«Retratos y caricaturas sentimentales de españoles variados»,* en Esp., 5 en. 1924. E. LEVI, *Il romanzo
d'un filosofo: «Nebbia» di M. de U.,* en NAnt, 1921, CCXI, 332-339.

M. Llinás Vilanova, *U. o el agonismo trágico,* en Nos, 1931, LXXI, 125-133. A. Machado, Sobre *Contra esto y aquello,* en L, 1913, año XIII, t. II, 260-265. E. L. Marshall, *U. y el sentimiento de la inmortalidad,* en A, 1924, I, núm. 1, 6-22. F. de Onís, *U., maestro,* en *Ensayos sobre el sentido de la cultura española,* Madrid, 1932, p. 38-45. G. Papini, *M. de U.,* en *Ritratti stranieri,* Firenze, 1932, p. 63-75. H. of Penrith, *Of pedagogues and pedants,* en Spec, 1930, CXLV, 487-488. Q. Pérez, Sobre *El otro,* en RyF, 1934, CIV, 310-329. R. Pérez de Ayala, *Ideas de U.,* sobre *el teatro,* en Sol, 3 y 10 marzo 1918. A. Reyes, *U., dibujanjante,* en RR, 16 dic. 1923; *Reloj de sol,* 5.ª serie, Madrid, 1926, p. 59-62. P. Robinson, *Literature and the new Spain,* en NCe, 1933, CXIV, 236-246. H. Sée, *L'europeanisme de M. de U. et sa conception de l'histoire,* en GR, 1931, CXXXV, 119-126. W. F. Starkie, *A modern Don Quixote,* en RIP, 1929, XVI, 87-110; *Teatro de U.,* en IL, 1933, II, núm. 1, 5-9. L. J. Walker, *A Spanish humanist,* en DubR, 1922, CLXXII, 32-43.

Francisco Villaespesa. — Bibliografía. — **Poesía:** *Mis mejores versos,* Madrid, 1911. **Otras obras:** *La ciudad de los ópalos.* Novela. México, 1918. **Estudios:** E. G. González, *Presentación del poeta,* en CVen, 1920, año II, t. IV, 275-276.

Manuel Machado. — Bibliografía. — **Otras obras:** *La prima Fernanda,* comedia, Madrid, 1931 [en colab. con Antonio Machado]. **Estudios:** E. Díez-Canedo, Sobre *Juan de Mañara,* en Sol, 18 marzo 1927.

Antonio Machado. — Actualmente es catedrático en Madrid. — Bibliografía. — **Poesía:** *Cancionero apócrifo (Abel Martín), Las complementarias, Recuerdos de sueños, fiebre y duermivela,* en ROcc, 1931, XXXIV, 121-132. *Poesías completas (1899-1930),* 3.ª ed., Madrid, 1933. **Estudios:** B. Jarnés, *La poesía de A. M.,* en Nac, 28 enero 1934. J. R. Jiménez, *A. M.,* en Esp, 5 enero 1924. E. Levi, *La poesía de A. M.,* en *Motivos hispánicos,* Florencia, 1933, p. 123-132. L. Panero Torbado, *A. M. en la lejanía,* en Sol, 11 oct. 1931. A. Serrano Plaja, *A. M. y el comunismo,* en RepAm, 23 junio 1934. F. Valdés, *Paralelo soriano,* en *Letras,* Madrid, 1933, p. 177-190.

Eduardo Marquina. — Bibliografía. — **Otras obras:** *Almas de mujer,* novelas, Madrid, 1923. *Fuente escondida,* drama, 1931. *Era una vez en Bagdad,* drama, 1932. *Los Julianes,* drama, 1932. *Teresa de Jesús,* drama, 1933. **Estudios:** M. R. Adler, *Una obra de M. y su genial interpretación* [*Teresa de Jesús*], en CritBA, 1934, núm. 320, 368-369. E. Díez Canedo, Sobre *Los Julianes,* en Sol, 14 mayo 1932; Sobre *Teresa de Jesús,* en Sol, 26 nov. 1932. C. Eguía Ruiz, *Tradición y evolución* *en el teatro de M.,* en RyF, 1931, XCVI, 281-290; XCVII, 336-347; 1932, XCVIII, 349-360; XCIX, 78-89. A. Lázaro, *El día de E. M.,* en ABC, 18 enero 1931. Q. Pérez, Sobre *Teresa de Jesús,* en RyF, 1934, CIV, 310-329.

Ramón Pérez de Ayala. — Bibliografía.— **Otras obras:** *Belarmino y Apolonio,* [trad. ital. por A. Marcori, Torino, 1931]. *Bajo el signo de Artemisa,* Madrid, [1925]. *Tigre Juan,* [trad. ingl. por W. Starkie, London, 1933]. *Selections,* ed. with introd., notes and vocab. by N. B. Adams and. S. A. Stoudemire, New York, [1934]. **Estudios:** M. Carayon, Sobre *Bajo el signo de Artemisa,* en BHi, 1925, XXV, 283-285. F. Codman, Sobre *Tiger Juan,* en NaNY, 1933, CXXXVII, 602. E. R. Curtius, *R. P. de A.,* en Liter, 1931-1932, XXXIV, 11-16. R. Church, Sobre *Tiger Juan,* en Na London, 1933, V, 108-110. R. C. Gillespie, *R. P. de A., precursor literario de la revolución,* en HispCal, 1932, XV, 215-222. N. González Ruiz, *La obra literaria de don R. P. de A.,* en BSS, 1932, IX, 24-30. B. Jarnés, *Los tres Ramones,* en Proa, 1924, I, núm. 5, 3-9.

Ramón del Valle-Inclán. — Ha sido nombrado director de la Escuela española de Roma. — Bibliografía. — **Otras obras:** *Sonates de printemps, et d'eté,* trad. por Giorget, Paris 1924. *Memoires aimables du Marqués de Bradomín,* [las cuatro sonatas], trad. por Ch. Barthez, Paris, s. a. *Memorias del Marqués de Bradomín,* [las sonatas], Madrid, 1933. *Tablado de marionetas para educación de príncipes,* 1926. **Estudios:** J. A. Balseiro, *V.-I., la novela y la política,* en HispCal, 1932, XV, 437-464. C. Beals, *V.-I. in the café,* en TB, 1930, LXXII, 257-262. J. Casares, *Crítica profana,* Madrid, 1931. C. de Castro, *V.-I., o el vanguardia,* en *Vidas fértiles,* Madrid, 1932, p. 275-282. E. Díez Canedo, Sobre *El embrujado,* drama, en Sol, 12 nov. 1931. B. Jarnés, *Los tres Ramones,* en Proa, 1924, I, núm. 5, 3-9. J. Millé y Jiménez, *V.-I. y el milagro del monje de Heisterbach,* en RyC, 1933, XXIII, 235-249. A. Reyes, *Las fuentes de V.-I.,* en Social, 1922, VII, 14-18; *Los dos caminos,* Madrid, 1923. E. Velázquez Bringas, *R. del V.-I.,* en *Pensadores y artistas,* México, 1922, p. 9-13.

2. Poetas americanos.

Guillermo Valencia. — Bibliografía. — **Poesía:** *Poesías,* Bogotá, s. a. *Alma Mater,* Popayán, 1916. **Otras obras:** *Don Joaquín Mosquera,* Popayán, [1893]. *Oraciones panegíricas,* Bogotá, 1915. *Discursos,* 1915. *Cuaderno de notas,* México, [1928]. **Estudios:** E. Díez-Canedo, *El poeta-presidente,* en Sol, 30 dic. 1917. A. Ortiz Vargas, *G. V., Colom-*

bia's master poet, en PLore, 1930, XLI, 419-423. F. DE LA VEGA, *Tres poetas de Colombia,* en Cromos, 1922, XIV, 129-132.

Ricardo Jaimes Freyre. — Murió en Buenos Aires, en 1933. — BIBLIOGRAFÍA. — **Estudios:** E. M. BARREDA, *R. J. F. (Un maestro del simbolismo),* en Nos., 1933, LXXVIII, 285-290. F. DÍEZ DE MEDINA, *Los hombres como símbolos: R. J. F.,* en RepAm, 12 agosto 1933; *R. J. F.: su fallecimiento,* en Nac, 25 abril 1933. *R. J. F. falleció en esta capital,* en PrBA, 25 abril 1933. J. B. TERÁN, *R. J. F.,* en Nos, 1933, LXXVII, 280-284; RepAm, 12 agosto 1933. A. TORRES RIOSECO, *R. J. F. (1870-1933),* en HispCal, 1933, XVI, 389-398.

Leopoldo Lugones. — BIBLIOGRAFÍA. — **Estudios:** J. G. ANTUÑA, *L. L.,* en *Litterae,* Paris, 1926, p. 9-12. J. L. BORGES, Sobre *Romancero,* en In, 1926, II, núm. 9, 207-208. J. JIMÉNEZ RUEDA, *L. L., El último renacentista,* en *Bajo la Cruz del Sur,* México, p. 37-45. E. MOLINA, *La ideología del señor L. de L.,* en A, 1925, II, núm. 3, 287-300. A. ORTIZ VARGAS, *The poetry of L. L.,* en BPAU, dic. 1931. B. SANÍN CANO, *Kodak argentino,* en Nac, 12 junio 1927.

Amado Nervo. — BIBLIOGRAFÍA. — **Poesía:** *Místicas,* México, 1898. *La última vanidad,* [prosa y verso], pról. de F. Gamboa, México, 1919. *Mis mejores poemas,* Montevideo, 1919. *Poemas escogidos,* México, Lectura selecta, 1919. *Poemas selectos,* escog. y prol. por Enrique González Martínez, México, Cultura, 1919. **Estudios:** L. AMBRUZZI, *A. N. e l'ispanoamericanismo,* en Conv, 1931, III, 510-519. S. ARGÜELLO, *A. N.: el misticismo y el amor,* en BBNGuat, 1933, I, 128-131, 171-177. J. I. ARMIDA, *A. N.,* en EyACVL, 1933, VII, núm. 78, 65-66. J. R. AVILÉS, *A. N. y Gabriela Mistral,* en ChMag, nov. 1922, p. 144 y s. C. BEALS, *A poet of Mexico,* en SRL, 1930, VII, 57. R. DE CARVALHO, *«Cobardia»,* de *A. N. contra os traductores brasileiros,* en Monterrey, julio 1931, núm. 5. E. COLÍN, *Verbo selecto: crítica hispanoamericana,* México, 1922. *Cómo murió A. N.,* en CVen, 1920, año II, t. III, 265-267. H. D. DISSELHOFF, *Die Landschaft in der mexikanischen Lyrik,* Halle, 1931, p. 67-73. J. JIMÉNEZ RUEDA, *El sarcófago de A. N.,* en *Bajo la Cruz del Sur,* México, p. 61-66. A. MENDIOROZ, *A. N.,* en CVen, 1920, año II, t. III, 231-238. F. MONTERDE, *A. N.,* México, 1933. J. DE J. NÚÑEZ Y DOMÍNGUEZ, *Aspectos literarios de A. N.,* México, 1929. F. M. DE OLAGUÍBEL, *Un amor de A. N.,* PrTex, 18 junio 1922. H. ROSALES, *A. N., la Peralta y Rosas,* México, 1926. J. L. SUÁREZ, *N., diplomático,* en RAHispAm, 1919, I, 241-246. R. N. THOMPSON, *The poetry of a diplomat,* en MLJ, 1934; *Universidad Nacional de México, A. N.: homenaje a la memoria del poeta,* México, 1919. L. G. URBINA, *Hombres y libros,* México, [1923], p. 101-114. E. O. ZAPIOLA, *A. N.: su vida, su calvario y su muerte,* La

Plata, 1931. J. ZAVALA, *Los primeros pasos de N.*, en RepAm, 6 mayo 1933.

Luis G. Urbina. — BIBLIOGRAFÍA. — **Estudios:** [M. CARPIO], JUAN DE LINZA, *L. G. U.*, en Crónica, 1907, año I, núm. 2. E. COLÍN, *Verbo selecto: crítica hispanoamericana*, México, 1922. H. D. DISSELHOFF, *Die Landschaft in der mexikanischen Lyrik*, Halle, 1931, p. 63-67. C. GONZÁLEZ PEÑA, Sobre *Hombres y libros*, en Universal, 14 junio 1923. L. LEÓN DOMÍNGUEZ, *U.*, en CerM, 1917, núm. 7, 169-180. A. MELIÁN LAFINUR, *Figuras americanas*, París, [1926], p. 161-166; *Para una bibliografía de L. G. U.*, en LyP, 1931, IX, núm. 2, p. 22.

José Santos Chocano. — BIBLIOGRAFÍA. — **Poesía:** *Nuevos poemas*, en NAm, dic. 1922 [suplemento]. **Otras obras:** *El libro de mi proceso*, Madrid, 1931. **Estudios:** M. L. AMUNÁTEGUI REYES, *La misión de don J. S. Ch. en Guatemala*, en *Críticas y Charlas*, Santiago de Chile, 1902, p. 107-113. E. AVILÉS RAMÍREZ, *La tierra de los virreyes: el último libro de S. Ch.*, en Fi, 1922, XXXIX, 492-493. L. MUÑOZ MARÍN, *The song maker of a continent*, en AmM, marzo 1925. G. PILLEMENT, *Le souvenirs de J. S. Ch.*, en RAmL, 1931, XXI, 124. SYLVIO JULIO, *A poesia representativa de J. S. Ch.*, en *Páginas iberoamericanistas*, Río de Janeiro, 1923, p. 29-47.

Rufino Blanco-Fombona. — BIBLIOGRAFÍA. — **Otras obras:** *Contes américains*, Paris, 1903. *Más allá de los horizontes*, [trad. franc. de F. Raisin, Paris, 1908]. *El hombre de hierro*, [trad. ital. de G. Beccari, Perugia, 1930]. *El hombre de oro*, [trad. ital. de G. de Medici y M. Puccini, Foligno, 1923; trad. sueca de A. Akerlund, Stockholm, 1930; trad. rusa de D. Vigodsky, Moscow, 1932]. *El conquistador español del siglo XVI*, [trad. ital. de G. de Medici, Torino, 1926]. *El modernismo y los poetas modernistas*, Madrid, 1929. *Motivos y letras de España*, 1930. *La bella y la fiera*, novela, 1931. *Camino de imperfección: diario de mi vida, 1906-1914*, [1933]. *El secreto de la felicidad*, novela, 1934. **Estudios:** R. ADLER, *B.-F., a través del «Diario de mi vida»*, en Cer, 1931, núm. 1, 26-27. E. DÍEZ-CANEDO, *Americanismo y novela*, [sobre *La bella y la fiera*], en Sol, 18 oct. 1931. M. GAHISTO, *Figures sudaméricaines*, Paris, 1933. V. GARCÍA MARTÍ, *Un libro de B.-F.* [*Camino de imperfección*], en Voz, 14 marzo 1933; RepAm, 27 mayo 1933. A. GONZÁLEZ BLANCO, *R. B.-F. (Fragmento de un estudio)*, en RevChil, 1918, IV, 83-91. C. R. MONTICONE, *R. B.-F.: the man and his works*, Pittsburgh, Pennsylvania, 1931. J. E. O'LEARY, *B.-F., gobernador de Almería*, en RABA, 1933, XLVII, 138-142. E. SUÁREZ CALIMANO, *21 ensayos*, Buenos Aires, 1926; *Venezuelan politics in fiction*; [sobre *La máscara heroica*], en NYT, 22 julio 1923.

José Juan Tablada.— BIBLIOGRAFÍA. — **Poesía:** *Antología poética,*
pról. de J. M. González de Mendoza, París, [1932]. **Estudios:** M. ARCE
Los haikais, enPrTex, 24 julio 1922. ARQUELES VELA, *La nueva lírica*
de J. J. T., en Universal 1922, VI, 19. J. M. GONZÁLEZ MENDOZA, *Uni-*
versalidad de la poesía de J. J. T., en LyP, 1932, X, núm. 7, 19-22.
L. G. URBINA, *Hombres y libros,* México, [1923], p. 197-204. T. WALSH,
J. J. T., en RR, 1923, XIV.

Julio Herrera y Reissig.—BIBLIOGRAFÍA. — **Estudios:** J. G. ANTUÑA,
La calle del poeta, en *Litterae,* París, 1926, p. 201-206; *Rubén Darío y*
J. H. y R., en *Litterae,* París, 1926, p. 243-247. G. FIGUEIRA, *J. H. y R.,*
en *La sombra de la estatua,* Buenos Aires, 1923, p. 49-61. A. NÚÑEZ
OLANO, *Las pascuas del tiempo,* en NAm, 1922, VI, 394-400. Y. PINO
SAAVEDRA, *La poesía de J. H. y R.: sus temas y su estilo,* Santiago de
Chile, 1932 [cf. J. M. CORRAL, en RCChile, 1933, XXXIII, 487-488].

Enrique González Martínez.—BIBLIOGRAFÍA. — **Poesía:** *Las mejores*
poesías, Barcelona, Cervantes, s. a. *Poemas selectos,* pról. de V. García
Calderón, París, s. a. *Poemas escogidos,* est. de M. Toussaint, Barcelona, s. a. **Otras obras:** *Algunos aspectos de la lírica mexicana,* discurso,
México, 1932. **Estudios:** ANDRENIO [E. GÓMEZ DE BAQUERO], *Pen*
Club, I: *Los poetas,* Madrid, [1929], p. 279-283. C. E. ARROYO, *E. G. M.,*
en LyP, 1932, X, núm. 7, 30-32. R. AVRETT, *E. G. M., philosopher and*
mystic, en HispCal, 1931, XIV, 183-192. E. DÍEZ-CANEDO, *Profunda-*
mente humano [sobre *Poesía, 1909-1929*], en Sol, 24 mayo 1931. H.-D. DIS-
SELHOFF, *Die Landschaft in der mexikanischen Lyrik,* Halle, 1931, p. 73-77.
FERNÁNDEZ MACGREGOR, *E. G. M.,* en LyP, 1933, XI, 87-89. J. TORRES
BODET, *El último libro de un gran poeta* [sobre *El romero alucinado*], en
Falange, agosto 1923, 280-283; *La obra de E. G. M.,* en A, 1925, II, nú-
mero 3, 246-253. E. UHTHOFF, *El día de E. G. M.,* en ABC, 26 abril 1931.

3. POETAS REGIONALES.

Vicente Medina.—En 1932 regresó a España y recibió muchas pruebas de afecto. En el Ateneo de Madrid dió tres veladas poéticas el 13 de
febrero, 23 de abril y 17 de diciembre, en las que leyó poesías nuevas;
en la primera fué presentado por Unamuno. — BIBLIOGRAFÍA. —**Poesía:**
Belén de pastores: villancicos y milagros, Madrid, 1932.

José María Gabriel y Galán. — BIBLIOGRAFÍA. — **Poesía:** *Cuentos y*
poesías, Córdoba, [1931]. *Obras completas,* Madrid, 1931. *Poesías,* selec.
para lecturas en las escuelas, 1932. **Estudios:** *¿Quién colaboró con G.*
y G.: historia de una poesía o una poesía de historia, en RCEE, 1932,
VI, 113-124.

«El viejo Pancho.» — BIBLIOGRAFÍA. — **Estudios:** J. C. SABAT PEBET, *El cantor del Tala: monografía y crítica de don J. A. y T., «El V. P.»,* Montevideo, 1929.

IV. — JUAN RAMÓN JIMÉNEZ

BIBLIOGRAFÍA. — **Obras:** *Platero y yo,* Madrid, 1933. *Varias obras* [ed. J. Guerrero Ruiz], 1934. **Estudios:** *Homenaje a J. R. J.,* en *Frente literario,* Madrid, año I, núm. 3, 5 mayo 1934. A. REYES, *J. R. y la Antología,* en Social, 1923, VIII, 19. F. VALDÉS, *Motivos sobre J. R.,* en *Letras,* Madrid, 1933, p. 67-82.

V. — POSTMODERNISMO

1. MODERNISMO REFRENADO.

Manuel Magallanes Moure. — BIBLIOGRAFÍA. — **Estudios:** R. SILVA CASTRO, *Una hora con Pedro Prado,* en RepAm, 1926, XIII, núm. 20, página 312. D. DE LA VEGA, *Entrevistas literarias,* en ZZ, 15 feb. 1913.

Luis Felipe Contardo. — BIBLIOGRAFÍA. — **Estudios:** F. DONOSO, Sobre *Cantos del camino,* en RCChile, 1918, XXXV, 855 y s. R. A. LATCHAM, *Don L. F. C.,* en RCChile, 1922, XLVII, 625 y s. M. LATORRE, *La muerte del poeta,* en ChMag, marzo 1922, p. 293.

Pedro Prado. — **Estudios:** ALONE [H. DÍAZ ARRIETA], *Crónica literaria,* [sobre *Alsino*], en PMag, 1920, II, p. 389. V. M. CARRIÓ, *Del Plata al Pacífico,* La Paz, 1919. A. DONOSO, *G. P.,* en Nos, 1916, núm. 84, 22-54. N. PINILLA, *Dos escolios a P. P.,* en A, 1933, X, núm. 99, 111-116.

Max Jara. — BIBLIOGRAFÍA. — **Estudios:** F. NIETO DEL RÍO, *Crónicas literarias,* Santiago de Chile, 1912. D. DE LA VEGA, *Entrevistas literarias,* en ZZ, 22 marzo 1913.

Carlos Mondaca. — BIBLIOGRAFÍA. — **Estudios:** D. DE LA VEGA, *Entrevistas literarias,* en ZZ, 15 marzo 1913.

Rafael Alberto Arrieta. — BIBLIOGRAFÍA. — **Otras obras:** *Bibliópolis,* Buenos Aires, 1933. **Estudios:** J. N., Sobre *Las hermanas tutelares,* en Nos, 1923, XLV, 230.

Alberto Ureta. — Nació en Ica en 1887. Estudió en el Colegio Nacional de San Luis Gonzaga, de Ica, y en la Universidad de San Marcos, de

Lima, donde se graduó de Doctor en Letras y en Derecho. Desde 1916 fué profesor de literatura en el Colegio Nacional de Nuestra Señora de Guadalupe, y desde 1919 catedrático de Historia de la literatura moderna de la Universidad de San Marcos. En 1930 fué nombrado decano de la Facultad de Letras. Es secretario del Ateneo de Lima, y ha sido director del *Mercurio peruano* y de la *Nueva revista peruana.*—BIBLIOGRAFÍA.—**Poesías:** *Poemas,* Lima, 1924. *Las tiendas del desierto,* 1933. **Otras obras:** *El parnaso y el simbolismo,* Lima, 1915. *La desolación romántica y Alfredo de Vigny,* Buenos Aires, 1925. **Estudios:** J. DEL MORO, *A. U. y su último libro: «Las tiendas del desierto»,* en RABA, 1934, XLIX, 105-108.

Carlos Préndez Saldías. — BIBLIOGRAFÍA.—**Estudios:** L. D. CRUZ OCAMPO, Sobre *Amaneció nevando,* en A, 1924, I, núm. 7, 164-166. R. A. LATCHAM, Sobre *Amaneció nevando,* en RCChile, 1924, XLVII, 619 y s. F. SANTIVÁN, Sobre *Cielo extranjero,* en A, 1930, VII, 714-718. P. SOTILLO, *Vistos desde afuera: C. P. S.,* en A, 1926, III, núm. 9, 363-365. A. VALDÉS A., Sobre *Las mejores poesías,* en A, 1930, VII, 92-95.

González Carballo. — BIBLIOGRAFÍA. — **Poesía:** *Cantados,* Buenos Aires, 1933. **Estudios:** A. CORTINA, Sobre *Cantados,* en Nos, 1934, LXXXI, 116-117.

Francisco López Merino. — BIBLIOGRAFÍA. — **Estudios:** E. SUÁREZ CALIMANO, *21 ensayos,* Buenos Aires, 1926.

2. REACCIÓN HACIA LA TRADICIÓN CLÁSICA.

Enrique de Mesa. — El 23 de julio de 1933 se celebró en la Cartuja del Paular la ceremonia del descubrimiento de una lápida de bronce en su memoria.

Ernesto A. Guzmán.—BIBLIOGRAFÍA. — **Estudios:** R. MEZA FUENTES, *La poesía de E. G.,* en A, 1929, VI, núm. 59, 410-432.

«Cornelio Hispano.»—BIBLIOGRAFÍA.—**Otras obras:** *Bolívar, íntimo,* Madrid, 1914 *En el valle del Cauca,* Bogotá, 1921. *Crónicas de Bretaña,* San José, C. R., 1926.

Alfonso Reyes.—BIBLIOGRAFÍA.—**Poesía:** *Romances del Río de Enero,* Maestrich (Holanda), 1933. *A la memoria de Ricardo Güiraldes,* Río de Janeiro, 1934. **Otras obras:** *La caída (Exégesis en marfil),* Río de Janeiro, 1933. **Estudios:** *Bibliografía de A. R.,* en LyP, 1924, III, números 7-9, p. 178. J. M. CHACÓN CALVO, *A. R.,* en Fi, XXXIX, 685-686. E. MALLEA, Sobre *Horas de Burgos,* en Nos, 1933, LXXVIII, 240-242.

F. Monterde, *Notas sobre A. R.*, en LyP, 1932, X, núm. 5, 17-19. H. Pérez Martínez, Sobre *Romance del Río de Enero,* en LyP, 1933, XI, 230-232. M. Picón Salas, *Salutación a A. R.,* en A, 1933, X, núm. 101, 582-584. S. L. M. Rosenberg, Sobre *Tren de ondas,* en MLJ, 1934, XVIII, 418-419. A. Salazar, Sobre *Tren de ondas,* en LyP, 1933, XI, 133-136. A. Sánchez, *La prodigiosa laboriosidad de A. R.,* en CP, 1934, I, 132-133. R. Silva Castro, *Notas sobre A. R.,* en LyP, 1923, XI, 371-378. X. Villaurrutia, Sobre *Huellas,* en Falange, julio 1923, 248-249.

Salvador de Madariaga. — Bibliografía. — **Otras obras:** *Inglesi francesi, spagnoli,* trad. de A. Schiavi, Bari, 1933. *Discursos internacionales,* Madrid, 1934. **Estudios:** Andrenio [E. Gómez de Baquero], *S. de M., crítico,* en Sol, 9 enero 1923. S. McKee-Rosen, Sobre *Englishmen, Frenchmen, Spaniards,* en AJS, 1933, XXXVIII, 646-647. R. Silva Castro, Sobre *Ingleses, franceses, españoles,* en A, 1929, VI, núm. 56, 118-119.

3. Reacción hacia el romanticismo.

Miguel Ángel Osorio. – Bibliografía. — **Poesía:** *Conciones y elegías,* edición de homenaje al poeta, México, 1933. **Otras obras:** *El terremoto de San Salvador: narración de un sobreviviente,* El Salvador, 1917.

Ricardo Rojas. — Bibliografía. — **Otras obras:** *El santo de la espada: vida de San Martín,* Buenos Aires, 1933. *Don Juan Zorrilla de San Martín,* 1933. **Estudios:** P. Fariña Núñez, Sobre *El santo de la espada,* en Nos, 1933, LXXIX, 203-205. J. Jiménez Rueda, *Don R. R., poeta y maestro* en *Bajo la Cruz del Sur,* México, p. 87-92.

Victor Domingo Silva. — Bibliografía. — **Estudios:** M. Correa Pastene, *V. D. S.: La pampa trágica,* en RevChil, 1921, XII, 329-330. D. de la Vega, *Entrevistas literarias,* en ZZ, 30 nov. 1912.

Roberto Brenes Mesén. — Bibliografía. — **Otras obras:** *Lázaro de Betania,* San José, C. R., 1933.

Luis Lloréns Torres. — Bibliografía. — **Estudios:** A. S. Pedreira & C. Meléndez, *L. Ll. T.: el poeta de Puerto Rico,* en RBC, 1933, XXXI, 330-352.

Arturo Capdevila. — Bibliografía. — **Otras obras:** *Branca d'Oria: escenas de este mundo y del otro,* Buenos Aires, [1933]. *La santa furia del padre Castañeda,* Madrid, 1933. *Tierra mía,* 1934. **Estudios:** P. Fariña Núñez, Sobre *La santa furia del padre Castañeda,* en Nos,

1933, LXXIX, 101-102. M. García Hernández, *El poeta A. C.,* en NDC, 18 feb. 1924.

Jorge Hübner. — Bibliografía. — **Estudios :** A. Martínez Mutis, *Nuestros poetas: Jorge Hübner Bezanillas,* en RCChile, 1921, XL, 461 y s.

Ángel Cruchaga Santa María. — Bibliografía. — **Poesía:** *Job,* 2.ª ed., Santiago de Chile, 1933. *Afán del corazón,* 1933.   **Estudios :** F. D. G., Sobre *Job,* en RCChile, 1922, XLII, 709 y s. P. Neruda, *Introducción a la poética de A. C.,* en A, 1931, VIII, núms. 75-76, p. 82 y s.

Carlos Sabat Ercasty. — Bibliografía. — **Estudios:** X. Sorondo, *C. S. E.,* en RR, 13 enero 1923, 36.

4. Reacción hacia el prosaísmo sentimental.

José del Río Sáinz. — Bibliografía. — **Otras obras:** *Aire de la calle* [artículos], Santander, 1934.

Emilio Frugoni. — Bibliografía. — **Otras obras:** *La revolución del machete: panorama político del Uruguay,* Buenos Aires, 1933.

José Eustasio Rivera. — Bibliografía. — **Otras obras:** *La vorágine* [trad. franc. por G. Pillement, Paris, 1934].   **Estudios:** C. A. Cingria, Sobre *La vorágine,* trad. franc., en NRFr, 1934, XLII, 719-722. R. Maya, *De Silva a Rivera,* Bogotá, 1929.

5. Reacción hacia la ironía sentimental.

Luis Carlos López.—Bibliografía.—**Estudios:** E. Naranjo, *Cuestión de opiniones,* en RepAm, 29 abril 1933.

Rafael Arévalo Martínez. — Bibliografía. — **Otras obras:** *La signatura de la esfinge,* Guatemala, 1933.   **Estudios:** D. Bórquez, Sobre *Las rosas de Engaddi,* en RR, 1 julio 1923. E. Quintana, Sobre *La signatura de la esfinge,* en BBNGvat, 1933, I, 214-219. S. Rosales, *R. A. M.,* en UnIl, 1923, VI, 45. C. Wyld Ospina, *R. A. M.,* en RR, 1 julio 1923. J. Zavala, Sobre *El señor Monitot,* en RR, 6 mayo 1923.

Fernández Moreno. — Bibliografía. — **Poesía:** *Cuadernillos de verano : Córdoba y sus sierras,* Buenos Aires, 1933.

Ezequiel Martínez Estrada. — Bibliografía. — **Otras obras:** *Las rutas de Trapalanda,* Buenos Aires, [1933]. *Radiografía de la Pampa,* 1933.

6. Poesía femenina.

María Enriqueta. — Bibliografía. — **Poesía:** *Antología general de sus versos,* México, 1920, [en *Parnaso mexicano,* cuad. 1, enero 1920]. *Fantasía y realidad,* Madrid, 1923; [relatos, ensayos y poemas]. **Estudios:** C. González Peña, Sobre *Rumores de mi huerto,* en Universal, 29 marzo 1923. J. B. Iguíñiz, *Bibliografía de novelistas mexicanos,* México, 1926, p. 49-52. G. Roger, *M. E.,* en MuMex, 10 abril 1923. V. Salado Álvarez, Sobre *El secreto,* en PrTex, 30 junio 1922.

Gabriela Mistral. — Bibliografía. — **Poesía:** *Rondas de niños,* música de J. M. Morales, México, 1923. **Estudios:** J. R. Avilés, *Amado Nervo y G. M.,* en ChMag, nov. 1922, p. 144 y s. E. Colín, *G. M.,* en RR, 1923, XIV, 32-33; A, 1925, II, núm. 7, 263-266; LyP, 1933, XI, 59-62. E. Díez-Canedo, *G. M.,* en Esp, 1922, VIII, 14. V. Figueroa, *La divina Gabriela,* Santiago de Chile, 1933, [cf. P. Guillén, en Lyp, 1934, XII, 94-96]. A. Ortiz Vargas, *G. M.,* en Send, 1934, I, 88-89. J. Santos Chocano, *Noble gesto de G. M.,* en CVen, 1926, XXIX, 83-87. J. Talanto, *G. M.: su vida desconocida,* en ChMag, julio 1922, p. 9 y s. A. Torres Rioseco, *G. M.,* en NAm, set. 1919, p. 96 y s.; *G. M., la del alma inquieta y sangrante,* en Universal, 30 julio 1922; *G. M. en los Estados Unidos,* en RepAm, 1931, XXIII, p. 131. J. Vasconcelos, *G. M., en México,* en REdN, 1922, XVIII, 123-127. E. Velázquez Bringas, *G. M.,* en *Pensadores y artistas,* México, p. 27-29. A. Venturino, *La niñez y juventud de G. M.,* en RR, 1923, XIV, 32-33.

Alfonsina Storni. — Bibliografía. — **Estudios:** G. Figueira, *A. S.,* en *La sombra de la estatua,* Buenos Aires, 1923. J. Zavala, *A. S.,* en RR, 1923, XIV, 40.

Juana de Ibarbourou. — Bibliografía. — **Estudios:** A. Basave, *La Condesa de Noailles y J. de I.,* en RR, 6 enero 1924, XIV, 39-40. G. Figueira, *J. de I.,* en *La sombra de la estatua,* Buenos Aires, 1923, p. 95-104. E. Higuera, *J. de I.,* en RR, 6 enero 1924, XIV, p. 38. R. H. Valle, Sobre *Raíz salvaje,* en Falange, agosto 1923, 312-313.

VI. — ULTRAMODERNISMO

1. Transición del modernismo al ultraísmo.

a) Poetas americanos.

Ricardo Güiraldes. — Bibliografía. — **Otras obras:** *De un epistolario,* [cartas de R. G. a Valery Larbaud y J. Supervielle], en Sur, 1931, núm. 2, 181-191. **Estudios:** L. Lugones, *«Don Segundo Sombra»* de

R. G., en A, 1933, XXIII, 319-325. P. PILLEPICH, *R. G. e il suo «Don Segundo Sombra»,* en Eroica, núm. 155. D. SAURAT, Sobre *Don Segundo Sombra,* en NRFr, 1934, XLII, 869-871.

Rafael López Velarde. — BIBLIOGRAFÍA. — **Poesía:** *Selección de poemas,* México, 1932. **Estudios:** A. CASTRO LEAL, Sobre *La sangre devota,* en Nacional, 2 febrero 1916. E. COLÍN, *R. L. V.,* en LyP, 1932, X, núm. 8, 15-17. E. FERNÁNDEZ LEDESMA, *R. L. V.,* en NAm, 1922, IV, 129-139. R. LOZANO, *La poesía criolla de R. L.V.,* en Prisma, 1922, 96-110. J. TORRES BODET, *Cercanía de L. V.,* en A, 1931, VIII, núm. 71, 63-79. J. VILLALPANDO, *Un libro integralmente personal* [*El minutero*], en VM, 29 marzo 1916.

Fernán Silva Valdés. — BIBLIOGRAFÍA. — **Estudios:** A. A. CLULOW, *F. S. V.,* en Nos, 1933, LXXVIII, 188-194. M. LEGUIZAMÓN, Sobre *Agua del tiempo,* en CaryCar, enero 1923. T. MANACORDA, Sobre *Agua del tiempo,* en Peg, 1922, VII, 57-60.

Emilio Oribe. — BIBLIOGRAFÍA. — **Poesía:** *Ejercicios:* traducciones, Montevideo, 1933. *Avión en sueños,* 1933.

Oliverio Girondo. — BIBLIOGRAFÍA. — **Estudios:** *El «Espantapájaros»,* de Girondo, en Nos, 1932, LXXVII, 123-124.

Jaime Torres Bodet. — BIBLIOGRAFÍA. — **Otras obras:** *Estrella de día,* novela, Madrid, 1933. **Estudios:** E. COLÍN, J. T. B., en RR, 1923, XIII, 43-44; LyP, 1932, X, 6-12. M. PÉREZ FERRERO, Sobre *Estrella de día,* en LyP, 1934, XII, 79-81.

Rafael Maya. — BIBLIOGRAFÍA. — **Otras obras:** *Alabanzas del hombre y de la tierra,* discursos, Bogotá, 1934. **Estudios:** M. P[icón] S[alas], *Un nuevo gran poeta de Colombia: R. M.,* en A, 1927, IV, núm. 9, 329-334.

Juan Marinello. — BIBLIOGRAFÍA. — **Otras obras:** *Poética: ensayos en entusiasmo,* Madrid, 1933. **Estudios:** E. ABRÉU GÓMEZ, *Carta a don J. M.* [Sobre *Americanismo y cubanismo literarios*], en Crisol, 1933 núm. 57, 164-169.

b) *Poetas españoles.*

José Moreno Villa. — BIBLIOGRAFÍA. — **Poesía:** *Puentes que no acaban,* Madrid, 1933. **Estudios:** E. DÍEZ-CANEDO, *Evoluciones,* en Sol, 5 mayo 1918.

Juan José Domenchina. Nació en Madrid, en 1898. — BIBLIOGRA-

FÍA.—**Poesía:** *Margen,* Madrid, 1933.   **Estudios:** E. Díez-Canedo, Sobre *Margen,* en Sol, 8 enero 1933.

Antonio Espina. — Bibliografía. — **Estudios:** R. Meza Fuentes, Sobre *Luna de copas,* en A, 1929, VI, núm. 59, 503-505.

León Felipe. — Bibliografía. — **Poesía :** *Drop a star,* poema, México, 1933. — **Estudios:** J. Cuesta, Sobre *Drop a star,* en Imagen, set. 1933. C. García París, Sobre *Drop a star,* en PaisH, nov. 1933.

2. Ultraísmo.

a) Poetas españoles.

Pedro Salinas. — Su último libro significa la culminación de su originalidad poética, y debe ser leído como complemento necesario de la selección de sus obras anteriores para darse cabal cuenta del valor actual de este poeta.—Bibliografía.—**Poesía:** *La voz a ti debida,* Madrid, 1933. **Estudios:** J. A. Maravall, *Poesía en deuda con la poesía,* en ROcc, 1934, XLIII, 215-220.   J. M. Quiroga Pla, L. Rosales y L. F. Vivanco, Sobre *La voz a ti debida,* en CyR, 1934, núm. 11, 99-134.

Jorge Guillén. — Bibliografía. — **Estudios:** J. J. Domenchina, *La poesía de J. G.,* en Sol, 2 y 9 julio 1933.

Gerardo Diego. — Bibliografía. — **Poesía:** *Fábula de Equis y Zeda,* México, 1932.   *Poemas adrede, 1926-1931,* México, 1932.   **Estudios:** R. Usigli, *Cuatro poemas exteriores de G. D.* [Sobre *Poemas adrede*], en LyP, 1933, XI, 69-72.   F. Valdés, *Paralelo soriano,* en *Letras,* Madrid, 1933, p. 177-190.

Federico García Lorca. — Ha estado en Buenos Aires con motivo de la representación de *Bodas de sangre,* que alcanzó un éxito de extrema resonancia. — Bibliografía. — **Estudios:** G. Diego, *El teatro musical de F. G. L.,* en Imp, 10 abril 1933; E. A., Sobre *Bodas de sangre,* en HL, marzo 1933, p. 9.   Fernández Almagro, Sobre *Bodas de Sangre,* en Sol, 9 marzo 1933.   O. Ramírez, *El poeta en tres tiempos,* en Nac, 19 nov. 1933; *Bodas de sangre,* en IL, 1933, II, 105-106.

Rafael Alberti. — Bibliografía. — **Poesía:** *Consignas,* Madrid, 1933, **Otras obras:** *La poesía popular en la lírica española contemporánea,* Jena. 1933.

b) Poetas americanos.

Vicente Huidobro. — Bibliografía. — **Otras obras:** *Mirror of a Mage: the story of Cagliostro,* translated by W. B. Wells, New York,

1931. *La próxima: historia que pasó un poco tiempo más*, Santiago de Chile, 1934.   **Estudios:** H. A. HOLMES, *The creationism of V. H.*, en SpR, 1934, I, núm. 1, 9-16; *V. H. and creationism*, New York, 1933.

César Vallejo. — BIBLIOGRAFÍA. — **Otras obras:** *Fabla salvaje*, novela, Lima, 1923.

Pablo Neruda. — BIBLIOGRAFÍA. — **Poesía:** *Residencia en la tierra*, Santiago de Chile, 1933. *El hondero entusiasta*, 1933.   **Estudios:** R. A. LATCHAM, Sobre *Veinte poemas de amor*, en RCChile, 1924, XLVII, 465 y s. M. PETIT, *P. N.*, en A, 1933, X, núm. 99, 99-105.

Jorge Carrera Andrade. — BIBLIOGRAFÍA. — **Otras obras:** *Cartas de un emigrado*, Quito, 1933. *Latitudes (Viajes, hombres, lecturas)*, 1934. **Estudios:** E. ASCOAGA, *J. C. A.*, en RepAm, 25 marzo 1933. G. CASTAÑEDA ARAGÓN, *J. C. A. y «Boletines de mar y tierra»*, en Amer, 1934, IX, núms. 54-55, p. 103-105.

Xavier Villaurrutia. — BIBLIOGRAFÍA. — **Poesía:** *Nocturnos*, México, 1933.

ABREVIATURAS

A — Atenea. Concepción, Chile.
AANALH — Anales de la Academia Nacional de Artes y Letras. Habana.
ABC — ABC. Madrid.
Accion — La Acción. Madrid.
Act — Actualidades. San Salvador.
AJS — The American Journal of Sociology. Chicago.
AL — Arquivo Literario. Lisboa.
Alf — Alfar. Coruña.
AM — Annales du Midi. Toulouse.
Ama — Amauta. Lima.
Amer — América. Quito.
AmM — The American Mercury. New York.
AO — L'Âne d'Or. Montpellier.
Arch — Archipiélago. Santiago de Cuba.
Arg—El Argentino. Buenos Aires.
ASal — Ateneo del Salvador. San Salvador.
ASI — Archivio Storico Italiano. Firenze.
At — Ateneo. Madrid.
Atalaya — La Atalaya. Santander.
Atenea — Atenea. Madrid.
Ath—The Nation and Athenaeum. London.
Athenea — Athenea. San José de Costa Rica.
Atl — Atlántida. Buenos Aires.
AUM — Anales de la Universidad de Madrid (Letras). Madrid.
AVit — Ateneo. Vitoria.
AyL — Arte y Letras. México.

Azul — Azul, Azul Rep. Arg.
BA — Books Abroad. Norman Oklahoma.
BAAL — Boletín de la Academia Argentina de Letras. Buenos Aires.
Babel — Babel. Buenos Aires.
BACord — Boletín de la Academia de Ciencias, Bellas Letras y Nobles Artes de Córdoba. Córdoba.
BAE — Boletín de la Academia Española. Madrid.
BANHab — Boletín del Archivo Nacional. Habana.
Bases — Bases. La Plata.
BBGE — Boletín Bibliográfico del Centro de Intercambio Intelectual Germano-Español. Madrid.
BBL—Boletín Bibliográfico. Lima.
BBMP — Boletín de la Biblioteca Menéndez y Pelayo. Santander.
BBNGuat — Boletín de la Biblioteca Nacional. Guatemala.
BHi — Bulletin Hispanique. Bordeaux.
BibBA — La Biblioteca. Buenos Aires.
Biblos — Biblos. Coimbra.
BIE — Boletín del Instituto de las Españas. Nueva York.
BILE — Boletín de la Institución Libre de Enseñanza. Madrid.
BPAU— Bulletin of the Pan-American Union. Washington.

BSS —Bulletin of Spanish Studies. Liverpool.

BUNMex — Boletín de la Universidad Nacional. México.

BUNT—Boletín de la Universidad Nacional de Tucumán.

BUPan — Boletín de la Unión Panamericana. Washington, D. C.

ByN — Blanco y Negro. Madrid.

CAIn — Centro-América Intelectual. San Salvador.

Cant — El Cantábrico. Santander.

CAr — Colección Ariel. San José de Costa Rica.

Cartel — Cartel. Montevideo.

CaryCar — Caras y Caretas. Buenos Aires.

Cat — La Cataluña. Barcelona.

CBibl — El Consultor Bibliográfico. Barcelona.

CD — La Ciudad de Dios. El Escorial.

CE — El Correo Español. Madrid.

Cer — Cervantes. Habana.

CerM — Cervantes. Madrid.

Chic — Chic. Habana.

CHM—Current History Magazine. New York.

ChMag — Chile Magazine. Santiago de Chile.

CIl — El Cojo Ilustrado. Caracas.

CIBA — Claridad. Buenos Aires.

Colombo — Colombo. Roma.

ComP — Commerce. Paris.

Con — Contemporáneos. México.

Conv — Convivium. Torino.

CorEsp — La Correspondencia de España. Madrid.

Cosmopolis—Cosmópolis. Madrid.

CP — Cuadernos Pedagógicos. Quito.

Cr — La Critica. Napoli.

Crisol — Crisol. México.

CritBA — Criterio. Buenos Aires.

CriterionL — The Criterion. London.

Cromos — Cromos. Bogotá.

Cronica — Crónica. Guadalajara (México).

CT—La Ciencia Tomista. Madrid.

CuC — Cuba Contemporánea. Habana.

CUDA — Cuadernos de la Universidad del Aire. Habana.

CVen — Cultura Venezolana. Caracas.

CyR — Cruz y Raya. Madrid.

D — The Dial. Chicago.

DCA— Diario de Centro América.

DCR — Diario de Costa Rica. San José de Costa Rica.

DE — El Diario Español. Buenos Aires.

Dem — La Democracia. San Juan (Puerto Rico).

DG — El Día Gráfico. Barcelona.

DHF — Das Heilige Feuer. Poderborn.

Dia — El Día. Madrid.

DM — Diario de la Marina. Habana.

Donoso, NP — A. Donoso, *Nuestros poetas,* Santiago de Chile, [1924].

DP — Diario de la Plata. Buenos Aires.

DSS —Don Segundo Sombra. La Plata.

DubR—The Dublin Review. London.

E — Europe. Paris.

Eco — Eco. Madrid.

EcrduN — Les Écrits du Nord. Paris.

EcrN — Les Écrits Nouveaux. Paris.

ED — Estudios de Deusto. Bilbao.

EM—La España Moderna. Madrid.

EN — L'Europe Nouvelle. Paris.

Epoca — La Época. Madrid.

ERen — España Renaciente. Madrid.

Eroica — L'Eroica. Milano.

Esp — España. Madrid.

EspSLI — El Espectador. Suplemento Literario Ilustrado. Bogotá.

Est — Estudios. Panamá.

EstBA — Estudios. Buenos Aires.

Estrada, PNM — G. Estrada, *Poetas nuevos de México*. México, 1916.

Estudio — Estudio. Barcelona.

EyA — España y América. Madrid.

EyAC — España y América. Cádiz.

EyACVL — La Vida Literaria, suplemento a España y América. Cádiz.

Falange — La Falange. México.

Fi — El Fígaro. Habana.

FM — Fray Mocho. Buenos Aires.

For — Forum. New York.

Foro — El Foro. San José de Costa Rica.

FrAmL — France-Amérique Latine. Paris.

GB — Gil Blas. Madrid.

GdL — Guía del Lector. Madrid.

Germinal — Germinal. Cárdenas, Cuba.

Gids — De Gids. Amsterdam.

GLit — La Gaceta Literaria. Madrid.

GPL — Il Giornale di Politica e di Letteratura. Pisa.

GR   La Grande Revue. Paris.

GrafB — El Gráfico. Bogotá.

GRM — Germanisch-Romanische Monatschrift. Heidelberg.

HAHR — The Hispanic American Historical Review. Durham (N. C.).

He — Hermes. Bilbao.

HEl — Habana Elegante. Habana.

HeliosM — Helios. Madrid.

Hisp — Hispania. London.

HispCal — Hispania. Stanford, California.

HispP — Hispania. Paris.

HL — Hoja literaria. Madrid.

HM — El Heraldo. Madrid.

HMex — El Heraldo. México.

Ho — Horizontes. Habana.

Hos — Hostos. San Juan de Puerto Rico.

HR — Hispanic Review. Philadelphia.

Hu — Humanidades. La Plata.

Iberica — Ibérica. Hamburgo.

Id — Ideales. Concepción, Paraguay.

Ideas — Ideas. Buenos Aires.

IEyA — La Ilustración Española y Americana. Madrid.

IL — Índice Literario. Madrid.

Imagen — Imagen. México.

Imp — El Imparcial. Madrid,

IMz — Il Marzocco. Firenze.

In — Inicial. Buenos Aires.

IndPR — Índice. San Juan de Puerto Rico.

Inf — La Información. Santiago de Chile.

InfGuad — El Informador. Guadalajara, México.

Inst — O Instituto. Coimbra.

IntAm — Inter-América. New York.

IyF — Ideas y Figuras. Buenos Aires.

JD — Journal des Débats. Paris.

L — La Lectura. Madrid.

LAg — The Living Age. Boston.

LAr — Letras Argentinas. Buenos Aires.

LCEC — *Lecciones del Curso Inter-*

nacional de Expansión Comercial. Barcelona, 1915.

Let — Letras. Habana.

Letras—Letras. Santiago de Chile.

LGRPh —.Literaturblatt für Germanische und Romanische Philologie. Leipzig.

Lib — La Libertad. Madrid.

Liberal — El Liberal. Murcia.

LitAr — La Literatura Argentina. Buenos Aires.

Liter — Die Literatur. Stuttgart.

Lizaso, PMC — F. Lizaso y J. A. Fernández de Castro, *La poesía moderna en Cuba.* Madrid, 1926.

LMI — Larousse Mensuel Illustré. Paris.

Luchador—El Luchador. Alicante.

LyP — El Libro y el Pueblo. México.

MarF — Martín Fierro. Buenos Aires.

Meg — Megáfono. Buenos Aires.

Merc — El Mercurio. Santiago de Chile.

MF — Le Mercure de France. Paris.

MLForum—The Modern Language Forum. Los Ángeles, California.

MLJ—Modern Language Journal. Menasha, Wisconsin.

MLN — Modern Language Notes. Baltimore.

MM — México Moderno. México.

ModLang — Modern Language. London.

Monterrey — Monterrey, Correo literario de Alfonso Reyes. Río de Janeiro.

MP—El Mercurio Peruano. Lima.

MU — Mundo Uruguayo. Montevideo.

MuI — El Mundo Ilustrado. México.

MuMex — El Mundo. México.

NA — The New Age. London.

Nac — La Nación. Buenos Aires.

NacC — La Nación. Santiago de Chile.

Nacional — El Nacional. México.

NAm — Nuestra América. Buenos Aires.

NaLondon—The Nation. London.

NAnt — Nuova Antologia. Roma.

NaNY — The Nation. New York.

NCe — Nineteenth Century. London.

ND—La Nueva Democracia. New York.

NDC —El Nuevo Diario. Caracas.

NL — Les Nouvelles Littéraires. Paris.

NMerc — Nuevo Mercurio. Paris.

NMex—Nuestro México. México.

Nos — Nosotros. Buenos Aires.

NR — La Nouvelle Revue. Paris.

NRep — The New Republic. New York.

NRFr—Nouvelle Revue Française. Paris.

NRP — Nueva Revista Peruana. Lima.

NRu—Die Neue Rundschau. Berlin.

NSpr — Die Neueren Sprachen. Marburg.

NT — Nuestro tiempo. Madrid.

NTL — El Nuevo Tiempo Literario. Bogotá.

NyD — Noche y Día. Málaga.

NYHT — The New York Herald Tribune. New York.

NYT — The New York Times. New York.

NZZ—Neue Züricher Zeitung. Zurich.

Orien — Orientaciones. Madrid.

Oriente — Oriente. Santiago de Cuba.

Orospeda — Oróspeda. Murcia.

Orto — Orto. Manzanillo (Cuba).

Out — Outlook. New York.

Pais — El País. Madrid.

PaisH — El País. Habana.

PAM — Pan-American Magazine. Panamá.

PCor — La Palabra. Córdoba.

Peg — Pegaso. Montevideo.

PEN — Pen Club de México. México.

Ph — Phoenix. Buenos Aires.

Pl — La Pluma. Madrid.

PLore — Poet Lore. Boston.

PMag — Pacific Magazine. Santiago de Chile.

PMLA — Publications of the Modern Language Association of America. Menasha, Wisconsin.

Poetry — Poetry. Chicago.

Pol — Politechnicum. Murcia.

Port — Portugalia. Lisboa.

Porvenir — El Porvenir. Sevilla.

PrBA — La Prensa. Buenos Aires.

PRI — Puerto Rico Ilustrado. San Juan de Puerto Rico.

Prisma — Prisma. Paris.

PrNY — La Prensa. New York.

PrTex — La Prensa. San Antonio, Texas.

Proa — Proa. Buenos Aires.

Prom — Prometeo. Madrid.

Prov — La Provincia. Huelva.

PTo — Para Todos. San Salvador.

Publ — La Publicidad. Barcelona.

PV — El Pueblo Vasco. Bilbao.

QR—The Quarterly Review. London.

R — La Razón. Buenos Aires.

RA — Revista Azul. México.

RABA — La Revista Americana de Buenos Aires. Buenos Aires.

RAHispAm — Revista del Ateneo Hispano-Americano. Buenos Aires.

RAm — La Revista de América. París.

RAmL—Revue de l'Amérique Latine. Paris.

RAnt—Revista de las Antillas. San Juan de Puerto Rico.

RAv—Revista de Avance. Habana.

RBC — Revista Bimestre Cubana.

RBr — Revista do Brasil. São Pau.

RC — Revue Celtique. Paris.

RCal — Revista Calasancia. Madrid.

RCAm—La Revista de los Camaradas Americanos. Georgetown, Texas.

RCChile — La Revista Católica de Santiago de Chile.

RCEE — Revista del Centro de Estudios Extremeños. Badajoz.

RCHA — Revista Crítica Hispano-Americana. Madrid.

RCHL—Revue Critique d'Histoire et de Littérature. Paris.

RCo — Revista Contemporánea. Cartagena, Colombia.

RCoM — Revista Contemporánea. Madrid.

RCu — Revista Cubana. Habana.

RdE—Revista de las Españas. Madrid.

RdEn — Revista de la Enseñanza. San Salvador.

RdL — Revista de Libros. Madrid.

RDLH — Revista de la Hahana. Habana.

RDM — Revue des Deux Mondes. Paris.

RdO — Revista de Oriente. Santiago de Cuba.

76

RdP — Revue de Paris. Paris.

RE — Revue Européenne. Paris.

REdN—Revista de Educación Nacional. Santiago de Chile.

RELV—Revue de l'Enseignement des Langues Vivantes. Paris.

Ren—Renacimiento. Tegucigalpa, Honduras.

Reno—Renovación. Buenos Aires.

Rep — O Reporter. Lisboa.

RepAm — Repertorio Americano. San José de Costa Rica.

REsp — Raza Española. Madrid.

Ressor — Ressorgiment. Buenos Aires.

REstH — Revista de Estudios Hispánicos. New York.

RevBAM—Revista de la Biblioteca, Archivo y Museo. Madrid.

RevChil — Revista Chilena. Santiago de Chile.

RevN — La Revista Nueva. Panamá.

Revue — La Revue. Paris.

RFE — Revista de Filología Española. Madrid.

RFil — Revista de Filosofía. Buenos Aires.

RFLCHabana — Revista de la Facultad de Letras y Ciencias. Habana.

RFo — Riel y Fomento. Buenos Aires.

RHACLA — Revista Hispanoamericana de Ciencias, Letras y Artes. Madrid.

RHi — Revue Hispanique. Paris-New York.

RHV — Revista Histórica. Valladolid.

RIP — Rice Institute Pamplets. Houston, Texas.

RIt — Rassegna Italiana. Roma.

RJLQuito — Revista de la Socie-

dad Jurídico-Literaria de Quito. Quito.

RLat — Revista Latina. Madrid.

RLComp — Revue de Littérature Comparée. Paris.

RLR — Revue des langues romanes. Montpellier.

RM — Revista Moderna. México.

RMus — Rivista Musicale Italiana.

ROB — La Renaissance d'Occident. Bruxelles.

ROcc — Revista de Occidente. Madrid.

RPLit — La Revue Politique et Littéraire. Paris.

RQ — La Revista Quincenal. Madrid-Barcelona-París.

RR—Revista de Revistas. México.

RRaza — Revista de la Raza. Madrid.

RRQ—The Romanic Review. New York.

RScPo—Revue des Sciencies Politiques. Paris.

RSoc — La Reforma Social. New York.

RUB — Revue de l'Université de Bruxelles. Bruxelles.

RUBA—Revista de la Universidad de Buenos Aires. Buenos Aires.

RUNC—Revista de la Universidad Nacional de Córdoba. Córdoba, Rep. Arg.

RUniv—Revista Universitaria (Universidad Mayor de San Marcos). Lima.

RUnTeg—Revista de la Universidad de Tegucigalpa. Honduras.

RyC — Religión y Cultura. El Escorial.

RyF — Razón y Fe. Madrid.

Sag — Sagitario. La Plata.

SagM — Sagitario. México.

Sarm — Sarmiento. Buenos Aires.

SchSoc— School and Society. Garrison, New York.
Send — Senderos. Bogotá.
Sierra — La Sierra. Lima.
Sig — El Siglo. Montevideo.
Sin — Síntesis. Buenos Aires.
SJ—The Stratford Journal. Boston.
SNac–Suplemento, Magazine y Revista de La Nación. Buenos Aires.
Social — Social. Habana.
Sol — El Sol. Madrid.
Spanien — Spanien. Hamburg.
Spec — Spectator. London.
SpR — The Spanish Review. New York.
SRev—Southwest Review. Dallas, Texas.
SRL — Saturday Review of Literature. New York.
Sur — Sur. Buenos Aires.
SyB — Santafé y Bogotá. Bogotá.
TB — The Bookman. New York.
TBLondon — The Bookman. London.
Tiem — El Tiempo. Bogotá.
Tiempo — El Tiempo. Buenos Aires.
Times—The Literary Supplement of the Times. London.
Tribuna — La Tribuna. New York.
TSDB — El Tiempo, Suplemento Dominical. Bogotá.
U — Ulises. México.
UH — Universidad de la Habana. Habana.

UHA — La Unión Hispano-Americana. Madrid.
UIAm — Unión Ibero-Americana. Madrid.
UM—Universidad de México. México.
UnIl—El Universal Ilustrado. México.
Universal — El Universal. México.
UniversalCar — El Universal. Caracas.
Universi — Universidad. Bogotá.
Val — Valoraciones. La Plata.
Van — La Vanguardia. Barcelona.
VdP — Vie des Peuples. Paris.
Verbum —Verbum. Buenos Aires.
Verdad — La Verdad. Murcia.
VKR — Volkstum und Kultur der Romanen. Hamburg.
VL — La Vida Literaria. Buenos Aires.
VM — Vida Moderna. [México.]
Voz — La Voz. Madrid.
VyP — Verso y Prosa. Murcia.
WL — Wissen und Leben. Leipzig.
Ya — ¡Ya! Buenos Aires.
YBML — The Year Book of Modern Languages. Cambridge.
YR—The Yale Review. New Haven, Connecticut.
ZFEU — Zeitschrift für Französischen und Englischen Unterricht. Berlin.
ZZ — Zig-Zag. Santiago de Chile.

ÍNDICE ALFABÉTICO DE POETAS

Acosta, Agustín, pág. 673.
Agustini, Delmira, 907.
Alberti, Rafael, 1118.
«Almafuerte» (Pedro B. Palacios), 126.
«Alonso Quesada» (Rafael Romero), 876.
Alonso y Trelles, José («El Viejo Pancho»), 558.
Amador, Fernán Félix de, 666.
Arciniegas, Ismael Enrique, 123.
«Arenales, Ricardo» (Miguel Ángel Osorio), 739.
Arévalo Martínez, Rafael, 857.
Arrieta, Rafael Alberto, 659.
Bacarisse, Mauricio, 1044.
Banchs, Enrique, 703.
«Barba-Jacob, Porfirio» (Miguel Ángel Osorio), 739.
Barreda, Ernesto Mario, 833.
Basterra, Ramón de, 1061.
Bernárdez, Francisco Luis, 1006.
Blanco-Fombona, Rufino, 444.
Blómberg, Héctor Pedro, 814.
Borges, Jorge Luis, 1149.
Boti, Regino E., 963.
Brenes Mesén, Roberto, 749.
Brüll, Mariano, 987.
Bufano, Alfredo R., 836.
Camarillo de Pereyra, María Enriqueta, 895.
Camino, León-Felipe, 1056.
Camino, Miguel A., 561.
Casal, Julián del, 64.
Capdevila, Arturo, 754.
Carrera Andrade, Jorge, 1159.

Carrere, Emilio, 827.
Carriego, Evaristo, 820.
Casal, Julio J., 981.
Casero, Antonio, 565.
Contardo, Luis Felipe, 645.
Córdoba Iturburu, 682.
«Cornelio Hispano» (Ismael López), 715.
Cruchaga Santa María, Ángel, 778.
Darío, Rubén, 143.
Díaz, Leopoldo, 119.
Díaz Mirón, Salvador, 54.
Diego, Gerardo, 1094.
Díez-Canedo, Enrique, 625.
Domenchina, Juan José, 1037.
Domingo Silva, Víctor, 747.
Eguren, José María, 959.
Espina, Antonio, 1046.
Estrada, Rafael, 1011.
Fernández Ardavín, Luis, 767.
Fernández Moreno, 864.
Fiallo, Fabio, 137.
Franco, Luis L., 988.
Frugoni, Emilio, 830.
Gabriel y Galán, José María, 544.
Gálvez, José, 657.
García Lorca, Federico, 1101.
García Vela, José, pág. 648.
Gil, Ricardo, 49.
Girondo, Oliverio, 993.
Godoy, Lucila («Gabriela Mistral»), 920.
González, Pedro Antonio, 117.
González Carbalho, 680.
González Martínez, Enrique, 488.

González Prada, Manuel, 3.
Gorostiza, José, 1145.
Guillén, Jorge, 1085.
Guillén, Nicolás, 1025.
Güiraldes, Ricardo, 964.
Gutiérrez Nájera, Manuel, 5.
Guzmán, Ernesto A., 702.
Guzmán Cruchaga, Juan, 672.
Herrera y Reissig, Julio, 469.
Hübner, Jorge, 776.
Huidobro, Vicente, 1127.
Ibarbourou, Juana de, 941.
Ibarzábal, Federico de, 817.
Icaza, Francisco A. de, 111.
Jaimes Freyre, Ricardo, 365.
Jara, Max, 651.
Jiménez, Juan Ramón, 573.
León-Felipe, 1056.
López, Luis Carlos, 851.
López, Ismael («Cornelio Hispano»), 715.
López Merino, Francisco, 683.
López Velarde, Ramón, 967.
Lugones, Leopoldo, 369.
Lloréns Torres, Luis, 752.
Llovet, Juan José, 772.
Machado, Antonio, 258.
Machado, Manuel, 244.
Madariaga, Salvador de, 730.
Magallanes Moure, Manuel, 637.
Marasso, Arturo, 718.
Marechal, Leopoldo, 1166.
Marquina, Eduardo, 292.
María Enriqueta, 895.
Marinello, Juan, 1016.
Martí, José, 34.
Martínez Estrada, Ezequiel, 885.
Maya, Rafael, 1013.
Medina, Vicente, 533.
Méndez, Evar, 665.
Méndez Calzada, Enrique, 890.
Mesa, Enrique de, 689.
«Mistral, Gabriela», 920.
Mondaca, Carlos, 653.

Morales, Tomás, 797.
Moreno Villa, José, 1027.
Nalé Roxlo, Conrado, 1007.
Neruda, Pablo, 1154.
Nervo, Amado, 396.
Obligado, Pedro Miguel, 677.
Oribe, Emilio, 982.
Osorio, Miguel Ángel, 739.
Othón, Manuel José, 29.
Palacios, Pedro B. («Almafuerte»), 126.
Palés Matos, Luis, 1020.
Pellicer Carlos, 1137.
Pérez de Ayala, Ramón, 309.
Pezoa Velis, Carlos, 515.
Pichardo Moya, Felipe, 841.
Poveda, José Manuel, 979.
Prado, Pedro, 649.
Préndez Saldías, Carlos, 670.
«Quesada, Alonso» (Rafael Romero), 876.
Reina, Manuel, 22.
Rey Soto, Antonio, 765.
Reyes, Alfonso, 724.
Río Sáinz, José del, 811.
Rivera, José Eustasio, 837.
Rojas, Ricardo, 743.
Romero, Rafael («Alonso Quesada»), 876.
Rueda, Salvador, 95.
Sabat Ercasty, Carlos, 783.
Salinas, Pedro, 1073.
Santos Chocano, José, 427.
Sienna, Pedro, 881.
Silva, José Asunción, 79.
Silva, Medardo Ángel, 793.
Silva, Víctor Domingo, 747.
Silva Valdés, Fernán, 974.
Storni, Alfonsina, 932.
Tablada, José Juan, 461.
Taborga, Benjamín, 877.
Tallet, José Z., 882.
Tapia, Luis de, 720.
Torres Bodet, Jaime, 995.

Torres Ríoseco, Arturo, 1002.
Unamuno, Miguel de, 203.
Urbina, Luis G., 416.
Ureta, Alberto, 668.
Valencia, Guillermo, 347.
Valle, Rafael Heliodoro, 787.
Valle-Inclán, Ramón del, 322.
Vallejo, César, 1134.
Vasseur, Álvaro Armando, 503.

Vaz Ferreira, María Eugenia, 902.
Vicuña Cifuentes, Julio, 722.
«Viejo Pancho, El» (José Alonso y
  Trelles), 558.
Vighi, Francisco, 1053.
Villaespesa, Francisco, 232.
Villalón, Fernando, 1066.
Villar Buceta, María, 951.
Villaurrutia, Xavier, 1171.